新編高麗史全文

세가8책

충렬왕

目　次

『高麗史』卷二十八 世家卷二十八

忠烈王 1 5

『高麗史』卷二十九 世家卷二十九

忠烈王 2 93

『高麗史』卷三十 世家卷三十

忠烈王 3 181

『高麗史』卷三十一 世家卷三十一

忠烈王 4 273

『高麗史』卷三十二 世家卷三十二

忠烈王 5 359

『高麗史』卷二十八 世家卷二十八

[輔國崇祿大夫·議政府左贊成·知集賢殿經筵春秋館成均事·世子賓客·臣金宗瑞奉敎撰]
正憲大夫·工曹判書·集賢殿大提學·知經筵春秋館事兼成均大司成·臣鄭麟趾奉敎修

忠烈王 一

忠烈·□□~~景孝~~王,1) 諱昛, 古諱諶 又賰. 元宗長子, 母曰順敬太后金氏, 高宗二十三年丙申二月癸丑[26日]生. 四十六年六月, 高宗薨, 元宗以太子入覲于元, 王, 時爲太孫, 受遺詔, 權監國事. 元宗元年八月, 冊爲太子, 十三年~~十二年六月~~如元,2) 十五年□□~~五月~~, 尙元世祖女忽都魯揭里迷失公主.3)

六月癸亥[18日], 元宗薨.

甲子[19日], 百官會于本闕, 遙尊爲王.

戊辰[23日], 吏部員外郞郭希份·郞將曹精通~~曹允通~~, 以善碁, 被帝召如元.4)

[某日, 遣樞密院副使奇蘊·雜織署令李承休如元, 奉表告喪:追加].5)

---

1) 忠烈이라는 시호는 1310년(충선왕2) 7월 20일(乙未) 몽골제국이 내린 것이고, 1357년(공민왕6) 윤9월 22일 景孝라는 시호가 추가되었으나 반영되지 못하였다.

2) 十三年은 十二年의 오자인데, 이는 『고려사』를 편찬할 때 즉위년 칭원법에 의한 『충렬왕실록』을 잘못 축약한 것이다. 또 太子 諶은 1271년(원종12) 6월 7일(己亥) 人質(禿魯花, turqaq 宿衛를 담당한 質子軍)로서 大元蒙古國에 들어갔다.

3) 忽都魯揭里迷失[Qutulug Genmisi]公主는 세가37, 충정왕 즉위년 12월 17일(己卯)에는 忽禿魯憏烈迷實로, 열전23, 李齊賢에는 忽篤憏□[烈]迷思로, 열전46, 禑王1, 2년 10월에는 忽篤憏烈迷思로 달리 표기되어 있다. 한편 『원사』 권109, 表4, 諸公主表, 高麗公主位에는 忽都魯堅迷失로, 『養蒙先生文集』 권1, 封降高麗國王公主制에는 忽都魯揭里來夫로 표기되어 있다(中央圖書館景印舊鈔本 ; 張東翼 1997년 69面).

4) 曹精通은 曹允通의 初名으로 추측된다.

- 열전36, 폐행1, 曹允通, "曹允通, 耽津縣人. 以碁知名, 又善玄鶴琴, 所製別調行於世. 元世祖召, 與南人善碁者試之, 允通輒勝, 帝許乘傳隨意往來. 忠烈時, 遣使召允通, 挈家入朝".

5) 이는 다음의 자료에 의거하였다.

- 『원고려기사』, 본문, 지원 11년, "七月, 高麗國樞密院副使奇蘊, 奉表告王植薨.
- 열전19, 李承休, "… 王[元宗]薨, 又以書狀如元, 告哀, 傳遺命于世子. 承休以爲, 世子爲駙馬, 戎服將事已久, 其服禮章, 勢難自斷. 遂諷世子, 上言本國衣冠典禮始末. 帝命丞相勑曰, 卿旣襲爵爲

[是月頃，東池，魚死浮出，莫知其數:追加].[6)]

秋七月[乙亥朔小盡,壬申]，丙戌[12日]，金方慶帥征東先鋒別抄，啓行.
壬辰[18日]，遣樞密院使朴璆如元，賀聖節.[7)]
[某日，以琴熏爲慶尙道按察使:慶尙道營主題名記].
[是月癸巳[19日]:追加]，元遣同知上都留守事張煥，册世子諶爲王[□□□[~~於上都~~]:追加].[8)]
[癸未[9日]，南宋道宗趙㷂崩，恭帝趙㬎卽位:追加].

八月[甲辰朔大盡,癸酉]，己酉[6日]，元遣日本征討都元帥忽敦[~~忻都~~]來，令加發京軍四百五十八人.[9)]

王，往就國，凡爾祖宗定制，毋或墜失，依舊行之".

6) 이는 다음의 기사에 의거하였다.
- 『고려사절요』 권20, 충렬왕 7년 2월, "庚寅[24日]，龍化院池，魚死浮出，莫知其數. 伍允孚言，甲戌年[元宗15年]，東池有此怪，而元宗晏駕，請王修省".

7) 朴璆는 8월 28일(辛未) 聖誕節을 賀禮하였다.
- 『원사』 권8, 본기8, 세조5, 지원 11년 8월, "辛未，高麗王愖[諱]遣其樞密使朴璆來，賀聖誕節".

8) 이날은 『고려사』에는 날짜[日辰]가 없는데，張煥이 고려에 도착한 것이 아니라 쌍두[上都]에 있던 世子(충렬왕)에게 파견된 것이다. 이달의 기사는 □□[癸巳]，丙戌，壬辰의 順序로 되어 있으나 위와 같이 고쳐야 世家編 記事의 정리 방식에 부합될 것이다.
- 『원사』 권8, 본기8, 세조5, 지원 11년 7월, "癸巳[19日]，高麗國王王植薨，遣使以遺表來上，且言世子愖[諱]孝謹，可付後事，勅同知上都留守司事張煥，册愖[諱]爲高麗國王".
- 『원사』 권208, 열전95, 外夷1, 高麗, 지원 11년, "七月，其樞密院副使奇蘊，奉表告王植薨，命世子愖[諱]襲爵，詔諭高麗國王宗族及大小官員百姓人等，其略曰，國王王植在日，屢言世子愖[諱]可爲繼嗣，今令愖[諱]襲爵爲王，凡在所屬，並聽節制".
- 『원고려기사』本文，지원 11년 7월，"是月，詔世子愖[諱]襲爵，詔曰，諭高麗國王宗族及大小官員百姓人等，國王王植在日，屢言世子愖[諱]可以承替，今令世子王愖[諱]承襲高麗國王勾當，凡在所屬，並聽節制".

9) 日本征討都元帥(東征都元帥府) 忽敦[Hodon, Qutug]은 忻都[Qindu, Hindu]의 다른 표기이다. 이는 1276년(충렬왕2) 1월 1일(丁卯)의 元帥 忻都를 통해 알 수 있는데(→원종 13년 6월 26일)，당시의 忽敦과 忻都는 別個의 인물인데 高麗側의 자료에서 同一人과 같이 표기한 이유를 알 수 없다. 이 시기에 활약한 忽敦(忽都)은 江南에서 宋을 공격하던 인물을 위시하여 여러 사람인데，한반도와 관련된 인물은 찾아지지 않는다. 『고려사』세가편에서 忽敦(忽都)은 단지 제1차 일본원정에서만 나타나고 있어 忻都의 다른 표기일 것이다. 그리고 1331년(至順2)에 완성된 『經世大典』에도 忻都로 표기되어 있다.
- 『국조문류』 권42, 經世大典，政典，征伐，日本，序文，"至元十□[一]年，忻都·洪茶丘，以二萬五千人，征之，第虜掠而歸". 이에서 添字가 탈락되었다.

또 永寧公 王綧의 열전에는 忽都로 표기되어 있는데，이때 그의 아들 昭勇大將軍 阿剌怗木兒

戊辰[25日]， 王至自元，[10] 百官迎于馬川亭． 伴行元使， 奉詔書先入京， 王御帳殿， 受百官拜， 備儀仗， 先詣堤上宮， 謁殯殿．

[→戊辰， 瀋王[王]至自元， 詣堤上宮， 謁殯殿:禮6國恤轉載］．[11]

己巳[26日]， 以便服皀鞓， 幸本闕， 更備袍笏， 受詔于康安殿，[12] 其詔曰，“~~諭高麗國王宗族及大小官員·百姓人等，~~ 國王在日， 屢言世子可以承替． 今命[令]世子， 承襲國王勾當， 凡在所屬， 並聽節制”．[13] ○王受詔畢， 謁景靈殿， 還御康安殿， 服黃袍卽位， 受群臣朝賀． 仍宴詔使， 詔使以王駙馬， 推王南面， 詔使東向， 達魯花赤[李益·周世昌]西嚮坐． 王行酒， 詔使拜受， 飮訖又拜， 達魯花赤立飮不拜， 詔使曰， “王天子之駙馬也， 老子何敢如是． 吾等還奏， 汝得無罪耶?”． 答曰， “公主不在， 且此先王時禮耳”．

[→己巳， 王幸本闕， 服黃袍， 卽位于康安殿． 是謂忠烈王:禮6國恤轉載］．

庚午[27日]， 遣少卿趙儉， 如東寧府， 推刷逋逃人物．

(Ara Temur, ?~1281)가 都元帥 忽都를 따라 일본을 정벌하여 戰功을 세웠다고 한다.

· 『원사』 권166, 열전53, 王綧, “[至元]十一年, 進昭勇大將軍, 從都元帥忽都征日本國, 預有戰功”.

10) 世子(忠烈王)가 元에서 귀국하여 8월 25일(戊辰) 開京에 도착하였다는 기사는 다음의 자료에서도 확인된다. 또 이때 世子(忠烈王)를 수종하던 前禮部郞中 金賆, 攝將軍 鄭仁卿, [中郞將?]金富允 등이 함께 귀국하였던 것 같다.

· 『원사』 권208, 열전95, 外夷1, 高麗, 지원 11년, “八月, 世子愖[諶]還至其國, 襲位”.

· 『원고려기사』 本文, 至元 11년, “八月二十五日, 世子愖[諶]還國, 是日[~~翌日~~], 襲位”. 여기에서 ~~添字~~와 같이 고쳐야 옳게 될 것이다.

· 「金賆墓誌銘」, “甲戌年[忠烈王卽位年], 奉兩主還國, 値我龍飛之慶洽, 大致太平, 至今三韓賴福在此行也, 是故公爲二等功臣, 受錄券賚及子孫”. 여기에서 兩主는 충렬왕과 是年 9월 고려에 도착한 王妃 忽都魯揭里迷失[Qutulug Genmisi]을 가리킨다.

· 열전16, 金就礪, 賆, “忠烈以世子入元, 賆從之. 及忠烈尙公主, 襲爵東還, 賆功居多, 賜誓劵曰, 爾功之大, 予賞之微. 爾雖有罪, 十犯九宥, 至于子孫, 亦如之”.

· 열전20, 鄭仁卿, “累遷上將軍[~~將軍~~], 忠烈卽位, 策侍從功爲一等”. 上將軍은 將軍으로 고쳐야 옳게 될 것이다.

· 열전20, 金富允, “忠烈卽位, 錄侍從功, 賜鐵劵曰, 歲己巳[元宗10年], 寡人歸自元朝, 至婆娑府, 聞林衍構亂危社稷. 從臣震驚, 莫知所圖, 爾能敷陳利害, 夾輔寡躬, 還入天廷. 遂蒙帝眷, 請兵而東, 誅姦復國, 以迄于今. 予嘉乃功, 遵元朝之制, 功臣雖有罪, 十犯然後一論, 至子孫, 亦如之. 宜體朕意, 益竭心力, 訓爾子孫, 與國咸休”. 이 錄劵[宣旨]의 존재는 충렬왕 8년 5월 2일에 찾아진다.

11) 이 기사에서 瀋王에 冊封된 적이 없는 忠烈王이 瀋王으로 표기된 것은 誤謬이므로 ~~添字~~와 같이 고쳐야 옳게 될 것이다(李承漢 1988년). 또 『원사』 권108, 표3, 諸王表의 瀋王에 수록된 ‘高麗王昛, 高麗王璋, 高麗王暠’ 중에서 ‘高麗王昛[忠烈王]’는 削除되어야 하고, 高麗王暠는 高麗王子暠로 고쳐야 옳게 될 것이다. 이 기사에 대한 오류는 일찍이 지적되었다(『元史』, 中華書局, 1985年 2753面).

12) 이 冊封詔書는 世子가 7월 19일(癸巳) 上都에서 同知上都留守事 張煥으로부터 받은 것이다.

13) ~~添字~~는 『익재난고』 권9상, 忠憲王世家에 의거하였다.

○除諸道賀卽位箋.

[某日, 以衣冠子弟, 嘗從王爲禿魯花者,[14] 分番宿衛, 號曰忽赤:節要轉載].[15]

癸酉30日, 東征副元帥洪茶丘, 以忠淸道梢工·水手不及期, 杖部夫使·大將軍崔沔, 以大府卿~~太府卿~~朴暉代之.[16]

○以尙書右丞李汾成爲樞密院執奏. [自大將軍崔忠粹死, 執奏之職, 廢. 至是復置:節要轉載].[17]

[某日, 忠烈卽位, 東南道都督使金方慶與東征副元帥洪茶丘單騎來, 陳慰. 還到合浦:列傳17金方慶轉載].

九月甲戌朔小盡,甲戌, 乙亥2日, 以金鍊△爲參知政事, 李汾禧·金侁並爲樞密院副使.

[→李汾禧, 忠烈卽位, 授樞密院副使, 固辭. 拜知奏事:列傳36李汾禧轉載].

丙子3日, 宴元使.

[己卯6日, 以興威衛精勇攝將軍鄭仁卿爲金吾衛精勇攝將軍:追加].[18]

壬午9日, 王詣大行王殯殿, 始服斬衰麻絰, 率群臣哭.[19]

[某日, 前親從將軍尹秀, 自瀋陽, 挈家而還. 王之在元也, 秀以鷹犬得幸, 至是, 自歸:節要轉載].[20] [是時, 秀之舅宋義亦還:轉載].[21]

---

14) 禿魯花[투르카]는 蒙古語(突厥語)로 원래 人質을 의미하는 말이며, 이는 皇帝의 親衛軍을 구성한 質子軍의 의미도 지니고 있다. 고려가 蒙古의 지배를 받게 되자 그들로부터 인질을 보낼 것을 강요당하였기에 투르카라는 말은 고려에서는 인질로 보내진 王子와 高官의 子弟를 가리키게 되었다. 그래서 고종 때에 王族 3人과 大官의 子弟 10餘人이 몽고에 갔고, 원종 때에 世子 諶과 고관의 자제 28人이 파견되었다. 또 충렬왕 때에는 투르카[禿魯花]를 선발하여 관직을 昇級시켜 주는 제도를 만들어 25人을 파견하기도 하였다(梁義淑 1993년 ; 森平雅彦 2001年).

15) 이와 같은 기사로 다음이 있다.

· 지36, 兵2, 宿衛, "忠烈王卽位, 以衣冠子弟, 嘗從爲禿魯花者, 分番宿衛, 號曰忽赤".

16) 이 기사는 열전43, 洪福源, 茶丘에도 수록되어 있다. 또 朴暉는 李藏用의 壻이고, 朴全之의 父로서 正議大夫·典法判書·膺善府右詹事를 역임하였는데(열전22, 朴全之 ; 「朴全之墓誌銘」), 그의 묘지명에는 朴煇로 달리 표기되어 있다.

17) 이와 같은 기사가 지30, 백관1, 密直司에도 수록되어 있다.

18) 이는 「鄭仁卿政案」에 의거하였다.

19) 이 기사는 지18, 禮6, 國恤에도 수록되어 있다.

20) 이와 같은 기사로 다음이 있다.

· 열전37, 尹秀, "… 忠烈之在蒙古, 爲禿魯花也, 秀以鷹犬得幸, 及卽位, 秀自瀋陽挈家還, 管鷹坊, 恃勢縱惡, 人以禽獸目之".

21) 이는 열전37, 尹秀, 宋和에 의거하였다("後樞密院副使致仕宋義亦還").

乙酉[12日], 葬韶陵, 釋喪服, 移御沙坂宮.[22]

戊子[15日], 王引見宰樞曰, "自古賢君, 必賴忠良, 能底乂康. 我家安危, 只在卿等, 事有可言, 不可含嘿".

己丑[16日], 遣樞密院副使奇蘊, 逆[忽都魯揭里迷失]公主于元.

壬辰[19日], □□[下制], 侍從入元臣僚, 並加賞賚, 限品者許通.[23]

甲午[21日], 親設灌頂道場于本闕.

戊戌[25日], 遣齊安公淑·知樞密院事鄭子璵如元, 謝釐降襲爵.[24]

○以堤上宮·中書省爲史館. 還都以來, 未營史館, 奉實錄, 假藏本闕佛堂庫.

[是月頃, 以[雜織署令]李承休爲閤門祗候:列傳19李承休轉載].

[增補].[25]

冬十月[癸卯朔大盡,乙亥], 乙巳[3日], △[以]都督使金方慶將中軍, 朴之亮·[大將軍]金忻△[爲]知兵馬事,[26] 任愷爲副使, □□□□□[樞密院副使]金侁爲左軍使, 韋得儒△[爲]知兵馬事, 孫世貞爲副使, □□□[上將軍]金文庇爲右軍使,[27] [大將軍]羅裕·[大將軍]朴保△[爲]知兵馬事, 潘阜爲副使, 號三翼軍, 與元都元帥忽敦[忻都]·右副元帥洪茶丘·左副元帥劉復亨, 以蒙漢軍二萬五千, 我軍八千, 梢工·引海·水手六千七百, 戰艦九百餘艘, 征日本.[28] 至一岐

---

22) 이 구절은 지18, 禮6, 國恤에도 수록되어 있다.

23) 이 기사의 冒頭에 下制가 탈락되었다. 이는 충렬왕 8년 5월 2일에 "依甲戌年[忠烈王卽位年]宣旨, 子孫錄用"을 통해 알 수 있다.

24) 이때 齊安公 淑이 元에 파견된 것은 중국 측의 자료에서도 확인되지만, 날짜에 1일의 차이가 있다.
- 『원사』 권208, 열전95, 外夷1, 高麗, 지원 11년, "九月, 遣其齊安侯王淑, 上表謝恩".
- 『元高麗紀事』, 본문, 至元 11년, "九月二十四日[丁酉], 愖[諶]遣其齊安侯王淑, 進表謝襲位".

25) 이때 麗·元聯合軍의 日本遠征의 經過 중에서 9월의 일정은 다음과 같다(日本曆은 高麗曆과 同一).
- 某日, 金方慶·洪茶丘 등이 合浦에서 都元帥 忻都(忻篤)·副元帥 劉復亨 등과 함께 戰艦을 查閱하였다(세가28, 충렬왕 즉위년 10월 3일 ; 열전17, 金方慶).
- 某日, 蒙·漢軍은 25,000人, 高麗軍은 8,000人, 梢工·引海·水手는 6,700人, 戰艦은 900餘艘로서 女眞軍의 到着을 기다렸다(세가28, 충렬왕 즉위년 10월 3일 ; 열전17, 金方慶).
- 이때 蒙漢軍이 20,000人, 고려군이 5,600人의 戰闘軍 合計 25,600人이고, 高麗船員·梢工·水手가 6,700人으로 전체 군사는 32,300人이었다는 추정이 있다(魏榮吉 1986年 135面).

26) 金忻(金方慶의 次子)은 初名이 綬이었고(열전17, 김방경, "忻, 卽綬也"), 그는 이때 대장군으로 司宰卿을 겸직하고 있었던 것 같다.
- 열전17, 金方慶, 忻, "以蔭調刪定都監判官, 三轉爲將軍. 從父討耽羅賊, 告捷拜大將軍, 尋改司宰卿. 又從征日本".

27) 이에서 樞密院副使와 上將軍은 『고려사절요』 권19에 의거하였다.

島, 擊殺千餘級, 分道以進, 倭却走, 伏屍如麻. 及暮乃解, 會~~十一月五日~~夜大風雨, 戰艦觸巖崖, 多敗, 左軍使金侁溺死.

[→發合浦, 越十一日, 船至一歧島, 倭兵陣於岸上, 知兵馬事朴之亮·將軍~~方慶壻~~趙抃, 逐之. 倭請降, 而復□來戰, 茶丘與之亮·抃, 擊殺千餘級, 捨舟□於三郎浦, 分道以進, 所殺過當, 倭兵突至, 衝中軍, ~~長劍交左右,~~ 方慶~~如植, 不少却~~. 拔一嚆矢, 厲聲大喝. 倭辟易而走, 之亮·忻·抃·李唐公·金天祿·申奕等, 殊死戰, 倭兵大敗, 伏屍如麻. 忽敦忻都曰, "雖蒙人習戰, 何以加此?". 諸軍終日戰, 及暮乃解, 方慶謂忽敦忻都·茶丘曰, "~~兵法, 千里縣軍, 其鋒不可當~~, 我兵雖少, 已入敵境, 人自爲戰, 卽孟明焚舟,[29] 淮陰背水者也",[30] 請復決戰. 忽敦忻都曰, "小敵之堅, 大敵之擒,[31] 策疲戰大敵,[32] 非完計也". ~~不若回軍~~. 而副元帥劉復亨, 中流矢, 先登舟, 故遂引兵還. 會~~十一月五日~~夜大風雨, 戰艦觸巖崖多敗, 左軍使金侁墮水死:節要轉載].[33]

戊申6日, 以尙書右丞李汾成△爲知御史臺事. [汾成, 娵高宗宮妾之女. 時號國壻, 及爲憲官, 人皆非之:節要轉載].[34]

辛亥9日, 親醮三界于本闕.

○大府注簿~~大府主簿~~卓之琪, 以府藏虛竭, 供費煩重, 不堪其苦, 祝髮爲僧.

戊午16日, 白氣貫日.[35]

辛酉19日, 幸西北面, 迎忽都魯揭里迷失公主, 順安公悰·廣平公譓·帶方公澂·漢陽侯儇·中書侍郞平章事兪千遇·知樞密院事張鎰·知奏事李汾禧·承宣崔文本·朴恒·上將軍

---

28) 이때 麗·元聯合軍은 合浦(現 慶尙南道 昌原市 合浦區 一帶)에 주둔하고 있다가 出陣하였다고 한다.
· 열전17, 金方慶, "留合浦, 以待女眞軍. 女眞後期, 乃發船, 入對馬島, 擊殺甚衆. 至一歧島壹岐島".

29) 孟明焚舟는 다음의 자료에서 따온 것이다.
·『十一家注孫子』卷下, 九地篇, "杜牧曰, 使無退心, 孟明焚舟, 是也".

30) 淮陰背水는 다음의 자료에서 따온 것이다.
·『十一家注孫子』卷中, 九變篇, "張預曰, 走無所往, 當殊死戰, 淮陰韓信背水陣, 是也".

31) 이 구절은 다음의 자료에서 따온 것이다
·『孫子』卷上, 謀攻第3, "故小敵之堅, 大敵之擒也".

32) 策疲戰大敵은 열전17, 김방경에는 策疲乏之兵, 敵日滋之衆으로 달리 표기되이 있다.

33) 이 부분은 世家篇의 征日本 이하에서 『고려사절요』의 내용과 차이가 나는 부분만을 전재한 것이다. 또 ~~添字~~는 열전17, 김방경에 의거하여 추가한 것이다.

34) 이 기사는 열전36, 李汾禧, 榴에도 수록되어 있다.

35) 이날 일본의 교토[京都]의 날씨는 흐렸다고 한다(『勘仲記』第1, 文永 11년 10월, "十六日戊午, 陰", 『史料纂集』所收本).

朴成大·知御史臺事李汾成□[等]從行. 王責汾禧等不開剃, 對曰, "臣等非惡開剃, 唯俟衆例耳". 蒙古之俗, 剃頂至額, 方其形, 留髮其中, 謂之怯仇兒.[36)] 王入朝時, 已開剃, 而國人則未也, 故責之.

甲子[22日], 命李汾成還京, 令妃嬪及諸宮主·宰樞夫人, 皆出迎[忽都魯揭里迷失]公主, 留從臣于龍泉驛, 獨與開剃者大將軍朴球等行. 承宣朴恒言於王曰, "史官記人君動作, 不可一日無也". 乃令直史館李源從行.[37)]

丙寅[24日], 王至西京. 時西京屬東寧府, 王出銀紵易糧草, 以給從臣.

丁卯[25日], 王會[忽都魯揭里迷失]公主于肅州.

○西京大興府錄事楊壽等, 請從王以行, 崔坦要而奪之.

[是月, 都元帥忽敦[忻都]·副元帥洪茶丘等所領舟師二萬, 渡海征日本, 拔對馬·一岐·宜蠻等島:追加].[38)]

[○蒙古·高麗兵, 上陸九州百島·赤坂·佐原·箱崎等地, 迫倭兵, 放矢砲. □□[此後], 會大風起, 蒙古戰艦二百餘艘漂沒:追加].[39)]

[增補].[40)]

---

36) 怯仇兒(혹은 客古里·客古勒)는 앞머리 카락[前頭髮]을 빡빡 깎은 古代 鮮卑族의 頭髮形態인 髡髮(곤발)이다. 이를 답습한 契丹·탕구트·女眞·倭 등의 종족에 따라 약간씩 형태의 차이가 있었다. 또 元代의 髡髮의 형태에 대해서는 다음의 자료가 있다.
- 『蒙韃備錄』, 風俗, "上至成吉思□[汗], 下及國人, 皆剃婆焦, 如中國小兒留三搭頭, 在顱門者, 稍長則剪之, 在兩下者, 總小角, 垂于肩上". 이에서 婆焦는 蒙古人의 頭髮形態을 指稱한다.
- 淸 顧景星의 『白茅堂集』 권43, 又答江如, "來書云, 洪武曆式 … 孟珙'蒙韃備錄'云, 自成吉思□[汗], 下至國人, 皆剃婆焦, 如小兒留三搭頭, 在顱門者, 稍長則翦之, 在顱下者, 總小角, 垂肩上". 또 13세기 중엽의 서양 선교사 루브룩의 『東游記』 등에도 描寫되어 있다고 한다(李治亭 編 2003年). 한편 王國維(1877~1927)에 의하면, 『蒙韃備錄』의 著者로 되어 있는 朱孟珙은 趙珙의 오류라고 한다(『王國維遺書』, 蒙韃備錄箋證).

37) 이때 史官 李源(李芳實의 父로 추측됨)이 扈從한 것은 다른 자료에서도 확인되고 있다(『원감국사어록』, 喜聞李史官源扈從還朝, 作句寄之). 또 李源은 1258년(고종45) 3월의 국자감시에서 1등으로 급제한 인물로 추측된다(→고종 45년 3월 是月).

38) 이는 다음의 자료에 의해 추가하였는데, ~~添字~~로 고쳐야 옳게 될 것이다.
- 『원사』 권154, 열전41, 洪福源, 俊奇, 지원 11년, "八月, 授東征右副都元帥, □□[十月], 與都元帥忽敦[忻都]等所領舟師二萬, 渡海征日本, 拔對馬·一岐·宜蠻[今津]等島".
- 『國朝文類』 권41, 經世大典, 政典, 征伐, 日本[注, "[至元]十一年十月, [東征軍,] 入其國敗之. 而我軍不整, 箭又盡, 諸虜掠四境而歸].

39) 이는 다음의 자료에 의거한 것인데, 大風이 일어난 날짜[日辰]는 20일 아닐 것이다.
- 『史料綜覽』, 文永 11년 10월 20일, "蒙古の兵, 上陸して百島·赤坂·佐原·箱崎に迫りて矢砲を放つ. … 會大風起り, 蒙古戰艦二百餘艘を漂沒す".

40) 이때 麗·元聯合軍의 일본원정의 경과 중에서 10월의 일정은 다음과 같다(日本曆은 高麗曆과 同

十一月癸酉朔大盡,丙子, 丁丑5日, 王與忽都魯揭里迷失公主至京, 入御竹坂宮.[41] 先是, 中書侍

一하다).
· 10월 3일(乙巳), 麗元聯合軍 26,000人이 合浦에서 출정하여 日本으로 향했다. 고려군은 3軍[三翼軍]으로 편성되어 都督使 金方慶이 中軍을, 金侁이 左軍을, 金文庇가 右軍을 거느렸다(열전17, 金方慶·羅裕 ; 『고려사절요』 권19, 원종 15년 10월).
· 5일(丁未), 여원연합군이 對馬島 서쪽 佐須浦(現 長崎縣 對馬市 嚴原町)에 출현하였다. 守護代 宗資國이 佐須浦에 나갔다(『日蓮註劃讃』; 『八幡愚童訓』; 『鎌倉年代記裏書』).
· 6일(戊申), 여원연합군이 대마도에 상륙하여 왜군을 격파하였다. 宗資國을 위시한 16人이 피살되고 佐須浦가 불탔다(『日蓮註劃讃』; 『八幡愚童訓』).
· 13일(丁卯), 對馬島에서의 敗戰이 하카다[博多]에 전해졌다. 少貳資能이 긴급한 使者[飛脚]를 가마쿠라[鎌倉]로 보냈다(『勘仲記』, 10월 22일).
· 14일(丙辰), 여원연합군 400餘人이 壹岐島 서쪽에 상륙하여 守護代 平景隆이 이끈 100餘騎와 싸웠다. 平景隆이 패하여 自害하고, 그의 部下가 博多로 향했다(『日蓮註劃讃』; 『八幡愚童訓』; 열전17, 金方慶).
· 17일(己未), 九州로부터 긴급한 使者[早馬]가 六波羅[로쿠하라]에 도착하여 대마도에서의 전투를 보고한 후 가마쿠라로 갔다(『帝王編年記』; 『勘仲記』, 10월 22일).
· 18일(庚申), 蒙古事에 의해 院에서 議定이 있었고, 廣橋勘解由小路兼仲이 대마도에서의 異賊侵入[異賊襲來]의 풍문을 들었다(『帝王編年記』; 『勘仲記』). 平景隆의 部下가 博多에 이르러 壹岐의 패전을 전하였다(『八幡愚童訓』).
· 19일(辛酉), 여원연합군이 博多彎에 도착하였다(『日蓮註劃讃』).
· 20일(壬戌), 여원연합군이 하카다에 상륙을 개시하여 鹿原(佐原, 三郎浦)·百道原·今津(宜蠻)·赤坂 등의 博多彎 各地에서 少貳景資가 이끈 倭軍과 싸웠다. 菊池武房·竹崎季長·白石通泰 등이 奮戰하였으나 왜군은 점차 압도되어 日沒後 博多·筥崎로부터 大宰府 지역을 퇴각하였다. 東征軍이 博多·筥崎 지역을 불태웠는데, 筥崎八幡宮도 燒失되었다(『竹崎季長繪詞』 ; 『八幡愚童訓』; 열전17, 金方慶 ; 『고려사절요』 권19, 원종 15년 10월). 또 이때 日本本土에서의 戰闘다운 전투는 是日뿐이었다고 한다(尹龍爀 2015년 241面).
· 22일(甲子), 廣橋勘解由小路兼仲이 東征軍과의 전투에 대해 들었다(『勘仲記』).
· 24일(丙寅) 大宰少貳의 代行人 藤馬允이 大宰府에서 여원연합군과 싸우다가 패배하였다고 한다(『鎌倉年代記裏書』).
· 28일(庚午), 九州로부터 긴급한 使者[飛脚]가 교토에 이르러 壹岐의 敗報를 전하였다(『帝王編年記』).
· 29일(辛未, 晦), 東征軍의 침입[異國襲來]에 의해 幕府가 動搖되고 있는 것이 교토에 전해졌다. 北條爲時·北條時廣이 가마쿠라 를 출발하여 九州로 향한다는 巷說이 있었다(『勘仲記』).

41) 忽都魯揭里迷失公主가 11월 5일 開京에 도착한 것을 확인하는 중국 측의 자료도 있고, 이때 大都路總管 伯顔이 隨從하였다는 後世의 기록도 있으나 未審한 점이 없지 않다. 자료 c, d가 a, b와 調和를 이루려면 添字와 같이 고쳐야 될 것이다.
· a 『원사』 권208, 열전95, 外夷1, 高麗, "至元11年十一月, 皇女入京城".
· b 『원고려기사』, 본문, 至元 11년, "十一月五日, 公主入京城".
· c 『태종실록』 권12, 6년 12월, "甲午9日, 賜鄕右軍同知摠制李玄林州. 玄上言, '臣曾祖大都路摠管總管伯顔, 至元丙戌甲戌之歲, 奉皇舅皇姑齊國大長公主而來, 子孫相繼, 世受國恩, 至今尙未得於本國付籍, 乞依他向國人例, 賜鄕', 從之".
· d 『세종실록』 권149, 지리지, 公州牧, 林川郡, "… 土姓五, 趙·林·方·白·翟. 亡姓一, 辛. 村姓一,

郞平章事兪千遇謂知樞密院事張鎰曰, “王若以戎服入城, 國人驚怪”. 乃使承宣崔文本·承宣朴恒, 請王以禮服入, 又使上將軍康允紹·簡有之再請, 王不聽. 有之, 賤隷也, 以優得幸, 拜郞將.

○宰相·百官, 迓于國淸寺門前, 上將軍康允紹·大將軍宋玢㾾尹秀·中郞將?元卿·鄭孫琦等, 執扑馳馬, 擊逐禮服者, 侍從失次分散. 王與公主, 同輦入城. 父老相慶曰, “不圖百年鋒鏑之餘, 復見大平之期~~太平之期~~”.[42] [時, 帝世祖令脫忽, 送公主. 脫忽先至, 張穹廬, 以袚白羊膏:列傳2忠烈王妃齊國大長公主轉載].[43]

甲申12日, 以康守衡爲樞密院副使·判衛尉寺事·上將軍.

乙酉13日, 幸本闕, 設八關會,

翌日丙辰14日, 大會, 公主幕于儀鳳樓側, 觀之.

丁亥15日, [冬至]. 以邊胤△爲知門下省事, 朴璆△爲守司空·左僕射.

辛卯19日, 忽赤·上將軍康允紹等, 宴王及公主.[44]

丁酉25日, 冊王氏始安公絪之女爲貞和宮主, 王女爲靖寧宮主.

己亥27日, 東征□軍師還合浦.[45] 遣同知樞密院事~~知樞密院事~~張鎰勞之.[46] 軍不還者, 無慮萬三千五百餘人.

[→到合浦, 以俘獲·器仗, 獻帝及王. 王遣樞密副使~~知樞密院事~~張鎰慰諭, 命方慶先

田. 京來姓二, 陳·李. 賜姓一, 李[注, 李玄, 本畏吾兒國人, 來投化. 有通譯之功, 命付籍林川]”.

42) 公主에 대한 歡迎準備는 열전2, 忠烈王妃, 齊國大長公主에도 수록되어 있다.

43) 穹廬는 天井이 圓型인 移動式 氈幕(혹은 天幕)인 파오[蒙古包, Mongolian yurt], 현재의 gel을 指稱하는데 氈帳·牙帳(漢字), 斡魯朶(蒙古語, ordu)로 표기하기도 한다(→충렬왕 4년 7월 4일의 脚注).

· 『자치통감』 권21, 漢紀13, 武帝元封 4년(BC107) 夏, “匈奴自衛, 霍霍去病度幕以來, 希復爲寇, 遠徙北方, 休養士馬, 習射獵, 數使使於漢, 好辭甘言求請和親. 漢使北地人王烏等窺匈奴, 烏從其俗, 去節入穹廬[注, 師古曰, 穹廬, 氈帳也. ‘索隱’曰, 蓋以氈爲廬, 祟穹然. 而宋白曰, 穹, 獸名, 亦異說也], 單于愛之, 佯許甘言, 爲遣其太子入漢爲質”. 여기에서 度幕은 ‘沙漠을 건너가서’라고 읽은 것이 좋을 것이다[讀].

· 『자치통감』 권19, 漢紀11, 武帝元狩 4년(BC119) 春, “上與諸將議曰, ‘翕侯趙信爲單于畫計, 常以爲漢兵不能度幕輕留[胡三省注, 幕, 沙漠也. 師古曰, 言輕易漢軍, 留而不去也. 一曰, 謂漢軍不能輕入而久留也. 余胡三省謂後說是], 令大發士卒, 其勢必得所欲’. 乃粟馬十萬[注, 師古曰, 以粟秣馬也], 令大將軍靑衛靑·驃騎將軍去病霍去病, 各將五萬騎, …”.

44) 忽赤(忽只, 火兒赤, qorchi, 箭筒士)은 1290년(충렬왕16) 1월 21일, 1301년(충렬왕27) 7월 18일, 1371년(공민왕20) 5월 6일 등에는 忽只로 달리 표기되어 있다.

45) 添字는 『고려사절요』 권19에 의거하였다.

46) 同知樞密院事는 知樞密院事의 오류일 것이다. 張鎰은 원종 15년 5월 同知樞密院事로, 같은 해(충렬왕 즉위년) 10월 知樞密院事로 在職하였다.

還:列傳17金方慶轉載].

[增補].[47]

十二月[癸卯朔大盡,丁丑], 乙巳[3日], 遣判閣門事[判閤門事]李信孫·將軍高天伯如元, 賀正,[48] 又付別箋, 以奏曰, "小邦, 自來分遣州郡守令, 勸課農桑, 又令諸道按察使, 督察

---

47) 일본을 공격한 麗·元聯合軍의 11월의 일정은 다음과 같다(高麗曆·日本曆 同一).

· 1일(癸酉), 幕府가 對馬·壹岐가 침략을 당하였다는 少貳資能의 보고를 받고서 安藝守護 武田信時에게 이달 20일 이전에 安藝國으로 내려가 그곳의 管內의 재지 지배층 및 주민[地頭御家人·本所領家一圓地之住人]을 指揮하여 東征軍을 邀擊하라고 명하였다(東寺百合文書」). 日本朝廷[公家側]은 院의 評定에서 蒙古事를 의논하였다(『勘仲記』; 『史料綜覽』5).

· 이 시기에 金方慶이 전투의 계속을 주장했으나 忻都는 回軍을 주장하여 전군이 퇴각을 위해 乘船한 것으로 추측된다(열전17, 金方慶 ; 『고려사절요』 권19, 원종 15년 10월)

· 3일(乙亥), 幕府가 石見國에 領地를 가진 御家人에게 이 달 20일 이전까지 領地에 내려가 守護人의 지휘 하에서 蒙古軍을 邀擊하라고 명하였다(長府毛利文書」). 院에서 陰陽頭 安倍在淸 등이 蒙古事에 대해 占을 쳐보았다(『帝王編年記』).

· 5일(丁丑), 오후 10시경[亥刻] 이후 새벽[未明]에 걸쳐 갑작스러운 暴風[逆風]이 일어나 東征軍의 戰艦이 岩崖에 부딪쳐 많이 파괴되었다. 고려군의 左軍使 金侁이 바다에 빠져 죽고 여타의 군사가 철수하였다(『勘仲記』, 11월 6일조 ; 「西大勅諡興正菩薩行實年譜」 ; 열전17, 金方慶 ; 筑紫 豊 1963年 ; 尹龍爀 2015년 246面).
이때 여원연합군이 철수한 이유는 분명치 않으나 『원사』에 의하면 東征軍이 整頓되지 못하고 화살이 모두 消盡되었다고[官軍不整 又矢盡] 한다(『원사』 권208, 열전95, 外夷1, 日本, "冬十月, 入其國, 敗之. 而官軍不整, 又矢盡, 惟虜掠四境而歸"). 또 이날(5日, 丁丑)은 율리우스력으로 1274년 12월 4일(그레고리력 12월 11일)에 해당한다.

· 6일(戊寅), 廣橋[勘解由小路]兼仲이 暴風[逆風]에 의해 賊船 數萬艘가 本國으로 돌아가고 少數의 船舶이 상륙하였다는 것 및 大友賴泰의 部下[郞從]가 50餘人의 捕虜를 이끌고 上京豫定이라는 것을 들었다(『勘仲記』). 九州로부터의 긴급한 使者[飛脚]가 교토에 도착하여 지난 달 20일에 蒙古와 武士가 싸운 것과 賊船 1艘를 鹿島(志賀島)에 억류시킨 것을 전하였다(『帝王編年記』).

· 8일(庚辰), 龜山上皇이 石淸水八幡宮에 행차하여 전승을 보고하였다(『勘仲記』).

· 9일(辛巳), 龜山上皇이 賀茂·北野 兩社에 행차하여 전승을 보고하였다(『勘仲記』).

· 27일(己亥), 東征軍이 合浦에 돌아왔는데, 軍士 13,500餘人이 귀환하지 못했고 左軍使 金侁이 溺死하였다. 金方慶이 世祖·忠烈王에게 노획한 兵器를 바쳤다(세가28 ; 열전17, 金方慶).

· 『원사』 권8, 본기8, 세조5, 지원 11년 11월 癸巳[21日], "召征日本忽敦[忻都]·忽察[洪茶丘]·劉復亨·三沒合等赴闕".

48) 李信孫은 明年 正旦에 世祖에게 賀禮를 올리고 歲幣를 바쳤다.

· 『원사』 권208, 열전95, 外夷1, 高麗, 지원 11년 11월, "愖[諶]遣其判閣門事李信孫等, 奉表入謝".

· 『원고려기사』, 본문, 至元 11년 11월, "是月, 愖[諶]遣判閣門事李信孫等, 進表謝". 이상의 두 기사에서 11월은 12월의 오류이다.

· 『원사』 권8, 본기8, 세조5, 지원 12년, "春正月癸酉朔, 高麗國王王愖[諶]遣其判閣□[門]事李信孫來賀, 及奉歲幣".

播收之事. 比來連年, 供給官軍, 民頗凋弊. 今若上國, 又遣諸道勸農使, 則孑遺之民, 供給元來貢賦者, 幾何, 應副勸農之命者, 幾何? 猶有國名, 想於聖意, 謂不至此, 所恨, 三韓之地, 未得一經天眼, 謂臣誣妄. 乞遣剛明重實之臣, 審其虛實, 而以勸農之事, 一委於臣, 臣將率籲百姓, 課其勤怠, 以副聖上憂民之意".

丙午[4日], 追尊妣靜順王后[忠烈王母金氏], 爲順敬太后.[49]

[丁未[5日], 赤黑氣見于西北方:五行1轉載].[50]

甲寅[12日], 元遣黑的來, 爲達魯花赤.[51]

乙卯[13日], 移御沙坂宮.

丁巳[15日], 宰樞議曰, "金侍中[金方慶]若還, 必卽開剃, 開剃一也, 盍先乎?" 於是, [樞密院使?]宋松禮·[知樞密院事]鄭子璵, 開剃而朝, 餘皆效之, 唯抄奴·所由·電吏, 皆仍舊. 初[將軍]印公秀, 常勸元宗, 效元俗, 改形易服. 元宗曰, "吾未忍一朝, 遽變祖宗之家風, 我死之後, 卿等自爲之".

[→後, [知樞密院事]宋松禮·[知樞密院事]鄭子璵, 開剃而朝, 餘皆效之. 初[將軍]印公秀勸元宗, 效元俗, 改服色. 元宗曰, "吾未忍遽變祖宗之法, 我死之後, 卿等自爲之":節要轉載].

庚申[18日], 命元宗魂寢僚屬·國子監員等, 仍舊服.

[癸亥[21日], 達魯花赤李益, 受代還朝:追加].[52]

[乙丑[23日], 赤氣亘天:五行1轉載].[53]

庚午[28日], 侍中金方慶等還師. 忽敦[忻都]以所俘童男女二百人, 獻王及公主.

[某日, 以[門下侍中]金方慶, 爲上柱國·判御史臺事, 餘如故:列傳17金方慶轉載].

[增補].[54]

---

49) 이와 같은 기사가 열전1, 元宗妃, 順敬太后金氏에도 수록되어 있다.

50) 이날 일본의 교토에서는 맑았다고 한다(『勘仲記』第1, 文永 11년 12월, "五日丁未, 晴"(『史料纂集』所收本, 이하 같음).

51) 黑的[Qedi]이 達魯花赤으로 파견되어 온 것은 중국 측의 자료에서 확인되지만, 그가 임명된 것은 11월일 것이다.

- 『원사』 권208, 열전95, 外夷1, 高麗, 지원 11년, "十二月, 以黑的爲高麗達魯花赤, 李益受代還".
- 『원고려기사』, 본문, 至元 11년, "十二月, 以黑的爲高麗國達魯花赤".

52) 이는 다음의 자료에 의거하였다.

- 『원고려기사』, 본문, 至元 11년 12월, "二十一日, 達魯花赤李益, 受代還朝".

53) 이날 일본의 교토에서 아침에는 흐렸다가 오전 9시 이후에 맑았다고 한다(『勘仲記』第1, 文永 11년 12월, "廿三日乙丑, 朝間陰, 巳刻以後迎晴").

[是年，以安御胎，升安東大都護府任內興州爲興寧縣令官:追加].[55]

[○別置密城郡任內靈山縣監務:追加].[56]

[○判[刪]，各道出使，大小員鋪馬，宰樞十匹，三品員及按廉使七匹，參上別監五匹，參外別監及外官參以上三匹，參外二匹，參上都領·指諭等差使員三匹，將校一匹:兵2站驛轉載].

[○以[譯人·郎將]趙仁規爲中郎將:追加].[57]

[○以[大官署丞]朴全之爲良醞署令兼直翰林院:追加].[58]

[○以韓和爲碩州副使:追加].[59]

[增補].[60]

[是年頃，[前司宰卿]金忻爲晋州牧使:列傳17金忻轉載].

---

54) 東征軍의 귀환 이후의 사정은 다음과 같다.
- 『원사』 권8, 본기8, 세조5, 지원 11년 12월, "甲寅[12日]，賞忻都等征耽羅功".

55) 이는 다음의 자료에 의거하였다.
- 지11, 지리2, 慶尙道, 安東府, 興州, "忠烈王, 安胎, 改爲興寧縣令官".
- 『경상도지리지』, 安東道, 安東大都護府, "高麗時, 屬縣十一, 興州[今,順興]，忠烈王, 至元年甲戌, 別置官".
- 『경상도지리지』, 安東道, 順興都護府, "忠烈王代, 至元甲戌, 安御胎, 置興寧縣令".

56) 이는 다음의 자료에 의거하였다.
- 『경상도지리지』, 慶州道, 靈山縣, "元宗代, 至元甲戌, 別置監務".
- 지11, 지리2, 靈山縣, "忠敬王十五年, 置監務".

57) 이는 「趙仁規墓誌銘」에 의거하였다.

58) 이는 「朴全之墓誌銘」에 의거하였다.

59) 이는 『연안부지』에 의거하였다.

60) 이해[是年]에 다음과 같은 사실이 있었다고 하는데, 未審한 점이 없지 않다.
- 지11, 지리2, 密城郡, "… 顯宗九年, 稱知密城郡事. 忠烈王元年, 以郡人趙仟殺郡守, 以應珍島叛賊三別抄, 降爲歸化部曲, 屬之雞林. 先是, 臺省屢請降號, 用事者, 受邑人賂, 每沮之. 至是, 復極論, 從之. 後復稱密城縣. 十一年, 陞爲郡. 又降爲縣".
- 『세종실록』 권150, 지리지, 密陽都護府, "… 顯宗九年戊午, 置知郡事. 忠烈王元年[卽位年]甲戌[卽元世祖至元十一年], 以郡人趙仟殺郡守, 以應珍島叛賊三別抄, 降爲歸化部曲. 十二年[十一年]乙酉, 復陞爲密城郡". 여기에서 忠烈王元年甲戌과 十二年乙酉는 고려시대의 紀年方式(즉위년칭원법)이고, 忠烈王卽位年甲戌(실제는 元宗十二年甲戌임)과 十一年乙酉는 『고려사』의 기년방식(유년칭원법)일 것이다.

乙亥[忠烈王]元年, 元 至元十二年, [南宋德祐元年], [西曆1275年]

1275년 1월 29일(Gre2월 5일)에서 1276년 1월 17일(Gre1월 24일)까지, 354일

春正月癸酉朔[小盡,戊寅], [立春]. 放朝賀, 率群臣, 遙賀正旦, 宴于西殿.[61]

丙子[4日], 東征元帥忽敦[忻都]·洪茶丘·劉復亨, 北還.[62]

丁丑[5日], 貞和宮主享公主, 饋遺左右宦寺.

戊寅[6日], 册[忽都魯揭里迷失]公主爲元成公主. [百官皆賀, 宮曰敬成, 殿曰元成, 府曰膺善, 置僚屬, 以安東·京山府爲湯沐邑:列傳2忠烈王妃齊國大長公主轉載].[63]

[→王將册公主, [中書侍郞平章事兪]千遇名其殿爲元成, 伍允孚言於公主曰, "元成者, 顯王妃諡也, 用爲殿額, 不祥". 公主怒, 千遇因左右, 解之曰, "臣誠不知其然, 又安知公主非元成后再世耶". 遂諷王以謂, 帝女下降, 實爲罕古, 宜獻湯沐邑. 公主喜曰, "蒙古之法, 名非所諱". 遂不問:列傳18兪千遇轉載].

[○是時, 加置王妃府丞一人, 指諭·行首各二人, 牽龍四人, 侍衛軍五十人, 守護員二人, 殿書題二人:百官2諸妃主府轉載].

[○以[興威衛別將·御牽龍行首]閔宗儒爲膺善府牽龍行首:追加].[64]

庚辰[8日], 遣□□[門下]侍中金方慶·大將軍印公秀如元, 上表曰, "小邦, 近因掃除逆賊, 惟大軍之糧餉, 旣連歲而戶收. 加以征討倭民, 修造戰艦, 丁壯悉赴工役, 老弱僅得耕種, 早旱晩水, 禾不登場. 軍國之需, 歛[斂]於貧民, 至於斗升, 罄倒以給, 已有採木實·草葉而食者, 民之凋弊, 莫甚此時. 而況兵傷水溺, 不返者多. 雖有遺噍, 不可以歲月, 期其蘇息也. 若復擧事於日本, 則其戰艦兵糧, 實非小邦所能支也. 國

---

61) 고려왕조가 실질적으로 大元蒙古國의 支配秩序下에 들어간 것은 1275년(충렬왕1) 이후이다. 그래서 중국 측의 자료에서 시기가 분명하지 않은 것은 이해[是年]에 수록하였다.

62) 忽敦은 忻都의 다른 표기이다. 이는 1276년(충렬왕2) 1월 丁卯朔의 元帥 忻都를 통해 알 수 있다(→是年 8월 6일의 脚注, 向後에 忽敦과 忻都를 別個의 人物로 固執을 부리는 學者가 없으면 한다).

63) 이 기사는 『고려사절요』 권19에도 축약되어 있다. 湯沐邑은 그곳의 賦稅를 特定人의 沐浴을 위한 諸般 經費로 사용하게 한 領域, 곧 分封地일 것이다.

- 『자치통감』 권5, 周紀5, 赧王 58년(BC257), "公子無忌旣存趙, 遂不敢歸魏, … 趙王以鄗公子湯沐邑[注, 師古曰, 凡言湯沐邑, 謂以其賦稅貢湯沐之具也]").

64) 이는 다음의 자료에 의거하였다.

- 『졸고천백』 권1, 閔宗儒墓誌銘, "… 未幾, 移籍內侍, 除都染署丞, 尋換武資, 以興威衛別將差御牽龍行首, 忠烈王尙帝女齊國公主, 特立膺善府, 乙亥徙爲膺善府牽龍行首, 拜左右衛郞將".

已皮之不存，是爲無可柰何矣．天其眼所未到，應謂豈至於此歟．伏望俯收款款之誠，曲諒哀哀之訴”．[65)]

乙酉13日，移御竹坂宮．

[丙戌14日，白氣如帶，東北接于西南:五行2轉載]．

[某日，以潘阜爲慶尙道按察使，金應文爲忠清道按察使，侍御史?安戬爲全羅道按察使．戬，五月罷，以盧景綸代之:慶尙道營主題名記]．[66)]

[某日，以忽赤四番，爲三番:兵2宿衛轉載]．

[是月朔，南宋改元德祐:追加]．

二月壬寅朔大盡,己卯，[某日，大府卿朴楡朴褕上䟽曰，“我國，男少女多，而尊卑，止於一妻，其無子者，亦不敢畜妾，異國人來，娶妻，無定限．臣恐人物皆將北流，令臣僚許娵庶妻，隨品降殺其數，至於人，得娵一妻一妾，其庶妻所生之子，得仕于朝，皆比適子．怨曠以消，人物不流，戶口日增矣，楡嘗言，東方屬木，木之生數，三而成數八，奇者，陽也，偶者，陰也．吾邦之人，男寡女衆理數然也”．遂上此䟽，婦女聞者，咸怨且懼．時宰相有畏其妻者，寢其議，不行:節要轉載]．[67)]

[→忠烈朝，拜大府卿．嘗云，東方屬木，木之生數三而成數八，奇者陽，偶者陰也．我國之人，男寡女衆，理數然也．遂上疏曰，“我國，本男少女多，今尊卑皆止一妻，無子者亦不敢畜妾．異國人之來者，則娶無定限，恐人物皆將北流，請許大小臣僚娶庶妻，隨品降殺，以至庶人，得娶一妻一妾，其庶妻所生子，亦得比適子嫡子從仕．如是則怨曠以消，戶口以增矣”．婦女聞之，莫不怨懼．會燈夕丙辰15日，褕扈駕行，有一嫗指之曰，請畜庶妻者，彼老乞兒也．聞者傳相指之，巷陌之閒，紅指如束．時宰相有畏其室者，寢其議不行:列傳19朴褕轉載]．

己酉8日，副達魯花赤周世昌卒．[68)]

---

65) 添字는 『고려사절요』 권19에 의거하였다. 또 몽골제국에 파견되는 고려 사신단의 隨行員, 그곳에 거주하던 高麗人의 流刑에 대한 法的 規制로서 다음이 있었다.

· 『원사』 권103, 지51, 형법2, 職制下, a “諸高麗使臣，所帶徒從，來則俱來，去則俱去，輒留中路郡邑賣買者，禁之”. b “諸流遠囚徒，惟女直·高麗二族流湖廣，餘並流奴兒干及取海靑之地”.

66) 金應文과 安戬은 이해의 5월 2일과 某日에 의거하였다.

67) 朴楡는 그의 열전에 朴褕로 달리 표기되어 있다(열전19, 朴褕). 또 이 기사는 朴褕列傳과 『역옹패설』前集2에도 수록되어 있는데, 3者의 내용에서 약간의 차이가 있으므로 세심하게 검토하여야 할 것이다.

68) 이날 周世昌이 逝去한 것은 다음의 자료에서도 확인된다. 이날은 율리우스曆으로 1275년 3월 6

丙辰15日, 王如奉恩寺. [以八關, 行香故也:追加].

戊午17日, [春分]. 始安公絪卒.69)

[辛酉20日, 太白犯昴:天文3轉載].

戊辰27日, 以王生日爲壽元節.70)

庚午29日, 元遣蠻子軍一千四百人來, 分處海·塩·白三州.71)

[是月癸酉26日, 守太尉·中書侍郞平章事·寶文閣大學士·同修國史·判禮部事金坵撰'楞嚴環解删補記'序:追加].72)

[是月, 僧禪麟筆寫'法華經普門品':追加].73)

三月壬申朔大盡,庚辰, 庚辰9日, 幸王輪寺.

辛巳10日, 元遣宣諭日本使·禮部侍郞殷世忠~~杜世忠~~, 兵部郞中河文著來.74)

일(그레고리曆 3월 13일)에 해당한다.

·『원고려기사』本文, 至元 12년, "二月八日, 周世昌卒".

69) 이날은 율리우스曆으로 3월 15일(그레고리曆 3월 22일)에 해당한다.

70) 충렬왕의 誕日은 2월 26일인데(→고종 23년 2월 12일), 27일을 節日(壽元節)로 삼았던 것 같다(→위의 記事, 23년 2월 27일, 24년 2월 27일).

71) 蠻子軍에서 蠻子는 南宋의 支配下에 있었던 江南地域 또는 그곳의 住民을 가리키며, 『東方見聞錄』에는 manzi로 기록되어 있다. 또 蠻子軍은 蠻軍·新附軍으로도 표기되는데, 이들은 몽골군에 편입되어 있던 過去의 南宋軍이다.

72) 이는 다음의 자료에 의거하였다. 이에서 金坵는 이해의 10월 25일(壬戌)에 이루어진 官制改革 때에 中書侍郞平章事보다 下位職인 知僉議府事에 임명되었다가 參文學事로 승진하였다(열전19, 金坵). 또 이해[是年]의 淸明은 2월 21(戊辰)이기에 淸明後五日은 26일(癸酉)에 해당한다.

·『首楞嚴經環解删補記』序文, "… 歲在乙亥, 淸明後五日, 金紫光祿大夫·守太尉·中書侍郞平章事·寶文閣大學士·同修國史·判禮部事金坵次山序"(『韓國佛敎全書』6 所收).

73) 이는 다음의 자료에 의거하였는데(海印寺 所藏, 국보 제206-8호, 蔡尙植 1991년 170面 ; 林基榮 2009년), '法華經普門品'은 '妙法蓮華經觀世音菩薩普門品'의 略稱일 것이다.

·『法華經普門品』, 卷末刊記, "… 至元十二年 乙亥 二月日 山人 禪麟寫」".

74) 殷世忠은 중국 측의 자료에는 杜世忠으로 되어 있고, 이들 사신은 日本으로 건너가서 같은 해 8월 가마쿠라 바쿠후[鎌倉幕府]가 위치한 關東으로 옮겨지고 9월 7일 龍口에서 斬首되었다(→충렬왕 5년 8월 是月條의 脚注). 또 龍口(龍の口, 다츠노구치)는 相模國(사가미노쿠니, 現 神奈川縣 藤澤市 片瀨) 腰越과 片瀨 사이에 위치한 지역으로 鎌倉幕府의 處刑場이 있었던 곳이었다고 한다(相田二郞 1958年 25面).

·『원사』 권8, 본기6, 世祖5, 至元 12년 2월, "庚戌9日, 遣禮部侍郞杜世忠·兵部郞中何文著, 齎書使日本國".

·『원사』 권208, 열전95, 外夷1, 日本, "至元十二年二月, 遣禮部侍郞杜世忠·兵部侍郞何文著·計議官撒都魯丁往. 使復致書, 亦不報".

·『국조문류』 권41, 雜著, 政典總序, 征伐, 日本[注, 至元十二年, 遣禮部侍郞杜世忠·兵部侍郞何

[某日, 以耽羅戍卒缺少, 募人授爵[職], 以遣:節要·兵2鎭戍轉載].[75]

戊子[17日], 元遣使, 督東征軍留者, 以歸.

辛卯[20日], 王及公主, 幸北山洛山寺. [自是, 屢幸寺院.:節要轉載].

○門下侍中金方慶自元還[~~還自元~~]. 時, 王請避暑于西京, 帝許之.[76]

癸巳[22日], 遣郎將簡有之等如西京, 相避暑之地.

乙未[24日], 親設藏經道場.

夏四月[壬寅朔小盡,辛巳], [某日, 以帑藏匱竭, 科歛[斂]白金有差, 以充使客之求:節要轉載].

[→以帑藏匱竭, 斂白金, 諸王·宰樞·承宣·班主八兩, 宰樞致仕及三品六兩, 三品致仕及四品四兩, 五品三兩, 六品二兩, 以充使客之求:食貨2科斂轉載].[77]

己酉[8日], 王及公主, 如賢聖寺, 爲帝祝釐.[78]

壬子[11日], 元流盜賊百餘人于耽羅.

庚申[19日], 王及公主, 幸興王寺, 及還, 宰樞宴于藥王院南峯.

[是月, 尙書右丞李仁成[李尊庇], □□□□□[掌國子監試], 取詩賦金台鉉等二十一人, 十韻詩趙戩等四十九人, 明經二人:選擧2國子試額轉載].[79]

五月[辛未朔小盡,壬午], 壬申[2日], 忠淸道按察使金應文, 忤旨罷, 以中郎將嚴守安, 代之.

甲戌[4日], 王聞詔使來, 率□□[宰樞]·侍臣, 時服, 迎于西門外, 乃五僧也. [王旣尙主, 雖詔使, 未嘗出城而迎. 舌人金台如元, 省官語之曰, "駙馬王不迎詔使, 不爲無例. 然, 王是外國之主也, 詔書至, 不可不迎". 至是, 始迎之:節要轉載].

文著·計議官颯都魯丁[撒都魯丁]往. 使書前言'大元皇帝致書于日本國王', 後言'不宣白', 亦不來覲].

75) ~~添字~~는 지36, 兵2, 鎭戍에서 달리 표기된 것이다.

76) 自元還은 여타의 기사를 통해 볼 때 還自元으로 고치는 것이 좋을 것이다.

77) 이 기사는 지33, 食貨2, 科斂에는 是年 3월에 이루어진 것으로 되어 있다.

78) 祝釐는 幸福을 빌어 올리는 것[祝福, 祈求福佑]을 가리킨다.

· 『사기』 권11, 孝文帝第10, 14년 春, "… 其廣增諸祀墠場珪幣, 昔先王遠施, 不求其報, 望祀不祈其福, 右賢左戚, 先民後己. 至明極也. 今吾聞, 祠官祝釐, 皆歸福朕躬, 不爲百姓, 朕甚愧之, …".

· 『자치통감』 권15, 漢紀7, 文帝前 14년(BC166) 春, "… 詔廣增諸祀壇場, 珪幣[師古曰, 築土爲壇, 除土爲場, 珪幣, 所以薦神], 且曰, '吾聞祠官祝釐[注, 如淳曰, 釐, 福也. 師古曰, 釐, 本作禧, 假借用耳], 皆歸福於朕躬, 不爲百姓, 朕甚愧之, …".

79) 이때 吳子宜(吳祁, 吳潛)·李嵒도 합격하였다(吳潛墓誌銘 ; 李嵒墓誌銘).

· 열전23, 金台鉉, "忠烈元年, 年十五魁監試".

[→王聞詔使來，率宰樞·侍臣，時服，迎于西門外．王旣尙公主，雖詔使，未嘗出城而迎．舌人金台如元，省官語之曰，“駙馬王不迎詔使，不爲無例．然，王是外國之主也，詔書至，不可不迎，至是迎之”:禮7賓禮轉載]．

○命宰臣[左僕射?]洪祿遵，攝事于景靈殿，籩·豆缺，假內殿淨事色，以祭．[80]

己卯[9日]，移御[守司空·]左僕射朴璆第．

○西海道都指揮使上言，“本道貢賦，自庚午年[元宗11年]多逋欠，按察使及守令之罪也，左·右倉考正別監與同罪，請皆罷職”，從之．旣而因左右之請，復其任．

[某日，知太史局事伍允孚言，“國家，嘗以春秋仲月，遠戊日，爲社．按宋舊曆及元朝今曆，皆以近戊日，爲社．自今請用近戊日”，從之:節要轉載]．[81]

壬辰[22日]，達魯花赤黑的禁人挾弓矢．

[某日，罷全羅道按察使安戩·長興府副使辛佐宣，以盧景綸，代戩．時鷹坊吳淑富等，怙勢肆暴，戩及佐宣，疾之，不禮．淑富等歸，告王曰，“按察使及長興副使，不飼鷂，致死”．王怒，有是命．後承宣李汾成言，“聽淑富之言，罪戩等，豈不有累聖德，淑富多行不法，戩等不從其欲，故來譖耳”．王曰，“予固疑之，姑待戩來言耳．召景綸曰，毋以安戩故懼，有藉宣旨爲不法者，輒以聞”．因問汾成曰，“官吏皆欲抗我命，何也?”．對曰，“今僧徒·僕隷，凡有所欲，皆托左右，以受宣旨．官吏無問是非，皆從之，弊豈少哉．且人臣，豈欲抗其主乎? 人主屈於臣，乃盛德也”．王然之:節要轉載]．[82]

六月庚子朔[大盡,癸未]，日食．[83]

[○太史局言，“東方木位，色當尙靑，而白者，金之色也．國人，自易服[~~著戎服~~]，多褐以白紵之衣，木制於金之象也，請禁白色□[服]”，從之:節要·刑法2禁令轉載]．[84]

辛丑[2日]，王如奉恩寺．

---

80) 이 기사는 지15, 禮3, 吉禮大祀에도 수록되어 있다.

81) 이 기사는 열전35, 方技, 伍允孚에도 수록되어 있다.

82) 이 기사는 열전19, 安戩 ; 열전36, 李汾禧, 槢에도 수록되어 있으나 字句에 出入이 있다.

83) 이날 宋·蒙古·일본에서도 일식이 있었는데, 宋에서는 皆旣日蝕이었다(『송사』 권52, 지5, 천문5, 日食 ;『원사』 권8, 본기8, 세조5, 至元 12년 6월 庚子). 이날은 율리우스曆의 1275년 6월 25일이고, 開京에서 일식 현상이 심했던 시간은 10시 44분, 食分은 0.82이었다(渡邊敏夫 1979年 310面).
·『續史愚抄』 4, 建治 1년 6월, “一日庚子, 日蝕, 蝕御祈東寺長老者·前大僧正道融奉仕”.

84) 添字는 지39, 刑法2, 禁令에서 달리 표기된 것이다(東亞大學 2012년 19책 647面).

壬寅[3日], 遣[中郞將?]元卿等十人如元, 進鷹.

庚戌[11日], 郞將張得淸·隊正郭份起, 從捉虎使, 倚勢受賂, 囚于街衢所. 得淸·份起, 爲按察使所劾, 恐法司按律斷罪, 乃托內僚, 自請囚, 冀得流宥也.

癸丑[14日], 初, 作宣傳消息.[85] [舊制, 凡命令徵求, 必下宣旨, 自卽位以來, 宣旨頻煩, 州郡疲於迎命. 李汾成建白, 小事, 不足煩宣旨, 宣旨所至, 必焚香迎命. 請令承宣, 奉王旨作書, 署名紙尾, 發下諸道. 按察·守令, 謂之消息[宣傳消息]. 於是, 消息旁午, 州郡苦之.[86] ○鷹坊吳淑富·方文大等, 遂自草消息, 因李貞白王, 以羅州長興府管內諸島及洪州曲陽村民戶, 悉屬鷹坊, 其善捕鷹者, 所在皆免徭役, 聽淑富等指揮. 王亟命施行, 承宣崔文本言, "淑富等, 所至虐民, 逞其所欲. 按察·守令, 懲安戩·辛佐宣, 無敢誰何. 且屬鷹坊者, 悉免徭役, 國家安所調發, 請勿遣淑富等, 臣以消息, 諭諸道按察使, 亦可辦也". 不從. 貞, 本屠狗奴也, 以勇力, 爲金俊子柱所愛, 柱敗, 逃匿免死, 及王卽位, 爲乳媼女壻, 遂有寵:節要轉載].[87]

[→忠烈初, 拜承宣, 鷹坊吳淑富·方文大等, 自草宣傳消息三通, 因李貞以進曰, 羅州·長興管內諸島民, 請專屬捕鷹, 又籍洪州曲楊村民戶口, 悉屬鷹坊, 又三道內, 能捕鷹者, 勿限名數, 皆免徭. 王命承宣, 極寫行之, 令一聽淑富等指揮. 文本言, "淑富等所至, 虐民逞欲按察·守令, 懲安戩·辛佐宣之事, 莫敢誰何. 且屬鷹坊者, 悉免徭役, 國家安所調發. 請勿遣淑富等, 臣以消息, 諭諸道按察使, 亦可辦也". 不從:列傳12崔文本轉載].

[某日, 王問李汾成曰, "寡人聞中郞□[將]·郞將皆言, 軍旅之事, 則委於我輩. 按

---

85) 이의 사례로 1281년(충렬왕7) 閏8월에 발급된 「修禪社乃老宣傳消息」이 있고(『曹溪山松廣寺史庫』), 宣傳消息(內傳消息)의 체제는 계속 유지되어 오다가 1443년(세종25) 8월 諭書로 바뀌었다.

· 『세종실록』 권101, 25년 8월, "戊子[6日], 上令晋陽大君瑈傳旨承政院曰, 今以內傳消息, 改稱諭書, 雖承旨亦不得見, 只於其外, 書承旨之名曰, 臣某敬奉諭旨, 如何. … 遂傳旨禮曹曰, 國初有親稟王旨, 口傳敎旨之法, 慮有後日之弊. 今皆革罷, 獨內傳消息一事, 尙仍高麗之舊者, 以其事不停滯而行之便易也. …".

86) 이 기사는 열전36, 李汾禧, 槢에도 수록되어 있으나 자구에 출입이 있다. 이와 같이 帝王이 직접 特定府署[有司]에 宣旨[聖旨]를 내려 財物을 取하는 것을 宣索이라고 表記하였던 것 같다.

· 『자치통감』 권233, 唐紀49, 德宗貞元 3년(787) 9월 丁巳[6日], "… [中書侍郞同平章事李]泌曰, '古者天子不私求財, 今請歲供宮中錢百萬緡, 願陛下不受諸道貢獻及宣索[胡三省注, 遣中使以聖旨取有司宣取財物, 謂之宣索]. 必有所須, 請降敕折稅, 不使姦吏因緣誅剝'. 上從之".

87) 李貞에 관한 기사는 그의 열전에도 수록되어 있다.

· 열전37, 폐행2, 李貞, "… 爲忠烈乳媼女壻, 遂有寵, 管鷹坊. 多聚無賴之徒, 流毒郡縣, 國人皆惡之".

察·守令, 臨民之任, 只用東班. 我輩不得無憾. 今欲交差, 何如?". 對曰, "武人有吏才, 知民事者, 蓋寡, 如有才兼文武, 寬猛相濟者, 無論東西, 使之臨民, 可也". 王納之.[88] 自庚癸以來, 權臣柄國, 立文武交差之法, 始以武官補外. 及承宣朴恒掌銓注, 言於王曰, "外寄, 東班之仕路也, 故東班必補外, 然後, 得授朝官. 西班則, 循次以進, 何必求外寄?", 遂不補外. 至是, 武官托王左右, 請復之:節要轉載].[89]

[○以大官署令兼直翰林院朴全之爲門下注書:追加].[90]

丙辰17日, 元遣使□来, 詔赦耽羅賊黨逃匿州縣者.[91]

戊午19日, 奉安元宗木主于魂殿, 神御于安和寺.

甲子25日, 新定禿魯花, 超三等授職. 都校署丞韓謝奇,[92] □左僕射康之子·樞密□□副使李汾禧之壻, 年未二十, 超拜八品, 人多非之.

丁卯28日, 以公主生辰, 放囚.

戊辰29日, 分遣外山祈恩別監于忠淸·慶尙·全羅·東界道.

[→分遣朝官于忠淸·慶尙·全羅·東界道, 名爲外山祈恩別監:節要轉載].

[→戊辰, 遣使于忠淸·慶尙·全羅·東界等道, 遍祭山川:禮5雜祀轉載].

---

88) 이 기사는 열전36, 李汾禧, 槢에도 수록되어 있다.

89) 이와 같은 기사로 다음이 있고, 이 시기에 承宣 朴恒이 銓注를 처리한 모습도 찾아진다. 또 官僚의 임명에서 文武交差之法은 무신정권 때에 令[帝命]으로 실시되었고, 이를 위해 '新定排班圖'가 제작되었다고 한다(→명종 3년 10월 3일). 또 여기에서 朝官은 常參을 가리키는 것 같다(→의종 5년 윤4월 17일의 脚注).

- 지29, 選擧3, 選用守令, "忠烈王元年六月, 王欲武官交差守令, 承宣李褕成言, 武人可臨民者少, 如有才兼文武, 寬猛相濟者, 宜勿論東西班, 授之. 王納之. 自庚癸以來, 權臣柄國, 倡爲文武交差之例, 每以武官補外. 及朴恒掌銓注, 白王曰, '外寄是東班仕路, 故東班必補外, 然後得授朝官. 西班則循次以進, 何必求外寄. 遂不補外'. 至是, 武官托左右, 請復之".
- 지29, 選擧3, 選法, "忠烈王初, 承宣朴恒, 掌銓注, 始留宿禁中, 除授訖, 乃出. 故事, 政房員, 每當除授, 晨入暮出, 干謁塡門, 至是改之".

90) 이는 「朴全之墓誌銘」에 의거하였다.

91) 이들 사신은 5월 23일(癸巳) 몽골제국에서 파견이 결정되었던 것 같다.

- 『원사』 권8, 본기8, 세조5, 지원 12년 5월, "癸巳, 諭高麗國王愖, 招珍島餘黨之在耽羅者".

92) 韓謝奇(蔡仁揆의 壻)는 1279년(충렬왕5) 3월 10일(丁巳)에도 다시 禿魯花[turqaq]로 선발되어 元에 들어갔는데(세가29, 충렬왕 5년 3월 丁巳), 그의 아들 韓永(1285~1336)은 元의 官僚가 되어 河南府路總管에 이르렀다(『滋溪文稿』 권17, 元故亞中大夫河南府路總管韓公神道碑銘并序 ; 『가정집』 권12, 有元故亞中大夫 … 韓公行狀 : 張東翼 1997년 254~260面). 또 몽골제국에서는 韓永이 임명된 路府의 總管職(上路 正3品, 中路·下路 從3品)과 같은 5품 이상의 地方官[外官]도 禮遇, 蔭敍[恩蔭], 官僚推薦 등과 같은 各種 特權이 부여된 支配身分이었다(藤野 彪·牧野修二 2012年 457面).

己巳[30日], 王不豫, 放二罪以下, 配島者, 移免赴京. 命[左承宣]洪子藩, 祠智異山.

[→王不豫, 放二罪以下. □[左]承宣洪子藩言, 去歲既下宥旨, 今而復下, 不亦數乎. 恐犯法者益衆, 京中見囚, 請以口傳宥之. 諸道令祈恩別監, 傳命放之, 可也, 從之:節要轉載].

[→忠烈不豫, 放二罪以下配島者, 子藩曰, "去歲亦有赦, 赦不已數乎. 恐犯罪者益衆. 京中見囚, 請以口傳宥之, 諸道令祈恩別監, 命界首官放遣", 從之:列傳18 洪子藩轉載].

[史臣曰, "洪子藩謂宥旨數, 而犯法者衆, 其言, 是矣. 然, 請以口傳放囚, 何哉, 使犯法者得脫, 宣旨與口傳, 何別乎. 後世權豪, 藉口傳, 釋法司罪囚, 未必非子藩啓之也":節要轉載].

秋七月[庚午朔小盡, 甲申], [某日, 置軍器造成都監·濟州逃漏人物推考色:節要轉載].[93]
[某日, 遣府兵四領, 戍濟州:節要·兵2鎭戍轉載].
丙子[7日], 移御承德府.
甲午[25日], 達魯花赤黑的還. 元宗[~~忠敬王~~]之復位也,[94] 黑的奉詔而來, 性譎詐難信. 及爲達魯花赤甚倨, 王屢抑之, 不敢肆其志. 及是告歸, 王與公主留之, 不聽.[95]
○遣同知樞密院事許珙·將軍趙仁規如元, 賀聖節. 公主恐黑的讒構, 遣式篤兒偕往, 覘其所爲.[96]

---

93) 이와 관련된 기사로 다음이 있다.
- 지31, 백관2, 軍器造成都監, "忠烈王元年, 又置軍器造成都監".
- 지31, 백관2, 濟州逃漏人物推刷色, "忠烈王元年, 置". 이에서 推考色이 推刷色으로 달리 표기되어 있으나 의미는 같다.

94) ~~添字~~는 『고려사절요』 권19에 의거하였다.

95) 黑的[Qedi]의 귀환을 확인하는 자료로 다음이 있다. 또 이때 케디[黑的, 혹은 敬德]가 고려에 대해 좋지 않은 감정이 있어 紛亂을 일으키려고 하자 趙仁規가 世祖 쿠빌라이[忽必烈]에게 달려가 중지시켰다고 한다.
- 『원고려기사』本文, 至元 12년 "七月, 黑的還朝".
- 『원사』 권208, 열전95, 外夷1, 高麗, "[至元12年]七月, 黑的還朝".
- 열전18, 趙仁規, "有王人與我國蓄憾, 欲改土風愬帝, 事叵測. [趙]仁規單騎入覲, 敷奏明辨, 事遂寢".
- 「趙仁規墓誌銘」, "… 越乙亥年[忠烈王1年], 中朝所遣頭目黑的, 與我國蓄感, 欲改國俗, 往訴于天陛, 業已成矣, 無如之何. 公單騎朝天, 親奏情狀, 無不允兪".
- 『가정집』 권3, 趙貞肅公祠堂記, "初, 朝廷所遣黑的, 蓄感飾詞, 欲事紛更, 已誤天聽. … 事得中止, 皆由公汗馬專對之力也".

96) 許珙과 趙仁規는 8월 28일(丙寅) 몽골제국에 도착하여 聖誕節을 賀禮하였다(『원사』 권8, 본기8,

[丁酉28日, 流星大如缶, 自東至西而墮, 光芒照地:天文3轉載].

[某日, 遣使于慶尙·全羅·忠淸·東界諸道, 點閱軍器:兵1五軍轉載].

[某日, 遣使慶尙·全羅道, 點閱諸島牛馬:兵2馬政轉載].

[某日, 以金□某爲慶尙道按察使, 工部員外郞崔瑞爲交州道按察使, 全羅道按察使盧景綸, 仍任:慶尙道營主題名記].97)

八月己亥朔小盡,乙酉, [某日, 定朝官服章, 宰樞以上玉帶, 六品以上犀帶, 七品以下黑帶:節要·輿服1轉載].98)

癸卯5日, 移御竹坂宮.

[甲辰6日, 日旁, 有氣如虹, 直立如柱:天文1轉載].

乙巳7日, 撤堤上宮, 修五大寺.

丁未9日, 濟州耽羅達魯花赤□□遜攤遣使來,99) 督戍卒. 王令鷹揚軍上將軍?金光遠等, 調四領兵, 雖兼近侍, 悉皆僉發, 使將軍梁公勣等, 領行.

辛亥13日, 中郞將?元卿還自元, 帝禁東征元帥忻都等擅捕鶻子, 止令尹秀·李貞·元卿, 捕養以進. 王於是, 禁諸道捕鶻者.

戊午20日, 王及公主, 移御賢聖寺.

壬戌24日, 以公主病, 遣將軍高天伯如元, 請醫.

九月戊辰朔大盡,丙戌, 癸酉6日, 移御沙坂宮.

丁亥20日, 令臺省省臺, 各進直言.100)

戊子21日, 元遣使與劍工古內來. 古內在元, 言'高麗有路可徑至日本', 故遣之.

丁酉30日, 公主生子謜于沙坂宮.

[→生元子于離宮, 是爲忠宣王. 諸王·百官皆賀, 公主從者在門, 凡入者悉褫其衣, 謂之設比兒:列傳2忠烈王妃齊國大長公主轉載].101)

지원 12년 8월 丙寅). 世祖 忽必烈[Qubilai]의 誕日은 8월 28일이다.

97) 崔瑞는 그의 墓誌銘에, 盧景綸은 是年 11월 27일에 의거하였다.

98) 이 기사는 지26, 輿服, 冠服通制에는 7월로 되어 있다.

99) 이때의 耽羅國 達魯花赤은 같은 해 6월 29일(戊辰)에 임명된 遜攤[Suntan]이었다.
 ·『원사』 권8, 본기8, 세조5, 至元 12년 6월 戊辰, "以遜攤爲耽羅國達魯花赤".

100) 添字는 『고려사절요』 권19에서 달리 표기된 것이다.

101) 蒙古語인 設比兒[ceber, ciber]는 出產을 賀禮하려고 訪問한 사람의 外衣를 벗기는 風俗이라고

冬十月戊戌朔小盡,丁亥, 辛丑4日, 宜春侯該卒.102)

庚戌13日, 元遣岳脫衍·康守衡來, 王出迎于宣義門外. 詔曰, "爾國諸王氏, 娶同姓, 此何理也. 旣與我爲一家, 自宜與之通婚, 不然, 豈爲一家之義哉. 且我太祖皇帝, 征十三國, 其王爭獻美女·良馬·珍寶, 爾所聞也. 王之未爲王也, 不稱太子而稱世子, 國王之命, 舊稱聖旨, 今稱宣旨, 官號之同於朝廷者, 亦其比也. 又聞王與公主, 日食米二升, 此則宰相多而自專故耳. 凡此皆欲令爾知之, 非苟使爾, 貢子女, 革官名, 减宰相也. 黑的來言, 爾國事非一, 並不聽許, 爾其知之".103)

壬子15日, 以將獻處女于元, 禁國中婚嫁.

丙辰19日, 賜崔之甫等及第,104) 因時多故, 除宣花呵喝.105)

壬戌25日, [小雪]. 改定官制. [是時, 罷三師·三公, 併中書·門下省·尙書省爲僉議府, 廢中書令, 改門下侍中爲僉議中贊, 置左右各一人. 改門下侍郎平章事·中書侍郎平章事爲僉議侍郎贊成事, 參知政事爲僉議參理, 政堂文學爲參文學事, 知門下省事爲知僉議□府事, 左·右諫議大夫爲左·右司議大夫, 給事中爲中事, 左·右司諫爲左·右補諫:百官1門下府轉載].106)

한다(白鳥庫吉 1929年 ; 東亞大學 2006년 20冊 101面).

102) 이날은 율리우스曆으로 1275년 10월 24일(그레고리曆 10월 31일)에 해당한다.

103) 岳脫衍[Atuin]은 1279년(충렬왕5) 5월 中書省의 牒에는 嶽都因으로, 1308년(충선왕 복위년) 11월 16일에는 阿禿因으로 되어 있다. 또 이때 고려의 官制改革을 命하였는데, 중국 측의 자료에는 11월로 되어 있는데, 어떤 착오에 의한 것일 것이다. 이들 자료의 原典은 『經世大典』이었을 것이고, 이는 고려 측에서 제공한 자료를 저본으로 하였기에 時點의 공간이 開京이었다(→ 참고문헌, 『원고려기사』의 脚注).
· 『원고려기사』本文, 至元 12년, "十一月, 遣使諭愖, 改官職名號".
· 『원사』 권8, 본기8, 세조5, 至元 12년 11월, "甲午28日, 以高麗國官制僭濫, 遣使諭旨, 凡省·院·臺·部官名爵號, 與朝廷相類者改正之".
· 『원사』 권208, 열전95, 外夷1, 高麗, "至元十二年十一月, 遣使諭愖, 改官職名號".

104) 이와 관련된 기사로 다음이 있다. 이때 崔之甫·朴顗 등이 급제하였다고 한다(許興植 2005년).
· 지27, 선거1, 科目1, 選場, "忠烈元年十月, 左僕射韓康知貢擧, 承宣朴恒同知貢擧, 取進士, 丙辰, 賜崔之甫等二十五人·明經一人及第".

105) 宣花呵喝은 國王이 科擧及第者에게 褒賞하기 위해 꽃을 下賜하고[宣花] 宴會를 베풀어 준 후, 이들로 하여금 市街行進을 하게 할 때 크게 소리치게[呵喝] 하는 것이다(『포은집』권下, 賀李秀才登第還鄕).

106) 1275년(충렬왕1)의 관제 정비에서 百官志의 門下府에 대한 기사는 다음과 같은 문제점이 있다.
· 僉議侍郎贊成事의 경우 지30, 百官1, 門下府에 "忠烈王元年, 改爲僉議侍郎贊成事·僉議贊成事"로 되어 있다. 그렇지만 僉議贊成事는 僉議侍郎贊成事 또는 都僉議侍郎贊成事의 略稱인데, 『고려사』의 撰者가 이를 認知하지 못했던 것 같다. 또 당시의 文集, 金石文 등에서도 僉議

[○□□□□□以尙書省, 併于中書·門下□省爲僉議府, 幷罷□□□□尙書都省員吏:百官1尙書省轉載].

[○改樞密院, 爲密直司:百官1密直司轉載]. [改判中樞院事, 爲判密直司事, 知中樞院事爲知密直司事. 同知中樞院事爲同知密直司事, 簽書中樞院事爲簽書密直司事, 中樞院副使爲密直副使, 中樞院直學士爲密直學士. 其後, 一時改稱密直副使, 爲副知密直司事, 尋還元:追加].[107]

[○併吏·禮部爲典理司, 兵部爲軍簿司, 戶部爲版圖司, 刑部爲典法司, 罷工部, 改尙書爲判書, 侍郞爲摠郞, 郞中爲正郞, 員外郞爲佐郞:百官1六曹轉載].[108]

[○改御史臺爲監察司, 仍改大夫爲提憲, 中丞爲侍丞, 侍御史爲侍史, 雜端雜端, ~~殿中侍御史爲殿中侍史~~, 監察御史爲監察史:百官1司憲府轉載].[109]

[○改翰林院爲文翰署. 改翰林學士承旨, 爲文翰學士承旨, 翰林學士爲文翰學士, 翰林侍讀學士爲文翰侍讀學士, 翰林侍講學士爲文翰侍講學士:百官1藝文館轉載·追加].[110]

[○改寶文閣爲寶文署:百官1寶文閣轉載].[111]

[○改國子監爲國學, 仍改祭酒爲典酒, 司業爲司藝:百官1成均館轉載].

侍郞贊成事라고 表記한 것은 극히 小數이고, 대부분이 僉議贊成事, 贊成事라는 주로 略稱을 사용하였다.

· 左·右補諫의 경우, 지30, 백관1, 門下府에 "後改左·右補諫"으로 되어 있다. 이에서 後는 충렬왕 1년으로 推定된다.

107) 副知密直司事는 1300년(충렬왕26) 12월 3일(甲戌)까지 임명된 사례가 찾아지고, 그 이후에는 확인되지 않는다(→충렬왕 18년 3월 18일 鄭仁卿의 脚注).

108) 이때 郞中은 正郞으로, 이보다 33년 후인 1308년(충렬왕34)에 員外郞(佐郞으로 改稱)은 散郞으로 각각 改稱되었는데, 後者는 이미 唐代에 前者의 別稱이었다고 한다. 몽골제국의 압제 하에서 개칭된 職名은 中原의 典故에 해박했던 官僚들에 의해 만들어진 것 같다.

· 『자치통감』 권241, 唐紀57, 憲宗元和 15년(820) 3월 辛未29日, "… 初, 膳部員外郞元稹爲江陵士曹, 與監軍崔潭峻善. 上在東宮, 聞宮人誦稹歌詩而善之, 及卽位, 潭峻歸朝, 獻稹歌詩百餘篇. 上問'稹安在?' 對曰, 今爲散郞[胡三省注, 郞中謂之正郞, 員外郞謂之散郞]. 夏五月庚戌10日, 以稹爲祠部郞中·知制誥, 朝論鄙之".

109) 이에서 ~~添字~~가 탈락되었다(朴龍雲 2009년 194面). 또 이상의 관제 개혁에 대한 기록으로 다음이 있다.

· 『역옹패설』 권9상, 忠憲王世家, "以本國官制有同於上國, 改中書省·尙書省, 並爲僉議府, 樞密院爲密直司, 御史臺爲監察司, 吏禮部並爲典理司, 刑部爲典法司, 其餘官寺之名, 皆改之. 侍中爲中贊, 平章事爲贊成事, 參政參知政事爲參理, …".

110) 翰林學士承旨 以下는 筆者가 사례를 통해 추가한 것이다.

111) 이 시기 이후에 寶文閣은 改稱된 寶文署와 並用되었다.

[○改秘書省爲秘書寺:追加].[112]

[○改閤門爲通禮門:百官1通禮門轉載].

[○後改殿中省殿中寺, 改監爲尹, 少監爲少尹:百官1宗簿寺轉載].

[○改司天監, 爲觀候署:百官1書雲觀轉載].

[又諸寺爲諸府, 諸監爲諸署, 諸卿·監爲諸尹, 諸少卿·少監爲諸少尹:追加].[113]

[○罷勳階及爵位:百官2勳·爵轉載].[114]

[○改金紫光祿□□~~大夫~~爲匡靖□□~~大夫~~, 銀青光祿□□~~大夫~~爲中奉~~奉翊大夫~~, 其餘擬上國者, 悉改之:百官2文散階轉載].[115]

[○又改諸稱號, 以皇帝爲國王, 節日爲誕日·生辰, 陛下爲殿下, 詔·勅爲敎, 宣旨爲王旨, 萬歲爲千歲, 太子爲世子, 王子爲□□大君, 太后爲太妃, 皇后爲王后, 公主爲宮主, 其餘擬上國者, 改之:追加].[116]

[○以門下侍中·判御史臺事金方慶爲僉議中贊·上將軍·判典理·監察司事, 門下侍郎平章事元傅爲匡靖大夫·僉議侍郎贊成事·判軍簿司事·修國史·世子傅, 中書侍郎平章事兪千遇爲參文學事·判版啚司事, 中書侍郎平章事金坧爲參文學事, 同知樞密院事許珙爲中議大夫·密直司使·監察提憲·世子元賓, 判秘書省事朱悅爲判秘書寺事, 上將軍康允紹爲軍簿判書·鷹揚軍上將軍:追加].[117]

○以元將復征日本, 遣上將軍金光遠爲慶尙道都指揮使, 修造戰艦.[118]

[是月, 蟲食松葉:五行2轉載].

十一月丁卯朔大盡,戊子, 癸酉7日, 以改官制, 告于宗廟.

---

112) 이때 秘書省의 改稱이 百官志에 반영되어 있지 않지만, 1276년(충렬왕2) 11월 26일 判秘書寺事 朱悅이 찾아진다.

113) 이때 九寺·五監 등의 官署는 모두 九府·五署로 改稱되거나 他官署에 倂合되었던 것 같다.

114) 이는 지31, 백관2, 勳階[勳]·爵位[爵]의 "忠烈王以後廢之"에 의거하였다.

115) 이에서 中奉, 곧 中奉大夫는 奉翊大夫의 오자일 것이다. 中奉大夫는 몽골제국의 文散階[從2品]이어서 사용할 수 없을 것이고, 李齊賢도 奉翊大夫로 改稱되었다고 하였다.

· 『역옹패설』 권9상, 忠憲王世家, "金紫光祿大大爲匡靖□□大大, 銀靑光祿大夫爲奉翊□□~~大夫~~, 其餘階官之名, 亦改之".

116) 이는 筆者가 각종 자료를 통해 整理, 推定하였지만, 향후 더 많은 사례가 찾아져야 할 것이다.

117) 이는 열전17, 金方慶 ; 열전18, 柳璥·兪千遇 ; 열전19, 朱悅 ; 열전36, 康允紹 ; 元傅墓誌銘 ; 金坧墓誌銘 ; 許珙墓誌銘 등에 의거하였다.

118) 金光遠은 後日 密直使, 知僉議府事에 이르렀던 것 같다(閔漬墓誌銘 ; 金方慶墓誌銘).

乙亥[9日], 畫浮屠觀世音菩薩像十二軀, 設法席于宮中, 爲帝祝釐.

庚辰[14日], 幸本闕, 設八關會. [改金鼇山額, 聖壽萬年四字, 爲慶曆千秋, 其一人有慶, 八表來庭, 天下太平等字, 皆改之. 呼萬歲, 爲呼千歲, 輦路, 禁鋪黃土:禮11 仲冬八關會儀轉載].

癸未[17日], 遣僉議贊成事兪千遇如元, 賀正, 告改官制, 獻處女十人.[119)]

癸巳[27日], 分遣部夫使于諸道. [摠郞金晅如全羅道, 行至菁好驛. 全羅道按察[按廉] 盧景綸, 驛輸內膳于京甚夥, 私膳居半. 晅取私膳, 輸之國庫. 景綸壻金天緖, 適爲水原掌書記, 取以爲獻. 景綸又訴於王, 王免晅官, 以宋由義代之, 尋貶晅爲襄州副使:節要轉載].[120)]

○元遣使來, 作軍器, 以起居郞金磾, 偕往慶尙·全羅道, 歛[斂]民箭羽·鏃鐵.

[○月犯太白:天文3轉載].

[乙未[29日], 幸魂殿, 行七虞祭←12월에서 옮겨옴].[121)]

[→乙未, 王行七虞祭於魂殿:禮6國恤轉載].

十二月[丁酉□[朔大盡,己丑], 副達魯花赤入京, 王以軍服, 率侍臣, 出迎于宣義門外, 入沙坂宮, 開詔[開詔]. 達魯花赤歸館, 百官咸詣謁見, 三品以上, 階上行揖禮, 四品以下, 階下拜禮:禮7賓禮轉載].[122)]

[乙未,幸魂殿,行七虞祭→11월로 옮겨감].

[某日, 置盤纏色, 歛[斂]銀, 諸王·宰樞·承宣·班主一斤, 宰樞致仕者·正三品十三兩, 從三品十一兩, 以至權務·尉·正, 各出有差. 坊里二戶幷一兩. 又歛[斂]銀及紵布于各道:食貨2科斂轉載].[123)]

---

119) 이때의 告奏表가 『동문선』 권40, 告奏表(金坵 撰)이다.

120) 이때 金晅에 관련된 자료로 다음이 있다.

· 「金晅墓誌銘」, "乙亥拜四品, 是年秋, 以全羅州道部夫使, 路遇其道按秉, 私膳沒之, 被權勢讒".

· 열전19, 金晅, "忠烈元年, 由摠郞, 出爲全羅道部夫使. 至菁好驛, 見全羅按察盧景綸, 驛輸內膳于京甚夥, 私膳居半, 取其私膳歸國庫. 景綸女壻金天緖, 適爲水原書記, 取以獻王, 景綸訴于王, 免晅官. 俄貶襄州副使".

· 『圓鑑國師歌頌』, 戲答分揀金侍郞晅二首.

121) 十二月乙未에서 乙未는 11월 29일이므로, 十二月을 다음 기사인 甲辰(8일)의 앞으로 移動시켜야 한다. 또 지18, 禮6, 國恤에는 옳게 되어 있다[校正事由].

122) 開詔는 開詔의 오자일 것이다.

123) 이 기사는 『고려사절요』 권19에 축약되어 있다("置盤纏色, 令中外臣民, 出銀及苧布有差").

[某日, 貞和宮主宴賀生男, 宮人小尼者布席于東廂. 王曰, "不如正寢. 小尼不告公主, 就正寢置平牀爲公主坐". 式篤兒曰, "平床之坐, 欲使同於宮主也". 公主大怒, 遽令移席西廂, 盖以西廂, 舊有高榻也. 及宮主行酒, 王顧見公主, 公主曰, "何白眼視我耶. 豈以宮主跪於我乎?". 遂命罷宴, 下殿大哭曰, "將往吾兒處". 遂促輦, 式篤兒將進輦, 王杖走之. 公主乳母曰, "主若出, 老婢必死于此". 手搤其吭視將自絶, 公主乃止:列傳2忠烈王妃齊國大長公主轉載].[124]

甲辰[8日], 遣將軍高天伯及式篤兒如元, 請以明年親朝. [式篤兒將行, 謂大將軍印公秀曰, "公主使我奏宮主事, 如何則可". 公秀曰, "伉儷之間, 妬媢之言, 何足上聞? 君旣奏之, 公主後悔, 將何及已?". 式篤兒然之:節要轉載].

[→時, 王遣式篤兒, 如元請朝. 式篤兒將行, 謂大將軍印公秀曰, "公主使我奏宮主事, 若奏之必不利於國, 如何則可". 公秀曰, "伉儷之間, 妬媢之言, 何足上聞? 君旣奏之, 脫公主後悔, 將何及已?". 式篤兒然之:列傳2忠烈王妃齊國大長公主轉載].

乙巳[9日], 監察司劾上將軍康允紹, 起於賤隸, 免之.

[→監察司劾[密直使·]監察提憲許珙, [上將軍·]軍簿判書康允紹. 珙, 其妻死, 更娵姨女養於家者. 允紹, 起於賤隸, 故皆爲監察司所論, 允紹, 又自出視事, 劾免之:節要轉載].[125]

丁未[11日], 遣帶方公澂, 率衣冠子弟□[二]十人如元, 爲禿魯花, 賜以景靈殿五室白銀祭器.[126]

---

124) 이 기사는 『고려사절요』 권19에 축약되어 있다.

125) 이와 같은 기사로 다음이 있고, 憲司는 監察司의 略稱이다.

· 열전18, 許珙, "忠烈元年, 改官制, 拜監察提憲. 珙, 嘗娶政堂文學尹克敏女, □[妻]死, 更娵[娶]妻弟之女養於家者, 憲司[監察司]劾之. 至是, 朝臣皆以新官制改銜, 謝恩命, 唯珙未得謝". 여기에서 娵는 娶로 고쳐야 옳게 될 것이다.

· 열전36, 嬖幸, 康允紹, "忠烈王元年, 拜軍簿判書·鷹揚軍上將軍. 時群臣以新官制改銜, 唯允紹系賤, 爲監察司所論, 未改. 允紹, 自出視事, 復爲監察司所劾, 免".

126) 이 기사는 열전3, 顯宗王子, 平壤公基에도 수록되어 있다. 또 이와 관련된 자료로 다음이 있는데, 당시에 파견된 宿衛[禿魯花]가 20人이었다고 한다. 또 帶方公 澂(顯宗의 4子인 平壤公 基의 9世孫)은 이때와 1279년(충렬왕5) 3월 10일, 10년 4월 26일 등의 3次에 걸쳐 투루카[禿魯花]를 거느리고 몽골제국에 入侍하였다. 그는 성실히 숙위하여 世祖 쿠빌라이로부터 每年 數百種의 물품을 하사받았다고 한다.

· 『원고려기사』本文, 至元 12년 11월, "是月, 遣帶方侯王澂, 率衣冠子弟二十人入侍".

· 『원사』 권208, 열전95, 外夷1, 高麗, "[至元十二年十一月,] 愖[諶]遣其帶方侯王澂, 率衣冠子弟二十人入侍". 이상의 기사는 11월이 아니라 12월로 고쳐야 옳게 될 것이다.

庚申[24日]，以[僉議中贊]金方慶爲上柱國，奇洪碩爲軍簿判書·鷹揚軍上將軍，[[門下注書]朴全之爲權知閤門祗候:追加].[127)]

[某日，都兵馬使以國用不足，令人納銀拜官. 白身望初仕者，白銀三斤，未經初仕，望權務者五斤，經初仕者二斤. 權務九品，望八品者三斤，八品，望七品者二斤，七品，望參職者六斤. 軍人望隊正，隊正望校尉者三斤，校尉望散員者四斤，散員望別將者二斤，別將望郎將者四斤:食貨3納粟補官之制轉載].[128)]

是月，元遣中書□□□□[省左右司]員外郎石抹天衢，爲副達魯花赤.[129)]

[是年，降密城郡爲歸化部曲:轉載].[130)]

[○王寫成'紺紙銀字不空羂索神變眞言經':追加].[131)]

[○非父母忌齋，禁往寺社:刑法2禁令轉載].

[○以[吏部侍郞]金周鼎爲太府卿·左司議大夫:列傳17金周鼎轉載].

[○以[監察御史]安珦爲尙州判官. 時有女巫三人，奉妖神惑衆. 自陜州，歷行郡縣，所至作人聲呼空中，隱隱若喝道. 聞者奔走，設祭莫敢後，雖守令亦然. 至尙，珦杖而械之，巫托神言，怵以禍福. 尙人皆懼，珦不爲動. 後數日，巫乞哀乃放，其妖遂絶:列傳18安珦轉載].[132)]

· 「王昷妻壽寧翁主金氏墓誌銘」，"伯父帶方公諱澂，在世祖皇帝時，率本國子弟宿衛于內，天子嘉其勞，寵賚歲至累百".

127) 이는 「朴全之墓誌銘」에 의거하였는데，임명된 날짜는 都目政(大政)인 24일(庚申)일 것이다. 또 門下注書는 門下錄事 또는 中書注書의 잘못일 것이다.

128) 이와 관련된 기사로 다음이 있다.
· 지29，選擧3，鬻爵，"忠烈王元年，以國用不足，令人納銀拜官，以所納多少，爲差".
· 『고려사절요』 권19，충렬왕 1년 12월，"都兵馬使以國用不足，許人納銀拜官".

129) 이와 관련된 자료로 다음이 있다. 石抹[Shih-mo]氏는 원래 契丹의 蕭氏(后妃族)였는데，金代에 前者로 改稱하였다가 蒙古帝國時期에 환원되었다고 하지만 石抹天衢의 家系는 그대로 유지하였던 것 같다(→희종 2년 4월 13일의 脚注).
· 『원고려기사』本文，至元 12년 11월，"以石抹天衢充副達魯花赤".
· 『원사』 권208，열전95，外夷1，高麗，"[至元十二年十一月]，以石抹天衢充副達魯花赤".

130) 이는 다음의 자료에 의거하여 전재하였다.
· 지11，지리2，密城郡，"忠烈王元年，以郡人趙仟殺郡守，以應珍島叛賊三別抄，降爲歸化部曲，屬之雞林. 先是，臺省屢請降號，用事者，受邑人賂，每沮之. 至是，復極論，從之. 後復稱密城縣".

131) 이는 『紺紙銀泥不空羂索神變眞言經』 권13의 題記에 의거하였다(湖巖美術館 所藏，국보 제210호，張忠植 2007년 80面).
· 題記，"至元十二年乙亥歲，高麗國」王發願寫成銀字大藏」.
· 末尾，背面，"三重大師 安諦書」.

[○以姜世爲東京留守府司錄:追加].[133)]
[增補].[134)]

丙子[忠烈王]二年, 元 至元十三年, [南宋德祐二年→5月景炎元年], [西曆1276年]

1276년 1월 18일(Gre2월 25일)에서 1277년 2월 4일(Gre2월 11일)까지, 13개월 384일

春正月丁卯朔[小盡,庚寅], 群臣賀正于王, 用幣. 命賜內帑銀紵, 支其費, 歲以爲常.
○元帥忻都·達魯花赤石抹天衢, 各獻馬.
乙亥[9日], 設法席于普濟寺, 爲帝祝釐, 每値聖甲日, 行之. 時謂之乙亥法席.[135)]
丙子[10日], 帝命除造戰船及箭鏃.
丁丑[11日], 元遣別古里來, 頒曆, 詔曰, "四時不忒, 推鳳曆以紀年, 萬國攸同. 矧雞林之受朔, 若稽舊典, 用布大和, 今賜至元十三年曆日一本, 卿其敬授農時, 益遵田正, 籍爾蕃宣之力, 贊于平秩之功. 率勤南畝之民, 罔知遊惰, 爰俾東陲之俗, 丕變雍熙, 庶績其凝, 朕言無替".
己卯[13日], 元遣使來, 求鐵.
庚寅[24日], 少尹朴瑞將赴安西都護府, 宰樞言, 安西生券軍所聚,[136)] 守非其人, 恐不能制. 少尹金瑊有口辨, 且嘗爲金方慶南征佐幕, 頗識蒙漢軍情僞, 請以代瑞, 從之.

---

132) 이와 관련된 자료로 다음이 있다.
· 『樂全堂集』 권7, 安珦行記, "… 忠烈王元年倅尙州, 捕治女巫之挾神惑衆者".

133) 이는 『東都歷世諸子記』에 의거하였다.

134) 이해(至元12)에 몽골제국에서 다음의 사실이 있었다.
· 『원사』 권8, 본기8, 세조5, 지원 12년 2월, "丙辰[15日], 賞征東元帥府[東征元帥府]日本戰功錦絹·弓矢·鞍勒".
· 『원사』 권8, 본기8, 세조5, 지원 12년 12월 丙寅[30日], "升高麗東寧府爲路". 이에 비해 『원사』 권59, 지11, 地理2, 東寧路에는 1276년(至元13)에 昇格되었다고 되어 있다.

135) 聖甲은 皇帝가 태어난 해의 干支[本命]인데, 世祖 忽必烈[Qubilai]은 1215년(蒙古太祖10, 乙亥) 8월 28일(乙卯)에 출생하였다(『원사』 권4, 본기4, 세조1, 總論→원종 14년 8월 28일, 本命→의종 즉위년 12월 12일의 脚注).

136) 生券軍은 南宋代에 창설된 邊境의 鎭戍部隊로서 他地에서 赴防한 戰鬪部隊이었으나 南宋이 滅亡한 후 熟券軍과 함께 蒙古軍에 편입되어 新附軍으로 재편되어 주로 농경을 담당하던 屯田軍으로 변모하였다. 또 南宋代의 熟券軍은 邊境地帶 또는 그 인근의 농민병이 징집되어 屯田의 경작에 동원되었던 部隊이다(艾萌 2013年).

○以淸州凋弊，權罷判官．

壬辰[26日]，王及公主與達魯花赤[石抹天衢]，觀獵于猫串．137)

乙未[29日]，[元帥]忻都妻享王，仍獻良馬．

[某日，以[試閤門祗候]朴仝之爲知東州郡事:追加]．138)

[某日，以尹衡爲慶尙道按察使:慶尙道營主題名記]．

[是月己丑[23日]，元勑以有官子弟爲質:追加]．139)

[甲申[18日]，南宋恭帝趙顯遣使齎傳國璽及降表如蒙古軍前:追加]．

二月丙申朔[大盡,辛卯]，宴[元帥]忻都妻于內殿．140)

壬寅[7日]，[僉議贊成事]兪千遇還自元，前所進處女，只留崔侚·崔之守女，餘皆放還．

乙巳[10日]，閱樂於宮門，王與公主觀之，賜銀布．

丁未[12日]，王與公主，幸本闕．

己酉[14日]，燃燈，王如奉恩寺．士女塡巷，相慶曰，“豈謂今日復見昇平舊儀”．

三月[丙寅朔大盡,壬辰]，己巳[4日]，[元帥]忻都享王．

辛未[6日]，飯僧二千于毬庭．遣中郞將張得精如元，獻鐵．

甲戌[9日]，幸賢聖寺．

○遣郞將李仁如元，請行宮料，且賫銀換鈔．

丁丑[12日]，雨雪，[大風冰凍:五行1恒寒轉載]．赦曰，“予以否德，嗣守丕基，于今三年，將與公主，朝于天子，而天譴屢彰，敢不冰兢．欲消災變，當布殊恩，不忠·不孝外，二罪以下，咸赦除之”．

戊寅[13日]，王及公主，幸昇天府，觀潮．

己卯[14日]，[淸明]．以鷹坊人，倚勢虐民，遣中郞將元卿等于諸道，糾治．141)

---

137) 觀獵은 『고려사절요』 권19에는 獵으로 되어 있으나 脫字가 발생한 것 같다(盧明鎬 等編 2016년 506面).

138) 이는 「朴仝之墓誌銘」에 의거하였다.

139) 이는 다음의 자료에 의거하였다.

· 『원사』 권9, 본기9, 세조6, 지원 13년 1월 己丑[23日], “勑高麗國，以有官子弟爲質”.

140) 丙申은 蒙古帝國의 曆日로 1月 30日[大盡]에 해당한다.

141) 이때 元卿은 三道人物推考別監에 임명되어 全羅道巡問使의 幕僚인 李贇를 誣告하였던 것 같다.

· 열전37, 元卿, “[元卿,] 忠烈朝，累遷中郞將，爲三道人物推考別監．忤公主旨，公主怒杖之．全羅道巡撫使幕僚李贇，道見驛馬馱物如京者，詰之，乃鷹坊人私物也．贇繫其人，輸其物國庫，卿譖王

[某日, 王以小君·中郎將滑, 驕恣, 剃髮爲僧. 初, 王爲太孫時, 納崔琯婢生滑, 公主亦愛之如嫡, 出入禁中. 嘗賂康守衡, 欲襲王, 宿衛于元:節要轉載].

[→初, 忠烈爲太孫, 金俊以崔琯婢盤珠納之, 得幸生滑. 公主亦愛之, 出入禁中, 號王小君. 拜中郎將, 欲襲王宿衛, 賂康守衡以請. 守衡, 以丞相安童言來, 告曰, '令滑率禿魯花來'. 二年, 王以滑驕恣, 剃髮爲僧:列傳4忠烈王王子小君滑轉載].

甲申[19日], 達魯花赤[石抹天衢]詰之曰, "稱宣旨·稱朕·稱赦, 何僭也?". 王使僉議中贊金方慶·左承宣朴恒, 解之曰, "非敢僭也, 但循祖宗相傳之舊耳, 敢不改焉". 於是, 改宣旨曰王旨, 朕曰孤, 赦曰宥, 奏曰呈. [□[又]改承宣爲承旨:百官1密直司轉載].[142)]

庚寅[25日], 幸康安殿, 設藏經道場.

[是月丁丑[12日], 南宋恭帝趙顯如蒙古:追加].

閏[三]月[丙申朔小盡,壬辰], 丁酉[2日], 元遣林惟幹及回回阿室迷里[阿室迷里兒]來, 採珠于耽羅.[143)]

[某日, 僉議府上言, "近者, 內豎微賤者, 皆以隨從之勞, 許通仕路, 混雜朝班, 有乖祖宗之制, 請收成命". 王怒, 欲觀其所爲, 陽許之. 既而復取其狀, 僉議府不即從. 王囚詔文主事,[144)] 命右正言李仁挺勿視事, 竟取其狀. 批曰, "勿改成命":節

曰, '李贇見進鵓者, 罵曰, 安用此爲, 撲殺其鵓'. 王怒流贇海島, 未幾, [大將軍尹]秀白王, 釋之".

142) 이때 皇帝의 言語[王言]였던 詔書와 勅書는 없어지고, 宣旨는 王旨 또는 敎旨, 制書는 批判 또는 判으로 改稱되었던 것 같다. 批는 上批의 略稱으로 帝王이 간략한 書式으로 명령을 하달하는 것을 가리키며, 이의 用例도 찾아진다(『송회요집고』, 刑法, 격령1, 元豊 1년 11월 18일). 또 大元蒙古國의 駙馬가 되었던 國王과 王族은 元의 宗室로서 諸王에 임명되어 그들의 命令을 가리키는 鈞旨를 發給하기도 하였다.
그리고 이때 각종 용어가 개칭되었지만, 고려인은 여전히 과거의 용어를 사용하고 있다가 1299년(충렬왕25) 10월 征東行省의 平章政事로 파견되어 온 闊里吉思[Georgius]에 의해 沮止되었다(『졸고천백』 권2, 東人四六序). 당시에 既往의 用語를 여전히 사용한 사례로 다음이 찾아진다.
- 1279년(충렬왕5) 4월[余月] 秘書監致仕 金之積이 쓴 『首楞嚴經環解刪補記』권하, 跋文(『한국불교전서』6책 소수)의 特下手詔·勑.
- 1294년(충렬왕20) 李承休가 왕을 '本國主上陛下'라고 한 점(『동안거사집』雜著, 看藏寺記).
- 1295년(충렬왕21) 8월에 건립된 「麟角寺普覺國尊靜照塔碑」에서 1277년(충렬왕3) 이후에도 왕명을 詔·制·奉勑撰·奉勅, 普覺國尊 一然이 王의 使臣을 天使라고 표기한 것.
- 충렬왕이 圓悟國師 天英에게 보낸 詩文에서 자신을 '朕은 본래 唐 皇帝의 後孫이거늘[朕曾唐帝孫]'라고 말한 것(佛台寺慈眞圓悟國師靜照塔碑).

143) 阿室迷里[Asi Miri]는 『고려사절요』 권19에는 阿室迷里兒로 되어 있는데, 後者가 옳을 것이다(盧明鎬 等編 2016년 507面).

144) 詔文主事는 詔書[詔書文字]를 管掌하던 胥吏를 指稱하는데, 官制가 改稱된 후 5개월이 경과한 이 時点에서 以前의 名稱[古稱]이 그대로 사용되었던 것 같다(詔文→敎文, 詔文記官→敎文

要轉載].[145]

庚子5日, 塩店□[~~洞~~]一千餘戶災.[146]

[辛丑6日, 霜:五行1霜轉載].

甲辰9日, 設三界大醮于康安殿.

[某日, 有投匿名書于達魯花赤[石抹天衢]曰, “右正言李仁挺與百餘人, 潛謀欲殺達魯花赤”. 達魯花赤枷鎖仁挺, 尋知誣, 釋之. 仁挺, 性强, 凡拜官者, 必究功過, 未嘗苟署告身, 人多怨之:節要轉載].[147]

辛亥16日, 王與公主, 觀獵于天壽寺南郊.[148]

癸丑18日, 元以前所進禿魯花, 謂非衣冠之胄, 皆遣還.

乙卯20日, 雨雹于寧越縣, 大如鵠卵, 鳥雀中者, 皆死.[149]

[某日, 公主, 以安平公女許嫁[元帥]忻都子, 王欲不許, 公主邀慶昌宮主及安平公妃, 令與忻都妻面約婚, 宮主安平公之姨也:列傳2忠烈王妃齊國大長公主轉載].

[某日, 有吐蕃僧自元來, 自言帝師遣我, 爲公主·國王祈福. 宰樞備旗盖出迎, 閭巷皆焚香. 其僧食肉飮酒, 常言, 我法不忌酒肉, 唯不邇女色. 無何潛宿倡家. 又請設曼陁羅道場, 令備金帛·鞍馬·雞·羊, 以麪爲人長三尺置壇中. 又麪以作小兒及燈塔, 各百八, 列置其傍, 吹螺擊鼓, 凡四日. 僧戴花冠, 手執一箭, 繫皀布其端, 周回踴躍. 車載人, 令旗者二·甲者四·弓矢者三十, 曳弃城門外. 公主施錢甚厚, 其徒爭之, 訴曰, 僧非帝師所遣, 其佛事亦僞也. 公主詰之, 皆伏, 遂黜金郊外:列傳2

記官). 또 지방행정의 末端에 위치한 詔文記官은 朝鮮時代에도 그대로 사용되었다.

145) 이와 관련된 기사로 다음이 있다.

- 열전19, 秋適, 李仁挺, “[李]仁挺爲正言[~~右正言~~], 與諸郞舍言, 近內竪微賤者, 皆以隨從之勞, 許通仕途, 雜厠朝班. 有乖朝宗之制, 請收成命. 王怒, 欲觀所爲, 陽許之, 旣而復收其狀. 郞舍不卽從, 王囚詔文主事柳輿, 命仁挺勿視事. 竟取其狀, 批曰, 勿改成命”.
- 지29, 選擧3, 限職, “忠烈王二年閏三月, 僉議府上言, ‘近內竪微賤者, 以隨從之勞, 許通仕路, 混雜朝班, 有乖祖宗之制. 請收成命’, 不允. ○國制, 內僚之職, 限南班七品, 謂之常式七品, 如有大功異能, 只加賞賜, 未有至五六品者. 元宗朝, 始通其路, 然拜將軍·郞將者, 不過一二, 及忠烈卽位, 內人無功者, 拜豊官高爵, 腰鞓帶黃. 至子孫, 許通臺省·政曹者甚多, 若別將·散員, 不可勝數”.

146) 塩店에 洞이 탈락되었다(지7, 五行1, 火, 火災).

147) 이와 같은 기사가 열전19, 秋適, 李仁挺에도 수록되어 있다.

148) 觀獵은 『고려사절요』 권19에는 獵으로 되어 있다(盧明鎬 等編 2016년 507面).

149) 이와 같은 기사가 지7, 五行1, 水, 雨雹에도 수록되어 있다. 延世大學本과 東亞大學本에는 鵠卵이 鵠卯로 되어 있으나 오자일 것이다.

忠烈王妃齊國大長公主轉載].[150)]

[→吐蕃僧自元來, 自言帝師遣我, 爲公主·國王祈福. 宰樞備旗蓋, 迎于城外, 請王, 作曼陁羅道場, 令備金帛·鞍馬·雞羊, 用麪作人, 長三尺, 坐之壇中. 又作小麪人·麪燈·麪塔, 各一百八, 列置其傍, 吹螺擊鼓, 凡四日. 僧戴花冠, 手執一箭, 繫皁布其端, 周麾而雀躍, 車載麪人, 令旗者二·甲者四·弓矢者三十, 曳棄城門之西. 公主施錢甚厚, 其徒爭之, 訴曰, "僧非帝師所遣, 佛事乃其僞作". 公主詰之, 皆服, 遂黜遣之:節要轉載].

庚申[25日], 命有司, 行夏享于宗廟, 王將以四月四日, 朝京師, 故卜此日, 用之.

[→庚申, 命有司, 夏享于太廟, 將以四月, 朝京師, 故先時行之:禮3吉禮大祀轉載].

甲子[29日], 元遣楊仲信, 賫幣帛來, 爲歸附軍五百人聘妻. 王遣寡婦處女推考別監·正郎 金應文等五人於諸道.[151)] 先是, 慶尙道屯邊官軍頭目申中書省曰, "高麗人無時乘驛, 致其疲弱, 設有他變, 恐不及時". 中書省移牒, 禁之. 始立□□[鋪馬]箚子色, 應文等各受鋪馬箚子, 以行.[152)]

[→令諸道按察使, 禁忽赤擅乘驛馬:兵2站驛轉載].

夏四月[乙丑朔大盡,癸巳], 庚午[6日], 置歸化部曲蘇復別監.[153)] [先是, 臺省論密城人趙阡,

150) 이 기사에서 僧侶들이 거짓말을 하였기에 당시의 帝師가 初代 帝師인 八思巴(發思巴, Phags-pa, 1235?~1280)인지, 그의 동생 2代 亦憐眞(rin chen, 1238~1282)인지는 판가름하기가 어렵다.

151) 이와 관련된 기사로 다음이 있다.
- 지31, 백관2, 諸司都監各色, 寡婦處女推考別監, "忠烈王二年. 改爲歸附軍行聘別監. 時國家多用武人爲宰相, 凡有建置, 首相獨與上色錄事, 撰定其名, 故鄙拙可笑, 類此".

152) 이와 관련된 기사로 다음이 있다. 鋪馬箚子色에서 鋪馬는 驛馬를, 箚子는 馬를 差出하는 文書(馬牌)를, 色은 작은 규모의 官署를 指稱한다.
- 지31, 백관2, 諸司都監各色, 鋪馬箚子色, "忠烈王二年, 置".
- 『攻媿集』 권111, 北行日錄上, 乾道 5년 12월 2일, "遇[金]賀正人使, 先排兩馬南去. 金法, 金牌走八騎, 銀牌三, 木牌二, 皆鋪馬也. 木牌最急, 日行七百里, 軍期則用之".
- 『원사』 권101, 지49, 兵4, 站赤, "至元六年二月, 詔, 各道憲司, 如總管府例, 每道給鋪馬箚子三道".

153) 歸化部曲은 前年(충렬왕1)에 密城郡을 降等시켜 鷄林府에 編入시킨 部曲이고(지11, 지리2, 密城郡), 이와 같은 기사로 다음이 있는데, 그중에서 b는 『고려사』의 편찬방식(踰年稱元法)으로 고치면 c와 같이 될 것이다.
- a 열전37, 폐행2, 朴義, "… 密陽人, 以鷹犬, 嬖於忠烈, 累遷將軍. 先是, 密城人趙阡殺守應賊, 降密城爲歸化部曲. 義賂左右, 白王曰, '密城大郡, 貢賦甚夥. 降爲部曲, 無鎭撫者, 恐其民流散'. 乃置蘇復別監".
- b 『세종실록』 권150, 지리지, 密陽都護府, "忠烈王元年甲戌[卽元世祖至元十一年], 以郡人趙仟殺郡守, 以應珍島叛賊三別抄, 降爲歸化部曲".

殺守應賊之罪，降爲歸化部曲．郡人朴義，以養鷹嬖於王，賂左右，白王曰，“密城大邑，貢賦甚多，降爲部曲，而無鎭撫者，恐其民流散，莫能禦也”．故有是命:節要轉載].

辛未[7日]，雩.

癸酉[9日]，王及公主幸[長湍]都羅山.[154)]

○耽羅星主來朝，命序四品之下.

丙子[12日]，元勑歸附軍，輟其半以歸．於是，追還[寡婦處女推考別監]金應文等.

五月[乙未朔小盡,甲午]，丁酉[3日]，知僉議府事[·寶文署大學士·修國史]致仕張鎰卒,[155)] [年七十，謚章簡，無子:列傳19張鎰轉載]．[鎰，性溫恭正直，善屬文，優於吏才:節要轉載].

[某日，置通文館，令禁內學館七品以下，年未四十者，習漢語．時譯者多起微賤，傳語之間，多不以實，懷姦濟私，宰相患之．參文學事金坵獻議，置之:節要轉載].

[→始置之，令禁內學官等參外，年未四十者，習漢語[注，禁內學官，秘書·史館·翰林·寶文閣·御書·同文院也．幷式目·都兵馬·迎送，謂之禁內九官]．時舌人多起微賤，傳語之閒，多不以實，懷奸濟私，參文學事金坵建議，置之．後置司譯院，以掌譯語:百官1通文館轉載].

[→舌人率微賤庸劣，傳語多不以實，或懷姦濟私．[參文學事·判版圖司事金]坵獻議置通文館，令禁內學館叅外年少者，習漢語:列傳19金坵轉載].

乙巳[11日]，王與公主幸本闕，設仁王道場.

○將軍高天伯自元還，帝勑停親朝.

壬戌[28日]，王與公主如興王寺.

[→後王與公主如興王寺，僧乞還金塔公主不許．又令忽刺歹括大府寺銀入內:列傳2忠烈王妃齊國大長公主轉載].

[是月乙未朔，南宋恭帝入覲于上都，封瀛國公:追加].

[是日，南宋端宗趙昰卽位於福州，改元景炎:追加].

· c 『세종실록』 권150, 지리지, 密陽都護府, “忠烈王卽位年甲戌[卽元世祖至元十一年]，以郡人趙仟殺郡守，以應珍島叛賊三別抄，二年丙子，降爲歸化部曲”.

154) 이날부터 王의 幸次를 幸과 如로 달리 표기하였는데, 原來는 幸이었으나 『고려사』의 편찬과정에서 如로 바뀌었다가 다시 還元할 때 如字가 고쳐지지 못하였기 때문일 것이다.

155) 이날은 율리우스曆으로 1276년 6월 16일(그레고리曆 6월 23일)에 해당한다.

六月$^{\text{甲子朔大盡,乙未}}$，乙丑$^{\text{2日}}$，[大暑]. 王如奉恩寺.

[○祔□□^{元宗}于景靈殿:禮6國恤轉載].

丙寅$^{\text{3日}}$，遣大將軍尹秀·中郎將朴義如元，獻鷂.

丁卯$^{\text{4日}}$，王與公主幸竹坂宮，相新宮基地.

壬申$^{\text{9日}}$，林惟幹採珠耽羅，不得，乃取民所藏百餘枚，還□^{于}元.[156]

○元賜絆襖$^{\text{~~胖襖~~}}$于合浦軍，馱用驛馬百四十三匹.[157]

[○流星，大如盆，墮路寢庭:天文3轉載].

[某日，$^{\text{太府卿·}}$左司議大夫金周鼎上書，論□^{按}廉使·守令勤怠，貢賦輕重不一，鄕吏附勢逃役等事，請令究理. 王納之，爲左右所沮，事竟不行:節要轉載].[158]

[是時，改按察使爲按廉使:百官2外職轉載].[159]

壬午$^{\text{19日}}$，禱雨于諸寺.

丙戌$^{\text{23日}}$，遷景靈殿仁宗眞于靈通寺，祔元宗眞于景靈殿.

丁亥$^{\text{24日}}$，密直副使$^{\text{·版圖判書}}$崔文本卒，[年四十四:列傳12崔文本轉載].[160] [文本，性高倨沈重，不苟俯仰，有大臣體:節要轉載].

辛卯$^{\text{28日}}$，雨.

壬辰$^{\text{29日}}$，參文學事$^{\text{~~僉議侍郎贊成事~~}}$兪千遇卒，[年六十八. 諡文度:列傳18兪千遇].[161] [千遇，性聰敏，多機辯，金敞薦于崔怡. 怡曰，貌雖不揚，誠可人也，置之政房. 久典機要，多受人饋遺，致富饒，嘗爲史官，不修史草曰，"當時國家事，皆晉陽公所

---

156) 添字는 『고려사절요』 권19에 의거하였다.

157) 絆襖는 戰場에서 槍과 矢를 막기 위해 棉花를 두껍게 하여 만든 短衣[防彈服], 또는 邊防의 軍士에게 지급된 木棉으로 된 冬衣인 胖襖로 하여야 옳게 될 것이다(東亞大學 2008년 8책 443面).
- 『元典章新集』, 兵部, 軍制, 整治軍兵, "各衛年例上都處, … 下戶相合置備車牛, 其應般本奕衣甲·胖襖·槍刀·弓箭·軍需等物, 已及滿載".
- 『增定吏文輯覽』 권3, 胖襖, "胖當作胖, 音방, 去聲. 胖襖, 綿絮衣也"(19面左5行).

158) 이와 같은 기사가 열전17, 金周鼎에도 수록되어 있다.
- 「金周鼎墓誌銘」, "論時務二十餘條封事, 上嘉之, 多所施行".

159) 前年(충렬왕1) 10월 25일(壬戌) 관제 개혁의 餘波로 按察使는 按廉使로 改稱되었던 것 같다. 『고려사절요』 권19에서 안렴사가 처음 등장한 것은 이해의 6월 某日이다.

160) 이날은 율리우스曆으로 1276년 8월 10일(그레고리曆 8월 17일)에 해당한다.

161) 參文學事는 僉議侍郎贊成事의 오류일 것이다. 兪千遇는 中書侍郎平章事를 거쳐 1275년(충렬왕1) 10월 25일 관제 개혁 때 參文學事(과거의 政堂文學)에 임명되었다가 17일(癸未) 僉議侍郎贊成事(과거의 平章事)로서 몽골제국에 파견되었다. 또 諡號는 그의 壻인 閔宗儒의 묘지명에서도 확인된다.

爲, 吾蒙厚恩, 何敢傳其惡於後世耶?":節要轉載].

[是月, 旱:五行2轉載]

秋七月 [甲午朔[小盡,丙申], 流星自西而東, 大如椀:天文3轉載].[162]

乙未[2日], 祔元宗于宗廟, 以[門下侍郞]平章事李世材·[門下侍郞平章事]蔡楨, 配享.

[○祔□□[元宗]于太廟:禮6國恤轉載].

丙申[3日], [處暑]. 以柳璥爲僉議侍郞贊成事·監修國史·判版圖司事, [密直副使?]李汾禧△[爲]知密直司事.

[→拜[柳璥爲]僉議侍郞贊成事·監修國史·判版圖司事. 先是, 璥以平章□[事]罷, 元傅繼爲贊成□[事], 而判軍簿□□[司事]·修國史. 至是, 璥以判版圖□□[司事]復相, 位在傅下, 傅曰, "吾於柳猶門生, 安敢居上?". 璥曰, "判軍簿□□[司事]爲二宰, 判版圖□□[司事]爲三宰, 其來尙矣". 相讓久之. 王以問[密直司使]許珙, 對曰, "璥之言舊制, 傅之言私恩也. 後進讓先進, 禮也. 若加璥監修國史, 躋於傅上, 亦人望也", 從之:列傳18柳璥轉載].

丁酉[4日], 將軍車信自元還[~~車忽解還自元~~], 帝賜王重錦七十匹.[163]

○元遣王延生, 推刷耽羅人物, 延生, □[守]司徒禎庶子也, 珍島之敗, 沒入元.[164]

戊戌[5日], 都兵馬使言, 禿魯花子弟至京師, 請托而還者, 請皆免官, 追徵盤纏銀紵·國贐馬. 王許之, 除免官.

丙午[13日], 元遣使來, 採金.

[某日, 置世子詹事府:節要轉載].

[→置世子詹事府, 丞·司直·注簿·錄事各一人, 又置春坊通事舍人一人:百官2東宮官轉載].

癸丑[20日], 遣大將軍印公秀及達魯花赤, 採金于洪州, 只得二錢.

○遣中贊金方慶·直史館文璉如元, 賀聖節.[165]

---

162) 原文에서는 朔이 탈락되어 있었다.

163) 車信은 1277년(충렬왕3) 1월 某日에 이루어진 車忽解[Qu dai]의 改名일 것이다.

164) 禎(?~1130)이 띠고 있는 司徒는 死後의 追贈職으로 추측된다. 그는 檢校尙書右僕射, 檢校司空, 檢校司徒·守司空·承化伯 등을 역임하고 서거하였다(열전3, 종실1, 현종, 平壤公基).

165) 이와 관련된 자료로 다음이 있으나 出發 時點의 空間은 고려이다.

- 『원고려기사』, 至元 13년, "七月二十日, 愖[諶]遣其僉議中贊金方慶, 奉表賀平南宋".
- 『원사』 권208, 열전95, 外夷1, 高麗, "[至元]十三年七月, 愖[諶]奉表賀平南宋".

○王上書中書省, "一曰, 達魯花赤經歷張國綱, 明敏淸平, 百姓德之, 瓜期已滿, 乞令留任. 一曰, 小邦秤制, 異於上國, 前者, 蒙賜一十六斤秤一連, 十斤半等子一槃, 三斤二兩等子一介, 用之中外, 未可周遍, 乞更賜秤子等子各五百. [□□一曰, 陪臣金方慶, 佐官軍, 攻破珍島·耽羅及征日本, 修造戰艦, 揚兵海上, 實有力焉. 乞賜虎頭金牌, 用勸來者":節要轉載].[166]

甲寅21日, 元使問達魯花赤石抹天衢所犯, 不服, 囚之. 王遣大將軍?朴球請之, 乃釋.

[○流星出天弁, 入天江:天文3轉載].

[某日, 大將軍尹秀等自元還還自元, 言帝遣鷹坊子五十人, 處之羅州, 凡屬鷹坊者, 勿使侵擾. 且令朴義, 管鷹坊, 以秀等請之也:節要轉載].[167]

[某日, 以權㫜爲慶尙道按廉使:慶尙道營主題名記].[168]

八月癸亥朔小盡,丁酉, 甲子2日, 都兵馬使請, 降號賊鄕尙州·淸州·海陽·珍島等州, 且從賊入耽羅者, 禁錮. 王只許禁錮.

[→都兵馬使言, "尙州·淸州·海陽, 是珍島賊魁之鄕, 請降號. 其從賊入耽羅者, 請禁錮". 王只許禁錮:節要轉載].

丁卯5日, 以將軍崔有渰爲人物推考別監, 伴達魯花赤經歷張國綱, 往合浦.

庚午8日, 命內侍·佐郞郭預, 以六韻詩, 試世子府侍學公子, 取李益邦等.

甲戌12日, 王與公主獵于德水縣馬堤山, 王率忽赤·鷹坊, 親御弓箭, 鷹鷂縱橫馳騖. 父老見者, 皆嘆息.

[→王與公主, 獵于德水縣. 縣東北有馬堤山, 王嘗命構草屋數間, 及是, 率忽赤·鷹坊各五十人往, 獵其地:節要轉載].

己卯17日, 王獵于昌樂院.

[庚辰18日, 月暈, 內赤中黃, 又與歲星同舍:天文3轉載].

---

166) 이 기사는 열전17, 金方慶에도 수록되어 있으나 자구에 출입이 있다.

167) 이 기사는 열전37, 嬖幸2, 尹秀에도 수록되어 있다.

168) 權㫜은 全羅道와 慶尙道의 按廉使를 역임하였다고 한다.

- 「權㫜墓誌銘」, "若全羅·慶尙, 攬轡之事, 播在人口者, 固多矣".
- 열전20, 權㫜, "嘗按三道, 行文書, 但用鈴板, 未嘗發一吏, 令行禁止. 其按慶尙也, 晋州副使白玄錫未之任, 先用州吏所賫銀幣, 到官重斂御衣對綾羅絲價, 私用之. 甫州副使張悛, 家在丹山與州近, 遣州人耕耨其田. 㫜並劾之, 悛壯元狀元及第, 玄錫曾爲省郞, 同受汚名, 士林恥之". 여기에서 張悛은 1258년(고종45) 6월 狀元으로 급제한 張漢文의 改名인 것 같고, 이때 丹山縣(조선시대의 丹陽郡)은 忠州牧 管內에 있었다.

癸未[21日], 以左司議大夫李仁成爲選軍別監.

○元遣鷹坊迷剌里[迷剌里]等七人來, 王賜宅及奴婢.

丁亥[25日], 飯僧千四百于毬庭, 王及公主親臨侑飯, 僧宗悟陞座說法, 王賜宗悟銀瓶十五.○元遣塔剌赤[塔剌赤], 爲耽羅達魯花赤, 以馬百六十匹來, 牧□[之].[169]

己丑[27日], [又遣]東寧府千戶韓愼來, 刷人物.

[□□[是月,] 溟州吏金遷, 得母於遼陽以歸. 初, 遷母, 以高宗四十六年, 沒入元, 母子不相聞. 忽得母書云, 在某家爲婢, 遷慟哭, 貸白金五十五兩, 隨賈胡, 至東京天老寨, 得之以歸. 其夫無恙, 遂爲夫婦如初:節要轉載].

[→金遷, 溟州吏, 小字海莊. 高宗末[46年], 蒙古兵來侵, 母與弟德麟被虜. 時遷年十五, 晝夜號泣, 聞被虜者多道死, 服衰終制. 後十四年, 有百戶習成自元來, 呼溟州人於市三日. 適旌善人金純應之, 成曰, "有女金氏在東京云, 我本溟州人, 有子海莊. 托我以寄書. 汝識海莊否", 曰, "吾友也". 受書持以與遷. 書云, "予生到某州某里某家, 爲婢. 飢不食寒不衣, 晝鋤夜舂, 備經辛苦, 誰知我死生". 遷, 見書痛哭, 每臨食, 嗚咽不下. 欲往贖母, 家貧無貲. 貸人白金, 至京請往尋母, 朝議不可, 乃還. ○至忠烈王入朝, 又求往, 朝議如初. 遷, 久留京, 衣敝粮罄, 鬱悒無聊, 道遇鄕僧孝緣. 涕泣求哀. 孝緣曰, "吾兄千戶孝至, 今往東京, 汝可隨去. 卽囑之". 或謂遷曰, "汝得母書已六載, 安知母存沒. 且不幸中途遇賊, 徒喪身失寶耳". 遷曰, "寧往不得見, 豈惜軀命". 遂隨孝至入東京, 與本國譯語別將孔明, 歸北州天老寨, 尋訪之母在. 至軍卒要左家, 有一嫗出拜, 衣懸鶉, 蓬髮垢面, 遷見之, 不知其爲母也. 明日, "汝是何如人". 曰, "予本溟州戶長金子陵女, 同產進士金龍聞已登第. 予嫁戶長金宗衍, 生子二, 曰海莊·德麟. 德麟, 隨我到此, 已十九年, 今在西隣百戶天老家爲奴. 何圖今日復見本國人". 遷聞之, 下拜涕泣, 母握遷手泣曰, "汝眞吾子耶, 吾謂汝爲死矣. 要左適不在", 遷不得贖, 乃還東京. 依別將守龍家, 居一月, 與守龍復往要左家請贖, 要左不聽. 遷哀乞, 以白金五十五兩贖之, 騎以其馬,

---

169) 이때 塔剌赤[darachi]와 관련된 자료로 다음이 있다.

- 『신증동국여지승람』 권38, 제주목, 古跡, "達魯花赤府·軍民安撫使府, 高麗忠烈王時, 元塔羅赤[塔剌赤]載牛馬駱驢羊來, 放于水山坪, 馬畜蕃息. 是後元設達魯花赤府及摠官府, 以高仁旦爲摠官, 行署府事尋罷. 其後又設軍民安撫使府, 以塔赤爲達魯花赤, 行署府事, 尋又罷之, 還隷高麗. 今州城北海岸, 有古官府遺址, 疑卽其地, 然不可考".
- 『신증동국여지승람』 권38, 旌義縣, 古跡, "水山坪, 在水山西南. 高麗忠烈王時, 元塔羅赤等來, 放牛馬駱驢羊于此坪".

徒步而從. 德麟, 送至東京, 泣曰, “好歸好歸. 今雖不得從, 如天之福, 必有相見之期”. 母子相掩泣, 不能語. 會中贊金方慶回自元, 至東京, 召見遷母子, 稱嘆不已, 言於摠管府, 給引廚傳以送.[170)] 將至溟州, 宗衍聞之, 迎于珍富驛, 夫婦相見而喜. 遷, 擧酒以進, 退而痛哭, 一座莫不濟然. 子陵, 年七十九, 見女喜劇倒地. ○後六年, 天老之子携德麟來, 遷以白金八十六兩贖之. 未數歲, 盡償前後所貸白金, 與弟德麟, 終身盡孝:列傳34金遷轉載].

[是月, 判秘書□[寺]事朱悅, □□□□□[掌成均館試], 取詩賦李之桓等三十人, 十韻詩李緣等二十八人:選擧2國子試額轉載].[171)]

[是月庚寅[27日], [元群臣賀聖節,高麗使金]方慶奉幣, 禮畢上殿, 亡宋幼主後至. 二人執袂前導, 帝命幼主, 坐皇太子下. 有司請方慶與宋群臣坐次, 帝曰, “高麗慕義自歸, 宋力屈乃降, 何可同也. 唯宋福王, 於幼主大父行, 年且老, 賜坐金宰相上, 其餘皆下坐”. 又曰, “金宰相有軍功”, 賜虎頭金牌. 東人帶金符, 自方慶始:列傳17金方慶轉載].[172)]

---

170) 이 구절은 “通行證[路引]을 支給하여 廚傳(過客에게 宿食을 제공하고 말과 수레를 보관하던 公的인 宿泊施設)을 이용할 수 있도록 措置하여 보냈다”로 해석하는 것이 좋을 것이다.

· 『한서』 권8, 본기8, 宣帝紀第8, 元康 1년 5월, “詔曰, … 或擅興或繇役, 飾廚傳, 稱過使客. 韋昭曰, 廚 謂飮食, 傳謂傳舍, 言修飾意氣, 以稱過使而已”.

· 『한서』 권99中, 王莽傳第69中, 始建國 2년 12월, “莽以錢幣訖不行, 復下書曰, … 吏民出入, 持布錢以副符傳, 不持者, 廚傳勿舍, 關津苛留. 師古曰, 廚, 行道飮食處, 傳, 置驛之舍也, 苛, 問也, 音何”.

171) 이때 權永(權溥, 17歲)도 선발되었다(權溥墓誌銘). 또 이때 國子監이 國學 또는 成均館으로 改稱되었음에도 『고려사』選擧志에서 ‘國子試額’을 사용한 것은 國子監과 成均館이 同等한 同義語였기 때문일 것이다. 이때의 成均館은 前年에 행해진 官制名稱의 格下措置에 따른 呼稱이 아니라는 것이다.

· 『자치통감』 권224, 唐紀40, 代宗大曆 1년(766) 8월, “甲辰, 以魚朝恩行內侍監·判國子監事. 中書舍人京兆常袞上言, ‘成均之任, 當用名儒[胡三省注, 五帝名學曰成均. 垂拱元年, 改國子監曰成均, 義取此也. 尋復其舊. 常袞謂國子監爲成均, 亦猶今人言太學爲璧雍耳], 不宜以宦者領之”.

172) 虎頭金牌(便宜行事虎頭牌의 略稱)는 金虎符라고도 하며 高位官僚 또는 武將들의 신분을 나타내는 虎頭모양의 牌, 곧 符信(證明書·許可證)이다. 이는 중국 고대의 皇帝가 軍士를 동원하여 將帥를 파견할 때 사용하던 兵符로서 青銅 또는 黃金으로 만들어 엎드린 늙은 호랑이 모양(伏老虎形狀)을 새긴 令牌이므로 虎符라고 한다. 중간의 반을 나누어 하나는 將帥에게 지급하고 하나는 皇帝가 보관하다가 두 개의 虎符가 동시에 사용되어야 軍士의 出動이 가능하였다. 隋代에는 麟符, 唐代에 虎字를 避諱하여 魚符 혹은 兎符(토부)라고 하다가 후에 다시 龜符를 사용하였고, 南宋 때에 다시 虎符를 사용하였고, 元代에 虎頭牌를 사용하다가 후일 銅牌로 바뀌어 졌다(箭內 瓦 1930年 ; 張東翼 2013년b). 또 『동방견문록』序篇, 9章에도 이에 대한 설명이 있는데, 獅子頭를 가진 金符라고 하였다(金浩東 譯注 2000년 81面).

· 『아언각비』 권2, 牌子, “牌子者, 軍令之書傳也. 軍中本有防牌, 外面刻畫人獸之面, 大將以文帖, 傳令於列校列郡, 則紙搨牌面下書軍令, 以示威信. 昔在萬曆, 天兵東出, 李提督[注, 名如

九月壬辰□[~~朔~~大盡,戊戌], 王與公主幸王輪寺.[173)]

甲午[3日], 幸本闕, 設藏經道場.

辛丑[10日], 王與公主獵于馬堤山.

甲辰[13日], 復葬世祖梓宮于昌陵, 太祖梓宮于顯陵. [初, 遷都, 移葬二梓宮于江華. 至是, 皆復舊陵:節要轉載].

丁未[16日], 謁顯陵[太祖].

[○月與歲星同舍:天文3轉載].

[壬子[21日], 立冬. 太白犯南斗:天文3轉載].

[癸丑[22日], 月犯輿鬼:天文3轉載].

[丙辰[25日], □[月]犯大微[~~太微~~]內屛星:天文3轉載].

戊午[27日], 遣諸道巡撫使. [是時, 改安撫使, 爲巡撫使:百官2外職轉載].

己未[28日], 達魯花赤[石抹天衢]享王.

[○熒惑入角. 月與辰星·鎭星同舍:天文3轉載].

庚申[29日], 元以平定江淮, 遣不花來, 詔赦天下.[174)]

冬十月壬戌朔[小盡,己亥], 賜李益邦等及第.[175)]

松], 楊經理[鎬], 嘗用牌子傳令. 當時軍校之家, 尙有傳者. 乃俗儒錯認, 凡尊者下書于賤者, 卽名牌子, 小紙片札, 衰颯陋拙之語, 名之曰牌子, 以寄吏胥, 以寄奴僕, 豈不羞哉? 然且牌子亦謂之牌旨, 嘗見譯書, 唯皇帝之命稱皇旨·詔旨, 非匹夫所得僭也. 日本之俗, 凡相敬處稱殿, 何以異是?".

173) 壬辰에 朔이 탈락되었다.

174) 몽골제국은 이해의 7월 무렵에 江南地域에 있던 南宋의 저항 세력을 거의 평정하였는데, 이때 고려에 사신을 파견하였던 것 같다. 이해에 있었던 南宋의 사정은 다음과 같다.

- 1월 18일(甲申), 杭州 南宋政權의 恭宗 趙顯(7歲)이 監察御史 楊應奎 등을 伯顔 등의 몽골군의 진영에 파견하여 玉璽 및 降服의 表를 바쳤다(『송사』 권47 ; 『원사』 권9).
- 5월 1일(乙未), 陳宜中 등이 福州(現 福建省의 省都)에서 度宗의 아들 益王 昰(端宗)를 황제로 옹립하고 연호를 景炎으로 바꾸었다(『송사』 권47).
- 9월 12일(癸卯), 몽골제국이 南宋을 평정하였다고 천하에 사면을 내렸다(『원사』 권9).
- 11월 15일(乙巳), 昰(端宗)가 몽골군의 공격을 피해 바다로 들어갔다[入海](『송사』 권47).

175) 이와 관련된 기사로 다음이 있다. 이때 李益邦·禹天佑·金台鉉(金台鉉墓誌銘)·吳光禮 등이 급제하였다(『등과록』, 朴龍雲 1990년 ; 許興植 2005년).

- 지27, 선거1, 科目1, 選場, "[忠烈]二年十月[~~九月~~], 密直司使[·監察提憲]許珙知貢擧, 右副承宣薛恭儉[~~薛公儉~~]同知貢擧, 取進士, [~~十月壬戌朔~~], 賜李益邦等三十三人·明經一人·恩賜三人及第". 여기에서 十月은 九月 또는 그 以前일 것이고, 薛恭儉은 薛公儉의 오자이다.

癸亥[2日], 親醮于康安殿.[176)]

甲子[3日], 元遣忽剌歹[忽剌歹]□[來], 命王及公主, 以明年五月入朝. 又移放羅州馬於珍島. 又罷合浦鎭邊所梢工·水手. 又令西海道歸附軍, 自耕而食.[177)]

[○月犯南斗魁第二星:天文3轉載].

乙丑[4日], 太白晝見, [○夜又與月同舍:天文3轉載].

戊辰[7日], 金方慶受虎頭金牌, 仍賫詔書還, 王出城以迎.[178)]

[□□[是時], [東征元帥]忻都謂方慶曰, “帝命我管蒙軍, 子管高麗軍, 子每事推王, 王又推子, 果誰任之”. 方慶曰, “閫外則將軍制之, 閫內則受制於君, 固也”. 語畢, 有雀雛在堂下, 忻都令捕之自弄, 旣而撲殺, 謂方慶曰, “如何”. 方慶曰, “農夫作苦, 此物一聚啄, 禾穀殆盡. 公殺之, 亦恤民意”. 忻都曰, “吾見東人, 皆知書信佛, 與漢兒相類. 每輕我輩, 以謂蒙人業殺戮, 天必厭之. 然天賦吾俗以殺戮, 只當順受, 天不以爲罪. 此子等所以爲蒙人奴僕也”:列傳17金方慶轉載].

己巳[8日], 謁昭陵[韶陵].[179)]

[辛未[10日], 辰星入氐:天文3轉載].

[甲戌[13日], 月犯歲星:天文3轉載].

乙亥[14日], 親祫于大廟[太廟], 上諡[謚]册, [宥境內. 初, 公主亦欲與祭, 伍允孚曰, “大廟[太廟]祖宗神靈所在也, 恐有不測之虞”. 公主懼而止:節要轉載].[180)]

丙子[15日], 郎將鄭福均還自元, 帝賜枰子三百.

---

176) 이 기사는 지18, 禮5, 雜祀에도 수록되어 있다.

177) 忽剌歹(忽剌台, Quradai, 蒙古人, 忠烈王妃 齊國公主의 怯怜口 出身)은 1277년(충렬왕3) 1월 某日 印侯로 改名하였는데, 이때 함께 온 三哥는 張舜龍으로, 車古歹(혹은 車忽觧 Qudai)은 車信으로 개명하였다.
- 열전36, 印侯, “印侯, 本蒙古人, 初名忽剌歹[忽剌歹]. 齊國公主怯怜口, 怯怜口華言私屬人也. 與三哥·車古歹, 從公主來, 補中郎將. 忠烈欲拜將軍, 令易名, 忽剌歹[忽剌歹]語大將軍印公秀曰, ‘吾與爾善, 盍借爾姓’, 遂改姓名爲印侯”.
- 열전36, 張舜龍, “張舜龍, 本回回人, 初名三哥. 父卿事元世祖, 爲必闍赤. 舜龍以齊國公主怯怜口來, 授郞將, 累遷將軍, 改今姓名”.
- 열전36, 張舜龍, 車信, “車信, 亦怯怜口也. 信, 初名車忽觧, 本國人, 嘗沒入于元, 居燕京. 其母夤緣得乳公主, 及公主釐降, 遂爲媵臣”.

178) 金方慶은 世祖로부터 虎頭金牌를 9월 14일(乙巳)에 下賜받았다.
- 『원사』 권9, 본기9, 세조6, 至元 13년 9월, “乙巳, 高麗國王王愖上參[僉]議中贊金方慶功, 授虎符”.

179) 昭陵은 韶陵[元宗]의 오자이다(→원종 15년 9월 12일). 또 韶陵은 開城市 龍興里(지난날의 開豊郡 嶺南面)에 있다(보존급유적 562호, 張慶姬 2013년).

180) 이 기사는 열전35, 方技, 伍允孚에도 수록되어 있다.

[丁丑[16日], 熒惑犯亢第一星:天文3轉載].

戊寅[17日], 敎曰, "先代君王, 旣行祫禮, 必肆大恩, 近以天子之詔, 已赦一切罪犯, 然其後有犯者, 皆可除之, 國內山川神祇, 宜加德號".

[○月掩東井北轅第一星:天文3轉載].

[己卯[18日], □[月]掩五諸侯:天文3轉載].

甲申[23日], 王獵于赤田[籍田]之南.[181]

[丙戌[25日], 月入氐星:天文3轉載].

[○巽方, 赤氣橫天, 其上, 白氣如槍, 長三尺許:五行1轉載].

庚寅[29日晦], 遣譯者如元, 獻日本栗. 初, [宣諭使]趙良弼得日本栗, 種于義安縣, 至是結實.

十一月 [辛卯朔[大盡,庚子], 熒惑·鎭星, 同舍于氐:天文3轉載].

[某日, 元遣鷹坊子郎哥歹等二十二人來. [大將軍]尹秀以王命請之也:節要轉載].[182]

[→未幾, 帝遣鷹坊子郎哥歹等二十人, 往慶尙道河陽·永州之地, 以[尹]秀及元卿伴行:列傳37尹秀轉載].

甲辰[14日], 設八關會, 幸儀鳳樓, 行般若道場.

乙巳[15日], 地震, 聲如雷.

戊申[18日], 中郞將康之邵還自元, 之邵以推刷人物如元, 不得而還.

癸丑[23日], [小寒]. 遣中禁指諭金富允如元, 進黃漆, 且請明年入朝鋪馬及草料.[183]

---

181) 赤田은 籍田의 오자일 것이다. 충렬왕은 1277년(충렬왕3) 5월 籍田에서 사냥을 관람하였고, 1279년(충렬왕5) 9월에도 籍田에서 사냥하였다(→충렬왕 3년 5월 9일, 5년 9월 20일). 『고려사』에서 同音異字의 오자가 많은 것은 금속활자인 乙亥字로 조판할 때 採字를 잘못하였기 때문이다.

182) 鷹坊子는 鷹坊所屬人, 鷹坊人과 같은 의미를 지닌다. 또 매[鷹]을 飼育, 訓練하는 사람을 蒙古語로 昔寶赤, 昔保赤[Sibaruchi]이라고 하였다.

· 『금사』 권53, 지34, 선거3, 右職吏員雜選, "雜班局分, 鷹坊子·尙食局廚子·果子廚子·食庫車本把 … 四百月出職".

183) 黃漆은 黃金色이 띤 옻칠[漆]로서 莞島를 위시한 康津·海南·靈巖 등에서 생산되어 이른 시기부터 中原에 수출되기도 한 貢納品으로 해당지역의 人民들에게 큰 피해를 주었다고 한다.

· 『정조실록』 권41, 18년 12월 戊寅[25日], "湖南慰諭使徐榮輔進別單曰, … 一. 莞島卽黃漆所產之地, 故本道監兵水營及本島地方康津·海南·靈巖等三邑, 皆有年例所納, 往往有加徵之弊. 挽近以來, 木產漸不如前, 加徵歲有所增, 而納官之際, 吏屬操縱, 情債日多, 實爲難支之弊. 今年風災之後, 大株又多枯損, 菫有穉木略干而已. 黃漆亦係器物緊需, 則所當培養栽植, 以備國用. …".

· 『여유당전서』詩集권4, 耽津村謠, "完洲黃榛[黃漆]瀅琉璃, 天下皆聞此樹奇. 聖旨前年蠲貢額, 春風髡櫱又生枝".

○南京司錄李益邦賫八關賀箋來, 有人以私憾, 因內竪譖之, 王遣螺匠, 鎖頸以來.
[○月與熒惑同舍:天文3轉載].
甲寅24日, 知僉議府事鄭子璵卒.[184]
[○熒惑犯房上相星:天文3轉載].
丙辰26日, 達魯花赤石抹天衢張榜, 國人軍士外, 禁持弓箭·兵器.
○遣判秘書寺事朱悅·將軍兪洪愼如元, 賀正. [又奏改名賰:追加][185]
[○熒惑犯鉤鈐:天文3轉載].

十二月辛酉朔大盡,辛丑, 壬戌2日, 傳旨宰樞曰, "近者, 星文屢變, 寡人思欲修德弭災, 卿等各言時政得失, 無有所諱". 宰樞以十二事上書, 秘而不發.
[庚午10日, 日暈如虹:天文1轉載].
[癸酉13日, 月與歲星同舍:天文3轉載].
丙子16日, 夜, 有人投匿名書, 誣告貞和宮主呪咀公主, 又齊安公淑·僉議中贊金方慶等四十三人, 謀不軌. 於是, 囚貞和宮主及淑·方慶等. 僉議侍郎贊成事柳璥涕泣力諫, 公主感悟, 皆釋之.
[→丙子夜, 有人投匿名書于達魯花赤石抹天衢館. 又呼於道曰, "有衣則衣, 有食則食, 勿爲他人所得":節要轉載].
[明日丁丑17日, 達魯花赤以告王及公主, 其書誣曰, "貞和宮主失寵, 使女巫, 呪咀公主. 又齊安公淑·金方慶·李昌慶·知密直司事李汾禧·承宣朴恒·李汾成等四十三人, 謀不軌, 復入江華". 公主遣忽剌歹忽刺歹·三哥·車古歹等, 囚貞和宮主, 封府庫. 天衢

· 『本草綱目』 권35上, 木2, 漆, 集解, "今廣浙中出, 一種漆樹, 似小榎而大. 六月取汁漆物, 黃澤如金, 卽唐書所謂黃漆者也. 入藥仍當用黑漆".

184) 鄭子璵와 관련된 기사로 다음이 있는데, 여기에서 鄭子璵은 鄭子璵의 오자일 것이다. 이날은 율리우스曆으로 1276년 12월 30일(그레고리曆 1277년 1월 6일)에 해당한다.
· 열전36, 康允紹, "鄭子璵鄭子璵, 亦譯者也, 本靈光郡押海人. 初爲僧, 歸俗, 補譯語都監錄事, 因習蒙古語. 累入元, 以勞轉官, 至知僉議府事".

185) 朱悅이 몽골에 파견된 것과 관련된 기사로 다음이 있다.
· 『원고려기사』本文, 至元 13년, "十一月, 愖諱遣其判秘書寺事朱悅奉表, 奏改名賰".
· 『원사』 권9, 본기9, 세조6, 至元 13년 11월 庚申30日, "高麗國王王愖諱遣其臣判秘書寺事朱悅來, 告更名賰". 이때 朱悅은 11월 26일(丙辰) 고려에서 파견되었으므로 30일(庚申) 다이투[大都, daydu]에 도착할 수 없었을 것이다. 그래서 이 기사의 冒頭는 庚申이 적합하지 않고, 是月이 脫落되었을 것이다.
· 『원사』 권208, 열전95, 外夷1, 高麗, "至元十三年十一月, 愖諱遣其判秘書寺事朱悅奉表, 奏改名賰".

亦囚淑及方慶等四十三人, 召宰相雜問之, 又諷公主, 親鞫諸囚於宮庭. 公主將從之:節要轉載].

[翼日戊寅18日, 柳璥與諸宰相, 請見公主曰, "近世權臣, 執國命, 若有告人以罪者, 事無虛實, 罪無輕重, 卽加誅戮. 若刈草菅, 人懷戰慄, 莫保朝夕, 皇天眷佑, 蕩除此輩, 而使公主, 來莅東方. 臣等以爲無辜之禍, 無從而起, 今者, 達魯花赤所得匿名書, 臣請辨之. 我國人物衰耗, 而官軍屯於四面, 誰敢有意於逃竄乎? 無名之文, 奚足取信, 且貞和宮主呪咀事, 亦易辨也. 自公主釐降, 國人按堵, 悉感帝德, 彼若以私憾, 呪咀公主, 神而有靈, 背德之禍, 必反乎爾?". 璥涕淚交下, 言甚切至, 左右莫不潸然. 公主感悟, 皆釋之:節要轉載].

[→有人投匿名書于達魯花赤石抹天衢曰, "齊安公淑·金方慶等四十三人, 謀不軌, 復入江華". 天衢囚淑及方慶等, 令宰相雜問之, 賴柳璥力救, 得免. 語在璥傳:列傳17金方慶轉載].

[→有投匿名書於達魯花赤石抹天衢館曰, "貞和宮主失寵, 使女巫呪詛公主. 又齊安公淑·中贊金方慶及李昌慶·李汾禧·朴恒·李汾成等四十三人, 謀不軌, 復入江華". 公主囚貞和宮主, 天衢亦囚淑·方慶等, 乃召宰相雜問之. 天衢忽言曰, "春期已近, 諸君宜賦迎春詩". 參文學事金坵但唯唯, 璥慨然曰, "王妃與首相, 俱在縲紲, 此豈嘯詠時乎?". 天衢慚赧. 天衢又諷公主, 親鞫諸囚, 公主將從之. 璥與諸宰相, 請見公主, 膝行而前曰, "近世權臣執國命, 若有告人以罪, 不問虛實輕重, 卽加誅戮, 如刈草菅, 人懷戰慄, 莫保朝夕. 皇天眷佑, 蕩除此輩, 使公主來莅東方, 臣等以爲無復前日之禍. 今乃有此事, 所得匿名書, 臣請辨之. 我國人物衰耗, 官軍屯於四面, 誰敢逃竄. 無名之書, 何足取信. 若信而罪之, 我一二臣, 明日亦恐不免, 誰敢竭力, 以供王事. 貞和宮主呪詛事, 亦易辨也. 自公主釐降, 國人按堵, 悉感帝德淪入骨髓. 彼若以私憾呪詛, 神而有靈, 背德之禍, 必反乎身?". 璥自始語, 涕泗交下, 言甚切至, 左右莫不濟然. 公主感悟, 皆釋之, 獨留貞和. 宰相議請釋, 畏公主皆默然, 璥遽起入內, 力請乃釋. 王遣內人, 謝璥甚勤:列傳18柳璥轉載].

[→有人投匿名書于達魯花赤石抹天衢館, 又呼於道曰, "有衣則衣, 有食則食, 勿爲他人所得". 明日, 達魯花赤以告王及齊國公主, 其書曰, "貞和宮主失寵, 使女巫呪詛公主". 公主遣忽剌歹忽刺歹·三哥·車古歹等, 囚宮主于螺匠家, 封其府庫, 賴柳璥力辨, 得釋:列傳2忠烈王妃貞信府主轉載].

甲申24日, 遣將軍高天伯及忽剌歹忽剌歹如元, 上表曰, "巫蠱之言, 鼓虛而起, 聖明之鑑，燭實可知．今者，達魯花赤持匿名書來示，言有四十餘人聚謀，復入江華．若其所言，誠或有據，固宜當面而露告，何乃匿名以陰投．此必有憾於國，有怨於人，妄飾而爲之者耳，所錄四十人中，有身沒已過五年者，則其誣妄，可驗也．乞降明斷，自今匿名書，悉令勿論”．[186)]

[○月與熒惑同舍:天文3轉載]．

[是月辛酉朔，帝賜至元十四年曆:追加]．[187)]

是歲，發諸道丁夫，伐木□[于]交州道界，輸之京城，凍餒多死．[188)]

[→公主將修宮室，請工匠于元，發諸道丁夫，伐材□□□□□[于交州道界]，輸之京城，凍餒死者，相繼:節要轉載]．

[○時公主請工匠于元，大興土木之役．木匠提領盧仁秀，擇一大木，諷[金]方慶·柳璥與印侯[忽剌歹]·張舜龍[三哥]，各執鉅，斷其兩端曰，“人臣盡力於主，當如是也”．方慶嘗享王及公主，皆用新鑄銀器，宴罷，納于內帑．又營五百羅漢堂于普濟寺，極其壯麗．大設會以落之．達魯花赤及兩府皆會，都人士女坌至，識者譏之:列傳17金方慶轉載]．[189)]

[○以潘富[潘阜]爲東京副留守:追加]．[190)]

[○以[版圖佐郎]崔瑞爲殿中侍史:追加]．[191)]

[○以咸備爲永州副使，朴洪爲判官:追加]．[192)]

---

186) 이러한 誣告事件이 일어나고 있을 때, 몽골제국이 潘澤(1238~1292)을 고려에 파견하여 그 實狀을 조사한 적이 있었다(張東翼 1997년 305面).
· 『牧庵集』 권22, 浙西廉訪副使潘公神道碑, “公潘姓諱澤, 字澤民, 宣德府人 … 或言高麗王有逆意, 集將吏將徙故都. 詔近臣偕公卽治, 公以王今尙主, 王設擧事主安不知, 知安不上變聞, 而噎嚜, 以從他臣治獄, 希意深鶩求竟, 公獨輕平主, 果馳使明王無有事, 從中變制使多得罪, 獨還公憲, 尋入都事御史臺 …”.

187) 이는 다음의 자료에 의거하였다.
· 『원사』 권9, 본기9, 세조6, 지원 13년 12월 辛酉朔, “以十四年曆日賜高麗”.

188) 嚴冬에 木材를 伐採하는 것은 植物의 成長點이 停止되기에 나무의 材質이 堅固하여 上等品이 될 수 있다. 이때 건축 자재로 주로 사용된 소나무를 金剛松, 黃腸木 등으로 부르고 있으나 前者는 巖盤 위에 성장한 것을 指稱하고, 後者는 樹種이 다르기 때문에 적절한 用語가 될 수 없다.

189) 이 시기는 이해의 8월 이후에서 12월 16일(丙子) 사이로 추측된다. 또 土木은 亞細亞文化社本에는 土太로 되어 있으나 誤字일 것이다(東亞大學 2006년 23책 449面). 그리고 印侯와 張舜龍은 아직 개명하지 않았다(→충렬왕 3년 1월 某日).

190) 이는 『동도역세제자기』에 의거하였는데, 潘富은 潘阜의 오자일 것이다.

191) 이는 「崔瑞墓誌銘」에 의거하였다.

[○以宋耽爲碩州副使:追加].[193]

[○以庾自偶爲西材場判官:追加].[194]

[○以三重大師冲止爲禪師:追加].[195]

[○王寫成'銀字文殊師利問菩提經':追加].[196]

[○元以東寧府, 陞東寧路總管府, 設錄事司, 割靜州·義州·麟州·威遠鎭隸婆娑府:追加].[197]

[○元採金, 於遼東·雙城及和州等處:追加].[198]

[增補].[199]

[□□□~~是年頃~~, 郎將王涓, 宗室疏屬~~疏屬~~也, 廣平公譓奪其奴婢, 涓壻密直□□~~副使~~金侁訟而得之. 後征倭溺死, 譓獻其奴婢于公主. 公主召老奴, 問其奴婢與譓奴婢連婚接派者幾三百人, 公主幷取之. 譓扣頭宮門, 請還之, 不許. ○有一尼, 獻白苧布, 細如蟬翼, 雜以花紋. 公主以示市商, 皆云前所未覩也, 問尼, 何從得此. 對曰, "吾有一婢, 能織之". 公主曰, "以婢遺我如何". 尼愕然, 不得已納焉:列傳2忠烈王妃齊國大長公主轉載].[200]

---

192) 이는 『영천선생안』에 의거하였다.

193) 이는 『연안부지』에 의거하였다.

194) 이는 「庾自偶墓誌銘」에 의거하였다. 이 묘지명에서 유자우(庾自偶, 本貫이 茂松縣)의 先祖[祖先]가 平山출신의 개국공신인 庾黔弼로 기록되어 있지만 사실이 아닐 것이다(鄭淸柱 1993년).

195) 이는 「圓鑑國師塔碑銘」에 의거하였다.

196) 이는 京都市 左京區 鹿ヶ谷下宮の前町 26 個人所藏, 『柑紙銀泥文殊師利問菩利經』의 題記에 의거하였다(文部省宗敎局 1938年 221面 ; 菊竹淳一 1981年 單色圖版64 ; 權熹耕 1986년 ; 張東翼 2004년 729面 ; 京都國立博物館 2015年).
· 題記, "至元十三年丙子, 高麗國王發」愿寫成銀字大藏」", (裏面)"三重大師 安諦書"(現 日本文化廳 所藏).

197) 이는 『원사』 권59, 지11, 지리2, 遼陽行省, 東寧路에 의거하였다.

198) 이는 『원사』 권94, 지43, 식화2, 식화2, 歲科에 의거하였다.

199) 이해에 몽골제국에서 다음의 사건이 있었다. 이에서 瀋陽[瀋州]을 高麗의 管轄領域으로 기록한 것은 遼陽行省 瀋陽路 瀋州地域에 高麗人이 집단적으로 거주하고 있었던 결과로 보여 진다.
· 『원사』 권9, 본기9, 세조6, 지원 13년 是歲, "[中書省]平陽路旱, 濟寧路及[瀋陽路]高麗瀋州水, 並免今年田租".
· 『원사』 권50, 지3상, 오행1, 水, "至元十三年十二月, [中書省]濟寧□[路]及高麗瀋州水".

200) 金侁은 1274년(충렬왕 즉위년) 9월 2일 樞密院副使에 임명되었고, 10월에 左軍使로 일본원정에 참전하였다가 突風으로 인해 溺死하였다.

丁丑[忠烈王]三年, 元 至元十四年, [南宋景炎二年], [西曆1277年]

1277년 2월 5일(Gre2월 12일)에서 1278년 1월 24일(Gre1월 31일)까지, 354일

春正月辛卯朔[小盡,壬寅], 放朝賀.[201)]

[○中贊金方慶持妻母服, 命權宜後行. 宰相服制後行, 古無其例, 時軍國務繁, 始有是命:禮6五服制度轉載].

[→命中贊金方慶, 公除妻母服. 宰相除服, 古無其例, 時軍國務繁, 始有是命.

史臣李齊賢曰, "三年之喪, 五服之制, 先王, 所以節無窮之意, 俾賢者不敢過, 不肖者企而及焉. 國家約日給暇, 失禮已甚, 而况權宜從吉, 後行其服者乎?":節要轉載].

甲午[4日], 以[僉議中贊]金方慶爲世子師, [僉議侍郞贊成事]柳璥爲傅, [僉議侍郞贊成事]元傅爲保, [參文學事]金坵爲貳師, [密直司使]許珙·[知僉議府事]洪祿遵·[知密直司事]李汾禧·韓康爲調護,[202)] 張暐△[爲]知詹事府事, 任翊·薛恭儉[薛公儉]爲左·右贊德,[203)] 李信孫·[大將軍]宋玢爲左·右庶尹, 其餘宮官, 皆置之.

[→置世子師·傅·保·貳師·調護·詹事府知事·左右贊德·左右庶尹, 其餘宮官皆置之:百官2東宮官轉載].

[某日, 賜公主怯怜口等姓名, [中郞將]忽剌歹[~~忽剌歹~~]爲印侯, [中郞將]三哥爲張舜龍, 車忽解[~~車古歹~~]爲車信, 職皆將軍, 式篤兒爲盧英, 五十八爲鄭公, 皆中郞將, 屬之內侍. 怯怜口者, 華言私屬人也:節要轉載].[204)]

[□□[~~是後~~], [印侯]與張舜龍·車信, 爭起第, 極其奢僭:列傳36印侯轉載].

---

201) 이날 일본의 가마쿠라[鎌倉]에서 雨雪이 내렸던 것 같다(『建治三年記』, 1월, "一日辛卯, 雨雪").

202) 洪祿遵는 知僉議府事·判三司事에 이르렀던 것 같다(元瓘墓誌銘 ; 元善之墓誌銘).

203) 薛恭儉은 薛公儉의 오자일 것이다.

204) 怯怜口[거윈쾨베귀드, 近世音은 커렌커우]는 몽고어의 게르인케헤드의 音譯으로 怯憐口로도 表記하며, 몽고국의 皇室·諸王·貴族 등의 私屬人을 가리킨다. 이들은 宦官·衛士·富人 등을 위시하여 각종의 수많은 노동자들로 구성되어 있었고, 특별한 戶를 구성한 私屬人戶였으며 국가의 직접적인 통제를 받지 않았다(韓儒林 編 1985年 78面). 元의 정치적 영향력이 고려에 강하게 침투해올 때 蒙古의 公主를 따라온 私屬人들이 많이 있었는데, 그 대표적 인물로는 齊國公主를 따라온 印侯(忽剌歹, Quradai)·張舜龍(三哥) 등으로 이들 중 고려에 歸化하여 이름을 高麗式으로 고치기도 하였다(岡本敬二 1953年).

· 『吏學指南』, 戶計, "怯怜口, 謂自家人也. 게르인케헤드는 自家人을 가리킨다".

· 열전36, 印侯, "怯怜口, 華言私屬人也, 게르인케헤드는 중국말로 私屬人이다".

· 열전36, 張舜龍, 盧英, "盧英, 亦怯怜口也, … 英, 初名式篤兒, 河西國人, 官至將軍".

[→[張]舜龍與印侯·車信爭權, 競爲奢靡. 起第宅極侈麗, 以瓦礫築外垣, 狀花草以爲文, 時稱張家墻. 其第與起居郎吳良遇家隣比, 舜龍欲奪之不得, 夜率無賴人, 壞其垣墻:列傳36張舜龍轉載].

丙申[6日], 以朴恒爲密直副使.

壬寅[12日], 册子<u>謜</u>爲王世子.[205]

甲辰[14日], 以王將入朝, 預設燃燈. [王與公主, 觀燈于奉恩寺, 宰樞不及. 王怒, 囚僉議府吏. 旣而, <u>使</u>右承旨薛公儉, 語宰樞曰, "公主請我夙駕, 而卿等後至, 恐公主責我且囚府吏, 卿等毋以我爲躁也":節要轉載].

[→以將入朝, 預設燃燈, <u>公主先出</u>, <u>閱樂於彩棚前</u>, 王將如奉恩寺, 宰樞不及, 王怒囚僉議府吏, 旣而, <u>令</u>右承旨薛公儉, 語宰樞曰, "公主請我夙駕, 而卿等後至, 恐公主責我且囚府吏, 卿等毋以我爲躁也":列傳2忠烈王妃齊國大長公主轉載].

[乙巳[15日], 太白犯牽牛:天文3轉載].

甲寅[24日], [驚蟄]. 元樞密院牒達魯花赤[石抹天衢], 禁國人持弓矢, 盖信匿名書也.[206]

[某日, 以[試閤門祗候]朴全之爲知東州郡事:追加].[207]

[某日, 以崔堯爲慶尙道按廉使:慶尙道營主題名記].

[是月, 元以洪茶丘爲鎭國上將軍·東征都元帥, 鎭高麗:追加].[208]

二月庚申朔[大盡,癸卯], 親醮于<u>本闕</u>.[209]

壬戌[3日], 達魯花赤石抹天衢言於王曰, "王何疎賢士, 而親無賴之人". 王默然.

[甲子[5日], 月犯歲星. <u>熒惑</u>犯建星:天文3轉載].[210]

[某日, 都兵馬使言, "古之鬻爵, 非令典也. 然國庫殫竭, 無以生財, 請如乙亥年

---

205) 이때의 册文이 『동문선』 권29, 王世子玉册文 ; 封王世子 등이다.

206) 이날 일본의 가마쿠라에서 大風이 있었던 것 같다(『建治三年記』, 1월, "廿四日, 大風").

207) 이는 「朴全之墓誌銘」에 의거하였다.

208) 이는 다음의 자료에 의거하였다.
- 『원사』 권154, 열전41, 洪福源, 俊奇, "[至元]十四年正月, 授鎭國上將軍·東征都元帥, 鎭高麗".
- 열전43, 洪福源, 茶丘, "忠烈三年, 帝欲復征日本, 以[洪]<u>茶丘</u>爲征東都元帥".

209) 이 기사는 지17, 禮5, 雜祀에도 수록되어 있다. 이날 가마쿠라에서 雨雪이 내렸던 것 같다(『建治三年記』, 2월, "一日庚申, 雨雪").

210) 이때 일본의 교토[京都]에서 2월 4일(癸亥, 高麗曆과 同一) 彗星이 출현하였다고 한다.
- 『師守記』, 康永 4년 7월, 文永以來天變年々幷御祈以下被行事, "建治三年二月四日, 今夜彗星出現, 光芒三尺許云々, 昨日夜同出現, 此後度々出現".

忠烈1年判，令無功及不次而求官者，科等納銀，□於國贐都監，而後授職”，從之:食貨3納粟補官之制轉載].[211)]

[某日，分遣各道軍器別監．先是，以中書省牒，令各道造箭，旣畢，故閱之，藏于京山府·碩州:節要·兵1五軍轉載].[212)]

[某日，置農務都監:節要轉載].[213)]

丁卯8日，遣張舜龍如元，上書中書省曰，“今蒙省牒，樞密院奏奉聖旨，令茶丘前去高麗，與忻都一同勾當者，征日本還家三千軍也敎，去者，本院照得，站軍二百名，還家屯田軍三千名幷闊端赤，依先往日本時數目，應副米糧草料．承此照得，小邦，自至元七年元宗11年以來，征討珍島·耽羅·日本，大軍粮餉，悉於百姓科收．爾後，見在合浦鎭邊軍·耽羅防護軍·塩·白州歸附軍幷闊端赤，一年都支人糧一萬八千六百二九石二斗，馬牛料三萬二千九百五十二石六斗，皆以漢斗計，亦於百姓科收．今者，所遣屯田軍三千二百幷闊端赤等糧料，更於何處索之．曾於至元七年，奉聖旨，應副屯田軍二千人·牛隻·農器·糧種，今經數年，必有所儲．請以經略司，見收子粒支應．又馬郞中所蓄兵糧，竊恐年深漕爛，不中食用．照得至元十一年元宗15年省牒，塩州·合浦軍馬糧料，合於馬郞中所蓄兵糧內補支．今此軍馬糧料，亦請將兵糧米支應，令小邦殘民，免致重困．又奉牒，歸附軍合用牛具，擬於小邦和買，不許買直．照得至元十三年忠烈2年，歸附軍回還者，其求到妻室匹絹，分付達魯花赤收管，請於內撥取．依至元九年元宗13年種田軍牛具買直，每頭絹四匹，舊例和買”．

己巳10日，[春分]．僉議府言，“公主怯怜口及內僚，廣占良田，標以山川，多受賜牌，不納租稅，請□收還賜牌”．不聽.[214)]

[某日，令諸王·百官，以至庶民，出米豆有差，以充洪茶丘軍馬糧料:節要轉載].[215)]

[→出牓，令諸王·百官，以至庶民，出米豆有差，以充茶丘軍馬粮料．時銀幣一

---

211) 이와 관련된 기사로 다음이 있다.
- 지29, 선거3, 鬻爵, “忠烈三年 二月，令無功及不次，而求官者，科等納銀，授職”.
- 『고려사절요』 권19, 충렬왕 3년 2월, “都兵馬使言，‘鬻爵非令典也，然國庫殫竭，無以供費，請令無功及不次，而求官者，科等納銀，□於國贐都監，而後授職’，從之”.

212) 碩州는 1269년(원종10) 西海道 鹽州가 改稱되었던 名稱이다(지12, 지리3, 西海道 鹽州).

213) 이 기사는 지33, 식화2, 農桑에도 수록되어 있고, 이와 관련된 기사로 다음이 있다.
- 지31, 백관2, 農務都監, “忠烈王三年，置”.

214) 添字는 『고려사절요』 권19에 의거하였다.

215) 이와 같은 기사로 다음이 있다.
- 지36, 兵2, 屯田, “令諸王·百官，以至庶民，出米有差，以充洪茶丘軍粮”.

斤，直米五十餘石．及張牓三日，直米四十餘石，聞茶丘還，收其牓，市價復高:食貨2市估轉載].

[→令諸王·百官，以至庶民，出米有差，以充洪茶丘軍粮:兵2屯田轉載].

癸酉[14日]，[判秘書寺事]朱悅還自元言，丞相[平章政事]哈伯謂悅曰,[216)] "急難相助，親戚之意也．今北鄙有驚，宜令金方慶之子忻，將兵出境，以聽指揮".

甲戌[15日]，王輪寺丈六塑像成，王與公主，親設法會.

乙亥[16日]，中郞將盧英還自元□[曰],[217)] "洪茶丘引兵，將入我境，帝召還，又勑還歸附軍五百人"．擧國皆喜.[218)]

[庚辰[21日]，月犯南斗:天文3轉載].

[甲申[25日]，淸明．東南，赤氣如虹:五行1轉載].

[丙戌[27日]，蚩尤旗見:天文3轉載].

[某日，遣國學直講崔諹，採金于洪州·稷山·旌善，役民一萬一千四百四十六名，七十日，得金七兩九分:節要轉載].

三月[庚寅朔大盡,甲辰]，[丙申[7日]，月犯五諸侯:天文3轉載].

庚子[11日]，大府[太府]火，延燒民家八百餘戶.[219)]

[壬寅[13日]，月犯大微[太微]:天文3轉載].

甲寅[25日]，遣將軍趙仁規如元，請入朝.[220)]

[○東方，赤氣經天，其上，白氣如劒，長五尺:五行1轉載].

乙卯[26日]，[立夏]．遣親從將軍金子廷，押送防守軍于耽羅．子廷本內僚□[也]，林衍之殺金俊，與其謀，以功許通．內僚出使，自子廷始.[221)]

---

216) 丞相 哈伯[카베]은 平章政事 哈伯으로 고쳐야 옳게 된다(『원사』 권112, 表6上, 宰相年表). 1278년(충렬왕4) 7월 3일·4일에는 哈伯 平章으로 옳게 되어 있다.

217) 이에서 曰字가 탈락되었을 것이다.

218) 이때 洪茶丘는 北征을 위해 몽골제국으로 귀환하였던 것 같다.

· 『원사』 권154, 열전41, 洪福源, 俊奇, "[至元十四年]二月，率蒙古·高麗·女直·漢軍，從丞相伯顔北征叛臣只魯瓦歹等．四月，至脫剌河，猝與賊遇，茶丘突陣無前，伯顔以其勇聞，賜白金五十兩·金鞍勒·弓矢".

219) 이와 같은 기사가 지7, 五行1, 火, 火災에도 수록되어 있다. 또 이 시기에 典理摠郞 權呾의 家屋 附近에서 千餘戶가 燒失되었다는 것과 동일한 사건으로 추정된다.

· 열전20, 權呾, "忠烈初，徵拜典理摠郞．所居里火延燒千餘家，呾家在其中，獨完，人以爲愛民之報".

220) 이날 가마쿠라[鎌倉]의 天氣가 맑았던 것 같다(『建治三年記』, 3월, "廿五日，晴").

○耽羅大饑，民有闔戶而死者，遣崔碩巡視.[222)]

丁巳[28日]，元流盜賊四十人于德州.

[○流星出危，入羽林:天文3轉載].

夏四月[庚申朔小盡,乙巳]，癸亥[4日]，禘于大廟[~~太廟~~].[223)]

[丙寅[7日]，白氣如虹，貫北斗．月犯軒轅:天文3轉載].

丁卯[8日]，元遣劉弘忽奴來，王命李藏茂，偕往忠州，鑄環刀一千.[224)]

[戊辰[9日]，月入大微[~~太微~~]:天文3轉載].[225)]

[某日，中郎將曹允通還自元．初[忠烈卽位年]，以善碁被召，帝謂曰，世傳，人參[~~大參~~]出汝國者甚佳，汝能爲朕致之乎？對曰，“若使臣採之，歲可得數百斤”，帝命遣之．自是，允通歲巡州郡，發民採參，或小有朽敗，或非地產，而未及納期，輒徵銀幣，以營私利．民甚苦之:節要轉載].[226)]

壬申[13日]，宰樞以全羅道王旨別監權宏，割民媚權貴，劾罷之．宏托內僚復職.

[癸酉[14日]，日官奏月當食，雨不見:天文3轉載].[227)]

丙子[17日]，王以將入朝，又公主將免身，宥二罪以下，停修宮闕．監察司啓曰，“二罪原免，非先王之制，請收成命”，從之.

庚辰[21日]，太白晝見.[228)]

---

221) ~~添字~~는『고려사절요』권19에 의거하였다.

222) 이와 같은 기사가 지9, 오행3, 饑饉에도 수록되어 있다.

223) 이날 가마쿠라[鎌倉]에서 맑았던 것 같다(『建治三年記』, 4월, “四日，晴”).

224) 이때 忠州에서 제작된 環刀는 多仁鐵所(이때 鐵所는 翼安縣으로 승격되었다) 또는 末訖金 鐵所[鐵場]에서 생산된 鐵鑛石이었을 것으로 추측된다(李貞信 2012년).
- 『세종실록』 권149, 지리지, 忠州牧, “… 屬縣一, 翼安[注, 本多仁鐵所, 高麗高宗四十二年甲寅, 以土人禦蒙古兵有功, 陞爲縣. … 鐵場一在州南末訖金[中品]”.
- 『신증동국여지승람』 권14, 忠州牧, “翼安廢縣, 在州西三十里. 本州之多仁鐵所, 高麗高宗四十二年, 以土人禦蒙兵有功, 陞爲縣, 仍屬”.

225) 이날 가마쿠라에서 맑았던 것 같다(위의 책, 4월, “九日，晴”).

226) 이 기사는 열전36, 曹允通에도 수록되어 있으나 字句에 出入이 있다.

227) 일본의 교토[京都]에서 15일(甲戌) 월식이 예측되었으나 陰雲으로 인해 보이지 않았던 것 같다. 이날은 율리우스력의 1277년 5월 18일이고, 월식 현상이 심했던 때의 世界時는 18시 19분, 食分은 1.27이었다(渡邊敏夫 1979年 482面).
- 『續史愚抄』4, 建治 3년 4월, “十五日甲戌, … 十□日□□, 月蝕, 不見云, 陰雲歟, 蝕御祈, 東寺長者·僧正道寶奉仕”.

228) 이날 가마쿠라의 천기가 맑았던 것 같다(『建治三年記』, 4월, “廿一日，晴”).

○遣將軍張舜龍如元，請助征北鄙，表曰，“竊見，小邦西路軍，悉令旋返，未諳何故．又聞摘撥北京路軍上去，因念小邦之人，唯閑耒耜，未熟弓刀．儻得請於睿聽，可使充於近衛，故選不多之旅，欲明無貳之衷”．又上表曰，“近者，帥府東征元帥府奉樞密院箚，以三別抄軍所掠人口，各還本地，令朴忙古歹·三別抄軍千戶劉景昌,[229] 充摠把．切念，於至元八年元宗12年，小國奉聖旨，還都時，三別抄驅掠國人，逃往珍島，敢逆官軍，轉入耽羅，盡力拒命，其罪實深．置之生地，聖恩已大，豈可復齒平民．其人口，旣曾付臣，招刷充軍．朴忙古歹等，係是別的軍官，不可兼令管領．乞依元奉聖旨，仍許臣將三別抄，充軍役使．又至元十三年忠烈2年，有人告，金產小國，臣與達魯花赤，差官淘澄，得金樣二錢二分，進獻．也忒古官人，奏奉聖旨，這裏金子無急用，公主·國王，你每用者．又准省牒，曰將每年所得金子數目回示．卽與達魯花赤，差官前去洪州等處，淘金計七十日，用夫工一萬一千四百四十六名，纔得金七兩九分．乞依也忒古奏傳聖旨，施行．又今年四月，小邦碁手曹允通，奉聖旨，採堀人參大蔘，切照，人參大蔘唯產於東北界，其餘地面，罕有之，允通擅令各道州縣，就產處採堀輸納．臣請隨所產處，趂時採納，乞令允通，勿得擅便作耗”.[230]

○流人物推考都監錄事裵悅·朴莨于海島．各道州郡吏民來，匿京城，付勢避役，悅·莨承宰樞牒，推勘勒還．有鄭伯芝者，匿西林縣婢二口，托以在齊安公第，悅·莨推之急，齊安公始知伯芝欺己，卽令出二婢，付諸都監．都監卽使驛吏，遞送西林，伯芝乃以二婢，屬于元成殿王妃殿閣織室司．司牒都監召還，二婢行已遠，不能卽至．伯芝譖悅·莨，不從王旨．王怒流之．

丙戌27日，太白晝見．

[是月頃，左諫議大夫左司議大夫金周鼎，□□□□□掌成均館試，取詩賦鄭公旦等三十一人，十韻詩鄭龜等三十九人，明經三人:選擧2國子試額轉載].[231]

五月己丑朔大盡,丙午，壬辰4日，遣僧六然于江華，燔琉璃瓦．其法多用黃丹，乃取廣州義安土，燒作之，品色愈於南商所賣者．

[○以耽羅之役，錦城山神有陰助之驗，令所在官，歲致米五石，以奉其祀:禮5雜

---

229) 朴忙古歹[朴Munggutai]는 충렬왕 4년 4월 12일에는 朴蒙古大로 달리 표기되어 있다.

230) 이 기사는 열전36, 曹允通에도 수록되어 있으나 자구에 출입이 있다.

231) 左諫議大夫는 左司議大夫의 오자인데, 이 시기에는 諫議大夫가 아니라 司議大夫였고, 이보다 먼저 金周鼎은 右司議大夫였다고 한다. 또 이때 김주정은 司馬試를 主管하였다고 한다(「金周鼎墓誌銘」, “典司馬試”).

祀轉載].

[→封羅州錦城山神, 爲定寧公. 先是, 羅□州人稱神降于巫, 言, '珍島·耽羅之事, 我有力焉, 將士得賞, 而不我祿何耶, 必封我爲定寧公'. 邑人寶文閣待制鄭興鄭可臣, 惑其言, 諷王而爵之. 且輟其邑祿米五石, 歲歸其祠. 興卽可臣也:節要轉載].[232)]

丁酉9日, 王如興王寺, 還登籍田南峯, 邀達魯花赤石抹天衢觀獵.

戊戌10日, 元流罪人三十三人于耽羅.

庚子12日, [夏至]. 親設消灾道場于康安殿.

壬寅14日, 命僉議侍郎贊成事·監修國史柳璥, 僉議侍郎贊成事·修國史元傅, 參文學事·同修國史金坵, 修'高宗實錄'.

[→忠烈初, 改贊成事·判軍簿·修國史, 與柳璥·金坵, 同修'高宗實錄'. 得前樞密副使任睦史藁開視, 乃空紙也. 修撰官朱悅請劾之, 傅與璥沮不發. 以傅嘗直史館, 亦不納史藁故也:列傳20元傅轉載].

[庚戌22日, 太白·歲星犯畢:天文3轉載].

辛亥23日, 禁官私松簷. 每暑月, 宮闕都監作松棚於寢殿, 例賜銀甁二. 王曰, "禁官私松棚, 而我獨爲之, 可乎,? 改以編茅". 時人語曰, "都監員失二銀甁矣".

甲寅26日, 將軍張舜龍還自元, 中書省奉聖旨牒云, "脫歡·八都兒殺退, 百姓已安, 爾軍不須來". 又牒云, "洪州等處, 淘金功役, 權時停罷, 俟農隙, 依元牒施行".

[→元中書省移牒, 罷洪州等處淘金役, 俟農隙:節要轉載].

[戊午30日, 天寒, 人或有衣裘者:五行1恒寒轉載].[233)]

---

232) 이와 같은 기사가 열전18, 鄭可臣에도 수록되어 있고, 조선 전기에도 이 山神은 小祀의 位相을 지니고 있었다고 한다(『태종실록』 권28, 14년 8월 辛酉21日 ; 『성종실록』 권97, 9년 10월 辛丑13日, 권258, 22년 10월 己未16日).

· 『신증동국여지승람』 권35, 羅州牧, 祠廟, "錦城山祠, 祀典載小祀, 祠宇有五, 上室祠在山頂, 中室祠在山腰, 下室祠在山足, 國祭祠在下室之南, 禰祖堂在州城中. 高麗忠烈王四年三年, 祠神降于巫言, '珍島·耽羅之征, 我有力焉, 將士皆得賞, 而不我錄, 何耶? 可封我爲定寧公'. 邑人寶文閣待制鄭興諷王而爵之, 具輟其邑祿米, 歲歸五石于祠, 每歲春秋降香祝幣祭之, 本朝亦降香祝. 俗謂祠神有靈, 不祭則災, 每春秋非獨州人, 一道之人往祭者, 絡繹闐咽. 男女混揉, 蔽山露宿, 因而相竊, 多失其婦女, 每夜娼妓四人輪直祠中, 成宗十年, 命禮曹禁之". 여기에서 『고려사』의 紀年方式(踰年稱元)에 따르면 ~~添字~~와 같이 고쳐야 할 것이다.

· 『息山集』別集권4, 錦城□山, "… 山神祠, 有五室. 忠烈王三年, 祠神降于巫, 王降祝幣, 春秋祀之. 我朝亦命守土臣, 載小祀. 遠近男女, 闐咽不止, 爲淫祠. 我成宗朝, 命禮官禁之".

233) 이날 가마쿠라[鎌倉]의 天氣가 맑았던 것 같다(『建治三年記』, 5월, "卅日, 晴").

六月[己未朔小盡,丁未], 庚申[2日], 遣將軍車信如元, 獻虎皮.[234)]

○以將軍安迪材爲合浦防護使.

[丙寅[8日], 月犯氐星:天文3轉載].[235)]

[庚午[12日], □[月]犯南斗:天文3轉載].

[甲戌[16日], 流星出亢, 入騎官. 月與熒惑入羽林:天文3轉載].[236)]

[壬午[24日], 流星出危, 入虛:天文3轉載].

乙酉[27日], 以忻都子琪△[爲]守司空. 琪娶安平公女, 比宗室例, 授是職, 且不姓而名.

[某日, 以崔謫爲慶尙道按廉使, 禹天錫爲全羅道按廉副使, [國子司業]金晅爲東界安集使 :慶尙道營主題名記].[237)]

[→是年夏[是月頃], 以公主生女設滿月宴. 俄而母[阿速眞可敦]訃音至, 以才免身, 秘之. 後五日乃告. 公主痛哭, 食肉如舊. 翼日, 達魯花赤[石抹天衢]設收淚宴:列傳2忠烈王妃齊國大長公主轉載].[238)]

秋七月[戊子朔大盡,戊申], 庚寅[3日], □□[有旨], □[命]造成都監, □[自]諸王·宰樞至各領軍人, 出丁夫有差, 輸材于山. 闕一日役者, 徵米一石.[239)]

[癸巳[6日], 月與鎭星, 同舍于亢:天文3轉載].

甲午[7日] 以公主之行, 恐人壓見, 命撤路傍家樓.

丙申[9日], 有旨曰, "民屬鷹坊者二百五戶, 其除一百二戶. 時齊民苦於徵歛[徵斂], 爭

---

234) 이날 가마쿠라의 천기가 맑았던 것 같다(위의 책, 6월, "二日, 晴").

235) 이날 가마쿠라의 天氣가 맑았고, 다자이후[大宰府]의 通信員[脚力]이 幕府에 도착하여 宋帝國의 滅亡을 전하였던 것 같다.

· 『建治三年記』, 6월, "八日, 晴. 宰府脚力參着, 宋朝滅亡蒙古統領之間, 今春渡宋之商船等不及交易走還云々".

236) 이날 가마쿠라의 천기가 맑았던 것 같다(『建治三年記』, 6월, "十六日, 晴").

237) 禹天錫은 是年 11월 12일에, 金晅은 그의 묘지명에 의거하였다.

238) 滿月宴은 新生兒가 출생한 후 만 1개월이 될 때 小宴을 벌이는 民俗을 가리키고, 收戾宴은 글자 그대로 받아들이면 一種의 慰勞宴될 것이다.

· 『北齊書』 권50, 열전第42, 恩倖, 韓鳳, "… 後主[高緯]卽位, [韓鳳]累遷侍中, 領軍, 總知內省機密, … 封昌黎郡王, 男寶仁尙公主, 在晋陽賜第一區, 其公主生男昌滿月, 駕幸鳳宅, 宴會盡日, … 其弟萬歲及二子寶行ㅋ·寶信, 並開府儀同□□[三司], 寶信尙公主, 駕復幸其宅, 親戚咸蒙官賞".

· 『北史』 권92, 列傳第80, 恩幸, 韓鳳, "… 進位領軍大將軍, 如悉如故. 息寶行尙公主, 在晋陽賜甲第一區, 其公主生男滿月, 駕幸鳳宅, 宴會盡日. … 其弟萬歲及二子寶行·寶信, 並開府儀同□□[三司]. 萬歲又拜侍中, 亦處機要, 寶信尙公主, 駕復幸其第, 親戚咸蒙官賞".

239) 添字와 같이 고쳐야 옳게 될 것이다.

屬鷹坊, 莫記其數. 而云二百五戶者, 妄也, 除一百二戶, 如九牛去一毛耳. 鷹坊猶斂[斂]銀紵·韋布於其人, 私自分之. 時人語曰, 飼鷹非肉, 銀布滿腹".[240]

[→王以百姓苦於徵斂[徵斂], 皆附鷹坊, 減一百二戶, 以供賦役:節要轉載].

○觀候署言, "謹按'道詵密記', 稀山爲高樓, 多山爲平屋. 多山爲陽, 稀山爲陰, 高樓爲陽, 平屋爲陰, 我國多山, 若作高屋, 必招衰損. 故太祖以來, 非惟闕內, 不高其屋, 至於民家, 悉皆禁之. 今聞造成都監, 用上國規模, 欲作層樓高屋, 是則不述道詵之言, 不遵太祖之制者也. 天地剛柔之德不備, 室家唱隨之道不和, 將有不測之災, 可不愼乎. 昔晋獻公, 欲作九層之臺, 荀息, 累十二博碁, 更累九雞子其上, 以諫曰, 一失社稷, 危於此也. 遂壞其臺. 惟殿下察之". 王納其言.

[○伍允孚, 又言於公主曰, "天變屢見, 加以亢旱, 請弛營繕, 修德弭災, 後如有悔, 恐被不言之罪, 故言之":節要轉載].[241]

○是日, 王暴得疾, 甚劇, 宰樞請停營繕, 縱鷹鶻. 公主許之. 王避病于[僉議中贊]金方慶第.

[→王暴得疾, 至夕彌劇. 宰樞請停營繕, 縱鷹鶻. 又曰, "凡可以禬禳者, 臣等無不盡心, 惟興王寺金塔在宮中, 請還之". 公主皆許之. 王大喜, 使承旨李尊庇還金塔于興王寺. 初, 公主取興王寺金塔, 入于內, 將毁之. 王禁之, 不得, 但涕出而已:節要轉載].[242]

[→王疾革, 宰樞請公主, 停營繕, 縱鷹鶻. 又請曰, "凡可以禬禳者, 無不盡心, 唯興王寺金塔在宮中, 願還之". 公主皆許之. 王聞之大喜, 令承旨李尊庇, 還其塔于興王寺:列傳2忠烈王妃齊國大長公主轉載].

[丁酉[10日], 月入南斗:天文3轉載].[243]

[己亥[12日], 流星出天市, 入房, 大如木瓜:天文3轉載].[244]

丙午[19日], 移御正因寺, 疾稍愈.[245]

---

240) 『원사』에 의하면 몽골제국 高麗鷹坊總管 管轄下의 捕戶가 250戶였다고 한다.
· 권101, 지49, 병4, 鷹坊捕獵, "高麗鷹坊總管捕戶, 二百五十戶".

241) 이 기사는 열전35, 方技, 伍允孚에도 수록되어 있다.

242) 興王寺의 金塔에 관한 기사는 다음에도 수록되어 있다.
· 열전2, 忠烈王妃, 齊國大長公主, "公主, 取興王寺黃金塔入內, 其裝嚴多爲忽剌歹[忽剌歹]·三哥等所竊. 公主將毁用之, 王禁之不得, 但涕泣而已".

243) 이날 가마쿠라에서 비가 내렸던 것 같다(『建治三年記』, 7월, "十日, 雨").

244) 이날 가마쿠라에서 비가 내렸던 것 같다(『けんじさんねんき』, 7월, "十二日, 雨").

丁未[20日]，遣密直副使朴恒如元，賀聖節，上書中書省曰，“小邦舊例，世子襲爵，必改名，臣之今名未穩，曾以申請，未蒙明降，伏望善奏．又請以馬郎中兵糧，給耽羅·合浦屯守軍．又請罷鑄劍·採金·貢參[貢蔘]”．246)

[某日，王疾稍間，移御天孝寺，王先行，公主以陪從寡少，怒還．王不得已亦還，公主以杖迎擊之．王投帽其前，逐[將軍]印侯罵曰，“此皆汝曹所爲，予必罪汝”．公主怒稍弛．至天孝寺，又以王不待而先入，且詬且擊，欲還竹坂宮．時，正郎廉承益，以浮屠神呪，得幸于王，侍疾，進謂公主曰，“王疾之愈，幸賴佛力，而公主之怒，若有魔障，使之以間兩主之懽也”．公主乃止．承旨李槢曰，“廉郎中無實之言，亦有可用”．文昌裕謂薛公儉曰，“雖微鑾降，辱豈有大於此者乎?” 槢，卽汾成也:節要轉載]．247)

[某日，元木匠提領盧仁秀，使張舜龍，告公主曰，“宮室之修旣罷，盍歸我乎”．公主大怒，詰宰樞曰，“我只罷役徒耳，奈何亦遣工匠乎?”．宰樞曰，“罷役，是日官之言，臣等何知?”．公王[公主]益怒曰，“豈蔑視我耶? 必懲一宰樞以警其餘”．宰樞難其對，[承旨]李槢曰，“嚮者，臣等以王疾篤，請罷役修省，幸而見聽，工匠妄意役罷辭去耳，今召而復作，何晩之有”．公主意解，旣而，日官又面請，勿構三層閣．公主不聽，發諸道役夫，督之愈急:節要轉載]．

[→公主嘗請工匠于元，至是，木匠提領盧仁秀，使三哥，告公主曰，“宮室之役旣罷，盍歸我乎?”．公主大怒，詰宰樞曰，“我只罷役徒，奈何，亦遣工匠乎?”．宰樞曰，“罷役，是日官之言，臣等何知?”．公主益怒曰，“豈蔑視我耶，必懲一宰樞以警其餘”．宰樞難其對，[承旨]李槢曰，“向者，臣等以王疾篤，請罷役修省，幸而見聽，工匠妄謂役罷辭去耳．今召而復作，亦未晩也”．公主意解．旣而，日官又面請，勿構三層閣．不聽，發諸道役夫，督之愈急:列傳2忠烈王妃齊國大長公主轉載]．

庚戌[23日]，設消災道場于康安殿．王捨宮爲旻天寺，將上額，百官皆不欲，裴挺阿

---

245) 이날 가마쿠라의 天氣가 맑았던 것 같다(위의 책, 7월, “十九日，晴”).

246) 이날 가마쿠라의 천기가 맑았던 것 같다(위의 책, 7월, “廿日，晴”).

247) 이와 같은 기사로 다음이 있다.

· 열전2, 忠烈王妃, 齊國大長公主, “… 王將移御天孝寺, 王先至山下, 公主繼至, 以陪從少, 怒而還, 王不得已亦還. 公主以杖迎擊之. 王投帽其前, 逐忽刺歹[忽刺歹]罵曰, ‘此皆汝曹所爲, 予必罪汝’. 公主怒稍弛, 至天孝寺, 又以王不待而先入, 且詬且擊, 欲上馬往竹坂宮. 文昌裕謂薛公儉曰, 辱豈有大於此者乎?”.

· 열전36, 嬖幸1, 廉承益, “… 王嘗暴得疾, 承益侍. 及移御天孝寺, 公主以從者少忿恚, 遂與王詬擊. 承益進曰, ‘王賴佛力疾愈, 今主怒. 若有魔障間之’. 公主怒解, [承旨]李槢曰, 廉郎中無實之言, 時有可用”.

旨揭額，人皆非之.[248]

[辛亥24日，月與歲星，同舍于畢:天文3轉載].

[○二鹿入市:五行2轉載].

甲寅27日，移御于承德府，又移前晋州牧使金忻第.[249]

丙辰29日，[白露]. 內竪梁善·大守莊等告，慶昌宮主與其子順安公琮悰謀，令盲僧終同呪咀上，[欲使琮悰尙公主爲主. 王命承旨李槢·大將軍印公秀·李之氐·將軍印侯·張舜龍鞫問終同:節要轉載]. [命中贊金方慶,訊之,不服→八月로 옮겨감].[250]

八月戊午朔小盡,己酉，[某日，命中贊金方慶，訊之，不服←7月에서 옮겨옴].

[→八月，命中贊金方慶·密直使許珙·監察侍丞趙仁規等，訊慶昌宮主及琮悰，不服. 翼日，召琮悰親訊. 甲子7日，宰樞詣宮門，請釋慶昌宮主及琮悰罪. 王問宰樞曰，“籍琮悰母子家如何”. 贊成事柳璥對曰，“累加鞫問，琮悰不服，慶昌宮主則曰，非敢呪咀，但問禍福於終同耳. 然則告上國得請然後，籍之可也”. 旣而，公主請籍之. 王曰，“宰相以爲不可，公主强之，不得已從爲”. 初，元宗愛琮悰，賜以貨寶無算. 至是，公主盡取之:節要轉載].

[→琮悰素多病，忠烈三年，母慶昌宮主，召盲僧終同，問度厄之術，遂設醮以禱，埋奠饌，內竪梁善大·守莊等誣告，慶昌宮主與其子琮悰謀，令盲僧終同，呪咀上，欲使琮尙公主爲王. 王命李槢·印公秀·李之氐·將軍印侯·張舜龍·將軍車信，鞫終同，又命中贊金方慶·密直使許珙·監察侍丞趙仁規等，鞫慶昌宮主及琮悰，不服. 王召琮悰親鞫. 宰樞詣宮門請釋，王欲籍琮悰母子家，贊成□事柳璥曰，“今琮悰猶不服，宮主亦曰，非敢呪咀，但問禍福. 宜奏上國，詔許，然後籍之，可也”. 王遣趙仁規侯表奏，公主請籍之，王不可，公主强之，不得已從焉. 元宗愛琮，賜以貨寶無算，至是，公主盡取之:列傳4元宗王子順安公琮轉載].

丁卯10日，遣將軍趙仁規·將軍印侯如元，進鶻子. 且表奏琮悰呪咀事，略曰，“人而揚醜于家，雖有慚德，親或作讎，於已能無怨心. 儻承允許之明綸，請從謫居而自艾”.

[某日，散員田裕訴于王曰，“臣昨以捕鶻，過安東，司錄金琁曰，鷹坊已罷，何爲

---

248) 이날 가마쿠라에서 맑았던 것 같다(『建治三年記』, 7월, “廿三日，晴”).

249) 이날 가마쿠라에서 맑았던 것 같다(위의 책, 7월, “廿七日，晴”).

250) 이 誣告事件에 대해 보다 구체적으로 서술하고 있는 『고려사절요』 권19에 의거하면 忠烈王이 金方慶에게 사건을 조사하라고 명한 것은 8월이다[校正事由].

到此，待臣甚薄．疑宰相移書諸道，以禁鷹鷂”．王怒，語李㰘曰，“此事，何損於宰相，而禁之乎，欲罷琁~~必使按廉罷琁任~~”．對曰，“裕藉捕鷂，侵擾百姓，聞殿下□解縱鷹鷂，自恐得罪，言此，以試其士意耳”．王然之:節要轉載]．[251]

[□□~~是時~~，承旨李㰘言於辭朴卿曰，“養鷹者，日殺人家雞犬，宜移養遠地”．卿語鷹坊李貞曰，“大家以鷹鷂故，多取衆謗，盍養之他所”．貞許諾，令尹秀養于安南．一日，王與達魯花赤觀獵，㰘語人曰，“始謂尹秀輩以鷹鷂市寵，今乃知王自篤好也．生拔鶻鵠腹背毛而放之，縱鷂啄食，觀以爲樂，此非篤好，其忍視耶”:列傳36李㰘轉載]．

庚午13日，有旨，燃燈，自明年復用正月十五日．

[戊寅21日，月與歲星同舍:天文3轉載]．[252]

庚辰23日，元流罪人四十于耽羅．[253]

[甲申27日，月入大微~~太微~~屛星:天文3轉載]．

九月丁亥朔小盡,庚戌，己丑3日，王與公主觀水碓．

[○月入南斗:天文3轉載]．

[辛卯5日，雷電:五行1雷震轉載]．

辛丑15日，王與公主觀獵于馬堤山．[254]

壬寅16日，[霜降]．將軍趙仁規·將軍印侯還自元．[帝命順安公母子事，任王處置．於是:節要轉載]，廢慶昌宮主爲庶人，流琮悰及終同于海島．[255]

癸卯17日，地震．

丁未21日，還宮．[時王耽于遊田，文昌裕·李之氏□士言，“獵騎踐蹂禾稼，民多怨咨，盍亟返”，從之:節要轉載]．[256]

庚戌24日，王與公主幸普濟寺，飯僧．

---

251) 이 기사는 열전36, 李汾禧, 㰘에도 수록되어 있는데, ~~添字~~는 이에 의거하였다.

252) 지3, 天文3에는 戊寅의 앞에 八月이 탈락되었다.

253) 이날 가마쿠라에서 맑았던 것 같다(『建治三年記』, 8월, “廿三日, 晴”).

254) 觀獵은 『고려사절요』 권19에는 獵으로 되어 있다(盧明鎬 等編 2016년 512面).

255) 慶昌宮主와 順安公 悰에 관한 기사는 열전1, 元宗妃, 慶昌宮主柳氏 ; 열전4, 元宗王子, 順安公 琮에도 수록되어 있다. 이날 가마쿠라에서 맑았던 것 같다(『建治三年記』, 9월, “十六日, 晴”).

256) 이와 같은 기사로 다음이 있다.

· 열전36, 폐행1, 李之氐, “李之氐, 禮安縣人, 以內僚進. 忠烈嘗獵于馬堤山, 樂而忘返. 之氐與文昌裕言, ‘獵騎踐蹂禾稼, 民多怨咨, 請亟還,’ 從之”.

[甲寅[28日], 月與鎭星, 同舍于亢:天文3轉載].

冬十月丙辰朔[大盡,辛亥], 日食.257)

戊午[3日], 以金伯均爲慶尙道指揮使.

己未[4日], 王與公主幸王輪寺.

[戊辰[13日], 月與鎭星同舍:天文3轉載].

甲戌[19日], 耽羅達魯花赤塔剌赤如元.

[丁丑[22日], 月入軒轅:天文3轉載].

[庚辰[25日], □[月]入大微~~太微~~東藩:天文3轉載].258)

乙酉[30日], 元遣郞哥歹來, 賜鶻.

[○雷:五行1雷震轉載].259)

十一月[丙戌朔小盡,壬子], 乙未[10日], 密直副使□□~~致仕~~李頴卒.260)

[○鹿入城:五行2轉載].

丁酉[12日], 移御本闕.

○遣國子祭酒金愲·郞將尹萬庇如元, 賀正.

○全羅道按廉副使禹天錫, 秩滿將還, 至全州, 封四笥, 屬所信吏曰, "文簿也, 付漕船以送". 州守宋愭發視之, 於文簿中, 雜置紬紵. 愭還之.

壬寅[17日], 王與公主移御李貞家.

壬子[27日], 還御本闕~~本闕~~.

甲寅[29日晦], 以慶尙道饑, 減租稅.

---

257) 이날 몽골제국에서도 일식이 있었다(『원사』 권9, 본기9, 세조6, 至元 14년 10월 丙辰). 이날은 율리우스력의 1277년 10월 28일이고, 開京에서 일식 현상이 심했던 時間은 14시 12분, 食分은 0.97이었다(渡邊敏夫 1979年 310面).

· 『續史愚抄』4, 建治 3년 10월, "一日丙辰, 日蝕, 雨不見, 蝕御祈, 權大僧都了遍奉仕, 平座依蝕延引".

258) 이날 가마쿠라에서 맑았던 것 같다(『建治三年記』, 10월, "廿五日, 晴").

259) 이날 가마쿠라에서 맑았던 것 같다(『けんじさんねんき』, 10월, "卅日, 晴").

260) 이와 관련된 기사로 다음이 있는데, ~~添字~~와 같이 고쳐야 옳게 될 것이다. 이날은 율리우스曆으로 1277년 12월 6일(그레고리曆 12월 13일)에 해당한다. 또 이날 가마쿠라의 天氣는 淸明하고, 바람이 불었던 것 같다.

· 열전19, 李頴, "忠烈卽位, 陞樞密院副使·禮部尙書·翰林學士承旨致仕, 四年~~三年~~卒".

· 『建治三年記』, 11월, "十日, 晴, 風".

[→以慶尙道年荒, 減租稅:節要轉載].

[→以慶尙道禾穀不稔, 減租稅:食貨3災免之制轉載].

十二月[乙卯朔大盡,癸丑], 丙辰[2日], 流南京副使崔資壽·司錄李益邦于海島. [監察侍丞·將軍趙仁規, 使管下軍介三, 誘南京民八人, 爲捉獺戶. 民之逃賦者, 多附之, 歲納獺皮于公主宮, 而半入仁規家. 益邦囚介三訊之. 仁規訴公主曰, "南京官吏裂宮旨, 擲地". 公主怒, 逮繫益邦·資壽, 枷于市, 遣將軍林庇鞫問. 庇具得其實以復. 公主悉還民元籍, 竟流二人, 尋釋之:節要轉載].[261]

[→南京司錄李益邦囚介三, 仁規訴公主曰, "南京吏裂擲宮敎." 公主怒, 逮繫益邦及副使崔資壽, 遣將軍林庇鞫之. 庇具得其實以復, 公主還民元籍, 流二人, 尋釋之:列傳18趙仁奎轉載].

○元遣捉虎使禿哥等十八人, 以馬三十匹·狗百五十來.

[癸亥[9日], 流星出五車, 入七公:天文3轉載].

[甲子[10日], 流星, 一出五車, 入北河. 一出翼, 入七公, 大如鉢:天文3轉載].[262]

丙寅[12日], 移御沙坂宮.

丁卯[13日], 前大將軍韋得儒·中郎將盧進義·金福大等, 誣告[僉議中贊]金方慶謀叛. [時方慶以中贊當國, 又受虎頭金符, 爲都元帥. 權傾一國, 田園遍州郡, 麾下將士, 日擁其門, 附勢假威者, 橫行中外, 而不之禁. 又第征倭軍功, 爵賞頗不均, 人多觖望. 得儒, 嘗從東征左軍使金侁, 爲知兵馬事. 侁溺死, 方慶以不救主將, 罷其職. 進義從攻珍島, 不力戰, 掠取人財産, 方慶沒入于官. 由是, 二人怨方慶, 謀陷之, 乃譖於忻都, 以爲方慶與子忻·壻趙抃及孔愉·羅裕·韓希愈·安社貞等四百餘人, 謀去王·公主·達魯花赤, 入據江華以叛, 讒構多端. 忻都與 石抹天衢, 告于王. 王:節要轉載]命[僉議]贊成事柳璥·[僉議贊成事]元傅·知密直□[司]事李汾禧·[同知密直司事?]韓康·承旨李槢[李汾成], 與忻都·[石抹]天衢, 雜問□[之].[263] 王知其誣妄, 釋之.[264]

[→乃知誣妄, 止論希愈等十二人, 藏甲之罪, 杖而釋之:節要轉載].

261) 이날 가마쿠라에서 맑았던 것 같다(『建治三年記』, 12월, "二日, 晴").

262) 이날 가마쿠라에서 맑았던 것 같다(『建治三年記』, 12월, "十日, 晴").

263) 添字는 『고려사절요』 권19에 의거하였다.

264) 이날 가마쿠라의 天氣는 비바람이 있다가 저녁 무렵에 맑았던 것 같다(『建治三年記』, 12월, "十三日, 風雨, 夕晴").

[→東征之役, 左軍使金侁溺死, 方慶以韋得儒不救主將, 奏罷其職. 郎將盧進義, 從方慶攻珍島, 不力戰, 掠人財產, 方慶沒入官. 金福大亦當時從軍者, 三人俱有憾於方慶:列傳17金方慶轉載].

[戊辰14日, 月入大微太微:天文3轉載].[265)]

是歲, 前軍器注簿洪宗老, 欲貰其子仁伯罪, 說達魯花赤石抹天衢, 以謂多識產金處. 於是, 遣國學直講崔瑒, 率宗老, 採金于洪州·稷山·旌善, 役民一萬一千四百四十六名, 七十日, 纔得七兩九分.

[○昇平郡任內別良部曲長大冲家, 雌雞化爲雄, 羽毛尾距皆具, 唯冠未甚高, 大冲云, 此雞, 生二十年, 每年生雛, 前歲不乳, 今忽變爲雄:五行2轉載].

[○以金賆爲忠淸道按廉使:追加].[266)]

[○以尙州判官安珦爲版圖佐郎:列傳18安珦轉載].[267)]

[○以大禪師見明一然爲雲門寺住持:追加].[268)]

[是年, 元置牧馬場于耽羅:轉載].[269)]

---

265) 이날 가마쿠라에서 맑았던 것 같다(『けんじさんねんき』, 12월, "十四日, 晴").

266) 이는 「金賆墓誌銘」에 의거하였다.

267) 이는 다음의 기사에 의거하였는데, 이의 연대 추정은 『晦軒先生實記』 권3, 연보에 따랐다.
- 열전18, 安珦, "居三年, □按廉使褒其政淸, 遂徵爲版圖佐郎".

268) 이는 「華山曹溪宗麟角寺普覺國尊碑銘」에 의거하였다.

269) 이는 다음의 자료를 전재하였는데, 이때 설치된 목마장의 모습은 1709년(숙종35) 濟州牧使 李衡祥의 狀啓, 1706년(숙종32) 9월 耽羅試才兼巡撫御史로 파견된 李海朝의 詩文을 통해 일반적인 모습을 遡及하여 살필 수 있을 것이다.
- 지11, 지리2, 耽羅縣, "忠烈王三年, 元爲置牧馬場".
- 『신증동국여지승람』 권38, 濟州牧, 建置沿革, "忠烈王三年, 元爲置牧馬場". 여기에서 添字와 같이 고쳐야 옳게 될 것이다.
- 『甁窩集』 권14, 耽羅巡歷圖序, "… 高麗三別抄之亂, 合元兵討之, 遂爲元所管, 或設軍民摠管府, 或立東西阿幕, 以牧馬牛羊. 其後爲之濟州, 至我太宗朝, 去星主·王子之號".
- 『甁窩集』 권17, 濟州民瘼狀, "… 一. 八道牧場, 多少不等, … 以本島則不然, 七千六百餘馬, 六百二十餘牛, 散處於六十三牧場之內, 牧子一千二百名, 皆以公賤, 隨闕充定, 旣無位田, 且甚貧殘, 毋論四時, 分番守直. …".
- 『鳴巖集』 권3, a山中牧場點馬, 留宿村舍, "山屯牧場, 割漢拏一半, 入山行二十里, 有村, 纔十餘家板屋, 如懸磬, 僅能容膝". b驅馬篇, "山屯牧場中, 結三大木柵, 一柵周回, 幾至三四十里. 三邑五千餘軍, 分哨列立於柵內, 圍遶譟譟而進, 數千馬羣, 駭驚奮迅於平莽絶壑之間. 猪鹿雜獸, 亦失其藪穴, 縱橫奔逸, 砲射亂發, 所獲委積. 柵傍結一圜場, 驅馬入圜場中, 如鳥鍛而魚喁, 萬足簇立. 尾鬣相磨, 不能蹄嚙, 騰踔, 圜場外又結小柵, 僅容一鬣. 入場之馬, 以次驅入小柵, 記其毛色, 點烙而還放, 擇其駿者, 別置封進. 此實島中巨役, 而亦一壯觀也".

[是年頃, 乳媼子內侍郞將黃元吉, 以其科田磽薄, 白王易郞將韓貞甫科田. 承旨李槢言, 元吉, 雖無此田, 不至貧乏, 貞甫, 惟祿是資, 豈宜奪彼與此, 請各復其舊, 從之:列傳36李槢轉載].

戊寅[忠烈王]四年, 元 至元十五年, [南宋景炎三年→5月祥興元年], [西曆1278年]

1278년 1월 25일(Gre2월 1일)에서 1279년 2월 12일(Gre2월 19일)까지, 13개월 384일

春正月乙酉朔小盡,甲寅, [某日, 以西海道轉米, 給元帥洪茶丘軍. 又令百官出芻豆, 餉忻都·茶丘軍:節要轉載].

[→令諸王·宰樞, 至權務, 出草料有差, 以餉忻都·茶丘軍馬:食貨2科斂轉載].

[→以西海道丁丑年忠烈3年轉米, 給元帥茶丘軍:兵2屯田轉載].

[□□□是月初, 金方慶往見忻都於碩州而還, 將士皆迎于碧瀾渡. 進義具巵酒而進, 方慶麾下士, 惡其先己, 止之, 進義曰, "諸軍與麾下, 皆人也, 何先後之有". 韓希愈曰, "此悖理之人, 請勿飮". 方慶遽起, 進義等銜之. 得儒謂希愈曰, "君何不恤我乎? 我褫職而君得賞, 我何罪耶", 因辱罵, 遂以頭再觸希愈胸, 希愈敺退之. 得儒怏怏, 以告宰樞及監察司, 方慶曰, "醉中之失, 誰復治之", 遂不問. 得儒益怨, 日與進義·福大等, 陰謀傾軋, 乃具狀, 譖於忻都曰, "方慶與子忻·壻趙抃·義男韓希愈及孔愉·羅裕·安社貞·金天祿等四百餘人, 謀去王·公主及達魯花赤, 入江華以叛. 東征之後, 軍器皆當納官, 方慶與親屬, 私藏於家. 又造戰艦, 置潘南·昆湄·珍島三縣, 欲聚衆謀叛. 自以其第近達魯花赤館, 移居孤柳洞. 國家曾命諸島人民, 入居內地, 方慶父子不從, 使居海濱, 又東征之時, 令不習水戰者, 爲梢工·水手, 致戰不利. 又以子忻守晋州, 幕客田儒守京山府, 義男安迪材鎭合浦, 韓希愈掌兵船, 擬擧事響應. 凡八條". ○於是, 忻都以三百騎至, 與達魯花赤石抹天衢告王. 王及公主, 雖知誣妄, 不得已命柳璥·贊成事元傅·知密直司事李汾禧·韓康·李槢, 與忻都·天衢, 雜問之. 有與得儒同狀者, 宮得時等四人告曰, "我等目不識字, 得儒紿曰, 與若俱有功, 盍連一狀, 以求爵賞. 故署名耳. 告訐非所知也". 得儒又告忻都曰, "歲乙亥忠烈王1年, 方慶語我曰, 汝等助我, 當盡殲官軍, 入據海島. 若不之信, 請與對辨". 方慶性沈默, 又憤怒, 似不能言. 璥曰, "得儒旣以八事, 告方慶叛. 今所言益重, 何不先載狀中耶". 諸囚畏, 韋·盧莫敢正視. 天祿顧叱曰, "汝等犬豕也. 攻珍島時, 汝

二人犯律, 中贊沒汝贓入官, 汝所憾者此耳. 今飾虛辭, 欲陷大臣, 天而不誅, 無天也". 福大等十四人又告曰, "以得儒故署名, 非吾本意". 王益知誣妄, 止論希愈等十二人藏甲之罪, 杖而釋之:列傳17金方慶轉載].

[→又有韋得儒·盧進義者, 誣告方慶等謀叛. 元帥忻都白王及公主, 請栲掠方慶. 王將許之, 瑊進曰, "臣生長邊鄙, 未知上國之制. 其在本國之法, 先囚告者, 次繫被告者, 白王然後鞫問, 所告實則賞, 虛則反坐. 今不囚告者, 便欲栲掠被告者, 於理如何". 忻都默然. 語在方慶傳:列傳18柳瑊轉載].

[○時洪茶丘在東京, 聞金方慶事, 請中書省, 來問:節要轉載].

[→茶丘與本國, 有宿憾, 欲伺釁嫁禍, 聞方慶事, 請中書省, 來鞫. 忻都亦嘗遣其子吉歹, 以得儒言奏, 帝詔與國王·公主同問:列傳17金方慶轉載].

[甲午10日, 月與歲星, 同舍于參:天文3轉載].

己亥15日, 燃燈, 王如奉恩寺, 除伎樂.

壬寅18日, 王如奉恩寺, 與忻都·茶丘, 鞫方慶及其子忻.[270] [茶丘, 與本國有宿憾, 欲使方慶服罪, 貽禍於國, 以鐵索圈其首, 若將加釘. 又叱杖者, 擊其頭, 裸立終日, 天極寒, 肌膚凍如潑墨. 王謂茶丘曰, "向與忻都, 已鞫訖, 何必更問", 茶丘不聽. 會郎哥歹還自全羅道, 茶丘等, 復問方慶父子. 王引郎哥歹同問, 郎哥歹曰, "我將還朝, 帝若問東方事, 當以所聞見對", 茶丘頗詘:節要轉載].[271]

[甲辰20日, 雨水. 月入氐星:天文3轉載].

辛亥27日, □前參知政事朴松庇卒.[272] [□□松庇, 起軍伍, 與金仁俊誅崔竩, 累遷至

---

270) 이와 관련된 기사로 다음이 있다. 이들 자료에는 金方慶에 대한 誣告事件에 대한 기록이 至元 14년(충렬왕3)으로 되어 있으나, 짧은 시간 내에 편찬된 『원사』의 큰 문제점의 하나가 年代編成[繫年]의 誤謬임을 감안하면, 이 자료의 至元 14년은 15년(충렬왕4)의 잘못일 것이다. 그리고 飭兵(칙병)은 整兵과 같은 의미이다.
- 『원사』 권9, 본기9, 세조6, 至元 14年15年 1月, "戊戌8日, 高麗金方慶等爲亂, 命高麗王治之, 仍命忻都·洪茶丘飭兵禦備".
- 『원사』 권208, 열전95, 外夷1, 高麗, "至元十四年15年正月, 金方慶等爲亂, 命愖諶治之, 仍命忻都·洪茶丘飭兵禦備".
- 『자치통감』 권25, 漢紀17, 宣帝地節 3년(BC67) 10월, "詔曰, … 朕旣不德, 不能附遠, 是以邊境屯戍未息. 今復飭兵重屯, 久勞百姓[注, 師古曰, 飭, 整也], 非所以綏天下也".

271) 이와 같은 기사가 열전17, 金方慶에도 수록되어 있으나 자구에 출입이 있다.

272) 參知政事朴松庇卒은 參知政事致仕朴松庇卒 또는 前參知政事朴松庇卒로 고쳐야 옳게 될 것이다. 參知政事는 1275년(충렬왕1) 10월 25일의 관제 개혁 때에 僉議參理로, 충렬왕 34년에 僉議評理로 改稱하였다. 이날은 율리우스曆으로 1278년 2월 20일(그레고리曆 2월 27일)에 해당한다.

大官, 性寬洪, 不與人爭功:節要轉載].

[→朴松庇, 初以德原吏, 籍軍伍, 以誅崔誼功, 累官至叅知政事. 性寬洪, 不與人爭功. 忠烈四年卒. 子成大, □□□□□~~官至上將軍~~:列傳43金俊轉載].[273]

壬子28日, 郞將李仁賁頒曆詔, 還自元, 王出迎于城外.[274]

[某日, 以金應立爲慶尙道按廉使, 李洪儀爲全羅道按廉使, 李承衍爲忠淸道按廉使:慶尙道營主題名記].[275]

二月甲寅朔大盡,乙卯, 丙辰3日, 王會忻都·茶丘于興國寺, 鞫方慶, 不服. 流方慶于大靑島, 忻于白翎島.

[→王與忻都·茶丘, 更鞫方慶. 方慶曰, “小國戴上國如天, 愛之如親, 豈有背天逆親, 自取亡滅哉. 吾寧枉死, 不能誣服. 茶丘必欲服之, 加以慘毒, 身無完肌, 絶而復蘇者, 屢矣”. 茶丘密誘王左右曰, “時日大寒, 雨雪不止, 王亦疲於問訊, 若使方慶服辜, 則罪止一人之身, 法當流配耳, 於國何有”. 王信之, 且不忍視, 語之曰, “卿雖自首, 天子仁聖, 將明其情僞, 而不置於死, 何至自苦如此?”. 方慶曰, “不圖上之如是也, 臣起自行伍, 致位宰相, 肝腦塗地, 不足以報國, 豈愛身誣服, 以負社稷”. 顧謂茶丘曰, “欲殺便殺, 我不以不義屈”. 於是, 以藏甲爲罪, 流方慶于大靑島, 忻于白翎島, 餘皆釋之. 方慶之流, 國人皆遮道泣送:節要轉載].[276]

[→韋得儒·盧進義之誣告金方慶也, 忻都·洪茶丘鞫理甚劇, 擧國洶洶. 承旨李槢謂王曰, “此自方慶事, 上若欲辨是非, 茶丘必謂以私方慶也, 宜勿與知.” 知密直司事李汾禧亦夜詣茶丘議事, 人謂汾禧兄弟有二心:列傳36李汾禧轉載].

[→韋得儒等誣構方慶, 大獄起. 洪茶丘在東京聞之, 奏帝來問. 欲令方慶誣服, 嫁禍於國, 栲訊極慘酷. 未幾, 帝召還. 語在方慶傳:列傳43洪福源轉載].

[己未6日, 驚蟄. 熒惑犯月:天文3轉載].

庚申7日, 親醮于本闕[277].

---

273) 朴成大의 최종관직은 不明으로 上將軍 이상의 고위관료로 승진할 수도 있었을 것이지만, 여기서는 暫定的으로 확인이 가능한 1274년(충렬왕 즉위년) 10월 19일에 의거하였다.

274) 이 曆書를 頒布하는 詔書는 前年 12월 21일(乙亥)에 결정되었다.
· 『원사』 권9, 본기9, 세조6, 至元 14년 12월 乙亥, “以十五年曆日賜高麗國”.

275) 李洪儀는 是年 2월 20일에, 李承衍은 4월 某日에 의거하였다.

276) 이와 같은 기사가 열전17, 金方慶에도 수록되어 있으나 자구에 출입이 있다.

277) 이 기사는 지17, 禮5, 雜祀에도 수록되어 있다.

癸亥[10日], 遣將軍印侯如元, 奏流□[金]方慶.278)

[丙寅[13日], 馬坂里十餘家火:五行1火災轉載].

丁卯[14日], 以[僉議侍郞贊成事]柳璥△[爲]判典理司事, 金坵△[爲]參文學事[·判版圖司事],279) 康守衡△[爲]知僉議府事, [密直司使]許珙△[爲]判密直司事, [知密直司事]李汾禧爲密直司使, 韓康·洪子藩△△[並爲]知密直司事, 朴恒△[爲]同知密直司事, [軍簿判書·鷹揚軍上將軍]奇洪碩·張暐△[並]爲密直副使. 又以韋得儒爲上將軍, 盧進義爲將軍, [洪]茶丘請之也.

[戊辰[15日], 月入大微[太微]:天文3轉載].

[某日, 右司議大夫鄭興[鄭可臣], 辭職, 歸羅州. 時李汾禧兄弟附[洪]茶丘, 醞釀金方慶之罪. 興恥與同朝, 乞歸養母. 王慰諭遣之, 尋召還:節要轉載].280)

庚午[17日], 耽羅達魯花赤塔剌赤[塔剌赤]還自元, 帝賜王海東靑.

壬申[19日], 遣大府少尹[太府少尹]趙瑜[趙愉]等于東寧府, 推刷人物.281)

癸酉[20日], 以慶尙道軍料別監劉鉉·忠淸道王旨使用別監黃守命·全羅道按廉使李洪儀, 皆爲其道勸農別監.

丙子[23日], 令境內, 皆服上國衣冠.282) [開剃蒙古俗, 剃頂至額, 方其形, 留髮其中, 謂之開剃. 時[先是], 自宰相至下僚, 無不開剃. 唯禁內學館, 不剃. 左承旨朴恒呼執事官, 諭之, 於是, 學生皆剃:輿服1冠服通制轉載].283)

---

278) 이와 관련된 기사로 다음이 있는데, 添字와 같이 고쳐야 옳게 될 것이다.
- 『원고려기사』本文, 至元 15년 2월, "是春, 東征元帥府請於忠淸·全羅諸處屯兵, 以鎭外夷. 初, 高麗國大將軍韋德儒·盧進義, 訴侍中金方慶, 與其子忄+殳[綖]·愃·恂, 壻趙卞[趙抃]等, 陰養士卒四百人, 匿鎧仗器械, 造戰艦, 積糧餉, 欲謀作亂. 東征元帥府捕方慶等, 按驗得實, 流諸海隅. 至是言上, 高麗初服, 民心未安, 可發征日本回卒二千七百人, 置長吏, 屯忠淸·全羅諸處, 以鎭撫獠夷, 以安其民. 復令士卒, 備牛畜·耒耜, 爲來歲屯田之計. 今歲糧餉, 姑令高麗國給之. 議上, 樞密院奏聞".
- 『원사』 권208, 열전95, 外夷1, 高麗, "[至元]十五年一月[三月], … 東征元帥府上言, 以高麗侍中金方慶, 與其子忻·愃·恂, 壻趙卞[趙抃]等, 陰養死士四百人, 匿鎧仗器械, 造戰艦, 積糧餉, 欲謀作亂, 捕方慶等, 按驗得實, 已流諸海島. 然高麗初附, 民心未安, 可發征日本還卒二千七百人, 置長吏, 屯忠淸·全羅諸處, 鎭撫外夷, 以安其民. 復令士卒, 備牛畜·耒耜, 爲來歲屯田之計".

279) 이때 金坵는 參文學事·判版圖司事에 임명되었다(열전19, 金坵).

280) 鄭興은 1279년(충렬왕5) 5월에서 1280년 7월 7일 사이에 鄭可臣으로 개명하였다. 또 이와 같은 記事가 열전18, 鄭可臣에도 수록되어 있으나 관직이 左司議大夫로 달리 표기되어 있는데, 上記의 기사가 옳을 것이다(盧明鎬 等編 2016년 515面).

281) 趙瑜는 『고려사절요』 권20에는 趙愉로 되어 있는데, 後者가 옳을 것이다(盧明鎬 等編 2016년 515面). 이 시기의 前後에 東寧府에 파견되어 流民을 추쇄한 人物은 後者이고, 前者는 이보다 한참 후에 활약한 인물이다(→충렬왕 즉위년 8월 27일, 是年 10월 7일).

282) 이 기사는 지39, 刑法2, 禁令에도 수록되어 있다.

[丁丑[24日], 以[興威衛精勇攝將軍]鄭仁卿爲朝散大夫·賜紫金魚袋·左右衛精勇將軍:追加].[284)]

己卯[26日], 元遣闊闊歹等來, 頒詔. [詔曰, "各路行省·行院·都元帥各衛指揮使招討萬戶弁大小官吏等, 侵擾軍卒, 以致逃亡者, 罷職不敍, 籍其家□[貲]一半":節要轉載].[285)]

[壬午[29日], 赤氣竟天,:五行1轉載].

[某日, 以[知東州郡事]朴仝之爲權閤門祇候:追加].[286)]

[某日, 又令諸王至權務, 出蒭豆, 以給忻都·[洪]茶丘軍馬:食貨2科斂轉載].

癸未[30日], 令諸王至權務, 歛[斂]奐鐵粧忽奴所鑄環刀.

[是月, 元中書省奏, "高麗王賰言, 達魯花赤石抹天衢任滿未替, 乞復留三年", 從之:追加].[287)]

三月[甲申朔大盡,丙辰], [乙酉[2日], 赤祲見于南方, 夜明如晝:五行1轉載].

丁亥[4日], 太白晝見.

[○夜又犯月:天文3轉載].

[戊子[5日], 熒惑犯月:天文3轉載].

[己丑[6日], 清明. 歲星犯月:天文3轉載].

壬辰[9日], 以譖元者, 皆籍叛入江華, 故命罷船兵.

[○大雪:五行1恒寒轉載].

甲午[11日], [將軍]印侯還自元, 帝召還洪茶丘, 又命王入朝. [先是, 茶丘遣人, 誣奏帝曰, "金方慶積穀造船, 多藏兵甲, 以圖不軌, 請於王京以南要害之地, 置軍防戍,

---

283) 이 기사에서 時는 先是로 고쳐야 옳게 될 것이다. 左承宣 朴恒이 密直副使에 승진한 것은 1277년(충렬왕3) 1월 6일이므로 時字가 적합하지 않다.

284) 이는 「鄭仁卿政案」에 의거하였다.

285) 이 詔書는 몽골제국에서 1월 26일(庚戌)에 내려졌는데, 役은 侵의 오자일 것이고, 貲字가 탈락되었던 것 같다.

· 『원사』 권10, 본기10, 세조7, 지원 15년 1월 庚戌, "詔軍官不能撫治軍士及役[侵]擾·致逃亡者, 沒其家貲一半".

286) 이는 「朴仝之墓誌銘」에 의거하였다.

287) 이는 다음의 자료에 의거하였다.

· 『원고려기사』本文, 至元, "十五年二月, 中書省奏, '高麗王賰言, 達魯花赤石抹天衢任滿未替, 乞復留三年', 從之".

· 『원사』 권208, 열전95, 外夷1, 高麗, "[至元]十五年一月[二月], 賰以達魯花赤石抹天衢秩滿未代, 請復留三年, 從之. 여기에서 添字와 같이 고쳐야 옳게 될 것이다.

亦於州郡，皆置達魯花赤．方慶及壻家屬，悉送京師，以充臧獲，收其田租，以供兵糧"．及侯至．帝問方慶藏甲幾何．對曰，"四十六部耳"．帝曰，"方慶恃此謀叛乎? 高麗州縣之租，皆漕輸王京，造船積穀，又何足疑?．又方慶起第王京，如謀叛，何必起第，遄令茶丘還來，國王亦可來朝，自奏":節要轉載].[288]

[○川水皆凍:五行1恒寒轉載].

[丁酉14日，流星出紫微，抵天將軍:天文3轉載].

戊戌15日，有旨，以安東·京山府管內郡縣貢賦，除大府太府·迎送·小府等庫所納外，皆輸于元成殿.[289]

○復置清州判官及唐城監務.

○上將軍韋得儒·將軍盧進義，言於洪茶丘曰，"國家談禪法會，所以咀上國□世"．茶丘遣人，報中書省．[→茶丘，以語石抹天衢，遣人報中書省．王亦遣將軍盧英·中郎將李仁，如元．平章平章政事哈伯曰，"此何足上聞，汝其歸矣．王來，自奏耳":節要轉載].[290]

己亥16日，遣將軍張舜龍·中郎將白琚如元，告以入朝．王嘗謂大臣曰，"朝覲，諸侯享上之儀，歸寧，女子事親之禮，遣使，請與公主入朝，以鋪馬七十匹，將行"．術家告以陰陽拘忌，王疑而止．及得儒·進義告變，方悔之，命有司促裝．各道國贐馬未至，令州郡事審官，先納馬，馬價踴貴．

[某日，都兵馬使據判，出牒云，"大朝令諸路斷酒，國家亦宜行之．聖節日·上朝使臣迎接內宴·燃燈·八關，不可無酒，令良醞署供進．國行祭享醮酒，良醞署亦別建造釀都祭庫，燒錢色傳請供設，此外公私一皆禁斷．如有違者，有職者，罷黜，無職者，論罪．閭里有私釀飮之屬，部官·比長等，知而不告者，論罪．已釀之酒，限今月二十一日盡用，已造之麴，限今月，皆納右倉，倉給其直．外方，亦令按廉·安集使，限日禁斷，麴亦納官，官給其直，輸于右倉":刑法2禁令轉載].[291]

夏四月甲寅朔小盡,丁巳，王及公主·世子如元，僉議侍郞贊成事元傅·密直司使李汾禧·同知密直

---

288) 이와 같은 기사가 열전17, 金方慶에도 수록되어 있으나 자구에 출입이 있다.

289) 이와 관련된 기사로 다음이 있으나 二月은 三月의 오자일 것이다.

· 지32, 食貨1, 貢賦, "忠烈王四年二月三月，下旨，"以安東·京山府管內郡縣貢賦，除大府·迎送·少府等庫所納外，皆輸元成殿".

290) 이와 같은 기사가 열전17, 金方慶에도 수록되어 있으나 자구에 출입이 있다.

291) 이때의 判은 高麗國王의 어떤 정치적 決定을 가리키는 批判의 약칭이며, 過去의 制書[制]를 대신한 용어이다.

[司事]朴恒·[上將軍?]宋玢·[上將軍]康允紹等從行.[292)]

[□□[是時], [左司議大夫金]周鼎爲行從都監使, 建白, 本國達魯花赤, 王京留守軍, 合浦鎭守軍, 黃·鳳·鹽·白四州屯田軍, 供億繁重, 民不堪命. 且金方慶, 有大功於朝, 被誣遠流, 請奏于帝. 王入朝奏帝, 皆允, 王益重之:列傳17金周鼎轉載].

[丁巳[4日], 太白犯月:天文3轉載].

[○白氣, 橫亘東西:五行2轉載].

己未[6日], 郞舍以無功有世累者, 多拜官, 不署告身. 王屢命署之, 不從. 王怒, 命忽赤崔崇, 逮司議大夫白文節.

[→命忽赤崔崇, 械司議□□[大夫]白文節·金愲·給事中金之瑞等以來. 時無功有咎者, 多拜官, 郞舍不署告身. 王屢命署之, 不從. 其人銜之, 托左右, 以激王怒. 會承旨李尊庇, 持監察司狀以進, 王望見, 意僉議府狀, 大怒. 勅[敎]尊庇退, 而有是命. 尊庇欲自辨, 復進, 王疑其救郞舍, 責止之, 卽罷郞舍官. 李之氏進曰, "尊庇所白者, 監察司狀, 非僉議府狀也. 上不之察, 而罪郞舍, 責出尊庇. 且僉議府, 百官之長也, 使一忽赤, 夜縛諸郞舍, 如衆望何". 王取閱監察司狀, 悔之. 釋郞舍:節要轉載].[293)]

[→忠烈朝, 拜司議大夫. 時無功有世累者, 多補官, 郞舍不署告身. 王屢趣之, 不從. 有人銜之, 托左右, 以激王怒. 會承旨李尊庇, 將啓監察司狀, 王意僉議府狀, 大怒, 叱退尊庇. 命忽赤崔崇, 繫文節及司議□□[大夫]金愲, 給事中金之瑞, 典書崔守璜, 中舍郞李益培, 司諫李行儉·李仁挺, 正言鄭文·張碩等.[294)] 尊庇欲辨復進, 王疑救郞舍, 責止之, 卽罷文節等官. 尊庇厲聲曰, "王不察臣心, 臣何敢司出納. 請從此免歸". 李之氏進曰, "尊庇所白者, 監察司狀, 非僉議府狀也. 上不之察, 罪郞舍, 責尊庇. 且僉議府, 百官之長, 使一忽赤, 夜縛諸郞舍, 於國體何?". 王取閱其狀, 悔, 遂釋之:列傳19白文節轉載].[295)]

---

292) 이때 元傅는 匡靖大夫·僉議侍郞贊成事·世子傅였고(元傅墓誌銘), 左司議大夫 金周鼎도 扈從하였다(「金周鼎墓誌銘」, "戊寅[忠烈4年], 扈駕朝北").

293) 이 기사에서 勅은 敎 또는 令의 오류일 것이다. 1276년(충렬왕2) 3월 19일 이후 王言은 대부분 諸侯國의 그것으로 降等되었다.

294) 張碩(張暉의 子)은 洪福源의 外孫으로 製述業의 及第者이다(열전43, 洪福源).

295) 이 기사에서 司議大夫(正4品), 給事中(從4品), 典書(不明), 中舍郞(不明), 司諫(정6품), 正言(종6품)을 감안하면, 典書는 僉議舍人(종4품), 中舍郞은 起居郞(종5품)에 해당하는 관직으로 추측된다. 또 崔守璜은 이 시기에 起居舍人(종5품)과 軍簿正郞(정5품)을 역임하고, 1280년(충렬왕6) 5월 摠郞(정4품)으로 재직하고 있었다.
· 열전19, 崔守璜, "累歷起居舍人·軍簿正郞".

壬戌[9日]，忻都·[洪]茶丘，各以馬贐王，且設祖宴,[296] 白王曰，“帝問金侍中[金方慶]事，在王所奏如何耳”.

[某日，忠淸道按廉使李承衍，別進銀幣十斤·細布五十四匹:節要轉載].

[某日，公主召宰樞，令卜日作宮室．伍允孚曰，“今年興土功，不利於人主，臣不敢卜”．公主怒，將奪官而笞之，柳璥曰，“今使臣等領造成都監事，豈不欲速成，以順聖意，今日官曰，寧斫臣頭，不敢卜日，此無他，愛君以誠，不顧其身耳，臣待罪宰相，聞其不利於人主，忍使起土功耶．請備材瓦，待大駕還，作之，未晩也”．公主默然，而止．允孚竟不肯卜日，公主怒，欲流之，王不得已，免其官:節要轉載].

[→時，王在元[~~王及公主將如元~~]，公主召宰相，令卜日作宮室．伍允孚曰，“今年興土功，不利人主，臣不敢卜”．公主怒，將奪官笞之，璥曰，“臣領造成都監事，豈不欲速成，以順聖意．今日官云，寧斫頭，不敢卜日．此無他，愛君以誠，不顧其身耳．臣待罪宰相，聞不利於上，忍爲之耶．請備材瓦，待大駕還，作之，未晩”．公主默然而止:列傳18柳璥轉載].[297]

[→公主將如元，臨發召宰樞，令卜日作宮室，允孚曰，“今年興土功，不利於人主，臣不敢卜”．公主怒，將奪官笞之，柳璥諫止之．宰樞遣人白公主曰，“寢殿材瓦已備，日官伍允孚以土功不利於王·公主·世子，不肯卜日．乞令扈從日官文昌裕，卜日降旨”．公主怒，欲流允孚，王不得已免其官:列傳35伍允孚轉載].

[某日，嘉林縣人告達魯花赤[石抹天衢]曰，“縣之村落，分屬元成殿及貞和院，將軍房·忽赤·巡軍，唯金所一村在耳，今鷹坊迷剌里[~~迷剌里~~]，又奪而有之，我等何以獨供賦役”．達魯花赤曰，“若此者多矣，非獨汝縣也，將使巡審各道，以蠲其弊，請王差官偕往”．乃以摠郎金晅爲推考使，宰樞白王曰，“達魯花赤使人巡審各道，俱得其實，以報朝廷，非細事也，乞還籍民，以歸本役”，王從之，公主不肯，乃止:節要轉載].[298]

[→王及公主如元．“嘉林縣人告達魯花赤曰，縣之村落，分屬元成殿及貞和院·將軍房·忽赤·巡軍，唯金所一村在．今鷹坊迷剌里[~~迷剌里~~]，又奪而有之，我等何以獨供賦役．達魯花赤曰，非獨汝縣，若此者多矣，將使巡審諸道，以蠲其弊”．請王遣人

---

296) 祖宴(祖道宴)은 餞別宴을 지칭한다.

297) 이 기사는 ~~添字~~와 같이 고쳐야 옳게 될 것이다.

298) 巡軍은 巡軍萬戶府의 略稱이며, 이의 연혁은 다음과 같았다고 한다.

· 지31, 백관2, 巡軍萬戶府, “巡軍萬戶府[注, 有都萬戶·上萬戶·萬戶·副萬戶·鎭撫千戶·提控. 恭愍王十八年, 改爲司平巡衛府, 置提調一人·判事三人·參詳官四人·巡衛官六人·評事官五人. 辛禑, 復改爲巡軍萬戶府. 恭讓王元年, 使掌捕盜禁亂”.

偕往. 宰樞令李之氐, 白王曰, "達魯花赤使人巡審諸道, 得其實以報朝廷, 非細事也. 乞收王旨與宮旨, 籍民歸本役", 王從之, 公主不肯, 乃止:列傳2忠烈王妃齊國大長公主轉載].[299)]

乙丑[12日], 下旨曰, "行宮亭飯, 務從簡便, 以扈從人太多, 其一百九十人, 令行從都監, 量給糧料, 乃以銀布, 市米于東寧府".

○鳳州屯田千戶朴蒙古大, 以良馬一匹·槖駝一頭, 來見, 王賜銀幣五斤·紵布十匹.

[丁卯[14日], 月入氐星:天文3轉載].

戊辰[15日], [將軍]張舜龍·[中郎將]白琚還自元, 謁王於道曰, "茶丘請帝添遣三千軍, 其二千五百, 已渡鴨綠江, 帝允王所奏, 命罷歸茶丘. 又請於全羅道, 置脫脫禾孫,[300)] 帝不允. 又勑金方慶父子·得儒·進義等, 從王入朝, 對辨". [王議于從行臣僚[密直使]李汾禧·[承旨]李槢曰, "忻都·茶丘, 本不欲此事之辨, 今雖據聖旨, 彼必以無勑文, 不聽, 不如入朝, 更請而後召之". 皆曰, "帥府不聽, 豈非違聖旨乎? 其罪益重, 我則有辭矣". 乃遣舜龍, 召方慶等, 國人素疑汾禧兄弟, 貳於茶丘, 至是益信. 舜龍以方慶父子·得儒·進義, 如元. 至姚家寨, 進義舌爛而死, 臨死曰, "吾以得儒至此". 得儒聞之, 遂不寢食, 常仰天太息而已:節要轉載].[301)]

庚午[17日], 王次西京, 謁聖容殿.

[□□[某日], 王與公主如元, 至西京, 公主召[李]延齡·[韓]愼, 問其謀反[謀叛]始末, 皆伏地背汗, 不敢仰對:列傳43崔坦轉載].

[某日, 敎曰, "歷觀西海郡縣, 凋弊已甚, 自丁丑[忠烈王3年], 至今年, 租稅徭貢, 皆免之":食貨3恩免之制轉載].

己卯[26日], 次義州, 時西北諸州皆附東寧府, 惟義·靜·麟三州不附, 吏民相率而迎□[送], 供億勝於他州.[302)]

---

299) 이 기사의 冒頭에 "[忠烈]四年, 公主生男, 群臣宴賀. 夏"가 있다. 그렇다면 王妃 齊國大長公主는 이 해의 봄[春]에 長子 謜(忠宣王)에 이어 次子를 出産한 셈인데, 餘他의 자료에서는 확인되지 않는다.

300) 脫脫禾孫[脫脫火孫, 脫脫和孫, todtaqasun]은 몽고어의 音譯으로 檢査官을 뜻하며, 據點都市 또는 交通要地의 驛站에 설치되어 있었다. 往來 使臣의 眞僞 및 人員·物品이 규정대로 지켜지고 있는가를 檢査하는 임무를 맡았는데, 이들이 설치되어 있는 驛站을 脫脫禾孫站이라고 불렀다(黨寶海 2008年).

301) 이와 같은 기사가 열전17, 金方慶 ; 열전36, 李汾禧에도 수록되어 있으나 자구에 출입이 있다.

302) 送字는 『고려사절요』 권20에 의거하였다.

[壬午[29日晦], 白氣見于西方:五行2轉載].

[是月戊辰[15日], 南宋端宗趙昰卒, 庚午[17日], 衛王趙昺卽位:追加].

五月[癸未朔大盡,戊午], 丙戌[4日], 遼陽摠管[總管]·達魯花赤等, 各獻馬于王.

丁亥[5日], 合浦摠管[總管]劉蒙古大妻, 與其子北歸, 謁王于道, 仍獻馬. 王曰, “摠管[總管], 軍政清明, 百姓稱之, 不幸而亡, 今見汝母子, 益復悲哀”.

○[征東]元帥忻都, 遣也速塔兒, 白王曰, “我居王國七年, 于今未有一善, 惡則已多, 惟望王善奏”. [尋北還:節要轉載].

○北京同知康守衡來, 獻馬一匹.[303]

[庚寅[8日], 芒種. 月入大微[太微]西藩上將:天文3轉載].

辛卯[9日], 永寧公綧子司空[守司空]熙及雍來, 獻馬.[304]

癸巳[11日], 忻都還元.

甲午[12日], 次崖頭站, 王摠管[總管]獻槖駝一頭·馬六匹.[305]

丁酉[15日], 次懿州, 遼陽·懿州二達魯花赤, 獻馬.[306]

辛丑[19日], 遣前大將軍尹秀, 市馬于北京.

壬寅[20日], 北京達魯花赤康希閔, 獻馬.

[○鹿入城:五行2轉載].

己酉[27日], 次北京鍋窯館, 行省右承[右丞]孛魯歡, 參政[參知政事]張彥澤, 簽省阿魯丁,

---

303) 北京路(後日의 大寧路)의 治所는 現 內蒙古自治區 赤峰市 寧城縣 天義鎭 大明鄕이다(→원종 9년 3월 21일). 또 몽골제국에서 1265년(지원2) 2월에 外官[路府州縣官]의 同知總管職[同知]은 色目人[回回人]으로 임명한다는 原則[定制]이 정해졌는데, 高麗人 出身의 康守衡(康和尙, Qosan)이 北京同知에 임명된 것이 특이하다. 그리고 『원사』의 總管은 摠管과 通用되는 글자이기는 하지만, 『고려사』에서 모두 摠管으로 改書되었는데, 그 이유는 알 수 없다.

· 『원사』 권6, 본기6, 세조3, 지원 2년 2월, “甲子[24日], 以蒙古人充各路達魯花赤, 漢人充總管, 回回人充同知, 永爲定制”.

304) 司空은 守司空으로 고쳐야 옳게 될 것이다.

305) 崖頭站[涯頭站, 渥頭站]은 현재의 瀋陽市 서쪽으로 흐르는 遼河 부근에 위치한 驛으로 彰義站(章義縣, 瀋陽市 于洪區 彰驛站鎭)에서 약 65km 떨어져 있다고 한다(森平雅彦 2014年). 또 이 崖頭驛舍에는 1308년(至大1) 이후 皇太子(後日의 仁宗)의 詹事府參軍을 역임했던 權漢功의 詩文이 懸板으로 존재하고 있었던 같고, 이에 대한 次韻이 1354년(至正14, 공민왕3) 3월 무렵 李穡(권한공의 孫壻, 詹事府洗馬 仲達의 壻)에 이루어지기도 하였다(『목은시고』 권3, 崖頭驛有醴泉權政丞[漢功]詩, …).

306) 懿州는 現 遼寧省 阜新市의 北東部地域 塔營子城이다(→고종 41년 3월 是月).

揔管[總管]·按察·治中等，各獻馬.[307)]

壬子[30日]，中書省遣哥塔及開平府達魯花赤將老等來，迎□[之].

[□□[是月]，王嘗如元[王如元]，至虎平縣，縣令將宴王.[308)] [將軍印]侯以不先饋己，恚曰，"爾用幾羊，欲以此宴乎?". 又川州達魯花赤宴王，王欲賜物，侯曰，"川州小邑，可勿與". 王怒，命李之氏賜之. 之氏畏侯，竟不與:列傳36印侯轉載].[309)]

[○京山府副使·殿中內給事田盧，新荷寺僧正玄等開板'佛說長壽陁羅尼經':追加].[310)]

[是月朔，南宋改元祥興:追加].

六月[癸丑朔小盡,己未]，[甲寅[2日]，太白掩軒轅:天文3轉載].

丁巳[5日]，太白晝見，經天.

[戊午[6日]，月入大微[太微]:天文3轉載].

庚申[8日]，次香阿,[311)] 樹林蒙密，禽獸所居. 皇后遣二宮嬪來迓. 居人云，"此天子遊獵之地，雖親王不得舍，而使國王宿焉，眷遇可知".

辛酉[9日]，[小暑]. [王至元:節要轉載]. 帝遣皇子脫歡，皇后遣皇女忙哥歹公主及阿伊哥赤大王妃來，迎于三十里之地，且設大穹廬于開平府東門外，待之.[312)]

己巳[17日]，王及公主謁帝，帝設宴慰之. [公主以世子見皇后及太子妃，妃名之曰，益智禮普化:節要轉載].[313)]

---

307) 行省右承은 行省右丞의 오자이고, 總管(上路 正3品, 中路·下路 從3品), 按察, 治中(中路 정5품) 등은 지방행정의 각종 管理職이다. 그중에서 治中은 簿書의 중요한 것을 처리하는 사람을 일컫는다.

· 『字學』, 方言, "周禮, 治中, 謂治職簿書之要也". 이는 『周禮』 권5의 注疏에 나온다.

308) 虎平縣은 현재의 北京市 延慶區로 추측된다.

309) 川州는 현재 遼寧省 朝陽市 동북쪽의 大陵河 中流 지역인 北標市[北票市]이다.

310) 이는 『佛說長壽滅罪諸童子陁羅尼經』의 題記에 의거하였다(海印寺 所藏, 국보 제206-21호, 崔凡述 1970년 ; 南權熙 2002년 56面 ; 林基榮 2009년 ; 清州古印刷博物館 2010년 58面).

· 題記, "伏爲」皇帝億載統臨,宮主·國王各」保万年,儲宮·宗室慶膺千歲,」次願妻梁氏及諸兒,產年益」壽,災萌不兆,福海彌深,先亡父」母·六親眷屬,離苦得樂,法界有情,俱霑利樂之願.」與新荷寺典香正玄,同誓刻板印施無窮者,」至元十五年五月日誌,」棟梁道人正玄,」京山府副使·殿中內給事田盧,」緣化比丘信起,施主廉永寶」".

311) 香阿가 어떠한 地域인지를 알 수 없으나 上記의 記事를 통해 볼 때, 中書省 通州(現 北京市 通縣)의 남쪽에 위치한 元 皇室의 사냥터로서 行宮이 설치되어 있었던 곳인 것 같다(→1330년 2월 28일의 脚注).

312) 皇子 脫歡(Togon, ?~1301)은 世祖의 9子이고(『원사』 권107, 表2, 宗室世系表), 忙哥歹公主는 裕宗 眞金[Jimkin, Chinkim]의 女이며, 阿伊哥赤大王은 어떠한 인물인지 알 수 없다.

[→王及公主到京師，謁帝，帝宴慰之．王率群臣，入自東南隅立庭中，公主張小紅傘，率永寧公王總管[王縟]夫人及諸姬媵，入自東北隅，獻金銀器皿·細苧布．拜訖，由東西上殿， 永寧公及從臣元傅·李汾禧·朴恒·宋玢·康允紹從之． 玢以下坐東偏，軍傔皆與焉． 公主以世子及小王女謁皇后， 獻銀十錠·細苧布二十匹． 后見世子愛之，賜酒巵·刀子．公主又抱世子見于太子妃，妃名之曰益智禮普化．皇后賜公主彩段一車:列傳2忠烈王妃齊國大長公主轉載]．

丁丑[25日]，[征東元帥]忻都奏帝曰，高麗宰相多占匿民戶，免避賦役，請禁之．又請罷諸領府爲軍．帝曰，“汝與國王，議奏耶?”．曰，“否”，帝不許．忻都見王，議其事，王不對，忻都頗憤恚．

戊寅[26日]，王上書都堂[中書省]，辨方慶事及談禪法會．

[→王上書中書省，辨韋得儒·盧進義，誣罔．旣而，得儒亦病死，人以爲天誅:節要轉載]．[314)]

[→王上書都堂，辨[金]方慶誣曰，“韋得儒·盧進義等告忻都，以爲金方慶謀去公主·國王及達魯花赤，將入江華．如其信然，得儒宜先告我，何以直告帥府，忻都栲問．方慶未嘗家藏兵甲，惟羅裕等四十一人所爲，然裕等皆云，未嘗聽方慶謀叛事，緣得儒等含怨，欲害方慶．然得儒等亦稱，未嘗親聞方慶謀叛事，亦未曾聽說於人．但征東時，方慶麾下，有不納軍器於官者，以此疑其謀叛．後更言方慶再說謀叛，前後所言不同．又言，至元十二年[忠烈1年]十二月日，到方慶家，方慶言，忻都毁我房院而去．因說叛事．今看帥府鎭撫也速達文字，忻都以至元十二年十二月二十八日到王京，翼年[忠烈2年]正月初三日還塩州，得儒何稱十二月去也．進義云，至元十二年四月，詣方慶家，方慶在門前，說謀叛事．後言，方慶在政房東廊下說．所言前後不同．以此觀之，並是妄飾．忻都與達魯花赤同鞫，杖藏甲者，餘皆原放，惟留方慶，以候明降．茶丘又稟鈞旨來問，韓希愈·安迪材·金忻等，實我所差，指稱方慶擅差委．吳木江積穀，實是竹州等郡縣所輸公私之物，指稱方慶所畜．潘南等處船楫，俱是種田軍人所具，指稱方慶船隻．强取文字，酷刑鞫問，必欲招伏，卽今勢難自白，要令方慶全其性命，姑流海島，以待聖慈．豈謂聖明曲照，勑令方慶赴京．伏望，詳其前表

313) 世子(후일의 충선왕)의 몽골식 이름인 益智禮普化는 이질부카(Ijil-buqa)로 읽는다.

314) 盧進義의 壻는 충렬왕의 嬖幸 林貞杞라고 한다

· 열전36, 林貞杞, 嬖幸, “林貞杞, 元宗朝, 登第, 昧學術, 有吏能. 爲長興副使, 値其父允蕤大祥, 當至京, 恐失職, 依內僚請在任行祭. 尋以娶盧進義之女, 爲貳妻, 坐免”.

與達魯花赤文狀, 一一善奏. 得儒·進義又云, 談禪法會, 將不利于上朝. 呼得儒問之曰, 隊正金玄言, 將設談禪, 寢而不行, 又軍成一亦言, 有僧告公主曰, 談禪不利於上朝, 公主命成一妹于緊縫衣, 賞之. 今問金玄則云, 得儒喚我問, 談禪法會, 何由而寢, 答云, 不知 餘無所言. 問成一則云, 我寓居進義家, 進義將我往見得儒, 得儒曰, 聞有異事否. 答云, 不聞. 公主賞僧事, 不曾見聞, 何曾說與得儒. 我若有妹, 當處其家, 何故寓居進義之家. 金玄·成一之言, 皆如此. 且禪法通行天下, 本國自國初, 至今三百六十餘年, 率以三年一度, 當孟春設會. 是年, 以得儒·進義誣告, 國家騷動, 欲於四月設會, 故淹延耳. 得儒恐親朝奏聞, 加其罪, 謀沮我行, 又復妄說, 達魯花赤不曾究問, 遽爾申奏, 實深兢懼. 伏望善奏". 既而省官聞得儒言, 皆大笑. 居十餘日, 得儒亦舌爛而死, 時人以爲天誅:列傳17金方慶轉載].

庚辰28日, 公主誕辰, 皇后賜塔子袍.

是月, 參知政事~~前參知政事~~金鍊卒.315) [鍊, 美風儀, 善周旋, 莅事無斷, 人稱爲長者:節要轉載].316)

秋七月壬午朔大盡,庚申, 甲申3日, 王謁帝, 奏曰, "向聞車駕北征, 表請悉索弊賦,317) 以助征, 陛下以遠地, 不許. 臣今入朝, 請躬備戎行, 以報聖德. 帝笑曰, 北方人以左計撓邊, 今已奔潰矣. 王又奏曰, 日本一島夷耳, 恃險不庭, 敢抗王師, 臣自念, 無以報德, 願更造船積穀, 聲罪致討, 蔑不濟矣". 帝曰, "王歸與宰相熟計, 遣人奏之". 又奏曰, "陛下~~陛下~~降以公主, 撫以聖恩, 小邦之民, 方有聊生之望. 然茶丘在焉, 臣之爲國, 不亦難哉. 如茶丘者, 只宜理會軍事, 至於國家之事, 皆欲擅斷. 其置達魯花赤於南方, 亦非臣所知也. 上國必欲置軍於小邦, 寧以韃靼·漢兒軍, 無論多小而遣之, 如茶丘之軍, 惟望召還".

○帝曰, "此易事耳. 有間曰, 惟堯舜禹湯, 能行帝王之道, 其後君弱臣强, 衣食

---

315) 參知政事金鍊卒은 參知政事致仕金鍊卒 또는 前參知政事金鍊卒로 고쳐야 옳게 될 것이다.

316) 이와 같은 기사가 열전21, 金之淑에도 수록되어 있다.

317) 弊賦(혹은 敝賦)는 諸侯가 自身의 軍士를 낮추어 말하는 것이다.

· 『춘추좌씨전』傳, 襄公 8年 冬, "… 子馬曰, 詩云, … 敝邑之人, 不敢寧處, 悉索敝賦, 以討于蔡. 獲司馬燮, 獻于刑丘".

· 『國語』 권5, 魯語下, "平丘之會, … 使叔孫豹悉帥弊賦, 踦跂畢行, 無有處人, 以從軍吏, 於此雍渝".

· 『北夢瑣言』 권17, 周式抗梁祖, "… 梁祖曰, '王公明附并汾, 違盟爽信, 弊賦已及於此, 期於無舍. 式曰, …".

皆請於臣. 昔有一君, 嗜羊肉, 其臣與之則食, 不與則不得食. 宋度宗, 在此幼兒[恭帝]之父也, [丞相]賈似道擅權, 使度宗, 出其愛妾, 不得已從之. 安有君而畏臣, 去其寵妾哉. 王之父王, 何不免林衍擅立耶? 朕聞, 王亦信宰相之誘, 如此而能治國, 則固善, 其如不能, 可不愧乎?". 對曰, "茶丘之妄言也". 帝曰, "非惟茶丘, 人多言之. 汝可與宰相, 擇所以善持國者, 商量而行".

○王奏曰, "今姦人以金方慶爲謀叛, 告於忻都. 忻都引兵, 入王京, 執而訊之, 無他. 唯東征將士, 有不納軍器於官者, 奪其職而杖之. 方慶雖無叛狀, 時爲冢宰, 不納軍器者, 不加檢擧, 罪其疎慢, 流于海島. 然此乃有憾者所讒也, 後有若此不法者, 臣請罪之". 帝曰, "汝其識哉". 謂諸官人曰, "可亟召茶丘還". 又問忻都何如, 對曰, "忻都, 韃靼人也, 可則可矣. 使茶丘在, 則與高麗軍, 妾[妄]搆是非,[318] 雖忻都不能不信. 望令茶丘與高麗軍, 皆還于朝, 以韃靼漢兒軍, 代之". 帝曰, "可".

○王語哈伯平章[平章政事]曰, "王京達魯花赤秩滿, 而郎哥歹, 嘗往來小邦, 若以爲代, 可使如耳目也". 哈伯以奏, 帝曰, "安用達魯花赤爲, 抑郎哥歹, 幺麽人也". 因問康守衡曰, "高麗服色何如?". 對曰, "服韃靼衣帽, 至迎詔賀節等時, 以高麗服將事". 帝曰, "人謂朕禁高麗服, 豈其然乎? 汝國之禮, 何遽廢哉?".

[○王又奏曰, "姦人挾憾, 誣訴金方慶謀叛, 後有若此不法者, 臣請罪之":節要轉載].

乙酉[4日], 王在元, 哈伯平章[平章政事]謂康守衡·[將軍]趙仁規曰, "昨有勑, 其議可以安集百姓者來奏". 王遂命宰樞與三品以上, 議之, 皆曰, "上下皆撤處干, 委以賦役可也". 處干耕人之田, 歸租其主, 庸調於官, 卽佃戶也. 時權貴多聚民, 謂之處干, 以逋三稅, 其弊尤重. 守衡曰, "必以點戶奏".

[○哈伯又使人問宰樞曰, "忻都云, 帝令高麗島居人, 出處陸地, 高麗復使島居, 而差勾當使, 有諸". [同知密直司事]朴恒曰, "至元七年[元宗11年], 我國復都古京, 因朝旨也. 其諸島之民, 則未有使陸處之命, 但以三別抄叛居[據]珍島·耽羅, 其忠淸·西海諸島, 去賊遠者, 令按堵自若, 全羅·慶尙, 近賊諸島人, 使出於陸, 避其擄掠耳". □□[哈伯]曰, "島民乘舟, 成隊往來, 如其生事何". 恒曰, "島嶼之人, 衣食魚鼈, 往來漁釣, 非官所當禁也. 且朝旨, 有以命小邦者, 皆下帥府及達魯花赤, 忻都住鹽州已久, 西海諸島, 如喬桐·龍煤, 與帥府相望, 忻都何坐視, 而不使之出陸耶, 此其無朝旨也, 明矣":節要轉載].[319]

---

318) 妾은 妄(망) 또는 輒(첩)의 오자일 것이다.

[→以同知密直司事, 從王入朝, 平章哈伯, 使□[員]外郎問宰樞曰, “忻都云, 天子令高麗諸島民出陸, 高麗復使島居, 差勾當使. 有諸”. 恒曰, “至元七年, 我國以帝命復都舊京, 其諸島民, 未有出陸之命. 但以三別抄叛據珍島·耽羅, 招討使金方慶, 但令全羅·慶尙近賊諸島, 出陸避擄掠. 陸處者, 不可不鎭撫, 所以差勾當使也”. 曰, “島民乘舟, 成群往來, 如生事何?”. 恒曰, “島嶼之人, 以魚鼈爲衣食, 往來漁釣, 非官吏所當禁也. 且朝廷凡有命小邦者, 皆下帥府及達魯花赤. 忻都以元帥, 駐塩州已久, 西海諸島, 如喬桐·龍媒, 與帥府相望, 忻都何坐視, 而不使出陸耶. 其無朝命明矣”. 哈伯不敢詰:列傳19朴恒轉載].

丁亥[6日], 帝賜宴于內兀朶.[320]

○中書省令具錄本國累朝事跡及臣服日月, 與帝登極已來, 使介名目, 國王親朝年月, 以呈, 因國史院報也.

己丑[8日], 王進鵠子于帝及東宮.

壬辰[11日], 王與公主, 赴宴于外兀朶.

○王上書中書省曰, “小邦姦佞之人, 欲釋宿憾, 飾辭妄告. 或投匿名文, 至謂之

---

319) 이 시기의 前後에 세조 쿠빌라이[忽必烈]가 고려 사신의 通譯을 大寧府總管 康守衡을 대신하여 趙仁規로 행하게 하였던 것 같다. 또 이 시기에 고려정부는 畵金磁器를 쿠빌라이에게 바쳤던 것 같다.

· 열전18, 趙仁規, “初, 國人雖學蒙古語, 未有善敷對者, 我使如京, 必令大寧摠管[總管]康守衡, 引入奏. 仁規嘗獻畵金磁器, 世祖問曰, ‘畵金欲其固耶?’. 對曰, ‘但施彩耳’. 曰, ‘其金可復用耶?’. 對曰, ‘磁器易破, 金亦隨毁, 寧可復用’. 世祖善其對, 命自今磁器毋畵金, 勿進獻. 又曰, 高麗人解國語如此, 何必使守衡譯之?”.

그리고 고려가 몽골제국에 바친 각종 貢物 중에서 그 흔적이 實物로 남아 있는 것은 유적지에서 발견되는 高麗青磁[青瓷]인데, 1980년대에 발굴된 사례로 다음이 있고(趙孝剛 2013年), 이의 사례를 전체적으로 간단히 정리한 논문도 있다(彭善國 2014年·2015年).

· 瀋陽市 大東區 望花街 元墓群의 青磁小碟[작은 접시], 銅管廠 元墓의 青磁碟, 砂山 元墓群의 青磁盞, 盞托[盞을 바치는 그릇, 盞臺는 아님](이상 瀋陽故宮博物院 所藏).

· 『아언각비』 권3, 盞托, “盞托者, 酒盞之承器也. 東語誤翻爲盞臺[注, 盞托華音作잔퇴], 草花有金盞·銀臺, 引之爲證, 非矣, 鏡臺·燭臺·香臺·硯臺有之矣, 盞臺無可據”.

320) 內兀朶(內斡魯朶)는 宮殿[行宮, 捺鉢, 納鉢, 營盤]의 안쪽에 있는 宮帳, 곧 天井이 圓型인 移動式 氈幕인 파오[蒙古包, Mongolian yurt], 현재의 gel을 指稱하고, 이의 對稱이 外兀朶이다(→是月 11일). 또 斡魯朶[현재의 中國音은 wo-lu-du]는 蒙古語로서 宮殿·陣營을 의미하는 ordu, 터키어의 궁전·城郭을 의미하는 orda의 音譯이며, 漢字로 氈帳·牙帳·穹廬·天幕이라고도 표기하였다고 한다(後藤十三雄 1942年 ; 高井康典行 1999年). 또 조선시대에는 이를 蒙古幕·蒙古帳幕[波吾達]이라고 표기하였다(『정조실록』 권48, 22년 2월 癸丑[19日]→우왕 9년 2월 某日의 脚注).

謀叛，管軍官·達魯花赤，因而拷問，騷擾一國．今後，如有似前告訴者，請自窮究事由，申覆上司．無令官軍，驚動百姓．又有惡人，謀撓國家，每以遷都江華，籍口騰辭，請使種田軍，入處江華，以塞讒言之路．○東征元帥府,[321] 於全羅道，擅置脫脫禾孫，又申覆上司云，‘高麗人多乘無箚子鋪馬，亂行走遞，又有乘駕船隻，成隊往還，恐發事端．爲此，差官領軍四百，充脫脫禾孫勾當．然，小邦曾奉省旨，國內往來之人，許國王自給箚子．自是，來往使介，必給箚子，安有無箚子而亂行走遞者耶？小邦自來，例以水路，轉漕王京，此外，只是釣漁之人，安有乘舟成隊往來者耶．帥府東征元帥府舞辭誣辭申覆,[322] 不待明降，差脫脫禾孫，領四百軍前去．又有耽羅達魯花赤，於羅州·海南地面，擅置站赤，是何体例？伏望善奏明降．○東寧府，元是小邦祖宗京都，崔坦等非其鄕貫，奪而處之，祖宗祠宇，祭享皆廢，伏望，還其尺土，俾修孝祠．曾奉聖旨，己未年高宗46年已來驅掠人，許令放還，年前又有省旨，北京·東京路·東寧府,[323] 庚午年元宗11年已來，逃誘擄掠之人，亦令推刷還之．目今，還者未見一二，伏望更令推刷，其有累世居住，不便移徙者，於東京路地圓聚，以充公主行李厮養之役．耽羅·珍島攻破時，官軍所虜，其有逃閃者，則推刷爲然矣．攻破之後，齒役平民者，妄稱虜獲，據充驅役，甚是難便，望行禁止．小邦道里遼遠，事有要急，必馳驛以聞，然請箚子於達魯花赤，然後得遣，或致遲誤．望依諸駙馬列例,[324] 亦許自給箚子．西海道內谷州·遂安兩城，往年，投拜搭察兒大王，大王使吉里歹來，點民戶．尋蒙省旨云，諸王投下,[325] 不得一面收拾民戶，况高麗附屬國土，

---

321) 東征都元帥府는 征東都元帥府라고도 하였으며, 그 자체 내에 2개의 府를 가지고 있으나 그 구체적인 실상은 알 수 없다. 이 官府의 상층 지도부는 都元帥 킨두[忻都], 右副元帥 洪茶丘, 左副元帥 劉復亨 등이었고, 이들이 이끈 軍隊는 고려에 주둔해 있던 몽골군과 遼東 및 한반도 북부 출신으로 몽골군에 소속되어 있던 고려출신의 軍人[高麗軍]으로 구성되어 있었다(『원사』 권91, 지41上, 百官7, 都元帥府 ; 張東翼 1994년 15~17面).

322) 舞辭는 誣辭의 오자일 것이다.

323) 여기에서 北京路는 大寧路의, 東京路는 遼陽路의 別稱이므로 이들은 遼·瀋(現 遼寧省)地域을 가리킨다.

324) 여러 판본의 『고려사』에서 列로 되어 있으나 例의 오자이다. 『고려사절요』 권20에는 옳게 되어 있다.

325) 投下는 蒙古語를 漢字로 옮긴 것으로 頭下·頭項·投項 등으로 표기한다. 이는 采邑·封地와 같은 것으로 諸王·貴族·將軍 등이 征服戰爭過程에서 획득한 捕虜를 蒙古草原으로 옮겨서 聚落을 형성하여 각종 生產에 從事시킨 것에서 유래하였다. 中原에서도 各地에 投下領이 설치되어 소속된 州縣으로부터 지배를 받지 아니한 독자적인 領地로서 다루가치[達魯花赤]를 파견하여 管領하게 하였다.

不合收拾. 今崔坦等, 逐去本國差遣官員, 擅自管領, 若聽取坦等, 一面誑辭, 似不合理. 西海道殷栗縣, 不曾投拜崔坦, 坦等妄稱投拜, 爭一十七戶, 已受省旨, 復屬本國. 今年三月, 復爭如前, 於一十七戶內, 又令餘人圓聚, 影占管領, 是何體例? 小邦諸島雖多, 皆與陸地不遠, 上司所遣罪人, 已難安置. 況今耽羅地, 元放罪囚, 幷使移置, 非惟置之無地, 朝夕恐生他變. 其耽羅元放罪徒, 乞令依前住坐, 仍使官軍監守. 據本國官司告狀, 有男名大貞者, 於五月十四日, 到巡馬所, 言今月初四日, 與注壯男, 出王京城外, 日暮將還, 被兩人驅虜, 至京北山谷間, 復有六人, 將驅到童僧二介, 童男女幷七人·馬十二匹·牛三頭, 殺牛喫了, 從山路而行, 大貞幸得逃來. 巡馬差人押大貞, 追捜路上, 捉拿一人, 問得, 說稱本國鄭喬家奴, 名達達茶花, 住坐東京地面. 與斜米塞鄕老高婁舍·百姓兩托·也吾那·王三·郭相·古乙馬等六人, 到王京等處, 捉獺訖竄, 伏深谷間, 謀欲驅虜人物牛馬而去. 其言如此, 遼陽之人, 潛行驅虜, 常常有之, 未得其跡, 今幸捕得達達茶花, 實是天幸. 望根究其徒, 置之重法, 以戒後來, 下東京摠管府[總管府]所虜人物, 並令還本, 後有如此歹人, 許令本國, 治之以法".

[→王上中書省書曰, "小邦姦佞之人欲釋宿憾, 飾辭妄告, 或投匿名書, 謂之謀叛, 管軍官達魯花赤因而栲問, 騷擾一國. 今後如有似前告訴者, 請自窮詰, 申覆都省, 無令官軍驚動百姓. 又有惡人謀撓國家, 每以還都江華藉口, 請使種田軍入處江華, 以塞讒言之路. 東征元帥府報都省云, '高麗人多乘無箚子鋪馬, 又有乘船成隊往還, 恐發事釁.' 以此領軍四百, 置脫脫禾孫於全羅. 然小邦曾奉省旨, 國內往來之人, 許國王自給箚子, 自是, 往來使介, 必給箚子, 安有無箚子者耶? 小邦例以水路轉漕王京, 此外只是漁釣之人, 安有乘舟成隊往來者耶? 帥府舞辭[誣辭]申覆, 擅置脫脫禾孫, 又耽羅達魯花赤擅置站赤於羅州海南, 願善爲敷奏. 東寧府元是小邦祖宗所都, 崔坦等奪而據之, 祖宗祠宇祭享皆廢. 願還其尺土, 俾修孝祀. 曾奉聖旨, 己未年以來驅掠人, 許令放還. 年前又有省旨, 北京東京路東寧府庚午年以來逃誘虜掠之人, 亦令刷還, 迨今無一人還者. 願更令刷還, 其有累世居住不便移徙者, 於東京路圓聚, 以充公主行李廝養之役. 討耽羅珍島時, 賊黨子女多爲軍官所虜. 雖齒役平民者, 妄稱虜獲, 强充驅役, 願令禁止. 小邦道里遼遠, 事有要急, 必馳驛以聞. 然請箚子於達魯花赤然後得遣, 或致遲誤, 望依諸駙馬例, 亦許自給箚子. 西海道內谷州遂安兩城往年投于搭察兒大王, 大王使吉里歹來, 點民戶, 尋有省旨, 高麗附屬國土, 不宜點戶. 今崔坦等逐去本國差遣官吏, 擅自管領. 殷栗縣本

不投于崔坦，坦等奪而據之，是何理耶？小邦諸島皆與陸地不遠，上國所遣罪囚，固難安置．今又欲以耽羅所放罪囚移置諸島，恐生變．乞令依舊，仍使官軍監守．本國人鄭喬家奴居東京，與斜米寨鄕老高婁舍等六人到王京捕獺，竄伏山谷，驅掠人物牛馬而去，巡馬所捕得一人．遼陽人潛行驅掠，常常有之，今幸捕得．望置重法以戒後來:節要轉載］.

○時達魯花赤依蒙古制，置巡馬所，每夜巡行，禁人夜作．

癸巳[12日]，王與公主，上壽于帝．

翌日[甲午13日]，又上壽于皇后．

丙申[15日]，王謁帝，帝使樞密副使孛剌[孛剌]，問官軍騷擾之事．忻都在側曰，“吾軍所以擾民，王如知之，今可言矣”．王曰，“爾麾下，因方慶事，侵吾兒家，執以付汝，汝卽杖之．吾兒家尙未免，況百姓乎．汝等訴予，以不能安集百姓，汝之騷擾如是，予烏能安集哉”．謂孛剌[孛剌]曰，“予不忍與此輩共處，帝賜臣一區地，臣率吾民以來，盡力於上，臣所願也”．孛剌[孛剌]曰，“帝只問官軍騷擾耳，王何至如此奏乎?”．

○帝賜王及公主衣各一襲，從臣宰樞至四品，各賜金塔子表裏，其餘，各賜注絲表裏．從臣各獻白紵布于公主，以謝．

戊戌[17日]，元使平章[平章政事]哈伯·副樞[樞密院副使]孛剌[孛剌]，諭王曰，“告金方慶者二人皆死，無可對”訟．朕已知方慶寃抑，而赦之，又命罷忻都·茶丘軍·種田軍·合浦鎭戍軍，皆還．王將退，復召至前曰，“朕不識字麤人，爾識字精細人，其聽朕言．成吉思皇帝嘗曰，‘人苟小有孝心，天必知之’．爾欲享我，將汝一甁酒·一石米，以來，是亦孝也”．王奏曰，“臣嘗奏請召還茶丘軍，不勝惶恐，今盡召諸軍還，感祝萬壽而已”．帝曰，“此事何足恐乎？可恐者有二，妄言與違言，是也．汝善治汝民，毋爲諸國後世所笑，可也”．王曰，“諸軍還時，恐有驅迫良民者，請禁之”．帝曰，“我旣有言，誰敢將汝一民來耶”．王曰，“願得上所親信韃靼一人，爲達魯花赤”．帝曰，“何必達魯花赤，汝自好爲之”．王曰，“小邦亦請依上國法點戶，又請留合浦鎭戍軍，以備倭寇”．帝曰，“何必留之，其能無害於汝民乎？汝可自用汝國人鎭戍，倭寇不足畏也．若點戶，則可自爲之”．又曰，“天漸寒，馬將瘦，及野草未枯，可還去”．

［→帝諭王曰，“訴[金]方慶者皆死，無可對訟，朕已知方慶寃”．遂赦之:列傳17金方慶轉載］.

辛丑[20日]，哈伯·孛剌[孛剌]，謂忻都曰，“汝軍士，有以高麗民，稱爲妻黨，挾帶而來者，汝其不怕聖旨乎?”．又謂王曰，“征珍島·耽羅時，官軍所擄者，王亦不爭也”．

壬寅[21日], 帝賜王海東靑一連·駙馬金印·鞍馬,[326)] [皇后賜公主彩段一車:節要轉載]. 王飮餞于東宮.

癸卯[22日], 王辭歸, 帝使㤄薛旦[怯薛丹]安禿丘護送,[327)] 至北京,[328)] 又遣脫脫兒等三官人, 祖送東門外, 命金方慶, 隨王還國. 皇太子亦遣人餞之, 皇子脫歡·皇女忙哥歹皆至. 諸官人, 以達達歌舞, 侑觴, 王使忽赤能歌者, 歌感皇恩曲, 以酬之.

[→命[金方慶]隨王還國:列傳17金方慶轉載].

[丙午[25日], 處暑. 月掩東井:天文3轉載].

丁未[26日], 遣[左司議大夫]金周鼎·[將軍]張舜龍于西海道, [將軍]趙仁規·[將軍]印侯于慶尙道, 郞將金天固于全羅道, 分揀人物. 命曰, "若諸軍挾帶人物, 除父母許嫁妻室外, 餘皆勿與□□[俱還]".[329)] 仍屬天固, 爲內侍. 舌人爲內侍, 自天固始.

[○月掩五諸侯:天文3轉載].

[某日, 以李德孫爲慶尙道按廉使, [典理佐郞]崔瑞爲全羅道按廉使:慶尙道營主題名記].[330)]

---

326) 이와 관련된 기사로 다음이 있다. 이때 충렬왕은 駙馬金印(『원사』諸王表에는 6等級의 印章 중에서 1등급인 金印獸紐'로 되어 있음)을 받았다고 하는데, 당시 諸王은 金印, 金鍍金銀印(金鍍銀印]을 받았다고 한다. 또 이 金印은 파스파(八思巴, phagspa) 文字로 '駙馬高麗」國王印」'이 刻字된 璽印으로 추정되며, 이것이 捺印된 문서로 松廣寺乃老禪師의 奴婢文書(忠烈王 7년 윤8월)와 申祐官敎(충목왕 즉위년 4월)의 2件이 현존한다고 한다(川西裕也[kawani si yooya] 2014年·2017年·2019년).

· 『원고려기사』本文, 至元 15년, "七月二十日, 中書省奏, '改鑄駙馬高麗王印, 以賜䁱'. 上從之".

· 『원사』 권10, 본기10, 세조7, 至元 15년 7월, "壬寅[21日], 改鑄高麗王王愖駙馬印".

· 『원사』 권208, 열전95, 外夷1, 高麗, "[至元十五年]七月, 改鑄駙馬高麗王印, 賜䁱".

· 『元典章』 권29, 禮部2, 禮制2, 印章, 印章品級分寸料例, "◑諸王印, 三寸二分, 赤金二百一十三兩九錢, 物料錢六兩三錢七分. 金印, 三寸一分五厘, 赤金三定六兩, 物料錢五兩三錢四分. 金鍍銀印, □上, 白銀八十三兩, 鍍金赤金八錢, 物料錢五兩三錢四分. ◑駙馬印, 正二三臺, 銀五十六兩四錢, 物料錢八錢".

327) 㤄薛旦은 怯薛丹의 다른 표기이다. 怯薛[Kesig]은 皇帝의 禁衛軍을 指稱하며, 이의 구성원을 怯薛歹(Kesigtei, Kesigtai), 複數를 怯薛丹(Kesigten, Kesigtan)이라고 한다(片山共夫 1980年).

328) 여기에 보이는 北京은 內蒙古의 喀喇心郡(現 河北省 平泉)으로 추측된다. 이곳은 河北省의 東北部地域으로 中原(河北省)·滿州(遼寧省)·蒙古(內蒙古自治區)의 三角交叉點에 해당하는 要塞地이다.

329) 添字는 『고려사절요』 권20에 의거하였다.

330) 李德孫은 그의 열전에서 監察雜端을 역임한 후 경상, 전라, 충청의 3도를 按廉하였다고 하지만, 吳漢卿이 찬한 그의 묘지명은 간략하여 언급이 없다(李德孫墓誌銘). 또 崔瑞는 그의 묘지명에 의거하였다.

· 열전36, 폐행1, 李德孫, "累歷監察雜端, 按慶尙·全羅·忠淸三道, 掊克作威, 吏民畏之".

· 「崔瑞墓誌銘」, "[至元]十五年秋, 以典理佐郞出按全羅道".

八月壬子朔大盡,辛酉, 丁巳6日, 遣別將李逢如元, 請歸遂安·谷州[·殷栗. 帝從之:節要轉載].

戊午7日, 遣承旨宋玢, 賀聖節.

壬戌11日, [白露]. 知申事李槢上時務十餘條, 王覽畢, 挼而擲之.[331] 又語宰樞曰, "事有可先行者, 實封以聞". 對曰, "歸國續議以聞".

[○月入羽林, 又犯熒惑:天文3轉載].

癸亥12日, 日中有黑子, 大如雞卵.

[壬申21日, 月與歲星同舍:天文3轉載].

甲戌23日, 洪茶丘還元, 謁王于道, 獻馬.

[丙子25日, 流星出文昌, 入北極, 大如梨, 色赤有光, 尾長五尺許:天文3轉載].

丁丑26日, [秋分]. 王過嘉州寨, 値雨, 寨人造梁於河, 以渡之, 賜督役百戶銀盤, 役徒銀一斤.

[戊寅27日, 月入大微太微內屛星:天文3轉載].

己卯28日, 王至東京, 忽兒干太子妃, 獻馬.[332]

[→□王至東京, 上將軍朴球言曰, "今駕次山谷, 行夜者踈虞, 請嚴警備". 承旨李槢曰, "子以上將軍, 領忽赤, 警衛不嚴, 是誰之咎". 球無以對:列傳17朴球轉載].[333]

辛巳30日, 遣將軍朴義如元, 上都堂中書省書曰, "據本國來文, 全羅道按廉使報, 今春, 上司所送罪徒, 分置道內, 靈岩郡披縣島十三名, 乘桴逃竄, 追搜得之, 寶城郡乃老島二十四名, 奪行人船, 逃竄, 未曾捕得. 我在上都, 嘗言此事, 本國島子雖多, 遠陸者少, 累次所送罪徒, 已難安置, 今所移配耽羅罪囚, 置之何地. 乞還前所, 仍使官軍鎭守, 未蒙明降, 因今二島罪囚逃竄如此, 其餘諸島罪人, 孰不生心. 伏望善奏, 以降明斷".

九月壬午朔小盡,壬戌, 甲申3日, 遣吳淑富於東界, 捕海東靑.

---

331) 이 기사는 열전36, 李汾禧, 槢에도 수록되어 있다.

332) 太子 忽兒干은 어떠한 인물인지 알 수 없다.

333) 이와 같은 기사로 다음이 있는데, 朴球는 1274년(충렬왕 즉위년) 10월 22일에 大將軍으로 재직하고 있었으므로 元宗은 忠烈王으로 고쳐야 옳게 될 것이다.

· 열전17, 金方慶, 朴球, "朴球, 蔚州屬部曲人. 其先富商, 球籍其資, 以饒財稱. 元宗忠烈王時, 爲上將軍. 忠烈還自元, 至東京, 球言曰, '今駕次山谷, 行夜者踈虞, 請嚴警備'. 承旨李槢曰, '子以上將軍, 領忽赤, 警衛不嚴, 是誰之咎'. 球無以對".

丙戌5日, 達魯花赤經歷張國綱, 還元, 謁王于道曰, "前者秩滿當還, 王報上司留之, 于今七年. 今達魯花赤·元帥及官軍, 皆還, 一國之福也". 國綱處事淸平, 多所裨益.

[○雷:五行1雷震轉載].

[丁亥6日, 月入南斗:天文3轉載].

戊子7日, 王渡鴨綠江, 齊安公淑·帶方公澂·漢陽公儇·大將軍孔愉等來謁, 獻白苧布.

己丑8日, 達魯花赤石抹天衢, 還元, 謁王請契由, 冀加褒美, 以其無一善, 略其辭.

辛卯10日, 王遣譯者·校尉崔奇, 上書中書省曰, "向蒙聖旨, 令官軍盡還, 且勑忻都曰, 軍人指稱妻家族黨, 挾帶而來者, 汝其禁之. 今官軍不肯聽信, 伏望特降明文, 令本國官司, 與官軍, 一同推刷".

丁酉16日, 地震.

○廣平公譓·知密直□□司事韓康·左承旨薛公儉等八人來謁, 獻白苧布, 忽赤三番又獻馬匹.

○命日官文昌裕·伍允孚等, 卜地西京, 爲明年避暑之所.

○命贊成事元傅等, 祀聖容殿·東明平壤木覓廟.

[→遣使于平壤, 享太祖·東明木覓廟:禮5雜祀轉載].[334]

辛丑20日, 遣郞將趙瑊·錄事李玖, 如東寧府, 招刷人物.

○將軍朴義還自元, 中書省牒曰, "耽羅達魯花赤塔刺赤塔剌赤奏, 留滯耽羅罪囚, 於高麗險惡島子裏敎入去, 怎生聖旨, 那般者道來, 兩火兒逃走, 一拏住, 一拏不着, 依在先體例, 敎耽羅裏入去, 怎生奏呵, 奉聖旨, 別介險惡島子, 方便敎存住的, 他每識者".

[某日, 王及公主及東還, 公主請王欲令入京日, 兩殿牽龍著金花帽, 宰樞·文武百官, 以禮服迎謁. 王遣知中事李椙傳旨, 大將軍印公秀以謂不可, 請用時服, 從之. 只令牽龍·巡檢·白甲·指諭·都將校·樂官, 禮服迎駕:列傳2忠烈王妃齊國大長公主轉載].

乙巳24日, 王與公主, 至自元, 百官班迎于郊. 是行也, 凡國家騷擾事, 一切奏除, 國人頌德感泣.

[→王與公主入京, 百官·致仕宰樞及三品諸宮院副使, 班迎于郊及宣義門. 王與公主同輦. 國學七管諸徒, 東西學堂諸生進歌謠:列傳2忠烈王妃齊國大長公主轉載].

---

334) 이 기사의 冒頭에 九月辛卯가 있으나 기사의 정리를 통해서 九月丁酉의 오류임을 알 수 있다.

丁未26日, [霜降]. 參文學事金坵卒,[335] [年六十八. 王曰, "坵曾拜平章事, 弔誄宜以平章□事書之". 官庀葬事:列傳17轉載].[336] [坵, 善屬文, 掌國文翰. 時上國徵詰, 殆無虛歲, 坵撰章表, 遇事措辭, 皆中於理. 元學士王鶚, 每見其表, 必稱美之, 以不見其面爲恨. 坵悃愊無華, 寡言語, 至論國事, 切直無所避. 謚文貞:節要轉載]. [子汝孟, 官至奉翊大夫. 叔孟, 丞郎. 庶子承印, 大司成, 皆登第:列傳19金坵].[337]

[○命各司員吏, 從他務者, 必赴本司議事, 然後別坐:刑法1職制轉載].[338]

冬十月辛亥朔小盡,癸亥, 壬子2日, 幸王輪寺. [還過造成所, 杖判觀候署事伍允孚, 以不早涓營宮日也. 允孚曰, "擇日者, 欲避凶而就吉也, 脅而擇之, 卽如勿擇, 臣寧就戮, 不敢阿旨":節要轉載].

[→後, 王以允孚不早卜日, 杖之, 允孚曰, "卜日者, 欲避凶就吉也, 脅而涓之, 不如勿涓. 臣寧就戮, 不敢阿旨":列傳35伍允孚轉載].

癸丑3日, 以金方慶爲僉議中贊·上將軍·判監察司事, 賜銀十斤.[339]

○遣將軍趙仁規·將軍印侯于慶尙道, 括流民, 附籍.

甲寅4日, 召金方慶密議, 是夜, 流密直使李汾禧于白翎島, 弟知申事李槢于祖忽島, 籍其家, 尋遣人, 皆沉于海. [槢, 有寵於王, 內僚請謁, 一皆杜絶, 其徒, 常切齒. 會韋得儒事起, 擧國洶洶, 汾禧夜潛詣茶丘計事, 槢亦勸王曰, "此自金方慶事, 宜勿預知". 國人謂汾禧兄弟有二心. 王之入朝也, 左司議大夫?金周鼎·上將軍朴球·廉承益, 屢陳其短, 而中郞將崔深, 證之. 至是, 周鼎等, 因內僚諷王, 召方慶密議, 遂流二人. 或曰, "茶丘聞之, 必告都堂, 推明其事, 不如殺之", 皆沈之. 槢之死, 人皆惜之:節要轉載].

[→先是, 金周鼎·朴球·廉承益屢陳密直使李汾禧兄弟過惡, 金深證之. 及王還國, 周鼎等因內僚諷王. 王召金方慶密議, 流汾禧于白翎島, 承旨李槢于祖忽島, 籍其家. 或

335) 이날은 율리우스曆으로 1278년 10월 14일(그레고리曆 10월 21일)에 해당한다.

336) 이러한 王命에 의해 그의 관직이 "匡靖大夫·僉議侍郞贊成事·寶文署大學士·同修國史·判文翰署事"로 되어 있다(金坵墓誌銘).

337) 「金坵妻崔氏墓誌銘」(1309년)에는 汝孟는 同知密直司事·文翰司學承旨에 이르렀고, 叔孟(宗孟로 표기)는 穠華府丞으로 재직하고 있다고 한다.

338) 고려시대의 別坐는 일반적으로 각종 사무에 따라 설치된 下級의 臨時機關[都監]의 職責을 指稱하지만, 이 기사에서는 다른 場所 또는 다른 勤務處[直廬]를 의미한다(蔡雄錫 2009년 207面).

339) 이와 같은 기사가 열전17, 金方慶에도 수록되어 있다.

謂, “若茶丘聞之, 必告都省究問, 不如殺之”. 乃遣人皆沉于海:列傳36李汾禧轉載].

[→知中事李槢, 性耿介, 恃王寵, 任政令, 有不合者, 必爭之, 多所裨益. 內僚請謁, 一皆杜絶, 內僚常切齒, 遂諷王殺之, 年三十九. 槢臨死曰, “吾以兄故, 死”. 人皆惜之:列傳36李槢轉載].

丁巳[7日], 遣少尹趙愉·別將李逢于東寧府, 推刷谷州·遂安郡·殷栗縣人物.

○宋商人馬曄獻方物, 賜宴內庭.

己未[9日], 流茶丘黨淸州牧使孫世貞·散員張起及錄事池得龍·柳宗等十六人于海島.

[→有柳宗者, 初附崔沆, 爲江華判官. 及金俊謀誅沆子竩, 宗與文璜欲殺俊, 事洩流海島. 嘗與寡妹宿一房, 虎穿壁, 攫其妹, 嚙斷宗一臂. 後又附茶丘, 好說國家陰事, 得罪沒其家:列傳43洪福源轉載].[340)]

庚申[10日], 贊成事·判典理司事柳璥辭職, 加僉議中贊, 仍令致仕, 以中贊金方慶△爲判典理司事, 朴恒△爲參文學事, 薛公儉爲密直副使, 宋玢爲密直司知申事, 上將軍朴球爲右承旨, 金周鼎爲左副承旨, [典理佐郞崔瑞爲秘書丞:追加].[341)]

[→是年, 贊成事柳璥上章乞退, 以匡靖大夫·僉議中贊·修文殿大學士·監修國史·上將軍·判典理司事·世子師致仕. 自是, 凡有內宴, 王必命召:列傳18柳璥轉載].

辛酉[11日], 宥二罪以下, 隨從官吏, 有世累者及內僚, 皆許通.

甲子[14日], 以郎將金興裔爲慶尙道各驛鷹坊審檢別監.[342)]

[○雷雹:五行1雷震轉載].

[庚午[20日], 鵂鶹夜鳴于沙坂宮:五行1轉載].

辛未[21日], 新置必闍赤及申聞色.[343)]

---

340) 柳宗이 文璜과 함께 金俊을 제거하려고 했던 내용은 이미 1258년(고종45) 7월 某日에 수록하였다[再收錄].

341) 이는 「崔瑞墓誌銘」에 의거하였다.

342) 이때 金興裔는 僉議侍郞贊成事 元傅의 壻였고, 이후 左中禁指諭·郞將을 역임하고(1287, 충렬왕 13년 2월경), 將軍에 승진하였다(元傅墓誌銘).

343) 이후 여러 文書의 작성과 관리를 담당했던 必闍赤[비제치]에 임명된 사례로 다음이 있다(→원종 9년 9월 23일의 脚注).

- 열전18, 鄭可臣, “以秘書尹, 爲必闍赤”.
- 열전19, 郭預, “累遷版圖正郞·寶文署待制·知制誥, 爲必闍赤, 入參機務, 士林稱得人”.
- 열전19, 鄭瑎, “忠烈時, 以大[太]常錄事, 爲必闍赤, 與李混·尹琦齊名”.
- 열전19, 安戩, “後戩托內僚李之氐, 入政房, 以大[太]府少尹, 爲必闍赤”.
- 열전24, 李嵒, “祖尊庇, 初名仁成, … 忠烈朝, … 拜左承旨. 時左副承旨金周鼎建議, 新置必闍赤, 委機務. 尊庇正直, 初不與其議, 故不在選中, 左右以爲不宜斥之, 卒以爲必闍赤”.

[→新置必闍赤, 以參文學事朴恒·左副承旨金周鼎·廉承益·李之氏等, 爲之. 又以內僚鄭承伍等五人, 爲申聞色. 舊制, 凡國家事, 宰樞會議, 令承宣稟旨而行. 周鼎建議曰, 今宰樞旣衆, 無適謀政, 宜別置必闍赤, 委以機務. 又內僚, 不可皆令啓事, 當更擇人, 爲申聞色, 而罷其餘. 使承益·之氏, 諷王, 遂爲此法. 自是, 恒等常會禁中, 參決機務. 時號別廳宰樞. 以非祖宗舊制, 人皆不平之:節要轉載].[344]

[→舊制, 凡國家事, 宰樞會議, 承宣禀旨而行. 左副承旨金周鼎言, 今宰樞甚多, 謀政無主, 宜別置必闍赤, 委以機務. 又內僚不可皆令啓事, 請擇人爲申聞色, 罷其餘. 令廉承益·李之氏諷王, 遂置必闍赤·申聞色. 周鼎及叅文學事朴恒, 密直副使薛公儉, 左承旨李尊庇, 判禮賓事廉承益, 大將軍印公秀·趙仁規, 秘書尹鄭興, 內侍·將軍李之氏,[345] 寶文署待制郭預, 大府少尹安戩, 千牛衛錄事李子芬, 詹事府錄事尹文玉, 太常府錄事鄭玄繼鄭瑎, 爲必闍赤, 內僚·郞將鄭承伍·金義光·姜碩·李恕·河汭, 爲申聞色. 常會禁中, 叅決機務. 時, 號別廳宰樞, 以非祖宗舊制, 人多譏議:列傳17金周鼎轉載].[346]

[壬申22日, 月犯軒轅:天文3轉載].

癸酉23日, 王獵于馬堤山.

甲戌24日, 中贊金方慶享王及公主.

[乙亥25日, 月入大微太微:天文3轉載].

[丙子26日, 太白犯月:天文3轉載].

丁丑27日, 王獵于馬堤山.

戊寅28日, [小雪]. 郞將李逢還自元, 帝歸我谷州·遂安·殷栗.[347]

○太白晝見.

---

344) 申聞色은 宮中에서 王命을 傳達하던 宦官 또는 南班 出身의 內僚로 추측된다(지31, 백관2, 掖庭局). 또 申聞色에 대한 기사로 다음이 있다.

· 지31, 백관2, 掖庭局, "忠烈王四年, 金周鼎建議, 以內竂不可皆令啓事, 擇人爲申聞色[注, 內竂傳命者, 稱辭, 掌門鑰者, 稱金直, 不知始於何代]".

345) 李之氏는 宮中에서 각종 잡무를 담당하던 南班 출신의 內侍였기에 當時 또는 後世의 文人들에게 內僚 또는 內宦으로도 표기되있던 것 같나.

346) 鄭玄繼는 鄭瑎(金坵·洪奎의 壻)의 初名으로 1278년(충렬왕4) 10월 21일에서 1292년(충렬왕18) 윤6월 21일 사이에 개명하였던 것 같다.

347) 遂安·谷州의 收復에 관한 기사로 다음이 있다. 이후 몽골제국은 다시 遂安과 谷州를 占據하였다가 1286년(충렬왕12) 1월 고려에 還付시켰던 것 같다(→충렬왕 12년 1월 4일).

· 지12, 지리3, 西海道, "後遂安·谷州·殷栗等縣, 沒于元. 至忠烈王四年, 元乃歸之".

[→太白犯月, 又晝見, 經天:天文3轉載].

己卯29日晦, 以歐妻母, 流郞將金璡于海島, 璡本以善造鞍, 得幸者也.

是月, 作離宮于馬堤山, 名曰壽康, 卽草屋之地.

十一月庚辰朔大盡,甲子, 癸未4日, 王獵于馬堤山.

[○虹見西方:五行1虹霓轉載].

戊子9日, 濟州耽羅達魯花赤塔剌赤享王.[348]

[乙未16日, 霧:五行3轉載].

[丙申17日, 月犯五諸侯. 又太白入氐:天文3轉載].

丁酉18日, 王與公主幸壽康宮, 觀獵, 仍餞郞哥歹全羅之行. 遣諸道計點使, 三司使朱悅于慶尙, 國子祭酒權呾于全羅, 判少府事崔濡于忠淸, 殿中尹崔有侯于東界·交州, 判事禹濬冲于西海.

庚子21日, 移御李貞家.

[○大霧, 咫尺不辨人物:五行3轉載].

[辛丑22日, 木稼:五行2轉載].

甲辰25日, 大廟太廟屋頹.

[某日, 命大將軍金子廷·將軍車得珪·□□□通禮門祗候尹諧爲別監, 與監察別監, 雜考大府太府歲入, 以減其費. 時大府太府以內僚口傳及內侍院傳請, 府藏殫竭. 注簿私假貸, 猶不能支, 至有剃髮爲僧者. 左副承旨金周鼎謂諧, 舊爲內侍, 其於傳請, 必能撙節出納, 子廷·得珪, 內僚之首, 可以抑群豎口傳之弊, 請王行之. 其後, 口傳愈多, 傳請益繁, 內僚爭引例求, 爲各司別坐, 莫之能禁:節要轉載].

[→時大府太府以內僚口傳及內侍院傳請, 財用殫竭. 有注簿私假貸, 猶不能支, 至剃髮爲僧. 周鼎以爲, 祗候尹諧, 舊爲內侍, 必能撙節傳請. 且大將軍金子廷, 將軍車得珪, 內僚之首, 可抑群豎口傳之弊. 請王爲別監, 與監察別監, 雜考大府歲入, 以減其費. 後口傳愈多, 傳請愈繁, 內僚爭援例, 求爲各司別坐, 莫之能禁. ○郞將崔宗彦, 賴公主乳媼, 爲牽龍行首, 周鼎, 以郞將金禧代之. 禧兄儀及曹淳, 亦以郞將爲行首, 皆周鼎姻亞, 時號一門三行首. ○周鼎嘗以女嫁大將軍尹秀子, 秀適遭舅服, 周鼎請王公除, 承旨趙仁規謂非禮不奏. 周鼎因內僚得請, 人非之. 又爲鷹坊都監使, 以鷹犬媚王, 頗張權勢, 語人曰, 有王命, 不獲已耳:列傳17金周鼎轉載].

348) 濟州는 耽羅의 오류로 추측된다.

[某日，王下旨，紅大燭，闕內所用，凡婚姻喪制，一皆禁斷:刑法2禁令轉載].

閏[十一]月庚戌朔小盡,甲子，[辛亥2日，太白·鎭星，同舍于房:天文3轉載].

癸丑4日，遣大將軍趙仁規·將軍盧英如元，告歸國，且謝恩表曰，“君親字小之恩，乾坤覆燾，臣子享上之懇，天日照臨．伏念臣恪守侯蕃，阻朝宸所，望雲戒道，邈隔關山，剋日騰裝，猶如咫尺．郊迎絡繹，臺魄轉豊，讒說鼓盧，多般沮毁，情衷燭實，一切蠲除．凡所條陳，悉皆頷肯，乃至下情之未盡披露，亦皆先照而俾就安便．百姓咸得聊生，三韓擧欣再造．此盖伏蒙眷注銀潢之派，恩廻木墟之春，臣謹當承溫諭非常之寶辭，敢忘孝順，竭平生所有之觔力，小答恩憐”.

○又奏云，“前者入朝時，面奏今後如有罪犯人，臣請罪之，獲蒙制可．今有李汾禧兄弟，嘗父事權臣金俊，竊弄國柄，反與林衍，殺金俊．如前擅權，至於父王廢立事，首謀倡亂，又與盧進義·韋得儒交結，謀危國家．推明其狀，已正典刑，是用聞奏”.

○遣將軍朴義如元，獻鷂.

乙卯6日，左僕射·翰林學士承旨致仕李湊卒，[年七十八:列傳19轉載].[349] [湊，能屬文，工筆札，平生不理生產，家無甔石之儲:節要轉載]．[子行儉:列傳119李湊].

壬戌13日，以公主有疾，放囚.

丙子27日，遣將軍車信，藏世子胎于安東府.

戊寅29日晦，遣國學大司成郭汝弼·將軍兪洪愼如元，賀正.

[○流星自南抵西，大如木瓜:天文3轉載].

十二月己卯朔大盡,乙丑，癸未5日，□元遣□□□斷事官速魯哥來,[350] 問殺李汾禧兄弟，流池得龍等事及刷取種田·鎭守軍鎭戍軍妻婦事.[351] [蓋茶丘訴之也:節要轉載].

甲申6日，宰樞請親朝，許之.

[→宰樞請親朝，許之，令自諸王，至五六品，出細紵布有差，以充國贐:食貨2科斂轉載].

[○太白入南斗魁:天文3轉載].

---

349) 李湊의 致仕職은 그의 열전에 의거하였는데(열전19, 李湊), 그의 壻인 李尊庇와 曾孫인 李公遂의 묘지명에는 銀靑光祿大夫·尙書左僕射·翰林學士(후자에는 翰林學士承旨)로 되어 있다. 이날은 율리우스曆으로 1278년 12월 21일(그레고리曆 10월 28일)에 해당한다.

350) 添字는 『고려사절요』 권20에 의거하였다.

351) 鎭守軍은 鎭戍軍의 오자인데, 이에서 種田軍은 塩州·海州等處種田軍을, 鎭戍軍은 合浦鎭戍軍을 각각 指稱한다(→충렬왕 4년 7월 17일). 『고려사절요』 권20에는 옳게 되어 있다.

辛卯[13日], 放輕繫.

○王如元, 參文學事朴恒·知密直司□[事]洪子藩·右副承旨金周鼎等, 從行.

丙申[18日], 渡鴨綠江.

[庚子[22日], 月犯氐星:天文3轉載].

[辛丑[23日], □[月]犯房次相星:天文3轉載].

丁未[29日], □[王]至元.

是月, [斷事官]速魯哥, 以中贊金方慶·判密直□□[司事]許珙, 還元.[352)] [公主使人言曰, 王旣入朝, 國家空虛, 方慶·珙, 有帝命, 則可與去, 否則不可. 速魯哥欲還之, 金甫成不聽. 甫成, 本北界人也, 自其父叛入遼陽, 爲茶丘腹心, 與汾禧·槢甚厚, 聞其死, 從速魯哥以來, 凡所以詰我者, 皆其謀也:節要轉載].[353)]

[○改折給祿科田:食貨1祿科田·節要轉載].

[是年, 禁公私奴婢放良:刑法2奴婢轉載].

[○以盧景倫[盧景綸]爲東京副留守, 宋寬爲東京留守府判官:追加].[354)]

[○以[版圖佐郎]安珦爲殿中侍史:列傳18安珦轉載].[355)]

[○以[典法摠郎]金晅爲全羅州道察訪使, 忤王旨, 明年落職:追加].[356)]

[○以[典理司書員]朴華爲全州臨陂縣尉:追加].[357)]

[○王寫成'銀字佛說菩薩本行經':追加].[358)]

[○雲門寺住持見明[一然]開板'歷代年表'於[星州牧花園縣]仁興社:追加].[359)]

---

352) 金方慶은 明年 1월 正旦에 賀禮를 드리고 歲幣를 바쳤다고 한다.
· 『원사』 권10, 본기10, 세조7, 至元 16년, "春正月己酉朔, 高麗國王王愖遣其僉議中贊金方慶來賀, 兼奉歲幣".

353) 이 기사는 열전36, 李汾禧에도 수록되어 있다.

354) 이는 『동도역세제자기』에 의거하였는데, 盧景倫은 盧景綸의 오자일 것이다.

355) 이는 열전18, 安珦에 의거하였는데, 연대추정은 『회헌선생실기』 권3, 연보에 의거하였다.

356) 이는 다음의 자료에 의거하였다.
· 「金晅墓誌銘」, "戊寅[忠烈4年], 復以全羅州道察訪使忤旨, 己卯[5年]落職".

357) 이는 「朴華墓誌銘」에 의거하였는데, 典理司(吏·禮部의 통합관서)의 書員은 書令史 또는 篆書書者를 가리킬 것이다.

358) 이는 『佛說菩薩本行經』卷下末尾, 題記에 의거하였다(南權熙 2002년 356面).
· 題記, "至元十五年戊寅,高麗國王發願」寫成銀字大藏」".
[墨書], "禪師迴桓」".

359) 이는 다음의 자료에 의거하였다(海印寺 所藏, 보물 제734-20호 ; 蔡尙植 1981년 158面 ; 국립

[○帝世祖以王阿剌怗木兒爲鎭國上將軍·□□瀋陽?按撫使·高麗軍民總管:追加].[360)]
[○高麗僧賢良一兒□刻女眞字於曷瀨路果葩猛安的摩崖:追加].[361)]
[增補].[362)]

[仁同人 張東翼 校注, 增補].

중앙박물관 1019년 310面).
·『歷代年表』刊記, "至元十五仁興社開板".

360) 이는 『원사』 권166, 열전53, 王綧에 의거하였는데, 阿剌怗木兒[아라 테무르]는 永寧公 綧의 長子이다.

361) 이는 『朝鮮金石總覽』上, 553面에 수록되어 있는 咸鏡南道 新浦市(옛 北靑郡 俗厚面 蒼城里) 串山城 女眞 字石刻에 의거하였다. 여기에서 高麗僧名의 끝 글자는 판독이 불가능하고, 이의 건립연대는 戊寅年[黃虎]인 1158년(金 正隆3), 1218년(興定2), 1278년(元世祖 至元15), 1338년(惠宗 後至元4) 중에서 둘째, 셋째가 유력하다고 하는데, 筆者는 잠정적으로 後者를 선택하였다(金東昭 1992年 ; 愛新覺羅 烏拉熙春 2002年).

362) 이해(至元15)에 몽골제국에서 다음과 같은 일이 있었다.
·『원사』 권10, 본기10, 세조7, 지원 15년 9월, "戊子7日, 以征東元帥府治東京".

『高麗史』卷二十九, 世家卷二十九

[輔國崇祿大夫·議政府左贊成·知集賢殿經筵春秋館成均事·世子賓客·臣金宗瑞奉教撰]

正憲大夫·工曹判書·集賢殿大提學·知經筵春秋館事兼成均大司成臣鄭麟趾奉敎修

忠烈王 二

己卯[忠烈王]五年, 元 至元十六年, [南宋祥興二年], [西曆1279年]

1279년 2월 13일(Gre2월 20일)에서 1280년 2월 1일(Gre2월 8일)까지, 354일

春正月[己酉朔[小盡,丙寅], 雨水:追加], 王在元.

[→在元, 公主出內府樂器, 命伶官奏樂竟日:列傳2忠烈王妃齊國大長公主轉載].

辛亥[3日], 帝賜王亡宋寶器·鳳甁·玉笛等九十事,

翼日[壬子4日], [帝]又賜王及從臣彩帛.

乙卯[7日], 宰樞享公主. [酒酣, 諸王·宰樞皆起, 舞:節要轉載].

○校尉李應柱·康渭成, 賫頒曆詔, 還自元, 詔曰, "朕若稽天象, 敬授人時, 所以大一統, 重民事也. 卿世守藩方, 歲修貢職, 宜頒新朔, 用示同文. 尙驅東作之民, 勉率西成之効".[1)]

[丙辰[8日], 木稼:五行2轉載].

[某日, 鷹坊及忽赤享公主:節要轉載].

[→鷹坊·忽赤三番連日設宴:列傳2忠烈王妃齊國大長公主轉載].

[癸亥[15日], 流星出大微[太微], 入氐星:天文3轉載].

[○公主結層棚于宮中, 燃千燈. 又令伶人奏樂達曙:節要轉載].

[→又結層棚于宮中, 燃于燈, 且令伶人奏樂達曙. 又禿哥押生虎至, 公主登園亭觀之:列傳2忠烈王妃齊國大長公主轉載].

丙寅[18日], 王謁帝, 帝使御史大夫月列倫·樞密□□[副使]孛剌[孛剌]·必闍赤忽禿哥兒·闍兀等, 諭王曰, "忻都·茶丘奏, 鎭邊·種田軍回來時, 妻子皆爲官司所留, 不遣. [又

---

1) 세조 쿠빌라이[忽必烈]는 前年 12월 30일(戊申)에 至元 16년의 曆日을 고려에 내렸다.
· 『원사』 권10, 본기10, 세조7, 至元 15년 12월 戊申, "以十六年曆日賜高麗".

金方慶官高權重，多行不法．李汾禧兄弟，每欲沮之，方慶諷王，殺之:節要轉載]，是否”．王對曰，“去夏，奉聖旨歸國，差官與帥府[征東元帥府]，考官軍妻妾婚書有無，依例點刷，非敢擅留．[其汾禧兄弟之事，在江華時，汾禧父[~~大將軍松，爲崔怡門客．汾禧與弟槢~~,2)]常事權臣金仁俊，後與林衍，謀殺仁俊．衍擅廢立，以危社稷，皆汾禧謀也．及臣襲位，汾禧兄弟，每事不從臣命，懲其罪，以戒後來爾”．[斷事官]速魯哥·茶丘·金甫成在傍，茶丘進曰，“汾禧兄弟，有二功於朝廷，安可擅殺，我若妄言，罪在必死”．孛刺[剌]問茶丘曰，“所謂二功，何哉”．茶丘曰，“至元庚午[元宗11年]，帝遣禿輦哥國王·趙平章，與元王至高麗，使復都古京．林衍子惟茂拒命，汾禧與鄭子璵，先入江華，誅討之，奉王妃率國人，來松京．其明年，予領種田軍，駐京南，奴軍功德·崇謙等，潛謀作亂，汾禧執其黨一人以告，王與達魯花赤，掩捕誅戮，以安百姓，此二功也”．王曰，“茶丘言，吾若妄言，罪在必死，今其言皆妄，如何．庚午之事，禿輦哥請遣使江都，諭官軍壓境之意．於是，以汾禧與惟茂深交，可以說之，令與鄭子璵往，大將軍宋松禮·將軍洪文系，將誅惟茂，召汾禧計事，汾禧，杜門不出．松禮等，旣誅惟茂，奉社稷，來松京，以待吾父子，汾禧踵後乃至．吾與松禮等，入告成功，帝賜松禮等鞍馬，以賞其功，汾禧果有功，豈不與於此賞乎？功德·崇謙之亂，人有告者，汾禧適以是日入直，故使引告者，言於達魯花赤，汾禧其有何功”．茶丘曰，“然則何以得至宰相”．曰，“先王常語予云，汾禧兄弟，佞猾多機變，不可不知，若黜其爵位，祗速禍亂．故循資授職，以觀其變，罪旣貫盈，稟聖旨誅之，我國之事，何預於汝?”．茶丘，不敢復言:節要轉載]．[3]

丁卯[19日]，王侍宴長朝殿．

戊辰[20日]，王謁帝，茶丘以軍人妻子一百二十八人，爲請．茶丘子，爲[樞密副使]孛刺[孛~~剌~~]執鞭之竪，孛刺[孛~~剌~~]頗佑茶丘．王曰，“若以分揀軍人妻子爲不法，縱軍人，脅良民子女，强娶之，可爲法乎?”．月列倫等奏之，帝曰，“軍人妻有兒息者，歸其夫，國人官高有罪者，申奏而後罪之”．因命王歸國．

○公主幸新宮，勞役徒．

己巳[21日]，遣盧英歸國，命毋以迎待，煩民．

庚午[22日]，王發燕京．

---

2) 이 구절에서 添字를 추가하여야 옳게 될 것이다.
· 열전36, 李汾禧, “… 父大將軍松，爲崔怡門客．汾禧與弟槢事金俊，爲腹心．汾禧補行首指諭”．
3) 이 기사는 열전36, 李汾禧에도 수록되어 있으나 자구에 출입이 있다.

[某日, 以權宜爲慶尙道按廉使:慶尙道營主題名記].

[是月甲子[16日], 驚蟄, 全羅道突山縣鳳歸寺僧普幻撰'首楞嚴經環解删補記'二卷:追加].[4)]

[是月癸丑[5日], 帝敕置大灰艾州·東京·柳石·孛落四驛:追加].[5)]

二月[戊寅朔大盡,丁卯], 丁亥[10日], □[壬]至自元.

己丑[12日], 遣少尹趙愉于東寧府, 推刷己未[高宗46年]以來西海之民亡命者.

辛卯[14日], 王放鷹于壽康宮.

[癸巳[16日], 月食:天文3轉載].[6)]

[某日, 命知申事宋玢, 傳旨曰, "功臣受賜田, 在京畿八縣者, 勿充祿科田". 時, 畿縣之田, 權貴皆以賜牌各占, 故都兵馬使言, 勿論賜牌, 量給職田. 王許之. 又聽受賜者請, 有是命, 玢之賜田居多:節要轉載].[7)]

[→忠烈五年, [宋玢,] 拜知申事. 時權貴受賜牌, 多占畿縣田, 玢田居多. 都兵馬使建議, 不論賜牌, 並量給職田, 王許之. 尋聽玢等請, 命賜田在京畿八縣者, 勿幷充給:列傳38宋玢轉載].

甲辰[27日], 慶源公祚卒.[8)] [祚, 以知禮聞, 號宗室龜鑑. 及葬, 王許用紅大燭. 自是, 士庶人家, 皆用之:節要轉載].

[→慶原公祚, 明習典故, 世稱知禮. 元宗有所疑, 必問於祚, 號宗室龜鑑. 及葬, 王許用紅大燭, 自是, 士庶人家, 皆用之:列傳4熙宗王子慶原公祚轉載]

---

4) 이는 다음의 자료에 의거하였다(『韓國佛教全書』6 所收).
· 『首楞嚴經環解删補記』권하, 卷末跋, "… 至元十六年己卯正月旣望盧山閑庵普幻 誌".

5) 이는 다음의 자료에 의거하였다.
· 『원사』 권10, 본기10, 세조7, 지원 16년 1월 癸丑, "敕高麗國置大灰艾州·東京·柳石·孛落四驛".
· 『원사』 권208, 열전95, 外夷1, 高麗, "敕其國置大灰艾州·東京·柳石·孛落四驛".

6) 『원사』天文志에는 월식에 관한 내용이 없어 몽골제국에서 이루어진 월식과의 비교가 불가능하다(권48, 지1, 천문1·권49, 지2, 천문2). 이날 일본의 교토[京都]에서도 월식이 관측되었던 것 같다. 이날은 율리우스曆의 1279년 3월 29일이고, 월식 현상이 심했던 때의 世界時는 17시 35분, 食分은 0.41이었다(渡邊敏夫 1979年 482面).
· 『勘仲記』, 弘安 2년 2월, "十六日癸巳, 晴, 月蝕御祈賴譽僧正勤仕之, 蝕少令正現, 然以陰雲忽燾".
· 『續史愚抄』5, 弘安 2년 2월, "十六日癸巳, 月蝕正見, 蝕御祈, 權僧正賴譽奉仕".

7) 이와 같은 기사가 지32, 食貨1, 祿科田에도 수록되어 있고, 이때의 賜田은 賜給田을 指稱한다(→충혜왕 1년 8월 某日).

8) 이날은 율리우스曆으로 1279년 4월 9일(그레고리曆 4월 16일)에 해당한다.

丙午[29日]，以[僉議中贊]金方慶爲世子傅，[判密直司事]許珙△[爲]知僉議府事,[9)] 洪子藩△[爲]判密直□[司]事，韓康爲密直使，[密直副使]奇洪碩△[爲]同知密直事·監察提憲，任翊·宋玢·[左承旨]李尊庇並爲密直副使,[10)] [[秘書丞]崔瑞爲中舍郞·知制誥，朴全之爲秘書寺丞:追加].[11)]

[是月癸未[6日]，南宋張世傑負祥興帝趙昺投海死．南宋滅亡:追加].

三月[戊申朔小盡,戊辰]，庚戌[3日]，[穀雨]．親醮于康安殿.[12)]

○撤竹坂洞人家三百餘戶，以起新宮，徒役凡四千.[13)]

甲寅[7日]，遣郞將殷弘淳如元，獻花文大席.[14)]

[○流星出匏瓜，入天市垣帝座:天文3轉載].

丁巳[10日]，遣帶方公澂，率禿魯花如元，金方慶子[大將軍]忻，元傅子[前淸州牧副使]貞，[參文學事]朴恒子元浤，[知僉議府事]許珙子評，[判密直司事]洪子藩子順，[密直司使]韓康子射奇[謝奇]，[密直副使]薛公儉子之冲，[密直副使]李尊庇子瑀，[右副承旨]金周鼎子[別將]深等,[15)] 衣冠子弟凡二十五人，皆超三等授職，送之.[16)]

---

9) 이때 許珙은 匡靖大夫·知僉議府事·寶文署大學士에 임명되었던 것 같다(許珙墓誌銘).

10) 이때 任翊은 密直副使·同修國史에 임명되었던 것 같고(열전8, 任濡, 翊), 이존비는 中議大夫·密直司副使·版圖判書·文翰學士에 임명되었다(李尊庇墓誌銘).

11) 이는 「崔瑞墓誌銘」 ; 「朴全之墓誌銘」에 의거하였다.

12) 이 기사는 지17, 禮5, 雜祀에도 수록되어 있다.

13) 徒役은 役徒와 같은 말로서 各種 土木工事[勞役]에 動員된 人民을 指稱한다.
- 『墨子』 권2, 尙賢中第9, "不肖者抑而廢之, 貧而賤之, 以爲徒役".
- 『周書』 권30, 열전22, 竇熾, "世宗以熾前朝忠勳, 望實兼重, 欲獨爲造第. 熾辭以天下未定, 干戈未偃, 不宜輒發徒役, 世宗不許".

14) 몽골제국의 惠宗[順帝] 때에 高麗 唐人島(位置不明, 地名에 誤謬가 있을 것임)에서 제작된 花文席[滿花席]에 대한 기록으로 다음이 있다.
- 『說郛』 권110上, 元氏掖庭記[天台陶宗儀](後半部), "帝[惠宗]爲□□[才人]英英起采芳館于瓊華島內, 設唐人滿花之席, 重樓金線之衾, 浮香細鱗之帳, 六角雕羽之屛. 唐人, 高麗島名, 產滿花草, 性柔, 折屈不損, 光澤可佳, 土人編之爲席. 重樓, 金線花名也, 出長白山[白頭山], 花心抽絲如金, 長至四五尺, 每尺寸縛結如樓形, 山中人取以織之成幅". 여기에서 添字는 筆者가 추가하였다.

15) 朴元浤은 後日 光挺으로(열전19, 朴恒 ; 朴居實妻元氏墓誌銘), 許評(許珙의 2子)은 許嵩으로 각각 改名하였다(열전18許珙 ; 許珙墓誌銘 ; 許琮墓誌銘). 또 韓射奇는 謝奇의 오자이다(열전20, 韓康 ; 『滋溪文稿』 권17, 韓永神道碑銘幷序 ; 『가정집』 권12, 韓永行狀). 그리고 朴光挺은 후일 高麗西京等處水手軍副萬戶兼匡靖大夫·平壤府尹에 이르렀다고 한다(朴居實妻元氏墓誌銘).

16) 이들은 弓箭陪라고 불렸고, 元貞(元瓘, 33세)의 경우 朝議大夫·秘書尹·世子中尹에 발탁되었다(元瓘墓誌銘). 또 이때 秘書寺丞 朴全之(30세, 李藏用의 外孫), 李瑀(李尊庇의 子, 20대 전반 추정) 등도 참여하였던 것 같다. 또 殿中侍史 安珦(37세)도 참여하여 國子司業에 승진하였던 것 같은데, 그는 가장 연장자임을 보아 禿魯花를 인솔한 책임자였을 가능성이 있다(張東翼 2009년).

己未[12日], 以尹秀爲全羅道鷹坊使, 遣[中郞將]元卿於慶尙, 李貞於忠淸, 朴義於西海, 稱爲王旨使用別監. [初, 秀等分管諸道鷹坊, 招集逋民, 稱爲伊里干. 伊里干, 華言聚落也. 按察及州牧·郡守, 小忤其意, 必譖而罪之. 故伊里干人, 肆毒良民, 無敢誰何. 都兵馬使屢請罷鷹坊. 秀等諷王奏帝, 各受聖旨. 於是, 鷹坊, 牢不可罷. 今又稱使及別監, 而其權益重:節要轉載].[17)]

壬戌[15日], 王及公主, 觀獵于馬堤山.

丙寅[19日], 敎曰, "予聞, 人有怙權昧理, 擅奪人田民者, 又有托勢得官, 超資越序者, 甚無謂也. 脫或不改, 非惟其人, 所托附者, 亦皆罪之. 其含冤抱屈者, 無論貴賤尊卑, 宜各上書駕前, 聽訟官遷延不決, 必罰無貰".

丁卯[20日], 王及公主, 移御壽康宮.

· 열전22, 朴全之, "忠烈五年, 元世祖詔選衣冠子弟入侍, 全之與焉. 因留元, 與中原名士遊, 商搉古今·山川風土, 如指諸掌, 王重之".

· 『圓鑑國師歌頌』, "相國隴西公[尊庇], 有二千金之嗣, 其一充宿衛之選, 弱冠入朝, 其一詣曹溪之空, 十齡被剃, 相國且喜且悲, 作詩見寄, …".

· 열전18, 安珦, "俄遷殿中侍史. 又選爲禿魯花, 例陞國子司業".
그런데 「金深墓誌銘」에 의하면, 金深(17세)이 1278년(至元十五年戊寅, 충렬왕4) 衣冠子弟로 몽골제국에 들어갔다고 하는데, 이해[是年]의 착오일 것이다. 또 이때 官爵이 3等을 뛰어 수여되었다고 하는데(金深墓誌銘), 別將(정7품) 金深은 明年(충렬왕7)에 大都에서 宿衛 중에 郎將(정6품)에 임명되었다고 한다. 그렇다면 그는 別將에서 ①借郎將→②攝郎將→③郎將→④借中郎將의 陞進順序를 고려하면 2등 뛰어 攝郎將에 임명되었던 것 같다.

17) 이와 같은 기사로 다음이 있다. 또 고려후기에 鷹坊으로 인한 폐해가 莫甚하였다고 하지만, 어떠한 피해가 있었는지는 알 수 없다. 『조선왕조실록』에 의하면 鷹師·鷹人(養鷹) 등의 職役이 있었고, 鷹의 取得, 飼育, 操鍊 등으로 폐해가 막심하였다고 한다. 또 鷹의 가격은 明에 進貢하지 않았던 시기에도 한 마리[一連]당 布 40~50疋 정도였다고 하는데(張東翼 2009년 468面), 이의 취득이 얼마나 힘든 것인지를 다음의 자료를 통해 알 수 있다.

· 열전37, 尹秀, "又以[尹]秀爲全羅道鷹坊使, 卿·義·李貞爲慶尙·忠淸·西海道王旨使用別監. 初, 秀等分管諸道鷹坊, 招集逋民, 稱爲伊里干, 伊里干華言聚落也. 按察及州郡牧守, 小忤其意, 必譖而罪之, 故伊里干人, 肆毒良民, 無敢誰何. 都兵馬使[~~都評議使司~~]屢請罷鷹坊, 秀等恐王聽之, 諷王奏帝, 各受聖旨, 鷹坊牢不".

· 『感樹齋集』 권6, 頭流山日錄, 1610년(光海君2, 庚戌) 9월, "四日乙巳, 晴, … [~~前司憲持平朴汝樑,~~] 將至[~~頭流山天王峯下~~]帝釋堂, 路極懸危, 一步難於一步, 或使人扶之, 或前挽後推, … 見峯頭流處處, 設捕鷹幕, 問其捕得之數, 則不過一二人焉. 噫, 結豊蔀而設匠具, 伺飛焦於萬里雲宵, 以高下之勢言之, 則似相懸絶矣, 而終不免架上之所掣者, 以其有慾也. 凡天下之物, 有慾者無不見制於人, 人爲最靈者, 寧不反觀焉. 且設具以伺者, 人人皆自以爲得之, 而畢竟所捕不過一二人, 則得失之數, 亦可見矣". 여기에서 ~~添字~~는 理解를 위해 추가하였다.

· 『艮翁集』 권1, 鷹巖峯, 鷹巖峯在峽中, 最高且僻, 人跡不到, 北鷹每棲宿於此, 土人張羅四面, 以鷄鳩條, 以置之羅中. 獵者伏于林莽, 伺鷹之來, 引條以驚鷄鳩, 使之軒翥.鷹乃下搏, 揜以捕之, 以鷹性之豪俊高邁, 而受縶於人者, 貪於餌也, 龍是靈物, 亦爲人豢養, 觀物足以警人也.

[○大雪:五行1雨雪轉載].[18]

[某日, 改都兵馬使爲都評議使□司:節要轉載].[19]

[→改都兵馬使, 爲都評議使司, 凡有大事, 使以上會議, 故有合坐之名. 事元以來, 事多倉卒, 僉議·密直, 每爲合坐:百官2都評議使司轉載].

[某日, 王取人家鴿子, 納于壽康宮, 李之氐·車得珪, 言其不可. 遂還之:節要轉載].[20]

庚午23日, 忽赤三番享王.

[○月與熒惑, 同舍于危:天文3轉載].

辛未24日, 停各道計點使.

壬申25日, 王獵于郊.

癸酉26日, 王以田民之訟積年未決, 將今年三月以前事, 命左司議□□大夫權呾·將軍崔有渰等七人, 爲別監. 四月以後, 委監察·典法司, 推決無滯. 傳旨都評議司都評議使司曰, "可遣使諸道, 檢察往年三稅納否, 戶口增耗. 自今年, 更定稅額, 幷點塩戶, 以徵其稅. 宰樞以謂, 三稅納否, 各有司存, 察戶口增耗, 非農時所行". 遂停之.[21]

[是月, 開天寺大禪師祖□某?撰'首楞嚴經環解刪補記'跋:追加].[22]

[是月頃, 朝請大夫·秘書監致仕金之槇撰'首楞嚴經環解刪補記'跋:追加].[23]

[○經像修補都監刊'首楞嚴經環解刪補記'二卷:追加].[24]

---

18) 이날 교토[京都]에서의 氣象에 대한 기록은 없고, 21일(戊辰)에는 비가 내렸다고 한다.
- 『勘仲記』, 弘安 2년 3월, "廿日丁卯, 朝旦, 日出前也, 着束帶參殿下, … 廿一日戊辰, 雨降".

19) 都評議使는 都評議使司에서 司字가 탈락되었을 것이다. 또 이달의 25일(壬申)에는 都評議司로 되어 있는데, 이 역시 都評議使司의 오류이다. 당시 몽골제국에서는 都指揮使司·宣慰使司·招討使司 등이 있었는데, 이들이 都指揮使·宣慰使·招討使 또는 都指揮司·宣慰司·招討司로도 불렸고, 該當官署의 長官은 都指揮使·宣慰使·招討使 등으로 불렸다.

20) 이 기사는 열전36, 嬖幸1, 李之氐에도 수록되어 있으나 자구에 출입이 있다.

21) 이 구절은 지32, 食貨1, 貢賦에도 수록되어 있다.

22) 이는 다음의 자료에 의거하였는데, '眞靜大禪師祖'의 法名을 알 수 없다.
- 『首楞嚴經環解刪補記』권하, 卷末跋, "… 至元十六年三月月缺之一日, 廣明傳法住開天眞靜大禪師祖 跋".

23) 이는 다음의 자료에 의거하였는데, 己卯年(1279, 충렬왕5, 至元16))에는 閏月이 없고 前後에는 1278년에 윤11월, 1281년에 윤8월이 있다. 또 余月은 閏月을, 哉生明은 初2, 3日을 각각 가리킨다.
- 『首楞嚴經環解刪補記』권하, 卷末跋, "… 己卯余月哉生明, 朝請大夫·秘書監致仕金之槇誌".

24) 이는 다음의 자료에 의거하였는데, 이때 經像修補都監의 官員은 다음과 같다.
- 『首楞嚴經環解刪補記』跋尾, "… 中大夫·密直司右承旨·試三司使·寶文署直學士·知制誥金周鼎, 正議大夫·千年衛攝上將軍·判太僕寺事廉承益, 朝議大夫·右司議□□大夫·文翰侍讀學士·充史舘修撰官·知制誥鄭興, 宮主陪入侍·朝散大夫·左右衛精勇將軍盧英, 入內侍·興威衛保勝中郎將禹夏四月丁丑朔大盡,己巳, 戊寅2日, 王與公主, 放鵝鴨于東川, 觀之.

[某日, 上將軍將軍曹允通還自元. 帝命允通, 管東界鷹坊:節要轉載].[25]

[→帝又命允通, 管東界鷹坊, 王亦賜紅鞓:列傳36曹允通轉載].

[癸未7日, 月與歲星, 同舍軒轅:天文3轉載].

[乙酉9日, □月入大微太微:天文3轉載].

[丙戌10日, 熒惑入羽林:天文3轉載].

辛卯15日, 傳旨曰, "安東, 公主湯沐邑也, 副使宋由義, 其帶紅鞓之任". 由義, 以三品求美邑, 又請紅鞓, 時議譏之.

乙未19日, [小滿]. 遣王子滋于忠淸道牙州東深寺, 避世子也.[26]

[某日, 遣使諸道, 審檢兵粮:兵2屯田轉載].

[庚子24日, 震普濟寺:五行1雷震轉載].

辛丑25日, 遣中郞將鄭公·宋賢如元, 請置伊里干.[27]

天錫, 入內侍·神虎衛精勇郞將周公伯, 入內侍·左右衛保勝郞將康碩, 入內侍·尙衣□令·朝奉□□大夫權宜, 內侍雜織署令金守淵, 內侍·守宮署丞白琮, 內侍·順陵直尹令瞻, 內侍·天壽寺孝眞殿直趙仁暉, 良醞令同正白良繼, 書題·及第安丁佼, 良醞令同正金文囧, 禮賓丞同正吳昇, 禮賓丞同正呂仁贊, 良醞令同正卜有先, 都令同正孫元行".

25) 上將軍은 將軍의 오류일 것이다. 曹允通은 1277년(충렬왕4) 4월 某日 中郞將에, 1280년 3월 27일 將軍에, 1283년(충렬왕9) 4월 23일 護軍(將軍의 改稱)에 在職하고 있었다.

26) 이 기사는 열전4, 忠烈王王子, 江陽公滋에도 수록되어 있다. 또 東深寺는 桐深寺라도 표기되는데, 이 지역에는 東深山도 있어 兩者가 併用되었을 가능성이 있다(『동국여지승람』 권20, 牙山郡).

27) 伊里干(irgen)은 逸彦, 伊彦, 掃里로도 표기한다. 逸彦과 伊彦은 蒙古語, 女眞 語로 人民[百姓]을 意味하는데, 그들이 거주하는 聚落[掃里]도 그렇게 呼稱하였다(→충렬왕 5년 3월 12일, 金九鎭 1973년 ; 森平雅彦 1988年). 또 伊里干은 공민왕 6년 8월 16일에는 亦里干으로 달리 표기되어 있다.

- 『태조실록』 권1, 總書, "初翼祖李行里, 以咸州土地平衍沃饒, 斡東之民南來者, 多處之州之歸州·草古臺·王巨山·雲天·松豆等·都連浦·阿赤郞耳等地. 故稱咸州爲斡東逸彦[女眞 謂民爲逸彦], 及是度祖李椿, 盡有安邊以北之地, 而移居咸州, 爲近於南來之民, 且便於牧養也". 여기에서 斡東은 조선시대의 慶興府 동쪽 30里에 있다고 하고, 李椿은 李成桂의 祖父이다(『목은문고』 권15, 李子春神道碑).
- 『태종실록』 권3, 2년 4월, "丁丑25日, 初置昌城郡·石州·理州. 議政府受判, 泥城道右翼屬泥城伊彦, 昌州·碧團·陰童·大小波兒·亏農庫等各處伊彦, 合爲一州, 號稱昌城郡, 以右翼團練使兼之. 江界道中翼屬立石·古哈·外怪等各處伊彦, 合爲一州, 號稱石州, 以中翼團練使兼之. 右翼屬豆木里·山羊會·都乙漢·烽燧臺等各處伊彦, 合爲一州, 號稱理州. 以右翼團練使兼之".
- 『태종실록』 권26, 13년 6월, 壬子6日, "… 罷革東北面千戶等私役管下民戶. … 女直遺種, 祖先稱爲'伊彦千戶·百戶', 投附元朝, 稱其所部爲'管下百姓'. 自我開國以後, 慕義向化, 年紀已久, 因循役使, 多占者以百數. 又東北面土豪, 私占百姓如奴隸, 父子相傳, 爲弊甚鉅, 雖在王室, 亦以良民, 號爲家別抄. 上深知其不可, 於辛卯年太宗11年, 盡去家別抄爲官軍, 宗室皆觀感而革之,

癸卯[27日], 王有疾, 放新宮役徒, 修諸陵.
甲辰[28日], 移御舍那寺.
乙巳[29日], 以旱, 宥二罪以下.
丙午[30日], 移御賢聖寺, 復新宮役徒.

五月[丁未朔大盡,庚午], 丙辰[10日], 王與公主, 觀竹坂新闕.
[辛酉[15日], 月犯心大星:天文3轉載].
[癸亥[17日], □[月]掩南斗:天文3轉載].
丙寅[20日], [小雪]. 流監察侍史金弘美·左司諫李行儉于海島. [弘美等, 不署正郞林貞杞·奉議郞高密告身, 貞杞等托鷹坊, 以王命督署之, 而不從故也. 密妻善釀, 每以酒媚權幸, 因以得官:節要轉載].[28)]
[→忠烈時, [李行儉]爲□[左]司諫, 與監察侍史金弘美等, 不署正郞 林貞杞·奉議郞高密告身. 密妻善釀酒, 每以酒媚權幸, 因以得官. 貞杞等托鷹坊, 以王命督署之, 不從, 王怒流行儉等于海島. 其族[密直副使]李尊庇, 言於上將軍廉承益曰, "行儉有母年八十, 日夜啼呼, 得疾瀕死. 公能使母子相見, 爲惠大矣". 承益以告, 王默然旣而曰, "行儉罪不可宥, 然聞尊庇之言, 使我惻然". 命釋之:列傳19李行儉轉載].[29)]
丁卯[21日], 用樂, 祀新殿鷲瓦.
[→丁卯, 用樂, 祀竹坂宮新殿鷲瓦:禮5雜祀轉載].
[史臣曰, "臧文仲祀爰居以金奏, 夫子謂之不智,[30)] 況用樂, 以祀瓦鷲乎?":節要轉載].
戊辰[22日], 以公主有疾, 移御將軍李貞家,[31)] 又移御水口觀音寺.[32)]

唯都摠制李和英, 之蘭之子也, 尙不革去. …".
· 『耳溪集』 권5, 朔方風謠(1777年作), 斡東歌, 番音稱梧東, 在[慶興]府東三十里, 穆祖[李安社]自全州初移三陟, 踰嶺至德源, 復移居于此, 今係江外地, 後避狄入赤島.

28) 이와 같은 기사가 열전36, 嬖幸1, 林貞杞에도 수록되어 있다.
29) 李尊庇(李湊의 壻)는 李行儉의 姊兄이다(李尊庇墓誌銘).
30) 이 구절은 『후한서』志第9, 祭祀下의 論贊에 나온다("論曰, 臧文仲祀爰居, 而孔子以謂不知").
31) 이 시기에 李貞은 世祖 쿠빌라이의 말을 빙자하여 충렬왕에게 畋獵을 권유하였던 것 같은데, 첨자와 같이 고쳐야 옳게 될 것이다.
· 열전37, 李貞, "… 累遷將軍. 貞自元還, 謂王曰, '帝問, 國王馳馬放鷹, 熟乎?'. 貞欲使王數遊田[遊畋], 故有是言".
32) 觀音寺는 朴淵瀑布의 上流에 위치한 聖居山에 있던 觀音窟을 가리키는 것 같다.
· 『신증동국여지승람』 권4, 開城府上, 佛宇, 觀音窟, "在朴淵上流, 寺後有巖竅如屋, 中有觀音二石, 因以爲名. 上有正慈·實相·首頂·菩提·觀佛等庵. 高麗光宗, 始立屋其傍. …".

庚午[24日]，放新宮役徒.

辛未[25日]，遣將軍盧英如元，請醫.

是月，元中書省牒云，“據來文，至元十二年[忠烈1年]，使臣嶽都因·王外郞,[33)] 傳諭聖旨，改革本國官名，已與使臣嶽都因商量，改革訖. 諸路官司往來文字，指僉議府，而本府緣無印信，每及行移，勢似難便，伏希給降印信，幷行移諸路文字体例事，都省奏奉聖旨，鑄與印信者. 欽此，送禮部，依例鑄到，高麗僉議府正四品銅印一顆，付于差來官鄭貴·朱碩等，收受前去”.[34)]

[→元中書省牒云，“據來文，行移體例，照得. 品同，往復用平牒，正從同，三品於四品，幷今故牒，六品以下，皆指揮，四品於五品，用平牒，於六品七品，今故牒，八品以下，皆指揮. 如回報，四品於三品，牒呈上，六品以下，幷申，六品，於四品，牒呈上，七品以下，幷申. 凡干公事，除相統屬，幷須指揮外，若非統屬，照依前項體式行移”:刑法1公牒相通式轉載].

[是月，旱:五行2轉載].

[○右司議大夫鄭興[鄭可臣]，□□□□□[掌成均館試]，取詩賦白元恒等三十二人，十韻詩鄭時等三十一人，明經二人:選擧2國子試額轉載].[35)]

六月丁丑朔[小盡,辛未]，罷左司議大夫權呾·晋州牧副使崔昆. [初，呾爲慶尙道按廉□[使]，以晋州守白玄錫，重歛[斂]內衣襨·綾羅·絲價布，劾之，減其價. 及昆守晋，所貢綾羅益麤，王使元卿考問邑吏，以呾減絲價對，故竝罷之. 宰相言，“呾，爲民除弊，今罷其職，自此，孰有憂民之弊者乎?”. 尋復呾職:節要轉載].[36)]

· 『玄洲集』 권15상，遊天磨·聖居兩山記(1605年)，“… ~~自朴淵~~ 深探僅五里，有庵曰觀音，小而古，庵左有窟，甚奇峻，名曰觀音窟. 窟之高廣，可容十餘人坐立，而上下三面，皆石也. 窟北有二佛，跏趺面南，皆鐫石刻狀，而石之精白，如玉可珍，劚之巧妙，若神可怪. 又有石羅漢八九，列于左右，而其壁多名賢手跡”. 여기에서 ~~添字는~~ 筆者가 추가하였다.

33) 嶽都因·王外郞은 1275년(충렬왕1) 10월 13일(庚戌)에는 岳脫衍과 康守衡으로 되어 있다(→충렬왕 1년 10월 13일).

34) 僉議府의 銅印에 관한 기사는 지30，百官1，門下府에도 수록되어 있고，그 材質은 다음과 같다.
· 『元典章』 권29，禮部2，禮制2，印章，印章品級分寸料例，正四品，“二寸二分，銅三觔八兩，物料錢一錢八厘”.

35) 이와 관련된 자료로 다음이 있고，이때 蔡洪哲도 선발되었다(蔡洪哲墓誌銘).
· 『역옹패설』前集2，“雪齋鄭中贊可臣，掌成均試，試民不見吏詩. 有老貢生，得句云，‘犬默花村月，蹄閑柳驛塵’. 餘文粗有可採，公置之下等，旣放榜，宴賀客，見此生，憫其老，欲爲籍之，改犬默字，誇於客曰，‘尨睡花村月，蹄閑柳驛塵’，是此生句也. 客未對，生傫然而進曰，吾所云者，犬默也”.

庚辰[4日], 移御[將軍]張舜龍家.

甲申[8日], 改敬寧宮爲貞和院.

丁亥[11日], 賜趙簡等及第.[37]

辛丑[25日], 盧英與醫二人, 還自元, 東征元帥府承省[中書省]旨, 令造戰艦九百艘.[38]

[→元中書省, 令造戰艦九百艘:節要轉載].

癸卯[27日], 王與公主, 移御壽康宮.

○都評議使[~~都評議使司~~]據聖旨, 請於潘州·遼陽間, 置伊里干, 徙諸道富民二百戶, 居之. 又於鴨綠江內, 置伊里干二所, 所各一百戶, 以供朝聘役使, 從之.

[→都評議使□[司]言, "今年正月, 帝令於朝聘路次, 置伊里干, 以供役使, 尋遣塔伯海等, 就瀋州·遼陽之閒, 撥與土田, 摽定四至,[39] 其鴨綠江內, 令本國, 自置兩所. 今請於所賜之地, 名營城伊里干者, 刷各道富民二百戶, 徙居之, 擇副戶長·別將等, 爲頭目, 各管五十人, 五年而遞. 所徙民, 父母兄弟之留鄕者, 復之, 頭目之有功者, 賞之. 其所徙二百戶, 戶給銀一斤·七綜布五十匹, 爲屋舍之費, 白苧布三匹, 七綜布十五匹, 爲農器之直, 白苧布二匹, 七綜布十五匹, 爲口粮. 又給紬四匹,

---

36) 權昍은 1276년(충렬왕2) 慶尙道秋冬番[秋冬等]按察使를 역임하였다(『慶尙道營主題名記』). 또 이와 관련된 기사가 다음이 있다.

· 열전20, 權昍, "轉國子祭酒·左司議大夫, 晋州守崔昷所貢綾羅麤, 王命考問. 邑吏以昍爲按廉, 減折絲價對, 與昷並罷. 宰相言, 昍爲民革弊, 而罷, 孰有憂民者. 尋復其職".

37) 이와 관련된 기사로 다음이 있다. 이때 趙簡·[別將牽龍行首]金恂(乙科2人, 金恂墓誌銘)·權永[權溥]·吳子宜[吳潜](丙科, 吳潛墓誌銘)·李世基·李瑱·韓謝奇 등이 급제하였다(『등과록』, 朴龍雲 1990년 ; 許興植 2005년).

· 지27, 선거1, 科目1, 選場, "[忠烈]五年六月, [僉議]贊成事朴恒知貢擧, 典法判書郭汝弼同知貢擧, 取進士, [~~丁亥~~], 賜趙簡等三十三人·明經二人·恩賜八人及第".

· 열전19, 趙簡, "忠烈五年, [~~年十六,~~] 擢第一人及第, 補書籍店錄事". ~~添字는~~ 後代에 만들어진 行狀에 의거하였다(→충숙왕 12년 冬某月의 脚注).

· 열전20, 權昍, 溥, "忠烈五年, 年十八登第".

· 『圓鑑國師歌頌』, 南原趙太守遣訪有詩, 次韻謝之, "再捷龍門第一人, 公以春場壯元, 作殿試壯元".

· 『澤堂集』續集권4, 次稼亭龍頭洞韻', 送趙敎官還鄕[注, 龍頭洞在金堤郡, 以出壯元趙簡故名].

38) 이와 관련된 기사로 다음이 있다.

· 『원사』 권10, 본기10, 세조7, 至元 16년 6월 甲申[8日], "敕造戰船征日本, 以高麗材用所出, 卽其地製之, 令高麗王議其便以聞".

39) 四至에 대한 설명으로 다음이 있다.

· 『여유당전서』 권25, 小學紺珠, 四之類, "四至者, 大瀛之外地也[注, 至於盡]. 南戴日曰丹穴[其人智], 北戴斗極曰空桐[其人武], 東至日出曰太平[其人仁], 西至日入曰大蒙[卽蒙汜也, 其人信], 此之謂四至也. 四至之目, 見'爾雅[釋地文]".

緜四斤, 六七綜布十五匹, 毛衣冠·皮鞋各二, 爐臼一, 食器二, 農牛二頭, 牸牛三頭, 馱駝鞍一, 油單草席各五. 又給兩界亡丁·投化丁, 田各四結, 令更者遞受, 擇能蒙·漢語者各二人, 押去管領, 其管領人, 人賜銀一斤, 白苧布一匹, 廣苧廣布各十五匹, 紬五匹, 緜三斤, 米十五石, 馬三匹, 歲資其家, 紬苧布各三匹, 米十石. 鴨綠江內, 伊里干二所, 各一百戶, 戶給苧二匹, 六七綜布五匹, 爲農器, 苧二匹, 六七綜布七匹, 爲口粮. 又給紬二匹, 緜二斤, 六七綜布五匹, 毛衣冠·皮鞋各二, 爐臼一, 馬一匹, 牛三頭, 馱駝鞍一, 油單草席各三, 押領官二人, 人賜苧布五匹, 紬三匹, 緜二斤, 廣苧廣布各五匹, 米七石, 傔者各一人, 人苧一匹·米二石." 從之: 兵2站驛轉載].[40]

[某日, 以中舍郞崔瑞爲慶尙道按廉使:慶尙道營主題名記].[41]

[乙巳29日晦, 鹿入沙坂宮:五行2轉載].

[增補].[42]

秋七月丙午朔大盡,壬申, 召還左司諫李行儉·監察侍史金弘美.

戊申3日, 慶尙道按廉使崔瑞奏,[43] "長史趙阡,[44] 嘗爲一善縣令, 與密城人謀叛, 今

40) 이 기사는 『고려사절요』 권20에 축약되어 있다.

· "都評議使□司言, 今年正月, 帝令於朝聘路次, 置伊里干, 以供役使. 尋遣塔伯海等, 就瀋州·遼陽之間, 給土田, 標定四至, 其鴨綠江內, 令本國, 自置兩所. 請於所賜之地, 刷各道富民二百戶, 徙居之, 擇副戶長·別將等, 爲之頭目, 各管五十人, 五年而遞, 所徙民父母兄弟留鄕者, 復之, 頭目之有功者, 賞之, 從之".

又 營城伊里干은 營城掃里의 處干[佃戶, 農奴, 隸屬民]을 指稱하는데, 營城掃里[營城sauri, 宿驛, 旅館]는 上記의 기사와 같이 瀋陽과 遼陽 사이에 있었던 것 같다. 또 다른 掃里인 宣城掃里는 현재의 丹東市 東港의 宣城山麓에 위치했던 것으로 추측되고 있다(森平雅彦 2014년).

41) 崔瑞의 墓誌銘에는 "至元十六年春, 中舍郞·知制誥, 出按慶尙道"로 되어 있어 春正月에 慶尙道按廉使로 나간 것처럼 되어 있으나 봄에 中舍郞·知制誥가 된 후 가을에 按廉使가 되었을 것이다.

42) 이달에 일본에서는 다음과 같은 일이 있었다.

· 6월 25일, 宋의 降將 夏貴·范文虎의 使者 周福·欒忠이 宋에 건너갔던 日本 僧侶 本曉房 靈果·通事 陳光 등과 함께 對馬島에 도착하였고, 大宰府가 이를 關東에 보고하였다(『關東評定傳』; 『鎌倉年代記』下 ; 『師守記』, 貞治 6년 5월 9日條).

43) 慶尙道按廉使는 『慶尙道營主題名記』에는 按察使의 職制로서 秋冬番[秋冬等] 崔瑞이고, 「崔瑞墓誌銘」에는 '出按慶尙道'로 되어 있다. 그렇지만 1275년(충렬왕1) 10월 25일의 官制改革 때에 按察使는 按廉使로 改稱되었던 것 같아 『고려사』의 기록이 옳을 것이다. 또 崔瑞의 前任者 곧 春夏番[春夏等]의 權宜도 慶尙道按廉使로 되어 있다(열전36, 權宜).

44) 趙阡은 지11, 지리2, 密城郡에는 趙仟으로 달리 표기되어 있다.

雖革面, 不可使立於朝, 請罷職", 從之.

己酉[4日], 遣承旨趙仁規·[將軍]印侯如元,[45)] 奏禀修造戰艦□[事].[46)]

乙卯[10日], 除各道按廉·守令, 賀正·□[冬]至及到界狀.[47)]

庚午[25日], 遣密直副使李尊庇·[左右衛精勇]將軍鄭仁卿如元,[48)] 賀聖節, 仍上書都堂曰,[49)] "前次趙仁規等, 申啓修造船楫事幷請勿令元帥府監督. 元帥茶丘與我有隙, 百姓皆怨, 若使監督, 民必驚疑逃散, 未易濟事, 乞善奏天聰".

[某日, 下旨, 今後, 奴婢相訟, 駕前申呈, 及紫門教授判付, 一皆除之:刑法2奴婢轉載].

[增補].[50)]

八月丙子朔[小盡,癸酉], 王與公主, 宴于新殿.

丁丑[2日], 還御壽康宮.

辛丑[26日], □[士]將軍金伯均與元使金宗義, 如慶尙道, 點軍器.[51)]

---

45) 「趙仁規墓誌銘」에는 1275년(충렬왕1) 1년 10월 25일 관제 개혁에 의한 관직의 名稱變更이 제대로 반영되어 있지 않고 文宗舊制에 의거하였다(『平壤趙氏世譜』, 1929년 所收 ; 金龍善 2006년 629~632面). 이는 이 묘지명이 1356년(공민왕5) 官制復舊 이후 高麗前期의 사정에 밝은 어떤 인물에 의해 改書되었기 때문일 것이다.

46) 添字는 『고려사절요』 권20에 의거하였다.

47) 여기에서 冬至의 冬이 脫落되었을 것이다. 고려시대에 만들어진 冬至賀狀의 사례로 1199년(신종2) 11월 무렵에 撰해진 것으로 추측되는 『동국이상국집』 권32, 冬至賀狀, 上延昌侯[玶]·廣陵侯[沔]·昌化伯[祜]·趙平章永仁·奇平章洪壽가 찾아진다.

48) 鄭仁卿은 前年에 將軍兼典法摠郞에 임명되었다(鄭仁卿墓誌銘).

49) 都堂은 『고려사절요』 권20에는 中書省으로 되어 있다(盧明鎬 等編 2016년 524面).

50) 이달에 일본에서는 다음과 같은 일이 있었다.

· 7월 24일, 鎌倉幕府가 周福 등이 가져온 大宋國牒을 京都에 보냈는데, 이날 京都에 도착하였다고 한다(『勘仲記』, 7月 25日條 ; 『師守記』, 貞治 6년 5월 9日條).

· 25일, 25일, 宋의 牒에 대한 院의 評定이 있었는데, 關白 鷹司兼平 이하의 公卿이 모두 참석하였고, 左大辨 吉田經長이 첩을 읽었다. 첩의 내용은 宋이 蒙古에 滅亡되었기에 日本도 蒙古로부터의 危機에 처했음을 通告하면서 몽고와 友好關係를 맺지 않으면 日本도 問責을 받게 될 것이라고 하였다고 한다. 이에 대한 참석자들의 의견이 일치하지 않았고 한다(『勘仲記』; 『師守記』, 貞治 6년 5월 9日條).

· 29일(甲戌), 異國牒에 대해 院의 評定이 있었는데, 書狀의 禮가 先例에 어긋나 無禮하며 亡宋의 舊臣이 직접 日本國王에게 글을 보낸 것은 過分한 處事라고 하며 最終決定은 關東에 委任하자고 의견을 정하였다(『勘仲記』). 또 幕府가 몽골제국의 使者 周福·欒忠을 博多에서 斬首하였다(『關東評定傳』).

51) 金伯均(혹은 金伯鈞으로도 표기됨)은 1272(원종13) 7월 23일 이래 大將軍으로 在職하였고, 是年

是月，作客館.

○梢工上左·引海一冲等四人，自日本逃還言，“至元十二年[忠烈1年]，帝遣使日本. 我[王]令舌人·郞將徐贊及梢水三十人，送至其國.[52] 使者及贊等，皆見殺”. 王遣郞將池瑄，押上左等如元，以奏.[53]

九月[乙巳朔大盡,甲戌]，丙午[2日]，王放鷹于甑山.

己酉[5日]，宴于新殿.

癸丑[9日]，遣[知僉議府事]許珙于慶尙道，[判密直司事]洪子藩于全羅道，爲都指揮使，修造戰艦，又遣權呾於忠淸爲都指揮使. [三司使]朱悅於慶尙，[典法判書]郭汝弼於全羅，禹濬冲於西海，崔有侯于東界·交州，皆爲計點使.[54]

(충렬왕5) 12월 18일 三司使에, 1280년(충렬왕6) 12월 5일 密直副使에 각각 임명되었다. 그러므로 將軍은 上將軍에서 上이 탈락되었을 것이다.

52) 『고려사절요』 권20에는 下記의 기사가 7월에 수록되어 있는데, 8월의 잘못이다. 또 이에는 我가 王으로 改書되어 있는데, 後者가 더 적절할 것이다.

· “初，帝遣使日本，王令舌人郞將徐贊及梢工上左等三十人，導行. 倭人皆殺之，惟上左等四人逃還. 遣郞將池瑄如元，奏之”.

53) 이는 1275년(충렬왕1) 3월 몽골제국이 일본을 초유하기 위해 禮部侍郞 殷世忠과 兵部郞中 河文著를 보내와 고려로 하여금 이들을 안내하도록 하였을 때의 일이다(세가28, 충렬왕 1년 3월 10일). 이와 관련된 일본 측의 자료로 다음이 있다.

· 『關東評定傳』, 建治 1년, “四月十五日，蒙古改大元，使杜世忠[~~殷世忠~~]·副使何文若[~~何文著~~]·都魯丁等著長門國室津，八月件牒使五人被召關東，九月七日斬首，是則永爲絶和親，不通問之策，今度所貢來牒狀，如前可順伏之趣也. 其後警固事有沙汰，鎭西撰補被人器用之輩，發遣海邊國々，止京都大番役，被差置在京人，公家將軍家減省公事，行儉約，被休民庶，皆是爲軍旅用意也”.

· 『鎌倉年代記』, “今年建治元四月十五日，大元使着長門國室津浦，八月件牒使五人被召下關東，九月七日，於龍口刎首 一. 中須[中順]大夫·禮部侍郞杜世忠 年卅四，大元人，作詩云，出門妻子贈寒衣，問我西行幾日歸，來時儻佩黃金印，莫見蘇秦不下機. 二. 奉訓大夫·兵部中郞[兵部郞中]何文著，年卅八，唐人，作頌云，四大元無主，五蘊悉皆空，兩國生靈苦，今日斬秋風. 三. 承仕郞·回々都魯丁，年三十二，回々國人. 四. 書狀官薰畏國人果，年三十二. 五. 高麗譯語·郞將徐贊，年三十三，作詩云，朝廷宰相五更寒，寒甲將軍夜過關，十六高僧由來起，算來名利不如閑. 今度刎首事，永絶窺覦，不可攻之策也. 其後警固事有沙汰 鎭西撰補守護人器用，發遣海邊國々，止京都大番役，被差置在京人，公家武家減省公事，行儉約休民庶，皆是爲軍旅用意也”.

54) 이때 洪子藩·朱悅·郭汝弼 등의 파견에 관한 자료로 다음이 있다. 또 崔有侯(崔滋의 長子)는 密直副使·文翰學士에 이르렀다고 한다(열전15, 崔滋).

· 열전16, 朱悅, “[朱悅]遷三司使. 時累經兵亂，民多流亡，遣悅于慶尙，郭汝弼于全羅，爲計點使，招集之. 命勿役內庫處干，悅等不從，坐罷. 居無何”.

· 열전19, 尹諧, “[尹諧]遷通禮門祇候，出知長興府，督造東征戰艦，巡察使[~~都指揮使?~~]洪子藩，薦爲興威衛長史”. 여기에서 都指揮使를 巡察使로 달리 표기한 사유를 알 수 없다.

[○初, 都評議使□[~~司~~]言, "太祖奠五道州郡, 經野賦民, 皆有恒制. 近來, 兵饉相仍, 倉儲縣罄, 橫歛[~~橫斂~~]多, 逋戶衆. 宜括民戶, 更賦稅. 由是, 累發計點使, 而未見效, 及東征之役, 發民爲兵", 故復有是命. 且令計點使, 勿得役使內庫處干. 悅·汝弼, 不肯從, 竟罷, 還:節要轉載].

[→分遣計點使於諸道. 初, 都評議使司言, "太祖奠五道州郡, 經野賦民, 皆有恒制. 近來, 兵饉相仍, 倉儲懸罄, 橫歛[~~橫斂~~]重於常貢, 逋戶累其遺黎. 是宜計戶口, 更賦稅, 以革姑息之弊. 由是, 累發計點使, 而未見成効, 及東征之役, 發民爲兵", 故復有是命:食貨2戶口轉載].

[→元世祖征日本, 王分遣都指揮使, 督造戰艦. [許]珙往慶尙, 洪子藩往全羅, 子藩事未半, 珙已畢還, 子藩服其能:列傳18許珙轉載].

[→征日本時, 以判密直司事[洪子藩], 爲全羅道都指揮使, 督造戰艦. 時[慶尙·忠淸·全羅道都巡問使]李尊庇輸諸道兵糧于合浦, 子藩募水手, 運以戰艦, 兵糧與戰艦, 一擧俱集, 民頗得耕種. 元使哈伯那, 深服其能. 子藩馳奏, "本道饑民多, 闔門餓死, 哈伯那亦涕泣語臣云, 邦本至此, 何可忍視. 請發兵糧庫賑貸", 從之:列傳18洪子藩轉載].

丙辰[12日], 遣將軍金允富[~~金富允~~]·[將軍]張舜龍如元.[55)]

[癸亥[19日], 紫氣見于西方, 長十餘尺, 如光電:五行1轉載].

甲子[20日], □[王]放鷹于籍田.

○中郞將鄭公, 還自元, 帝賜王'海靑圓牌'.[56)]

乙丑[21日], 王放鷹于猫串二日.

[丁卯[23日], 月掩軒轅:天文3轉載].

---

55) 金允富는 이 시기의 前後에 譯官으로 활약했던 金富允의 誤字로 추측되는데(→충렬왕 6년 4월 某日), 이 時期에 少監 金富允이 찾아진다(『圓鑑國師集』, 書答, 答金少監允富書).

56) 海靑圓牌는 각지의 驛站에 배치된 馬匹과 車輛을 動員하기 위해 발급된 證明書, 곧 金字圓符(혹은 圓牌, 鐵製), 銀字圓符, 鋪馬聖旨(혹은 鋪馬札子, 御寶聖旨) 중에서 諸王·公主·駙馬 등이 긴급한 軍事로 파견될 때 발급받는 二者[銀字圓符]로 추측된다(箭內 瓦 1930年 ; 羽田 亨 1930年 81面, 海靑牌 圖面 ; 陳高華·史衛民 2010年 173面).

- 『원사』 권103, 지51, 형법2, 직제하, "諸朝廷軍情大事, 奉旨遣使者, 佩以金字圓符給驛, 其餘小事, 止用御寶聖旨. 諸王·公主·駙馬亦爲軍情急務遣使者, 佩以銀字圓符給驛, 其餘止用御寶聖旨. 若濫給者, 從臺憲官糾察之". 여기에서 臺憲官은 御史臺, 行御史臺(行臺), 肅政廉訪司(廉訪司)의 官員을 가리킨다.
- 『永樂大典』 권19417 所收, 『經世大典』站赤2, 中統 3년 4월 7일, "中書省奏, 蒲元圭鎭戍邊城, 凡有急務, 遣使赴朝, 乞給降海靑圓牌·鋪馬劄子, 奉旨, 可與海靑牌一面·鋪馬劄子一道"(羽田 亨 1930年 88面에서 引用).

戊辰[24日], [立冬]. 移御將軍張舜龍家.

[壬申[28日], 太白犯南斗:天文3轉載].

甲戌[30日], 以<u>世子</u>[源]誕辰, 宴于新殿.

冬十月[乙亥朔[大盡,乙亥], 虹見東方:五行1虹霓轉載].

丁丑[3日], 飯僧五百于新宮.

○元遣<u>亐丹赤</u>塔納·必闍赤哈伯那來, 督修戰艦.57)

[○雷:五行1雷震轉載].

戊寅[4日], 宴元使于新殿, 二使拜于階前.

[→王與公主, 宴元使于新殿, 二使拜于階下:禮7賓禮轉載].

[○雷電:五行1雷震轉載].

己卯[5日], 元遣樊閏來, 點視站驛.

辛巳[7日], 王獵于南郊, 獲鹿一·獐二, 召謂[密直副使]康允紹·[將軍]李之氐曰, "夫獵, 馳騁從禽, 宜視險若夷. 汝等擇地而行, 安能多獲? 自今可數獵, 以閑習之".

壬午[8日], □[元]木匠<u>提領</u>, 宴王于新殿.58)

癸未[9日], [小雪]. 遣廣平公<u>譓</u>, 偕<u>塔納</u>·哈伯那, 監督戰艦于慶尙·全羅道.59)

[丙戌[12日], 虹見:五行1虹霓轉載].

[丁亥[13日], 鹿入城:五行2轉載].

己丑[15日], 親設消災道場于本闕.

<u>寅庚</u>[~~庚寅~~16日], 王獵于桃源驛.

[辛卯[17日], 月犯五諸侯. 流星出乾, 抵坤:天文3轉載].

甲午[20日], 移御沙坂宮.

[乙未[21日], 月與歲星, 同舍軒轅:天文3轉載].

戊戌[24日], [大雪]. 遣中郞將鄭福均如元, 獻<u>人參</u>[~~大蔘~~].

---

57) 이 기사는 지19, 禮7, 賓禮에도 수록되어 있다. 또 亐丹赤[于丹赤, 亐達赤, 于達赤, udanchi]는 殿閣의 門을 지키는 怯薛[司門人]로서 코르치[忽赤]와 함께 禁衛軍의 하나이다.

58) 木匠提領은 木工의 우두머리를 指稱하는데, 元代의 各種 手工業品 製造工場인 提領所에는 從7品의 提領이 설치되어 있었다.

59) 이와 같은 기사가 다음에도 수록되어 있다. 이에서 納塔은 塔納[Tana]의 오류이다(東亞大學 2006년 20책 424面).

· 열전4, 熙宗王子, 慶原公祚, "忠烈五年, 偕元使<u>納塔</u>·<u>哈伯那</u>, 監督東征戰艦于慶尙道".

己亥[25日], 元遣郞哥歹, 送馬百五十匹, 令放水內[諸島], 又令揀鄕馬, 以進.[60)]
庚子[26日], 諸回回宴王于新殿.
辛丑[27日], 幸王輪寺.
壬寅[28日], 親設消災道場于新殿.
[某日, 歛[斂]諸王·百僚銀紵有差, 以充盤纏:食貨2科斂轉載].
[是月甲辰[30日], 帝賜至元十四年曆:追加].[61)]

十一月[乙巳朔小盡,丙子], 丙午[2日], 幸賢聖寺.
戊申[4日], 宴郞哥歹于新殿.
[○太白犯哭泣:天文3轉載].
癸丑[9日], [冬至]. 火星食月.
○命宰樞·臺省, 論時政得失, 令於實封, 皆不書名以進.
○是日, 放造成役徒.
[→文昌裕·伍允孚泣, 白于王曰, "火星食月, 實非常之變, 非飯僧事佛所能禳也, 願愼厥施爲, 以消灾變". 王與□[右]承旨金周鼎·司議□□[大夫]鄭可臣議,[62)] 命宰樞·臺省, 論時政得失, 實封以聞. 是日, 放造成役徒. 允孚語典法摠郞朴仁澍曰, "典法決訟, 何多留滯耶". 仁澍曰, "內敎·判旨如雨, 安得不滯". 允孚以告王, 王使語仁澍曰, "我非以偏聽, 必右其人, 凡有告者, 欲令有司, 早爲剖決, 故命之耳, 豈爲私耶?". 仁澍對曰, "若無判旨·內敎, 而臣挾私決訟, 則罪當死矣":節要轉載].
[○熒惑食月:天文3轉載].
癸亥[19日], 濟州[耽羅]達魯花赤[塔剌赤]享王.
乙丑[21日], 王獵于普賢院.
[某日, 遣內寮于城門, 施行人酒果:節要轉載].
辛未[27日], 召見忠淸·西海計點使, 咨問民瘼.
壬申[28日], 收還諸臣受賜官奴婢, 屬都官.[63)] [密直副使]康允紹·[大將軍]金子廷詐稱賜牌,

60) 『고려사절요』 권20에는 水內가 諸島로 달리 표기되어 있다.
61) 이는 다음의 자료에 의거하였다.
· 『원사』 권10, 본기10, 세조7, 지원 16년 10월, "甲辰, 賜高麗國王至元十七年曆日".
62) 이 기사는 열전35, 方技, 伍允孚에도 수록되어 있다. 또 添字는 『首楞嚴經環解刪補記』跋尾에 의거하였다.(→충렬왕 4년 3월 是月頃의 각주).
63) 이 기사는 지39, 刑法2, 奴婢에도 수록되어 있다. 또 收還은 還收·收回 등과 같은 意味이다.

多占土田，沒入新興倉.[64]

○命選州郡倡妓有色藝者，充敎坊.

十二月甲戌朔小盡,丁丑，遣大將軍兪洪愼·少尹金光就如元，賀正.[65]

[己丑16日，月與歲星，入軒轅:天文3轉載].

辛卯18日，以知僉議府事許珙△爲同修國史,[66] 薛公儉△爲知密直司事，宋玢·李尊庇並△爲同知密直司事，朴球爲密直副使，金伯鈞金伯均·禹濬冲並爲三司使，[左右衛精勇將軍鄭仁卿，兼典法摠郞:追加].[67]

○流監察侍丞崔有渰于大靑島，尋召還．[以論時務，直言忤旨也．承旨趙仁規言於王曰，“有渰，勵節奉上，不可輕棄”，固請再三．王怒稍解，召還:節要轉載].[68]

[是月，慶尙道牛疫，屠者爛手，而死:五行3轉載].

[是年，罷宣送酒色，倂於本署良醞署，加置參上·參外別監各一人:百官2司醞署轉載].

[○罷庭殿山臺色，倂於燃燈都監:百官2燃燈都監轉載].

[○還設碩州判官:延安府誌追加].

[○以大將軍·直門下省事趙仁規爲上將軍·右承宣:追加].[69]

[○以前禮賓少卿蔡謨爲典法摠郞:追加].[70]

· 『후한서』 권70，鄭太列傳第60，“或說董卓曰，鄭公業智略過人，而結謀外寇，今資之士馬，就其黨與，竊爲明公懼之．卓乃收還其兵，留拜議郞”.

64) 이와 같은 기사로 다음이 있다.
· 열전36，康允紹，“尋轉密直副使，與大將軍金子廷，詐稱賜牌，多占民田，事覺，沒其田于新興倉”.

65) 兪洪愼과 金光就는 明年 正旦에 大都에서 賀正하였을 것이지만 『원사』 권10，본기10에서 오류가 발생하였다(→충렬왕 6년 1월 增補의 脚注).

66) 이때 許珙은 知僉議府事로서 同修國史를 兼職하였다(許珙墓誌銘).

67) 이는 「鄭仁卿政案」에 의거하였다.

68) 이 기사는 열전23，崔有渰에도 수록되어 있다.

69) 이는 「趙仁規墓誌銘」에 의거하였다.

70) 이는 「蔡謨墓誌銘」에 의거하였는데，이 墓誌는 李南珪(1855~1907)에 의하면，19세기 후반에 豊德縣(現 開城市 開豊郡 開豊邑 豊德里)의 進鳳山에서 발견되었다고 한다.
· 『修堂遺集』 册45，高麗贊成事諡寬愼蔡公墓碑陰記，“豊德進鳳山下，有罣如之邱，如古禮葬者三．其最上實高麗贊成事蔡公諱謨之墓，而其山與張氏家先壟相近焉．始公子孫失公墓，以其爲平康人，意其墓在平，而求之，卒無徵．去年迫，張家子弟展其墓，人有指一片誌石，以示曰，‘盜發右墓，搜明器，此卽棄之矣’．審知爲公誌，歸以告公之後孫，往驗之信然．於是，大合族以祀，立石以表之，謂南珪是外裔也，以囑爲陰記．…”.

[○以高夢卿爲永州副使, 潘允澄爲永州判官:追加].[71]

[○以卜奎爲碩州副使:追加].[72]

[○以辛志和爲東京留守府司錄:追加].[73]

[○以[別將]金恂爲攝郎將:追加].[74]

[○以禪師冲止爲大禪師:追加].[75]

[○濟州法華寺造成畢:追加].[76]

[○宋都綱馬某來, 呈見明[一然]'人天寶鑑'一部:追加].[77]

[增補].[78]

[□□□[~~是年頃~~], 有人牽牛而過者, [將軍印]侯家奴奪而槌之, 牛主畏其勢, 不敢告. 又有都將校金希迪者, 托侯勢暴横, 白晝擊殺判事金碩家奴, 流海島. 侯卽放還, 侯之專恣如此:列傳36印侯轉載].

---

71) 이는 『영천선생안』에 의거하였다.

72) 이는 『연안부지』에 의거하였는데, 卜奎를 卜圭로 표기하였다.

73) 이는 『동도역세제자기』에 의거하였다.

74) 이는 「金恂墓誌銘」에 의거하였다.

75) 이는 「圓鑑國師塔碑銘」에 의거하였다.

76) 이는 옛 大靜縣 管內(현 濟州島 西歸浦市 河原洞 1071번지)에 위치하였던 法華寺址에서 발굴된 기와[瓦]의 銘文에 의거하였다(濟州大學博物館 1997년→원종 10년 是年의 脚注).
- 銘文, "至元六年乙巳始重刱, 十六年己卯畢".

77) 이는 다음의 자료에 의거하였다(海印寺 所藏, 국보 제206-9호, 崔凡述 1970년 ; 蔡尙植 1991년 171面 ; 林基榮 2009년).
- 『人天寶鑑』題記, "至元十六年己卯,宋商馬都綱,賫此'人天寶鑑集'」 一部來,請天台講元禪師,自因齋訖, 用此錄爲贜」 施,觀識長老理淵,取來傳布, 行于海東,麟角退老一」 然書」".

78) 이해에 몽골제국에서는 다음의 일이 있었다.
- 『원사』 권10, 본기10, 세조7, 지원 16년 2월 甲申[7日], "以征日本, 敕揚州·湖南·贛州·泉州四省造戰船六百艘".
- 본기10, 세조7, 지원 16년 8월, "己亥[24日], 海賊金通精死, 獲其從子溫, 有司欲論如法, 帝曰, '通精已死, 溫何預焉?'. 特赦其罪".
- 본기10, 세조7, 지원 16년 9월, "己酉[5日], 罷金州守船軍千人, 量留監守, 餘皆遣還".

庚辰[忠烈王]六年, 元 至元十七年, [西曆1280年]

1280년 2월 2일(Gre2월 9일)에서 1281년 1월 21일(Gre1월 28일)까지, 384일

春正月[癸卯朔大盡,戊寅], 甲辰[2日], 罷[計點使]朱悅·郭汝弼.[79)]

[乙巳[3日], 木稼:五行2轉載].

己酉[7日], 以星文屢變, 宥二罪以下.

[○月掩昴星, 又與熒惑同舍:天文3轉載].

癸丑[11日], 移御本闕.

庚申[18日], 遣大將軍印侯·將軍高天伯, 與塔納如元.

壬戌[20日], 王與公主賞東池, 遂幸觀音寺.

乙丑[23日], 以德泉寺住持益藏擊殺永春縣吏, 又與妓玉眞通, 流于海島, 益藏, 元宗寵姬子也.

丙寅[24日], 忽赤享王于新殿.

己巳[27日], 遣親從將軍朴延·中郞將李仁于東寧府, 推刷夫匠.[80)]

[某日, 以潘□[某]爲全羅道按廉使:追加].[81)]

[增補].[82)]

二月癸酉朔[小盡,己卯], 忽赤享王,

乙亥[3日], 又宴.

[○月犯五車:天文3轉載].

---

79) 郭汝弼은 同知密直司事·典理判書로 致仕하였던 것 같다(元瓘墓誌銘).

80) 夫匠은 『고려사절요』 권20에는 工匠으로 되어 있다. 또 夫匠은 各種 官衙에 服務[服役]하는 工匠을 가리킨다.
 · 『續資治通鑑』 권133, 宋高宗 紹興 29년, 10월, "乙亥[25日], 金主[海陵王]獵於近郊, 復命諸路夫匠造軍器於燕京, 尙書右丞李通董之. 又令戶部尙書蘇保衡·侍郞韓錫造戰船於潞河, 夫匠死者甚衆".

81) 이는 『圓鑑國師歌頌』, 按廉潘公欲到山設齋 … ; 按廉潘公再訪山中, …에 의거하였다. 이의 시기는 李尊庇가 東征의 준비를 위해 全羅道에 파견된 때와 같음을 통해 유추하였다. 또 이해[是年]의 慶尙道의 春夏番按廉使는 脫落되어 알 수 없다.

82) 『원사』에는 是月 正旦에 僉議中贊 金方慶이 賀禮를 드렸다고 되어 있으나 오류이다. 이 기사는 明年(지원18, 충렬왕7)에 僉議中贊 金方慶이 하례를 드린 것을 重複 整理하였던 것 같다.
 · 권10, 본기10, 세조7, 지원 17년 1월, "癸卯朔, 高麗國王王賰遣其僉議中贊金方慶來賀, 兼奉歲貢".

[戊寅[6日], □[月]與熒惑同舍于參, 又入五車:天文3轉載].

己卯[7日], 遣校尉鄭之演[鄭之衍]如元, 獻環刀三百七十八把.[83]

庚辰[8日], 郎哥歹享王.

壬午[10日], 鷹坊享王, 哈八那·郎哥歹等諸客使, 皆赴.[84]

丙戌[14日], 命中郎將柳琚, 搜大[太]府財貨, 入內.

戊子[16日], 移御壽康宮. [公主謂王曰, 王與群小, 從禽無厭何也, 趣命駕將入城. 郎哥歹固請, 乃止:節要轉載].

[己丑[17日], 月掩角星:天文3轉載].

[辛卯[19日], □[月]掩房星:天文3轉載].

[甲午[22日], □[月]入南斗魁:天文3轉載].

乙未[23日], 還御沙坂宮.

[○流星出羽林, 入敗臼, 長七尺許:天文3轉載].

丙申[24日], 密直副使[同知密直司事]李尊庇, 偕哈伯那, 視戰艦于全羅道.[85]

戊戌[26日], 王與公主, 如玄化寺, 命□[右]承旨廉承益, 作佛殿.[86]

---

83) 鄭之演은 1285년(충렬왕11) 5월 21일(癸巳)부터 鄭之衍으로 표기되었는데, 前者가 誤字가 아니면 後者는 改名일 가능성이 있다. 또 그는 『고려사』를 편찬했던 鄭麟趾의 高祖父인 鄭芝衍과 같은 인물로 추측되는데, 譯官出身으로 校尉에서 立身하여 주목되는 정치적 활동이 없으면서 宰相이 된 特異한 人物인데, 立傳되지 않은 점이 더욱 異常하다.

· 『三灘集』 권14, 鄭麟趾墓誌銘, "… 公諱麟趾, … 高麗忠宣王朝, 有諱芝衍者, 仕至重大匡·僉議贊成事. 贊成生興威衛大護軍諱翊, 護軍生宗簿令諱乙貴, 令生石城縣監諱興仁, 於公爲考, 以公勳贈大護軍正憲大夫·兵曹判書, 贈宗簿令崇祿大夫·左贊成, 贈縣監…".

84) 이에 나타난 哈八那[카바나]는 여타 자료에서는 카베나[哈伯那]로 달리 표기되어 있다(→세가29, 충렬왕 5년 10월 3일, 9일 ; 6년 2월 24일).

85) 李尊庇는 前年 12월 18일 同知密直司事에 임명되었기에 密直副使는 同知密直司事의 잘못일 것이다. 또 이때 이존비는 몽골제국의 使臣과 함께 全羅道에 도착했던 기사가 찾아진다.

· 『원감국사어록』, "相國隴西公半上朝中使, 監嶺南東征兵艦, 夜半躬訪山居 …".

86) 이때 廉承益은 右承旨이었고(→충렬왕 5년 4월 3일), 再明年(辛巳, 충렬왕7) 1월 9일에 左副承旨였다(「1281年淳昌城隍大王封爵貼」, 南豊鉉 1995년 ; 金甲童 1997년·2017년d 261~265面 ; 盧明鎬 2000년 405面 ; 金澈雄 2001년 159面). 그는 이 시기 以後에 正議大夫·密直司右承旨·興威衛上將軍·判太府·知軍簿司事를 역임하였다(國立中央博物館 所藏, 權熹耕 2006년 62面). 또 이 寫經은 현재의 開京市 德岩里 南溪院에 위치한 王輪寺의 石塔을 수리할 때 발견되었다고 하는 점을 통해 볼 때, 廉承益이 이를 수리했던 1283년(충렬왕9) 7월 6일 이전의 某年 2월에 제작되었던 것 같다(南權熙 2002년 361面 ; 張忠植 2007년 109面).

· 『紺紙金泥妙法蓮華經』 권7, 題記, "特爲」 國王·宮主, 無諸災厄, 兵戈潛消, 國土」 太平, 兼及已身, 不逢九橫, 速脫」 三界, 盡未來劫, 作大佛事. 亦願」 一門眷屬, 無諸病苦, 無盡法界,」 生亡共證,普提者」 二月 日誌」, 正議大夫·密直司右承旨·興威衛上將軍·判太府·知軍簿司事廉承益,」

[是月, 日本殺元使杜世忠等. 征東元帥忻都·洪茶丘請自率兵往討, 廷議姑少緩之:追加].[87)]

三月壬寅朔大盡,庚辰, 大將軍印侯·將軍高天伯, 與塔納, 還自元. 塔納至岊嶺站, 瓮津等數縣, 當供晝食, 有人告塔納曰, "吾邑之民, 盡隷鷹坊, 孑遺貧民, 何以供億. 欲還朱記於國家, 竢死而已". 塔納來, 責宰相曰, "東民, 獨非天子之赤子乎? 困苦至此, 而不之恤, 朝廷馳一使以問, 何辭以對?". 宰相白王, "請去鷹坊之弊". 王怒, 欲請回回之見信於帝者, 以來, 分管諸道鷹坊, 抑令宰相, 不敢復言. 承旨趙仁規力諫□之,[88)] 而公主亦言不可, 乃止.[89)]

癸卯2日, 召檢校大將軍吳光札, 拜爲明仁殿侍衛將軍, 賜紅鞓. 光札年八十九, 居同福縣, 其子僧祖英有寵, 故有是命.[90)]

甲辰3日, 輟西海道己卯年忠烈5年轉米, 賜岊嶺道各站, 以供郎哥歹, 又以支宮室·戰艦鐵價及夫匠粮.

戊申7日, 親醮三界于本闕.[91)]

庚戌9日, 諸王·宰樞享王于新殿, 召僉議中贊致仕柳璥·門下侍郎平章事致仕皇甫琦·前參知政事崔瑛·前樞密院使宋松禮·前知門下省事邊胤等致仕宰樞, 侍宴.

[辛亥10日, 月入軒轅:天文3轉載].

壬子11日, 監察司言, "頃在江都, 貢賦粗足, 今左·右倉之入, 頓減, 而又致大坊

願我臨欲命終時, 盡除一切諸障礙」,面見彼佛阿彌陀, 卽得往生安樂刹,」 兼及妻氏永寧郡夫人魯氏, 分身」 女子小男等, 厄會掃除, 壽命延長,」 成就曩願,」 十方諸佛菩薩, 朗鑒」".

87) 이는 다음의 자료에 의거하였다.
- 『원사』 권208, 열전95, 外夷1, 日本, "至元十七年二月, 日本殺國使杜世忠等. 征東元帥忻都·洪茶丘請自率兵往討, 廷議姑少緩之".

88) 添字는 『고려사절요』 권20에 의거하였다.

89) 이와 관련된 기사로 다음이 있다.
- 열전18, 趙仁規, "有宰相奏鷹坊之害, 王怒, 欲請回回之見信於帝者, 分掌鷹坊, 令宰相不復言, 仁規力諫而止".

90) 吳光札은 그의 손자 吳潛의 묘지명에는 吳光禮(吳光禮)로 되어 있는데, 前者로 추측된다(『同福吳氏大同譜』, 吳潛墓誌銘 ; 金龍善 2006년 489面). 또 이 시기에 祖英의 영향으로 寶城郡의 任內인 同福縣이 監務官으로 승격하였다고 하는데, 이에서 祖琰은 祖英의 오자일 것이다.
- 지11, 지리2, 同福縣, "諺傳, 以僧祖琰祖英之鄕, 陞爲監務".
- 열전19, 李穎, "李穎累遷寶文閣待制, 常與學士金坵, 遊僧祖英方丈. 忠烈爲世子聞之, 賜製有隴西風月亦三千之句, 士林歆艶".

91) 이 기사는 지17, 禮5, 雜祀에도 수록되어 있다.

廚□及外漆色·鞍色·阿闍赤等, 各所賜食, 皆仰給右倉, 請除之. 且修宮室, 今已三載, 而兩班無僕隷者, 只至賣祿牌, 雇傭赴役, 或有躬自執役者, 亦請除之, 以竢農隙. 又諸道按廉使·別監, 職在察理治, 問民苦, 今皆籍上供, 歛民歛民紬紵·皮幣·脯果·名表紙等物, 賂遺權貴, 請皆理罪". 王只許除名表紙.[92)]

[→王謂承旨鄭可臣曰, "楮生於地, 何弊於民". 可臣曰, "臣嘗管記全州, 目見其民造紙之苦, 今蒙採擢至此, 用紙亦多, 不能無愧". 王只許除紙貢:節要轉載].

[→監察司言, "諸道按廉使·別監, 職在察吏治問民苦, 今皆籍上供, 歛民紬楮·皮幣·脯果·名表紙等物, 賂遺權貴. 己自不正, 烏能正人. 請皆理罪". 王謂可臣曰, "楮生於地, 紙有何弊?". 可臣曰, "臣嘗管記全州, 知造紙甚苦. 今官高用紙亦多, 不能無愧". 王只許除名表紙:列傳18鄭可臣轉載].

[甲寅13日, 熒惑入東井:天文3轉載].

乙卯14日, [穀雨]. 監察司上言, 論時事. 王大怒, 鞫侍史沈諹于崇文館, 流監察雜端陳侗·侍史文應于海島,[93)] 罷殿中侍史李承休. 以將軍金鎰爲侍丞, 郎將禹天錫爲雜端, 佐郎閔萱爲侍史, 前廣州判官李仁挺·閤門祗候閔漬爲殿中侍史.

[→監察司又言, "國步多艱, 天旱民飢, 非遊畋燕樂之時也. 殿下何其耽于遊畋, 不恤民事耶. 且以未調之駿足, 馳不測之危途, 患生所忽, 雖悔可追, 如不得已, 止令將士, 逐獸平原, 登高臨觀, 不亦可乎? 又忽赤·鷹坊, 爭設內宴, 翦金爲花, 蹙絲爲鳳, 窮奢極侈, 不可形言, 與其縱一時之娛, 費於無用. 孰若遵上國之法, 簡而易供, 聲樂, 則斥委巷之俚音,[94)] 進教坊之法曲, 一國之望也. 軍簿判書·上將軍尹秀, 侍宴殿上, 登床戱舞, 犯禮不恭. 大禪師祖英, 淫穢無行, 出入臥內, 大駭觀聽, 請加黜責, 以勵其餘". ○承旨趙仁規, 以狀聞王, 將聽納, 秀及祖英, 相與譖之. 遂大怒, 命將軍林庇·池允輔等, 鞫侍史沈諹于崇文館, 問首發此議者, 關木索置碎瓦股間, 迭令人踏其上, 血迸流地, 諹終不言, 遂囚于巡馬所. 流雜端陳侗·侍史文應于

92) 阿闍赤[Aduguchi]은 牧馬人이고, 添字는 『고려사절요』 권20에 의거하였다. 또 只字는 『고려사절요』 권20에는 至字로 되어 있는데, 前者로 고쳐야 옳게 될 것이다.

93) 1295년(충렬왕1) 10월 25일 관제 개혁 때에 御史臺는 監察司로 改編되고, 官職도 改稱될 때 몽골제국의 御史臺에 없었던 御史雜端은 監察雜端으로 개칭되었던 것 같다.

94) 委巷에 대한 注釋으로 다음이 있다.

· 『자치통감』 권235, 唐紀51, 德宗貞元 13년(797) 8월 癸酉20日, "… 上謂曰, '人間多借吉成婚, 卿何執此之堅?' 左拾遺張戈對曰, '婚姻·喪紀, 人之大倫, 吉凶不可瀆也. 委巷之家, 不知禮敎[胡三省注, 委巷, 曲巷也, 言其屈曲僻陋], 其女孤貧無恃, 或有借吉從人, 未聞男子借吉娶婦者也. …".

海島, 罷殿中侍史李承休:節要轉載].[95)]

[→徵前東州副使李承休拜殿中侍史, 條陳十事, 又上蹠極論利害, 忤旨罷, 歸龜洞舊隱. 別構容安堂, 看佛書, 著'帝王韻記'·'內典錄'. 居十年:列傳19李承休轉載].[96)]

[→監察侍史沈諹等上蹠極諫, 王怒囚諹巡馬所, 流監察侍丞崔有渰海島. 仁規又曰, "有渰以病在告, 未嘗與聞". 由是得免:列傳23崔有渰轉載].

丙辰15日, 幸本闕, 設藏經道場, 見殿後杜鵑花盛開, 題四韻詩一篇, 令詞臣白文節·潘阜·寶文署待制郭預·閔漬等十八人, 和進. 文節等進言, 請宥沈暘之罪. 卽命釋之, 尋又釋偶·應等.

[→文節等曰, "殿下示天章, 令臣等賡載, 萬世之幸也, 沈諹敢忤上旨, 其罪重矣. 然亦儒者之類, 乞賜寬貸, 以彰右文之美". 王曰, "諫諍, 省郎之任, 監察司諫君是非, 非其任也. 又其言不遜, 欲問倡議者耳, 今爲卿等宥之", 卽命釋之. 尋又釋偶·應等. 諹, 謇諤無他, 莅官中外, 皆有成績. 及除侍史, 慨然, 以振綱自任. 至是, 見讒挫辱, 言路遂塞:節要轉載].[97)]

戊午17日, 元遣蠻子海牙來, 帝勑禁郡國舍匿亡軍□及回回恣行屠宰.[98)]

辛酉20日, 下旨曰, "今之儒士, 唯習科擧之文, 未有博通經史者, 其令通一經一史已上者, □爲敎授國子".[99)] 乃以司宰尹金磾·正郎 崔雍·左司諫方維·前閤門通事舍人柳沆·權知閤門祗候薛調·前閤門祗候李郤·吳漢卿爲經史敎授.

---

95) 이와 같은 기사가 열전19, 沈諹에도 수록되어 있다.

96) 이후 三陟縣 頭陀山에 은거한 李承休와 관련된 자료로 다음이 있다.

· 『신증동국여지승람』 권44, 三陟都護府, 山川, "頭陀山, 在府西四十五里, 山腰有石井五十, 仍名五十井, 旁有神祠, 邑人春秋致祭, 旱則禱雨. 高麗忠烈王時, 李承休以殿中侍御言事, 忤旨見罷, 卜居山下, 自號動安居士, 年七十餘, 被濤王命, 出山到京, 有詩云, '幾年孤跡寄江山, 更踏京塵一夢間', 尋乞退".

· 『신증동국여지승람』 권44, 삼척도호부, 佛宇, "看藏菴, 在頭陀山. 安軸記, 至治三年秋, 李君德孺造于僕曰, 先動安先生, 在至元間, 事忠烈王爲諫官, 以言事不入去其職, 素愛外家三陟縣之風土, 遂往卜頭陀山下以終焉. 先生自初業儒, 於學蓋無不究, 性好佛, 晩年事之愈謹, 於是置別墅, 命曰容安堂以居, 就山之三和寺, 借浮屠藏經, 日繙閱其中, 十年而畢. 後以墅施僧, 易扁曰看藏菴, 云云". 이 자료는 『근재집』 권3, 看藏菴記를 引用한 것이다.

· 『魯西遺稿』續集권3, 巴東紀行, 甲辰顯宗5年, "… 4月12日, 午還三和寺, 飯訖, 卽踰小峴, 入于看藏庵, 庵之上, 舊有黑岳寺云, 相如同行連枕, 庵乃高麗李侍御承休別墅也, 事在輿志".

97) 이와 같은 기사가 열전19, 沈諹에도 수록되어 있다.

98) 添字는 『고려사절요』 권20에 의거하였다.

99) 이와 같은 기사로 다음이 있다.

· 지28, 選擧2, 學校, "敎, 今儒士, 唯習科擧之文, 未有博通經史者, 其令通一經一史者, 敎授國子".

戊辰[27],日 將軍曹允通還自元, 中書省許復設談禪法會.

[是月, 蝗:五行2轉載].

夏四月壬申朔小盡,辛巳, [某日, 發兵糧二萬碩, 賑全羅道:節要轉載].

癸未12日, 隕霜殺禾苗.[100)]

甲申13日, 亦如之隕霜殺禾苗.[101)]

丙戌15日, [小滿]. 遣中郎將簡有之如元. □元平章阿哈馬求美女,[102)] 弘圓寺眞殿直張仁冏, 請以其女行, 有之押去. 於是, 除仁冏郎將, 時人譏其賣女得官. 阿哈馬阿合馬以其非名族, 不受.

[某日, 以慶尙·全羅道饑, 遣將軍金富允如元, 告糴. 中書省借兵粮一萬碩, 至秋償之, 又加糴一萬碩:節要轉載].

[→發兵粮二萬石, 賑全羅道飢民. 又遣將軍金允富金富允如元, 告糴. 中書省借兵粮二萬石, 賑慶尙·全羅道, 至秋償之:食貨3水旱疫癘賑貸之制轉載].[103)]

庚寅19日, 王與公主, 幸吉祥寺, 觀朴淵.

○遣中郎將池瑄于東寧府,[104)] 問發掘先代君王陵墓□事.[105)]

辛卯20日, 王與公主, 至新宮, 匠者白曰, 役徒三年, 不得一日之息, 妻兒何以爲生, 今當農時, 乞且放歸. 不聽.

癸巳22日, 以旱甚, 禁人扇·笠.

乙未24日, 賜李伯琪等及第. 以旱, 不賜花, 巷市.[106)]

[是月, 全羅道饑:五行3轉載].[107)]

---

100) 中原의 寧海·益都(現 山東省 山東半島에 위치한 益都市와 그 隣近地域)에서도 이달에 서리가 時節에 맞지 않게 내렸다[隕霜]고 한다(『원사』 권11, 세조8, 지원 17년 4월).

101) 12일과 13일의 기사는 지7, 五行1, 水, 霜에는 "癸未, 隕霜殺禾"로 되어 있다.

102) 平章 阿哈馬는 中書省의 平章政事 阿合馬(Aqama, Ahmad, ?~1282, 페르시아系 出身, 回回人)의 다른 표기이다(『원사』 권11上, 表6上 ; 권205, 열전92, 阿合馬). 또 添字는 『고려사절요』 권20에 의거하였다.

103) 金允富는 金富允의 오자일 것이다.

104) 池瑄은 東亞大學本에는 池瑄으로 되어 있으나 오자일 것이다(東亞大學 2008년 8책 466面).

105) 添字는 『고려사절요』 권20에 의거하였다.

106) 이와 관련된 기사로 다음이 있다. 이때 李伯琪·朱印遠 등이 급제하였다고 한다(許興植 2005년).
· 지27, 선거1, 科目1, 選場, "忠烈六年四月, 贊成事元傅知貢擧, 大司成·寶文閣學士白文節同知貢擧, 取進士, 乙未, 賜李伯琪等三十三人·明經一人·恩賜一人及第".

107) 이때 侍御史 權宜가 全羅道安集使로 파견되었던 것 같다(『圓鑑國師歌頌』, 寄安集權侍御宜).

五月 [辛丑朔[大盡,壬午], 芒種. 歲星犯軒轅:天文3轉載].[108]

癸卯[3日], 以詩·賦, 親試文臣, 取書籍店錄事趙簡等九人, 賜黃牌, 籍內侍. [王留意詩文, 親試文臣, 中者, 謂之殿試門生, 待遇異常:節要轉載].[109]

[→王親試文臣, 賜黃牌, 籍內侍. 王留意詩文, 或諸生之登第者, 親試之, 中者, 謂之殿試門生, 待遇異常. 殿試之制, 唯試當年登第者, 僧祖英得幸於王, 其姪子及所親舊, 不限登第久近, 競依勢赴之:選擧1科目轉載].

[→王欲依舊制, 覆親試新及第, 僧祖英得幸於王, 爲其姪吳子宜及親舊者, 欲令不限登第久近, 皆赴試. 王問柳璥, 璥對, 新舊及第及衣冠子弟披藍者, 宜悉赴. 時人, 謂璥之言, 爲其孫仁明, 孫婿權永[權溥]也. 內宦·將軍李之氏言, 殿試之法, 自毅廟以來, 廢絶幾百餘年, 今國家多事, 正宜未遑. 又本國人讒構上國者多, 恐誣指殿試爲天場, 責以僭越. [寶文署]待制郭預, 亦嘗沮之, 王命展試期. 後祖英强王行之, 雖執政近臣不之知. [贊成事朴]恒請依舊制試之, 王不允. 祖英將子宜等試藁達王, 因請拆糊封, 定科目, 取十五人, 以子宜爲首, 餘皆親舊. 王召恒云, 予不能遍考, 卿與祖英第高下. 祖英恐事不濟, 與恒言, 日者, 上見子宜詩賦, 業已定乙科, 何必改爲. 恒知祖英意, 遣中使白王, 與旋題員郭預·摠郎崔守璜·右正言李子芬等考定. 及牓出, 趙簡居首, 皆非祖英所定:列傳19朴恒轉載].

[→嘗考殿試, 中選者九人, 其五皆[贊成事朴]恒門生, 人謂白圭一玷:列傳19朴恒轉載].

○倭賊入固城漆浦, 擄漁者而去. 遣大將軍韓希愈, 防守海道, 又選忽赤·巡馬·諸領府等二百人, 分守于慶尙·全羅道.

○倭賊又寇合浦, 擄漁者二人以歸, 乃遣大將軍印侯·郎將池瑄, 告于元.

乙巳[5日], 命忽赤擊毬, 王與公主, 御涼樓, 觀之.

---

108) 辛丑에 朔이 탈락되었다. 또 이 天文現象이 元에서는 前日(4월 庚子[29日晦])에 있었다고 한다.
- 『원사』 권11, 세조8, 至元 17년 4월 庚子, "歲星犯軒轅大星".

109) 이와 관련된 기사로 다음이 있다.
- 지27, 선거1, 科目1, 選場, "[忠烈六年]五月□□[癸卯], 親試文臣, 取書籍店錄事趙簡等九人".
- 열전19, 趙簡, "明年, 王以詩賦, 親試文臣, 簡又居第一, 賜黃牌, 籍內侍".
- 열전20, 權呾, 溥, "明年, 又中殿試".
- 열전22, 李瑱, "登第調廣州司錄, 被選直翰林院. 忠烈以詩賦, 親試文臣, 得九人, 瑱居第二". 이때의 선발은 重試로서 廉前試·殿試·天場 등으로도 표기되었는데, [書籍店錄事]趙簡·[直翰林院]李瑱(2人, 初名은 方衍)·李世祺(3人, 李瑱의 弟)·權永[權溥]·[詹事府錄事]金台鉉(金台鉉墓誌銘)·吳祁[吳潛](丙科, 吳潛墓誌銘) 등이 합격하였다(『등과록』; 『前朝科擧事蹟』; 『동문선』 권42, 鷄林赴任後再謝表, 朴龍雲 1990년; 許興植 2005년).

壬子[12日], 雨雹.[110]

○聚盲僧, 禱雨.

[丙辰[16日], 夏至. 月入南斗:天文3轉載].

癸亥[23日], 雨.

乙丑[25日], 王與公主, 如玄化寺.

丙寅[26日], 召文臣及殿試及第, 示所製四韻詩, 令刻燭和進. 左司議□□[大夫]潘阜·□□□[寶文署]待制郭預, 恥與後輩同賦, 爲左右所迫, 不得已亦進焉.

[甲戌,柳庇還自元,帝勑以本國軍卒,防禦倭賊→6月로 옮겨감].

是月, 旱, 蝗, 元中書省, 牒加糶米一萬石.[111]

[○自三月至五月 不雨:五行2轉載].

[是月甲寅[14日], 元造船三千艘, 敕耽羅發材木給之:追加].[112]

[○帝召范文虎, 議征日本:追加].[113]

[六月以前, 東京副留守盧景綸造成月精橋, 於府南蚊川:追加].[114]

六月[辛未朔小盡,癸未], [甲戌[4日], [郎將?]柳庇還自元, 帝勑以本國軍卒, 防禦倭賊←5월에서 옮겨옴].[115]

---

110) 이와 같은 기사가 지7, 五行1, 水, 雨雹에도 수록되어 있다.

111) 이와 관련된 기사로 다음이 있고, 또 몽골제국에서도 이해의 4월, 5월에 蝗虫이 있었다고 한다.
- 『원사』 권11, 본기11, 세조8, 至元 17년 5월 癸丑[13日], "高麗國王王賰以民饑, 乞貸糧萬石, 從之".
- 『원사』 권208, 열전95, 外夷1, 高麗, "[至元]十七年五月, 賰以民饑, 乞貸糧萬石, 從之".
- 『원사』 권11, 본기11, 세조8, 지원 17년 4월, 5월, "[四月,] 寧海·益都等四郡霜, 眞定七郡蟲, 皆損桑", "[五月,] 眞定·咸平·忻州·漣·海·邳·宿諸州郡蝗".

112) 이는 다음의 자료에 의거하였다.
- 『원사』 권11, 본기11, 세조8, 지원 17년 5월, "造船三千艘, 敕耽羅發材木給之".

113) 이는 다음의 자료에 의거하였다.
- 『원사』 권208, 열전95, 外夷1, 日本, "[至元十七年]五月, 召范文虎, 議征日本".

114) 이는 다음의 자료에 의거하였다.
- 『동도역세세사기』, "庚辰, 月精橋造排, 同年上京".
- 『신증동국여지승람』 권21, 慶州府, 古跡, "舊在府西南蚊川上, 兩橋遺址尙存".

115) 甲戌은 6월 4일이므로 그 다음의 기사인 己卯(9일) 앞에 있는 六月을 甲戌 앞으로 移動시켜야 한다. 또 柳庇는 部曲吏에서 譯官으로 立身하였다고 한다.
- 열전38, 柳淸臣, "淸臣, 初名庇, 長興府高伊部曲人, 其先皆爲部曲吏. 國制, 部曲吏雖有功, 不得過五品, 淸臣幼開悟, 有膽氣, 習蒙語, 屢奉使于元, 善應對, 由是, 爲忠烈寵任, 補郎將".

己卯[9日], 郎將池瑄還自元言, 蠻子海牙, 非朝廷所遣, 當押送京師.

辛巳[11日], 新宮成, 號曰膺慶, 樓曰寒碧, 門曰泰通.

○遣將軍朴義如元, 獻鷂子.116) [又奏曰, "東征之事, 臣請入朝稟旨". 帝許之:節要轉載].

[辛卯[21日], 太白入東井:天文3轉載].

[某日, 流大將軍金琿于海島. 初, 琿與上將軍金文庇善, 每至其家圍碁, 其妻朴氏, 從窗隙窺之, 嘆其美. 琿聞之, 遂屬意焉. 未幾, 文庇死, 琿又喪妻, 朴遣人請曰, "吾無子, 願得君一子養焉", 且曰, "事有面陳, 幸一來". 琿因往通焉, 監察·重房交章極論, 流之, 又流朴氏于竹州:節要轉載].117)

[是月頃, [詹事府錄事]金台鉉爲左右衛參軍事兼直文翰署:追加].118)

秋七月[庚子朔大盡,甲申], 癸卯[4日], 移御承旨[右承旨]廉承益第.

○遣將軍元卿如元.

丙午[7日], 僉議中贊金方慶, 上章乞退, 遣承旨鄭可臣, 敦諭起之.119)

· 『신증동국여지승람』 권40, 興陽縣, 건치연혁, "本長興府高伊部曲. 高伊者, 方言貓也. 高麗忠烈王十一年, 土人柳庇, 後改名淸臣. 以譯語通事于元有功, 改名高興, 陞爲縣, 置監務".

116) 이와 관련된 기사로 다음이 있다.

· 『원사』 권11, 본기11, 세조8, 至元 17年 6월, "戊戌[28日], 高麗國王王賰, 遣其將軍朴義來, 貢方物".

117) 金琿의 妻는 金賆과 그의 누이[女弟, 娣, 妹妹]인 淑昌院妃의 弟로서 1278년(충렬왕4, 戊寅)에 逝去하였다(金賆墓誌銘). 또 이와 관련된 기사로 다음이 있는데, 竹山은 竹州의 誤字일 것이다(盧明鎬 等編 2016년 527面).

· 열전16, 金慶孫, 琿, "忠烈朝, 爲大將軍, 與上將軍金文庇善. 嘗至其家圍碁, 文庇妻朴氏, 從窓隙窺視, 嘆其美偉, 琿聞之, 遂屬意. 未幾, 文庇死, 琿妻又死, 朴遣人請曰, 妾無兒, 願得君一子養之. 且曰, 事有面陳, 幸一來. 琿遂往通焉. 監察·重房, 交章極論, 王以先后族, 欲原之, 不得已流海島, 歸朴氏于竹山[竹州]. 初, 王以戶口日耗, 令士民, 皆畜庶妻, 庶妻乃良家女也. 其子孫許通仕路, 若不顧信義, 棄舊從新者, 隨卽罪之. 所司方議施行, 及琿犯禮, 遂寢".

· 『세종실록』 권149, 지리지, 淸州牧, 竹山縣, "高麗改爲竹州, 成宗十四年, 置團練使, 穆宗八年乙巳, 廢團鍊使. 顯宗戊午, 屬廣州任內, 明宗二年壬辰, 始置監務. 本朝太宗十三年癸巳, 例改爲竹山縣監".

· 『신증동국여지승람』 권8, 竹山縣, 建置沿革, "… 高麗初改竹州, 成宗置團練使, 穆宗廢之. 顯宗九年屬廣州, 明宗二年置監務. 本朝太宗十三年, 例改今名, 爲縣監[凡郡縣名帶州字者, 都護府以下皆代以山·川字, 以別於府若牧, 後倣此. 世宗十六年, 自忠淸道移隸京畿".

118) 이는 「金台鉉墓誌銘」에 의거하였다.

· 열전23, 金台鉉, "後又中殿試, 授左右衛叅軍·直文翰署".

119) 이와 같은 기사가 열전17, 金方慶에도 수록되어 있다.

辛亥[12日], 將軍朴義還自元. 帝勅王親朝.

[壬子[13日], 以左右衛精勇將軍鄭仁卿, 兼版圖摠郎:追加].[120)]

甲子[25日], 移御沙坂宮.

乙丑[26日], 以西海道計點使禹濬冲, 爲都指揮使.

丙寅[27日], 遣密直副使金周鼎[·文翰學士]如元, 賀聖節.

[○月與太白, 同舍于柳:天文3轉載].

丁卯[28日], 中書省牒云, 雙城民戶, 除將韓信等三戶分付訖外, 德光等六戶, 緣雙城勒留. 在前宴帖兒元斷, 并差官魏文愷斷, 與本國全戶三十, 隻身男女四十二名放歸, 而後分付德光等事, 都省准此. 除前項戶計箚付, 開元等路宣慰使[宣慰使司]行下雙城照勘呈省外,[121)] 合行移牒, 請照驗, 卽將德光等六戶, 分付施行.

[某日, 以[侍御史]權宜爲慶尙道按廉使, 既而解職, 監察侍史閔萱代之:慶尙道營主題名記].[122)]

[○以吳祁爲秘書省秘書校書郎:追加].[123)]

[是月戊申[11日], 元以初置驛站, 民乏食, 命給糧一歲. 仍禁使臣往來, 勿求索飮食:追加].[124)]

[是月頃, 以版圖摠郎李德孫爲東京副留守:追加].[125)]

---

120) 이는 「鄭仁卿政案」에 의거하였다.

121) 宣慰使는 宣慰使司로 고쳐야 옳게 된다. 宣慰使司는 中書省 또는 行省과 路總管府의 中間에 위치한 官署이다. 또 開元路는 1286년(至元23) 하나의 행정구역으로 설치되어 遼陽行省에 소속되어 있었고, 治所는 黃龍府(現 吉林省 農安縣)였으나 1342年(至正2) 咸平府(現 遼寧省 開原市 老城鎭)로 옮겼다. 이의 管轄區域은 서쪽으로는 遼河, 남쪽으로는 白頭山, 북쪽으로는 黑龍江省의 西北部 興安嶺, 동쪽으로는 東海에 미쳤기에 고려와 接境하고 있었다(和田 清 1938年).

122) 이때 權宜는 右承旨 廉承益의 推薦을 받아 임명되었다고 한다(→是年 10월 某日).
- 열전36, 嬖幸1, 權宜, "… 忠烈時人, 性險佞. 每依內僚, 求使四方, 酷刑厚斂, 民甚苦之. 與□[右]承旨廉承益善, 承益薦爲慶尙道按廉使, 宜依勢無所顧忌".

123) 이는 「吳潜墓誌銘」에 의거하였다.

124) 이는 다음의 자료에 의거하였다.
- 『원사』 권11, 본기11, 세조8, 지원 17년 7월 戊申[9日], "以高麗國初置驛站, 民乏食, 命給糧一歲. 仍禁使臣往來, 勿求索飮食".
- 『원사』 권208, 열전95, 外夷1, 高麗, "[至元十七年]七月, 以其國初置驛站, 民乏食, 命給糧一歲. 仍禁使臣往來, 勿求索飮食".

125) 이는 다음의 자료에 의거하였는데, 이들 자료는 ~~添字~~와 같이 고쳐야 옳게 될 것이다.
- 『동도역세제자기』, "尙書李得孫[李德孫], 庚辰到任, 辛巳六月十二日上京".
- 「李德孫墓誌銘」, "已卯[庚辰], 以版圖摠郎, 赴東京□[副]留守".

八月庚午朔大盡,乙酉, 辛未2日, 王以將如元, 且天變屢彰, 宥二罪已下. □□是日 王如元.126)

[→王如元, 自金郊, 至生陽站驛, 馬羸疲, 每站, 各置內廐馬二匹, 以備入朝之行:兵2站驛轉載].

癸酉4日, 將軍元卿自元, 賫省旨來, 令耽羅達魯花赤, 自以其鐵匠, 修戰艦.

丙子7日, 元流皇子愛牙赤于大青島.127) [公主迎于城外:列傳2忠烈王妃齊國大長公主轉載].

[○太白犯軒轅大星:天文3轉載].

癸未14日, 王次昌義縣, 永寧公率二子來謁.

[甲申15日, 月食:天文3轉載].128)

[己丑20日, 月入五車:天文3轉載].

辛卯22日, 公主宴愛牙赤于新殿.

[→公主宴慰于館, 張樂. 從者止之曰, "皇子以帝命之貶所, 胡可耽樂". 遂罷:節要·列傳2忠烈王妃齊國大長公主轉載].

○王至上都. 時帝在闍干那兀察罕腦兒,129) 王遂如行在.

乙未26日, 謁帝, 帝宴王, 仍命從臣赴宴. 先是6月11日, 王使朴義奏曰, "東征之事, 臣請入朝稟旨". 帝許之. 忻都·茶丘·范文虎, 皆先受命. 茶丘曰, "臣若不擧日本, 何

· 『慈悲道場懺法』卷10, 題記, "特爲」 聖壽天長, 洎及先考李氏, 超升淨刹」, 現在偏孀, 妻之父母, 已家配耦, 孩嬰」 福壽, 延洪三世, 一切冤鬼, 解怨釋結」, 法界故殺, 誤傷水陸, 亡靈離苦, 得樂, 印施, 無窮者」. 時,至元十九年七月日誌」, 東京副留守·前朝散大夫·版圖摠郎李德孫"(南權熙 2002년 267面).

· 열전36, 폐행1, 李德孫, "忠烈朝, 拜東京□副留守, 王因東征, 道過東京, 以德孫能辦供億, 加府尹".

126) 王如元의 앞에 □□是日이 탈락되었을 것이다.

127) 皇子 愛牙赤(愛也赤, Ayachi)은 世祖 忽必烈(孛兒只斤 忽必烈, 보에르치진 쿠빌라이)의 第6子이다(『원사』 권107, 表2, 宗室世系表). 그는 1287년(至元24) 4월 이래 일어난 乃顔, 哈丹의 반란을 몽골제국이 평정할 때 遼東·遼西方面軍을 指揮하였다. 또 大青島는 현재 仁川廣域市 甕津郡 大青面[大青島 地域]인데, 이후 이곳에 몽골제국의 皇族들이 연이어 安置되었고 그 대표적인 인물이 惠宗[順帝] 妥懽帖睦爾(陶于帖木兒 Togon Temur)이다. 이때 皇族들이 거주했던 場所는 海岸에 인접하지 않은 大青 7里 1085番地 大青初等學校 일대로 비정되고 있다. 이곳에서 고려시대의 것으로 추측되는 瓦片 數点이 수습되었다고 한다(仁川廣域市 甕津郡 2013년 60面).

128) 이날 일본의 교토[京都]에서도 皆既月食이 있었다. 이날은 율리우스력의 1280년 9월 10일이고, 월식 현상이 심했던 때의 世界時는 9시 47분, 食分은 1.60이었다(渡邊敏夫 1979年 482面).

· 『東寺長者補任』, 弘安 3년, 權僧正道譽, "八月十五日, 月蝕御祈, 皆虧, 正現".

· 『續史愚抄』5, 弘安 3년 8월, "十五日甲申, … 月蝕皆既, 御祈權僧正賴譽勤仕, 正見".

129) 闍干那兀은 灤下의 上流 지역인 차간노르 부근에 있었던 차간노르[察罕腦兒, 白湖] 行宮(現 河北省 沽源縣 북쪽에 위치한 小紅城 遺址)을 가리킨다.

面目復見陛下". 於是, 約束曰, "茶丘·忻都率蒙麗漢四萬軍~~蒙麗漢軍四萬~~, 發合浦, 范文虎率蠻軍十萬,[130] 發江南, 俱會日本一岐島, 兩軍畢集, 直抵日本□□~~城下~~, 破之必矣".[131]

○王以七事請. 一. 以我軍鎭戍耽羅者, 補東征之師. 二. 減麗漢軍, 使闍里帖木兒, 益發蒙軍, 以進. 三. 勿加洪茶丘職任, 待其成功賞之, 且令闍里帖木兒, 與臣管征東省事. 四. 小國軍官, 皆賜牌面~~牌面~~.[132] 五. 漢地濱海之人, 幷充梢工·水手. 六. 遣按察使~~按廉使~~廉問百姓疾苦.[133] 七. 臣躬至合浦, 閱送軍馬. 帝曰, "已領所奏".[134]

[○太白·歲星, 同舍于翼:天文3轉載].

戊戌29日, 勑王還國. 丞相安童母獻良馬一匹.

[是月, 全羅道, 大風七日, 川溢損禾:五行3轉載].

[○元募征日本士卒:追加].[135]

九月庚子朔小盡,丙戌, [丙午7日, 月犯箕星:天文3轉載].

己酉10日, 王至北京, 總管?康守衡享王于其第. 有同知宋貞, 儒者也. 王示以所製九日詩二篇.

[庚戌11日, 雹:五行1雨雹轉載].

丙辰17日, 闍里帖木兒迎王于路, 獻馬三匹. 征東元帥府鎭撫也速達, 賫二關字來.

其一. 奉聖旨, 委忻都·茶丘·范右丞中書右丞范文虎·李左丞中書左丞李庭,[136] 征收日本行中書省事. 卽目軍馬調度, 據本國見管, 粮儲·船隻·梢工·水手, 一切軍須, 請照驗

---

130) 蠻軍은 蠻子軍·新附軍으로도 표기되는데, 이들은 몽골군에 편입되어 있던 過去의 南宋軍이다.

131) ~~添字~~는 『고려사절요』 권20에 의거하였다.

132) 『고려사절요』 권20에는 바르게 되어 있다.

133) 按察使는 按廉使의 오자로 추측된다.

134) 이와 관련된 기사로 다음이 있다.

· 『원사』 권11, 본기11, 세조8, 至元 17년 8월, "戊戌29日, 高麗王王賰來朝, 且言將益兵三萬征日本, 以范文虎·忻都·洪茶丘爲中書右丞, 李庭·張拔突張禧爲參知政事, 並行中書省事".
이 기사는 8월 26일 충렬왕이 건의했던 내용을 축약한 것으로 理解되며, 『원사』의 편찬자가 날짜[日辰]를 잘못 정리한 것으로 판단된다. 또 李庭과 張禧가 參知政事에 임명되었다고 되어 있지만 그들의 열전에는 李庭은 中書左丞에, 張禧는 平章政事에 각각 임명되었다고 되어 있다.

· 『원사』 권154, 열전41, 洪福源, 俊奇, "至元十七年, 授龍虎衛上將軍·征東行省右丞".

135) 이는 다음의 자료에 의거하였다.

· 『원사』 권208, 열전95, 外夷1, 日本, "至元十七年八月, 詔募征日本士卒".

136) 范右丞은 中書右丞 范文虎이고, 李左丞은 中書左丞 李庭이다.

行下合屬, 如法准備, 聽候區用, 勿値臨時失誤. 其一. 經行去處, 竊恐不畏公法之人, 放火燒草, 事係利害, 請照驗行下合屬, 出牓禁約, 如違, 罪有所歸.[137]

[乙丑26日, 風雪·雷電·雨雹大如梅子:五行1雨雪轉載].

丙寅27日, 王至自元, 入御沙坂宮.

丁卯28日, 元遣也速達·崔仁著, 以水韃靼之處開元·北京·遼陽路者, 移置東寧府, 使之將赴征東.[138]

[戊辰29日晦, 以世子生辰, 置宴新殿. 時東征事急, 除女樂雜戲, 但奏漢樂. 群臣各以贄見世子, 奉觴舞, 王與公主歡甚. 序元使也速達于僉議宰相下, 崔仁著于上將軍下, 也速達謂盧英曰, "吾與崔知事一也, 何令坐下也?". 公主聞之曰, "仁著, 蒙漢耶, 高麗耶? 坐上將軍之下足矣". 也速達慙:列傳2忠烈王妃齊國大長公主轉載].[139]

冬十月己巳朔大盡,丁亥, 辛未3日, 點閱京外兵.

[→以將征日本, 命密直副使朴球等, 閱京兵. ○遣使于慶尙·全羅·忠淸·東界·交州道, 點兵:兵1五軍轉載].

[庚辰12日, 鹿入沙坂宮:五行2轉載].

丁亥19日, 令各道指揮使, 罷判官·錄事, 唯留都評議□□使司錄事.

---

137) 이 시기에 世祖가 蒙古軍의 高麗人民에 대한 收奪, 騷擾를 금지한 명령[聖旨]은 高靈縣 盤龍寺에 남아 있었다.

· 『신증동국여지승람』 권29, 高靈縣, 佛宇, 盤龍寺, "在美崇山, 有元世祖時榜文, 云, 皇帝聖旨裏, 行中書省照得軍馬倶到合浦, 已上船征進. 外有落後屯住正軍闊端赤人等, 於義安上下丹城村寨, 牧方頭匹, 誠恐屯守各處寺院, 踏踐騷擾, 有礙祝延聖數善事, 擬合出榜, 省諭禁約. 若有不畏公法之人, 於寺院內踏踐騷擾, 以致不安, 仰所在官司捉拿前來, 依條斷罪施行. 合行榜示者, 右榜付盤龍寺, 張掛苟諭諸人, 各令通知".

이 聖旨가 揭示되이 있었다는 高靈縣의 盤龍寺(現 慶尙北道 高靈郡 雙林面 龍里 187)는 당시에 몽골군이 주둔하였을 義安縣(現 慶尙南道 昌原市)과 거리상으로 너무 멀리 떨어져 있기에 盤龍寺의 位置에 대한 疑問이 提起되었다(蔡尙植 2008년).

138) 水韃靼은 水達達[수이다다]로 표기되기도 하였고, 大元蒙古國 때에 黑龍江下流·우수리강[烏蘇里江] 流域에서 한반도의 동북부의 沿海에 걸쳐 살고 있으면서 漁撈와 狩獵에 종사하던 聚落 또는 部族에 대한 일반적인 稱號이다.

· 『龍飛御天歌』53章, "水達達, 水居, 以捕魚爲生".

139) 世子 謜(忠宣王)의 誕日은 9월 30일이지만, 이달은 작은달[小盡]이기에 晦日인 29일에 生辰宴會가 開催되었을 것이다. 1310년(충선왕2)의 9월도 小盡이기에 29일의 誕日로 인해 罪囚들의 犯罪記錄이 再調査[慮囚]되었다.

· 『한서』 권71, 雋不疑傳第41, "每行縣錄囚徒還, 師古曰, 省錄之, 知其情狀有寃滯與不也. 今云慮囚, 本錄聲之去者耳".

戊子[20日], [小雪]. 令宮人奏樂, 笙簫歌吹之聲, 聞於外. 國人以東征故, 皆有蹙額之嗟.

己丑[21日], □[令]監察司, 檢諸司勤怠, 謂之衙時監檢, 常以冬·夏孟月, 行之.[140)]

○以外方多故, 除八關·正·至賀表.

庚寅[22日], 王獵于馬堤山.

[辛卯[23日], 月犯大微[太微]西藩上將:天文3轉載].

[壬辰[24日], □[月]與歲星, 同舍于大微[太微]. 歲星自七月至八月, 守大微[太微], 自九月至是月, 守端門:天文3轉載].

[某日, □[始]閱七品以下時散官, 能赴征者:節要·兵1五軍轉載].[141)]

[某日, 以修戰艦, 營宮室, 右倉罄竭不支, 令左倉, 量減雜權務, 封倉祿俸, 以補右倉之費, 後有右倉所入, 抵數輸還. 然左倉亦竭, 宰樞封倉, 減半前科, 雜權務, 唯粳麥各一石耳:食貨3祿俸轉載].

[某日, 也速達自慶尙道還, 言於宰相曰, "南民糴貴, 皆有菜色. 貴國多遣別監, 專尙苛暴, 枉刑重贖, 民多死者, 民卽天子之民也, 可使如此耶?". 中贊金方慶以聞, 王曰, "程驛別監李英柱常言,[142)] 朝議, 以栲掠爲不法. 又禁贖銅, 誰肯從令也速達此言, 豈指此輩耶?". 方慶對曰, "按廉使權宜, 暴斂[斂]酷刑, 請正其罪, 以紓民怨. □[右]承旨廉承益, 素與宜善, 嘗薦爲按廉□[使]. 宜, 倚勢作威, 無所顧忌". 至是, 承益, 佯若不與交親, 乃曰, "宜之凶暴若此, 始也, 誰使爲按廉□[使]乎?". 宰樞復以也速達言告于王, 乃罷宜及英柱, 仍命諸道按廉□[使], 毋得酷刑. 宜, 險佞, 每托內僚, 求使四方, 慘酷厚歛[厚斂]. 嘗爭妓, 殺晋州人鄭延, 僉議府又劾, 流之:節要轉載].[143)]

---

140) 添字는 다음의 기사에 의거하였다. 또 孟月은 四季節의 첫 번째의 月次이므로 冬·夏孟月은 각기 10월, 4월에 해당한다.

· 지29, 選擧3, 考課, "令監察司, 檢諸司勤怠, 謂之衙時, 每以冬·夏孟月, 行之".

141) 添字는 지35, 兵1, 五軍에 의거하였다.

142) 이 시기에 李英柱에 관한 기사로 다음이 있고, 應公은 上將軍應公에서 脫字가 발생한 것 같다(→열전43, 趙彝. 李樞).

· 열전36, 폐행1, 李英柱, "李英柱, 父□□□[上將軍]應公. 英柱初爲僧, 後歸俗, 娶良家女, 生一子, 爲管城縣令. 忠烈爲世子, 聞鞋工金准提之妻美, 納之, 時有身已數月, 及生女, 養於宮中如己出. 英柱弃其妻, 娶之, 時稱國壻. 及忠烈卽位, 以內園丞, 超拜郞將. 出入宮禁, 權勢日熾, 多行不義, 流毒中外, 人謂之英柱難".

143) 權宜는 前年(충렬왕5) 春夏番慶尙道按察使로 재직하였고, 秋冬番에는 崔瑞가 임명되었다. 이해의 春夏番에는 人名이 찾아지지 않으나 權宜가 다시 임명되어 秋冬番으로 계속 임명되었다가[仍番] 이때의 탄핵으로 축출되고 監察侍史 閔萱이 後任으로 임명되었던 것 같다(열전36, 嬖幸1,

[丙申[28日], 雷:五行1雷震轉載].

丁酉[29日], 征東行省遣者毛兒闞, 備粮餉軍器, 僉發士卒, 差定頭目.

戊戌[30日], 中贊金方慶復請老, [王曰, "今天子有東征之命, 我國亦當奏置元帥, 苟以無功業者請之, 帝以爲如何?". 遂:節要轉載]不允.

[→冬, 復請老, 王曰, "卿年雖老, 勳業殊異, 豈宜輕許其退. 且今天子有東征之命, 我國亦當奏置元帥. 苟以無功業者請, 帝以爲何如?". 遂不允:列傳17金方慶轉載].

是月, 元行中書省, 移牒征東軍事, 牒曰, "欽奉聖旨, 征收日本國會驗, 至元十五年[忠烈王4年], 奉到樞密院箚付, 先爲軍前, 多有逃亡事故, 歇役軍人. 奏奉聖旨差官, 與各路奧魯官吏, 一同磨勘, 其閒, 若有欺蔽隱匿, 定到奧魯官吏, 罪名罷職, 斷沒人口財產. 如此嚴切起補. 本院照得, 前項逃亡事故, 歇役軍多者, 盖爲渡江已來, 分調軍馬諸處征進, 其管軍頭目, 爲不係親管軍人, 不肯用心撫恤. 將强富者, 指作合必赤拔都兒,[144] 爲名, 常川占破, 另委頭目管領, 不當軍中差使. 親管頭目, 却無軍管, 遇有出征, 巡哨一切工役, 止令其餘軍人, 應當迤漸靠損. 或出軍時, 得到些小討虜, 又以指名, 抽分拘收, 軍中科收錢物. 軍人好馬, 軍官假借强換, 剋減軍馬粮料, 不顧軍人飢寒. 官司工役頻併, 不度軍力難易. 軍病不醫, 稍似痊愈, 便當重難差使, 勞役身死. 器甲·什物損毁, 並不預先照勘, 遇有勾當, 纔方勒軍, 借債補買. 如此情弊多端, 以致逃亡歇役, 軍前失誤調用, 奧魯內起補, 致令奧魯官吏, 因而作弊, 騷擾不安. 此係管軍官吏之過, 若不禁約, 切恐起補軍人, 發到軍前, 循習舊弊, 依前指名占破, 不肯用心存恤. ○又以臨逼逃亡, 再來奧魯內勾補,[145]

權宜 ;『慶尙道營主題名記』; 崔瑞墓誌銘). 또 당시에 慶尙道按廉使 權瑞精이 橫暴하다는 評을 받았는데(열전36, 林貞杞), 이때의 權氏는 權宜밖에 없으므로 權瑞精은 權宜의 初名일 것이다.

· 열전36, 嬖幸1, 權宜, "[承旨廉]承益薦爲慶尙道按廉使, 宜, 依勢無所顧忌. 奪晋州人鄭延愛妓, 延有勇力, 走及奔馬, 直入宜寢所, 負妓而逃. 宜繫其母, 延自詣獄, 宜殺之. 元使也速達, 因征日本往慶尙, 還謂宰相曰, '南民糴貴, 皆有菜色, 貴國多遣別監, 專尙苛暴, 枉刑重贖, 民多死者. 民卽天子之民, 可令至此耶?'. 中贊金方慶告王, 王曰, '程驛別監李英柱嘗言, 朝廷以拷掠爲不法, 又禁贖銅, 誰肯從令. 也速達之言, 豈指此輩耶'. 方慶曰, '按廉□[使]權宜, 暴斂酷刑, 請罪之, 以紓民怨'. ○內僚劉福和, 素與宜結爲兄弟, 請王傳旨曰, '宜遞期已近, 其徐之'. 承益, '佯若不與交親曰, 宜之橫暴如此也, 誰薦爲按廉□[使]'. 宰樞皆默然不對. 宰樞復以也速達言告王, 令監察侍史閔萱代宜, 郞將金義光代英柱, 命諸道按廉□[使], 毋得酷刑. 後宜拜正郞, 殺延事覺, 僉議府劾流海島, 罷晋州副使徐寧".

144) 合必赤拔都兒[카비치바투르]에서 카비치[合必赤]는 하나의 千戶에 소속된 軍事組織인 翼의 名稱이고, 拔都兒[바투르]는 勇士를 指稱한다(『欽定遼金元三史國語解』所收『元史語解』, 人名).

145) 勾補는 吏屬[司吏]의 採用을 가리키는 것 같다(藤野 彪·牧野修二 2012年 464面).

· 『원사』 권83, 지33, 선거3, 銓法下, 凡補用吏員, "… [大德]十年, 省准'司縣司吏有闕, 於巡衛司吏內

轉致損壞軍戶. 爲此聞奏, 過頒降到聖旨, 宣諭行省·行院·都元帥·各衛指揮使·招討萬戶以下大小管軍官·首領官·鎭撫人等, 交樞密院遍行條畫, 禁治. 更交提刑按察司官, 常切用心體究, 仰樞密院, 同行省·行院, 將軍官所行公事, 考校功過, 明白奏聞, 定奪賞罰. 本省參詳卽目, 相近出征, 若不預先省諭軍官·軍人, 臨期失誤, 枉負罪責, 今將元降聖旨全文, 抄錄在前, 并樞密院定到條畫, 開坐, 請照驗. 欽依所奉聖旨事意, 及照依樞密院條畫區處, 更爲行下合屬於軍人屯住去處, 常切明白開讀, 嚴功省諭施行.

一. 管軍官, 將所管軍人, 選揀親丁好漢一名, 常要數足閱習武藝, 慣熟敎練, 陣勢進退法度, 各要精銳. 不許雇名驅丁軟弱之人, 當役所據, 練定好軍, 無得私下交換. 及不得因梯已勾當, 虛作別名, 放軍還家. 若有輪定, 必合交換者, 令管摠司, 當官相驗, 堪充軍者, 方許替換. 摠司給引, 放令還家, 合替軍, 未經相視一面, 無引逃走者, 便同逃軍. 在下軍官·鎭撫, 不得一面給引替換, 侍衛親軍, 不拘此例. 如不測差官, 點覰得軍人少數, 或有雇名驅口·軟弱之人, 定湏[須]究理.

一. 大小官員人等所占, 合必赤拔都兒軍人, 屯住去處, 不合常川占破. 聖旨到日, 盡數發付本翼, 親管頭目管領, 與其餘軍人, 一處通行輪當, 係官差役. 如遇出軍, 必用合必赤拔都兒者, 至日, 驗各翼軍數, 選行摘撥, 回日, 依舊各歸本翼. 今後, 大小官員屯守去處, 並不得依前常川占破, 合必赤拔都兒靠損, 其餘軍人. 遇夜, 止於守城軍內, 輪差守宿, 委官管領, 以備勾當. 亦不得私使軍人, 工役營運, 及不得將管軍官員, 占管定司, 招收民戶等勾當, 新附軍人,[146] 但請粮者, 亦依此例. 軍官·合必赤人數, 襄陽府時,[147] 行省已有定到各設數目, 除此人數外, 不得多占.

一. 出軍時, 軍人討虜得到人口頭匹, 一切諸物, 各自爲主. 本管頭目人等, 並不指名拘收, 亦不得攞摭罪名, 逼嚇取要.

一. 軍人馬匹, 軍官不得假借換要, 及不得勾當, 差使軍人馬匹, 致有瘦弱倒死, 勒令軍人借債, 補買生受.

一. 軍前, 若有患病軍人, 隨令手高醫工, 對證用藥看理, 各翼, 選好人服侍. 仍

依次勾補. 巡衛司吏有闕, 從本處耆老上戶循衆推擧, 仍將祇應月日均以歲爲滿. 州吏有闕, 縣吏內勾補. 路吏有闕, 州吏內勾補. 若無所轄府州, 於附近州吏內勾補, 縣吏發補附近府州司吏'. …".

146) 新附軍은 蠻子軍·蠻軍으로도 표기되는데, 이들은 몽골군에 편입되어 있던 過去의 南宋軍이다(王曉欣 2009年).

147) 襄陽府(現 湖北省 襄陽市一帶)는 1267년(至元4, 咸淳3) 8월 이래 蒙古와 南宋 사이에 爭覇戰이 展開되었던 地域이다(李天鳴 1988年).

仰本翼額設，首領官不妨本職，專一司病看理．病軍將養復元，方許輪當差使，逐旋具數，開呈本翼．若較考時，驗病死軍人多寡，定奪司病官，賞罰施行．

一．軍人對陣相殺，就陣亡沒者，仰本管頭目，從實供報，保結呈復，依例給賞．本戶軍役，擬依舊例，存恤一年，若病死者，亦以存恤，半年限外，句起戶下其次人丁補役．

一．攻城野戰，但遇敵人，對陣相殺者，將委實向前出力獲功，頭目軍人，對衆推詳明白端的，從把軍官，開坐花名，獲功實跡保定．行省·行院，依例保奏，給降官賞．慢功者，亦對指證，是實取勒，無詞招伏，申上定斷，無得中間看循恩讎，虛申功過，引惹違錯．

一．每千戶，選揀信實錢糧官二員，遇有官給犒賞，委令關支對衆給散，本管頭目人等，不得中間剋減．若有差出事故軍人，仰將關到錢物，官爲知數收貯，本軍回日，給付．身故者，發付家屬，無致侵使隱匿．

一．軍馬糧料，若遇關支，亦令已委信實錢粮官，管領關支，不得剋減．如有身故軍粮，倒死馬料，食用不盡者，見在數目，却行回納．或差出軍馬糧料，收頓，候回日給付，或令次月請糧軍人就用，無致私下破費．

一．衣甲·器仗·軍需·什物，預爲點視足備，聽候不測用度．無致臨時闕少，才方督逼軍人，逐急借債補買，以致多出利息生受．

一．既軍中無擾，却有在逃軍人，仰本管軍官，隨卽申覆上司，行移所屬奧魯官司，差人前去，約會一同根捉，須要得獲元逃正身，取問是實，就軍前，照依見降聖旨，定到罪名，對衆施行．如奧魯官并坊里正·鄕司·隣佑人等，知情推調，不拿元逃正軍者，依已定罪名斷遣．若軍官，私下一面差官於奧魯內，起補逃亡事故軍者，仰奧魯官，欽依聖旨事意，開坐軍官姓名，申院以憑取問．

一．軍馬屯守去處，須管於軍管內各千戶·百戶牌字，一處屯住．摠把官員，係官廨宇居止，不得於街防，占奪新附官民宅舍，四散安下，欺壓新附民戶．

一．省諭官軍軍人，據好投拜官民，宅舍·店鋪·莊產·田地·花果·松竹·菜菌·一切林木，不得强行占奪．如此占者，歸附本主，及不得劫毀人家墳墓．

一．軍官軍人，於新附州城，不得挾勢强娶他人妻女．如和娶者，或有親屬隨從人口，或有典雇人等，不得典賣爲聘嫁．

一．管軍官員，嚴加禁治．各管軍馬屯住，并出征經過去處，除近裏地面，先有聖旨禁治外，但係新附地面，不得收放頭匹，踏踐百姓田禾，咽咬花果桑樹，及不得於百姓之家，取酒食，宰殺猪鷄鵝鴨，刀奪百姓一切諸物.

一. 省諭管官吏衆軍人等，據茶·塩·酒·稅麴一切應禁之物，無致違犯. 若有違犯者，除正犯人依條究治外，本管頭目，有失鈐束者，亦行斷罪.

一. 軍官人等，不得於軍人處，擅科取，要分文錢數頭匹一切諸物”.

○又牒曰，“欽奉聖旨條畫內，一款節，該大官員人等所占合必赤拔都兒軍人，屯守去處，不合常川占破. 聖旨到日，盡數發付本翼，親管頭目管領，與其餘軍人，一處通行，輪當係官差役. 如遇出軍，必用合必赤拔都兒軍人者，至日，驗各翼軍數，旋摘撥，回日，依舊各歸各翼. 今後，大小官員屯守去處，並不得依前常川占破，合必赤拔都兒，靠損其餘軍人. 卽目照得相近出征日期，本省，擬議到下項各翼管軍官吏額設，合必赤拔都兒軍人，自萬戶以下，管軍摠管并千戶·摠把等官員，如是，各管軍人，迭數依額差占. 若有軍數不敷，減半占用. 已後管軍官員，各不依元定額設數目，多餘占使出征軍人，如是，官司察知，或諸人首告得實，自元帥·萬戶·摠管取招，移咨省院聞奏. 定奪外，據以下千戶·摠把·百戶等官員，但有違犯，就便革任. 如首告人，有職役者，陞加名分，散軍，隨卽任用，據此須合開坐，移牒照驗，早爲行下管軍官員依上施行. 官員，都元帥一百名，左·右副元帥八十名，使萬戶五十名，副萬戶四十名. 摠管所管軍一千名額設，合必赤軍摠管二十名，副摠管一十名. 千戶所管軍五百名額設，合必赤軍千戶一十名，副千戶五名. 摠把所管軍二百名額設，合必赤軍四名. 百戶額設，合必赤軍二名. 元帥府首領官經歷一員七名，知事一員四名，令史五員各三名，譯史占三名，通事占三名，知印占三名，鎭撫占七名，架閣庫管勾占一名，鎭撫所令史二名，爲占一名，萬戶府首領官，知事占三名，令史四名，各占二名，通事占二名，譯史占二名，知印占二名，鎭撫占三名. 摠官[摠管]所首領官，止設提領案牘名分，提領案牘占三名. 令史三名，占用二名，知印占一名，彈壓占一名. 千戶首領官，知官占一名，知印彈壓占用一名，摠把令史二名，內占一名. 百戶司吏彈壓等占用一名”.

[□□□[是月頃]，元將征日本，[內僚李]之氏時爲將軍，欲避赴征，遂乞免:列傳36李之氏轉載].

十一月[己亥朔大盡,戊子]，壬寅[4日]，閱三官·五軍.[148]

[癸卯[5日]，白氣，亘天如練:五行2轉載].

---

148) 이 기사는 지35, 兵1, 五軍에도 수록되어 있다.

丙午[8日]，以摠郎金洹·將軍趙允璠女，歸阿哈馬[阿合馬].[149)]

戊申[10日]，宴塔納·哈伯那于新殿.

[→塔納·哈伯那享王于新殿:節要轉載].[150)]

己酉[11日]，遣右承旨趙仁規·大將軍印侯如元，上中書省書曰，"小國，已備兵船九百艘，梢工·水手一萬五千名，正軍一萬名，兵糧以漢石計者，十一萬，什物·機械，不可縷數，庶幾盡力，以報聖德. 予昔在朝廷，嘗以勾當行省事，聞于宸所，未蒙明降. 竊念，諸侯入相，古之道也. 遼·金兩國，册我祖先，爲開府儀同三司. 予亦猥蒙聖眷，曾拜特進·上柱國，以此，忖得諸侯而帶上國宰輔之職，古今有例，伏望善奏.

○敎，□[凡]行省凡大小軍情公事，必與我商量，然後施行.[151)] 差發使臣，以赴朝廷，亦必使與賤介同往. 今有行省文字云，右咨高麗國王. 封云，到國王開坼. 竊審，中書省行來文字，字謹紙厚，每牒云，請照驗，謹牒. 未詳行省文字，是何體例. 予忖得行省，於國王，旣無疑忌，雖咨·關·箚付，可也. 若諸駙馬處，有不得已，行移文字，當用如何体例. 昔禿輦哥國王，於我父王，未嘗直行文字，必行下達魯花赤，伏望，定奪彼此往還文字格式，回示.

○小國，連年不登，民皆乏食，所以軍糧，未曾盡意收貯. 除見在兵糧七萬七百二十七漢石外，內外公私俱竭，以此大小官員月俸，國用多般賦稅，悉皆收取，更於中外戶斂[戶斂]，粗備四萬漢石，過此，難以應副. 筭得正軍一萬名，一朔糧，凡三千漢石，若夫大軍，多至三四萬，其闊端赤，亦且不小. 又有梢工·水手，亦不下一萬五千名. 近得行省文字云，明年春首，起程前去. 若令諸路官員沓來，不待靑草，軍糧尙爲不敷，馬料將何支應.

○又聞，將以五六月，放洋前去，我國每歲五六月，霾雨不止，小有西風，海道霧暗. 倘或淹留時日，未果放洋. 其接秋口糧，載船行糧，又何能支. 唯恐軍民一時乏食，不以情實，預先申覆，後有闕誤，利害非輕，請照驗施行. 小國一千軍，鎭戍耽羅者，在昔東征時，係本國五千三百軍額，竊念小邦，地褊人稀，軍民無別節次，更添征討軍四千七百，深恐難以盡數應副. 願將前項鎭戍一千軍，以補新添征討軍額.

○小國，昔有達魯花赤時，內外人戶，合用弓箭，至於打捕戶所有，悉皆收取. 又

---

149) 阿哈馬는 元의 平章政事 阿合馬[Aqama, Ahmad]이다.

150) 이들 기사에서 宴會의 主體者가 忠烈王과 몽골 사신[元使]로 달리 표기되어 있다(盧明鎬 等編 2016년 528面).

151) 敎는 『고려사절요』 권20에는 凡으로 되어 있는데, 後者가 옳을 것이다.

於昔東征時，五千三百軍，賫去衣甲·弓箭，多有棄失，僅得收拾，頓於府庫，不堪支用．况今新僉四千六百軍，元無一物，何以防身．伏望善奏，賜以衣甲五千·弓五千·弓弦一萬，增其氣力．小國軍民，曾於珍島·耽羅·日本三處，累有戰功，未蒙官賞．伏望追錄前功，各賜牌面，以勸來効．每一千軍，摠管·千戶各一，摠把各二，花名，抄連在前．請以上將軍朴之亮·大將軍文壽·大將軍羅裕·大將軍韓希愈·趙圭·親從將軍鄭守琪·大將軍李伸·朴保·盧挺儒·安社等十人,[152] 爲摠管，大將軍趙抃·將軍安迪材·許洪材·金德至金德之·徐靖·任愷·金臣正·李延翼·朴益桓等十人爲千戶,[153] 中郞將柳甫·金天祿·李臣伯·辛奕·崔公節·呂文就·安興·李淳·金福大·車公胤·李唐公·郞將朴成進·高世和·中郞將宋仁允·郞將玉環·桂富·郞將金天固·將軍李貞·徐光純·咸益深等二十人爲摠把.[154]

○見今所抄小邦軍額，京內二千五百，慶尙道二千三百九十，全羅道一千八百八十，忠淸道一千九百，西海道一百九十，交州道一百六十，東界四百八十，摠計一萬人．兵船摠九百艘，三百艘，合用梢工·水手一萬八千．竊念小國戶口，自來凋弊，往歲東征之時，大船一百二十六艘，梢工·水手，猶爲未敷，况今三百艘，何以盡數應副．以此，至於農民，徵發丁壯，凡一萬五千人，其不敷水手三千，於何調發．有東寧府所管諸城及東京路遼陽路沿海州縣，多有梢工·水手，伏望發遣三千人補乏.

○陪臣中贊金方慶，自供職以來，凡應奉朝廷詔命，一心盡力．又於珍島·耽羅·日本等三處，隨官軍致討，累有捷功，宣授虎頭牌，奬諭答勞．今復管領正軍一萬，水手一萬五千名，往征日本，若不參領軍事，竊恐難以號令，或致違誤．方慶，年齡雖邁，壯心尙在，欲更盡力，以答天恩，伏請善奏，許參元帥府，勾當公事.[155]

○兵糧一年所收，摠計一萬六千七百三十二石，往年收貯，幷今年所收，摠計七萬七百二十七漢石．小國僉起正軍一萬，水手軍一萬五千．交中贊金方慶爲頭領管外，交密直副使朴球·密直副使金周鼎等，就立萬戶，前赴日本．予往詣朝廷時分，乞賜萬戶牌面，未蒙明降．伏望善奏．密直副使朴球·密直副使金周鼎等，亦賜虎頭牌，以勸來効．右承旨趙仁規，通曉蒙漢語，凡朝廷詔旨，上司文字，明白傳譯，無有違誤，予

---

152) 朴保는 그의 孫女인 尹琦의 妻인 朴氏의 묘지명에 의하면, 中議大夫·密直副使·版圖判書·上護軍에 이르렀다고 한다(尹琦妻朴氏墓誌銘).

153) 金德至는 충렬왕 14년 4월 13일에는 金德之로 달리 표기되어 있다.

154) 이후 李貞은 日本遠征을 謀免하기 위해 辭職하였다고 한다.
· 열전37, 李貞, "… 尋辭職, 避日本之役".

155) 이 구절은 열전17, 金方慶에도 수록되어 있다.

昔侍天廷，終始隨從．又於公主，根柢恪勤朝夕，功勞不小，亦賜牌面，以充王京脫脫禾孫兼推考官頭目”．156)

[○木稼:五行2轉載].

[→大霧，木稼:五行3轉載].

庚戌12日，中書省遣會同館使張獻·吏部主事也先海牙，以絹二萬匹來，市米，以充兵糧．

[○木稼:五行2轉載].

壬子14日，王在沙坂宮，設八關會．

[甲寅16日，歲星犯左執法:天文3轉載].

乙卯17日，僉議中贊金方慶復上書，乞退，不允．157)

[○月入輿鬼:天文3轉載].

己未21日，[冬至]．命日官，自今，勿進冬至元正曆．

庚申22日，中贊金方慶·密直副使朴球·密直副使金周鼎，閱東征軍士．158)

丙寅28日，遣中贊金方慶·左右衛精勇將軍鄭仁卿如元，賀正．159)

[是月，別立僧齋色僧法回等修補洪州餘美縣開心寺無量壽佛坐像:追加]．160)

---

156) 趙仁規에 관한 기사는 열전18, 趙仁規에도 수록되어 있으나 字句에 出入이 있다. 또 이때 中書省에 올린 書狀의 내용은 贊成事 朴恒의 智謀에서 나온 것이라고 한다. 여기에서 征東都元帥는 高麗軍都元帥로 고쳐야 옳게 될 것이다(→是年 12월 23일).

- 열전19, 朴恒, “元世祖將征日本，戰艦·軍粮·器仗，令本國一切幹辦，而遣元帥忻都·右丞洪茶丘監督．君臣拱手聽命，力不能堪．贊成事朴恒言於王，具以狀奏，帝授王左丞相·行中書省事，金方慶爲征東高麗軍都元帥，又有萬戶·千戶·百戶，俱受宣命符信，使忻都等不得自專．其東征供億之策及軍機措置，皆自恒出”．

157) 열전17, 金方慶에는 그가 致仕를 청한 것은 11월 1일에서 趙仁規가 몽골제국에 파견된 11일 이전인 것 같이 서술하였다.

158) 이 시기에 金周鼎은 忠烈王으로부터 將略을 갖추었다고 上將軍에 임명되었다고 한다.

- 「金周鼎墓誌銘」, “庚辰復扈駕還，上以有文虎之才，除上將軍，又上國宣□授昭勇大將軍·管軍萬戶，仍授金虎符並印信”．

159) 金方慶은 明年 正旦에 世祖를 謁見하고 賀禮를 드렸다.

- 『원사』 권11, 본기11, 세조8, 지원 18년 1월, “戊戌朔，高麗國王王賰遣其僉議中贊金方慶來賀，兼奉歲幣”．

160) 이는 忠淸南道 瑞山市 雲山面 新昌里에 위치한 開心寺의 木彫阿彌陀佛坐像의 腹藏 封函板에 쓰여진 墨書銘에 의거하였다(崔聖銀 2013년 271面, 鄭恩雨 等編 2017년 19面).

- 墨書銘, “至元十七年庚辰十一月」 十四日,別立僧齋色」 修補開心社堂主」 無量壽如來，法回.」 金□□合造?白手決,」 內侍·試興威衛長史宋手決,」 □□□內侍·別雜□朴手決”．

十二月[己巳朔小盡,己丑], 癸酉[5日], 以[知僉議府事]許珙△[爲]參文學事·世子保, 洪子藩△[爲]知僉議府事·世子貳師, [密直司使]韓康爲左常侍, 宋玢·李尊庇並△[爲]知密直司事·世子元賓, 朴球·金周鼎並△[爲]同知密直司事, 金伯均爲密直副使, 蔡仁平爲三司使, 朱悅爲版圖判書.

甲申[16日], 王獵于馬堤山.

[丙戌[18日], 月與歲星同舍:天文3轉載].

[戊子[20日], 全羅道風雪:追加].[161)]

辛卯[23日], [右承旨]趙仁規·[大將軍]印侯還自元, 王迎詔于城西門外, 帝册王爲開府儀同三司·中書左丞相·行中書省事, 賜印信,[162)] 又以金方慶爲中奉大夫·管領高麗軍都元帥,[163)] □[同]知密直司事朴球·[同知密直司事]金周鼎爲佋勇大將軍~~昭勇大將軍~~·左右副都統, 並賜虎頭金牌·印信, [右承旨]趙仁規爲宣武將軍·王京斷事官兼脫脫禾孫,[164)] 賜金牌·印信, [上將軍]朴之亮等十人爲武德將軍·管軍千戶, 賜金牌及印, [大將軍]趙抃等十人爲佋信校尉~~昭信校尉~~·管軍摠把, 賜銀牌及印,[165)] 金仲成等二十人爲忠顯校尉·管軍摠把.[166)]

甲午[26日], 宴于新殿.

---

161) 이는 『圓鑑國師歌頌』, 臘月念日, 大風彌日, 飛雪間之, 閉閣燕居, …에 의거하였다.

162) 이 宣命은 10월 5일(癸酉)에 내려졌다.

- 『원사』 권11, 본기11, 세조8, 至元 17년 10월, "癸酉, 加高麗國王王賰開府儀同三司·中書左丞相·行中書省事".
- 『원사』 권208, 열전95, 外夷1, 高麗, "[至元十七年]十一月, 加賰開府儀同三司·中書左丞相·行中書省事".

163) 中奉大夫는 열전17, 김방경에는 中善大夫로 되어 있으나 오자일 것이다.

164) 이때 朴球의 관직은 知密直司事가 아니라 同知密直司事이다(→是月 5일).

165) 이와 관련된 기사로 다음이 있다. 또 佋勇大將軍과 佋信校尉는 원래 昭勇大將軍(正3品)과 昭信校尉(正6品)인데, 光宗의 이름인 昭를 避하여 改書한 것이다. 『고려사』의 편찬자가 이를 인지하지 못해 환원하지 못하였던 것 같고(『고려사절요』 권20에는 옳게 되어 있다), 「金周鼎墓誌銘」에는 이 글자가 있는데, 缺畫(缺筆)하여 사용하였을 것이다.

- 『원사』 권11, 본기11, 세조8, 至元 17년 12월 辛未[3日], "高麗國王王賰領兵萬人, 水手萬五千人, 戰船九百艘, 糧一十萬石, 出征日本, 給右丞洪茶丘等戰具. 高麗國鎧甲戰襖, 諭諸道征日本兵取道高麗, 無擾其民, 以高麗中贊金方慶爲征日本都元帥, 密直副使朴球·金周鼎爲高麗國征日本軍萬戶, 並賜虎符. 癸酉[5日], 以高麗國王王賰爲中書右丞相".

166) 이때 金宏弼(1454~1504)의 9代祖 金天祿도 忠顯校尉·管軍摠把에 임명되었다고 하는데(『景賢錄』 권上, 世系), 같은 해 고려가 몽골제국에 軍官職을 요청할 때 金天祿도 포함되어 있었다(→是年 11월 11일).

[是年, 德州, 復舊地, 屬于成州, 先是, 避蒙兵, 入于安州之蘆島. 後凡五遷:轉載].[167)]

[○置諸道計點使□[添]判官·錄事, 各二人:百官2外職轉載].[168)]

[○罷各道指揮使□[添]判官·錄事:百官2外職轉載].[169)]

[○以[西材場判官]庾自偶爲權都評議使司錄事:追加].[170)]

[○以金景純爲永州副使:追加].[171)]

[○以皮亮爲東京留守府司錄:追加].[172)]

[○復置碩州判官, 以李之任爲碩州判官:追加].[173)]

[○王寫成'銀字菩薩善戒經':追加].[174)]

[增補].[175)]

---

167) 이는 다음의 기사를 전재한 것이다.
- 지12, 지리3, 德州, "忠烈王六年, 復舊地, 屬于成州".

168) 이 기사에서 添字를 추가하여야 옳게 된다. 이때 諸道의 計點使 1인, 그의 屬官인 判官과 錄事가 각기 2인이 설치된 것이 아니고, 계점사의 속관인 判官과 錄事가 각기 2인이 설치된 것이다.

169) 이 기사에서 添字를 추가하여야 옳게 된다. 이때 諸道의 指揮使의 屬官인 判官과 錄事가 폐지되었다.

170) 이는 「庾自偶墓誌銘」에 의거하였다.

171) 이는 『영천선생안』에 의거하였다.

172) 이는 『동도역세제자기』에 의거하였다.

173) 이는 『연안부지』에 의거하였다.

174) 이는 『菩薩善戒經』末尾, 題記에 의거하였다(동국대학 박물관소장, 보물 제740호, 南權熙 2002년 356面 ; 張忠植 2007년 87面).
- 題記, "至元十七年庚辰歲,高麗國」王發願寫成銀字大藏」".
- 背書, "禪師安諦」".

175) 이해(至元17)에 몽골제국에서 다음의 사실들이 있었다.
- 『원사』 권11, 본기11, 세조8, 至元 17년 2월 己丑[17日], "日本國殺國使杜世忠等, 征東元帥忻都·洪茶丘請自率兵往討, 廷議姑少緩之".
- 『원사』 권208, 열전95, 外夷1, 日本, "[至元]十七年二月, 日本殺國使杜世忠等, 征東元帥忻都·洪茶丘請自率兵往討, 廷議姑少緩之".
- 본기11, 세조8, 지원 17년 2월 辛丑[29日], "賜諸王阿八合·那木干所部及征日本行省阿剌罕·范文虎等西錦衣·銀鈔·幣帛各有差".
- 본기11, 세조8, 지원 17년 6월, "壬辰[22日], 召范文虎議征日本".
- 본기11, 세조8, 지원 17년 7월, "戊辰[22日], 詔括前願從軍者及張世傑潰軍, 使征日本. 命范文虎等招集避罪附宋蒙古·回回等軍".
- 본기11, 세조8, 지원 17년 8월 戊寅[9日], "以前所括願從軍者爲軍, 付察忽[洪茶丘]領之, 征日本".
- 본기11, 세조8, 지원 17년 10월, "甲戌[6日], 遣使括開元等路軍三千, 征日本. … 戊寅[10日], 發兵十萬, 命范文虎將之. 賜右丞洪茶丘所將征日本新附軍鈔及甲".
- 『국조문류』 권41, 雜著, 政典總序, 征伐, 日本[注, [至元]十七年十月, 立日本行省, 命阿剌罕爲右

辛巳[忠烈王]七年，元 至元十八年，[西曆1281年]

1281년 1월 22일(Gre1월 29일)에서 1282년 2월 9일(Gre2월 16일)까지，13개월 384일

春正月戊戌朔[小盡,庚寅]，元遣王通等，頒新成授時曆，乃許衡·郭守敬所撰也．詔曰，“自古，有國牧民之君，必以欽天授時，爲立理之本，黃帝·堯·舜，以至三代，莫不皆然．爲日官者，皆世守其業，隨時考驗，以與天合，故曆法無數更之弊．及秦滅先聖之術，每置閏於歲終，古法益殫廢矣．由漢而下，立積年日月法，以爲推步之準，因仍沿襲，以迄于今．夫天運流行不息，而欲以一定之法，拘之，未有久而不差之理，差而必改，其勢有不得不然者．今命太史院，作靈臺，制儀象，日測月驗，以考度數之眞，積年日法 皆所不取，庶幾脗合天運，而永終無弊．乃者，新曆告成，賜名曰授時曆，自至元十八年正月一日頒行，布告遐邇，咸使聞知”．[176)]

○[王]通等館于道日寺，晝測日影，夜察天文，求觀我國地圖．

壬寅[5日]，遣知密直司事[密直司使]韓康于忠淸·交州道，以備軍馬草料．[177)] 時慶尙道轉輪別監刻日，督飛輓甚急，民皆竄匿，高丘縣吏恐後期抵罪，自縊．

丙午[9日]，中外城隍·名山·大川，載祀典者，皆加德號．[178)]

辛亥[14日]，王如奉恩寺．

[甲寅[17日]，月與歲星同舍:天文3轉載]．

丞相，與左丞相[右丞]范文虎及忻都·[洪]茶丘等，率兵十萬人討之]．여기에서 ~~添字~~와 같이 고쳐야 옳게 될 것이다．

176) 몽골제국에서 授時曆을 頒布하는 詔書는 前年 11월 26일(甲子)에 내려졌다(『원사』 권11，본기 11，세조8，至元 17년 11월 甲子)．또 授時曆의 특징은 1年[回歸年]의 길이를 365.2425로 정하여 近世의 觀測値인 365.24219879와 비교할 때 25.92秒의 차이가 있어 1582년 이래 사용하고 있는 그레고리우스曆과 매우 비슷하다는 것이다(藪內 淸 1967年 102面)．

177) 知密直司事는 密直司使의 오류이다．韓康은 충렬왕 4년 2월 14일 知密直司事에 임명되었고，같은 해 9월 16일 지밀직사사로 재직하였고，5년 2월 29일 密直司使에 승진되었다．

178) 이 명령에 의거하여 淳昌의 城隍神에게도 9월에 功을 褒賞한 爵號[德號]가 내려졌는데，이의 내용은 다음과 같다(南豊鉉 1995년；金甲童 1997년·2017년d 261~265面；盧明鎬 2000년 405面)．

- 「至元十八年[忠烈7年]淳昌城隍大王封爵貼」，“淳昌城隍大王，」右貼乙，成上爲白臥乎事叱段，至元十八年正月初九日，左副承旨廉升[承]益口傳」王旨，松岳爲首，國內名山·大川，加封爵令是良於爲，教旨乙，付白良，貼金紫光祿大夫·三韓」功臣·門下侍□[中]·□[上]將軍，無量眷屬，貼至准，」至元十八年辛巳九月日，摠郞·朝散大夫趙手決」”．

이 懸板의 내용은 後世에 轉寫되면서 改字되었을 가능성이 있는데，“金紫光祿大夫·三韓功臣·門下侍□[中]·□[上]將軍”은 당시에 사용될 수 없는 官爵이다．

丁巳[20日], 開元路東寧府王萬戶·也先大王, 皆遣使來, 以東征事也.[179)]

庚申[23日], 地震.

乙丑[28日], 行省移牒, 備新簽軍一萬五千人粮料及大軍自岊嶺至合浦行程草料.

[某日, 慶尙道按廉使閔萱, 仍番:慶尙道營主題名記].

[是月戊戌朔, 高麗國王王賰遣其僉議中贊金方慶來賀, 兼奉歲幣:元史本紀11轉載]. [帝御大明殿受賀,[180)] 四品以上得上殿赴宴. 方慶亦與焉, 帝溫言慰籍, 命坐丞相之次, 賜珍餐, 又賜白飯魚羹曰, "高麗人好之". 仍侍宴三日:列傳17金方慶轉載].

[是月, 丞相安童, 素與本國有恩者, 時在朔方, 故不賫國贐行. 方慶以銀盂·苧布, 遺其夫人. 夫人曰, "莫是金相邪, 自丞相北去, 絶無國贐, 非公誰數婦人". 前此, 進奉使必賫國贐以行, 或有羨餘, 爲使者率私用, 方慶嘗爲進奉使, 悉還之:列傳17金方慶轉載].

[○帝命日本行省右丞相阿剌罕·右丞范文虎及忻都·洪茶丘等率十萬人, 征日本:追加].[181)]

二月[丁卯朔小盡,辛卯], 己巳[3日], 宰樞享王于壽康宮, 以賀宣命.[182)]

○盜入王宮, 竊寶玉.

[某日, 律學助敎全子公, 嘗爲安東法曹, 受賄見劾, 賂承旨廉承益, 復其任. 邑人前郎將權文卓, 疏子公贓罪, 令其婢壻鑾商, 告僉議府. 承益托王命, 囚文卓及鑾商, 殺商, 以滅口. 承益權傾一國, 臺諫若罔聞知:節要轉載].

[→[廉承益,] 拜承旨. 律學助敎全子公, 嘗爲東安法曹, 坐受賄見罷, 賂承益復職. 邑人權文卓, 蹝子公罪, 令婢壻鑾商, 告僉議府. 起居舍人李仁挺語承益, 籍[藉]王命,[183)] 囚文卓及鑾商, 竟殺商, 以滅口:列傳36廉承益轉載].

---

179) 이 시기 이후의 王萬戶와 也先[Esen] 大王은 누구인지 알 수 없으나, 前者는 永寧公 綧의 長子 阿剌忙木兒[아라 테무르]로 추측된다.

180) 大明殿은 1273년(지원10) 10월에 완공된 皇宮의 正殿이다.
· 『원사』 권8, 본기8, 세조5, 지원 10년 10월 庚申[12日], "初建正殿·寢殿·香閣, 周廡兩翼室".

181) 이는 다음의 자료에 의거하였다.
· 『원사』 권208, 열전95, 外夷1, 日本, "[至元]十八年正月, 命日本行省右丞相阿剌罕·右丞范文虎及忻都·洪茶丘等率十萬人, 征日本".

182) 이 宣命은 前年 12월 5일(癸酉) 충렬왕이 中書右丞相에 임명된 것을 가리킨 것으로 추측된다.

183) 여러 판본의 『고려사』에서 籍으로 되어 있으나 藉가 옳겠지만, 兩者는 竝用되기도 한다(東亞大學 2006년 27책 544面).

[某日, 金方慶還自元, 帝賜方慶弓矢·劍·白羽甲. 又賜弓一千·甲冑一百·絆襖二百, 令分賜東征將士:節要轉載].

[→及[金方慶]還, [帝]賜弓矢·劒·白羽甲, 又賜弓一千·甲冑一百·胖襖二百, 令分賜東征將士, 仍示東征條令:列傳17金方慶轉載].

[乙亥[9日], 鷩蟄. 白虹挾日:天文1轉載].

丁丑[11日], 鷹坊與內僚享王. 賜米百斛, 助其費.

辛巳[15日], 哈伯那如東界, 閱女眞軍.

壬午[16日], 遣將軍李仁如元, 請減軍馬草料.

癸未[17日], 下僧批二百餘人.

[○月掩左角:天文3轉載].

[某日, 改人物推考都監, 爲會問司. □[左]承旨趙仁規, 以王京斷事官兼領之:節要轉載].[184]

丙戌[20日], 造成都監災. 時請元木匠, 以修宮室, 今已三歲, 民不堪苦. 人以爲'天示災, 以警之'.[185]

[丁亥[21日], 月掩心星:天文3轉載].

庚寅[24日], [春分]. 王與公主幸世子府.

[○龍化院池魚, 死浮出, 莫知其數. 伍允孚言, '甲戌年[元宗15年], 東池有此怪, 而元宗晏駕', 請王修省. 允孚質朴, 每以灾異, 切諫不諱. 王憚之:節要·五行1魚孽轉載].

○內僚河泲稱旨, 取國贓庫金銀·細紵, 入內帑, 分賜嬖倖. 此皆朝覲盤纏, 科斂~~科斂~~者也, 怨讟交騰.

[是月辛未[5日], 高麗遣使來, '乞以王尙公主, 改宣命, 益駙馬二字'. 帝允之. 尋又言'本國必闍赤不諳行移文字, 請除郎中·員外郎各一員以爲參佐':追加].[186]

---

184) 이와 관련된 기사로 다음이 있다. 趙仁規는 是年 閏8월에 左承旨·興威衛上將軍·判司宰寺·知典理司事로 在職하고 있었다(松廣寺 2004년 ; 「修禪寺乃老[社主天英]宣傳消息」 ; 南豊鉉 1974년, 原文에는 "判司宰之典理司事"로 보이지만 右便의 劃이 脫色된 것 같다).
- 지31, 百官2, 人物推考都監, "忠烈王七年, 改人物推考都監, 爲會問司".

185) 이와 같은 기사가 지7, 五行1, 火, 火災에도 수록되어 있다.

186) 이는 다음의 자료에 의거하였다.
- 『원사』 권11, 본기11, 세조8, 지원 18년 2월 辛未[5日], "高麗王王賰以尙主, 乞改宣命益駙馬二字, 制曰加".
- 『원사』 권208, 열전95, 外夷1, 高麗, "[至元]十八年二月, 賰言本國必闍赤不諳行移文字, 請除郎

[是月，元諸將陛辭．帝敕曰，“始因彼國使來，故朝廷亦遣使往，彼遂留我使不還，故使卿輩爲此行．朕聞漢人言，取人家國，欲得百姓土地，若盡殺百姓，徒得地何用．又有一事，朕實憂之，恐卿輩不和耳．假若彼國人至，與卿輩有所議，當同心協謀，如出一口，答之”:追加].[187]

三月[丙申朔大盡,壬辰]，己亥[4日]，猪坂橋[猪板橋]大家百餘火.[188]

[庚子[5日]，以左右衛精勇將軍鄭仁卿爲龍虎軍將軍:追加].[189]

癸卯[8日]，設消災道場于壽康宮．

[甲辰[9日]，月犯軒轅大星:天文3轉載]．

[某日，承旨廉承益，請以其家一區，爲金字大藏寫經所．許之．初，承益恃寵，私役其人，構此家，懼公主見責，有是請:節要轉載]．

[→[承旨廉]承益，權傾一國，臺諫莫敢問．嘗私役其人五十，構第，畏公主譴，請獻爲大藏寫經所，許之:列傳36廉承益轉載]．

[某日，命軍簿判書朱悅，伴茢萬戶如合浦．悅勁直，奉使四方，公廉一節，見諂佞者，雖尊官必罵之．茢聞其名，不敢犯:節要轉載]．

[→遷軍簿．元征日本，遣茢萬戶如合浦，悅伴行．茢萬戶，杖接伴使柳陞，所至陵暴．聞悅名，不敢肆:列傳19朱悅轉載]．

壬子[17日]，元帥金方慶·萬戶朴球·[萬戶]金周鼎，帥師向合浦．

甲寅[19日]，元遣征東行中書省右丞忻都·茶丘來．

○時我翼祖[李行里]亦以朝命，自東北面來見王，至于再三，益恭益虔．王曰，“卿本士族，豈忘本乎？今觀卿擧止，足知心之所存矣”.[190]

中·員外各一員以爲參佐．睹又請易宣命職銜，增馹馬字，從之”．

· 『원고려기사』本文，世祖，至元，“十八年二月，睹上言，本國必闍赤，不諳行移文字，請於天朝吏員內，除郎中·員外郎各一員，爲參佐．是月，換給睹宣命職銜，增馹馬字，從所請也”．

187) 이는 다음의 자료에 의거하였다.

· 『원사』 권208, 열전95, 外夷1, 日本，“二月，諸將陛辭．帝敕曰，始因彼國使來，故朝廷亦遣使往，彼遂留我使不還，故使卿輩爲此行．朕聞漢人言，取人家國，欲得百姓土地，若盡殺百姓，徒得地何用？又有一事，朕實憂之，恐卿輩不和耳．假若彼國人至，與卿輩有所議，當同心協謀，如出一口，答之”．

188) 猪坂橋는 지7, 五行1, 火, 火災에는 猪板橋로 달리 표기되어 있다.

189) 이는 「鄭仁卿政案」에 의거하였다.

190) 李行里(李成桂의 曾祖)와 관련된 기사로 다음이 있다.

乙卯[20日]，將軍盧英還自元，帝賜駙馬國王宣命·征東行中書省印．先是，王奏曰，"臣旣尙公主，乞改宣命，益駙馬二字"，帝許之.[191]

丙辰[21日]，王與忻都·茶丘議事．王南面，忻都等東面．事大以來，王與使者，東西相對，今忻都·□□[~~茶丘~~]不敢抗禮，國人大悅.[192]

○忻都等往合浦.

戊午[23日]，皇后弘吉剌氏[~~弘吉剌氏~~]訃至.[193] 公主遣中郎將鄭公如元，請奔喪．[科歛[~~斂~~]銀·苧，又選良家女:節要轉載].

[→皇后訃音至．公主將奔喪，科歛銀苧布，又選良家處女以行:列傳2忠烈王妃齊國大長公主轉載].

[某日，分給官絹二萬匹于兩班及京外民戶，糴兵粮:兵2屯田轉載].

[甲子[29日]，以將征日本，祭纛于宮南門:禮5雜祀轉載].

是月，林千戶押歸附□[軍]一萬五千來.

[○[元帥金]方慶先到義安軍[~~義安郡~~]，閱兵仗:列傳17金方慶轉載].[194]

四月丙寅朔[小盡,癸巳]，幸合浦．右副承旨鄭可臣扈從.[195]

[庚午[5日]，敎，"士卒雖遭父母喪，過五十日，卽從軍":禮6五服制度節要轉載].

[辛未[6日]，歲星守右執法:天文3轉載].

[○雨雹:五行1雨雹轉載].

[癸酉[8日]，月入軒轅大星:天文3轉載].

[乙亥[10日]，□[月]入大微[~~太微~~]:天文3轉載].

· 『태조실록』 권1，總書，"[至元]十八年辛巳，世祖征日本，天下兵船，會于合浦．翼祖[李行里]蒙上司文字，本所人戶，簽撥軍人，與雙城摠管府三撒千戶蒙古大塔失等赴征，遂見高麗忠烈王，至于再三，益恭益虔．每謝曰，'先臣[李安社]奔于北，實脫虎狼之口耳，非敢背君父也，願上釋其罪'．王曰，'卿本士族，豈忘本乎? 今觀卿擧止，足知心之所存矣".

191) 이 기사는 이해[是年] 2월 5일의 사실이 고려 측에 傳達된 것이다. 또 盧英은 이 시기 이후에도 몽골제국에 파견되었으나 돌아오지 못하고 逝去하였다고 한다.

· 열전36，張舜龍，盧英，"[盧英,] 官至將軍．嘗以事如元，未還而死．性溫厚聰敏，頗知書，非印侯·[張]舜龍之比".

192) ~~添字~~는 『고려사절요』 권20과 지19，禮7，賓禮에 의거하였다.

193) 皇后 弘吉剌氏는 2월 29일(乙未) 崩御하였다(『원사』 권11，본기11，세조8，至元 18년 2월 乙未).

194) 義·安軍은 義·安郡의 오자일 것이다.

195) 이날 일본의 교토에서 비가 내렸다고 한다(『勘仲記』，4년 4월，"一日丙寅，雨降").

庚辰15日, 王至合浦.[196]

癸未18日, 大閱于合浦.[197]

庚寅25日, 公主如元.

[辛卯26日, 小滿. 流星出箕, 入天狗:天文3轉載].

[甲午29日晦, 流星犯天狗:天文3轉載].

五月乙未朔大盡,甲午,[198] [丁酉3日, 黑祲竟天:五行1黑眚黑祥轉載].[199]

戊戌4日, 忻都·茶丘及金方慶·朴球·金周鼎等, 以舟師征日本.[200]

---

196) 이날 일본의 교토에서 비가 내렸다고 한다(『勘仲記』, 4년 4월, "十五日庚辰, 雨降").

197) 이와 관련된 기사로 다음이 있고, 열전17, 金方慶에도 수록되어 있다. 충렬왕은 이 시기의 전후에 金海의 金剛社에 행차하였던 것 같다.

· 지35, 兵1, 五軍, "忠烈王七年四月, 大閱于合浦. 教, 士卒雖遭父母喪, 過五十日, 卽從軍". 이 기사는 다음과 같이 앞뒤의 順序를 바꾸어야 옳게 될 것이다

· 지35, 兵1, 五軍, "忠烈七年四月, [某日], 教, 士卒雖遭父母喪, 過五十日, 卽從軍. [癸未18日], 大閱于合浦"(校正).

· 『신증동국여지승람』 권32, 金海都護府, 佛宇, "金剛社, 在府北大寺里, 高麗忠烈王, 幸合浦時, 來遊于此, 有不毀樓".

· 『신증동국여지승람』 권32, 金海都護府, 祠廟, "松嶽堂, 金剛社西北二百步許小丘上有神祠, 名曰松嶽堂. 諺傳高麗元宗忠烈王承元朝之命, 遣將軍金方慶東征日本時, 留次于金剛社, 其時祀松嶽之神于此丘. 邑人因循, 祀本邑城隍神者, 必兼致祀于此". 여기에서 添字와 같이 고쳐야 옳게 될 것이다.

· 『舫山集』 권3, 遊金剛谷[注, 高麗忠烈王, 幸合浦時, 避雨金剛社之山茶樹下, 因賜號曰將軍樹].

198) 日本曆은 5월이 丙申朔이므로 乙未는 4월 30일에 해당한다.

199) 黑祲은 黑色의 運氣로서 祥瑞롭지 못한 天文現象으로 받아들여져서 戰禍의 조짐으로 理解되었다.

· 『춘추좌씨전』傳, 昭公 15년, "春, 將禘于武公, 戒百官. 大夫梓愼曰, 禘之日, 其有咎乎? 吾見赤黑之祲, 非祭祥也, 喪氛也. 其在涖事乎?". "杜預注, 祲, 妖氛也".

200) 이날 일본의 교토에서 비가 내렸다고 한다(『勘仲記』, 弘安 4년 5월, "三日戊戌, 雨降"). 또 5월에 이루어진 麗·元聯合軍은 한반도에서 출발한 東路軍과 中原의 江南에서 출발한 舊南宋軍이 포함된 江南軍은 6월 16일 이전[望前, 小盡은 15일, 大盡은 16일] 壹岐島[一岐島]에서 合流할 예정이었다. 이달에 이루어진 제2차 일본원정의 경과는 다음과 같다.

· 5월 4일(戊戌,) 忻都·洪茶丘·金方慶·朴球·金周鼎 등이 舟師를 거느리고 일본을 정벌하러 떠났다(세가29). 이때 雙城摠管府千戶 三撒·斡東千戶 李行里(李成桂의 曾祖)도 참전하였고(『太祖實錄』, 總序), 또 征東左副都元帥 劉復亨이 軍士 4萬·戰船 9百을 이끌고 참전하여 倭兵 10萬과 遭遇하여 패배시켰다고 하며, 永寧公 綧의 長子인 昭勇大將軍 阿剌怙木兒(阿剌帖木兒, Alag Termur)도 忻都[Qindu]의 휘하에서 참전했다고 한다(『원사』 권152, 열전39, 劉通, 復亨 ; 권166, 열전53, 王綧, 阿剌怙木兒).

· 21일, 東路軍이 對馬島 世界村 大明浦를 공격하고 通事 金貯를 보내어 격문으로 타일렀다. 金周鼎이 倭軍과 교전했는데 郎將 康師子 등이 전사하였다(『고려사절요』 권20, 충렬왕 7년 5월

[辛丑[7日], 黑祲, 又見于西方:五行1黑眚黑祥轉載].

[某日, 以京城饑, 民菜食無鹽, 限九月, 蠲鹽稅:節要·食貨3災免之制轉載].

戊申[14日], 以久旱, 禁載笠·持扇.

甲寅[20日], 雨.

癸亥[29日], 行省摠把報, 是月[二十一日乙卯:追加], 忻都·茶丘·金方慶, 至日本世界村大明浦,[201] 使通事金貯, 檄諭之. 金周鼎先與倭交鋒, 諸軍皆下與戰, 郞將康彦·康師子等死之. 諸軍向一岐島, [二十六日庚申:追加], 忽魯勿塔船軍一百十三人·梢水三十六人遭風, 失其所之.[202]

○遣郞將柳庇, 告于元.

[是月壬子[18日], 元免耽羅國今歲入貢白苧:追加].

[壬戌[28日], 敕耽羅國達魯花赤塔兒赤, 禁高麗全羅等處田獵擾民者:追加].[203]

[是月, 元日本行省參議裴國佐等言, "本省右丞相阿剌罕·范右丞·李左丞先與忻都·茶丘入朝. 時, 同院官議定, 領舟師至高麗金州, 與忻都·茶丘軍會, 然後入征日本. 又爲風水不便, 再議定會於一岐島. 今年三月, 有日本船爲風水漂至者, 令其水工畵地圖, 因見近太宰府西有平戶島者, 周圍皆水, 可屯軍船. 此島非其所防, 若徑往据此島, 使人乘船往一岐, 呼忻都·茶丘來會, 進討爲利". 帝曰, "此間不悉彼中事宜, 阿剌罕輩必知, 令其自處之":追加].[204]

26일條 ; 『皇代略記』).

· 22일(高麗曆 23일), 동로군이 對馬·壹岐島를 공격하였다(「弘安四年日記抄」, 6월 2일).

· 26일, 동로군이 대마도로부터 壹岐島로 향했는데, 蒙古將軍 忽魯勿塔의 船軍 113人, 梢工·水手 36人이 行方不明되었다(세가29, 충렬왕 7년 5월 29일 ; 『고려사절요』 권20, 충렬왕 7년 5월 26일).

201) 世界村 大明浦의 위치에 대한 비정은 峰町佐賀의 大明神浦, 上縣町 志多留, 嚴原町 久田, 嚴原町 頭酘 등의 여러 설이 있으나 분명하지 않다.

202) 이 기사는 일본 측의 기록과 대조해 볼 때 다음과 같은 세가29와 『고려사절요』 권20의 내용을 合成하여야 옳게 될 것이다.

· 『고려사절요』 권20, 충렬왕 7년 5월, "辛酉[27日], 忻都·茶丘·金方慶, 至日本世界村大明浦, 使通事金貯, 檄諭之. 金周鼎先與倭交鋒, 諸軍皆下與戰, 郞將康彦·康師子等, 死之. 諸軍向一岐島, 船軍一百十三人·梢工三十六人遭風, 失其所之. 遣郞將柳庇, 告于元".

· 『고려사』 권29, 세가29, 충렬왕 7년 5월, "癸亥[29日], 行省摠把報, 是月二十六日庚申, 諸軍向一岐島, 忽魯勿塔船軍一百十三人·梢水三十六人遭風, 失其所之. 遣郞將柳庇, 告于元".

203) 이상의 두 기사는 다음의 자료에 의거하였다.

· 『원사』 권11, 본기11, 세조8, 지원 18년 5월, "壬子[18日], 免耽羅國今歲入貢白苧. … 壬戌[28日], 敕耽羅國達魯花赤塔兒赤, 禁高麗全羅等處田獵擾民者".

六月[乙丑朔小盡,乙未], 壬申[8日], [元帥]金方慶等與日本戰, 斬首三百餘級.[205]

204) 이는 다음의 자료에 의거하였다.

· 『원사』 권208, 열전95, 外夷1, 日本, "[至元十八年]五月, 日本行省參議裴國佐等言, 本省右丞相阿剌罕·范右丞·李左丞先與忻都·茶丘入朝. 時, 同院官議定, 領舟師至高麗金州, 與忻都·茶丘軍會, 然後入征日本. 又爲風水不便, 再議定會於一岐島. 今年三月, 有日本船爲風水漂至者, 令其水工畵地圖, 因見近太宰府西有平戶島者, 周圍皆水, 可屯軍船. 此島非其所防, 若徑往据此島, 使人乘船往一岐, 呼忻都·茶丘來會, 進討爲利. 帝曰, 此間不悉彼中事宜, 阿剌罕輩必知, 令其自處之".

205) 6월에 이루어진 여·원연합군의 제2차 일본 원정의 경과는 다음과 같다(고려력과 일본력이 같음).

· 6월 1일(乙丑), 異國의 兵船 500艘가 대마도 앞 바다에 침입해 왔다는 大宰府의 急報[飛脚]가 京都 六波羅에 전해졌다. 이어서 긴급한 使者[飛脚]가 關東으로 출발하였다(『一代要記』; 「弘安四年日記抄」, 6월 2일).

· 4일(戊辰), 왜군이 異國船 1艘를 밤중에 격파하였다는 急報[早馬]가 교토에 도착하였다(『勘仲記』).

· 6일(庚午), 동로군이 博多彎 入口의 志賀島에 이르러 밤중부터 왜군과 교전을 시작하였다. 肥前國 唐津의 住民[住人] 草野經永이 伊予國 住民[住人] 河野通有 등과 함께 奮戰하여 새벽에 이르렀다(張百戶墓碑銘 ; 『八幡愚童訓』).

· 8일(壬申), 김방경·김주정·박구·박지량·荊萬戶 등이 博多灣의 志賀島(殘の島)·能古島(鹿の島) 지역에서 왜군과 싸워 300餘人을 斬首하였으나, 왜군이 돌진하여 몽골군[官軍] 무너져서 洪茶丘가 패주하자, 王萬戶(永寧公 綧의 長子 阿剌怗木兒로 推定됨)가 50餘人을 참수하자 왜군이 패퇴하였다(세가29). 大友貞親의 兵士 30餘騎가 바다로부터 志賀島로 공격해 들어갔다. 金方慶·張成 등이 力戰하여 倭兵 多數를 殺傷하였다(『고려사절요』 권20, 충렬왕 7년 6월 8일 ; 張百戶墓碑銘 ; 『八幡愚童訓』).

· 9일(癸酉), 동로군이 다시 왜군과 싸우다가 패배하였다. 동로군의 陣中에 疫病이 발생하여 死者가 3,000명에 이르렀다. 이후 數日間에 걸쳐 교전이 있었고, 동로군이 肥前國 鷹島(타카시마, 現 長崎縣 鷹島市, 伊萬里灣의 북쪽에 위치)로 퇴각하였다(세가29 ; 『고려사절요』 권20, 충렬왕 7년 6월 8일 ; 張百戶墓碑銘 ; 『八幡愚童訓』).

· 13일(丁丑), 동로군이 志賀島 부근에서 싸우다가 一時 壹岐島로 퇴각했는데, 이는 15일 江南軍과 壹岐島에서 合流하기로 하였기 때문이다(張百戶墓碑銘 ; 『고려사절요』 권20, 충렬왕 7년 6월 8일).

· 14일(戊寅), 異賊의 戰艦 300艘가 長門國의 浦口에 도착했다는 大宰府의 急報[飛脚]기 교토에 전달되었다(『勘仲記』; 「弘安四年日記抄」, 6월 15일).

· 15일(己卯), 동로군이 壹岐島의 海上에서 江南軍의 도착을 기다렸으나 강남군이 나타나지 않았다. 忻都·洪茶丘가 船舶이 腐蝕되고 軍糧이 다함으로 回軍을 주장하였으나 金方慶은 응답하지 않았다(『고려사절요』 권20, 충렬왕 7년 6월 8일). 江南軍의 先發隊가 對馬島에 도착하였다(『勘仲記』, 6월 24일).

· 16일(庚辰), 鎭西의 急報[早馬]가 교토에 전해져 異國船 3艘를 격파하였다고 하였다(「弘安四年日記抄」).

· 18일(壬午), 日本行省 臣僚가 使者를 大元蒙古國에 보내와 보고하기를, "大軍이 巨濟島에 駐留하다가 대마도에 이르러 島人을 노획했습니다. 이의 말에 의하면 大宰府의 서쪽 60里에 옛부터 戍軍이 있어 戰備를 갖추어 출전을 준비하고 있다고 하오니, 그의 허점을 틈타 공격하는 것이 어떨까합니다"라고 하였다. 이에 世祖는 軍事는 卿들이 스스로 적절히 처리하라고 말하였다(『원사』 권11). 이 무렵부터 강남군은 慶元(寧波)·定海 等地를 출발하여 平戶島로 향하였다.

翼日^癸酉9日^復戰, 茶丘軍敗績.

[○范文虎亦以戰艦三千五百艘, 蠻軍十餘萬來, 會値大風, 蠻軍皆溺死→8월 1일로 옮겨감].[206)]

[→壬申^8日^, 金方慶·金周鼎·朴球·朴之亮·荊萬戶等, 與日本兵力戰, 斬首三百餘級. 日本兵突進, 官軍潰, 茶丘乘馬走, 王萬戶復橫擊之, 斬五十餘級, 日本兵乃退, 茶丘僅免. 翼日~~癸酉9日~~, 復戰敗績, ~~此後~~軍中大疫, 死于兵疫者, 凡三千餘人:節要轉載].[207)]

癸未^19日^, 王次慶州, 下僧批. 僧輩以綾羅, 賂左右得職, 人謂羅禪師·綾首座. 娶妻居室者, 居半.

[□□~~是時~~, 王請大禪師見明^一然^陞座, 取佛日結社文, 題押入社. 以此湧泉寺爲最繁盛焉:追加].[208)]

[○慶尙道王旨別監蔡謨, 厚斂^斂^於民, 饋遺匱從權貴, 又以油蜜, 遺內竪梁善大, 善大不受, 執其人以徇:節要轉載].[209)]

당시 강남군은 阿塔海[Aataqai]·范文虎 등의 지휘 하에 戰艦 3,500艘, 兵力 10餘萬人으로 구성되어 있었다(세가29, 충렬왕 8년 6월 ; 『고려사절요』 권20, 충렬왕 8년 6월 8일 ; 『원사』 권208, 日本).

· 20일(甲申), 저녁 무렵에 鎭西의 急報[早馬]가 교토에 전해져 異國事를 보고하였다(「弘安四年日記抄」, 6월 21일).

· 24일(戊子), 宋朝船(江南軍의 先發隊) 300艘가 대마도에 도착한 것에 대한 大宰府의 急報[飛脚]가 六波羅에 전해졌다(『勘仲記』; 「弘安四年日記抄」).

· 27일(辛卯), 鎭西의 急報[早馬]가 교토에 도착하여 異國이 공격해 와서 전투가 있었다고 하였다(「弘安四年日記抄」).

· 29일(癸巳), 島津長久가 比志島時範·河田盛資 등과 함께 兵을 이끌고 壹岐島에 건너가 동정군을 공격하였다(「比志島文書」, 弘安 5年 2月日 比志島時範軍忠狀·4月 15日 島津長久證狀 ; 張百戶墓碑銘).

206) 여·원연합군의 일부인 范文虎가 이끈 江南軍 10餘萬이 타카시마[鷹島] 앞 바다(伊萬里灣의 북쪽에 위치)에서 颱風에 의해 큰 피해를 본 것은 8월 1일(甲子, 日本曆 閏⑦월 1일)이므로, 이 기사의 시기 정리[繫年]는 적절하지 못하다. 또 현재의 伊灣里港은 九州北部地域에서 海難을 피하기 위한 가장 좋은 港口[避泊地, harbour shelter]라고 한다(太田弘毅 2007年).

207) ~~添字~~와 같이 理解하여야 옳게 된다. 또 이와 같은 기사가 열전17, 金方慶에도 수록되어 있다.

208) 原文에는 다음과 같이 되어 있다.

· 『竹泉集』 권6, 毘瑟山湧泉寺古蹟記, "… ^普覺^ 而又扁以佛日社. 時麗王^忠烈王^幸東都, 請覺陞座, 取結社文, 題押入社. 一時寺刹之盛, 以此爲最焉".

209) 이와 같은 기사로 다음이 있다.

· 열전36, 嬖幸1, 蔡謨, "有蔡謨者, 平康人, 累遷侍御史. 忠烈因東征如合浦, 時慶尙道, 因軍旅飢饉, 民不聊生. 謨, 爲王旨別監, 厚斂於民, 饋遺匱從權貴. 又以油蜜, 遺內竪梁善大, 善大不受, 執其人以徇".

丙戌[22日]，元遣兵三百騎來，戍合浦.

[庚寅[26日]，太白入大微[~~太微~~]:天文3轉載].

[[六月下旬頃,] 忻都·茶丘等，累戰不利，且范文虎，過期不至，議回軍曰，“聖旨令江南軍與東路軍，六月望前，必會于一岐島．今南軍不及期，我軍先到大戰者，數矣，船腐糧盡，其將奈何?”．方慶默然，經十餘日，又議如初，方慶曰，“奉聖旨賫三月粮，今一月糧尙在，俟南軍來，合而攻之，必滅島夷矣”．諸將莫敢復言，旣而，[~~七月初旬,~~] 文虎以戰艦三千五百艘，蠻軍十餘萬至，□□[~~六月~~]，適値大風，蠻軍皆溺死，屍隨潮汐入浦，浦爲之塞，可踐而行:節要轉載].[210]

[是月戊寅[14日]，江南軍出發於慶源府，向一岐島，尋變進路，向肥前國平戶島:追加].[211]

[壬午[18日]，元命耽羅戍□[~~兵~~]力田自給:追加].[212]

[是月，元以阿剌罕病不能行，命阿塔海代總軍事:追加].[213]

七月[甲午朔大盡,丙申]，[乙未[2日]，太白犯右執法:天文3轉載].

[己亥[6日]，王發東京，如開京:追加].[214]

[某日，范文虎亦以戰艦三千五百艘，蠻軍十餘萬來←6월 9일에서 옮겨옴].

癸卯[10日]，郎將柳庇還自元，帝許耽羅鎭戍軍五十名出陸耕種.[215]

乙巳[12日]，公主至懿州，帝勑還國.

丁未[14日]，[立秋]．[公主]乃還.[216]

---

210) ~~添字~~와 같이 理解하여야 옳게 되고, 이와 같은 기사가 열전17, 金方慶에도 수록되어 있다.

211) 이는 이때의 여러 형편을 고려하여 筆者가 정리한 것이다.

212) 이는 다음의 자료에 의거하였다.
- 『원사』 권11, 본기11, 세조8, 지원 18년 6월, “壬午[18日]，元命耽羅戍□[~~兵~~]力田自給”.

213) 이는 다음의 자료에 의거하였다.
- 『원사』 권208, 열전95, 外夷1, 日本, “六月，阿剌罕以病不能行，命阿塔海代總軍事”.
- 『원사』 권129, 열전16, 阿剌罕, “[至元]十八年，召拜光祿大夫·中書左丞相·行中書省事，統蒙古軍四十萬，征日本，行次慶元，卒于軍中”.

214) 이는 다음의 자료에 의거하였는데 ~~添字~~가 追加되어야 바르게 解釋될 수 있을 것이다. 이는 東京의 副留守[尙書]를 知留守事로 승격시킨 조치이다. 또 이때 忠烈王은 俗離山 法住寺에 들러 世祖 쿠빌라이를 위해 焚香祝釐하였던 것 같다.
- 『東都歷世諸子記』, “□□[~~辛巳~~]，大駕入州，七月初六日上京．□□[~~此後~~]，□[~~改~~]尙書□□[~~爲~~]知留守事，判下”.
- 「俗離山法住寺之來歷」, “… 忠烈王七年辛巳，受元世祖之命，命上洛公金方慶·元元帥忽敦[忻都]·茶丘等東征日本，王行金海以餞之，及其還駕駐蹕于拜香祝釐於珊瑚殿，仍號萬歲”(寺刹史料上 127面).

215) 이는 前月 18일(壬午)에 이루어진 命令일 것이다.

216) 이와 같은 기사가 열전2, 忠烈王妃, 齊國大長公主에도 수록되어 있다.

己酉[16日], 王至自合浦.

甲寅[21日], 王與公主宴于壽康宮.

○元帥金方慶, 使中郞將朴昷奏, 諸軍至太宰府, 累戰, 交綏而退, 蠻船五十艘隨至, 復向其城. 因獻所獲甲冑·弓矢·鞍馬等物. 拜昷攝將軍.[217)]

戊午[25日], 遣知密直司事~~密直司使~~韓康如元, 賀聖節.[218)]

[某日, 慶尙道按廉使閔萱, 仍番:慶尙道營主題名記].

[增補].[219)]

八月[甲子朔[小盡,丁酉], ~~江南軍與東路軍,~~會値大風, 蠻軍皆溺死→6월 9일에서 옮겨옴].[220)]

---

217) 이때 博多灣 沿岸의 箱崎松原에서 戰死했던 高麗軍人의 무덤[塚]이 15세기까지 남겨져 있었다고 하는데, 현재의 크기[面積]로 보아 사실인지는 알 수 없다(『老松堂日本行錄』, 永樂 18년 3월, 朴加大[博多]).

218) 密直司使 韓康은 8월 27일(庚寅) 聖節을 賀禮드렸다.
- 『원사』 권11, 본기11, 세조8, 지원 18년 8월 庚寅, "高麗國王王賰遣其密直司使韓康來, 賀聖誕節".

219) 7월에 이루어진 여·원연합군의 제2차 일본 원정의 경과는 다음과 같다.
- 7월 2일(乙未), 龍造寺季時·山代榮 등의 肥前國의 병사가 少貳資時의 지휘 하에 壹岐島 瀨戶浦에서 여·원연합군과 싸웠는데 少貳資時가 전사하였다(「龍造寺文書」, 弘安 5年 9月 9日 北條時定書狀 ; 「山代文書」, 弘安 5年 9月 25日 北條時定書下 ; 張百戶墓碑銘).
- 7일(庚子), 島津長久가 比志島時範 등을 이끌고 육지로부터 타카시마(鷹島, 現 長崎縣 鷹島市)에 달려 들어가 싸웠다(「比志島文書」, 弘安 5年 2月日 比志島時範軍忠狀, 4月 15日 島津長久證狀).
- 7월 初旬, 강남군이 肥前國 平戶島에서 동로군과 조우하였다(『원사』 권208, 日本·권128, 相威·165張禧).
- 12일(乙巳), 교토에서 異國賊船이 퇴각하였다는 풍문이 있었다(弘安四年日記抄).
- 21일(甲寅), 金方慶이 中郞將 朴昷을 보내와, "諸軍이 太宰府에 이르러 여러 번 싸우다가 退軍하였는데 蠻船 50艘가 뒤따라와서 다시 그 城으로 향하였습니다"라고 보고하면서 所獲한 甲冑·弓矢·鞍馬 등을 바쳤(세가29). 같은 날 鎭西의 急報[飛脚]가 교토에 전해져 異國賊船이 다시 공격해 온 것을 고하였다(弘安四年日記抄).
- 27일(庚申) 동정군이 平戶島에서 肥前國 타카시마[鷹島]로 이동하여 다음날까지 倭軍과 싸웠다(張百戶墓碑銘).
- 28일(辛酉) 동정군이 攻擊路를 나누어 내륙으로 진격하려고 하였다(『癸辛雜識續集』).
- 30일(癸亥) 九州方面에 大暴風雨가 있었다(『鎌倉年代記』). 이날은 율리우스曆으로 1281년 8월 15일(그레고리曆 8월 22일)에 해당한다.

220) 高麗曆의 8월 甲子朔은 日本曆의 윤7월 甲子朔인데, 이날 일본의 교토에서 日食이 예측되었고(實際는 아님, 渡邊敏夫 1979年 310面), 大風雨가 있었다고 한다(中央氣象臺 1941年 1冊 44面 ; 渡邊敏夫 1979年 310面 ; 力武常次 等 2010年).
- 『勘仲記』, 弘安 4년 윤7월, "□□[二日?], … 去夜, 終夜風雨太, 今日天氣快晴. … 十四日丁丑, 自夜雨降, … 自宰府飛脚到來, 去朔日大風動, 彼賊船多漂沒云々. 誅戮幷生虜數千人, 壹岐·

丁卯4日, 王與公主, 幸慶尙道.

庚午7日, 將軍元卿, 偕也先不花, 還自元, 帝勅塔納於慶尙, 塔剌赤塔刺赤於全羅, 也先不花於忠淸, 皆爲脫脫禾孫.

壬申9日, 遣別將康世, 賫行征東中書省表如元, 賀聖節.

○王與公主, 次用安驛. 聞陰竹監務金珥政最, 特差爲都評議□□使司案牘員.

丙子13日, 次于順安縣. 慶尙道按廉使閔萱,[221] 設宴于新院.

丁丑14日, [白露]. 次甫州, 副使朴璘, 跨川作茅亭, 設宴, 左右皆譽. 移次安東府, 府使金頵, 結綵棚, 張樂以迎. 判官李檜, 惜民力, 務省浮費, 又拙於進退, 內僚皆毁之. 於是, 移檜於甫州, 璘於安東. [□時按廉閔萱□使, 苟容自衒, 專擅啓事, 以媚於王, 人謂內按廉□使:節要轉載].

己卯16日, 別將金洪柱, 自合浦, 至行宮, 告東征軍敗, 元帥等還至合浦.

壬午19日, 遣將軍李仁如元.

乙酉22日, 僉議贊成事朴恒卒,[222] [年五十五, 諡文懿:列傳19轉載]. [恒, 春州人. 初蒙兵陷州, 恒自京往視, 失父母所之, 積屍中, 得貌肖者, 輒收瘞, 凡三百餘人. 後聞母被虜在燕, 再往求, 竟不得. 恒能文章, 長於吏才, 寬厚善接人, 但臨事自用, 不恤人言. 舊例, 每當除授, 晨入暮出, 干謁塡門, 及恒掌銓注, 始留宿政房, 至除授訖, 乃出, 遂以爲常. 然其所擢, 多其恩舊, 人以此短之:節要轉載]. [子元浤, 後改光挺, 受金符, 爲副萬戶:列傳19朴恒].

[是月, 元諸將未見敵, 喪全師以還. 乃言, 至日本, 欲攻太宰府, 暴風破舟, 猶

對馬雖一艘無之, 所下居異賊多以損命, 或又被生虜, 今度事神鑒炳焉之至也, 天下之大慶何事可過之乎? □非?直也事也, 雖未代猶無止事也, 彌可尊崇神明·佛陀者歟?".

· 『一代要記』, 弘安 4년 윤7월, "一日, 官廳行幸, 依日蝕夜陰之儀也, … 甚雨大風, 自上古第三度云々. … 同九日, 宰府飛脚到來云, 去朔日大風頓吹, 而異國兵船, 悉以漂沒了. 是併神明之靈威, 非人力之所及云々".

· 『續史愚抄』5, 弘安 4년 윤7월, "一日甲子, 日蝕, 陰雲不見, 蝕御祈, 僧正道耀奉仕, … 大風雨, 古來第三度云, 不審, …".

· 『鎌倉年代記裏書』, "今年弘安四七月, 大元賊徒自宋朝·高麗數千艘船寄來, 數日漂對馬海上而後, 群集肥前國鷹島之處, 同三十日夜, 閏七月一日大風, 賊船悉漂到, 死者不知幾千萬, 但將軍范文虎歸國云〃. 大元船二千五百餘艘, 兵士十五萬人, 除水手等, 高麗船千艘云〃".

· 『武家年代記』, 弘安四年, "五月、宋船着、同壬七、一、依神風浮沒了".

221) 이때 閔萱은 前年(충렬왕6) 秋冬番[秋冬等]慶尙道按廉使에 임명되어 明年(충렬왕8) 秋冬番까지 무려 5次에 걸쳐 連任[仍番]하였다(『경상도영주제명기』).

222) 이날은 율리우스曆으로 1281년 9월 6일(그레고리曆 9월 13일)에 해당한다.

議戰, 萬厲德彪, 招討王國佐, 水手總管陸文政等不聽節, 輒逃去. 本省載餘至合浦, 散遣還鄕里. 未幾, 敗卒于閶脫歸, 言, 官軍六月入海, 七月至平壺島, 移五龍山鷹島?. 八月一日風破舟. 五日, 文虎等諸將各自擇堅好船, 乘之, 棄士卒十餘萬于山下. 衆議推張百戶者爲主帥, 號之曰張總管, 聽其約束. 方伐木作舟欲還, 七日,[223] 日本人來戰, 盡死. 餘二三萬爲其虜去. 九日, 至八角島, 盡殺蒙古·高麗·漢人, 謂新附軍爲唐人, 不殺而奴之. 閶輩是也. 蓋行省官議事不相下, 故皆棄軍歸. 久之, 莫靑與吳萬五者亦逃還, 十萬之衆得還者三人耳:追加].[224]

---

223) 이때 교토[京都]의 氣象은 1일(甲子) 밤에 계속 風雨가 심하였고[終夜風雨太], 2일(乙丑), 3일(丙寅), 7일(庚午), 8일(辛未), 11일(甲戌) 등이 맑았고, 14일(丁丑)의 밤부터 비가 내렸다고 한다(『勘仲記』, 弘安 4년 윤7월).

224) 이는 다음의 자료에 의거하였다.

· 『원사』 권208, 열전95, 外夷1, 日本, "至元十八年八月, 諸將未見敵, 喪全師以還. 乃言, 至日本, 欲攻太宰府, 暴風破舟, 猶欲議戰, 萬戶厲德彪·招討王國佐·水手總管陸文政等不聽節制, 輒逃去. 本省載餘至合浦, 散遣還鄕里. 未幾, 敗卒于閶脫歸, 言, 官軍六月入海, 七月至平壺島, 移五龍山鷹島?. 八月一日, 風破舟. 五日, 文虎等諸將各自擇堅好船, 乘之, 棄士卒十餘萬于山下. 衆議推張百戶者爲主帥, 號之曰張總管, 聽其約束. 方伐木作舟欲還, 七日, 日本人來, 戰, 盡死. 餘二三萬爲其虜去. 九日, 至八角島, 盡殺蒙古·高麗·漢人, 謂新附軍爲唐人, 不殺而奴之. 閶輩是也. 蓋行省官議事不相下, 故皆棄軍歸. 久之, 莫靑與吳萬五者亦逃還, 十萬之衆得還者三人耳".

· 『원사』 권128, 열전15, 相威, "至元十八年, 右丞范文虎·參政李庭, 以兵十萬, 航海征倭. 七晝夜至竹島, 與遼陽省臣兵合. 欲先攻太宰府, 遲疑不發. 八月朔, 颶風大作, 士卒十喪六七".

· 『원사』 권129, 열전16, 阿塔海, "至元二十年十八年, 遷征東行省丞相, 征日本, 遇風舟壞, 喪師十□之七八".

· 『원사』 권132, 열전19, 昻吉兒, "日本不庭, 帝命阿塔海等領卒十萬征之, 昻吉兒上疏, 其略曰, '臣聞兵以氣爲主, 而上下同欲者勝. 比者連事外夷, 三軍屢衄, 不可以言氣, 海內騷然, 一遇調發, 上下愁怨, 非所謂同欲也, 請罷兵息民'. 不從. 旣而師果無功".

· 『원사』 권132, 열전19, 哈剌䚟, "至元十八年, 擢輔國上將軍·都元帥, 從國兵征日本, 値颶風, 舟回. 明年二月, 還戍慶元".

· 『원사』 권133, 열전20, 也速䚟兒, "領江淮戰艦數百艘, 東征日本, 全軍而還".

· 『원사』 권154, 열전41, 洪福源, 俊奇, "至元十八年, 與右丞欣都忻都將舟師四萬, 由高麗金州合浦 以進, 時右丞范文虎等將兵十萬, 由慶元·定海等處渡海, 期至日本一岐·平戶等島, 合兵登岸, 兵未交, 秋八月, 風壞舟而還".

· 『원사』 권162, 열전49, 李庭, "至元十七年, 拜驃騎衛上將軍·中書左丞, 東征日本. 十八年, 軍次竹島, 遇風, 船盡壞, 庭抱壞船板, 漂流抵岸, 下收餘衆, 由高麗還京師, 士卒存者十□之一二".

· 『원사』 권165, 열전52, 張禧, "至元十七年, 加鎭國上將軍·都元帥, 時朝廷議征日本, 禧請行, 卽日拜行中書省平章政事. □□□十八年, 與右丞范文虎·左丞李庭同率舟師, 泛海東征. 至日本, 禧卽捨舟, 築壘平湖島平戶島, 約束戰艦, 各相去五十步止泊, 以避風濤觸擊. 八月, 颶風大作, 文虎·庭戰艦悉壞, 禧所部獨完. 文虎等議還, 禧曰, '士卒溺死者反, 其脫死者, 皆壯士也, 曷若乘其無回顧心, 因糧於敵以進戰'. 文虎等不從, 曰, '還朝問罪, 我輩當之, 公不與也'. 禧乃分船與之. 時平湖島平戶島屯兵四千, 乏舟, 禧曰, '我安忍棄之'. 遂悉棄舟中所有馬七十匹, 以濟其還.

[增補].[225]

至京師, <u>文虎</u>等皆獲罪, <u>禧</u>獨免".
- 『원사』 권166, 열전53, 王綧, "尋陸輔國上將軍·東征左副都元帥. [至元]十八年, 復征日本, 遇風濤, 遂沒于軍". 이는 永寧公 王綧의 長子 阿剌帖木兒(아라 테무르)가 戰歿한 것을 기록한 것이다.
- 『원사』 권166, 열전53, 楚鼎, "[至元]十八年, 東征日本, <u>鼎</u>率千餘人從<u>范文虎</u>渡海, 大風忽至, 舟壞, <u>鼎</u>挾破舟板漂流三晝夜, 至一山, 會<u>文虎</u>船, 因得達高麗之金州合浦海, 屯駐散兵亦漂泛來集, 遂領之以歸".
- 『癸辛雜識』續集卷下, 征日本, "<u>至大</u>[至元]十八年, 大軍征日本, 船軍已至<u>竹島</u>[鷹島?], 與其太宰府甚邇, 方號令翌日分路以入. 夜半忽大風暴作, 諸船皆擊撞而碎, 四千餘舟存二百而已. 全軍十五萬人, 歸者不能五之一, 凡棄糧五十萬石, 衣甲·機械亦稱是. 是夕之風, 木大樹圍者皆拔, 或中折, 蓋天意也".
- 「張百戶墓碑銘」, "… [七月]二十七日, 移軍至<u>打可島</u>[鷹島?], 君整艦, 與所部日以繼夜鏖戰, 至明賊舟始退. 八月朔, 海風作, 船壞, 軍還至京. …"(岩間德也 1925年 ; 『滿洲金石誌』, 『석각사료신편』 1-23 所收). 여기에서 打可島는 鷹島[たかしま]의 音譯인 것 같다.

225) 8월에 이루어진 여·원연합군의 제2차 일본 원정의 경과는 다음과 같다.
- 閏7월(高麗曆 8月) 1일(甲子), 東路軍 및 江南軍의 艦隊가 타카시마[鷹島]의 海上에서 大風雨에 의해 거의 반이 顚覆되고, 士卒 10人 중에서 6~7人이 喪失되었다(「弘安四年日記抄」, 閏7월 11일 ; 『八幡愚童訓』 ; 張百戶墓碑銘 ; 『勘仲記』, 閏7월 14일 ; 『원사』 권128, 相威). 이날 교토에서 밤이 되어 大暴風雨가 시작되었고 새벽까지 계속되었다(『勘仲記』, 閏7월 2일). 이때 강남군의 3,500艘와 蠻子軍 10餘萬人이 大風을 만나 蠻軍이 모두 溺死하였다고 한다(세가29). 또 海底에 沈沒된 艦隊의 흔적(큰 碇石을 위시한 各種 遺物)이 鷹島의 南東에 위치한 床浪地區와 南西에 위치한 神崎地區에서 1990년 초부터 調査, 引揚되고 있다(長崎縣鷹島町敎育委員會 1992年 以來).
- 이날 以前에 고려군의 右翼萬戶 金周鼎이 疾病에 걸린 軍卒을 救恤하고, 이날 물에 빠진 軍士 400餘人을 구출하였다(金周鼎墓誌銘). 이날은 율리우스曆으로 1281년 8월 16일(그레고리曆 8월 23일)에 해당한다.
- 5일(戊辰), 이날부터 7일에 걸쳐 少貳經資가 이끈 鎭西 將士들이 兵船 數百艘를 거느리고 타카시마에 들어가 소탕전을 전개하여 수많은 군사를 살육하고 2,000人을 포로로 잡았다(「比志島文書」, 弘安 5年 2月日 比志島時範軍忠狀, 4月 15日 島津長久證狀 ; 「都甲文書」, 弘安 9年 3月 申狀 ; 「弘安四年日記抄」, 閏7월 12일 ; 『원사』 권208, 日本).
- 9일(壬申), 하카다[博多]에서 동정군의 포로를 斬首하였다(『원사』 권208, 日本).
- 11일(甲戌), 이보다 먼저 鎭西의 急報[飛脚]가 교토에 도착하여 지난 1일 異國의 賊船이 大風을 만나 크게 漂沒하고 많은 배가 파손되어 海岸에 올라오게 되었다는 것을 보고하였다. 이에 의해 京都[洛中]의 上下가 크게 기뻐하였다(「弘安四年日記抄」 ; 『勘仲記』, 閏7월 14일조). 밤에 鎭西의 急報[飛脚]가 교토에 이르러 蒙古賊은 모두 멸망하고 남은 2,000餘人이 포로가 되었다는 것을 고하였다(「弘安四年日記抄」, 閏7월 12일조).
- 14일(丁丑), 廣橋勘解由小路兼仲이 지난 1일 大風에 의해 賊船이 漂沒했다는 보고를 들었다(『勘仲記』).
- 16일(己卯), 別將 金洪柱가 合浦로부터 行宮에 이르러 東征軍이 패배하여 元帥 등이 合浦에 돌아왔음을 보고하였다(세가29).
- 21일(甲申), 鎭西로 향하던 幕府의 使者 2人이 上京[上洛]하였다. 朝廷에 異國의 賊을 모두 誅伐하였다고 고하였다(「弘安四年日記抄」).

閏[八]月癸巳朔大盡,丁酉, 甲午2日 元帥金方慶等來, 謁行宮.

[辛丑9日, 熒惑入東井. 月入南斗魁:天文3轉載].

癸丑21日, 地震.

丙辰24日, 遣左司議□□大夫潘阜, 勞忻都·茶丘·范文虎.

庚申28日, 王與公主, 至自慶尙道.

是月, 忻都·茶丘·范文虎等還元. 官軍不返者, 無慮十萬有幾, [我軍不返者, 亦七千餘人:節要轉載].[226]

[增補].[227]

九月癸亥朔大盡,戊戌, [辛未9日, 月入南斗. 熒惑入東井:天文3轉載].

乙亥13日, 中郞將鄭公·郞將柳庇還自元. 帝勑曰, "王勞於軍事, 其勿來朝".

癸未21日, 中郞將鄭福均還自元. 帝陞僉議府爲從三品, 鑄印賜之.[228]

[甲申22日, 月犯軒轅:天文3轉載].

[己丑27日, □月與太白同舍:天文3轉載].

[是月癸酉11日, 元益耽羅戍兵, 仍命給戰具:追加].[229]

---

226) 11월 20일(壬午) 各道의 按廉使가 "東征한 高麗軍이 9,960명, 梢工·水手가 17,029명이었는데, 그중 生還者는 19,397명입니다(파견된 人員 26,989名 중 未歸還者은 7,592名으로 28.1%임)"라고 보고하였다. 또 제2차 일본 원정에 참여했던 高麗人으로 國學直講 金恂(金方慶의 子) 등이 찾아진다.

227) 윤9월에 있었던 여·원연합군에 관련된 사실은 다음과 같다.
- 1일(癸巳), 몽골제국이 征日本軍을 돌아오게 하고 所在官에게 糧穀을 支給하게 하였다. 이 무렵에 忻都·洪茶丘·范文虎·李庭·金方慶이 거느린 諸軍의 船舶이 風濤에 휘말려서 크게 어려움에 빠졌고 餘軍이 돌아와 고려의 境內에 이르렀으나 10人 가운데 1~2인이 돌아 왔을 정도였다(『원사』 권11·162 李庭). 이때 輔國上將軍都元帥 哈剌歹가 일본원정에 참여하였다가 颱風을 만나 船舶을 돌렸다(『원사』 권132, 열전19, 哈剌歹).

228) 몽골제국이 僉議府를 從3品의 官署로 昇格시킨 것은 閏8월 25일(丁巳)이었다. 또 世祖가 僉議府에 3品印을 下賜한 것은 지30, 百官1, 門下府에도 수록되어 있다.
- 『원사』 권11, 본기11, 세조8, 지원 18년 윤8월 丁巳, "陞高麗簽議府僉議府爲從三品".
- 『원사』 권208, 열전95, 外夷1, 高麗, "至元十八年□閏八月, 升其僉議府爲從三品".
- 『원전장』 권29, 禮部2, 禮制2, 印章, 印章品級分寸料例, 從三品, "二寸三分, 銅一三觔十二兩, 物料錢一錢二分二厘". 여기에서 一觔은 三觔으로 고쳐야 할 것이다(陳高華 2011年 1039面 ; 洪金富 2016年 964面).

229) 이는 다음의 자료에 의거하였다.
- 『원사』 권11, 본기11, 세조8, 지원 18년 9월 癸酉, "益耽羅戍兵, 仍命高麗國給戰具".

十月[癸巳朔大盡,己亥], 己亥[7日], 元勑於本國金州等處, 置鎭邊萬戶府, 以印侯爲佋勇大將軍[~~昭勇大將軍~~]·鎭邊萬戶,[230] 賜虎符及印, [將軍]張舜龍爲宣武將軍·鎭邊管軍摠管.[231]

[乙巳[13日], 太白入氐:天文3轉載].

[丁未[15日], 月與熒惑, 同舍東井:天文3轉載].

[戊申[16日], □[月]掩輿鬼:天文3轉載].

己未[27日], 發龍門倉兵粮, 給領府.[232]

十一月癸亥□[朔小盡,庚子], 下教, 每月初八·十五·二十三日及帝[世祖]本命日, 禁宰殺, 且放衙.[233]

[→及帝生年乙亥日, 禁刑戮·宰殺, 且放衙:節要轉載].

[○木稼:五行2轉載].

乙丑[3日], 元召還皇子愛牙赤.

[甲戌[12日], 月犯五車:天文3轉載].

庚辰[18日], 王與公主, 餞[皇子愛牙赤]于碧瀾渡.

壬午[20日], 各道按廉使啓, 東征軍九千九百六十名, 梢工·水手一萬七千二十九名, 其生還者一萬九千三百九十七名.

[是月己巳[7日], 帝敕軍器監給兵仗付高麗沿海等郡. 命高麗國金州等處置鎭邊萬戶府, 控制日本. 又高麗國王請完濱海城, 防日本, 不允:追加].[234]

---

230) 여기에서 『고려사절요』 권20에는 昭勇大將軍으로 되어 있다(盧明鎬 等編 2016년 531面).

231) 이 기사에서 張舜龍이 임명된 宣武將軍에서 惠宗의 이름인 武를 避하지 않은 사유를 알 수 없다. 또 이 기사와 관련된 자료로 다음이 있다.

· 열전36, 印侯, "元於金州等處, 置鎭邊萬戶府, 以侯爲昭勇大將軍鎭邊萬戶, 賜虎符及印".

· 열전36, 張舜龍, "元, 授宣武將軍鎭邊管軍摠管".

· 『원사』 권99, 지47, 병2, 鎭戍, "[至元十八年]十月, 高麗王並行省皆言, '金州·合浦·固城·全羅州等處, 沿海上下, 與日本正當要衝, 宜設立鎭邊萬戶府, 屯鎭', 從之".

232) 이 기사는 지36, 兵2, 屯田에도 수록되어 있다.

233) 癸亥에 朔이 탈락되었다. 또 本命日은 出生年·出生日 등과 干支가 같은 날을 가리킨다. 또 세조 쿠빌라이의 本命日은 出生年인 乙亥이다(→충렬왕 2년 1월 乙亥[9日], 乙亥法席). 그리고 8일, 15일, 23일은 고려시대에 행해진 每月의 休暇日[三暇日, 旬休, 旬假]이며, 禁刑日이었다고 한다(『태종실록』 권26, 13년 11월 丁亥[11日], 蔡雄錫 2009년 98面).

· 『元典章』 권28, 禮部1, 朝賀, 禮儀社直, "分州城裏官人, 每每年做聖節, 多費錢物, 百姓生受, 更兼本命日, 又科斂錢物, 百姓生受. 有如你奏說是實呵, 從命以後, 聖節·本命日, 都住罷了休做者".

· 『태종실록』 권26, 13년 11월 丁亥[11日](→선종 2년 3월 3일의 脚注).

十二月壬辰□朔大盡,辛丑，遣大將軍金子廷如元，賀正.[235]

庚戌19日，有旨曰，“寡人嘗爲世子，入朝京師，大將軍羅裕·池允輔·金應文·鄭仁卿·車得圭車得珪·金富允·將軍李之氏·黃龍·金義光·梁貯·周碩聶周碩，郎將?金位良等，有侍從之勞.[236] 昔賊臣林惟茂擁兵江都，以拒帝命，贊成事致仕宋松禮·前樞密院副使洪文系·知密直司事宋玢·大將軍金之底金之氏，奮義掃蕩，功在社稷. 其並議賞典”.[237]

[某日，以昇平府使崔碩，爲秘書郎. 昇平舊俗，每邑守替還，必贈以馬，太守八匹，倅七匹，法曹六匹，惟所擇. 及碩還，邑人以故事，持馬請擇. 碩笑曰，“馬能至京足矣，何擇爲”，至家以馬歸之，吏不受. 碩曰，“吾守汝州，吾有牝馬生駒，今帶以來，是我之貪也，汝之不受，豈非知我之貪，而以我爲貌辭耶?” 幷其駒授之. 自是，其弊遂絶，州人頌德立石，號八馬碑:節要轉載].[238]

[是月頃，遣使如元，貢細布四百匹:追加].[239]

是年，自春至冬，中外疫厲大興，死者甚衆.

[→疫，死者甚衆:五行3轉載].[240]

---

234) 이는 다음의 자료에 의거하였다.

· 『원사』 권11, 본기11, 세조8, 지원 18년 11월, “己巳7日，敕軍器監給兵仗付高麗沿海等郡，… 高麗國金州等處置鎭邊萬戶府，以控制日本. … 高麗國王請完濱海城，防日本，不允”.

· 『원사』 권208, 열전95, 外夷1, 高麗，“至元十八年十一月，金州等處置鎭邊萬戶府，以控制日本”.

235) 壬辰에 朔이 탈락되었다. 또 金子廷은 明年 正旦에 世祖를 謁見하고 賀禮를 올렸던 것 같다. 또 이때 高麗는 倭賊의 침입[倭寇]에 대비하여 蒙古軍 500人을 金州에 주둔시켜줄 것을 청하여 허락을 받았다고 한다.

· 『원사』 권12, 본기12, 세조9, 지원 19년 1월, “壬戌朔，高麗國王王賰遣其大將軍金子廷來賀”.

· 『원사』 권208, 열전95, 外夷1, 高麗，“至元十九年正月，賰以日本寇其邊海郡邑，燒居室掠子女而去，請發闍里帖木兒麾下蒙古軍五百人戍金州，又從之”.

236) 車得圭는 충렬왕 8년 5월 2일(庚申)에는 車得珪(金周鼎·李之氏列傳，『고려사절요』 권20에 같음)로 되어 있음을 보아 後者가 옳을 것이다. 또 黃龍은 中郎將 黃就와 同一人으로, 周碩은 郎將 聶周碩에서 聶이 탈락되었던 것으로 추측된다(→충렬왕 8년 5월 2일 ; 東亞大學 2010년 8책 155面).

237) 金之底는 金之氏의 오자인데, 이는 원종 11년 5월 29일을 위시한 여타의 기록에는 모두 金之氏로 되어 있음을 통해 알 수 있다. 또 『고려사절요』 권23에도 후자로 되어 있다.

238) 이 기사는 열전34, 良吏, 崔碩에도 수록되어 있다.

239) 이는 다음의 자료에 의거하였는데, 이 使臣은 12월 1일에 파견된 賀正使 金子廷, 또는 金子廷과 함께 파견된 他人으로 추측된다.

· 『원사』 권12, 본기12, 세조9, 지원 19년 1월, “丁丑16日，高麗國王貢細布四百匹”.

240) 이해의 여름에 曲阜縣(現 山東省 曲阜市)에서, 12월에 淸苑縣(現 河北省 淸苑縣)에서 각각 큰

[○以[太府少尹]蔡謨爲慶尙道勸農使:追加].[241)]

[○以[中舍郞·知制誥]崔瑞爲僉議典書·知制誥:追加].[242)]

[○以[入侍衣冠子弟]金深爲郞將:追加].[243)]

[○以金承用爲天和寺眞殿直令同正:追加].[244)]

[○元以洪萬襲職, 爲懷遠大將軍·□□[瀋陽?]按撫使·高麗軍民總管, 仍佩其父茶丘所佩虎符:追加].[245)]

[增補].[246)]

饑饉과 疫疾[大饑疫]이 있었다고 한다(龔勝生 等 2015年).

241) 이는 「蔡謨墓誌銘」에 의거하였는데, 이때 蔡謨는 收奪을 자행하였던 것 같다.
- 열전36, 嬖幸1, 蔡謨, "謨, 嘗爲慶尙道勸農使, 多斂細麻布以獻, 又賂左右權貴, 市私恩".

242) 이는 「崔瑞墓誌銘」에 의거하였다.

243) 이는 「金深墓誌銘」에 의거하였다.

244) 이는 「金承用墓誌銘」; 『尙賢錄』 권2, 榜目에 의거하였다.

245) 이는 『원사』 권154, 열전41, 洪福源, 萬에 의거하였다.

246) 이해(至元18)에 몽골제국은 일본 원정을 위한 여러 가지의 준비를 하였다.
- 『원사』 권11, 본기11, 세조8, 지원 18년 1월, "辛丑[4日], 召阿剌罕·范文虎·囊加帶同赴闕受訓諭, 以拔都[劉國傑]·張珪·李庭留後. 命忻都·洪茶丘軍陸行抵日本, 兵甲則舟運之, 所過州縣給其糧食. 用范文虎言, 益以漢軍萬人. 文虎又請馬二千給禿失忽思軍及回回砲匠. 帝曰, 戰船安用此, 皆不從".
- 본기11, 세조8, 지원 18년 1월, "壬子[15日], 高麗王王賰遣使言日本犯其邊境, 乞兵追之. 詔以戍金州隘口軍五百, 付之. … 癸亥[26日] 賞忻都等戰功, 賜征日本諸軍鈔".
- 본기11, 세조8, 지원 18년 2월, "戊辰[2日], 賜征日本善射軍及高麗火長水軍鈔四千錠". 여기에서 火長은 羅針盤을 담당하던 航海士를 指稱하지만(『夢粱錄』 권12, 江海船艦, "風雨晦冥時, 惟憑針盤而行, 乃火長掌之, 毫釐不敢差誤, 蓋一舟人名所繫也", 櫃本 涉 2009年), 唐 府兵制에서의 火長은 火備, 火具를 管掌하던 軍官을 指稱하는 것 같다(『자치통감』 권216, 唐紀32, 玄宗天寶 8載(749) 5월 癸酉).
- 본기11, 세조8, 지원 18년 2월, "乙亥[9日], 以耽羅新造船付洪茶丘出征. 詔以刑徒減死者付忻都爲軍. … 丙戌[20日], 征日本國軍啓行. 己丑[23日], 給征日本軍衣甲·弓矢·海東符".
- 본기11, 세조8, 지원 18년 3월, "丙申朔, 以中書右丞·行江東道宣慰使阿剌罕爲中書左丞相·行中書省事".
- 본기11, 세조8, 지원 18년 4월 甲午[29日], "賜征日本·河西軍等鈔".
- 본기11, 세조8, 지원 18년 6월 壬午[18日], "日本行省臣遣使來言, '大軍駐巨濟島, 至對馬島獲島人, 言太宰府西六十里, 舊有戍軍已調出戰, 宜乘虛擣之'. 詔曰, '軍事, 卿等當自權衡之'. 庚寅[26日], 以阿剌罕有疾, 詔阿塔海統率軍馬征日本. 壬辰[28日], 高麗國王王賰言, 本國置驛四十, 民畜凋弊. 敕并爲二十站, 仍給馬價八百錠".
- 본기11, 세조8, 지원 18년 8월, "庚寅[27日],, 以阿剌罕旣卒, 命阿塔海等分戍三海口".
- 본기11, 세조8, 지원 18년 8월 壬辰[30日], "詔征日本軍回, 所在官爲給糧. 忻都·洪茶丘·范文虎·李庭·金方慶諸軍, 船爲風濤所激, 大失利, 餘軍回至高麗境, 十存一二".

壬午[忠烈王]八年, 元 至元十九年, [西曆1282年]

1282년 2월 10일(Gre2월 17일)에서 1283년 1월 29일(Gre2월 5일)까지, 354일

春正月[壬戌朔[小盡,壬寅], 赤祲見于南方:五行1轉載].

[某日, 賜王旨使用別監林貞杞·慶尙道按廉□[使]閔萱等, 帶紅. 時人語曰, 如今邑宰紆朱紱, 盡是生靈血染成:節要轉載].

[→未幾, [林貞杞]爲全羅道王旨使用別監, 務苛暴聚斂, 事權貴. 欲悅衆弭謗, 令新島句當使韓允宜, 漕運豪家田租與內庫米, 並到禮成江, 凡八十餘艘. 其奸狡如此, 由是, 譽言日至, 寵幸益隆. 時慶尙道按廉□[使]閔萱, 專擅啓事以媚於王, 人謂內按廉□[使]. 王同日賜貞杞及萱帶紅, 人語曰, "如今邑宰紆朱紱, 盡是生靈血染成". 指兩人也. 以王旨使用別監, 仍爲全羅按廉□[使], 時權瑞精按慶尙, 黃守命忠淸, 崔崇西海, 鄭良佐交州, 金仁琬安集東界. 貞杞姦, 瑞精暴, 良佐愚而貪, 崇佞而恸, 仁琬浮虛少實, 守命枉直相半. 時之任用如此:列傳36林貞杞轉載].[247]

[己巳[8日], 月與熒惑, 同舍于畢:天文3轉載].

[壬申[11日], □[月]犯輿鬼:天文3轉載].

乙亥[14日], 元遣闍剌解[闍剌解]·蒙古不花□[來], 問耽羅防守軍粮·草粮歲支之數.

丁丑[16日], 王與公主如玄化寺.

[○黑祲橫亘東西:五行1黑眚黑祥轉載].

· 본기11, 세조8, 지원 18년 10월, 壬寅[10日], "賜征日本將校衣裝·幣帛·靴帽等物有差".

· 본기11, 세조8, 지원 18년 11월, 丙戌[24日], "敕征日本回軍後至者, 分戍沿海".

· 본기11, 세조8, 지원 18년 12월, "己亥[8日], 罷日本行中書省".

· 『국조문류』 권41, 經世大典, 政典, 征伐, 日本, 本文, "[至元十八年,] 阿刺罕之行, 上宣諭曰, 有一事, 朕憂之, 恐卿輩不和耳. 旣而諸帥果以輿尸取敗. 而上言, 將校不聽節制逃去. 載運士至合浦, 遣還鄉里, 及敗卒于閶者脫歸, 則言, 省臣先潰去, 棄軍五龍山[鷹島?]下, 爲日本所殲. 諸將之罪, 始暴著"[注, [至元]十八年二月, 諸將陛辭, 上若曰, 有一事, 朕憂之, 恐卿輩不和耳. 范文虎新降者也, 汝等必輕之. 八月, 諸將未見敵, 喪全師以返. 上言, 至日本, 欲攻太宰府, 暴風破舟, 猶欲議戰, 萬戶厲德彪·招討王國佐等, 不聽節制, 逃去. 本省載餘至合浦, 散遣還鄉里. 未幾, 敗卒于閶脫歸言, 官軍六月入海, 七月至平壺島[平戶島], 移五龍山. 八月一日, 風破舟. 五日, 文虎等諸將, 各自擇堅好船, 坐去, 棄士卒十餘萬于山下. 無食無主者三日, 衆議推張百戶者爲主帥, 號之曰張總管, 聽其約束. 方伐木作舟欲還, 七日, 日本人來, 戰盡死. 餘二三萬虜去. 九日, 至八角島[博多?], 盡殺蒙古·高麗·漢人, 謂新附軍爲唐人, 不殺而奴之. 閶輩是也. 蓋行省官議事不相下, 故皆棄軍歸. 久之, 閶與莫靑·吳萬五者亦逃還, 十萬之衆, 得返者此三人也].

247) 忠淸道按廉使 黃守命은 明年(충렬왕9) 무렵에 上將軍 印侯에게 거슬려 면직되었던 것 같다.

· 열전36, 印侯, "忠淸道按廉□[使]黃守命稍不廉, 然頗恤民, 侯挾憾, 譖以盜官米, 罷之".

庚辰19日, [驚蟄]. 上將軍印侯·將軍張舜龍等與鷹坊, 享王于竹坂宮.

[辛巳20日, 月犯房第二星:天文3轉載].

[某日, 慶尙道按廉使閔萱, 仍番, 僉議典書崔瑞爲東界安集使:慶尙道營主題名記].248)

是月[丙寅5日:追加], 元罷征東行中書省.249)

[丙子15日, 元以蒙古軍五百人, 戍高麗之金州. 先是, 日本國寇高麗邊海郡邑, 燒人居室, 掠人子女而去. 至是, 其國王上言, 請發闍里帖木兒麾下蒙古軍五百人, 於金州匣不合, 以備鎭戍:追加].250)

二月辛卯朔大盡,癸卯, 癸巳3日, 忽赤享王于竹坂宮. [及暮, 王御南門, 中贊金方慶醉, 騎而過, 卽命囚, 尋釋之:節要轉載].

[→王嘗御南門, 中贊金方慶醉騎而過, 仁規素與方慶, 權勢相逼, 至是, 乘機譖之, 乃囚方慶于巡馬所:列傳18趙仁規轉載].

○元遣蒙漢軍一千四百來, 戍耽羅.

乙未5日, [春分]. 王獵于西郊.

[丙申6日, 熒惑犯東井. 月與熒惑同舍:天文3轉載].

戊戌8日, 王獵于馬堤山.

[己亥9日, □自楓板橋至墨井里人家火:五行1火災轉載].

[辛丑11日, 月掩軒轅大星:天文3轉載].

甲辰14日, 燃燈. 王如奉恩寺, 除伎會.

乙巳15日, 王與公主如興王寺. 遂幸壽康宮.

[己酉19日, 月犯心大星:天文3轉載].

[辛亥21日, □月犯箕星:天文3轉載].

乙卯25日, 幸王輪寺.

[某日, 蠲征東戰亡者, 欠負官錢:節要·食貨3恩免之制·兵1五軍轉載].

---

248) 崔瑞는 그의 墓誌銘에 의거하였다.

249) 몽골제국은 1월 5일(丙寅) 征東行中書省을 革罷하였다.

· 『원사』 권12, 본기12, 세조9, 지원 19년 1월, "丙寅5日, 罷征東行中書省".

250) 이는 다음의 기사에 의거하였는데, 後半部가 탈락되었던 것 같다.

· 『원고려기사』本文, 世祖, 至元, "十九年正月十五日, 以蒙古軍五百人, 戍高麗之金州. 先是, 日本國寇高麗邊海郡邑, 燒人居室, 掠人子女而去. 至是, 其國王上言, 請發闍里帖木兒麾下蒙古軍五百人, 於金州匣不合, 以備鎭戍. 樞密院奏, 奉旨准, [脫落]".

三月辛酉朔小盡,甲辰, 以判三司事韓康·密直副使金伯均, 爲宰樞所司存. [時兩府皆顧望退托, 莫適謀事, 故置司存, 六月而替:節要轉載].[251)]

[→轉判三司事. 時, 兩府議國事, 皆顧望, 莫有主者. 始置宰樞所司存, 以康爲之:列傳20韓康轉載].

甲子4日, 醮于本闕.

[→甲子, 親醮于本闕:禮5雜祀轉載].

己巳9日, 王與公主, 親設消灾道場于新殿.

[丙子16日, 日珥:天文1轉載].

[乙酉25日, 熒惑犯輿鬼:天文3轉載].

[某日, 遣上將軍印侯, 戍合浦:節要·兵2鎭戍轉載].

[→遣上將軍·鎭邊萬戶印侯, 出鎭合浦, 全羅·慶尙之民多受其害. 有吳仲侯者宰密城, 諂事王旨別監蔡謨, 決守山縣古陂爲田. 欲以賂權貴. 侯如合浦, 仲侯盛張妓樂, 宴舟中. 侯與仲侯, 巵酒㒟頭, 仲侯戴㒟頭, 起舞, 失脚墮水死:列傳36印侯轉載].[252)]

[是月, 右司議大夫潘阜, □□□□□掌成均館試, 取詩賦朴文靖等三十八人, 十韻詩安碩等五十一人, 明經二人:選擧2國子試額轉載].

夏四月庚寅朔小盡,乙巳, [初旬], 京城泥峴佛腹藏里, 有盲兒, 其父母俱疫死, 兒獨與

---

251) 司存은 事務를 主管하는 官吏인 有司를 指稱하므로, 宰樞所司存은 宰樞會議의 有司에 해당할 것이다.

252) 다음의 자료와 같이 守山縣의 옛 제방[古陂]은 密城郡 治所의 남쪽에 위치한 守山堤를 가리키는 것 같다. 이는 三韓 이래의 尙州 恭儉池와 마찬가지로 下川邊의 低地帶에 만들어진 池塘[陂]이었기에 낮은 뚝[堤防]을 崩壞시키면[決陂], 위의 記事와 같이 곧장 水田이 될 수 있다. 그래서 고려 후기에 金方慶이 日本遠征를 위한 군량의 확보를 위해 守山堤를 축조하였다는 것은 延安府의 大池와 같은 큰 貯水池의 造營이 아니라 긴 堤防[長堤]의 정비였을 것이다(李丙燾 1959년 306面·1951년 305面). 또 守山堤는 고려후기의 어느 時点에서 屯田이 되었다가 置廢를 거듭하다가 朝鮮 初에 그 田租의 折半가 奉先寺에 施納되었던 것 같다(『성종실록』 권184, 16년 10월 乙酉8日, 金甲周 1976년).

· 『신증동국여지승람』 권26, 密陽都護府 古跡, 守山堤, "在守山縣, 周二十里. 世傳高麗金方慶築此堤, 灌田, 以備征日本軍儲. 池中有竹島, …".

· 『세종실록』 권150, 지리지, 密陽都護府, "大堤一. 在守山界, 名曰守山堤, 長七百二十八步. 今潰決不築".

· 『佔畢齋集』詩集권3, 書守山會軸, "守山, 密陽領縣也, 有澤二百餘頃, 相傳云, 高麗金方慶征倭時, 所築以灌營田. 天順七年癸未世祖9年, 戶曹獻議, 決其堤爲國農所, 歲爲江水所浸, 其收頗少. 丁亥13年春, 二相右贊成·慶尙道體察使曺錫文, 奉旨巡視, 增築其堤, 仍開閘, 堤內外, 種山竹及楊柳, 副使則刑曹參判鄭蘭宗, 從事官則訓鍊僉正權侹·戶曹正郞金順命也 …".

一白狗居. 兒執狗尾, 出于路, 人施以飯, 狗不敢先舐, 兒言渴, 狗引至井, 令飮, 復引還. 兒曰, "我失父母, 賴狗以活". 觀者憐之, 號爲義犬.

[乙未6日, 月與熒惑, 同舍輿鬼:天文3轉載].

戊戌9日, 元遣不八思·馮元吉來, 勘兵糧. 又以東征軍敗, 遣兵三百四十, 戍合浦, 六十守王京, 以備不虞.

[○東征時, 所支兵糧, 十二萬三千五百六十餘碩:節要·兵2屯田轉載].

[癸卯14日, 月犯房星:天文3轉載].

丙午17日, 遣同知密直司事朴球, 鎭合浦.

[○月犯南斗第四星:天文3轉載].

[己未某日, 流星出箕, 入天狗:天文3轉載].253)

戊申19日, 遣佐郎李行儉如元, 進黃漆.

己酉20日, 以旱, 徙市, 禁戴笠·持扇.

乙卯26日, 王與公主幸本闕, 設百座法席.

丁巳28日, 命州郡進畋犬.

五月 [己未朔大盡,丙午, 震塩州民:五行1雷震轉載].254)

庚申2日, 敎曰, "惟否德, 國步多艱, 天譴相仍, 旱灾連歲, 故宜戒愼, 修德消變. 其犯二罪以下, 悉皆原免.

□一. 加松嶽及境內名山·大川德號, 祖聖以下列祖, 加上尊號.255)

□一. 道詵國師·文昌侯崔致遠·弘儒侯薛聰並加封爵.

□一. 文武正雜, 凡有職者, 加次第同正.

□一. 己巳年元宗10年東歸, 至婆娑府, 聞變還朝, 侍從輔佐, 將軍丁伍孚·龍虎軍將軍鄭仁卿·車得珪·將軍李之氏·大府尹太府尹金應文·郎將金義光爲一等功臣,256) 大將軍羅裕·池允輔·將軍林庇·摠郎李承衍·將軍金富允·中郎將黃就·郎將聶周碩·梁貯·正郎白佐明·郎將田祐·郎將金位良爲二等功臣, 各賜田民, 其餘從臣, 依甲戌年忠烈王卽位年

---

253) 己未는 5월 1일에 해당하므로, 이 글자는 丁未(18일) 또는 己酉(20일)의 오자로 추측된다.

254) 己未에 朔이 탈락되었다.

255) 이때 덧붙여진[加上] 尊號는 『고려사』에 반영되어 있지 않다.

256) 이때의 功臣을 己巳功臣이라고 하며, 이의 一等에 尹之彪의 祖父인 尹萬庇가 포함되어 있었던 것 같다.
· 「尹之彪墓誌銘」, "… 諱萬庇, 事忠烈王, 爲己巳一等功臣".

宣旨, 子孫錄用. 別將金心伯·劉福和·殿前承旨崔仲卿, 雖皆常式七品, 隨從有功, 許通五品. 中郞將鄭承五,[257] 再從入朝, 許其子限五品.

[□ㄱ. 文武致顯^致現^三品以上, 許蔭一子, 無子者, 甥姪婿, 若過房付籍者, 許一名初職. 先代宰臣·密直, 內外孫無名者, 亦戶許一名初職. 文武職事四品, 中事·典書·侍丞·諸曹正郞以上, 勿論解官試攝, 許蔭一子, 外敍員, 用前所任朝官, 降等許蔭:選擧3蔭敍轉載].[258]

[□ㄱ. 聖祖^太祖^苗裔, 雖挾二十女一戶, 例許一名入仕. 已爲員者, 政抄別錄, 若在南班, 改東班, 勿差國仙. 在軍行者, 除軍籍, 聖祖親兄弟之孫一戶, 例許一名入仕:選擧3祖宗苗裔轉載].[259]

[□ㄱ. 開城, 聖祖之鄕, 常稅外, 他徭役, 皆蠲之" 貨3恩免之制轉載].

辛酉^3日^, 王與公主, 御涼樓, 使忽赤·鷹坊, 分朋擊毬, 勝者賞以銀甁.

壬戌^4日^, 宰樞享王于新殿.

[○月犯軒轅:天文3轉載].

丙寅^8日^, 王獵于金郊.

[○月犯心大星:天文3轉載].

甲戌^16日^, 作大屋于禁苑, 使張恭·李平養鷹. 王日必再至, 二人殺城中雞狗, 無筭.[260]

---

257) 鄭承五는 열전17, 金周鼎에는 鄭承伍로 달리 표기되어 있다(東亞大學 2008년 162面).

258) 이 기사에서 致顯은 致仕·現職[致仕·見存]을 가리키므로 致現 또는 致見으로 고쳐야 옳게 될 것이다. 또 過房은 아들이 없는 사람이 兄弟 또는 同姓親族[同宗]의 아들을 養子로 삼은 것을 가리키는데, 過繼·過嗣라고도 한다.
- 『歐陽文忠公文集』書簡권7, 答曾□^鞏^舍人書二, "父子三綱, 人道之太, 學者久廢而不講. 縉紳士大夫安於習見, 閭閻俚巷過房養子, 乞丐異姓之類, 遂欲諱其父母".

259) 이때 太祖[聖祖]의 後裔는 國仙으로 差出하지 말라고 하면서 閔頔(閔宗儒의 子, 兪千遇의 外孫)을 이에 임명하였다.
- 열전21, 閔宗儒, 頔, "國俗, 幼必從僧習句讀, 有面首者, 僧俗皆奉之, 號曰仙郞. 聚徒或至千百, 其風起自新羅. 頔十歲, 出就僧舍學, 性敏悟, 受書旋通其義. 眉宇如畵, 風儀秀雅, 見者皆愛之. 忠烈聞之, 召見宮中, 目爲國仙".
- 「閔頔墓誌銘」, "公姿質夙美, 風采動人, 結髮就學, 游道深廣, 慶陵時^忠烈王11年^及進士第".
- 『고려도경』 권21, 皀隷, 騶使, "與仙郞相類. 大抵皆未娶之人, 在貴家子弟, 則稱仙郞. 故其衣, 或紗或羅, 皆皀也. …".

260) 張恭은 李玢의 열전에는 張公으로 달리 표기되어 있는데(東亞大學 2008년 162面), 그의 居就와 유사한 인물로 金文庇가 있었다.
- 열전37, 李貞, 李玢, "李玢·張公·李平者, 亦忠烈時人. 玢, 好勇善騎射, 官至將軍. 常以養鷹遊獵爲事, 生捕鳥雀, 去其毛, 嚼以飼鷹, 或割生鷄, 留其半而飼之. 王之好獵, 皆玢導之. 及死, 如鳥翁狀者遍體. 公·平以鷹犬得幸, 王使公·平, 養鷹于宮園, 日必再至. 公·平殺民間雞狗無筭,

癸未[25日], 王與公主幸積石寺.

丁亥[29日], 遣將軍朴義等二十五人如元, 獻鷹.[261)]

[某日, 以達達人, 分屬忽赤三番, 依中朝體例, 令各番, 三宿而代. 牽龍等諸宿衛, 亦然:兵2宿衛轉載].

六月己丑□[朔小盡, 丁未], 王如奉恩寺.[262)]

○蠻軍摠把沈聰等六人, 自日本逃來言, 本明州人. 至元十八年六月十八日, 從葛剌[剌]歹萬戶上船, 至日本, 值惡風, 船敗, 衆軍十三四萬, 同栖一山, 十月初八日, 日本軍至, 我軍飢, 不能戰皆降. 日本擇留工匠及知田者, 餘皆殺之. 王遣上將軍印侯·郎將柳庇, 押聰等送于元.[263)]

[某日, 都評議使司, 榜曰, "生之本, 在於米穀, 白金雖貴, 不救飢寒. 自今, 銀瓶一事折米, 京城率十五六碩, 外方率十八九碩. 京市署視歲豊歉, 以定其價":節要·食貨2市估轉載].

乙巳[17日], 慮囚.

己酉[21日], 王以公主有疾, 幸王輪寺,

翼日[庚戌22日], 移御神孝寺.[264)]

癸丑[25日], 又放囚.

丙辰[28日], 移御參文學事許珙第.

直史館秋適嘗候乎, 聞苫裏有聲, 發視之, 生狗割一脚矣".

· 열전37, 李貞, 金文庇, "… [軍簿判書金]文庇常燎狗, 破竹刮毛而食之, 及得疾, 遍體皆癢, 使人以竹刮其身, 至死".

261) 이때 朴義는 몽골제국이 고려에 파견해 온 鷹坊人 郞哥歹[Nanggiyatai]의 勸誘로 특이한 鶻를 世祖 쿠빌라이에게 바쳤던 것 같다.

· 열전37, 朴義, "[將軍朴]義常養一鶻, 郞哥歹曰, '鶻尾羽十二者罕, 此鶻十四, 若獻帝, 必厚賞'. 義隨郞哥歹如元獻之, 及還自言, 帝有命以己爲大將軍".

262) 己丑에 朔이 탈락되었다. 또 왕이 奉恩寺에 행차하여 향불을 올리는 것이 일반적으로 6월 2일인데 비해[奉恩行香], 이해에는 6월 1일이어서 차이가 있다.

263) 이때 印侯는 元에 들어가서 船舶 150艘를 建造하여 일본원정에 협조하겠다는 忠烈王의 의사를 전달하였던 것 같다.

· 『원사』 권12, 본기12, 세조9, 至元 19년 7월 壬戌[5日], "高麗國王請自造船一百五十艘, 助征日本".

264) 開京의 廣德山(位置 不明)에 있었다는 神孝寺의 別稱은 墨寺였다고 한다.

· 『신증동국여지승람』 권4, 개성부상, 불우, "神孝寺, 在廣德山, 一號墨寺".

秋七月戊午朔小盡,戊申, 日食.265)

庚申3日, 遣散員高世如元, 請醫巫.

辛酉4日, 以公主病, 設法華道場.

甲子7日, 移御齊安侯齊安公第. 自是, 移幸諸私第·寺院, 或日再移.266)

庚午13日, 大府寺大府寺不供蝎炬蠟炬. 囚監察史郭膺·內侍別監康之元于巡馬所.267)

辛巳24日, 遣密直副使金伯鈞金伯均如元, 賀聖節.

[某日, 大司成白文節卒. 文節, 文詞富贍, 林衍廢立, 王使文節撰表, 言以病辭位, 文節閣筆, 泣諫, 王感悟. 文節常若懶拙, 及是, 大知其有志節:節要轉載].268)
[子頤正·孝珠:列傳19白文節].269)

[某日, 慶尙道按廉使閔萱, 仍番, 全羅道王旨別監林貞杞爲全羅道按廉使, 鞠成允爲忠淸道按廉使:慶尙道營主題名記].270)

是月, 以公主久病, 禁鷹坊宰牛.

[○前朝散大夫·版圖摠郎·東京副留守李德孫開板'慈悲道場懺法':追加].271)

---

265) 이날 中原에서도 일식이 있었고(『원사』 권12, 본기12, 세조9, 至元 19년 7월 戊午), 일본의 교토에서도 일식이 관측되었다. 이날은 율리우스력의 1282년 8월 5일이고, 開京에서 일식 현상이 심했던 시간은 11시 2분, 食分은 0.63이었다(渡邊敏夫 1979年 310面).
· 『勘仲記』, 弘安 5년 7월, "一日戊午, … 今日日蝕, 虧初巳七剋, 加時午二剋, 復末午六剋云々, 天快晴, 蝕正現, 御祈事了遍僧正云々, 頗無其驗歟, 不便々々".
· 『續史愚抄』6, 弘安 5년 7월, "一日戊午, 日蝕, 正見, 虧始巳七剋, 加持午二剋, 復末午六剋, 御祈權僧正了遍勤仕".

266) 齊安侯는 齊安公의 오자이다. 齊安公 淑은 1274년(충렬왕 즉위년) 9월 25일(戊戌) 이래 齊安侯보다 上位의 爵位인 齊安公으로 활약하였다.

267) 여러 판본의 『고려사』에서 蝎炬(갈거)로 되어 있으나 蠟炬(납거, 촛불)로 고쳐야 옳게 될 것이다(東亞大學 2008년 8책 480面).

268) 이와 관련된 기사로 다음이 있다.
· 열전19, 白文節, "… 文節, 文詞富贍, 下筆霈然, 爲一時所推, 不以才自負. 元宗復位如元, 林衍以其子惟幹及腹心扈行, 固要勿言廢立事. 王使文節撰表, 言以病辭位, 文節閣筆泣諫. 王感悟, 奏以實. 文節常若懶迂, 及是, 人知其有志節".

269) 白孝珠(趙仁規의 壻)는 大護軍에 이르렀다고 하는데(열전19, 白文節, 頤正), 1308년(충렬왕34) 6월 通直郎·神虎衛大護軍·知通禮門事였던 것 같다(趙仁規의 묘지명에는 朝議大夫·神虎衛大將軍·知閤門事로 되어 있으나 後代에 改書된 것이다).

270) 林貞杞는 是年 10월 某日에, 鞠成允은 9월 24일에 의거하였다.

271) 이는 다음의 자료에 의거하였다(複寫本, 南權熙 2002년 267面 ; 南權熙·남경란 2016년).
· 『慈悲道場懺法』 권10, 末尾題記, "特爲」聖壽天長,洎及先考李氏,超升淨刹,」現在偏孀,妻之父母,已家配耦,孩孾」 福壽,延洪三世,一切寃魂,解怨釋結,」 法界故殺誤傷,水陸亡靈,離苦得樂,印」施無窮者,」時至元十九年壬午七月 日 誌,」東京副留守·前朝散大夫·版圖摠郎李德孫」". 여기

八月<u>丙戌朔</u>~~丁亥朔~~大盡,己酉[272] 散員高世還自元，帝曰，“病非巫所能已，醫則前已遣<u>鍊德新</u>，何必他醫?”．惟賜藥物.

甲午8日，蠻軍五人，自日本逃來.

[○月犯箕星:天文3轉載].

乙未9日，<u>大將軍</u>~~上將軍~~印侯還自元．帝以內僚高宗秀爲巡馬千戶，仍賜金牌．王嬖宗秀，表請故也.[273]

[→高宗秀·金儒亦內僚也．宗秀，忠烈朝，以善吹笛，得幸用事，官至<u>三司左史</u>~~三司左使~~．王表請于帝，授武略將軍巡馬千戶，賜金牌:列傳36高宗秀轉載].[274]

[○月犯南斗·箕:天文3轉載].

[丁酉11日，□月又犯南斗:天文3轉載].

丙午20日，王獵于平州<u>猪灘</u>.

[戊申22日，月犯五車:天文3轉載].

[己酉23日，□月又入輿鬼·積屍:天文3轉載].

[癸丑27日，<u>寒露</u>．□月犯軒轅女御:天文3轉載].

[某日，以崔瑞爲版圖摠郎:追加].[275]

[某日，靈通寺<u>僧洪坦</u>，以私憾，告中贊致仕柳璥·上將軍韓希愈·將軍梁公勣·林庇等有異謀．王幸巡馬所鞫之，坦坐誣流海島:節要轉載].[276]

[→忠烈王八年，僧洪坦，以私憾告璥及上將軍韓希愈，將軍梁公勣·林庇等有異謀．下巡馬所鞫之，璥以老病不逮，坦坐誣流海島:列傳18柳璥轉載].

[某日，以版圖摠郎<u>崔瑞</u>爲安東大都護府副使:追加].[277]

에서 官銜은 前朝散大夫·版圖摠郎·東京副留守로 읽어야 옳게 될 것이다.

·『東都歷世諸子記』, “尙書<u>李得孫</u>李德孫, 庚辰忠烈王6年到任, 辛巳7年六月十二日上京”.

272) 八月丙戌朔은 元曆에서 7월(戊午朔, 小盡) 29일이다. 高麗曆에서도 “秋七月戊午朔日食”이므로 (세가29), 元曆과 같이 7월 29일에 해당한다. 그런데 八月丙戌朔이 성립되려면 7월은 28일로 끝이 나게 되는데, 이러한 月次는 있을 수 없다. 또 9월이 九月丁巳朔으로 되어 있는데, 이를 통해 八月丙戌朔은 元曆의 八月丁亥朔의 잘못임을 알 수 있다(日本曆은 八月戊子朔이며, 丙戌은 7월 29일에 해당한다).

273) 大將軍은 上將軍의 오자이다. 印侯는 같은 해 1월 19일, 6월 1일에 上將軍으로 在職하였다.

274) 이 시기의 高宗秀의 官職은 將軍일 것이고, 三司左使는 그의 최종관직일 것인데, ~~添字~~와 같이 고쳐야 할 것이다(東亞大學 2006년 27册 560面).

275) 이는 「崔瑞墓誌銘」에 의거하였다.

276) 이 기사의 前後에 九月이 탈락되었기에, 이 기사가 8월인지, 9월인지를 판가름할 수 없다.

九月丁巳朔大盡,庚戌, 幸王輪寺.

[壬戌6日, 月犯南斗:天文3轉載].

癸亥7日, 流星出天屛, 入天市垣宗人:天文3轉載].

甲子8日, 王與公主·世子, 幸吉祥寺, 設五百聖齋.

○郎將柳庇還自元, 帝賜王駙馬國王金印.[278)]

[○雷:五行1雷震轉載].

丙寅10日, 王與公主幸福靈寺.

戊辰12日, [霜降]. 王與公主獵于馬堤山, 幸壽康宮.

乙亥19日, 王與公主畋于忠淸道. [渡臨津, 公主怒曰, "遊畋非急務, 何爲引我至此". 王無以對:節要·列傳2忠烈王妃齊國大長公主轉載].

○以洪子翰爲耽羅防護副使.

○遣鷹坊孛魯漢等如元, 獻鷹.

○遣親從將軍鄭仁卿于遼瀋, 中郎將鄭福均于東寧府, 推刷人物.[279)]

○□命行從都監, 禁油蜜果, 又禁遠道守令來謁.[280)]

丁丑21日, 過孔岩孔巖, 次于安南. [公主, 責上將軍尹秀曰, "此地無鵝鴿, 何誘王遠來?". 又謂王曰, "惟遊畋是務, 奈國事何?". 王慚憤, 露坐於外.[281)] 將軍朴義獲一鴿, 以獻. 王大悅, 賜衣一領:節要轉載].[282)]

[某日, 人物推考別監李英柱, 告王曰, "大臣及內僚, 多置田莊, 爲逋逃淵藪, 乞徵銀布, 以充國用, 具疏姓名以進". 王大怒, 命監察侍史權宜, 將鞫之. 英柱又言, "聚逋民者, 廉承益爲首", 於是, 承益及諸嬖人, 皆怒, 衆謗紛然. 王由是, 頗不喜英柱, 遂寢其事.[283)] ○時鷹坊·怯怜口及內豎賤口, 皆受賜田, 多至數百結, 少不下三四十結. 誘民爲佃, 凡人田, 在四至中者, 幷收其租, 州縣賦稅, 不輸升合. 守令

---

277) 이는 「崔瑞墓誌銘」에 의거하였다.

278) 이 金印은 7월 16일(癸酉)에 下賜된 것이다.

· 『원사』 권12, 본기12, 세조9, 至元 19년 7월, "癸酉, 賜高麗國王王賰金印".

· 『원전장』 권29, 禮部2, 禮制2, 印章, 印章品級分寸料例, 駙馬印(→충렬왕 4년 7월 21일의 脚注).

279) 이때 鄭仁卿은 龍虎軍將軍이었기에 親從將軍으로 불렸던 것 같다.

280) 이 기사의 冒頭에 命字를 넣어야 옳게 될 것이다. 또 이와 같은 기사로 다음이 있다.

· 지39, 형법2, 禁令, "王畋于忠淸道. 行從都監, 禁油蜜果及遠道守令來謁".

281) 이 구절은 열전2, 忠烈王妃, 齊國大長公主에도 수록되어 있다.

282) 朴義에 관한 기사는 열전37, 嬖幸2, 朴義에도 수록되어 있다.

283) 以上의 句節은 열전36, 嬖幸1, 李英柱에도 수록되어 있다.

若繩以法，卽譖王抵罪，承益·上將軍尹秀·李貞·朴義·將軍元卿·高宗秀·將軍李之氐·鄭承伍·朴卿，尤甚:節要轉載].

[→李英柱括民戶，告王曰，"聚逋民者，廉承益爲首". 將鞫之，承益及諸嬖人，皆怒，衆謗紛然，事遂寢. 時鷹坊·怯怜口及內豎賤者，皆受賜田，多至數百結. 誘齊民爲佃，凡民田在旁近者，並收租，州縣賦稅無所入. 守令有繩以法者，誣譖抵罪，承益及尹秀·李貞·朴義·元卿·高宗秀·李之氐·鄭承伍·朴卿等，尤甚:列傳36廉承益轉載].

庚辰24日，忠淸道按廉□使鞠成允享王.

壬午26日，火獵，民有焚禾者，償其直. [公主謂左承旨趙仁規曰，"民之病已不可言，扈從者亦勞矣，盍歸乎?". 遂還:列傳2忠烈王妃齊國大長公主轉載].

[是月壬申16日，元敕平灤·高麗·耽羅及揚州·隆興·泉州共造大小船三千艘:追加].284)

冬十月丁亥朔大盡,辛亥，癸巳7日，王與公主，至自忠淸道.285)

甲午8日，幸將軍張舜龍家.

[某日，全羅道按廉使林貞杞，進橘二株，用十二牛，曳入禁中，柯葉皆枯:節要轉載].

[→林貞杞，進橘二株，用十二牛，曳入宮中，路遠累日而至，柯葉皆枯. 貞杞，亦知不可用，但欲媚王，獻之:列傳36林貞杞轉載].

壬寅16日，迎僧見明一然于內殿.

[○歲星·熒惑，同舍于氐:天文3轉載].

丁未21日，遣禿魯花·上將軍金忻如元.

己酉23日，設仁王道場于崇慶堂，王與公主行香.

[是月，元命洪茶丘於平灤黑塢兒監造戰船七百艘，以圖征日本:追加].286)

---

284) 이는 다음의 자료에 의거하였다. 여기에서 平灤路[平灤]는 平州(現 河北省 秦皇島市 盧龍縣)와 灤州(唐山市 灤縣)의 上級官署이고, 江西省 隆興路[隆興]는 현재의 江西省 南昌市 地域이다.
· 『원사』 권12, 본기12, 세조9, 지원 19년 9월, "壬申, 敕平灤·高麗·耽羅及揚州·隆興·泉州共造大小船三千艘".

285) 王은 延世大學本과 東亞大學本에는 主로 되어 있으나 오자이다(東亞大學 2008년 8책 481面).

286) 이는 다음의 자료에 의거하였다.
· 『원사』 권154, 열전41, 洪福源, 俊奇, "至元十九年十月, 命茶丘於平灤黑塢兒監造戰船七百艘, 以圖後擧".

十一月丁巳朔大盡,壬子，戊午2日，賜崔伯倫等及第.287)

[己巳13日，冬至. 月掩五車. 太白·房星相犯:天文3轉載].

[庚午14日，月犯鍵星:天文3轉載].

[甲戌18日，□月犯昴:天文3轉載].

庚辰24日，元遣禿渾·賀仲謙□來，修戰艦，[復征日本也:節要轉載].

丙戌30日，分遣知密直司事宋玢于慶尙，同知密直司事金伯均于全羅，密直副使禹濬冲于忠淸，判司宰□□寺事金之卿于西海，以修戰艦.

十二月丁亥朔小盡,癸丑，己丑3日，遣上將軍兪洪愼如元，賀正.288)

乙未9日，王與公主幸廣明寺，訪僧見明一然.

丙申10日，遣上將軍印侯如元.

○東征時，有峯城民，沒于倭，逃至元明州慶元路.289) 帝賜名更生，授百戶，遣還.

乙巳19日，譯者鄭之衍還自元. 帝有旨，耽羅鎭戍軍，爾國差官管領.

[丁未21日，以龍虎軍將軍鄭仁卿爲朝奉大夫·監門衛攝大將軍:追加].290)

壬子26日，慮囚.

[戊午遣將軍李英柱，巡歷州郡，察吏賢不肖以聞. 罷尙州司錄權萬紀·安東司錄任耘·珍島縣令趙得珠→9년 1월로 옮겨감].291)

[是月，遣兀剌帶如元，貢氈布·線紬等物四百段:追加].292)

---

287) 이와 관련된 기사로 다음이 있다. 이때 崔伯倫·安于器(安于器墓誌銘) 등이 급제하였다(朴龍雲 1990년 ; 許興植 2005년). 또 及第의 下賜가 2일(戊午)에 이루어졌음을 감안할 때 科擧의 實施는 10월 또는 그 이전이었을 것이다.

- 지27, 선거1, 科目1, 選場, "忠烈八年十一月十册，知密直司事李尊庇知貢擧，右副承旨郭預同知貢擧，取進士，戊午，賜崔伯倫等三十二人及第".
- 열전19, 郭預, "拜右副承旨，建議禁宰牛馬. 爲同知貢擧，辭以典法判書金㥠位在己上，請改命，人多其謙讓. 會㥠丁憂，復以預掌試，所取多知名士".
- 열전22, 崔瀣, "父伯倫，擢魁科".

288) 兪洪愼은 明年 正旦에 世祖를 알현하고 하례를 올렸다.

- 『원사』 권12, 본기12, 세조9, 지원 20년 1월, "丙辰朔，高麗國王王賰遣其大將軍兪洪愼來賀".

289) 明州(現 浙江省 寧波市)는 唐代의 名稱으로 北宋代로 이어졌으나 南宋代에 慶元府로 陞格하였고, 몽골제국 시기에는 江浙行省 慶元路로 불렸다.

290) 이는 「鄭仁卿政案」에 의거하였다.

291) 충렬왕 8년 12월의 戊午는 같은 해 11월[丁巳朔] 2일 또는 다음 해 1월(丙辰朔) 3일에 해당한다. 前者는 該當日字에 다른 기사가 있으므로 後者일 것이다. 또 戊午의 앞 기사가 壬子(26일)이므로 戊午는 충렬왕 9년 1월로 移動시켜야 할 것이다[校正事由].

[是年，改稱金寧都護府管內義安縣爲義昌縣，合浦縣爲會原縣，各陞爲縣令官，以賞元世祖東征供億之勞:地理1轉載].[293)]

[○以神虎衛上將軍趙仁規爲密直副使:追加].[294)]

[○以前國學直講金恂爲殿中侍史:追加].[295)]

[○以鄭允宜爲永州副使，韓南義爲永州判官:追加].[296)]

[○以金蘭爲碩州副使:追加].[297)]

[○貞和宮主王氏囑僧印奇航海入江浙行省，印大藏經來，奉安於江華傳燈寺:追加].[298)]

[○元征東兵無功而還，帝怒，將盡罷大小將校，召國傑爲征東行省左丞．旣至，帝語之故，國傑曰，"罪在元帥耳，倘蒙聖慈，復諸將之職，彼必人人思奮，以雪前耻矣"．帝從之，盡復其官，以屬國傑征日本:追加].[299)]

---

292) 이는 다음의 자료에 의거하였다. 이 기사의 兀剌帶(忽剌帶, 忽剌歹, Quradai)는 忠烈王妃 齊國公主의 怯怜口 출신으로 1277년(충렬왕3) 1월 印侯로 改名하였다.
- 『원사』 권12, 본기12, 세조9, 지원 20년 1월, "乙丑11日, 高麗國王王賰遣使兀剌帶貢氎布·線紬等物四百段".

293) 이와 관련된 자료로 다음이 있다.
- 『경상도지리지』, 晋州道, 金海都護府, "義安·合浦, 元宗忠烈王至元壬午, 各置監務".
- 『경상도지리지』, 晋州道, 昌原都護府, "元宗代忠烈王代, 至元壬午, 升爲義昌縣令, 以能支對行宮與東征軍士也".
- 『경상도지리지』, 晋州道, 古會原, "元宗代忠烈王代, 至元壬午, 改稱會原, 升爲縣令, 以能支對東征軍士也". 이상에서 至元壬午는 1282년(지원19, 충렬왕8)이므로 元宗은 忠烈王으로 고쳐야 옳게 될 것이다.
- 지11, 지리2, 義安郡, "忠烈王八年, 更名義昌, 陞爲縣令, 以賞元世祖東征供億之勞".
- 지11, 지리2, 合浦縣, "忠烈王八年, 更名會原, 陞爲縣令, 以賞元世祖東征供億之勞".

294) 이는 「趙仁規墓誌銘」에 의거하였다.

295) 이는 「金恂墓誌銘」에 의거하였다.

296) 이는 『영천선생안』에 의거하였다.

297) 이는 『연안부지』에 의거하였다.

298) 이는 다음의 자료에 의거하였는데, 添字와 같이 고쳐야 옳게 될 것이다. 大元蒙古國의 壓制時期의 고려인들은 江浙行省 杭州路 餘杭縣 大普寧寺의 元版大藏經을 印行하여 寺祠에 奉獻하였던 것 같다.
- 『신증동국여지승람』 권12, 江華都護府, 佛宇, "傳燈寺, 在吉祥山. 元至元十九年, 忠烈王元妃貞和宮主王氏囑僧印奇航海入宋江浙, 印大藏來, 藏寺中".

299) 이는 『원사』 권162, 열전49, 劉國傑(혹은 劉二覇都)에 의거하였다.

癸未[忠烈王]九年, 元 至元二十年, [西曆1283年]

1283년 1월 30일(Gre2월 일)에서 1284년 1월 18일(Gre1월 25일)까지, 354일

春正月丙辰朔[大盡,甲寅], 日官奏, "日當食", 停宴會.[300)]

丁巳[2日], 宴于新殿.

[戊午[3日], 遣將軍李英柱, 巡歷州郡, 察吏賢不肖以聞. 罷尙州司錄權萬紀·安東司錄任耘·珍島縣令趙得珠←8년 12월에서 옮겨옴].

庚申[5日], 世子設宴.

[某日[己未7日?], 賜武士屬散者六十餘人今年俸, 政房欲釋怨止謗, 故有是命:節要·食貨3祿俸轉載].

癸亥[8日], 元遣伯剌介[~~伯剌介~~]來, 求耽羅香樟木.

壬申[17日], 宴于新殿, 王不豫.

癸酉[18日], 設消災道場于本闕.

甲戌[19日], 宰樞以王疾, 設法會于廣明寺.

乙亥[20日], 遣郎將仇千壽如元, 覘東征緩急, 至平灣州[~~平灤州~~], 見修戰艦, 乃還.[301)]

丙子[21日], 移御中贊金方慶第.

[某日, 以宋惜[宋愔?]爲慶尙道按廉使:慶尙道營主題名記].[302)]

二月[丙戌朔小盡,乙卯], 甲午[9日], 幸壽康宮, 宰樞享王.

[某日, 監察司牓曰, "朝士諂媚權貴, 非族長而拜于下, 自後拜與受者, 皆當罰之". 又禁扈從群臣, 相顧言笑及以朝服徒行. 庶人乘馬, 見大官不下者, 取其馬, 送典牧司:節要轉載].

[→監察司張榜曰, "兩班諂媚權貴, 非族長而皆拜于下, 自後拜與受者, 皆罪之".

---

300) 『원사』에서는 이날의 일식에 대한 언급이 없고, 충렬왕이 大將軍 兪洪愼을 보내와 賀禮를 드렸다고 한 점을 보아 일식이 없었던 것 같다(권12, 본기12, 세조9, 지원 20년 1월 丙辰). 또 일본의 京都에서도 일식에 대한 기록이 없는데, 이날(율리우스력의 1283년 1월 30일)의 일식은 북동아시아 3國이 中心食帶에서 벗어나 있었기에 관측될 수 없었다고 한다(渡邊敏夫 1979年 310面).

301) 平灣州는 中書省 管轄下[直隸]의 平·灤州, 곧 平州(現 河北省 灤州市 管內의 平州市, 唐山市 隣近)와 灤州(現 河北省 灤州市)의 오자일 것이다(→충렬왕 8년 9월 16일). 『고려사절요』 권20에는 옳게 되어 있다(盧明鎬 等編 2016년 533面).

302) 宋惜(송석)은 宋愔(송음)의 오자로 추측된다.

又禁扈從群臣，相顧笑語及以朝服徒行．庶人乘馬，見大官不下者，取其馬，送典牧司:刑法2禁令轉載].[303]

[某日，[上將軍]尹秀·李貞·[將軍]元卿·朴義等勸王，又獵于忠淸道．世子年九歲，忽泣下，乳母請其故，答曰，“今玆百姓困窮，又當東作之時，父王何爲遠獵”．王聞之曰，“小兒怪哉，獵期已定，不能聽”．未幾，公主得疾不果行．朴義在側，世子顧謂曰，“每以鷹犬，從臾吾君者，此老狗也”．義慚靦而退:節要轉載].[304]

庚子[15日]，[春分]．賜三番忽赤畿縣田，號放牧所．

丁未[22日]，王放鷹于昇天府．

戊申[23日]，元遣東干·李良茂,[305] 送楮繈三千錠，爲修□[戰]艦費．[本國人庾賙，言於帝曰，“以蠻夷攻蠻夷，中國之勢也．請令高麗·蠻子征日本，勿遣蒙古軍，又令高麗備兵糧二十萬碩”． 帝許之． 禿魯花·[上將軍]金忻等謂賙曰， 汝非黔弼·資諒之孫耶，而欲壞國家如此”．賙曰，汝國王如泥塑佛耳，[上將軍]尹秀·李貞·[將軍]元卿·朴義·梁善大等，剝民所取，亦足以備軍糧，我欲去左右姦臣，復正三韓也:節要轉載].[306]

[某日，命各道，祿轉，未輸京者，悉充軍粮:節要·兵2屯田轉載].

[某日，王用[上將軍]尹秀之言，將令儒士充軍，右承旨鄭可臣曰，“先王用人，文武隨其材，比之於身，如左右手，故上國之法，儒戶不與軍事．今殿下親試儒生，登庸賢俊，可謂千載一時也，而欲使褒博之徒，被堅執銳，遠從征伐，恐虧盛德”．王然之:節要轉載].[307]

三月乙卯朔[大盡,丙辰]，中郎將柳庇還自元言，帝徵江南軍，將以八月，東征日本．

丁巳[3日]，遣大將軍[監門衛攝大將軍]鄭仁卿·別將鄭良，如遼陽·北京，推刷流民．

戊午[4日]，流民至谷州·遂安縣者，移處新恩縣，命加存恤．

己未[5日]，中郎將趙瑊等還自元，帝賜鋪馬箚子五道．

庚申[6日]，也先大王遣使來，獻海東靑．

辛酉[7日]，市馬于懿州．

---

303) 이 기사의 冒頭에 “[忠烈]九年正月”로 되어 있으나 正月은 二月의 오류일 것이다(東亞大學 2012년 19책 648面).

304) 世子(忠宣王)의 건의는 열전37, 朴義에도 수록되어 있다.

305) 東干은 人名 또는 官職名인지를 辨別할 수 없다. 또 ~~添字~~는 『고려사절요』 권20에 의거하였다.

306) 이와 같은 기사가 열전17, 金方慶, 忻에도 수록되어 있다.

307) 이 기사는 열전18, 鄭可臣에 축약되어 있다.

壬戌8日, [重房調東征軍, 往往有撤屋而逃, 重房請奪田以與從軍者, 四隣不告, 徵白金一斤, 舍匿者二斤. 又:節要轉載]遣部夫使于諸道.

[→重房調散職·學生·白丁, 充東征軍, 往往有徹屋而逃. 重房請, 奪田丁, 以與從軍者, 四隣不告, 徵白金一斤, 舍匿者二斤. 上將軍尹秀揚言, 諸生應擧不中者, 皆補東征軍. 諸生畏懼不出. 都評議司榜曰, 敢捕諸生補軍伍者, 其領府都將尉, 必重罰之:兵1五軍轉載].

○月犯輿鬼:天文3轉載].

癸亥9日, 遣中郞將池瑄如元.

甲子10日, 親醮三界于本闕.308)

[○歲星犯房:天文3轉載].

[某日, 令諸王·百官及工商·奴隷·僧徒, 出軍糧有差. 諸王·宰樞·僕射·承旨, 米二十石, 致仕宰樞·顯官三品, 十五石, 致仕三品·顯官文武四五品, 十石, 文武六品·侍衛護軍, 八石, 文武七八品·參上解官, 六石, 東班九品·參外副使·校尉, 南班九品, 四石, 正雜權務·隊正, 三石, 東西散職·業中僧, 一石, 白丁·抄奴·所由·丁吏·諸司下典·獨女·官寺奴婢, 十斗, 賈人大戶七石, 中戶五石, 小戶三石, 唯年七十以上男女, 勿斂斂:兵2屯田轉載].309)

庚午16日, 以僧大禪師見明一然爲國尊.310)

○遣使諸道, 備兵糧, 造軍器, 修戰艦.311)

甲戌20日, 遣副知密直司事趙仁規如元, 請減軍糧. [帝曰, "人言汝國, 足備二十萬碩, 若誠不能, 量力爲之":節要轉載].

○遣使, 捕鷹於東界. [上將軍尹秀·李貞·將軍元卿·朴義, 分遣其屬于諸道, 稱捉鷹別監, 不可勝數:節要轉載].312)

[○上將軍尹秀, 以鷹犬得幸, 管鷹坊, 得至軍簿判書, 恃勢爲惡, 無所不至. 至是, 暴得疾, 起立奮拳, 撞墻壁, 大叫曰, "狐兎麋鹿, 胡噉我肉". 遂死:節要轉載].

---

308) 이 기사는 지17, 禮5, 雜祀에도 수록되어 있다.

309) 이 기사는 『고려사절요』 권20에 축약되어 있다("令諸王·百官及工商·奴隷·僧徒, 出軍糧有差").

310) 이는 「華山曹溪宗麟角寺普覺國尊碑銘」에도 기록되어 있다.

311) 이 기사는 지35, 兵1, 五軍에도 수록되어 있다.

312) 이와 같은 기사로 다음이 있다.

· 열전37, 尹秀, "… 自後, 秀·貞·卿·義, 每分遣其屬, 稱捉鷹別監者, 不可勝數. 所至擊鮮飼鷹, 民間雞犬殆盡".

[→一日，三角山僧夢，一老父邀至其家，謂曰，“我龍也. 昨日吾兒化爲鵠，遊大澤中，尹秀射殺之”. 僧寤而異之，告南京留守王昖. 昖詣秀問之，果其日獲緇鵠，其大異常. 尋暴得疾，起立奮拳，撞墻壁大叫曰，“狐兎麋鹿，胡噉我肉”. 遂死. 子吉孫·吉甫:列傳37尹秀轉載].[313)]

辛巳[27日]，幸王輪寺.

癸未[29日]，王獵于東郊.

夏四月乙酉□[~~朔~~小盡,丁巳]，命判密直□□[~~司事~~]金周鼎，閱軍於燃燈都監.[314)]

戊子[4日]，遣使于諸道，令修艦夫匠三分減一歸農.

辛卯[7日]，三番忽赤享王于新殿.

[○迎入國尊見明[一然]於大內，躬率百僚行摳衣禮:追加].[315)]

○元遣塔納·阿孛禿剌[~~阿孛禿剌~~]來，督修戰艦.

○東界杆城人宋蕃告于元曰，“高麗東西界，歸於朝廷，其田尙爲國人所有，計其畝，可得四萬石，請充東征軍糧”. 中書省遣人徵之. 王問宰樞曰，“朝廷以宋蕃之言，使我益發軍糧四萬石，柰何?”. 對曰，“前者，庾賜請賦二十萬石，家抽戶歛[斂]，[至於煢獨:節要轉載]，僅得四分之一. 故遣[副知密直司事]趙仁規，請減其數. 若增四萬，何以辦之，宜更遣人，告以情實”.

己亥[15日]，王與公主，宴塔納·阿孛禿剌[~~阿孛禿剌~~]於新殿.

[乙巳[21日]，有物，白如鵠鷺，起於新殿，騰空而上，南墜一里所，忽不見:五行2白眚·白祥轉載].

丁未[23日]，護軍曹允通·散員韋守全還自元言，[316)] “趙仁規到開平，[317)] 奏減兵粮”. 帝

---

313) 軍簿判書·鷹揚軍上護軍 尹秀가 언제 逝去하였는지는 알 수 없으나 是年(1283년, 충렬왕9)으로 추측된다.

314) 乙酉에 朔이 탈락되었다. 또 이 기사는 지35, 兵1, 五軍에도 수록되어 있다.

315) 이는 「華山曹溪宗麟角寺普覺國尊碑銘」에 의거하였다.

316) 護軍 曹允通은 1280년(충렬왕6) 6년 3월 戊辰에 將軍이었는데, 이때 護軍을 稱하고 있다. 이해에 將軍職이 護軍으로 改稱되었던 것 같은데 이는 12월 22일 鄭仁卿이 千牛衛大護軍에 임명된 사실을 통해서 알 수 있다(鄭仁卿政案).

317) 開平府(現 內蒙古自治區 錫林郭勒盟 正藍旗 동쪽에 位置)는 1256년(憲宗6) 劉秉忠이 쿠빌라이[忽必烈]의 命을 받아 開平城을 축조하였는데, 管轄地域은 현재의 內蒙古自治區 錫林郭勒盟 正藍旗와 多倫縣의 隣近地域이다. 1260년(中統1) 이곳을 開平府로 昇格시켜 首都로 삼았고, 1264년(中統5) 上都로 改稱하였고, 1267년(至元4) 中都(現 北京市)로 遷都하고 다음 해에

曰, “人言汝國足備二十萬石, 若誠不能, 量力爲之, 可矣”.

戊申[24日], 夜, 有物, 赤如火, 大如斗, 漸廣如席, 墮□[于]順昌宮, 流星相繼而隕. 旣而, 風暴作, 火起宮中, 焚蕩無餘.[318] [王召文昌裕·伍允孚曰, “[~~卿等~~]嘗言, 當有火災, 何以知其然耶”. 對曰, “天譴章章, 此猶爲小灾也”:節要轉載].[319]

[庚戌[26日], 虎入城, 咬人:五行2轉載].

辛亥[27日], 權罷州府郡縣事審官.[320]

[是月, 改稱將軍爲護軍, 尋還:追加].[321]

[是月壬辰[8日], 元以高麗國王就領行省, 規畫日本事宜. 甲午[10日], 高麗使臣言, 高麗國王王賰請以蒙古人同行省事. 癸卯[19日], 帝授高麗國王王賰征東行中書省左丞相, 仍駙馬·高麗國王. 庚戌[26日], 發大都所造回回砲及其匠張林等, 付征東行省:追加].[322]

五月[甲寅朔小盡,戊午], 戊午[5日], 宴于涼樓, 觀擊毬.

[某日[~~戊午5日~~], 監察司, 禁鞦韆戲:刑法2禁令轉載].

辛酉[8日], 以旱, 命宰樞, 各言時政得失.

[→王謂宰樞曰, “國小民貧, 旱魃爲虐, 欲罷鷹坊, 卿等, 各言時政得失”. [上將軍]印侯曰, “鷹坊請於帝, 而置之, 豈宜遽罷”:節要轉載].[323]

開平府를 上都路로 昇格시켰다(魏堅 2008年).

318) 이와 같은 기사가 지7, 五行1, 火, 火災에도 수록되어 있다.

319) 이 기사는 열전35, 方技, 伍允孚에도 수록되어 있는데, ~~添字~~는 이에 의거하였다.

320) 이와 관련된 기사로 다음이 있다.
- 지29, 選擧3, 事審官, “忠烈王九年, 權罷諸州事審官”.

321) 이해의 4월에 將軍을 護軍으로 改稱하였다가 곧 還元하였던 같다.

322) 이는 다음의 자료에 의거하였다. 또 回回砲(혹은 西域砲)는 大型의 投石機인데, 이는 1272년(지원9) 11월 25일(己卯) 回回人 亦思馬因[Isimayin, 이스마일], 阿老瓦丁[Alawadin, 알라웃딘]이 제작하여 바친 것이다.
- 『원사』 권12, 본기12, 세조9, 지원 20년 4월 壬辰[8日], “以高麗王就領行省, 規畫日本事宜. … 甲午[10日], 高麗國王王賰請以蒙古人同行省事. … 癸卯[19日], 授高麗國王王賰征東行中書省左丞相, 仍駙馬·高麗國王. … 庚戌[26日], 發大都所造回回砲及其匠張林等, 付征東行省”.
- 『원사』 권7, 본기7, 세조4, 지원 9년 11월 己卯, “回回亦思馬因創作巨石砲來獻, 用力省而所擊甚遠, 命送襄陽軍前用之”.
- 『원사』 권203, 열전90, 工藝, 阿老瓦丁, “阿老瓦丁, 回回氏, 西域木發里人也. 至元八年, 世祖遣使徵砲匠于宗王阿不哥, 王以阿老瓦丁·亦思馬因應詔, 二二人擧家馳驛至京師, 給以官舍, 首造大砲竪于五門前, 帝命試之, 各賜衣段”.

323) 이와 같은 기사로 다음이 있다. 또 이 시기에 印侯는 判鷹坊都監事로서 鷹坊에 소속된 人物에

○宥二罪已下, [蠲公私逋欠錢, 禁州郡吏民徵銅:節要轉載].[324)]

[○虎入市:五行2轉載].

[某日, 命上將軍羅裕, 揀忽只[忽赤]三番各十人, 補東征軍:兵1五軍轉載].

己卯[26日], 王與公主幸福靈寺.

○[大將軍]鄭仁卿等還自元言, 帝寢東征之議. 王命罷修艦·調兵等事.

[是月, 秘書少尹金應文, □□□□□[掌成均館試], 取詩賦李榑等三十八人, 十韻詩李膺等四十六人:選擧2國子試額轉載].

[是月甲子[11日], 元立征東行中書省, 以高麗國王與阿塔海共事. 給高麗國征日本軍衣甲:追加].

[甲戌[21日], 設高麗國勸農官四員:追加].[325)]

六月[癸未朔大盡,己未], [丙戌[4日], 鹿入城:五行2轉載].

壬辰[10日], 有□[人]告於王曰, "兩班·百姓, 輸兵粮已畢, 宰樞及有權勢者, 獨否". 王怒, 命軍糧別監, 具疏其名, 以聞.[326)]

癸未[某日],[327)] [同知密直司事?]趙仁規還自元, 帝冊王爲征東中書省左丞相, 依前駙馬高

게 녹봉을 지급하지 않은 左右衛參軍·左倉別監 金台鉉을 巡馬所에 구금하였다고 한다.

- 열전36, 印侯, "王嘗謂宰樞曰, '國小民貧, 旱災滋甚, 欲罷鷹坊'. 侯曰, 鷹坊請於帝, 而置之, 豈宜遽罷".
- 열전23, 金台鉉, "授左右衛叅軍·直文翰署. 爲左倉別監, 判鷹坊事印侯等搆以不給鷹坊人俸, 囚巡馬所".

324) 이 기사의 蠲公私逋欠錢은 지34, 食貨3, 恩免之制에, 禁州郡吏民徵銅은 지39, 刑法2, 禁令에도 수록되어 있다.

325) 이 記事는 다음의 자료에 의거하였다. 이들 기사를 그대로 信憑한다면 이 시기에 일본정벌을 위해 한반도에는 征東行中書省이, 江南에는 征日本行中書省이 설치된 셈인데, 그 實際의 與否는 알 수 없다.

- 『원사』 권12, 본기12, 세조9, 지원 20년 5월 甲子[11日], "元立征東行中書省, 以高麗國王與阿塔海共事. 給高麗國征日本軍衣甲. 甲戌[21日], 設高麗國勸農官四員".
- 『원사』 권91, 지41상, 백관7, 征東等處行中書省, "至元二十年, 以征日本國, 命高麗王置省, 典軍興之務, 師還而罷".
- 『원사』 권208, 열전95, 外夷1, 高麗, "[至元]二十年五月, 立征東行中書省, 以高麗國王與阿塔海共事".
- 『원사』 권208, 열전95, 外夷1, 日本, "[至元]二十年, 命阿塔海爲日本省丞相, 與徹里帖木兒右丞·劉二拔都兒左丞, 募兵造舟, 欲復征日本. 淮西宣慰使昂吉兒上言民勞, 乞寢兵".

326) 이 구절에서 人이 탈락되었다.

327) 癸未는 이달의 朔日인데, 이 기사는 壬辰(10일)과 己酉(27일) 사이에 위치해 있다. 그러므로 이 달의 기사가 잘못 정리되었거나, 癸未가 癸巳(11일), 癸卯(21일)의 오자일 것이다.

麗國王, 命與阿塔海共事.

[□□是時, 敎曰, "趙仁規當東征時, 能以國家事, 奏達宸所. 天子授寡人中書左丞相, 又賜群臣都元帥·萬戶·千戶金銀牌, 皆其功也. 宜別錄功, 賜田民, 子孫超等錄用":列傳18趙仁規轉載].

己酉27日, 王與公主幸孝信寺, 觀畫佛.

庚戌28日, 以公主生辰, 宴于新殿, 王與公主, 各賜群臣大鍾, 爭飮, 負者罰兩巵.

[乙卯,王與公主,幸妙蓮寺→7월로 옮겨감].

[是月, 旱:五行2轉載].[328)]

秋七月癸丑朔小盡,庚申, [乙卯3日, 王與公主, 幸妙蓮寺←6월에서 옮겨옴].[329)]

戊午6日, 置鷹坊都監, 以判密直司事金周鼎爲使, 將軍元卿·朴義爲副使.[330)]

○命密直副使?廉承益·孔愉, 修玄化寺, 又修南溪院王輪寺石塔.

[→又命修玄化寺. 時廉承益每勸以浮屠法. 於是, 遊畋稍疎:節要轉載].[331)]

○塔納還元.

己未7日, 王與公主如玄化寺.

---

328) 이해에 몽골제국에서도 燕南·河北·山東 등의 北方地域에서 大旱이 있었다고 한다(陳高華 2010年 60面).

· 『牧庵集』 권28, 南京路總管張公墓誌銘, "公諱庭珍, 字國寶, … 明年至元20年?, 河北大旱, 民流徙就饒及河朔數萬人, 郡縣外損戶罪, 諉以逃聞, 省部遣使分道邀之, 許發倉, 人給三月食, 還所籍, …". 여기에서 河朔은 黃河 以北의 地域을 指稱하는 것 같다.

· 『國朝典章』 권59, 工部2, 造作2, 船隻, 糶販客船不許遮當, "至元二十年□月, 行御史臺承奉中書省箚付照得, 近歲天旱, 中原田禾薄收, 物斛價高, 百姓艱食, 諸處商賈搬販南米者極多. 體知得隨處官司, … ".

· 『尙書注疏』 권10, 周書, 泰誓中(僞古文), 冒頭, "惟戊午1月28日, 武王次于河朔[注, 孔傳, 次止也. 戊午渡河而誓, 既誓而止於河之北], 群后以師畢會. 王乃徇師而誓曰, …"(四庫全書本10左1行).

329) 6월의 乙卯는 7월 3일이므로 戊午(6일) 앞에 있는 秋七月을 乙卯의 앞으로 移動시켜야 한다[校正事由].

330) 이와 관련된 기사로 다음이 있는데, 이때의 鷹坊都監의 설치는 1275년(충렬왕1) 5월 이래 수많은 民弊를 恣行하던 鷹坊의 制度的 整備를 指稱하는 것으로 推定된다.

· 지28, 百官2, 鷹坊都監, "忠烈王九年, 置鷹坊都監".

· 열전37, 폐행2, 元卿, "王置鷹坊都監, 卿與朴義爲副使".

331) 이와 같은 기사로 다음이 있으나 1282년(충렬왕8) 9월 某日 逋民에 관한 기사의 앞에 수록되어 있어 시기 정리에 실패하였다. 또 이에서 田은 畋의 오자인데, 『고려사』를 처음 乙亥字로 조판할 때 글자가 부족하여 비슷한 활자로 대치하였을 가능성이 있다.

· 열전36, 嬖幸1, 廉承益, "… 王數遊田畋, 承益勸以浮屠法, 由是, 遊田畋稍踈".

甲子[12日], 公主不豫. 王與公主幸神孝寺.

己巳[17日], 遣郎將南裕廷如元, 進鷹.

辛未[19日], 遣知密直司事朴球如元, 賀聖節.

[某日, 監察司出牓, 舊例銀瓶, 直米二十石, 今改定十石:食貨2市估轉載].

[某日, 以任澍爲慶尙道按廉使:慶尙道營主題名記].

八月[壬午朔小盡,辛酉], 癸未[2日], 召還王弟順安公悰于[江華縣]仇音島.[332)]

戊子[7日], [白露]. 移御齊安公第.

丙申[15日], 愛牙赤大王遣使□[來], 獻幣.[333)]

丁酉[16日], 王獵于白州.

辛丑[20日], 選衣冠子弟, 充世子府宿衛.[334)]

[某日, 內僚[·將軍]李之氐請賜土田, 世子謂之氐曰, "汝非田, 亦不爲貧". 之氐慚而退. 舊制, 凡受王旨者, 必先關於承旨, 酌其可否, 白而行之. 至是, 內僚皆先得請, 乃使承旨署名:節要轉載].

[→時內僚皆受賜田, [將軍李]之氐尤多, 又請加賜. 忠宣爲世子, 謂之氐曰, "汝雖無田, 亦不乏". 之氐慙而退. 舊制, 受王旨者, 必先關承旨, 酌可否, 奏而行之. 至是, 內僚皆先白王, 承旨但署押而已:列傳36李之氐轉載].

乙巳[24日], 元倡優男女來, 王賜米三石.

丙午[25日], 王托供佛, 遣人除道三角山, 其實爲遊畋也.

己酉[28日], 宴于大殿, 元優人呈百戲, 賜白銀三斤.

九月[辛亥朔大盡,壬戌], [某日, 始令賤者隨母:節要轉載].[335)]

[→令賤者隨母, 無論判前後:刑法2奴婢轉載].

---

332) 이 기사는 열전4, 元宗王子, 順安公琮에도 수록되어 있다. 仇音島는 조선시대에 媒島라고 불리기도 하였던 것 같다(현재의 仁川市 江華郡 三山面 煤音里로 추정된다. 席毛島의 남쪽에 위치).
· 『세종실록』 권148, 지리지, 江華都護府, "… 府西水路二里有煤島[注, 古之仇音島, 周回六十里, 放國馬三百二十七匹. 牧子七戶·水軍十六戶入居, 煮海爲生. 島有廣博石, 採之以爲國用".

333) 愛牙赤[Ayachi]大王은 世祖의 第6子로 추측된다(『원사』 권107, 表2, 宗室世系表).

334) 이 기사는 지36, 兵2, 宿衛에도 수록되어 있지만, 그 時期가 7월로 되어 있다.

335) 이 기사에서 始는 삭제되어야 할 것이다. 고려에서 賤者隨母法이 처음 시행된 것은 1039년(靖宗 5)이고, 이후 이 제도가 계속 유지되어 왔기 때문이다.

甲寅[4日], 召還王子滋, 公主賜衣物.[336)]

丙辰[6日], 幸王輪寺.

己未[9日], 王與公主, 飯僧于金字大藏院.

庚申[10日], 遣護軍朴秀·崔元老, 戍耽羅.

○親醮于本闕.[337)]

○元流室剌只[~~室剌只~~]于大青島.

[辛酉[11日], 震玄化寺古木及馬二·騾一:五行1雷震轉載].

乙丑[15日], 耽羅達魯花赤塔剌赤[~~塔剌赤~~]還自元.

辛未[21日], 王獵于馬堤山.

壬申[22日], [耽羅達魯花赤]塔剌[剌]赤享王, 獻二馬, 求婚, 以內侍鄭孚女, 妻之.

甲戌[24日], 遣正郎魏文愷·郎將金位良如開元路, 招刷[~~推刷~~]人物.[338)] [雙城人賂位良馬, 不受. 王聞而嘉之, 賜馬二匹:節要轉載].

[某日, □[伍]允孚言, "天變可畏, 請設消灾道場". [承旨]鄭可臣謂廉承益曰, "天變, 豈浮屠法所能禳哉? 盍請修德". 承益曰, "吾豈不知, 然難言也":節要轉載].[339)]

[→允孚又言, "天變可畏, 請設消災道場". 王曰, "天漸寒, 今將往南京, 還當行之":列傳35伍允孚轉載].

[某日, 以市人不行貿易, 乃許復舊:食貨2市估轉載].[340)]

[是月, 前高麗軍民總管府總管·永寧公綧卒于瀋陽, 年六十一:追加].[341)]

冬十月[辛巳朔大盡,癸亥], 癸未[3日], 護軍金富允還自元, 中書省差各道勸農使.[342)]

甲申[4日], 王與公主獵于南京.

---

336) 이 기사는 열전4, 忠烈王王子, 江陽公滋에도 수록되어 있다.

337) 이 기사는 지17, 禮5, 雜祀에도 수록되어 있다.

338) 招刷는 『고려사절요』 권20에는 推刷로 되어 있는데, 後者가 옳을 것이다.

339) 이와 같은 기사가 열전18, 鄭可臣에도 수록되어 있다.

340) 이는 是年 7월에 이루어진 "某日, 監察司出牓, 舊例銀瓶, 直米二十石, 今改定十石"을 還元시켰던 조치일 것이다.

341) 이는 『원사』 권166, 열전53, 王綧에 의거하였다.

342) 護軍 金富允은 前年 5월 2일(庚申)에 將軍이었는데, 이해에 將軍職이 護軍으로 改稱되었던 것 같다(鄭仁卿政案).

十一月辛亥朔小盡,甲子, [某日, 流典理正郞尹敦·郎將吳叔富于海島. 初敦·叔富等言, 用事臣廉承益, 可斬. 護軍曹允通聞之, 以告. 命宰樞鞫, 而流之, 籍其田民, 分賜宰樞·近臣:節要轉載].343)

辛酉11日, 遣大將軍趙抃如元, 賀正.

十二月庚辰朔大盡,乙丑, 辛丑22日, 中贊金方慶乞退. 以上洛公致仕,344)[→加推忠靖難定遠功臣·上洛公, 致仕:節要轉載], 康允紹, 亦以判三司事致仕,345) [僉議侍郎贊成事元傅爲判典理司事·世子師, 監門衛攝大將軍鄭仁卿爲千牛衛大護軍·知典法司事:追加].346)

[→金方慶,又上箋乞退, 以推忠靖難定遠功臣·三重大匡·僉議中贊·判典理司事·世子師, 仍令致仕:列傳17金方慶轉載].

[是年, 以前慶尙道按廉使閔萱爲東京副留守, 尹□奕?爲東京司錄, 洪世爲東京法曹:追加].347)

[○以借興威衛將軍閔宗儒爲試少府尹·忠州牧副使:追加].348)

[○以沈恢爲碩州副使, 李子和爲碩州判官:追加].349)

[○以殿中侍史金恂爲尙州判官:追加].350)

[增補].351)

---

343) 이 기사의 축약으로 다음이 있는데, 典理正郞이 典理佐郞으로 되어 있다(盧明鎬 等編 2016년 535面).

· 열전36, 廉承益, "… 典理佐郞尹敦·郎將吳淑富等相言, 用事臣廉承益可斬. 護軍曹允通聞, 以告, 王命流之, 籍田民, 分賜宰樞".

344) 이때 金方慶은 三韓壁上推忠靖難定遠功臣·匡靖大夫·判都僉議事·上將軍·判典理司事·世子師에 임명되어 致仕하였다 한다(金方慶墓誌銘).

345) 이와 같은 기사가 열전36, 康允紹에도 수록되어 있다.

346) 이는 다음의 자료에 의거하였는데, 이날(辛丑, 22日) 연말의 인사이동[大政]이 이루어졌던 것 같다. 또 元傅에 관한 기사의 時期 判定은 僉議中贊 金方慶이 致仕한 후 元傅가 僉議侍郎贊成事로서 判典理司事를 兼職하고 冢宰가 되었다는 것에 의거하였다.

· 「元傅墓誌銘」, "癸未忠烈9年, 判典理司事·世子師, 爲冢□宰".

· 「鄭仁卿政案」, "至元二十年十二月二十日下批知典法司事, 同日下批千牛衛大護軍".

347) 이는 『동도역세제자기』에 의거하였다.

348) 이는 「閔宗儒墓誌銘」에 의거하였다.

349) 이는 『연안부지』에 의거하였다.

350) 이는 「金恂墓誌銘」에 의거하였다.

351) 이해(至元20)에 몽골제국에서 다음과 같은 일이 있었다.

· 『원사』 권12, 본기12, 세조9, 至元 20년 1월 乙丑10日, "預備征日本軍糧, 令高麗國備二十萬石.

甲申[忠烈王]十年, 元 至元二十一年, [西曆1284年]

1284년 1월 19일(Gre1월 26일)에서 1285년 2월 5일(Gr2e월 12일)까지, 13개월 384일

春正月[庚戌朔大盡,丙寅], 癸丑[4日], 咸平宣慰使□[司]奉中書戶部牒來, 推刷本國人口逃入雙城者. 王亦嘗遣魏文愷·[中郎將?]金位良, 推刷甚詳. 雙城人賂以馬, 位良不受而還, 王聞而嘉之, 賜馬二匹.

[→□□[是時?], 咸平府宣慰使遣知事李爲, 刷雙城人物, 仍獻馬. 爲將還白王曰, "宣慰使獻馬, 今無酬答, 恐非禮". 王曰, "曾下相府, 相府之過". 遂大怒, 流[贊成事元]傅及許珙·洪子藩于海島. 然傅等, 實不知也, 副知密直□□[司事]廉承益, 營救得免: 列傳20元傅轉載].

己未[10日], 王與公主幸神孝寺.

丁卯[18日], 命以宰樞可兼萬戶者, 令鎭東邊.[352)]

癸酉[24日], 王與公主, 自神孝寺, 還齊安公第.

[某日, 以鄭崇爲慶尙道按廉使:慶尙道營主題名記].

[是月庚午[21日], 元立耽羅國按撫司:追加].[353)]

二月[庚辰朔大盡,丁卯], 癸未[4日], 又幸神孝寺.

戊子[9日], 以副知密直司事廉承益爲慶尙·全羅·忠淸道都巡問使.[354)]

○以阿塔海依舊爲征東行中書省丞相. 丙寅[11日], 發五衛軍二萬人征日本. 壬申[17日], 命右丞闍里帖木兒及萬戶三十五人·蒙古軍習舟師者二千人·探馬赤萬人·習水戰者五百人征日本".

· 본기12, 세조9, 지원 20년 2월, "甲寅[29日], 賜□[征]日本軍官八忽帶及軍士銀鈔".

· 본기12, 세조9, 지원 20년 3월 丁巳[3日], "罷女直造日本出征船".

· 『국조문류』 권41, 經世大典, 政典, 征伐, 日本, 本文, "[至元]二十年, 阿塔海復以十萬人往. 而昂吉兒上言, '民勞, 乞寢兵'. 上亦謂日本未嘗相侵. 而交趾犯邊, 宜置日本, 專事交趾. 遂罷征, 日本人竟不至". ○"昂吉兒言曰, 語曰, '上下同慾者勝', 又曰, '兵以氣爲主'. 近世民貧賦重, 洊水旱, 救死不暇. 復驅之涉海遠征, 莫不愁歎. 此非上下同慾也. 軍嘗挫衄東海, 倉皇喪氣, 人無鬪志, 非所謂以氣爲主也". [注, [至元]二十年, 命阿塔海爲日本省丞相, 徹里帖木兒△[爲]右丞, 劉二拔都△[爲]左丞, 陳巖△[爲]右丞, 鄭某△[爲]參政, 往[征]以十萬人往. 淮西宣慰使昂吉兒上言, 民勞, 乞寢兵]. 여기에서 上下同慾者勝은 『孫子』, 謨攻篇에서 인용된 것이고, 兵以氣爲主는 魏文帝 曹丕의 『典論』, 論文의 文以氣爲主를 이용한 것 같다. 이하 고려왕조와 관련이 없는 日本遠征에 관한 記事는 생략하기로 한다.

352) 이 기사는 지36, 兵2, 鎭戍에도 수록되어 있다.

353) 이는 다음의 자료에 의거하였다.

· 『원사』 권12, 본기12, 세조9, 지원 19년 1월 庚午[21日], "立耽羅國按撫司".

庚寅[11日], [驚蟄]. 還宮, 飯僧于禁中.

丙申[17日], 大將軍趙抃齋表還自元, 帝受尊號, 大赦.[355]

丁酉[18日], 王與公主, 移御齊安公第.

[戊戌[19日], 虎入市:五行2轉載].

己亥[20日], 元遣濟州達魯花赤來.[356]

辛丑[22日], 遣知密直司事宋玢·護軍張舜龍如元, 賀加上尊號.[357]

己酉[30日], 王與公主幸吉祥寺, 齋五百羅漢.

[是月辛巳[2日], 元罷高麗造征日本船:追加].[358]

三月[庚戌朔小盡,戊辰], 丁巳[8日], 幸王輪寺.

戊午[9日], 親醮三界于康安殿.[359]

乙丑[16日], 幸賢聖寺.

[己巳[20日], 月犯南斗:天文3轉載].

[某日, 護軍曹允通還自元. 帝以其善碁, 特賜鋪馬箚付, 任便往還:節要轉載].

夏四月[己卯朔大盡,己巳], 庚寅[12日], 王及公主·世子如元, 扈從臣僚一千二百餘人, 齎銀六百三十餘斤·紵布二千四百四十餘匹·楮幣一千八百餘錠.

戊戌[20日], 次中和縣, 元捉鷹使郎哥歹·東寧府達魯花赤等來, 獻鷹馬.

[○月犯鎭星:天文3轉載].

己亥[21日], 次東寧府, 賜郎哥歹·達魯花赤等, 銀紵, 有差.

---

354) 『고려사절요』 권20에는 廉承益에 관한 기사를 위시한 3件이 모두 春正月에 編入되어 있으나 2월의 오류이다.

355) 世祖가 百官으로부터 尊號를 받고 大赦를 내린 것은 1월 6일(乙卯)이었다(『원사』 권13, 본기13, 세조10, 지원 21년 1월 乙卯).

356) 이때 耽羅達魯花赤으로 다라치[塔剌赤]가 在職하고 있었는데, 그 예하의 濟州에 다루가치[達魯花赤]가 새로 파견되어 왔던 것 같다.

357) 世祖 쿠빌라이가 尊號를 받은 것은 1월 6일(乙卯)이고, 고려의 使臣이 大都에 도착하여 賀禮를 드린 것은 3월 26일(乙亥)이다.
· 『원사』 권13, 본기13, 세조10, 지원 21년 3월, "乙亥, 高麗國王王賰以皇帝尊號禮成, 遣使來賀".

358) 이는 다음의 자료에 의거하였다.
· 『원사』 권12, 본기12, 세조9, 지원 19년 2월 辛巳[2日], "罷高麗造征日本船".

359) 이 기사는 지17, 禮5, 雜祀에도 수록되어 있다.

癸卯[25日], 地震.

甲辰[26日], □[遣]帶方公澂等, 以禿魯花如元.[360)]

戊申[30日], 次龍州. 東京達魯花赤來迎, 獻馬.[361)]

五月[己酉朔小盡,庚午], 庚戌[2日], 以判密直□□[司事]金周鼎爲鎭邊萬戶.[362)]

戊午[10日], 東寧摠管洪仲熙[洪重喜?]來, 獻馬.[363)]

己未[11日], 入東京, 摠管康守衡及東京官僚等宴慰, 各獻良馬.

庚申[12日], 郞將高世還自元, 帝許除軍器, 不遣種田軍.

[癸亥[15日], 以旱徙市:五行2轉載].

[丁丑[29日晦], 夏至. 集巫于都省, 禱雨:五行2轉載].

[是月壬子[4日],元拘征東行省印:追加].

[乙丑[17日], 元命取高麗所產鐵:追加].[364)]

閏[五]月[戊寅朔小盡,庚午], 辛巳[4日], 設消災道場于大內.

丙戌[9日], 獻鷹使四十人如元.

辛丑[24日], 元遣捉鷹使高子等六人來.

---

360) 帶方公 澂은 1279년(충렬왕5) 3월 禿魯花(turqaq, 弓箭陪)로서 원에 파견되었으나 歸國에 관한 기사는 찾아지지 않는다. 이때의 파견은 제3차에 해당하는데, 2차에 참여하였던 元貞이 1287년(충렬왕13) 2월 무렵 父親 元傅의 喪을 당하여 귀국하였다고 한 점(元瓘墓誌銘)을 보아 그 시기까지 장기간에 걸쳐 宿衛하고 있었던 것 같다.

361) 중국 측의 자료에서 이날 충렬왕이 大都에 到着한 것 같이 敍述되어 있지만, 이 기사와 같이 龍州에서 接伴使인 東京의 達魯花赤을 만났던 것 같다.

· 『원사』 권13, 본기13, 세조10, 지원 21년 3월, "戊申, 高麗國王王賰及公主以其世子謜來朝".

362) 이때 金周鼎의 大元蒙古國의 官職은 鎭邊萬戶府萬戶이고, 고려의 관직은 東南道兵馬使였던 것 같다. 또 金周鼎은 이달의 下旬에 全羅道 지역에 도착하였던 것 같다.

· 「金周鼎墓誌銘」, "甲申, 以東南道兵馬使, 出鎭□[合]浦".

· 『圓鑑國師歌頌』, "至元二十一年五月下旬, 聞鎭邊元帥金相國周鼎來, 巡邊戍, 作詩寄呈二節, 在曹溪, 又寄上金元帥詩".

363) 洪仲熙는 洪茶丘(洪俊奇)의 아들인 洪重喜일 가능성이 있는데, 그는 이름은 萬이고, 重喜는 字이다(『원사』 권154, 열전41, 洪福源).

364) 이상 몽골제국에서 일어난 사항은 다음의 자료에 의거하였다.

· 『원사』 권13, 본기13, 세조10, 지원 21년 5월, "壬子[4日], 拘征東省印. … 乙丑[17日], 取高麗所產鐵".

· 『원사』 권162, 열전49, 劉國傑, "[至元]二十二年[二十一年], 罷征東省, 除僉書沿江行樞密院, 改僉院". 이 記事에서 二十二年은 二十一年의 오자일 것이다(『金華黃先生文集』 권25, 劉國傑神道碑).

六月[丁未朔大盡,辛未]，庚午[24日]，元遣闍梨帖木兒領兵來，戍濟州.

丙子[30日]，[僉議侍郎贊成事·]監修國史元傅，[參文學事·]修國史許珙，[判三司事]韓康等，撰'古今錄'，至十月而成.[365]

[丁亥,同知密直蔡仁平卒→7月로 옮겨감].

[是月甲子[18日]，元命也速帶兒所部軍六十人淘金雙城:追加].[366]

[夏某月．師子庵僧洪恕創妙蓮寺:追加].[367]

秋七月[丁丑朔小盡,壬申]，[丁亥[11日]，同知密直□□~~司事~~蔡仁平卒←6월에서 옮겨옴].[368]

甲午[18日]，典法判書金愲卒.[369] [時貞和院妃有寵於王，認民爲隷，民訴于典法司.有旨，督令斷與貞和，愲與同僚，知其寃，不能違旨，遂斷爲隷．有人夢，利刃自天而下，亂斫一司之吏，明日，愲發背疽而死，其後，同僚相繼而死，唯□[佐]郞李行儉，不與其議，獨不死:節要轉載].[370]

[丙申[20日]，震人:五行1雷震轉載].[371]

己亥[23日]，遣副知密直司事孔愉如元，賀聖節.

[某日，以崔東吉爲慶尙道按廉使:慶尙道營主題名記].

---

365) 이와 같은 기사가 열전18, 許珙에도 수록되어 있다.

366) 이는 다음의 자료에 의거하였다.
- 『원사』 권13, 본기13, 세조10, 지원 21년 6월, "甲子[15日]，命也速帶兒所部軍六十人淘金雙城".

367) 이는 다음의 자료에 의거하였다.
- 『익재난고』 권6, 妙蓮寺重興碑, "… 堂搆于至元二十年[忠烈王9年]之秋，明年之夏而落成．開山者，師子庵老宿洪恕，實惟其人．洎圓慧國師[景宜]主盟結社，而恕又副之，三傳而至無畏國師[丁午]".

368) 6월(丁未朔)의 丁亥는 7월 11일이므로 甲午(18일)의 앞에 있는 秋七月을 丁亥의 앞으로 移動시켜야 한다[校正事由]. 이날은 율리우스曆으로 1284년 8월 23일(그레고리曆 8월 30일)에 해당한다.

369) 이날은 율리우스曆으로 8월 30일(그레고리曆 9월 6일)에 해당한다.

370) ~~添字~~는 충렬왕 8년 4월 19일에 의거하였다. 또 이와 같은 기사로 다음이 있다.
- 「李公逡墓誌銘」, "諱行儉，以節直聞，其爲刑官，同僚逼於勢，屈訟之直者，典酒[李行儉]死執不可，會疾作在告．同僚幸於無公，卽決之人，有□[人]夢，利劒自天而下，斮刑部官吏，未幾，皆暴病死，獨典酒無恙，至今稱誦".
- 열전19, 李湊, 行儉, "後爲典法□[佐]郞．貞和院妃，有寵於王，認民爲隷，民訴典法司，有旨督令斷與貞和．判書金愲與同僚，欲斷爲隷，行儉死執不可．會疾作在告，愲等幸其亡，卽決之．人有夢利劒自天而下，斮典法官吏，明日愲疽背死，同僚亦相繼而死，行儉獨免".

371) 이날 일본의 京都의 날씨는 흐렸다고 한다(『勘仲記』, 弘安 7년 7월, "廿日丙申，陰").

[是月丁亥11日, 耽羅達魯花赤塔剌赤言, "頭輦哥國王出戍高麗, 調旺速等所部軍千人屯耽羅, 其留戍四百人, 縱之還家", 從之:追加].372)

[八月丙午朔小盡,癸酉:追加].

九月乙亥朔大盡,甲戌, 甲申10日, 王及公主·世子, 至自元.

己亥25日, 以判密直司事金周鼎爲文翰學士承旨, 知密直司事李尊庇爲監察大夫, 孔愉爲典法判書,373) 鄭可臣爲密直學士, 崔守璜爲右副承旨, 廉守貞, 以寵臣承益之兄, 驟得少府尹·知制誥. [以千牛衛大護軍~~大將軍~~鄭仁卿爲司巡衛大護軍~~大將軍~~:追加].374) [大將軍李之氐·將軍金義光, 皆以內僚, 受高爵, 銓選甚濫, 時人譏之:節要轉載].375)

冬十月乙巳朔小盡,乙亥, 丙午2日, 親醮于康安殿.376)

[己酉5日, 小雪. 月又犯鎭星:天文3轉載].

丁巳13日, 王獵于平州.

甲子20日, [大雪]. 賜趙宣烈等及第.377)

乙丑21日, 王與公主宴于崇慶堂.

---

372) 이는 다음의 자료에 의거하였다.

· 『원사』 권13, 본기13, 세조10, 지원 21년 7월 丁亥11日, "塔剌赤言, '頭輦哥國王出戍高麗, 調旺速等所部軍千人屯耽羅, 其留戍四百人, 縱之還家', 從之".

373) 이때 金周鼎은 判密直司事로서 文翰學士承旨兼上將軍을(金周鼎墓誌銘), 李尊庇는 知密直司事로서 監察大夫를, 孔愉는 副知密直司事로서 典法判書를 兼職한 것이다.

374) 이는 「鄭仁卿政案」에 의거하였다. 이에서 司巡衛는 金吾衛의 명칭이 바뀐 것인데, 『고려사』의 찬자가 備巡衛로 改稱된 것만 기록하였다(지31. 백관2, 金吾衛). 또 大護軍은 大將軍을 改書한 것으로 추측되는데, 이는 後代에 만들어진 政案이 作成 當時의 職制를 적용시켰을 것이다.

375) 이와 같은 기사로 다음이 있다.

· 열전36, 李之氐, "尋除大將軍, 有金義光者, 亦以內僚拜將軍, 銓選甚濫, 時議譏之".

376) 이 기사는 지17, 禮5, 雜祀에도 수록되어 있다.

377) 이와 관련된 기사로 다음이 있다. 이때 趙宣烈·權漢功·金元祥·崔誠之·蔡洪哲·白頤正 등이 급제하였다(『등과록』, 朴龍雲 1990년 ; 許興植 2005년).

· 지27, 선거1, 科目1, 選場, "忠烈十年十月, 判密直司事金周鼎知貢擧, 判衛尉寺事權呾同知貢擧, 取進士, 甲子, 賜趙宣烈等三十三人·明經二人·恩賜一人及第".

· 열전20, 權呾, "遷判衛尉寺事, 掌試取士, 多知名士, 權漢功·金元祥·崔誠之·蔡洪哲·白頤正, 後皆爲名相".

· 『圓鑑國師歌頌』, 元帥相國金周鼎, 特遣僚佐, 諭其所以未訪之意, 復用前韻寄呈, "… 不敎聖主憂南紀, 故輟文衡出鎭邊. 是年, 停東選士出, 作鎭邊元帥".

十一月[甲戌朔大盡,丙子], 戊寅[5日], 王與公主, 幸法華寺.

辛巳[8日], 元遣監候[~~太史監候~~]張仲良來, 頒曆.[378]

甲申[11日], 宥二罪以下.

[丙戌[13日], 月掩昴星:天文3轉載].

[戊子[15日], 雷:五行1雷震轉載].

癸巳[20日], 徵中道[忠淸道]丁夫, 營竹坂宮大殿.

乙未[22日], [小寒]. 王與公主幸妙蓮寺.

己亥[26日], 王獵于都羅山.

[是月, □[右]諫議大夫潘阜, □□□□[掌升補試], 取南宣用等三十三人:選擧2升補試轉載].[379]

十二月甲辰□[朔大盡,丁丑], 遣密直學士鄭可臣如元, 賀正.[380]

丙午[13日], 王與公主, 幸妙蓮寺, 設華嚴法會.

甲寅[11日], 以[上將軍]印侯爲鎭邊萬戶.

丁巳[14日], 以趙抃爲左副承旨.

戊辰[25日], 以洪子藩△[爲]僉議贊成事,[381] 金周鼎△[爲]知都僉議事[~~知僉議府事~~].[382]

[是月甲子[21日], 元以高麗提擧司隷工部:追加].[383]

---

378) 여기에서 監候는 元代의 太史院에 설치된 監候(從8品)이다(『원사』 권88, 지38, 백관4, 太史院).

379) 諫議大夫는 右司議大夫의 오자일 것이다.

380) 甲辰에 朔이 탈락되었다.

381) ~~添字~~는 『고려사절요』 권20에 의거하였는데, 여기에서 洪子藩이 都僉議贊成事에 임명되었다고 되어 있으나 僉議贊成事의 오류이다.

382) 知都僉議事는 知僉議府事의 잘못일 것이다. 이때 최고의 官府는 僉議府(從3品)였고, 이것이 1293년(충렬왕19) 3월 29일(乙酉) 都僉議使司(終2品)로 승격되었다. 또 金周鼎이 逝去하였을 때의 官職도 前知僉議府事이고(→충렬왕 16년 3월 23일 ; 金周鼎墓誌銘), 1290년(충렬왕16) 7월 21일 知僉議府事 金㥾이, 1292년(충렬왕18) 윤6월 21일 知僉議府事 韓希愈가 찾아진다.

383) 이는 다음의 자료에 의거하였다.

· 『원사』 권13, 본기13, 세조10, 지원 21년 12월, "甲子[21日], 以高麗提擧司隷工部".

이 기사의 高麗提擧司(從5品)는 大都等路民匠總管府의 隷下에 있던 官署로서 1285년(至元22)에 설치되었다고 한다(『원사』 권88, 지38, 百官4, 高麗提擧司). 이 기관은 전쟁 중 몽골군에 의해 피로된 高麗人으로 구성된 手工業品 生産機關으로 추측되지만, 설치연도에 있어서 어떤 착오가 있었던 것 같다.

[是年, 修補國清寺金塔. 王與公州幸妙覺寺, 集衆慶讚, 訖, 闕內佛牙與洛山寺水精念珠·如意珠, 君臣與大衆, 皆瞻奉頂戴, 後幷納金塔內. 僧無極參預此會, 見宮中珍寶, 所謂佛牙者, 長三寸許, 而無舍利焉:追加].[384)]

[○王與公主, 爲帝祝壽寫成'金字佛說雜藏經':追加].[385)]

[○王與公主, 爲帝祝壽寫成'金字香王菩薩陁羅尼呪經':追加].[386)]

[○王寫成'銀字顯識論':追加].[387)]

[○以大護軍鄭仁卿有功, 陞富城縣爲知瑞山郡事官:地理1富城縣轉載].

[○陞果州之龍山處, 爲富原縣:地理1果州轉載].

[○以護軍金仁軌有功, 陞安東都護府管內加也鄕爲春陽縣官:追加].[388)]

[○以金永資爲東京留守府司錄:追加].[389)]

[○元以耽羅星主高仁坦爲明威將軍·耽羅按撫司使, 佩金符:追加].[390)]

[仁同人 張東翼 校注, 增補].

---

384) 이는 다음의 자료에 의거하였다. 여기에서 '二十一年甲申'은 '二十一年甲午'의 오류인데, 이는 『고려사』의 편년방식에 의하면 '二十年甲午'가 될 것이다.
- 『삼국유사』 권3, 塔像第4, 前後所將舍利, "忠烈王二十一年甲申甲午, 修補國淸寺金塔, 國主與莊穆王后, 幸妙覺寺, 集衆慶讚訖, 右佛牙與洛山水精念珠·如意珠, 君臣與大衆, 皆瞻奉頂戴, 後幷納金塔內. 予無極亦預斯會, 而親見所謂佛牙者, 長三寸許, 而無舍利焉. 無極記".

385) 이는 『香王菩薩陁羅尼呪經』의 제기에 의거하였다(郭丞勳 2021년 260面).
- 卷首題記, [朱印], "高麗國王王 賰"」, [梵語朱書], "元成殿"」.
- 題記, "至元二十一年甲申歲,高麗國」 國王·宮主,特爲」 皇帝万年,四海和平,法界含生,共證菩提,」發願寫成金字大藏,」中軍錄事兼修製·軍器主簿崔楨書"」.

386) 이는 『紺紙金泥佛說雜藏經』(兵庫縣 居住 韓國系 個人所藏)의 제기에 의거하였다(反町茂雄編 1977年 104面 ; 吉田宏志 1979年 ; 權熹耕 1986년 388面 ; 張東翼 2004년 702面 ; 張忠植 2007년 61面).
- 題記,"至元二十一年甲申歲,高麗國」 國王·宮主,特爲」 皇帝萬年,法界含靈,共證菩提,」 發願寫成金字大藏,」 禪師 之護書"」.

387) 이는 『紺紙銀泥顯識論』末尾, 題記에 의거하였다(延世大學圖書館 所藏, 南權熙 2002년 357面 ; 張忠植 2007년 90面).
- 題記, "至元二十一年甲申,高麗國」 王發願寫成銀字大藏」".

388) 이는 다음의 자료에 의거하였다.
- 『신증동국여지승람』 권24, 安東大都護府, 屬縣, "在府北一百十二里. 本加也鄕, 高麗忠烈王十年, 以土人護軍金仁軌有功, 改今名, 陞爲縣".

389) 이는 『동도역세제자기』에 의거하였다.

390) 이는 『동문선』 권101, 星主高氏家傳에 의거하였다.

『高麗史』卷三十 世家卷三十

[輔國崇祿大夫·議政府左贊成·知集賢殿經筵春秋館成均事·世子賓客·臣金宗瑞奉敎撰]
正憲大夫·工曹判書·集賢殿大提學·知經筵春秋館事兼成均大司成·臣鄭麟趾奉敎修

忠烈王 三

乙酉[忠烈王]十一年, 元 至元二十二年, [西曆1285年]

1285년 2월 6일(Gre2월 13일)에서 1286년 1월 25일(Gre2월 1일)까지, 354일

春正月甲戌朔大盡,戊寅, 丙子3日, 元遣吏部郞中撒剌兒撒剌兒來, 詔復以安童爲右丞相.[1)]

[某日, 忠淸道安集使李英柱, 選忠州官婢有姿色者五人以獻. 英柱, 性貪暴, 聞忠州民丁香有銀, 酷刑督納于官. 香, 悉其所有, 不足, 借人銀三十餘斤, 以納:節要轉載].[2)]

癸未10日, 東寧府千戶崔坦等來□□□于行宮, 享王.

乙酉12日, 王與公主·世子, 獵于平州溫井, 供億之費, 不可勝言. 時權貴侵奪民田, 奸氓附勢, 多免賦役, 凡諸徵斂斂, 平民苦之.

[辛卯18日, 木稼:五行2轉載].

丁酉24日, 王至自平州, 設彩棚雜戱以迎.

[壬寅29日, 梨峴南里灾:五行1火災轉載].

[某日, 以崔崇爲慶尙道按廉使, 李千裕爲忠淸道按廉使, 旣而李千裕, 罷, 以崔伯興代之:慶尙道營主題名記].[3)]

[是月頃, 以任澍爲東京留守府少尹:追加].[4)]

---

1) 安童(Antung, 木華黎의 4世孫)은 前年 11월 右丞相에 再次 임명되었다(『원사』 권126, 열전13, 安童).

2) 이 기사는 열전36, 폐행1, 李英柱에도 수록되어 있으나 자구에 출입이 있다.

3) 李千裕는 是年 2월 20일에, 崔伯興은 10월 10일에 의거하였다.

4) 이는 다음의 자료에 의거하였는데, 侍郞은 判官보다 상위인 少尹의 다른 표기일 것이다.

· 『동도역세제자기』, "侍郞任澍, 乙酉二月到任".

二月[甲辰朔小盡,己卯], 戊申[5日], 宴濟州達魯花赤于正殿.

[○賜伶官·[閣門]祗候金大直犀帶一腰. 國制, 伶官限七品, 幸臣[上將軍]李貞諷王, 賜之:節要轉載].[5]

己酉[6日], 王與公主幸法華寺.

辛亥[8日], [春分]. 慮囚.

癸丑[10日], 地震.

甲寅[11日], 宰樞享王.

乙卯[12日], 流右白甲指諭孫公呂于海島. 公呂曾投逆賊, 向王語多不遜, 濫受是職. 宰樞白而流之.

丁巳[14日], 燃燈, 王如奉恩寺, 除伎樂.

庚申[17日], 王獵于馬堤山.

[○左倉里灾:五行1火災轉載].

癸亥[20日], 忠淸道按廉使李千裕發民, 私伐屋材. 監察司覈[劾]罷之.[6]

三月[癸酉朔大盡,庚辰], 己卯[7日], 親醮三界于康安殿.[7]

[辛巳[9日], 穀雨. 雹:五行1雨雹轉載].

戊子[16日], 遣尙藥□[局]侍醫薛景成如元. □□[先是], 元求良醫, 故遣之.[8]

[→元世祖不豫, 遣使求醫, 安平公主賜裝錢及衣二襲遣之:列傳35薛景成轉載].

己丑[17日], 以旱慮囚.

○元斷事官及遼東宣慰使□[司], 遣使東眞北面, 刷出本國逋逃人口.

辛卯[19日], 下旨, 一. 流移鄕吏, 不拘年限, 已曾還本. 今百姓之流移者, 亦宜刷還. 然流移已久, 安心土着, 若皆還本, 則彼此遷徙, 必失農業. 依前庚午年[元宗11年]以上例, 已訖還本人外, 並皆不動, 使之安業.

一. 每月常膳及別膳進供時, 重歛[斂]殘民, 以爲私用, 痛行禁止.

[一. 諸王·宰樞及扈從臣僚, 諸宮院·寺社, 望占閑田, 國家亦以務農重穀之意,

---

5) 이와 관련된 기사로 다음이 있다.
・ 열전37, 李貞, "… 國制, 伶官限七品. [李]貞愛伶官金大直女, 諷王授大直祗候, 賜犀帶".

6) 覈은 『고려사절요』 권20에는 劾으로 되어 있는데, 後者가 옳을 것이다.

7) 이 기사는 지17, 禮5, 雜祀에도 수록되어 있다.

8) ~~添字는~~ 『고려사절요』 권20에 의거하였다.

賜牌. 然憑藉賜牌, 雖有主付籍之田, 並皆奪之, 其弊不貲, 擇人差遣, 窮推辨覈. 凡賜牌付田, 起陳勿論, 苟有本主, 皆令還給. 且本雖閑田, 百姓已曾開墾, 則並禁奪占:食貨1經理轉載].

[□⁻. 外方人吏等, 以所耕田, 賂諸權勢, 干請別常, 謀避其役者, 有之, 今後, 窮推還定. 又公私處久遠接居人內, 人吏之避役者, 勿論久近, 皆還本役:刑法2禁令轉載].

夏四月癸卯朔大盡,辛巳, [甲辰2日, 隕霜:五行1霜轉載].

丙午4日, 王獵于馬堤山.

庚戌8日, 判三司事致仕文昌裕卒.[9)]

○王及公主幸妙蓮寺.

己未17日, 以旱, 巷市, 禁笠扇.

庚申18日, 放輕繫.

丁卯25日, [芒種]. 取監試尹莘傑等, 王製賀詩, 賜之.

[→判秘書□寺事安戩, □□□□□掌成均館試, 取詩賦尹莘傑等三十一人, 十韻詩二十四人:選擧2國子試額轉載].

[是月辛酉19日, 元以耽羅所造征日本船百艘賜高麗:追加].[10)]

五月癸酉朔小盡,壬午, 乙亥3日, 雨.

乙酉13日, 王及公主, 移御神孝寺.

[丙戌14日, 月食:天文3轉載].[11)]

[某日, 流近侍·別監金龍劒. 時李德孫爲慶尙道王旨使用別監, 剝民膏血, 超受衛尉尹. 龍劒題詩驛壁, 以刺之, 德孫告于王, 而流之:節要轉載].

[→李德孫, 後爲慶尙道王旨使用別監, 剝民膏血, 以市寵, 超授衛尉尹. 近侍·別監金龍劒題驛壁云, "慶尙州道殘民血, 染出德孫三品職". 德孫訴王, 流之:列傳36李

---

9) 이날은 율리우스曆으로 1285년 5월 13일(그레고리曆 5월 20일)에 해당한다.

10) 이는 다음의 자료에 의거하였다.

· 『원사』 권13, 본기13, 세조10, 지원 22년 4월, "辛酉19日, 以耽羅所造征日本船百艘, 賜高麗".

11) 이때 일본의 교토[京都]에서도 월식이 있었다. 또 이날(14일)은 율리우스력의 1285년 6월 18일이고, 월식 현상이 심했던 때의 世界時는 14시 22분, 食分은 0.25이었다(渡邊敏夫 1979年 482面).

· 『續史愚抄』7, 弘安 8년 5월, "十□日□□, 月蝕, 蝕御祈僧正了遍奉仕".

德孫轉載].

癸巳[21日], 王獵于金郊.

○中郎將池瑄·散員鄭之衍還自元言, "帝命, 己未年[高宗46年]以來逃入中朝人口, 悉令刷還本國".

六月[壬寅朔小盡,癸未], 癸卯[2日], 王如奉恩寺.

戊申[7日], 遣將軍李玢等二十八人如元, 獻鷹.

己酉[8日], 元遣李熙載來, 詔曰, "除法物鐘·磬·銅鏡·古銅瓶·鼎·熟銅器物外, 其餘應有銅錢·生銅器物, 以聖旨到限百日, 悉納所在官". 尋命停罷.

乙丑[24日], 幸龜山寺, 視九齋夏課, 諸生進謌謠, 賜果酒.

[是月頃, 遣使如元, 貢方物:追加].[12)]

秋七月[辛未朔大盡,甲申], [某日, [禿魯花·上將軍]金忻還自元. 帝授昭武大將軍, 佩三珠虎頭牌:節要轉載].

[→[金忻,] 後襲父職, 佩金虎符, 仍授昭勇大將軍·管高麗軍萬戶:列傳17金忻轉載].

庚辰[10日], 遣將軍元卿, 宦者·郎將崔世延如元, 獻鷹. [世延, 嘗怒其妻悍妬, 自宮:節要轉載].[13)]

癸未[13日], [處暑]. 幸神孝寺, 設盂蘭齋[~~盂蘭盆齋~~].[14)]

[辛卯[21日], 大風, 拔木飛瓦:五行3轉載].

乙未[25日], 遣知密直司事禹濬冲如元, 賀聖節.

[某日, 慶尙道按廉使崔崇·忠淸道按廉使崔伯興, 仍番:慶尙道營主題名記].[15)]

庚子[30日], 門下□□[~~侍郞~~]平章事致仕皇甫琦卒.[16)]

---

12) 이는 다음의 자료에 의거하였는데, 이들 사신은 前月(5월)에 고려에서 출발하였을 것이다.
- 『원사』 권13, 본기13, 세조10, 지원 22년 6월 丙辰[15日], "高麗遣使來, 貢方物".

13) 이 구절과 관련된 기사로 다음이 있다. 이 시기에 崔世延은 陶成器보다 먼저 將軍에 승진되었던 것 같으므로 ~~添字~~와 같이 고쳐야 옳게 될 것이다(→충렬왕 14년 7월 19일).
- 열전35, 火者, 崔世延, "… 怒其妻悍妬, 自宮爲閹. 宦者陶成器方得幸於忠烈及公主, 世延附之, 得入宮闈, 寵幸過成器, 不數年, 與成器俱拜將軍[先成器, ~~擢拜將軍~~]".

14) 여기에서 盆字가 탈락되었을 것이다.

15) 崔伯興은 是年 10월 10일에 의거하였다.

16) 이날은 율리우스曆으로 1285년 8월 31일(그레고리曆 9월 7일)에 해당한다.

八月[辛丑朔小盡,乙酉], 乙卯[15日], 王夢先祖遊望月臺, 乃命奏樂于臺.

[壬戌[22日], 月入東井:天文3轉載].

乙丑[25日], 王獵于馬堤山.

戊辰[28日], [將軍]元卿等還自元, 帝賜王蒲萄酒.

○以內竪[內僚]·上將軍金子廷爲東京副使.[17] [公主謂王曰, "予聞東京是王之外家[母鄕], 然乎?" 王曰, "然". 公主曰, "家奴爲邑宰可乎?, 南班人得居中外重任, 始自何代?". 王曰, "自元廟始", 公主曰, "王眞元王之子也". 王有慚色. 王留意音律, 嘗使內竪與伶人鼓樂. 公主遣人告王曰, "以絲竹而理國家, 非所聞也". 遂罷之:節要轉載].[18]

九月庚午朔[小盡,丙戌], 幸王輪寺.

乙亥[6日], 以不給鷹坊人祿, 囚左倉別監裴瑞于巡馬所.

[丁丑[8日], 月犯牽牛:天文3轉載].

癸未[14日], 幸賢聖寺.

甲申[15日], [霜降]. 王及公主, 幸南京.[19]

冬十月[己亥朔大盡,丁亥], 辛丑[3日], 廣平公譓卒.[20] [王沒入財物于內:節要轉載].[21]

[癸卯[5日], 雷:五行1雷震轉載].

[戊申[10日], 王至自南京. 時禾稼未收, 皆爲從騎踐蹂, 民皆怨之. [忠淸道]按廉使崔伯興·南京副使嚴守安, 暴歛[斂]設宴, 極豊侈. 守安勸王, 幸三角山文殊窟, 鑿開新道, 以勞民力, 一方騷然. 王以守安爲能, 賜三品階:節要轉載].[22]

乙卯[17日], 以[知僉議府事]金周鼎爲忠淸·全羅·慶尙道計點都指揮使, 分遣計點使及別

---

17) 金子廷(金子挺)은 같은 해 9월에 東京副留守[尙書]로 到任하여 1287년(丁亥, 충렬왕13) 8월에 上京하였다고 한다(『동도역세제자기』).

18) 이와 같은 기사가 열전2, 忠烈王妃, 齊國大長公主에도 수록되어 있는데, 添字는 이에 의거하였다.

19) 이때 南京副使 嚴守安은 필요한 물자를 잘 조달하여 宴會를 성대히 개최하여 당시인의 비난을 받았다고 한다.
- 열전19, 嚴守安, "累遷典法摠郞, 出爲南京副留守. 會駕幸, 能辦供億, 左右皆譽之, 時人, 有剝民膏希君澤之譏".

20) 이날은 율리우스曆으로 1285년 10월 31일(그레고리曆 11월 7일)에 해당한다.

21) 이 기사는 열전4, 熙宗王子, 慶原公祚에도 수록되어 있다.

22) 이와 같은 기사가 열전19, 嚴守安에도 수록되어 있다.

監于諸道.[23)]

[癸亥[25日], 鎭星犯歲星:天文3轉載].

乙丑[27日], 賜郭麟等及第.[24)] [同知貢擧·左承旨崔守璜, 事佛甚篤, 宴賀客, 略具酒饌, 不肉而素. ○[全羅道]王旨別監林貞杞, 遺以白粲[白粒]一舟. 守璜曰, "吾於王賜尙不受, 況民膏乎?". 拒不納. 貞杞慚怒, 卽以米舟賂權貴, 卽代守璜爲□□[右副]承旨. 時人鄙之:節要轉載].[25)]

[是月癸丑[15日], 元立征東行省, 以阿塔海爲左丞相, 劉國傑·陳巖並爲左丞, 洪茶丘△[爲]右丞, 漢卿爲郎中, 征日本:追加].[26)]

十一月己巳朔[小盡,戊子], 日食.[27)]

[○雷:五行1雷震轉載].

[癸酉[5日], 亦如之[雷]:五行1雷震轉載].

丁丑[9日], 王及公主, 幸妙蓮寺, 設慶讚會, 賜行香使·[僉議贊成事]洪子藩紅鞓.

---

23) 이때의 형편을 金周鼎의 묘지명에는 다음과 같이 기술하였다. 이는 族譜에 수록되어 있는 것이기에, 文字의 탈락이 많이 있어 字句의 해석에 어려움이 있다.
- 「金周鼎墓誌銘」, "□[權?]豪多依勢, 而□民不堪, 上□正持□事而鎭之, 絳灌之徒曾害, 其能□錦已成".

24) 이와 관련된 기사로 다음이 있다. 이때 郭麟(永慕亭記)·[鄕貢進士]李兆年(丙科, 李兆年墓誌銘)·閔頔(閔頔墓誌銘) 등이 급제하였다(『등과록』, 朴龍雲 1990년 ; 許興植 2005년).
- 지27, 선거1, 科目1, 選場, "[忠烈]十一年十月, 知僉議府事薛公儉知貢擧, 左承旨崔守璜同知貢擧, 取進士, [乙丑], 賜郭麟等三十一人及第".
- 「元傅墓誌銘」, "乙酉[忠烈11年], 受東堂知貢擧, 確辭不行".

25) 이와 같은 기사가 崔守璜과 林貞杞의 열전에도 수록되어 있다.
- 열전19, 崔守璜, "… 王旨別監林貞杞, 遺以白粒一舟, 守璜曰, '吾於王賜尙不受, 況民膏乎?', 終不納. 時議多之".
- 열전36, 폐행1, 林貞杞, "[全羅道王旨別監]貞杞, 以白粒一舟, 遺承旨崔守璜, 不受. 貞杞慚怒, 以其米賂權貴, 卽代守璜爲□□[右副]承旨, 時人鄙之".

26) 이는 다음의 자료에 의거하였다.
- 『원사』 권13, 본기13, 세조10, 지원 22년 10월, "癸丑[15日], 立征東行省, 以阿塔海爲左丞相, 劉國傑·陳巖並爲左丞, 洪茶丘右丞, 征日本".
- 『원사』 권122, 열전9, 鐵邁赤, 虎都鐵木祿[漢卿], "[至元]二十二年, … 平章政事程鵬飛建議征日本, 奏漢卿爲征東省郎中, … 征東省罷, 徵漢卿還".
- 『원사』 권154, 열전41, 洪福源, 俊奇, "至元二十一年十一月[十月], 復授征東行省右丞". 여기에서 十一月은 十月의 오자일 것이다.

27) 이날 『원사』에서는 일식이 기록되어 있지 않고(권13, 본기13, 세조10, 至元 22년 11월 己巳), 이날의 『고려사』, 지7, 五行1에는 朔이 탈락되었다. 또 이날(율리우스력의 1285년 11월 28일)의 일식은 북동아시아 3국이 中心食帶에서 벗어나 있었기에 관측될 수 없었다(渡邊敏夫 1979年 310面).

乙酉[17日], [冬至]. 幸平州溫泉.

丙戌[18日], 元以東寧府爭我遂安·谷州, 遣斷事官蘇獨海來, 視兼督東征造船. [獨海往視遂安·谷州, 遂以其地, 歸于我:節要轉載].

[庚寅[22日], 王至自□□[平州]溫泉:節要轉載].

[是月, 取□□□[升補試]李瑞等三十八人:選擧2升補試轉載].

[是月癸巳[25日], 帝敕漕江淮米百萬石, 泛海貯於高麗之合浦, 仍令東京及高麗各貯米十萬石, 備征日本. 諸軍期於明年三月, 以次而發, 八月會於合浦:追加].[28)]

十二月[戊戌朔大盡,己丑], 己亥[2日], 遣大將軍高天伯如元, 賀正.[29)]

辛丑[4日], 元中書省遣人來, 督造船. 又令申報軍兵·梢工·水手名目.[30)]

癸卯[6日], 以同知密直司事[~~知密直司事~~]宋玢爲慶尙道造船都指揮使. 又遣使諸道, 督造船偫軍粮.[31)]

[某日, 東寧府千戶韓愼·[摠管]崔坦·[千戶?]玄孝哲, 執千戶桂文庇管下人等誣, 以此輩, 與宰相廉承益同謀, 欲殺我等, 以告于遼東宣慰使□[司]按察府. 宣慰使□[司]遣人來, 鞫之. 元樞密院亦遣使, 與遼東道按察使簽事等來, 訊之. □□[~~明年~~], 王遣[知僉議府事]金周鼎·趙仁規·柳庇, 偕元使, 以承益往東寧府辨之. 韓愼等伏其誣:節要轉載].[32)]

[→[忠烈王]十一年, [崔]坦·[韓]愼·[玄]孝哲等, 執[桂]文庇管下人誣□[曰], "以此輩, 與宰相廉承益, 謀殺我等". 遣人告遼東宣慰使□[司]按察府, 宣慰使□[司]遣東京安撫摠管來, 鞫

28) 이는 다음의 자료에 의거하였다.
- 『원사』 권13, 본기13, 세조10, 지원 22년 11월 癸巳[25日], "敕漕江淮米百萬石, 泛海貯於高麗之合浦, 仍令東京及高麗各貯米十萬石, 備征日本. 諸軍期於明年三月, 以次而發, 八月會於合浦".

29) 高天伯은 12월 10일(丁未) 皇太子 眞金(Jimkin, Chinkim, 裕宗)의 逝去로 인해 明年 正旦에 賀禮를 드리지 못하였다.
- 『원사』 권14, 본기14, 세조11, 지원 23년 1월, "戊辰朔, 以皇太子故, 罷朝賀".

30) 몽골제국이 使臣을 파견한 것은 11월 10일(戊寅)이었다.
- 『원사』 권13, 본기13, 세조10, 지원 22년 11월, "戊寅, 遣使高麗發兵萬人, 船六百五十艘, 助征日本".

31) 同知密直司事는 知密直司事의 오류이다. 宋玢은 충렬왕 6년 12월 5일 知密直司事에 임명된 후 계속 在職하였다.

32) 이 기사의 축약으로 다음이 있다.
- 열전36, 廉承益, "後陞副知密直□□[司事]. 東寧府千戶韓愼·崔坦·玄孝哲, 執千戶桂文庇管下人等, 誣謂, 欲與宰相廉承益同謀, 欲殺我輩. 遣人告遼東按察府, 元遣使, 與遼東按察使來訊. 王遣承益及金周鼎·趙仁規·柳庇, 偕元使, 往東寧府辨詰. 愼等伏其誣".

之. 明年, 王遣□[廉]承益及金周鼎·趙仁規·柳庇等, 偕來使, 往東寧府辨之, 坦等服其誣:列傳43崔坦轉載].

甲寅[17日], 元遣箭匠十人來.

丙辰[19日], 王及公主, 幸興王寺, 拜金塔. 遂幸妙蓮寺.

丁卯[30日], 元中書省□[移]牒, 調發軍粮十萬石.[33)]

[是年, 以鳳州, 復稱防禦使. 東界金壤縣, 陞通州防禦使. 寶城郡任內高伊部曲, 爲高興縣監務官:轉載].[34)]

[○復陞歸化部曲爲密城郡:轉載].[35)]

[○以[僉議侍郎贊成事]元傅爲僉議中贊, 仍令致仕:追加].[36)]

[○以鄭僐[鄭賢佐]爲永州副使, 朴承甫爲永州判官:追加].[37)]

[○以柳墩爲東大悲院錄事. 時墩年十三:追加].[38)]

[○王與公主寫成'金字妙法聖念處經':追加].[39)]

---

33) 添字는 『고려사절요』 권21에 의거하였다.

34) 이는 다음의 기사를 전재하였다. 그 중에서 通州의 경우 邑格의 차이가 있지만 鳳州와 같은 段階를 밟았을 가능성이 있다(尹京鎭 2015년b).
- 지12, 지리3, 鳳州, "忠烈王十一年, 復稱防禦使, 尋知鳳陽郡事".
- 지12, 지리3, 金壤縣, "忠烈王十一年, 陞通州防禦使".
- 『세종실록』 권153, 지리지, 通川郡, "新羅改金壤郡, 高麗初, 置縣令. 忠烈王十一年, 陞爲知通州事, 本朝因之. 太宗十三年癸巳, 例改通川郡".
- 지11, 지리2, 寶城郡, "又高興縣, 本高伊部曲. 高伊者, 方言猫也. 時有猫部曲人入仕, 則國亡之讖. 柳庇, 以譯語通事于元, 有功. 忠烈王十一年, 陞爲監務".
- 열전38, 柳淸臣, "… 由是, 爲忠烈寵任, 補郎將. 敎曰, '淸臣, 隨趙仁規盡力立功, 雖其家世, 當限五品, 且於其身, 許通三品'. 又陞高伊部曲爲高興縣".

35) 이는 다음의 자료에 의거하였는데, b는 添字와 같이 고쳐야 옳게 될 것이다.
- a 지11, 지리2, 密城郡, "忠烈王十一年, 陞爲郡".
- b 『세종실록』 권150, 지리지, 密陽都護府, "… [忠烈王]十二年~~十一年~~乙酉, 復陞爲密城郡".

36) 이는 「元傅墓誌銘」에 의거하였다.
- 열전20, 元傅, "尋拜中贊, □□□□[仍令致仕]. 傅嘗退食, 門生四五輩來謁. 命之坐, 與語曰, '予濫首鈞衡, 才不逮志, 物論何如'. 皆莫敢對, 方于宣在下坐, 對曰, '人謂公之爲政, 如其姓'. 傅大笑曰, 吾法吾姓, 輪至於此. 汝法汝姓, 將至何地".

37) 이는 『영천선생안』에 의거하였다. 鄭僐(鄭倍傑의 7世孫)은 鄭賢佐의 改名인데, 1273년(원종14) 10월 11일에서 1285년(충렬왕11) 사이에 개명하였던 것 같다.

38) 이는 柳墩(柳璥의 第3子, 初名은 仁和)의 墓誌銘에 의거하였다.

39) 이는 『紺紙金泥妙法聖念處經』의 題記에 의거하였는데(天津博物館 所藏, 南權熙 2002년 357面 ; 張忠植 2007년 64面), 筆寫者인 金必爲는 충렬왕대의 幸臣 石胄에게 暴行당했다는 侍史(侍

[○僧統惠永領寫經僧一百員，如大都，作金字法華經，獻帝世祖，特承勞慰，仍寓慶壽寺:追加].[40]

[○元置高麗提擧司，秩從五品，提擧一人:追加].[41]

丙戌[忠烈王]十二年，元 至元二十三年，[西曆1286年]

1286년 1월 26일(Gre2월 2일)에서 1287년 1월 14일(Gre1월 21일)까지, 354일

春正月戊辰朔大盡,庚寅，庚午3日，[立春]. 遣上將軍印侯如元，請親朝.

辛未4日，元歸我遂安·谷州.[42]

甲申17日，王及公主，幸神孝寺.

丙戌19日，[雨水]. 元遣使□來，詔大赦，寢東征.

[某日，以薛□某爲慶尙道按廉使:慶尙道營主題名記].

丁酉30日，元遣校尉朱佛大來，命王勿朝.

[是月甲戌7日，帝以日本孤遠島夷，重困民力，罷征日本，召阿八赤赴闕，仍散所顧民船:追加].[43]

二月戊戌朔大盡,辛卯，[辛丑4日，鷩蟄. 以司巡衛大護軍~~大將軍~~鄭仁卿爲左右衛大護軍~~大將軍~~:追加].[44]

御史의 改稱) 金必爲와 同一人으로 추측된다(열전38, 姦臣, 石冑).

· 題記, "至元二十二年乙酉歲,高麗國」 國王·宮主,特爲」 皇帝萬年,四海和平,法界共生,共證」 菩提,發願寫成金字大藏,」 式目錄事·大盈署令金必爲書"」.

40) 이는「桐華寺住持五敎都僧統普慈國尊贈諡弘眞碑銘」에 의거하였다.

41) 이는『원사』권88, 지38, 백관4, 高麗提擧司에 의거하였는데, 이 官署의 機能이 무엇인지는 알 수 없다. 추측컨대 전쟁 중에 被虜된 高麗人 출신의 手工業者들이 예속되어 각종 공예품을 제조하였던 것 같다.(충렬왕 10년 12월 21日의 각주)

42) 遂安·谷州의 收復에 관한 기사로 다음이 있다.

· 열전18, 趙仁規, "西北二鄙, 復歸于我, 亦趙仁規專對之功".

43) 이는 다음의 자료에 의거하였다.

· 『원사』권14, 본기14, 세조11, 지원 23년 1월, "甲戌7日, 帝以日本孤遠島夷, 重困民力, 罷征日本, 召阿八赤赴闕, 仍散所顧民船".

· 『원사』권148, 열전35, 董俊, 文用, "至元二十三年, 朝廷將用兵海東, 徵斂益急, 有司大爲奸利. 文用請入奏事, 大略言, '疲國家可實之民力, 取僻陋無用之小邦. 列其條目甚悉'. 言上, 事遂罷".

戊申[11日], 忠淸道脫脫禾孫李英柱報, 康允明作亂, 殺寧越縣令李恂, 遣[殿中]侍史尹諧, 往鞫之.[45]

[→有民康允明作亂, 殺寧越縣令李恂. 時忠淸道脫脫禾孫李英柱, 侵割驛路, 恂縱肆貪暴, 民甚怨之. 允明乘衆怨, 詐稱新皇帝使者, 招集無賴驛人十餘輩, 乘傳橫行, 殺恂, 又將殺英柱. 英柱知之, 以計捕得, 報于朝. 遣侍史尹諧, 往鞫之:節要轉載].

[己酉[12日], 曹溪山第五世社主·大禪師天安[天英]入寂:追加].[46]

辛亥[14日], 燃燈, 王如奉恩寺.

癸丑[16日], 王獵于昇天府.

丁巳[20日], 王與公主宴元使于大殿.

丁卯[30日], 王入御新宮.

[是月, 以東京留守府判官任澍爲知永州事:追加].[47]

三月[~~戊辰朔~~小盡,壬辰], [48] 癸酉[6日], 宥境內.

丁丑[10日], 親醮三界于康安殿.[49]

己卯[12日], 判三司事金應文卒.[50]

壬午[15日], 以知申事金忻爲[副知密直司事:節要轉載]·三司使, 左承旨蔡謨爲知申事, 上將軍金惲[金琿]爲左承旨, 上將軍印侯爲鷹揚軍上將軍.[51]

乙酉[18日], 幸王輪·乾聖二寺.

丁亥[20日], [穀雨]. 以金忻△[爲]副知密直司事.

---

44) 이는 「鄭仁卿政案」에 의거하였다.

45) 이와 관련된 기사로 다음이 있다.

- 열전36, 폐행1, 李英柱, "…又爲忠淸道脫脫禾孫, 侵割驛吏, 寧越縣令李恂, 亦貪暴不法, 民甚怨之. 有民康允明, 乘衆怨作亂, 詐稱新皇帝使者, 招集無賴驛吏十餘輩, 乘傳橫行, 殺恂及縣吏一人. 又將殺英柱, 英柱知而掩捕之".
- 열전19, 尹諧, "[殿中侍史尹諧,] 爲東界抄軍使. 時有康允明者, 殺寧越守, 橫行州郡, 諧, 坐不能擒捕, 罷".

46) 이는 「曹溪山第五世贈諡慈眞圓悟國師塔碑銘」에 의거하였다.

47) 이는 『동도역세제자기』; 『영천선생안』에 의거하였다.

48) 元曆은 3월의 朔日이 丁卯이지만, 고려력과 日本曆은 戊辰이 朔日이다.

49) 이 기사는 지17, 禮5, 雜祀에도 수록되어 있다.

50) 이날은 율리우스曆으로 1286년 4월 7일(그레고리曆 4월 14일)에 해당한다.

51) 金惲(김운)은 1293년(충렬왕19) 8월 某日에서 같은 해 10월 19일 사이에 金琿(김혼)으로 改名하였거나 아니면 『고려사』의 편찬과정에서 오자가 발생하였던 것 같다.

庚寅[23日], 王行香于藏經道場.

[某日, 王欲以參官, 授一內官, 左承旨安戩執不可. 王曰, "此人服勤左右, 歲月已久, 卿强爲予, 與六品職". 且命書之於前. 戩不得已擬以郎將. 既而, 啓曰, "臣以不才, 昵侍帷幄, 題品銓注, 豈臣所堪, 乞擇賢者代之", 言甚切. 王怒, 起入內, 戩隨之, 啓曰, "臣明當見代, 其內豎參官之命, 乞留之, 以須後日". 王已逾閾, 顧而厲聲曰, "可", 左右皆懼. 戩退, 徐曰, "殿下許臣矣", 遂削去. 人皆歎服:節要轉載].[52)]

[某日, 下旨, "□乛. 外方奴婢相訟者, 例當就守令及按廉使處决. 事曲者, 依付權勢, 請移京官, 使對訟者, 贏粮遠來. 今後, 悉令其處守令及按廉使聽理, 所任外, 別銜處決, 一禁:刑法1職制轉載].

[□乛. 今諸院·寺社·忽只[忽赤]·鷹坊·巡馬及兩班等, 以有職人員·殿前·上守, 分遣田庄, 招集齊民, 引誘猾吏, 抗拒守令, 以至毆攝差人, 作惡萬端, 下界別銜, 不能懲禁. 且東西兩班, 及有官守散官等, 依附別常, 外方下去, 侵害殘民. 今後窮推, 執送于京. 推徵宿債, 與者·貸者俱存, 方許聽理, 農時則一禁. 與者貸者俱沒, 執傳傳文契, 徵督族類者, 官收文契, 勿令徵給":刑法2禁令轉載].

[是月頃, 以李諤爲東京留守府司錄:追加].[53)]

夏四月丁酉朔[大盡,癸巳], 雨雹, 而冰, 凡八日.[54)]

甲辰[8日], 霜.[55)]

[→隕霜:五行1轉載].

○元遣使□[來], 筭商人稅錢.[56)]

---

52) 이와 같은 기사가 열전19, 安戩에도 수록되어 있다.

53) 이는 『동도역세제자기』에 의거하였다.

54) 이와 같은 기사가 지7, 五行1, 水, 雨雹에도 수록되어 있다. 이날 일본의 교토에서 밤부터 비가 내렸다고 한다(『勘仲記』, 弘安 9년 4월, "一日丁酉, … 自夜雨降").

55) 이와 같은 기사가 지7, 五行1, 水, 霜에도 수록되어 있다. 이날 교토에서 밤부터 비가 내렸다고 한다(『勘仲記』, 弘安 9년 4월, "八日甲辰, 自夜雨降").

56) 이 기사에서 商人稅錢은 商稅錢(商稅)을 가리키는 것 같은데, 唐制에서 商稅는 卅一稅였으나 後期에 戰亂으로 인해 什一稅로 增價하게 되었던 것 같다, 몽골제국에서는 卅一稅였던 것 같다 (『원사』 권94, 지43, 식화2, 商稅, 張東翼 1997년 327面).
- 『자치통감』 권227, 唐紀43, 德宗建中 3년(782) 4월 壬午[30日], "… 淮南節度使陳少遊奏, 本道稅錢每千請增二百[胡三省注, 稅錢, 謂田稅及商稅錢]".
- 『자치통감』 권226, 唐紀42, 德宗建中 2년(781) 5월, "丙寅[8日], 以軍興, 增上世爲什一[胡三省注, 楊炎定稅法, 商賈三十稅一. 今增之]".

[辛亥15日, 月食:天文3轉載].[57]

[壬子16日, 以大禪師冲止爲修禪社主:追加].[58]

五月丁卯朔小盡,甲午, 日食.[59]

庚午4日, 遣齊安公淑·上將軍印侯如元, 弔皇太子眞金之喪.[60]

丁丑11日, 王獵于西海道, 宰相伏閤諫曰, "不麛不卵, 聖人之訓. 又値久旱, 飢饉荐臻, 實非行樂之時. 且農事方殷, 民皆歸於南畝, 車駕一出, 恐妨耘耔, 伏望, 待秋而獮". 不從.

乙酉19日, 宴群臣, 酒酣, 群臣皆極歡擧手, 夜分乃罷.

[丙戌20日, 熒惑掩右執法, 三日:天文3轉載].

[是月, 崔甸, □□□□□掌成均館試, 取詩賦任弘基等三十六人, 十韻詩四十人:選擧2國子試額轉載].

[○奉翊大夫·左常侍廉□□承僉, 使禪師自回寫成'阿彌陀如來像':追加].[61]

[○知洪州事副使尹玥與判官趙胤開板'妙法蓮華經':追加].[62]

---

57) 이날 일본에서도 월식이 예측되었으나 陰雲으로 볼 수 없었다고 한다. 이날은 율리우스曆의 1286년 5월 9일이고, 월식 현상이 심했던 때의 世界時는 18시 24분, 食分은 0.13이었다(渡邊敏夫 1979年 482面).

· 『續史愚抄』7, 弘安 9년 4월, "十五日辛亥, 月蝕, 陰雲不見歟, 蝕御祈權僧正靜嚴奉仕".

58) 이는 「圓鑑國師塔碑銘」에 의거하였다.

59) 이날 『원사』에서는 일식이 기록되어 있지 않다(권14, 본기14, 세조11, 至元 23년 5월 丁卯朔). 또 이날(율리우스曆의 1286년 5월 25일)의 일식은 북동아시아 3國이 中心食帶에서 벗어나 있었기에 觀測될 수 없었다(渡邊敏夫 1979年 310面).

60) 皇太子 眞金[Jimkin]은 前年 12월 10일(丁未) 43歲로 逝去하였다(『원사』 권13, 본기13, 세조10, 至元 22년 12월 丁未).

61) 이는 東京都 台東區 上野公園內 東京國立博物館 所藏(島津家 舊藏, 現 日本銀行所藏?)의 阿彌陀如來像, 下端部 左右側의 書記에 의거하였다(熊谷宣夫 1967年 ; 中吉 功 1973年b 329面 ; 吉田宏志 1979年 ; 菊竹淳一 1983年 單色圖版8 ; 鄭于澤 1988年 ; 井手誠之輔 1996年 ; 張東翼 2004년 735面).

· 書記,"特爲國王·宮主,福壽無疆,」 願我臨欲命終時,」 盡除一切諸障碍,」 兼已身不逢楉難苦難,」 面見彼仏阿弥陁,」 卽得往生安樂剎,」 奉翊大夫·左常侍廉□□承僉」"(左側下), "至元二十三年丙戌五月 日,」 禪師 自回筆」"(右側下, 學習院大學 所藏 末松保和資料 9box에 判讀文이 있다).

62) 이는 다음의 자료에 의거하였다(郭丞勳 2021년262 面).

· 『妙法蓮華經』 권7, 卷末刊記, "夫蓮經之旨, 甚深微妙, 於諸經中最」 尊最上,若能竊爲一人說經一句,其功叵涯何,况方便廣施於衆,是用弟子早勤信奉,與前戶長李希呂同轉」 願輪,躬板而手彫,以廣流通.所冀」 皇帝万歲,國王·宮主各保千秋,儲闈衍」 慶,宗室凝休,陰陽調,朝野平,」 佛日恒明,法

[是月頃, 遣使如元, 獻朝貢:追加].63)

[是月乙酉19日, 帝敕遣耽羅戍兵四百人還家:追加].64)

六月丙申朔大盡,乙未, 丁酉2日, 王如奉恩寺, 遂幸妙蓮寺.

戊申13日, 遣將軍元卿等如元, 獻鷂.65)

乙卯20日, 以監察史朴玫爲忠州判官, 起莊宅於管內, 矯旨盜官米, 又帶官妓而來. 監察司劾而罷之.

[某日, 以前典法摠郎金晅爲寧越監務, 尋爲其縣安集別監:追加].66)

秋七月丙寅朔小盡,丙申, 癸酉8日, [立秋]. 遼東府摠管六十奉詔, 歸女眞, 王出迎于西郊.

甲戌9日, 齊安公淑等還自元, 帝詔推刷雙城流民.

[某日, 遣知密直司事·監察大夫郭預如元, 賀聖節. 卒于道, 年五十五. □預, 爲人平淡勁直, 謙遜樂易, 雖至貴顯, 如布衣時. 善屬文, 書法瘦勁, 成一家體, 當世効之, 翕然一變. 其在翰院, 每雨中, 跣足持傘, 獨至龍化池賞蓮, 後人高其風致, 多詠其事. 子雲龍·鎭. 雲龍, 仕至都津長. 鎭, 登第爲校書郞, 後棄官爲僧:列傳19 郭預轉載].67)

庚辰15日, 遣知密直司事趙仁規如元, 賀聖節.

壬辰27日, 世子入國學, 講六經.

[某日, 以慶尙道按廉使薛□荣, 仍番:慶尙道營主題名記].

八月乙未朔大盡,丁酉, 戊戌4日, 遣副知密直司事金忻往東眞, 推刷流民.

○令同正馬伯奇讒構本國于元, 帝察其誣, 鎖項以送, 王命參文學事許珙等鞫, 流遠島.

輪永轉,法界含靈,共證」 菩提,至元二十三年丙戌五月 日,道」 人 成敏 誌」,同願」 判官·升仕郞·良醞令趙胤,」 知洪州事副使·管句學事·殿中內給事尹玥」".

63) 이는 다음의 자료에 의거하였다.
· 『원사』 권14, 본기14, 세조11, 지원 23년 6월 辛酉26日, "高麗國遣使來貢".

64) 이는 다음의 자료에 의거하였다.
· 『원사』 권14, 본기14, 세조11, 지원 23년 5월 乙酉19日, "帝敕遣耽羅戍兵四百人還家".

65) 元卿(元傅의 次子)은 明年(충렬왕13) 2월 朝奉大夫·千牛衛攝大將軍을 띠고 있었다(元傅墓誌銘).

66) 이는 「金晅墓誌銘」에 의거하였다.

67) 賀聖節使 郭預가 途中에 逝去하자 15일 趙仁規가 다시 파견된 것 같다.

辛亥17日, 日本人十九名來, [泊杆城. 遣中郎將池瑄, 押送于元:節要轉載].

癸丑19日, 王獵于馬堤山.

[乙卯21日, 太白犯軒轅右角星:天文3轉載].

辛酉27日, 以趙仁規△爲知密直司事兼監察大夫,[68] 知中事蔡謨爲三司使, 上將軍羅裕△爲知中事.

[是月頃, 遣使如元, 獻日本俘:追加].[69]

[○僉議中贊致仕金方慶, 乞告上冢, 王遣子恂爲太白山祭告使, 隨之. 至鄕, 爲親舊留數日, 謂曰, "秋稼登場, 民力未暇, 豈可久煩汝爲", 遂還:列傳17金方慶轉載].[70]

九月乙丑朔小盡,戊戌, 甲戌10日, [寒露]. 王獵于馬堤山.

乙亥11日, 遣中郎將池瑄, 押日本人如元.

[丙子12日, 雨雹:五行1雨雹轉載].[71]

辛巳17日, 元遣胡林浸等來, 督捕鷹鶻.

[乙酉21日, 亦如之雨雹:五行1雨雹轉載].[72]

壬辰28日, 以旱禁酒.

[是月, 優婆塞金延·朱萬等寫成'墨書佛說長壽滅罪護諸童子陀羅尼經':追加].[73]

[是月頃, 遣使如元, 獻日本俘十六人:追加].[74]

---

68) 이때 趙仁規는 知密直司事로서 監察大夫·世子賓客이 더해졌다(加職, 趙仁規墓誌銘).

69) 이는 다음의 자료에 의거하였다. 이 기사는 10월 29일(壬戌)에 다시 수록되어 있는데, 같은 사실인지를 辨別하기가 어렵다.

· 『원사』 권14, 본기14, 세조11, 지원 23년 9월, "壬辰11日, 高麗遣使, 獻日本俘".

70) 金恂이 祭告使에 임명된 것은 1286년(충렬왕12)이고, 이 기사의 내용을 통해 볼 때 秋季祭告使로 판단된다.

· 「金恂墓誌銘」, "壬戌丙戌, 奉使南方, 爲陪先公金方慶, 拜祖墓於桑鄕也".

71) 이날 일본의 京都의 날씨는 맑았다고 한다(『勘仲記』, 弘安 9년 9월, "十二日丙子, 晴").

72) 이날 일본의 京都는 날씨는 흐렸다고 한다(『勘仲記』, 弘安 9년 9월, "廿一日乙酉, 陰").

73) 이는 『墨書佛說長壽滅罪護諸童子陀羅尼經』의 題記에 의거하였다(南權熙 2002년 358面 ; 郭丞勳 2021년 263面).

· 題記, "伏願」 皇帝萬年, 國王千秋, 干戈永靜, 國泰民」 安仰, 又先考父母, 親姻眷屬, 及法」 界生亡, 承此功德, 盡往西方極樂」 世界, 親見彌陀之願, 請人敬寫寫」 經, 廣施無窮者.」 時丙戌九月日, 施主金延, 施主朱万」".

74) 이는 다음의 자료에 의거하였다.

· 『원사』 권14, 본기14, 세조11, 지원 23년 9월 壬戌29日, "高麗遣使來, 獻日本俘十六人".

冬十月[甲午朔小盡,己亥], 庚子[7日], 賜國子生李榑等及第.[75)]

[辛亥[18日], 月犯東井:天文3轉載].

十一月[癸亥朔大盡,庚子], 甲子[2日], 親設靈寶道場于康安殿.

庚午[8日], 王與公主, 幸妙蓮寺.

丁丑[15日], 命直史館吳良遇等撰國史, 將以進于元也.

戊寅[16日], 遣弓箭陪將軍許評·郎將金深·薛之忠[薛之冲]·王維紹等九人如元.[76)]

乙酉[23日], 幸平州溫泉.

[是月頃, 取□□□[升補試]鄕貢進士權烋等二十九人:選擧2升補試轉載].

十二月[癸巳朔小盡,辛丑], 甲午[2日], [王至自□□[平州]溫泉:節要轉載].

○元遣郞哥歹來, 捕鷹.

丁酉[5日], 遣大將軍鄭仁卿如元, 賀正.

庚子[8日], 召國子司業崔雍, 講通鑑[資治通鑑].

乙卯[23日], 以[上將軍]印侯△[爲]副知密直司事, [司巡衛大護軍[大將軍]鄭仁卿爲正獻大夫·監門衛攝上將軍:追加].[77)]

[是年, 以[參文學事]許珙爲僉議侍郎贊成事·修文殿大學士·判典理司事:追加].[78)]

[○以[版圖摠郎·安東大都護府副使]崔瑞爲試典法摠郎·知制誥:追加].[79)]

[○以[東京少尹]任澍爲永州副使:追加].[80)]

---

75) 이와 관련된 기사로 다음이 있고, 이날 일본의 교토[京都]는 흐렸다고 한다.
- 지27, 선거1, 科目1, 選場, "[忠烈]十二年十月, 贊成事韓康知貢擧, 國子祭酒李益培同知貢擧, 取進士, □□[庚子], 賜李榑等三十一人及第".
- 『勘仲記』, 弘安 9년 10월, "七日庚子, 陰"(村井章介 2011年).

76) 金深은 다음 해(丁亥, 충렬왕13)에 元에 있다가 西海道勸農使에 임명되어 還國하였다고 한다. 또 薛之忠은 薛之冲(薛公儉의 子)의 오자일 것이다(열전18, 薛公儉→충렬왕 5년 3월 10 일).
- 「金深墓誌銘」, "丁亥, 以西海道勸農使受命, 還國首領禁衛".

77) 이때 印侯는 貫鄕을 昇平郡으로 下賜받았다고 한다. 또 鄭仁卿은 「鄭仁卿政案」에 의거하였다.
- 열전36, 印侯, "[忠烈]十二年, 授副知密直□□[司事], 賜籍昇平郡".

78) 이는 「許珙墓誌銘」에 의거하였다.

79) 이는 「崔瑞墓誌銘」에 의거하였다.

80) 이는 『영천선생안』에 의거하였다.

[○以安世偉爲碩州副使, 琴允義爲碩州判官:追加].[81)]

[○僧統惠永還自元. 是年, 惠永畢金泥大藏經, 帝[世祖]乃嘉之, 賜遺甚厚, 遣使伴還本國:追加].[82)]

[○元以禿魯花朴全之爲將仕郎·征東行中書省照磨兼儒學教授·同提擧, 令歸國:追加].[83)]

丁亥[忠烈王]十三年, 元 至元二十四年, [西曆1287年]

1287년 1월 15일(Gre1월 22일)에서 1288년 2월 2일(Gre2월 9일)까지, 13개월 384일

春正月[壬戌朔大盡,壬寅], 甲子[3日], 副知密直司事廉承益享王.

戊辰[7日], 同判密直司事李尊庇卒, [年五十五:追加].[84)] [尊庇, 好學能文, 善隷書. 東征之役, 爲三道都巡問使, 調發軍粮·戰艦, 先期辦集, 不擾民, 州郡賴以安焉:節要轉載].

[→歲辛巳[忠烈7年], 征日本, 尊庇爲慶尙·忠淸·全羅道都巡問使, 調兵糧·戰艦, 措置得宜, 民不見擾. 以判密直司事·監察大夫世子元賓卒, 世子聞之, 泣嘆曰, "尊庇正直, 何夭如是?". 父[尊庇子]瑀, 鐵原君:列傳24李嵒轉載].[85)]

辛未[10日], 以朴之亮△[爲]副知密直司事, 金惲[金琿]爲三司使.

[甲戌[13日], 月犯東井:天文3轉載].

己卯[18日], 放輕繫.

---

81) 이는『연안부지』에 의거하였다.

82) 이는「桐華寺住持五教都僧統普慈國尊贈諡弘眞碑銘」에 의거하였다.

83) 이는「朴全之墓誌銘」에 의거하였는데, 열전22, 朴全之에는 左右司都事에 임명되었다고 한다("元授征東省都事").

84) 이 시기에 密直司의 長官인 判密直司事의 下位에 同判密直司事가 설치되어 있었던 것 같다. 또 年齡은「李尊庇墓誌銘」에 의거하였는데, 이날은 율리우스曆으로 1287년 3월 22일(그레고리曆 3월 29일)에 해당한다.

·『牧隱文藁』권12, 李嵒墓誌銘, "… 大父[祖]諱尊庇, 用儒術事忠烈王, 掌銓選餘三十年[二十年], 試士成均, 又知貢擧, 卒官判密直司事·監察大夫. 父諱瑀, 以材幹, 歷使淮陽·金海·全·晋二牧, 所至有遺愛, 封鐵原君". 여기에서 李尊庇가 人事行政[銓注]를 30년간 담당했다는 것은 20년의 誤謬라고 한다(金昌賢 1998년 54面).

85) 이 記事에서는 ~~添字~~와 같이 읽어야 옳게 될 것이다[讀].

[乙酉24日, 月犯房星:天文3轉載].

[某日, 以鞠成允爲慶尙道按廉使, 典理摠郞崔瑞爲忠淸道按廉使:追加].[86]

二月壬辰朔大盡,癸卯, 庚子9日, 僉議中贊□□~~致仕~~元傅卒,[87] [年六十八, 輟朝三日, 謚文純:追加], [子瓘·卿. 瓘官至贊成事, 子忠. 卿別有傳, 卿子善之:列傳20元傅轉載].[88]

[辛丑10日, 月犯東井:天文3轉載].

[某日, 賑東界飢民:節要·食貨3水旱疫癘賑貸之制轉載].

[某日, 宴群臣, 酒酣, 知僉議府事金周鼎, 稱觴而退. 公主呼周鼎曰, “卿子深, 逼其妻, 自縊, 父不能懲子耶?”. 周鼎跪白曰, “虎且不食其子”, 公主不悅. 周鼎退, 支頤而睡, 公主使人責曰, “卿醉耶, 睡耶?”. 周鼎曰, “臣無睡也”. 公主大怒, 即命執之以出, 明日, 罷其職:節要轉載].

[乙巳14日:比較],[89] 以燃燈, 移御康安殿.

[甲寅23日, 南方有赤氣:五行1轉載].

己未28日, 宴群臣.

庚申29日, 以宋玢△爲知都僉議事知僉議府事, 知密直司事趙仁規爲三司使, 孔愉△爲同判密直□司事,[90] 金惲~~金琿~~·安戩並△爲副知密直司事, 柳陞·林貞杞爲左·右副承旨.[91]

閏[二]月壬戌朔大盡,癸卯, 甲子3日, 虎入城:五行2轉載].

戊辰7日, 以旱禁酒.

庚午9日, 王畋于馬堤山.

戊寅17日, 親設消災道場于大殿.

[某日, 令忽赤·鷹坊三品以下, 佩弓箭, 輪次入直:兵2宿衛轉載].

---

86) 崔瑞는 그의 墓誌銘에 의거하였다.

87) 이날은 율리우스曆으로 1287년 2월 22일(그레고리曆 3월 1일)에 해당한다.

88) 이는 「元傅墓誌銘」에 의거하였다. 또 이때 元에서 宿衛하고 있던 元傅의 아들 元貞(元瓘으로 改名)이 귀국하여 喪을 마치고 正獻大夫·典法判書·文翰學士·知詹事府事에 임명되었다고 한다(元瓘墓誌銘).

89) 燃燈會는 2월 14일에 개최되므로 이에서 乙巳가 탈락되었을 것이다.

90) 同判密直事는 同判密直司事에서 司字가 탈락되었다. 『고려사절요』 권21에는 옳게 되어 있다.

91) 林貞杞는 2개월 후인 3월 26일 右承旨를 줄이고 있었다(『瑞山鄭氏世譜』, 鄭仁卿功臣錄券, 여기에서 林丁杞로 표기되어 있으나 오자일 것이다).

三月壬辰朔[大盡,甲辰], 92) [穀雨]. 親醮三界于康安殿.[93)]
[丙申[5日], 月又犯東井:天文3轉載].
庚子[9日], 王及公主, 幸妙蓮寺.
甲辰[13日], 遣□[大]將軍張舜龍等, 獻李仁椿女于元. 仍令求買公主眞珠衣.[94)]
乙巳[14日], 元遣刑部侍郞六十來, 辨東寧府事.
甲寅[23日], 禱雨.
丙辰[25日], 賜四年隨從功臣, 各臧獲二口·田百結, 閒有內僚不曾隨從, 而濫與者.[95)]
[某日, 監試試員[·右承旨]林貞杞, 享王, 珍膳花果, 豊侈無比. 故事, 掌試者放榜後, 宴賀客凡三日. 近年, 先試享王, 謂之品呈, 蓋以宴品先呈于王也, 遂爲常例:節要轉載].
[→[右承旨林]貞杞, 初爲試官, 享王, 珍膳花果, 豊侈無比. 酒酣, 貞杞起舞, 王歡甚. 故事, 掌試者放榜後, 宴賀客三日. 厥後, 先試期享王, 謂之品呈. 盖以宴品先呈于王也, 後遂爲例:列傳36林貞杞轉載].
庚申[29日], 合浦戍軍還元.
[是月, 旱:五行2轉載].
[○全羅道饑, 人或有食其子者:五行3轉載].
[→全羅道饑, 發倉賑之:節要·食貨3水旱疫癘賑貸之制轉載].
[○前右司諫·知制誥李承休進呈所撰'帝王韻紀':追加].[96)]

---

92) 이해의 3월은 元曆과 日本曆에서 朔日은 辛卯인데 비해 『고려사』에는 壬辰朔(元曆의 2日)으로 되어 있다. 그런데 『고려사』와 『원사』에는 이달 丙申(元曆의 6일)에 달[月, 太陰]이 東井星을 犯했다는 기사가 일치하고 있다. 그렇다면 3월의 삭일은 元曆·日本曆·高麗曆의 모두가 辛卯이어야 할 것이다. 그렇지만 3월에 辛酉(30日, 元曆의 4월 朔日)가 있어 『고려사』와 같이 壬辰朔으로 보아야 할 것이다.
· 지3. 천문3, 충렬왕 13년, "三月丙申, 月又犯東井".
·『원사』 권48, 지1, 천문1, 至元 24년, "三月丙申, 太陰犯東井".
· 지7, 오행1. 火行, "[忠烈王]十三年三月辛酉[30日], 有怪鳥, 鳴于大殿南, 俗云山休鳥".

93) 이 기사는 지17, 禮5, 雜祀에도 수록되어 있다.

94) 添字는 『고려사절요』 권21에 의거하였다. 또 이와 같은 기사로 다음이 있다.
· 열전36, 張舜龍, "王遣[張]舜龍, 如元獻女, 求買公主眞珠衣".

95) 이때 鷹揚軍上將軍兼軍簿判書 鄭仁卿이 一等功臣으로 책봉되었는데(鄭仁卿墓誌銘), 鄭仁卿이 받은 功臣錄券은 『瑞山鄭氏世譜』에 전재되어 있다.

96) 이는 다음의 자료에 의거하였다(朝鮮古典刊行會, 1939).
·『帝王韻紀』, 帝王韻紀進呈引表, "臣承休言. 臣謹編修, 帝王韻紀, 分爲兩卷, 繕寫以進者. … 付外施行, 爲後勸誡. 臣誠惶誠恐頓首頓首, 謹言. 至元二十四年三月日. 頭陀山居士臣李承休".

[○<u>僧齋色</u>開板'大華手經':追加].[97)]

夏四月壬戌朔小盡,乙巳, [某日, 禁市中合鑄銀銅:節要·刑法2禁令轉載].

[○時用碎銀爲貨, 以銀銅合鑄, 故禁之:食貨2貨幣轉載].

[某日, 元遣使□來, 詔頒至元寶鈔, 與中統寶鈔, 通行. 以至元鈔一貫, 當中統鈔五貫, 使爲子母用:節要·食貨2貨幣轉載].[98)]

[某日], 以旱慮囚.

戊辰7日, 王及公主, 幸福靈寺.

○因旱巷市.

庚午9日, 禱雨.

[→禱雨于佛宇·神祠:五行2轉載].

癸酉12日, 王及公主, 獵于西海道, 獵騎一千五百. 宰相諫曰, "旱旣太甚, 民方耘耔, 竊恐此行召<u>歛</u>斂民怨. 且禽獸時方胎孕, 不可獵也". 王怒, 不聽. 王命隨駕軍士預給祿. 御史駁之, 王怒, 囚御史于巡馬所.

乙亥14日, 有狐晝入大殿.

[己卯18日, 狐入城:五行2轉載].

庚辰19日, 霜三日.

[→庚辰19日, <u>隕霜</u>:五行1霜轉載].

[辛巳20日, 亦如之隕霜:五行1霜轉載].[99)]

癸未22日, 宰樞施私財, 禱雨于普濟寺.

戊子27日, 王至自西海道. 以狐怪, 入御神孝寺.

[是月丙戌25日, 元尙書省分定高麗公主下給使<u>王按</u>等四十人, 其內親屬三十四口·

---

97) 이는 다음의 자료에 의거하였다(忠淸南道 瑞山市 雲山面 胎封里 40 文殊寺 所藏, 南權熙 2005년).
· 『大華手經』末尾, "至元二十四年丁亥三月日僧齋色開板".

98) 이 조치는 몽골제국에서 3월 4일(甲午)에 내려졌다(『원사』 권14, 본기14, 세조11, 지원 24년 3월 甲午). 또 交鈔는 銀을 前提로 한 것으로, 前面[票面, 額面)에 銀의 單位를 標示했던 少額의 紙幣로서 10種類가 있었으며, 最高額面 銅錢 2貫(2,000文)을 超過하지 않았다(杉山正明 1998年 345面).

99) 이때 일본의 교토[京都]에서 20일(庚辰)에는 밤에 비가 내렸고, 21일(辛巳)에는 아침에 큰 비가 내렸다고 한다.
· 『勘仲記』, 弘安 10년 4월, "廿日庚辰, 晴, 入夜雨降, … 廿一日辛巳, 朝間大雨如沃, 暴風如吅, 無程屬晴".

驅使六口:追加].[100)]

五月辛卯朔^小盡,丙午^, 雩, 大雨.[101)]
[→以旱, 雩:節要轉載].

---

100) 이는 다음의 자료에 의거하였는데, 이때 尙書省이 諸司, 諸王, 諸官 등에게 給使를 分定한 기록 중의 일부이지만 어떠한 성격의 給使인지를 알 수 없다.

· 4월 25일, "經世大典 … ^至元24年4月^二十五日, 尙書省定擬廩給司, 充館使臣分例, 令通政院·兵部, 一. 同分揀起數, 行移合屬依例支給, 廩給司支八起, … 高麗公主下王按等四十人, 內親屬三十口·驅六口, … 戶部支鹽粮五起, … 一. 日本國引導人烏馬兒·荅剌沖·近先等四十一人. 一. 日本國引導葉茂盛等五人, 分令各衙門區處八起, 宣徽院二起, 照御花園子例, … 是月, 尙書省定議, 高麗老公主下王按以下親屬三十三名·奴六口內正十名, 擬支羊肉五斤, 其餘依元定減半, 驗月日支付, 親屬三十三名, 日支總計羊肉五斤·麵一十六斤半·粳米一斗六升半·柴一十六束半·鈔七錢. 奴六口, 日支米六升(『永樂大典』 권19,418, 站字, 站赤3(7面 右2行) : 大化書店 영인본 10책).

이 자료는 『經世大典』에 수록되어 있던 大元蒙古國의 驛站에 대한 기록 중에서 1287년(至元24, 충렬왕13) 4월 25일 尙書省이 여러 官署와 各地에 파견되는 官僚·使臣에게 馬匹·驅口·鹽粮 등을 支給하는 것을 決定[定擬]하여 보고한 내용의 일부이다. 이에 의하면 高麗公主의 隷下에 있던 王按을 위시한 40人의 親屬 30口, 驅口 6口에게 鹽粮을 지급하고, 日本國에의 안내자[引導人]인 烏馬兒·荅剌沖·近先 등 41人, 葉茂盛 등 5人에게 馬匹을 지급하게 하였다고 한다.

이들 내용에 대해서 다른 자료에서는 찾아지지 않아 어떠한 내용인지는 알 수 없으나, 高麗公主는 忠烈王妃(齊國大長公主)를 가리키는 것으로 추측된다. 이 해의 4월에는 乃顔[Nayan]의 반란이 일어나 고려에도 그 여파가 미쳐왔고, 9월에는 王妃(齊國大長公主)가 元에 行次하였으나 乃顔軍의 침입으로 인해 도중에 歸還하기도 하였다. 추측컨대 위의 자료는 王妃의 행차와 관련이 있는 것으로 보인다. 또 王按은 忠烈王妃(齊國大長公主)를 수종했던 印侯[忽剌歹, Quradai]·張舜龍[三哥] 등과 같은 거원쾨베귀드[怯怜口]로 추측된다. 그렇지만 日本國에의 안내자[引導人]에 대한 내용은 어떠한 형편에서 이루어진 것인지는 알 수 없다. 또 王按이 어떠한 인물인지는 알 수 없으나 忠烈王妃(齊國大長公主)를 수종했던 印侯[忽剌歹, Quradai]· 張舜龍[三哥] 등과 같은 거원쾨베귀드[怯怜口]로 추측된다.

그리고 高麗王室의 元에의 왕래와 각종 進貢에 따른 빈번한 驛馬의 이용으로 遼東行省과 大都路 地域의 驛站이 疲弊하게 되었다는 기사도 찾아진다(『永樂大典』 권19,417, 영인본 175책), 站(字), 驛站2, 至元 17년 2월 ; 권19,419, 站(字), 驛站4, 大德 5년 2월, 권19,420 ; 站(字), 驛站5, 至大 1년 7월).

· 『永樂大典』 권19418, 站赤, "^至元24年4月^二十五日, 尙書省定擬廩給司, 久館使臣分例, 令通政院·兵部一同分揀其數, 行移合屬依例支給. 廩給司支八起, 一. 拜八千戶子母二人. 一. 阿魯渾大王下使臣寄住馬, 奉聖旨賜亡宋宮女朱氳氳等三人及從者一名. … 一. 高麗公主下王按等三十人, 內親屬三十四口, 驅六口. … 一. 日本國引導人烏馬兒·荅剌沖近先等四十一人. 一. 日本國引導葉茂盛等五人. …".

101) 이때 일본의 교토에서 1일(辛卯)은 흐렸고, 2일(壬辰)부터 10일(庚子)까지 계속 비가 내리다가 11일(辛巳)에 맑았던 것 같다(『勘仲記』, 弘安 10년 5월).

乙未[5日], 王與公主, 御涼樓, 觀擊毬.

壬寅[12日], 王聞[東道諸王]乃顔大王叛,[102] 遣將軍柳庇如元, 請擧兵助討.[103] 時[宰樞或云, "請待帝命". [副知密直司事]印侯曰, "父母家有變, 奚暇待命". 王乃遣使, 又命鍊軍.[104] ○時:節要轉載]乃顔使本國叛人庾超來, 推勘逃軍. 超聞乃顔叛, 逃至金郊. 遣人捕斬之.

[某日, [右承旨]林貞杞掌□□□[成均館]試, 出律賦題曰, "太宗好堯舜之道, 如魚依水, 不可暫無, 以好堯舜道, 不可暫無". 爲韻. 諸生進曰, "韻中六字皆則音[側音], 何如?". 貞杞慚, 改之曰, "好堯之道, 如魚依水". 諸生又進曰, "韻中五字皆平音, 何如?". 貞杞大慚, 又改之曰, "好堯舜道如魚依水":選擧2國子監試轉載].[105]

[○是時, [右承旨]林貞杞, □□□□[掌成均試], 取李㦷等八十五人:選擧2國子試額轉載].

[某日, 令百官出戰馬及器皿, 宰樞, 狄·鄕馬各一匹, 致仕宰樞·顯官判事三品, 狄馬一匹, 致仕三品·顯官四品, 鄕馬一匹, 五六品二員, 幷鄕馬一匹, 七八品二員, 幷鍮鐵器一事, 權務·九品三員, 幷一事:兵2馬政轉載].

[是月, 僧統·海印寺住持·天其開板'一乘法界圖圓通記'二卷於大藏都監:追加].[106]

---

102) 乃顔(Nayan, ?~1287)은 징기스칸[成吉思汗]의 동생 테무케 옷치킨[鐵木哥 斡赤斤]의 後孫으로 太宗 우구데이[窩闊台]의 손자 카이두[海都]와 함께 이해[是年] 4월에 叛亂을 일으켰다가 실패하였다(姚大力 2011年 乃顔之亂雜考).

· 『원사』 권14, 본기14, 세조11, 至元 24년 4월, "是月, 諸王乃顔反[叛]".

103) 柳庇는 이달 22일(壬子) 大都에 도착하여 助兵意思를 전달하였던 것 같다.

· 『원사』 권14, 본기14, 세조11, 지원 24년 5월, "壬子, 高麗王賰請益兵征乃顔, 以五百人赴之". 또 이 기사는 지35, 兵1, 五軍에는 "~~十一年~~[十三年]五月, 王聞乃顔大王叛, 請擧兵助討"로 되어 있으나 '十一年'은 '十三年'의 오자이다.

· 열전38, 柳淸臣, "… 稍遷將軍. [忠烈王13年5月,] 王聞乃顔王叛, 欲親擧兵助討, 遣淸臣如元".

104) 이와 같은 기사로 다음이 있다.

· 열전36, 印侯, "王聞乃顔大王叛, 遣柳庇請擧兵助征. 宰樞或云, 請待帝命. 侯曰, '父母家有變, 奚暇待命', 王從之".

105) 이 구절은 다음의 자료에서 따온 것이고, 이와 같은 기사도 있으나 字句에 출입이 있다. 또 則音은 同音異字인 側音(仄音)의 잘못인 것 같은데, 平音은 平聲으로 上聲, 去聲, 入聲과 함께 四聲을 이루는데, 漢語의 詩詞 중에서 平聲이 아니면 側聲(혹은 仄聲)이라는 慣例[不平就是仄, 平還是仄]에 따르면 側音(仄音)이 옳을 것이다(孫曉 等編 2014年 2347面).

· 『貞觀政要』 권6, 愼所好第21, "朕今所好者, 惟在堯舜之道, 周·孔之書. 以爲如鳥有翼, 如魚依水, 失之必死, 不可暫無耳".

· 열전36, 林貞杞, "… 嘗掌監試取士, 命賦題曰, '太宗好堯舜之道, 如魚依水, 不可暫無', 以'好堯舜道, 不可暫無'爲韻. 諸生曰, '韻中六字皆則音.' 貞杞慚改曰, '堯舜之道, 如魚依水.' 諸生又曰, '韻中五字皆平音', 貞杞大慚, 又改曰, 好堯舜道, 如魚依水".

106) 이는 다음의 자료에 의거하였다(『韓國佛敎全書』4책 所收).

[是月壬寅[12日], 帝授高麗王賰行尙書省平章政事:追加].[107)]

六月[庚申朔大盡,丁未], 壬戌[3日], [將軍]柳庇還自元, 帝許助兵.

癸亥[4日], [大暑]. 閱兵.[108)]

○以[知申事]蔡謨△[爲]副知密直司事, 庾伯貞爲三司使.

甲子[5日], 遣[密直學士]鄭可臣于慶尙, [副知密直司事]蔡謨于全羅, [副知密直司事]安戩于忠淸道, 皆爲安撫使.

○貶[知僉議府事]金周鼎爲淸州牧使.

丙寅[7日], 以[監察侍丞]崔有渰爲典法摠郎·右副承旨, [[典理摠郎]崔瑞爲太府少卿:追加].[109)]

丁卯[8日], 以趙仁規△[爲]知都僉議司事[知僉議府事], 孔愉△[爲]判三司事, 羅裕△[爲]副知密直司事.

己巳[10日], 閱兵訖, 親祭纛于宮門.

[→己巳, 將助征乃顔, 親祭纛于宮門:禮5雜祀轉載].

○以[知僉議府事]金周鼎虎頭牌, 賜[副知密直司事]朴之亮爲左翼萬戶, 以朴球虎頭牌, 賜[副知密直司事]羅裕爲中翼副萬戶.

○時有隊正李普·李成兄弟, 皆在軍目, 以其有母, 兄乞留弟侍養, 弟亦乞留兄. 王感其孝誠, 並許留養.

[○王將親助征→癸酉로 옮겨감].[110)]

[癸酉[14日], 王將親助征←辛巳에서 옮겨옴], 公主餞王于涼樓, 兼慰赴征將士. [副知密直司←事·左翼萬戶]朴之亮日晏赴宴, 不知王御樓, 騎而直至樓下. 王怒, 削其職, 奪虎頭牌, 賜韓希愈爲左翼萬戶, 之亮爲副萬戶.

[○[副知密直司事]印侯白王, 令赴征軍士, 見人家及行路有馬者取之. 於是, 軍士爭先劫奪. [巡馬]千戶高宗秀曰, "此亂本也", 白王禁之:節要轉載].[111)]

· 『一乘法界圖圓通記』卷下, 권말간기, "… 今坐講闍梨·興王寺敎學·海印寺住持·僧統天其與業內諸德詳定此記, 分爲三卷, 奉承」上制, 彫板廣布, 奉福無窮者, 至元二十四年丁亥五月 日,」前摠郎金晅用晦跋,」金城寺住持·三重大師永彔書,」大藏都監開板」".

107) 이는 다음의 자료에 의거하였다.

· 『원사』 권14, 본기14, 세조11, 至元 24년 5월 壬寅[12日], "授高麗王賰行尙書省平章政事".

108) 이 기사는 지35, 兵1, 五軍에는 수록되어 있지 않다.

109) 崔瑞는 그의 묘지명에 의거하였는데, 그 날짜는 崔有渰의 임명과 同一할 것이다[權務政, 小政].

110) 이 기사는 『고려사절요』 권21("王將親助征, 公主餞王于涼樓, …")에 의하면, 辛酉로 옮겨야 옳게 된다[校正事由]. 이는 轉寫 또는 刻字 過程에서 발생한 오류로 추측된다.

[○以監門衛攝上將軍鄭仁卿爲司巡衛上將軍:追加].[112)]

甲戌15日，左翼萬戶韓希愈將兵啓行.

己卯20日，封紺嶽山神第二子，爲都萬戶，以冀陰助征也.

丙子17日，兩府餞王于涼樓.

戊寅19日，[立秋]. 譯語金仁還自元云，"帝拔乃顏城". 公主喜賜金線絹各一匹，拜隊尉，城中聞者皆喜，日中罷市.[113)]

壬午23日，調留京侍衛軍.[114)]

[→羅裕·孔愉等，調留京侍衛軍，至發禁學兩館儒生. 及第趙宣烈·崔伯倫，皆以狀元及第，屬巡馬:兵1五軍轉載].

[某日，以全羅道王旨別監權宜，爲版圖摠郞，賜紅鞓一腰·銀十五斤·米十五斛，以能辨內用也:節要轉載].[115)]

秋七月庚寅□朔小盡,戊申，王親統前軍,[116)] 以副知密直司事印侯爲中軍萬戶，出次開城卯山. 王濟然泣下，群臣皆掩泣.[117)]

[己亥10日，王次□□平州溫泉:節要轉載].

[○遣左翼副萬戶朴之亮，以兵一千，戍東界，備女眞:節要·兵2鎭戍轉載].

壬寅13日，東京摠管康守衡·遼東宣慰使等遣人來，言曰，"王若未能速赴，宜先遣精兵一千". 王乃遣將軍柳庇·中郞將吳仁永如元，奏親將兵已發.

庚戌21日，加上祖宗尊號，又加境內山川神祇號.[118)]

---

111) 이와 관련된 기사로 다음이 있다.
- 열전36, 印侯, "以侯爲中軍萬戶. 侯白王，令赴征士卒，見人家及道路有馬，則取之，士卒爭劫奪，千戶高宗秀，請王禁之".

112) 이는 「鄭仁卿政案」에 의거하였다.

113) 隊尉는 隊正(品外의 下級武官)과 校尉(혹은 伍尉，正9品)의 合成語로 추측되는데，이 기사에서는 校尉를 指稱하는 것으로 추측된다.

114) 6월의 기사 중에서 甲戌(15일)，己卯(20일)，丙子(17일)，戊寅(19일)，壬午(23일) 등은 순서가 바뀌었다.

115) 이 기사는 열전36，嬖幸1，權宜에도 수록되어 있는데，銀은 白金으로 되어 있다(盧明鎬 等編 2016년 541面).

116) 庚寅에 朔이 탈락되었다. 또 이때 僉議侍郞贊成事 許珙이 扈從하였고，이후 충렬왕과 함께 다이두[大都]에 들어갔다(許珙墓誌銘).

117) 卯山은 卯山城，곧 開城府의 서쪽 23里에 위치한 土城이었던 것 같다(『신증동국여지승람』 권5，開城府下，古跡，卯山古城).

[某日, 以慶尙道按廉使鞠成允, 仍番, 李熙爲全羅道按廉使. 熙, 以全羅道王旨別監權宜讒疏, 見罷:慶尙道營主題名記].[119)]

八月己未朔大盡,己酉, [乙丑7日, 以司巡衛上將軍鄭仁卿爲興威衛上將軍:追加].[120)]

丁卯9日, 將軍柳庇·中郎將吳仁永等還自元言, "帝親征乃顔, 擒之, 拔其城, 車駕還燕京, 罷諸路兵. 且命, 王乘傳入, 賀節日". 王喜, 拜庇爲大將軍, 仁永爲將軍.[121)]

戊辰10日, 公主遣將軍柳庇如元, 請從王入朝.

[癸酉15日, 以興威衛上將軍鄭仁卿爲神龍衛神虎衛上將軍:追加].[122)]

庚辰22日, 東寧府譯語·中郎將丘千壽, 捕雙城諜人忽都歹·德山等來.

辛巳23日, 以趙抃△爲副知密直司事, 權昛爲左副承旨.[123)]

乙酉27日, 遣郎將鄭之衍如元, 告捕雙城諜人.

[某日, 王如元:追加].[124)]

[○以東京副留守貢文白爲淸州牧使:追加].[125)]

九月己丑朔小盡,庚戌, [某日, 公主以將入朝, 命副知密直司事印侯·知僉議府事廉承益, 選良家子女年十四五歲者, 使巡軍·忽赤等, 搜索人家. 或夜突入寢室, 或縛問奴婢, 雖無子女者, 亦被驚擾, 怨泣之聲, 遍於閭巷:節要轉載].[126)]

---

118) 이때 덧붙여진[加上] 尊號는 『고려사』에 반영되어 있지 않다.

119) 李熙는 이해[是年] 10월 某日의 是時에 의거하였다.

120) 이는 「鄭仁卿政案」에 의거하였다.

121) 이 기사는 열전38, 柳淸臣에도 수록되어 있다("… 淸臣還言, 賊平, 車駕還燕京罷兵. 命王乘傳入, 賀節日. 王喜, 加大將軍").

122) 이는 「鄭仁卿政案」에 의거하였다.

123) 이때 權昛은 오랫동안 승진되지 못했다고 한다(열전20, 權昛, "昛, 耿介不苟合, 自除三品, 十年不遷. 久之乃拜承旨").

124) 이때 충렬왕은 8월 9일(丁卯) 이후에 고려에서 출발하여 9월 24일(壬子) 다이두[大都]에 도착한 것 같다.

125) 이는 다음의 자료에 의거하였다.
- 『동도역세제자기』, "尙書貢文白, 丁亥八月, 淸州以移任".

126) 이와 같은 기사로 다음이 있다.
- 열전2, 忠烈王妃, 齊國大長公主, "忠烈十三年, 公主將入覲, 命選良家子女. 使忽赤搜索人家, 雖無女者亦驚擾, 怨泣聲徧閭巷".
- 열전36, 廉承益, "尋知都僉議司事知僉議府事. 公主將入朝, 命承益·印侯等, 選良家女. 承益等使巡軍·忽赤, 搜索人家, 或夜突入密室, 或縛拷奴婢, 無女者亦驚擾, 怨號遍閭巷". 여기에서 知

[→[忠烈]十三年, 公主將入覲, 命選良家子女. 使忽赤搜索人家, 雖無女者亦驚擾, 怨泣聲徧閭巷. 遂選西原侯瑛·大將軍金之瑞·侍郞郭蕃·別將李德守女:列傳2忠烈王妃轉載].

庚子[12日], 東眞骨嵬國萬戶帖木兒, 領蠻軍一千人, 罷戍還元, 來謁公主.

[辛亥[23日], 熒惑入大微[太微], 犯西藩上將:天文3轉載].

甲寅[26日], 王在燕京, 召公主·世子入朝.

[某日, 公主遣中郞將鄭允耆, 入江華, 搜奪民所藏白銀五十斤:節要轉載].[127]

[某日, 以[太府少卿]崔瑞爲右司議大夫:追加].[128]

[是月辛卯[3日], 元東京·義·靜·麟·威遠·婆娑等處大霖雨, 江水溢, 沒民田:追加].[129]

[壬子[24日], 高麗王王賰來朝:追加].[130]

冬十月戊午朔[小盡,辛亥], 日食, 雨不見.[131]

[乙丑[8日], 小雪. 夜明西南, 野雞皆鳴:五行1轉載].

都僉議司事는 知僉議府事의 오류이다.

127) 이와 같은 기사로 다음이 있는데, 白銀이 白金으로 달리 표기되었다(盧明鎬 等編 2016년 541面). 근대 이전의 사회에서 銀을 白金, 白銀으로 表記하기도 하였기에 문제가 없다.

· 열전2, 忠烈王妃, 齊國大長公主, "[忠烈]十三年, 公主將入覲, … 又遣中郎將鄭允耆于江華, 搜奪民家所藏白金五十斤".

128) 이는 「崔瑞墓誌銘」에 의거하였다.

129) 이는 다음의 자료에 의거하였다. 여기에서 義州·靜州·麟州·威遠鎭 등은 모두 몽골제국이 고려의 영토를 빼앗아 東寧府(현재의 평안북도 지역)를 설치한 곳이고, 江은 鴨綠江이다.

· 『원사』 권14, 본기14, 세조11, 지원 24년 9월 辛卯, "東京·誼[義]·靜·麟·威遠·婆娑等處大霖雨, 江水溢, 沒民田".

· 『원사』 권50, 지3상, 오행1, 水, 지원 24년, "九月, 東京·誼[義]·靜·□[麟]·威遠·婆娑等處水".

130) 이는 다음의 자료에 의거하였다.

· 『원사』 권14, 본기14, 세조11, 지원 24년 9월 壬子, "高麗王王賰來朝".

131) 이날 中原에서도 일식이 있었다(『원사』 권14, 본기14, 세조11, 至元 24년 10월 戊午). 또 일본의 교토에서도 일식이 있었던 것 같은데, 그 檢定이 明快하지 않았던 것 같다. 이날은 율리우스曆의 1287년 11월 7일이고, 開京에서 일식 현상이 심했던 시간은 16시 11분, 食分은 0.33이었다(渡邊敏夫 1979年 310面).

· 『勘仲記』, 弘安 10년 10월, "一日戊午, 晴, 參內. 日蝕御讀經所奉行也, 今日御物忌也, … 蝕現否實檢料陰陽師晴直朝臣祗候, 被尋之處, 雖有其氣不現蝕貌, 法驗之由申之, 予奏此趣了, 予伺見之處, 北方已虧始帶蝕入西山歟, 而司天不蝕之由申之上者, 勿論歟, 仙洞被召置有弘朝臣之處, 四分蝕之由申之, 兩人之所爲已以不同, 爲之如何, …".

· 『續史愚抄』7, 10년 10월, "一日戊午, 日蝕, 寮官晴直朝臣言, 雖有其氣不現蝕臭. 又有弘朝臣言, 四分蝕者".

[某日, 全羅道王旨別監權宜, 以銀四十斤·虎皮二十領, 獻世子, 以助行李之費. 世子曰, "此物, 皆剝民歛[斂]怨, 非吾所欲". 遣人悉還其主:節要轉載].[132)]

[□□[~~是時~~], [全羅道王旨別監權]宜, 與按廉□[使]李熙有隙, 以熙不謹供進, 譖王罷之:列傳36 權宜轉載].

庚午[13日], 公主·世子, 移御于[大將軍]車信第.

戊寅[21日], 公主·世子如元. [選西原侯瑛·大將軍金之瑞·侍郎郭蕃·別將李德守之女, 以行:節要轉載].

[某日, 公主次溫泉. 世子有不豫色. [知密直司事?]印侯問其故, 曰, "吾將娉西原侯女, 今在選中, 以故不悅". 印侯以告公主, 卽遣還其女:節要轉載].[133)]

[是月丙戌[29日晦], [尙書右丞商議樞密院事]范文虎言, "豪·懿·東京等處, 人心未安, 宜立省以撫綏之". 詔立遼陽等處 行尙書省, 以薛闍干·闍梨帖木兒並爲尙書省平章政事, 洪茶丘爲右丞, 亦兒撒合爲左丞,[134)] 楊仁風·阿老瓦丁爲參知政事:追加].[135)]

十一月[丁亥朔大盡,壬子], 癸巳[7日], 元遣塔剌兒[~~塔剌兒~~]來, 爲耽羅達魯花赤.

乙未[9日], [冬至]. 公主至西京, 聞賊起咸平府道梗, 遂還.[136)]

壬子[26日], 遣大將軍奇琯如元, 賀正.

○知都僉議府事[~~知僉議府事~~]致仕朱悅卒,[137)] [謚文節:追加].[138)] [悅, 綾城縣人, 嘗任羅·靜二州, 昇天·長興二府, 皆有聲績. 及按忠淸·慶尙·全羅道, 威名日振, 人皆敬

---

132) 이 기사는 열전36, 嬖幸1, 權宜에도 수록되어 있다.

133) 이와 같은 기사가 열전2, 忠烈王妃, 齊國大長公主에도 수록되어 있다.

134) 亦兒撒合은 札剌亦兒, 곧 塔出의 다른 표기로 추측된다(→충렬왕 14년 4월 16일).

135) 이 기사는 『원사』 권14, 본기14, 세조11, 지원 24년 10월 丙戌에 의거하였는데, 字句는 筆者가 적절히 바꾸었다.

136) 이와 같은 기사가 열전2, 忠烈王妃, 齊國大長公主에도 수록되어 있다. 또 咸平府(現 遼寧省 老城의 西部地域)는 金代에 平郭·安東 등의 6縣을 거느리고 있다가 兵亂으로 모두 廢止되었다. 元代에 다시 咸平府로 再建되었다가 1286년(至元23) 遼東路에 所屬되었다. 후에 다시 遼東宣慰使司에 移屬되었다(『원사』 권59, 지11, 지리2, 遼陽行省, 咸平府).

137) 이날은 율리우스曆으로 1287년 12월 31일(그레고리曆 1288년 1월 7일)에 해당한다.

138) 『고려사절요』 권21에는 ~~忝宇~~와 같이 되어 있고, 朱悅에게 주어진 謚號는 그의 壻인 尹莘傑의 묘지명에 의거하였다. 또 朱悅을 是年에 早期 致仕한 후 逝去하였다고 한다.

· 열전19, 朱悅, "[忠烈]十三年, 引年乞退, 以知都僉議府事[知僉議府事]致仕, 尋卒. … 悅愛酒, 未嘗一日不飮. 嘗奉使至一縣, 時適禁酒. 渴甚索水, 令知悅嗜酒, 酌巨椀以進, 便默然飮. 令再進, 悅曰, '此子支離人也'. 又飮倒. 臨死, 其妻進酒, 悅曰, '此餞杯也'. 遂引滿而卒".

畏，國有大事，擇使命則必首擧．性，剛直嚴重，不與世俯仰，苟非其人，雖官高權貴，不爲禮容，又疾惡如讎，必厲聲大罵．上將軍尹秀·李貞訴王曰，“悅，輕辱吾輩，罵及父名，請上詰之”．王曰，“悅，天性然也，不必詰”．再言之”．王使人問之，對曰，“此二人誣語可明也．江都有養三岐，嘗有無賴男子養三者，橫行此岐，故得是名．[139] 聞養三，是尹秀之父．若李貞之父，不知爲誰，焉得罵及父名”．蓋貞父賤，故云然．王曰，“我知悅必出此語”，更不問．其爲按廉□使時，內臣崔仲卿，奉使而至，美服誇人．悅嫉之，衣敝衣，伸脚而坐，捫虱而談，旁若無人，仲卿慙赧而出．[140] 悅，有豁達寬厚之量，不營家產，雖爲達官，自奉如寒士，文章富贍，筆法亦奇．王常稱其賢，悅，貌醜，鼻如爛橘．公主始至，宴群臣殿上，悅起而爲壽，公主驚曰，“何遽令老醜鬼近前耶?” 王曰，“此老，貌醜如鬼，心淸如水”，公主敬重，擧觴而飮．卒，諡文節:節要轉載]．[子印遠，□□□別有傳:列傳19朱悅]．[141]

[○太白·鎭星相犯:天文3轉載]．

十二月丁巳朔小盡,癸丑，［某日，公主囚中郎將崔仲卿于巡馬所，人有告仲卿媒美女，納王也:節要轉載]．

[→有告中郎將金仲卿崔仲卿以美女獻王者，公主遂囚仲卿巡馬所．[142] ○初，世祖，以亡宋醫鍊德新賜王．德新能合助陽丸，得幸於王及公主．伍允孚嘗痛憤，以爲，“此藥不宜胎產，使三韓支胤不蕃者，必此人也”．公主連歲有身，及王得德新藥，更不妊娠:列傳2忠烈王妃齊國大長公主轉載]．

丙寅10日，[大寒]．王至自元．

---

139) 尹養三[養三]에 대한 기사로 다음이 있다.
· 열전37, 尹秀, “… 父養三爲無賴行, 弃市江都, 因號其地爲養三岐”.

140) 이 시기는 朱悅이 1266년(원종7) 春秋, 秋冬의 慶尙道按察使를 역임한 후 明年(원종8) 무렵 전라도안찰사로 재직할 때로 추정된다.

141) 添字가 탈락되었을 것이다.

142) 여기에서 金仲卿은 上記의 記事와 같이 崔仲卿의 誤字일 것이다. 崔仲卿은 1267년(원종8) 무렵 元宗의 近侍[內臣, 內僚]로서 全羅道按察使 朱悅을 만난 적이 있다(열전19, 朱悅→원종 7년 1월 某日의 脚注, 上記 11월 26일의 記事). 이어서 1269년(원종10) 7월 林衍이 元宗을 폐위시킬 때, 崔仲卿은 殿前承旨로서 몽골제국에서 歸還하던 世子(충렬왕)를 隨從하였고, 그때의 功勞로 ‘限品七品’을 5品까지 許通되는 特典을 받았다(충렬왕 8년 5월 2일). 또 1298년(충렬왕 24, 충선왕 즉위년) 8월 6일 太上王(忠烈王)이 將軍 崔仲卿의 집으로 移居한 적이 있고, 1313년(충숙왕 즉위년) 6월 16일 上王(忠宣王)이 崔仲卿의 女(故大護軍 鄭子羽의 妻)를 만났던 일이 있었다. 이러한 사실들을 통해보면 前者는 後者의 誤字임이 분명할 것이다.

○太白晝見.

○以[知僉議府事]廉承益爲僉議評理,[143] 鄭可臣△[爲]判三司事, 金忻△[爲]同判密直司事~~同知密直司事~~,[144] 韓希愈△[爲]副知密直司事.

己巳[13日], 有旨, 良家處女, 先告官然後嫁之, 違者罪之. 因命[僉議侍郞贊成事]許珙等, 選童女.

癸未[27日], 以許珙爲僉議中贊, 洪子藩·韓康並爲僉議贊成事, 趙仁規·廉承益並知都僉議司事~~知僉議府事~~, 朴之亮△[爲]判三司事, 印侯△[爲]判密直司事, 羅裕△[爲]同知密直司事, [右承旨]林貞杞·金之淑·金惲[金琿]·[副知密直司事]蔡謨並副知密直司事, 權呾爲密直學士,[145] 鄭可臣爲監察大夫,[146] 李混爲右副承旨,[147] [崔瑞爲史館修撰官, 鄭仁卿爲鷹揚軍上將軍·軍簿判書·判典牧司事充春宮翊衛:追加].[148]

[某日, 寧越安集別監金晅, 辭職:追加].[149]

[是年, 改開城府五部副使爲副令秩從六品:百官2五部轉載].

[○以各道勸農使聚斂傷民, 罷之, 以按廉使兼其任:百官2外職轉載].

[○以[前尹禿魯花]元貞爲典法判書·文翰學士:追加].[150]

[○以元善之爲西面都監判官同正, 時善之年七:追加].[151]

---

143) 이때 廉承益은 僉議評理에 就任하지 못했던 것 같다(→是月 27일).

144) 同判密直司事는 同知密直司事의 오자일 것이다. 이때 金忻은 同判密直司事에 임명될 序列에 있지 않았다.

145) 이때 權呾은 奉翊大夫·密直學士·版圖判書·文翰學士承旨에 임명되었다고 한다(權呾墓誌銘). 또 열전20, 權呾에는 '陞密直提學'으로 되어 있으나 密直學士의 誤謬일 것이다. 곧 密直提學은 1298년(충렬왕24) 6월 충선왕에 의해 改變되었던 官制가 原狀으로 復舊될 때 密直學士를 密直提學으로 개칭하였던 것 같다.

146) 鄭可臣은 判三司事로서 監察大夫를 兼職하였다.

147) 李混이 처음으로 承宣에 임명된 기록도 찾아진다(『원감국사어록』, 寄賀新承宣李公混).

148) 이는 「崔瑞墓誌銘」; 「鄭仁卿政案」에 의거하였다.

149) 이는 「金晅墓誌銘」에 의거하였다.

150) 이는 「元瓘墓誌銘」에 의거하였다.

151) 이는 「元善之墓誌銘」에 의거하였다. 이에는 西面都監判官으로 되어 있으나 이때 원선지가 7세이므로 同正職일 것이다(열전20, 元傅, 善之, "生七歲, 以父任爲西面都監判官").

戊子[忠烈王]十四年, 元 至元二十五年, [西曆1288年]

1288년 2월 3일(Gre2월 10일)에서 1289년 1월 22일(Gre1월 29일)까지, 355일

春正月[丙戌朔大盡,甲寅], 己丑[4日], 以~~[右司議大夫]~~安珦爲左副承旨.[152]

庚寅[5日], 以韓康爲僉議侍郎贊成事, 趙仁規爲僉議贊成事.[153] 知都僉議~~[知僉議府事]~~廉承益辭, 以[判密直司事]印侯代之.[154]

己亥[14日], 愛加赤[愛牙赤]大王遣使來, 求馬.[155]

壬寅[17日], 宴于內殿, 王數□~~[起]~~舞, 公主止之, 不聽.[156]

癸卯[18日], 王及公主, 幸妙蓮寺, 宦者·將軍崔世延, 金義光等, 設彩棚, 張雜戲.

丙午[21日], [□[大]將軍張舜龍, 還自元:節要轉載], 帝賜萬戶·千戶·百戶金銀牌. 雙珠金牌四, 分賜[判三司事]朴之亮·[同知密直司事]羅裕·[副知密直司事]韓希愈·[大將軍]張舜龍, 銀牌, 分賜百戶以下軍士. [○復賜金周鼎, 金牌:節要轉載].

甲寅[29日], 知都僉議~~[知僉議府事]~~印侯辭, 以金惲~~[金琿]~~代之. 安戩△[爲]知密直司事, 韓希愈爲副知密直司事.

[某日, 以陳諷爲慶尙道按廉使:慶尙道營主題名記].

[○以[前典法摠郞]金晅爲□□衛長史:追加].[157]

[是月頃, 遣使如元, 貢方物:追加].[158]

二月丙辰朔[小盡,乙卯], [宦者·將軍:節要轉載]崔世延享王, 公主以饌品過侈, 不受.

---

152) 이때 安珦은 左副承旨·判秘書寺事·文翰學士·知版圖司事에 임명되었던 것 같다(『瑞山鄭氏世譜』, 鄭仁卿功臣錄券. 이는 朝鮮後期에 傳寫된 것이기에 安珦이 安裕로 改書되어 있다). 또 ~~添字~~는 그의 열전에 의거하였다.

153) 이 시기에 趙仁規는 姻戚을 위해 職權을 濫用하다가 世間의 非難을 받았다고 한다.
- 열전18, 趙仁規, "歷知密直司事·僉議贊成事. 都評議錄事金溫妻, 夜竊娣家財被執, 娣夫與仁規爲姻婭, 仁規縛溫妻杖之, 人皆非之".

154) 이 기사는 열전36, 印侯에는 "陞判密直□□[司事], 進知都僉議□□~~[司事]~~, 辭職"으로 되어 있으나 "陞判密直□□[司事], 進知僉議□□~~[司事]~~, 辭職"의 오류이다.

155) 愛加赤大王은 世祖의 6子인 愛牙赤(愛也赤, Ayachi)의 다른 표기인데, 『고려사』에서 人名表記에 一貫性을 잃었다.

156) ~~添字~~는 『고려사절요』 권21에 의거하였다.

157) 이는 「金晅墓誌銘」에 의거하였다.

158) 이는 다음의 자료에 의거하였다.
- 『원사』 권15, 본기15, 세조12, 지원 25년 1월, "壬寅[17日], 高麗遣使來, 貢方物".

丁巳[2日], 元遣孛羅奚等來, 頒赦.159)

[戊午[3日], 流星晝見, 入天市:天文3轉載].

辛酉[6日], 遣將軍吳仁永如元. 時北賊叛亂, 我國宜起兵助戰, 而王難之, 遣仁永入奏曰, "今東鄙未寧, 請親率征北兵 移鎭雙城". [帝, 從之:節要轉載].

壬戌[7日], 以[上將軍?]安迪材爲會源防護使.

○諸萬戶及軍士, 享王及公主于大殿.

[某日, 以旌善別監·太僕少尹李桂材, 兼東界安集使. 桂材, 務爲侵漁, 聚歛[斂]土物, 以市私恩, 關東所產, 崖蜜尤多. 桂材, 不時徵歛[斂], 瀝取無遺, 蜜蜂無以自養, 蔽天飛去, 墮海而死:節要轉載].160)

丁丑[22日], 王畋于都羅山.

戊寅[23日], 中郎將鄭之衍齎金·銀牌, 還自元. 時議曰, "本國有民無軍, 而多請萬戶·千戶金銀牌, 若朝廷有事, 以牌數徵兵, 則若之何".

[某日, 置馬畜滋長別監. 先是, 放馬於諸島, 使之蕃息, 簡出壯者, 以充尙乘, 其餘, 班賜諸王·宰輔·文武臣僚, 而耽羅之出居多. 自逆賊之亂, 元令島民陸居, 而耽羅別屬於元, 馬畜不繁, 歲貢甚少, 國有親朝助征之事, 令外官獻馬, 又品歛[斂]百官, 而至奪外郡良馬, 內外苦之. 朝議以謂, 若置官選牝馬·牸牛, 使之蕃息, 則可備將來. 於是 有是命:兵2馬政轉載].

甲申[29日晦], 親醮于康安殿.

[是月己卯[24日], 帝以高麗國王王賰復爲征東行尙書省左丞相:追加].161)

三月[乙酉朔大盡,丙辰], 丁亥[3日], 左·右翼萬戶[同知密直司事]羅裕·[副知密直司事]韓希愈·[將軍]張舜龍等, 享王于內殿. 酒酣, 王起舞, 拍手自歌.

辛卯[7日], 幸王輪·賢聖二寺.

戊戌[14日], 禁慶尙道勸農使獻細麻布. [先是, 蔡謨爲勸農使, 多歛[斂]細麻布, 獻于王, 又賂左右權貴. 及李德孫代之, 稍增其數. 至是, 薛永仁又倍其尺數, 布極細, 民甚苦之. 王聞之, 有是命:節要轉載].162)

---

159) 몽골제국에서 1월 13일(戊戌) 大赦가 내려졌다(『원사』 권15, 본기15, 세조12, 지원 25년 1월 戊戌).

160) 이와 같은 기사가 열전36, 폐행1, 朱印遠에도 수록되어 있다.

161) 이는 다음의 자료에 의거하였다.

· 『원사』 권15, 본기15, 세조12, 至元 25년 2월, "己卯[24日], 以高麗國王王賰復爲征東行尙書省左丞相".

辛丑17日，以崔冲紹爲會源防護使.163)

壬寅18日，將軍吳仁永還自元言，帝以乃顔餘黨復叛，發兵親征，以我國軍，戍東藩. [某日，令文武官，非乘傳，不得出郊外:節要轉載].164)

戊申24日，遣使諸道，榷塩.165)

夏四月乙卯朔大盡,丁巳，郞將金精還自元，詔以王爲征東行尙書省左丞相.

癸亥9日，大雨雹.166)

丁卯13日，[小滿]. 以判三司事朴之亮爲東北面兵馬使，大將軍金德之金德至△爲知兵馬事.

庚午16日，元遼陽行省右丞塔出遣人，請發兵五千及軍粮赴建州.167) 先是，王請以征北兵，移鎭雙城，帝已許之. 中書省奉帝旨，諭塔出云，"鎭東藩事，當與高麗王，共議". 塔出以此請兵與粮. 然建州距本國三千餘里，山川險阻，餉道不通，又比年積蓄殫竭，計無所出. 王召大臣議，皆曰，"從之，則力不能堪，違之，則恐負前奏之意，莫若聲言發兵助戰，以緩運粮". 於是，復使將軍吳仁永等，多齎土物如元，以奏.

戊寅24日，宮花盛開，宴群臣于香閣. 酒酣，王命典理正郞 閔漬·國學直講趙簡，製新曲，左副承旨安珦亦製詩以進.

己卯25日，閱兵. [相府議，幷調文官及第·進士·生徒，王命止之:節要轉載].168)

162) 이와 같은 기사로 다음이 있다.
· 열전36, 嬖幸1, 蔡謨, "蔡謨，嘗爲慶尙道勸農使，多斂細麻布以獻，又賂左右權貴，市私恩. 李德孫代謨，稍增其數，後薛仁永又倍尺數，布極細密，民甚苦. 王聞之，禁獻細□麻布". 여기에서의 薛永仁은 『고려사절요』 권21에는 薛仁永으로 되어 있다.

163) 崔冲紹는 1307년(충렬왕33) 2월 27일(辛卯)에서 1308년(충선왕 복위년) 10월 4일(己丑) 사이에 一時 崔湍으로 改名하였던 것 같다.

164) 이와 같은 기사로 다음이 있다.
· 지38, 刑法1, 職制, "下旨，文武官，非乘傳，不得出郊外".

165) 이와 같은 기사로 다음이 있다.
· 지33, 食貨2, 塩法, "始遣使諸道，榷塩".

166) 이와 같은 기사가 지7, 五行1, 水, 雨雹에도 수록되어 있다. 이날 일본의 교토에서 맑았으나 明日(10日)에는 비가 내렸다고 한다(『勘仲記』, 弘安 11년 4월, "九日癸亥晴, … 十日甲子, 雨降").

167) 塔出[Taichiu]은 1285년(至元22)에 龍虎衛上將軍·東京等路行中書省右丞에 임명되었다고 하지만(『원사』 권133, 열전20, 塔出), 이때의 行省은 1287년(지원24, 충렬왕13)에 설치된 遼陽行省[遼陽等處行中書省]이다.

168) 이와 같은 기사로 다음이 있다. 이 기사가 4월이 아닌 5월에 수록되어 있어 차이가 있지만, 王命에 의해 이 措置가 5월에 중지된 것으로 理解한다면 문제가 없을 것이다.

[某日, 監察司□[張]榜曰, “國家, 連因旱乾, 禾穀不登, 無識之徒, 因祭松岳, 群飲山谷, 因緣失行者有之, 故法司已曾論請受判. 然禁防稍弛, 今復盛行. 且露衣簷笠, 兩班妻郊外之服, 今嗇夫奴隸之妻, 亦皆着之, 尊卑無別. 自今, 一皆禁斷, 違者, 犯物沒官, 重論其罪. 僧徒及奴僕·雜類, 騎馬, 公行朝路, 無所畏忌, 或走馬, 踏殺行人. 自今, 攸司捕捉監禁, 犯人論罪, 送馬于典牧, 若本主不能敎, 令奴隸犯禁者, 並與其主, 論罪”:刑法2禁令轉載].[169)]

[又榜, 差遣外官, 稽留不發, 迎來騶從, 到京久留, 其弊不貲. 不卽發行者, 論罪申聞:刑法2禁令轉載].

五月[乙酉朔小盡,戊午], 辛卯[7日], 幸福靈寺, 又幸靈通寺, 賜白銀十兩, 米一百石.

己亥[15日], 僉議贊成事趙仁規辭帳前萬戶, 以副知密直司事韓希愈代之.

辛丑[17日], 萬戶·同知密直司事羅裕, 領軍啓行.

[某日, 下殿中侍史田儒·左倉別監張巡等于獄. 王命追給內僚丙戌[忠烈12年]·丁亥[13年]兩年祿, 儒等以爲, 倉儲殫竭, 當年祿俸, 猶未贍, 宜竢羨餘, 以給. 內僚訴於王:節要轉載].

[→命追給內僚丙戌·丁亥兩年祿. 殿中侍史田儒·左倉別監張巡等以謂, 倉儲殫竭, 當年祿俸, 猶未贍, 宜俟羨餘, 乃給. 內僚訴於王, 下儒等于獄:食貨3祿俸轉載].

庚戌[26日], 王及公主, 幸金經社.[170)]

壬子[28日], [將軍]吳仁永還自元. 帝命除建州運粮, 以助征兵, 移戍鐵嶺, 國王宜留鎭本國.[171)]

· 지35, 兵1, 五軍, “[忠烈]十四年五月, 閱兵. 相府議幷調文官·及第·進士·生徒, 命止之”.

169) 이 기사는 添字와 같이 張 또는 揭를 넣어야 옳게 될 것이다.

170) 金經社는 金字大藏院(혹은 金字院)을 指稱하는 것 같다(→충렬왕 9년 9월 己未, 15년 윤10월 乙酉).

171) 鐵嶺은 매우 險峻하여 1人의 兵士가 防禦하면[一夫當關] 1萬人이 攻擊하여도 이길 수 없는 要塞地였다고 한다.

· 『가정집』 권5, 東遊記, “鐵嶺國家之要害, 所謂一夫當關, 萬夫莫開者也”.

· 『자치통감』 권244, 唐紀60, 文宗太和 4년(830), “冬十月戊申[8日], 以義成節度使李德裕爲西川節度使. 蜀自南詔入寇, 一方殘弊, … 上命德裕脩塞淸溪關以斷南詔入寇, 或無土, 則以石壘之. 德裕上言, ‘通蠻細路至多, 不可塞, 惟重兵鎭守, 可保無虞, … 恐議者又聞一夫當關之說[胡三省注, 一夫當關, 萬夫莫前, 前人所以言蜀之險也], 以爲淸溪可塞. 臣訪之蜀中老將, 淸溪之旁, 大路有三, 自餘小徑無數, 皆東蠻臨時爲開通, 若言可塞, 則是欺罔朝廷”.

六月甲寅朔大盡,己未, 乙卯[2日], 王如奉恩寺.

[□□是時, 王幸奉恩寺還, 宦者·將軍崔世延馳馬, 出入仗前. 上將軍李貞止之, 不聽, 監察司畏不敢劾. 中軍都領, 乃西班要職, 必歷諸軍都領, 而後得補, 世延, 超授其兄世安. 諸軍都領·指諭等, 白王爭之, 王亦不能改也. 世延買贊成□事趙仁規家, 嫌其隘陋, 更起樓於後洞. 樓近闕, 公主望見, 謂世延曰, "此忌方, 不宜犯之". 世延不從, 公主怒曰, "仁規宰相, 不以爲陋, 汝一小豎耳, 不聽予言, 益廣其居耶". 命左右批其頰, 枷杻囚巡馬所, 尋釋之. 世延擅權用事, 多受賄賂, 臣僚升黜, 多出其口, 雖宗室·宰輔, 不敢逆其意:列傳35崔世延轉載].

丁巳[4日], 遣大將軍朴義如元, 獻鷂.[172)]

○元流大王闊闊歹于大青島.[173)]

○雙城達魯花赤來.

[甲子[11日], 西蓮池魚, 自死浮出, 累日:五行1魚孽轉載].

庚午[17日], 僉議贊成事韓康致仕, 復以印侯代之.

乙亥[22日], 宥二罪以下.

秋七月甲申朔小盡,庚申, 丁亥[4日], 元遣摠管金之茂來, 閱兵器.

庚寅[7日], 王及公主, 幸神孝寺.

壬辰[9日], 以鄭可臣△爲判密直司事, 李益培△爲副知密直司事, △△仍令致仕.[174)]

乙未[12日], 罷典法判書元貞,[175)] 以金頵代之. 時宦官·內僚用事, 法司十餘員, 以非罪同時罷職.[176)]

庚子[17日], 遣知密直司事安戩如元, 賀聖節.

---

172) 朴義가 5월 29일(癸丑) 元에서 작은 매[鷂, 鷂鷹, The Harrier]를 바쳤던 것 같다.
· 『원사』 권15, 본기15, 세조12, 지원 25년 5월 癸丑[29日], "高麗遣使來, 貢方物".

173) 大王 闊闊歹[Köködei]은 어떠한 인물인지를 알 수 없으나, 『원사』에서 유사한 이름으로 滅里吉歹大王의 4子인 闊闊出[Kököchu]大王이 찾아지고 있다(권107, 표2, 宗室世系表, 別里古台大王位).

174) 이때 李益培는 朝奉大夫·副知密直司事·版圖判書·文翰學士로 致仕하였던 것 같다(曹溪山第五世贈諡慈眞圓悟國師塔碑銘 ; 열전15, 李奎報, 益培).

175) 元貞(元傅의 長子)은 1295년(충렬왕21, 元貞1) 元이 年號를 元貞으로 改定하자, 元瓘으로 改名하였다(元瓘墓誌銘).

176) 이때 여러 사람의 誹謗이 갑자기 일어났다는 것이 사유로 描寫되기도 하였다.
· 「元瓘墓誌銘」, "戊子, 以秋官群□□謗怨起, 公亦不免投閑□ 一年".

壬寅19日, □□征東行省遣中郞將宋玄如元, 賀聖節.[177)]

○知密直司事趙抃卒.[178)] [抃, 初以行首, 宿衛江都, 一日乘晩入直, 而門已閉. 元宗聞之, 命從隙而入, 抃辭曰, "人臣不宜從隙而入", 竟不奉命. 有司以闕直, 劾罷, 然人稱其直. 抃, 爲人美風姿, 性寬平, 人無怨者:節要轉載].

○流宦者·將軍崔世延, 郞將陶成器于海島. [二人, 皆有寵於王, 專擅用事, 多受賄賂, 凡臣僚升黜, 多出其口, 雖宗室·宰輔, 不敢逆其意. 至是, 奪人奴婢, 忤世子意, 世子白王, 流之:節要轉載].

[→郞將金弘秀與張良庇, 訟奴婢于典法. 良庇度自屈, 盡以其奴婢四十餘口, 贈世延. 世延遇弘秀, 慢罵之, 弘秀亦慢罵, 世延譖王, 下弘秀典法獄. 佐郞沈愉阿世延意, 盡奪弘秀奴婢, 流海島. 弘秀面叱愉曰, "爾爲法官, 阿附小人, 乃流無罪之人, 而奪奴婢耶?". 愉慚屈. 世延又奪內侍朴樞奴婢二十餘口. 又誘良民康柱爲奴, 柱不肯, 世延托以盜鈔十錠, 徵銀瓶十口. 柱貸銀瓶四口納之, 匿上將軍車信家, 世延謂信曰, "君何匿康柱". 信曰, "柱苦爾徵督, 貸我銀瓶四口償之, 十錠鈔價已足, 復欲徵乎?". 世延白王, 請以巡馬軍搜捕, 王許之. 遂與世安到信家, 捕之急, 信詣王宮, 具言其故. ○時忠宣爲世子, 大怒數之曰, 汝奪弘秀及樞奴婢, 流弘秀, 罪一也. 多畜猘犬, 噬殺壽興宮婢, 宮主請汝毋畜猘犬, 汝厲聲曰, 宮主餘生幾許, 禁我畜犬, 至使宮主泣下, 罪二也. 盜內府財物, 罪三也. 雜以銀銅, 私鑄瓶, 罪四也. 欲奴康柱, 侵擾車信家, 罪五也. 此特大者耳, 餘不勝數. 世延抗辨, 辭頗不遜, 世子白王曰, "世延多行不義, 流毒一國. 宜竄逐以懲其惡". 世延常父事印侯, 王納侯言, 有難色. 世子泣固請, 侯怨世子, 世子叱侯曰, "宰相腹大如甕者, 世延酒肉充之耳. 汝與世延, 同惡相濟, 此奴輩, 當置一鎖". 世延知不免, 詭言曰, "願一言於公主而死". 盖欲訴王陰事, 以圖免也. 且曰, 我則已有罪, 成器有甚於我. ○公主大怒. 杖成器幷世延, 囚巡馬所. 成器癡騃無知,[179)] 姦不如世延, 成器謂世延曰, "我嘗薦汝, 今反譖耶, 諺曰畜犬反噛, 汝之謂也". 於是, 籍沒成器奴婢·田庄·資產, 銀瓶至七十餘口. 世延以侯故, 不籍產, 唯弘秀奴婢屬妙蓮社, 樞奴婢屬內房庫. 世延盡以財寶, 與侯曰, "願免我配島". 侯以爲, 若受賂不能救, 恐世延復用有

---

177) 이 行省은 고려에 설치된 征東行尙書省을 指稱한다.

178) 이날은 율리우스曆으로 1288년 8월 17일(그레고리曆 8월 24일)에 해당한다.

179) 癡騃(癡騃, 不慧)는 延世大學本에서 疑騃로 되어 있으나 오자일 것이다(東亞大學 2006년 27冊 518面).

異圖, 遂白王, 流世延·成器于遠島. ○未幾, 俱召還:列傳35崔世延轉載].

○新作軍器庫于沙坂宮.

戊申[25日], 宋商人顧愷·陸淸等來, 獻土物.

[某日, 以朴璘爲慶尙道按廉使:慶尙道營主題名記].

[是月, 僧齋色開板'妙法蓮華經':追加].[180)]

八月[癸丑朔大盡,辛酉], 丁巳[5日], 蠻軍自雙城來, 男女老弱, 皆赤立裹身, 以苫. [僉議贊成事]洪子藩給衣二百領.

[→洪子藩哀之, 給衣二百領:節要轉載].

[己未[7日], 太白犯軒轅:天文3轉載].

[○大風傷禾:節要·五行3轉載].[181)]

壬戌[10日], 移御[上將軍]車信第.

癸亥[11日], 罷外郡鷹坊.

[某日, 伍允孚, 因星變白王, 以公主食邑安東·京山府布帛, 歸于左倉, 以充百官俸:節要轉載].

[→允孚, 因星變白王曰, "星變不利於王·公主". 王問所以禳之, 對曰, "百姓無怨, 可以禳之. 不若罷全羅·慶尙二道王旨別監及公主食邑". 王只罷公主食邑, 以其布帛, 歸左倉, 充百官俸:列傳35伍允孚轉載].

[某日, 世子, 以各道勸農使聚歛[聚斂]爲事, 傷民害財, 白王罷之, 以按廉使兼其任:節要轉載].[182)]

---

180) 이는 다음의 자료에 의거하였는데(南權熙 2002년 34面), ~~添字~~는 筆者가 任意로 ~~추측~~한 것이다.

· 『妙法蓮華經』 권7, 권말간기, "特爲」 皇帝□□[陛下]統御万年,」 國王·宮主·元子殿下,各保千秋, 無」 諸災患,福壽無疆,文臣虎將,忠貞」 □□[不冊],天變□□[地災],應時消滅,干戈不」 起,□□[四海]昇平, 法界含靈,同生安養,」 至元廿五年戊子七月日」 僧齋色 刻板」".

181) 일본의 교토[京都]에서 8월 6일은 大風이, 7일은 陰雨가 있었다고 한다(中央氣象臺 1941年 1冊 45面).

· 『勘仲記』, 弘安 11년 8월, "五日戊午, 雨降, … 六日己未, 大風大雨, … 七日庚申, 天猶陰, 雨未休, 此間雨風, 天下之異損, 民間之苦患, 有其聞, 所驚存也".

· 『續史愚抄』8, 正應 1년 8월, "六日己未, 大風雨, 損人家及禾稼, 被行止雨兩社[丹生·貴布彌]奉幣 …".

182) 이와 관련된 기사로 다음이 있다. 이에서 十三年은 十四年의 오류일 것이다(朴龍雲 2009년 684面). 또 按廉使가 勸農使를 兼任한 조치는 明年(충렬왕15) 9월 이전에 解除되었던 것 같다(→충렬왕 15년 9월 1일).

· 지30, 百官2, 外職, 勸農使, "忠烈王十三年[十四年], 以各道勸農使聚斂傷民, 罷之, 以按廉使兼

己巳[17日], [秋分]. 復置鷹坊.

[辛未[19日], 月與歲星同舍:天文3轉載].

[庚辰[28日], 以聖節, 宴于大殿, 宋人作戲, 王召世于觀之, 世子辭不入. 時世子年十四, 嘗踞內僚元奕膝上, 從容相語, 奕謂世子曰, “人主不宜聽察, 殿下聰明大過, 宜小寬容”. 世子作色曰, “汝輩使我癡暗, 持弄掌上, 如軟餠乎?”, 奕懼:節要轉載].[183]

九月[癸未朔大盡,壬戌], 甲申[2日], [寒露]. 幸壽康宮.

戊子[6日], 幸乾聖·王輪二寺.

乙未[13日], 帝命王及公主[·世子:節要轉載]入朝.

癸卯[21日], 賜尹宣佐等及第.[184] [□□[~~是時~~], 宰相[同知密直司事?]蔡仁規[~~蔡仁揆~~]子禑中第, 居同進士頭. 國制, 科擧之目, 乙科三人, 丙科七人, 同進士二十三人, 世以同進士頭, 宦不達, 人皆惡之, 指爲同頭. 王爲禑嫌之, 問於□□[~~右副~~]承旨李混, 混云, “可加丙科八人, 置禑其末”, 從之:選擧1科目轉載].[185]

[○雷:五行1雷震轉載].

戊申[26日], 遣大將軍柳庇如元, 奏王親朝.

己酉[27日], 遣使于諸道, 酌定貢賦.

[→遣使于忠淸·全羅·慶尙·西海道, 酌定貢賦:食貨1貢賦轉載].

[→遣前典法正郞 尹諧于中道[忠淸道], 酌定貢賦:節要轉載].

壬子[30日], 王以世子生日, 宴群臣, 上將軍鄭仁卿爲侏儒戲, 將軍簡弘爲倡優戲, 王亦拍手, 起舞.

冬十月[癸丑朔小盡,癸亥], 丙辰[4日], 副知密直司事·監察大夫林貞杞死.[186] [貞杞, 雖以科第進, 然昧於文學, 嘗掌監試, 不能命題, 人笑之. 爲[全羅道]王旨別監, 務聚歛[~~聚斂~~],

---

其任”.

183) 이 기사는 세가33, 충선왕 즉위년의 總論에도 수록되어 있다.

184) 이와 관련된 기사로 다음이 있다. 이때 尹宣佐·蔡禑 등이 급세하였다(『등과록』, 朴龍雲 1990년 ; 許興植 2005년).

· 지27, 선거1, 科目1, 選場, “[忠烈]十四年九月, 中贊許珙知貢擧, 左承旨安珦同知貢擧, 取進士, [~~癸卯~~], 賜尹宣佐等三十三人及第”.

185) 蔡仁規는 蔡仁揆의 오자일 것이다.

186) 이날은 율리우스曆으로 1288년 10월 30일(그레고리曆 11월 6일)에 해당한다.

媚權貴，驟遷擢．至是，暴死．時有宰相洪休女，旣寡爲尼，性喜言人短，公主欲問民間事，令出入臥內．公主聞貞杞死，有悽愴色，尼在側謂曰，“貞杞之死，不足怪也，以血成身，其死宜速，謂割民血，以立其身也”．公主勃然，變色:節要轉載].[187)]

戊午6日，親設靈寶道場于康安殿.

[丁卯15日，霧:五行3轉載].[188)]

[戊辰16日，亦如之霧:五行3轉載].

庚午18日，[小雪]．[大將軍柳庇還自元:節要轉載]，帝命王勿入朝.

[○赤氣見于東方，或如匹練，或如熾火，良久乃滅:五行1轉載].

[某日，禁六品以上徒行:節要轉載].

[→禁六品以上徒行·品官拜階下者:刑法2禁令轉載].

癸酉21日，盜發義陵穆宗，取銀器.

[某日，兩府宰樞議，“先王設倉廩，儲蓄積，以充國用，而備凶荒．比來，郡縣罹患，賦稅多欠，百官月俸，且未准給．國家如有不虞之需，將何以支．宜立直倉員吏，據兩班祿科田數，當秋科斂，以贍其用”，從之．於是，張榜，約日斂米，隨品有差，至於工商賤隷，科等收納:食貨2科斂轉載].

[是月頃，遣使如元，貢方物:追加].[189)]

十一月壬午朔大盡,甲子，[甲申3日，月犯牽牛:天文3轉載].

乙酉4日，[大雪]．盜發恭陵.[190)]

丁亥6日，流前樞密院副使洪文系于海島．[時，王及公主，選良家美女，將獻于帝，文系之女，亦在選中．文系賂權貴，圖免未得，謂摠郎韓謝奇曰，“我欲翦吾女髮，如何?”．謝奇止之曰，“恐禍及公”．文系不聽，遂翦其髮．公主聞之，大怒，囚文系，痛加酷刑，籍其家．又囚其女，問翦髮之故．女曰，“我自翦髮，父實不知”，公主使人曳

---

187) 이 기사는 열전36, 林貞杞에도 수록되어 있으나 자구에 출입이 있다.

188) 이때 일본의 교토에서 15일(丁卯)과 16일(戊辰)에 흐렸다고 한다.
 · 『勘仲記』, 弘安 11년 10월, “十五日丁卯, 陰, … 十六日戊辰, 陰”.

189) 이는 다음의 자료에 의거하였다.
 · 『원사』 권15, 본기15, 세조12, 至元 25년 12월 己卯27日, “高麗遣使來, 貢方物”.

190) 恭陵은 1009년(현종 즉위년) 2월 康兆에 의해 穆宗이 被殺된 후 3월에 造成된 것이다. 이는 1012년(현종3) 開城의 동쪽으로 移葬되어 義陵으로 改稱되었다. 그렇다면 이때의 恭陵은 누구의 陵인지 알 수 없다.

髮, 以鐵鞭亂捶, 身無完肌, 終不伏. 宰相詣殿門請曰, "文系, 有大功於國, 不可以細故, 置重典". 中贊致仕金方慶, 亦扶病請之. 不聽, 遂流之. 後數日, 贊成事洪子藩力請, 命還家產, 然甚疾之. 後忠烈王15年蒙古阿古大來, 卽以其女, 賜之:節要轉載].[191]

甲午13日, 大雷電, 晝晦, 震人.

[→甲午, 大雷電, 風雪, 晝晦, 震人:五行1雷震轉載].

庚子19日, 遣上將軍車信如元, 獻處女.[192]

○王獵于平州溫泉.

十二月壬子□朔小盡,乙丑, 遣贊成事趙仁規如元, 賀正.[193]

丙辰5日, [小寒]. 幸九曜堂, 醮十一曜.

辛未20日, [大寒]. 遣將軍李玶如元, 獻鷂.[194]

丙子25日, 王獵于馬堤山.

[是年, 復置田民辨正都監:百官2轉載].[195]

[○以左司議大夫崔瑞爲寶文署直學士:追加].[196]

[○以前試少府尹·忠州牧副使閔宗儒爲典法摠郞·知通禮門事·東界安集使:追加].[197]

[○以密直司堂後官金台鉉爲權知通禮門祗候:追加].[198]

[○以庾自偶爲神虎衛保勝郎將:追加].[199]

---

191) 阿古大[Agutai]는 李齊賢에 의하면 1316년(충숙왕3) 洪奎의 壻[長女의 夫]로서 左丞相 阿古歹였다고 한다(洪奎墓誌銘). 또 阿古大는 1303년(대덕7, 충렬왕29) 8월 左丞相에 임명되어 成宗 帖木兒의 死後에 安西王 아난다[阿難答]를 支持하다가 피살된 阿忽台[Agutai]로 추정된다. 그리고 이와 같은 기사가 열전19, 洪奎에도 수록되어 있다.

192) 車信은 12월 29일(庚辰) 大都에서 處女와 貢物을 바쳤던 것 같다.
· 『원사』 권15, 본기15, 세조12, 지원 25년 12월 庚辰29日, "高麗國王遣使來, 貢方物".

193) 壬子에 朔이 탈락되었다.

194) 李玶은 明年 1월 23일(癸卯) 大都에서 鷂를 바쳤던 것 같다.
· 『원사』 권15, 본기15, 세조12, 지원 26년 1월 癸卯23日, "高麗遣使來, 貢方物".

195) 이는 다음의 기사를 전재하여 적절히 變改하였다.
· 지31, 百官2, 田民辨正都監, "忠烈王十四年, 又置".

196) 이는 「崔瑞墓誌銘」에 의거하였다.

197) 이는 「閔宗儒墓誌銘」에 의거하였다.

198) 이는 「金台鉉墓誌銘」에 의거하였다.

199) 이는 「庾自偶墓誌銘」에 의거하였다.

[○以廉守平爲東京留守府判官:追加].200)

[○以韓冲熙韓仲熙爲永州副使, 鄭蓀爲永州判官:追加].201)

[○以卜儒爲碩州副使:追加].202)

[○以前都評議使司掾吏金廷美爲長興府判官. 廷美, 年二十四:列傳21金怡轉載].203)

己丑[忠烈王]十五年, 元 至元二十六年, [西曆1289年]

1289년 1월 23일(Gre1월 30일)에서 1290년 2월 10일(Gre2월 17일)까지, 13개월 384일

春正月辛巳朔大盡,丙寅, [癸未3日, 月犯熒惑:天文3轉載].

戊子8日, 王及公主幸妙蓮寺.

[辛卯11日, 月犯東井:天文3轉載].

[丙申16日, 木稼:五行2轉載].204)

庚子20日, □□僉議贊成事康守衡, 中贊致仕宋松禮卒.205) [松禮, 年八十三:追加],206) [謚貞烈:列傳38宋玢轉載].

[某日, 以慶尙道按廉使朴璘, 仍番:慶尙道營主題名記].

二月辛亥朔小盡,丁卯, 壬子2日, 世子冠, 以西原侯瑛之女爲世子妃.207)

---

200) 이는『동도역세제자기』에 의거하였다.

201) 이는『영천선생안』에 의거하였는데, 韓冲熙는 韓仲熙로 추정된다.

202) 이는『연안부지』에 의거하였다.

203) 이는 다음의 기사를 전재하여 적절히 變改하였다. 金廷美는 1288년(충렬왕14)에서 1309년(충선왕1) 12월 12일 사이에 忠宣王으로부터 賜名을 받아 金怡로 개명하였던 같지만, 金廷美로도 표기되기도 하였다.
- 열전21, 金怡, "… 初名之琁, 後改廷美, 忠宣王賜名怡. … 年十餘, 爲都評議司掾吏, 事雖鄙不憚, 識者異之. 忠烈十四年, 怡年二十四, 偶宿華藏寺, 夢王御正殿, 群臣擁衛, 祥雲掩苒. 王唱一句云, '青雲紫氣知仙閣'. 怡賡云, '綠髮淸談是貴人'. 王嘉嘆, 解衣衣之, 以此預知貴顯之兆. 是年, 調長興府倅".

204) 이때 일본의 교토에서 16일(丙申)은 때때로 눈이 날렸고, 17일(丁酉)은 눈이 내렸다고 한다.
- 『勘仲記』, 正應 2년 1월, "十六日丙申, 晴, 時々雪飛, … 十七日丁酉, 雪降".

205) 이날은 율리우스曆으로 1289년 2월 11일(그레고리曆 2월 18일)에 해당한다.

206) 宋松禮는 조선후기에 일시 發掘된 그의 묘지명에 의거한『礪山宋氏族譜』에 의하면, 1207년(희종3)에 태어나서 1289년(충렬왕15) 開京에서 逝去하였다고 한다(朴宗基 1996년 2面).

戊午[8日], 王及公主幸妙蓮寺.

[○月又犯東井:天文3轉載].

壬戌[12日], 元遣監察□□[御史]阿魯溫來, 採銀.

丙寅[16日], 元遣湖廣等路行尙書省參知政事張守智, 翰林直學士李天英等來,[208] 詔曰, "據尙書省奏, 去歲, 遼東調遣軍馬, 人民被擾, 田禾未收, 例皆闕食. 江南險遠, 船運粮斛, 不敷給散. 遼東與高麗接境, 乞令本處, 措辦粮十萬石, 前來接濟. 得此, 今遣張守智等前去, 上件粮數, 儘力辦集, 差官報送, 趁迭來春, 接濟用度".

[○遼東饑, 元遣張守智等, 令本國, 措辦軍粮十萬石, 轉于遼東. 王命群臣, 出米有差, 諸王·承旨以上七石, 致仕宰樞·三品以上五石, 散官宰樞三石, 散官三品二石, 致仕三品·顯任四品四石, 散官四品一石, 五品三石, 散官五品八斗, 侍衛將軍·六品二石, 七八品參上副使·僧錄職事一石, 九品參外副使八斗, 權務·隊正·別賜散職七斗, 軍官·百姓·公私奴婢以五斗三斗爲差. 富商大戶三石, 中戶二石, 小戶一石. 各道輸米有差, 唯除東界·平壤二道:食貨2科斂轉載].

[○王令群臣, 出米有差.:節要轉載].

丁丑[27日], 王不豫, 與公主·世子, 移御孝信寺.

[是月某日, 興王寺學徒·大德文日, 進禮郡副戶長全孚等造成靑銅香垸一副:追加].[209]

三月庚辰朔[小盡,戊辰], 日食, [日官不奏, 有司劾罪之:天文1轉載].[210]

[某日, 又令群臣, 加出米有差, 諸王·宰樞·承旨·班主十三石, 致仕宰樞·顯官三品十石, 散官宰樞四石, 致仕三品·東西四品七石, 散官三品三石, 東西五品六石,

---

207) 이 시기 이후에 世子(충선왕)는 西原侯 瑛을 위해 잔치를 자주 열었던 같다.

· 열전18, 趙仁規, 瑞, "忠宣爲世子時, 宴西原侯, [趙]瑞與金光佐·車元年, 皆以善歌與焉. 光佐以黍離·栢舟, 間歌雙燕曲, 閔漬以何彼穠矣補之. 自是, 內殿有宴, 必歌此曲, 瑞與光佐·元年, 俱寵幸. 二人賤者, 不足道, 瑞以相門儒士, 與之爲伍, 時議鄙之".

208) 몽골제국에서 張守智와 李天英의 파견은 1월 28일(戊申)에 결정되었다.

· 『원사』 권15, 본기15, 세조12, 지원 26년 1월 戊申, "遣參知政事張守智·翰林直學士李天英使高麗, 督助征日本糧".

209) 이는 「興王寺香垸銘」에 의거하였다(洪榮義 2016년b).

· 銘文, "己丑二月日,興王寺學徒大德文日,進禮郡副戶長全孚等同心發愿,在京金彦守造".

210) 이날 中原에서도 일식이 있었다고 하지만(『원사』 권15, 본기15, 세조12, 至元 26년 3월 庚辰), 中原[元의 領域]은 中心食帶에서 벗어나 있었기에 관측될 수 없었다고 한다(渡邊敏夫 1979年 310面). 이날은 율리우스曆의 1289년 3월 23일이고, 開京에서 일식 현상이 심했던 시간은 10시 3분, 食分은 0.05이었다(渡邊敏夫 1979年 310面).

散官四品二石, 東西六品·侍衛將軍五石, 散官五六品一石, 東西七八品·參上副使·及僧錄職事二石, 東西九品·參外副使一石, 權務·隊正八斗, 有官守散職五斗, 近侍左右番二十石, 茶房左右番二十石, 三都監·五軍二十石, 阿闍赤三十石, 禁內學館十五石, 鷹坊四番一百石, 大殿忽赤三番一百石, 巡馬左右番一百石, 漢語都監·宮闕都監各二百石, 國贐色·元成殿僚屬·世子府僚屬各十石, 世子府忽赤三番二十石, 商賈人五石, 僉議府·密直·重房·將軍房三十石, 典理·監察·軍簿·版圖·典法·六衛·五部·觀候司天·詹事府十石, 通禮門十五石, 雜類五斗, 諸寺社二百石, 四大業一百石. ○時王別置御庫, 名曰內房庫, 使黃門一人掌之. 分遣朝臣于各道, 稱爲勸農使, 擇公私良田, 聚民耕種, 除其貢賦. 又牒郡縣, 戶斂銀紵皮幣油蜜, 至於竹木花果, 悉皆徵納, 輸之內庫. 勸農使纔得六品而往者, 不數年間, 超拜大官, 或登樞府. 由是, 爲勸農使者, 爭以掊克聚斂爲事, 郡縣日益凋弊. 內庫之物, 上卽分賜諸黃門及左右嬖幸, 亦無所儲:食貨2科斂轉載].

丁亥[8日], 遣將軍吳仁永如元, 告軍粮數.

庚寅[11日], 元阿古大以眞珠衣二領來, 獻公主, [將軍]張舜龍所買也. 王與公主宴阿古大於壽寧宮.[211)]

辛卯[12日], 遣監察司丞[監察侍丞]呂文就·直史館陳果等,[212)] 以船四百八十三艘, 運船人一千三百十四名, 轉米六萬四千石于盖州.[213)]

○忠淸道指揮使·大將軍林庇, 全羅道指揮使·左司議大夫崔謞, 以輸軍粮後期,[214)] 皆削職, 乃以知密直司事羅裕爲忠淸道都巡問使,[215)] 判三司事朴之亮爲慶尙·全羅道都巡問使, 以督軍粮.

---

211) 이 眞珠로 장식된 옷은 2년 전인 1287(충렬왕13) 3월 13일 이후 張舜龍이 몽골제국에 들어가서 제작을 의뢰한 것이다.

212) 監察司丞은 『고려사절요』 권21에는 監察侍丞로 되어 있는데, 後者가 옳을 것이다(→是年 8월 某日).

213) 盖州(혹은 蓋州, 고구려의 蓋牟城지역)는 現在의 遼寧省 盖縣지역이다(大淸河가 이곳을 경유하여 渤海 遼東灣으로 流入함). 또 이때 운송된 高麗米는 4월에 遼陽行省에 전달되었던 것 같다.
· 『원사』 권15, 본기15, 세조12, 지원 26년 4월, "己酉朔, 遼陽行省管內饑, 貸高麗米六萬石, 以賑之".

214) 이 기사에서 後期는 期限을 지키지 않았다는 意味이다.
· 『사기』 권123, 大宛列傳第63, "騫爲衛尉, 與李將軍俱出右北平擊匈奴. 匈奴圍李將軍, 軍失亡多, 而騫後期當斬, 贖爲庶人".

215) 이때 羅裕는 副知密直司事·上將軍이었던 것 같다(華山曹溪宗麟角寺普覺國尊碑銘).

○召還前樞密院副使洪文系.

己亥20日, 發內庫米四千石, 以補兵粮.

[→發御庫米四千石, 以補兵糧:兵2屯田轉載].

夏四月己酉朔大盡,己巳, 帝賜王金甕. [以征東省都事安珦, 爲本國儒學提擧:節要轉載].

[→由右司議□□~~大夫~~, 拜左副承旨. 帝命爲征東行省員外郞, 尋加郞中·本國儒學提擧. 後以副知密直司事~~同知密直司事~~, 出鎭合浦, 撫軍恤民, 州郡以寧. 累遷僉議叅理.:列傳18安珦轉載].[216]

[→由右司議大夫, 拜左副承旨. 帝以征東行省都事爲儒學提擧, 後以同知密直司事, 出鎭合浦, 撫軍恤民, 州郡以寧. 累遷僉議參理, 忠烈十五年, 宣授行省員外郞, 尋轉郞中:校正]

庚戌2日, 霜.

[→辛亥3日, 隕霜:五行1轉載].[217]

戊午10日, 王獵于木村.

丁卯19日, 元使張守智·李天英等還, 守智私請騾十匹·馬二十匹及細布, 而歸. [守智, 嘗問□□~~副知~~密直司事韓希愈曰, "省今改何號?", 對曰, "僉議府", "樞密院改何號?", 對曰, "不知". 守智曰, "君何從得宰相?", 對曰, "軍功", 守智掩口而笑:節要轉載].[218]

[乙巳~~己巳~~21日, 亦如之月又犯東井:天文3轉載].[219]

乙亥27日, 還給所歛~~斂~~軍粮于各品.

○以旱禁酒.

---

216) 上記의 두 記事는 安珦이 征東行省 左右司의 都事(正7品) 또는 郞中(정5품)으로 儒學提擧司의 提擧를 兼職했던 것을 기록한 것이다. 이보다 後日에 行省官에 임명된 高麗人의 事例를 통해 볼 때, 郞中, 員外郞(정6품)에 임명된 인물은 모두 僉議府의 宰臣(종2품)인 점을 고려하면 이때 安珦은 都事로서 유학제거를 겸직하였을 것으로 추정된다.

217) 이 기사와 같이 世家篇에서는 "庚戌, 霜"으로 되어 있으나, 지7, 五行1, 水, 霜에는 "忠烈十五年 四月辛亥, 隕霜"으로 되어 있다. 이에서 霜과 隕霜은 같은 意味로 사용되었는데, 서리[霜]가 時節에 맞지 않게 내리는 것을 隕霜이라고 한다. 같은 現象을 庚戌(2日)과 辛亥(3日)로 날짜를 달리한 것은『고려사』의 撰者가 底本인『高麗實錄』의 내용을 축약하면서 날짜를 제대로 點檢하지 않은 채, 다음날[明日, 辛亥]의 기사를 前日[庚戌]에 수록하였던 결과로 추측된다(張東翼 2014년a).

218) 이와 같은 기사가 열전17, 韓希愈에도 수록되어 있다.

219) 4월에는 乙巳가 없으므로 己巳(21일)의 오자일 것이다.

[是月頃, 以攝郞李桂才李桂材爲東京副留守:追加].220)

五月己卯朔小盡,庚午, 庚辰2日, 以旱巷市.

辛巳3日, 雨雹, 微雪.221)

[某日, 世子聞前博士康煦死, 問左右曰, "莫是燃頭燃臂, 以救王疾者歟?". 對曰, "然", 世子曰, "凡人臣事上之道, 在忠勤盡節, 燃頭燃臂, 乃浮屠之事, 非君子之所爲也. 而煦乃媚上, 敢行非禮, 雖死何惜". 聞者嘆服:節要轉載].

癸未5日, 王及公主, 以端午, 宴于涼樓, 觀擊毬. 時牧丹花落盡, 以綵蠟作花, 綴於枝條.

[甲申6日, 虎入城, 咬人:五行2轉載].

乙酉7日, 遣知密直司事羅裕, 輸軍粮于盖州.

辛卯13日, 聚巫禱雨.

甲午16日, 禱雨于圓丘.

六月戊申朔大盡,辛未, 庚戌3日, 遣大將軍柳庇如元, 獻苧布, 將軍南梃, 獻鷂.

[甲寅7日, 忠州管內丹山縣, 石下, 有水湧出, 色黃赤異常, 彌日:五行1水變轉載].222)

---

220) 이는 다음의 자료에 의거하였다.

- 『東都歷世諸子記』, "尙書李桂才, 己丑忠烈15年五月到任".
- 「大櫓院銘文瓦」, "至元二十八年二月日大櫓院瓦棟梁道人性丘」 同願副留守攝郞李桂財·別色金柱·李椿·□枇·金□」 判官金司永·法曹玉…長三□□□…"(柳煥星 2015년).

이 瓦銘은 慶州市 南山의 昌林寺址에서 발견된 것이고, 至元 28년은 李桂材가 赴任한 2년 후인 1291년(충렬왕17)이다. 또 判官 金司永은 1289년(충렬왕15, 至元26) 10월에 부임한 金瑩良의 다른 표기인지, 아니면 他人인지는 辨別하기가 어렵다. 이에서 別色이 어떠한 관직인지는 알 수 없으나 記官과 함께 判官 隷下의 吏屬인 것 같다.

- 『동도역세제자기』, "大判金瑩良, 己丑十月到任, 安東廻還本. 大判蔡紹, 己丑到任".
- 『세종실록』 권149, 지리지, 忠州牧, "史庫在客舍之西, 有守護官五人, 別色·戶長·記官·庫直各一人. 史庫本在陜川伽倻山海印寺, 紅頭之亂, 賴以不失. 國初, 以其地近海, 移置于此".

그리고 李桂才는 東界安集使兼旌善別監으로 蜂蜜의 收奪에 힘썼던 李桂材의 다른 표기로 추측된다(열전36, 朱印遠).

221) 이와 같은 기사가 지7, 五行1, 水, 雨雹에도 수록되어 있다. 이때 일본의 교토에서 1일(己卯)은 흐리다가 때때로 비가 내렸고, 2일(庚辰)은 비가 내렸고, 3일(辛巳)은 흐렸고, 4일(壬午)은 비가 내렸다고 한다.

- 『勘仲記』, 正應 23년 5월, "一日己卯, 陰, 時々雨灑, … 二日庚辰, 雨降, … 三日辛巳, 陰, … 四日壬午, 雨降".

222) 彌日은 '하루 내내[終日]'를 指稱한다.

[壬申[25日], 月犯畢星:天文3轉載].

[癸酉[26日], 以鄭仁卿爲奉翊大夫·三司使·上將軍:追加].[223]

秋七月[戊寅朔小盡,壬申], 壬午[5日], 太白晝見,

癸未[6日], 亦如之[太白晝見].

○元遣阿魯渾·李成等來, 採銀.[224]

[○夜, 流星出大角, 入庫樓, 大如梨, 長一尺許. 又流星出房星, 入庫樓, 大如木瓜, 長二尺許:天文3轉載].

乙酉[8日], [大將軍]柳庇還自元, 帝賜王玉帶·公主金袍.

[○國尊見明[一然]入寂:追加].[225]

己丑[12日], 公主不豫.

[庚寅[13日], 月犯立星:天文3轉載].

甲午[17日], 王獵于西海道.

[乙未[18日], 月犯土星:天文3轉載].

[丁酉[20日], 流星出河鼓, 入北極勾陳:天文3轉載].

戊戌[21日], 遣判三司事朴之亮如元, 賀節日.

· 『후한서』 권80下, 文苑列傳第70下, 邊讓, "… 登瑤臺以回望兮, 冀彌日而消憂[李賢注, 彌, 終也. 楚辭曰, 望瑤臺而偃蹇]".

223) 이는 「鄭仁卿政案」에 의거하였다.

224) 이들 採掘者들은 4월 25일 파견이 결정되었던 것 같다.

· 『원사』 권15, 본기15, 세조12, 지원 26년 4월, "癸酉[25日], 以高麗國多產銀, 遣工即其地, 發旁近民, 冶以輸官".

225) 이는 「華山曹溪宗麟角寺普覺國尊碑銘」에 의거하였는데, 이날은 율리우스曆으로 1289년 7월 26일(그레고리曆 8월 2일)에 해당한다. 또 普覺國尊碑는 경상북도 軍威郡 古老面 華北里 612 麟角寺 境內에 있는데(보물 제428호), 이에 대한 후세의 기록으로 다음이 있다.

· 『東溪集』a권3, 麟角寺, "寺, 本爲普覺國師[一然]創立, 而有碑. 碑建於貞元六年[元貞元年]八月日, 世稱王右軍手筆, 而未的其然. 龍蛇[壬亂]之後, 天將[明將]見之, 知其爲王公筆也, 爭相印播, 寶愛甚. 自是, 詔使之至, 輒求之. 巡相[觀察使]因有旨, 差倅[都事]監印焉. 丁酉[宣祖30年]夷兵[倭賊]一炬灰滅, 碑立堂庭, 火焰流爛, 陽面最甚, 而頭尾字畫宛如, 腰半剝落, 無存也. 有一老人言, 逸少之書, 此碑時, 別書一幅, 來傳已久, 而遊客亦耽翫, 不幸併與碑俱燼, 尤可歎也. 普覺乃當時禪, 故伐石于遼, 求書于王云". 여기에서 添字는 필자가 추가하였다.

· 『研經齋全集』續集16冊, 書畫雜識, 題麟角碑, "麟角寺在義興華山洞, 俗傳麒麟挂角于壁, 故名, 有閔漬所撰僧普覺碑銘, 而筆體全出於聖教序, 但峭刻勁猛, 大過聖教序. 每見中原所搨聖教序, 屢經移摹, 苦無善本, 夫懷仁所摹勒者, 已失右軍舊法, 況雙鉤紛紛, 又失懷仁之眞本耶, 獨此碑直溯懷仁, 而工妙復掩之, 誠至寶, 但碑字破壞, 今不可復搨, 可歎也已".

癸卯[26日], 帝, 以海都兵犯邊, 將欲親征, 遣阿旦不花來, 徵兵.[226)]

[某日, 以劉顥爲慶尙道按廉使:慶尙道營主題名記].

八月[丁未朔大盡,癸酉], 戊申[2日], 命[僉議贊成事]洪子藩·[僉議贊成事]趙仁規等, 會奉恩寺, 簽軍, 又徵諸道兵.

[某日, 令諸王·時散百官, 出緜布有差, 以給北征軍:節要轉載].[227)]

辛亥[5日], [僉議]贊成事朴球卒.[228)] [球, 無他技能, 以軍功貴:列傳17朴球轉載].

[某日, 監察侍丞·將軍李玶, 暴死. 玶, 爲人好勇, 善騎射, 常以養鷹遊獵爲事, 生捕鳥雀, 去其毛, 口嚼, 以飼鷹隼, 或割生雞, 留其半, 而飼之. 王之好獵, 皆玶導之:節要轉載].[229)]

乙卯[9日], 命[僉議贊成事]印侯·[同知密直司事]金忻, 點兵于通衢.

○遣大將軍張舜龍, 獻同知密直司事蔡仁揆之女于元.

丁巳[11日], 親設消災道場于外院[外帝釋院?].

戊午[12日], 耽羅安撫使忽都塔兒, 還自元. 中書省□[移]牒, 求青砂甕·盆·瓶.

壬戌[16日], 遣萬戶金忻, 率助征軍, 赴遼陽行省.

[甲子[18日], 大雨水, 麻田·積城縣及興義驛民戶, 多漂沒:五行1水潦轉載].

[己巳[23日], 月入東井, 熒惑入軒轅:天文3轉載].

九月丁丑朔[大盡,甲戌], 王獵于西海道. 時宦官及權貴, 皆受賜田, 多至二三千結, 各占良民, 皆蠲賦役. 凡王之出獵, 按廉·勸農各設宴供之, 其或有恤民不行者, 或鞭之. 爭先侵害, 民之被毒爲甚.

庚辰[4日], 元流大王石列紇于人物島[~~仁勿島~~],[230)] 野里不于高鸞島,[231)] 撒里只于與音島.[232)]

---

226) 海都(Qaidu, ?~1302)는 太宗 우구데이[窩闊台]의 孫子이다(『원사』 권107, 표2, 宗室世系表, 太宗皇帝, 合失大王位). 海都는 이해의 6월 己巳(22일) 혹은 辛未(24일)에 변경을 침입하였고, 이에 對應하여 7월 1일(戊寅朔) 世祖 쿠빌라이가 親征하였다(『원사』 권15, 세가15, 세조12, 至元 26년 6월 辛巳[己巳?·辛未?], 7월 戊寅朔, 6월에는 辛巳가 없다).

227) 이와 같은 기사로 다음이 있는데, 十五年은 앞에서 기재된 것이기에 重出이다.

· 지33, 食貨2, 科斂, "[忠烈]十五年八月, 元以海都兵犯邊, 遣使徵兵. 令諸王·時·散百官, 出緜布有差, 以給北征軍".

228) 이날은 율리우스曆으로 1289년 8월 21일(그레고리曆 8월 28일)에 해당한다.

229) 이 기사는 열전37, 嬖幸2, 李貞, 李玶에도 수록되어 있다.

230) 人物島는 楊廣道, 仁州, 唐城郡 仁物島(혹은 仁勿島)의 誤字로 추측된다. 이는 조선시대에 德

[○月與鎭星同舍:天文3轉載].

壬辰16日, 幸壽康宮. [□士將軍李貞設宴, 迎于中道忠淸道. 貞, 散栗林間, 手自拾煨以獻. 王悅:節要轉載].[233)]

丙申20日, 遣大將軍柳庇如元.

乙巳29日, [霜降]. 以大將軍梁公勣, 出鎭合浦.

丙午30日, 僉議贊成事致仕申思全申思佺卒, [謚純簡].[234)]

是月[己卯3日:追加], 元置高麗國儒學提擧司, 秩從五品.[235)]

[是月頃, 以金瑩良爲東京留守府判官:追加].[236)]

冬十月丁未朔大盡,乙亥, 王獵于馬堤山.

戊午12日, 幸賢聖寺.

庚申14日, [立冬]. 帝命, 罷助征軍.

壬戌16日, 遣大將軍元卿如元, 請入朝.

[甲子18日, 月入東井:天文3轉載].

乙丑19日, 知密直司事羅裕還自盖州言, "漕船壞者四十四, 遭風而失者九. 米沈沒者五千三百五石, 粮盡竊食者九百八石四斗. 人溺死者一百十九, 病死者四, 逃者六

積島(現 仁川市 甕津郡 德積面으로 編制된 島嶼)로 改稱된 것 같다.

· 지10, 지리1, 唐城郡, "忠宣王二年, 汰諸牧, 降爲南陽府. 有大部島·小牛島·仙甘彌島·靈興島·召勿島·承黃島·仁物島·伊則島·雜良串島·沙也串島·難知島·木力島".

·『세종실록』 권148, 지리지, 南陽都護府, "… 德積島[注, 在召忽島南六十里, 古稱仁物島, 周回十五里, 放國馬二百五十七匹]. 亐音島[注, 在府北水路三里, 周回十三里. 有旱田五結, 府人來往耕穫]".

231) 高鸞島(孤蘭島, 高瀾島)는 현재의 忠淸南道 保寧市 鰲川面으로 編制된 元山島이다(東亞大學 2008년 8책 237面→원종 13년 9월 13일의 脚注).

232) 與音島는 上記 脚注의 亐音島가 아닐까 한다.

·『신증동국여지승람』 권9, 南陽都護府, 山川, "于音島, 在府西四十五里. … 德積島, 成宗十七年, 移屬仁川府".

233) 이 기사는 열전37, 嬖幸2, 李貞에도 수록되어 있다.

234) 申思全은 申思佺의 오자일 것이다. 그의 壻인「閔漬墓誌銘」, 딸인「閔漬妻申氏墓誌銘」에도 申思佺으로 되어 있고, 後者에서 諡號도 찾아진다. 이날은 율리우스曆으로 1289년 10월 15일(그레고리曆 10월 22일)에 해당한다.

235) 이는 다음의 자료에 의거하였다.

·『원사』 권15, 본기15, 세조12, 지원 26년 9월, "己卯3日, 置高麗國儒學提擧司, 從五品".

236) 이는『동도역세제자기』에 의거하였다.

十七，不知所之者八十六”.

[乙亥[29日]，[小雪]. 大雷雨，有河魚，隨雨散落:五行1魚孽轉載].

[某日，金字大藏經成. 王與公主，親幸觀之:節要轉載].

[是月，右副承旨李混，□□□□[掌成均試]，取金承印等七十人:選擧2國子試額轉載].[237)]

閏[十]月[丁丑朔小盡,乙亥]，[庚辰[4日]，大雷雨，雨如黑水:五行1黑眚黑祥轉載].

乙酉[9日]，幸金字院，慶讚大藏經. [又親設慶讚會:節要轉載].

己丑[13日]，元尙書省及樞密院差官來，閱東征日本時合浦兵器.

辛丑[25日]，王及公主移御妙蓮寺.

[○太白入氐:天文3轉載].

十一月丙午朔[大盡,丙子]，[冬至]. 遣將軍白挺仁如元，獻鷂.

丁未[2日]，僉議中贊致仕柳璥卒，[年七十九:列傳18柳璥轉載].[238)] [璥，文化縣人，政堂文學公權之孫. 三別抄之亂，璥在江華，挈家，將舟還古京，被賊執，璥載妻子于小舸，財寶于大船，已與賊共處，久之. 璥佯若中熱而嘔，請就涼小舸，賊許之，璥斷纜而走，賊追不及. 王聞璥陷賊，恐其脅從爲謀主. 璥徒步謁王. 王大喜，厚奬之. 璥有藻鑑，論文章，先體制，後工拙，累典禮闈，所取皆知名士. 初，璥及兪千遇，俱爲崔沆所厚，蒙兵之侵，沆以三陟山城未固，欲徙之，郡人以銀甁三十遺璥，請不徙，璥却不受. 乃遺千遇，千遇受之，言於沆，得不徙. 璥謂沆曰，“三陟山城之徙，關利害尤重，邑人安土重遷，嘗餽我銀幣，我不敢受，今而不徙，何也”. 沆以千遇賣己，追所賂，流之海島，故千遇與璥有隙. 卒，諡文正:節要轉載].[239)]

[→璥，体肥短，人望之儼然. 天資明敏，器度雄深，能斷大事. 善接人，言笑款洽，有藻鑑，元傅·許珙皆其薦也. 嘗領史館，撰神·熙·康·高四朝實錄. 一掌國子監試，三典禮闈，論文章，先體制而後工拙. 所得皆知名士，李尊庇·安珦·安戩·李混皆璥門生. 與兪千遇同掌試，千遇喜自用，程文有微疵，必欲擯之，璥不與較. 及榜出，皆老於場屋者，然少至達官. 璥初掌試，坐主平章事任景肅，解所帶烏犀紅鞓，與之曰，“公之門下，有如公者，可傳之”. 及尊庇掌試，欲傳之則，已失於林衍之亂，

237) 이때 崔雲도 선발되었다(崔雲墓誌銘).

238) 이날은 율리우스曆으로 1289년 12월 15일(그레고리曆 12월 22일)에 해당한다.

239) 三陟山城에 대한 내용은 열전18, 柳璥·兪千遇에도 수록되어 있다.

買之市, 卽其帶也, 士林傳爲異事:列傳18柳瓛轉載].

壬子[7日], 王及公主·世子如元,[240)] 僉議贊成事趙仁規·僉議贊成事印侯·前知僉議府事?廉承益·左承旨?安珦等從行. 是行, 欲以扈從邀功者衆, 增減未定, 乃以史官無關於事, 不許扈駕. 史臣不從行, 始此.

[壬戌[17日], 月犯軒轅右角:天文3轉載].

十二月[丙子朔小盡,丁丑], 庚寅[15日], □[遣]弓箭陪中原侯昷如元, 大將軍朴義, 獻鵓肉.[241)]

癸巳[18日], 遣知密直司事金忻·同知密直司事[知密直司事]羅裕,[242)] 調東界防戍軍.[243)]

戊戌[23日], 倭船泊蓮花·楮田二島.

[是年, 密直學士權呾請致仕, 爲知僉議府事·寶文閣大學士·同修國史, 仍令致仕:追加].[244)]

[○以前典法判書元貞爲正獻大夫·判禮賓寺事·寶文閣學士·知製敎:追加].[245)]

[○以神虎衛保勝郎將庾自偶爲監察御史:追加].[246)]

[○以權準爲都齋庫判官. 時準年九:追加].[247)]

---

240) 이때 僉議中贊 許珙이 權行征東行尙書省事[權行尙書省事]에 임명되어 國政을 총괄하였다(許珙墓誌銘). 또 이때 方臣祐, 金深 등이 王을 隨從하였고, 前年에 世子府行李別監에 임명되어 師父의 역할을 맡은 秘書少尹·知通禮門事 金恂도 수종하였던 것 같다(金恂墓誌銘).

· 『익재난고』 권7, 方臣祐祠堂碑, "… 至元二十六年, 隨公主入朝, 因謁東宮, 裕聖皇后一見留之, 賜名忙古台. 成宗尊裕聖爲皇太后, 特授奉正大夫[中奉大夫]·掌謁丞, 尋加通奉大夫·泉府大卿".

· 열전35, 宦者, 方臣祐, "小字小公, 尙州中牟人. 忠烈時, 給事宮中, 從安平公主如元, 謁裕聖皇后. 因留之, 賜名忙古台, 宣宗[成宗]授掌謁丞, 加泉府大卿". 以上에서 添字와 같이 고쳐야 옳게 될 것이다.

· 「金深墓誌銘」, "己丑, 扈駕朝上國".

241) 이 구절에 遣字를 넣어야 옳게 될 것이다. 또 朴義는 明年 1월 11일(乙卯) 다이두[大都]에서 鵓肉을 바쳤던 것 같다.

· 『원사』 권16, 본기16, 세조13, 지원 27년 1월 乙卯, "高麗國王王賰遣使來, 貢方物".

242) 羅裕는 이해의 3월 12일(辛卯), 5월 7일(乙酉)에 知密直司事로 재직하고 있었으므로 同知密直司事는 知密直司事의 잘못이다.

243) 이 기사는 지36, 兵2, 鎭戍에도 수록되어 있다.

244) 이는 「權呾墓誌銘」에 의거하였다.

245) 이는 「元瓘墓誌銘」에 의거하였다.

246) 이는 「庾自偶墓誌銘」에 의거하였다.

247) 이는 「權準墓誌銘」에 의거하였다.

[○以朴全之爲安東大都護副使:追加].248)

[○以蔡紹爲東京留守府判官:追加].249)

[○以前典法摠郞·知通禮門事·東界安集使閔宗儒爲忠淸道按廉使:追加].250)

[○王寫成'銀字正法念處經':追加].251)

[○元以安珦爲征東行省員外郞, 尋加郞中:列傳18安珦轉載].252)

[□□□□~~是年以前~~, 內僚·大將軍李之氏之子, 實恃父勢, 狂暴甚於猘犬. 嘗有國學諸生過其門, 實令小奴呼之, 至則持梃逐之. 有李悅者後, 實擊其額仆地, 從而蹴踏. 諸生欲告之氏, 實當門揮劒曰, "當殺汝輩數人". 諸生詣世子告之, 以之氏故不問. 公主聞之, 囚實巡馬所, 謂王曰, "小豎驕橫至此, 王何不禁?". 尋命釋之:列傳36李之氏轉載].

庚寅[忠烈王]十六年, 元 至元二十七年, [西曆1290年]

1290년 2월 11일(Gre2월 18일)에서 1291년 1월 31일(Gre2월 7일)까지, 355일

春正月乙巳朔大盡,戊寅, 王在元.

丁未3日, [雨水]. 遣大將軍元卿如元, 奏日本犯邊.

甲子20日, 將軍吳仁永等還自元言, 乃顔餘黨哈丹賊, 將侵我東鄙.253)

---

248) 이는 다음의 기사에 의거하였다.
· 열전22, 朴全之, "… 旣還, 除吏·兵二部侍郞, 以年少官高, 上章辭, 出守安東".
· 「朴全之墓誌銘」, "當己丑歲, 出守安東大都護府者, 公自憚其年少爵高, 上章乞解, 上惜其去職, 乃分憂也".

249) 이는 『동도역세제자기』에 의거하였다.

250) 이는 「閔宗儒墓誌銘」에 의거하였다.

251) 이는 『銀泥正法念處經』 권50, 末尾題記에 의거하였다(南權熙 2002년 359面).
· 題記, "至元二十六年己丑高麗國」王發願寫成銀字大藏」".
[內書], "禪師 天后書".

252) 이의 시기는 『회헌선생실기』 권3, 年譜에 의거하였다.

253) 哈丹(合丹, 哈丹禿魯干, Qadan, ?~1292)의 父는 濟南王 按只吉歹(按赤台)이고, 祖父는 징기스칸(成吉思汗)의 세 번째 동생인 哈赤溫이다. 그는 1287년(至元24) 4월 斡赤斤의 후예인 乃顔(Nayan)과 연결하여 世祖 쿠빌라이[忽必烈]에게 저항하여 嶺北行省에서 반란을 일으켰으나 5월 이래 쿠빌라이의 공격을 받아 大興安嶺 일대로 밀려 났다. 6월에 계속 패배하여 乃顔이 被擄되자 군사를 동북쪽으로 이동시켰으나 추격군에 밀려 1290년(至元27) 고려에 밀려오게 되었다

乙丑[21日], 僉議贊成事洪子藩·判密直□[司]事鄭可臣等, 調兵于兵部[軍簿司],[254)] 以[知密直司事]安戩爲慶尙道都指揮使, [副知密直司事]金之淑爲全羅道都指揮使.

戊辰[24日], 以僉議參理宋玢爲忠淸道都指揮使.

[某日, 聞東賊來, 諸君·宰樞會議, 忽只[忽赤]·鷹坊·巡馬, 皆合爲一:兵1五軍轉載].

[是月丙寅[22日], 以合丹[哈丹]餘寇未平, 元命高麗發耽羅戍兵千人討之:追加].

[丁卯[23日], 高麗國王王賰言, "臣昔宿衛京師, 遭林衍之叛, 國內大亂, 高麗民居大同者皆籍之, 臣願復以還高麗爲民", 從之:追加].[255)]

二月乙亥□[朔小盡,己卯], 遣中軍萬戶鄭守琪, 屯禁忌山洞, 左軍萬戶朴之亮, 屯伊川[縣界:節要轉載], [副知密直司事]韓希愈, 屯雙城, [知密直司事·]右軍萬戶金忻, 屯豢猳[縣界:節要轉載], [知密直司事]羅裕, 屯通川[界:節要轉載], 以備丹賊.[256)]

[某日, 令諸王·宰樞·承旨·班主, 各出米七碩, 坊里庶人, 出米有差, 以充東界防戍軍糧:節要·兵2屯田轉載].

[○時, 訛言, 賊兵已闌入國境, 中外洶洶. [贊成事]洪子藩等, 議欲避入江華, 許珙·崔有渰, 獨不可曰, "今王在京師, 豈可信流言, 擅移國都". 子藩等, 會耆老·宰相議之, 皆曰, "當遷", 珙不能止, 謂堂吏文証曰, "衆議如此, 不可沮也, 吾與爾守松京, 以待王命". 諸宰樞皆曰, "人皆謂許中贊, 鎭定國家, 今其誤國乎?". 珙歸家, 召子孫曰, "吾當留此, 若輩有不從我者, 非吾子孫, 必處以法". 未幾, [僉議贊成事]印侯自元來曰, "帝聞還都江華, 命王曰, 其言若實, 執首謀者以來". 國人聞之, 服珙智識:節要轉載].[257)]

[是月乙亥朔, 元立全羅州道萬戶府:追加].[258)]

(『원사』 권107, 표2, 宗室世系表). 한편 哈丹禿魯干이 1288년(至元25) 몽고군에 쫓겨 고려에 들어와 죽었다고 한 중국 측의 기록은 시기의 정리[繫年]에 실패한 것 같다.

· 『원사』 권162, 열전49, 李庭, "[至元]二十五年, 乃顔餘黨哈丹禿魯干復叛於遼東, 詔庭及樞密副使哈答討之, 大小數十戰, … 哈丹禿魯干走高麗, 死".

254) 兵部는 軍簿司의 잘못이다. 이러한 軍士의 徵集과 함께 僉議贊成事 洪子藩을 위시한 宗室·宰相[宰輔]·致仕宰相[致仕舊相] 등이 亂離를 피하여 海島로 入保하려고 하였으나, 僉議中贊·權行征東尙書省事 許珙이 崔有渰과 함께 반대하여 실행되지 않았다(열전18, 許珙 ; 許珙墓誌銘).

255) 이상 몽골제국에서의 사실은 다음의 자료에 의거하였다. 여기에서 大同(현 山西省 大同市)을 大同江으로 비정하고, 이곳을 西北界地域으로 보는 견해도 있다(姜在求 2021년).

256) 乙亥에 朔이 탈락되었다. 이 기사는 지36, 兵2, 鎭戍에도 수록되어 있다.

257) 이와 같은 기사가 열전18, 許珙에도 수록되어 있다.

三月甲辰朔小盡,庚辰，壬子9日，□□□□~~元平章事~~闍梨帖木兒遣人來，戍雙城.

庚申17日，帝以寫金字經，徵善書僧. 乃遣僧三十五人如元.

[辛酉18日，以鄭仁卿爲副知密直司事·典法判書·上將軍:追加].[259)]

丙寅23日，前知僉議府事金周鼎卒,[260)] [年六十三，輟朝三日，謚文肅:追加].[261)] [周鼎，少好學，沈厚寡言，不妄交遊. 初，調富城尉，時北兵大至，國家驚擾，周鼎，備敵撫民，威惠竝著，一方稱之. 其罷達魯花赤·王京留戍軍·合浦鎭守軍·屯田等軍，請赦金方慶，皆周鼎策也. 王益重之. 東征之役，颶風覆舟，官軍多溺死，周鼎以計拯溺，所活甚衆. 然爲鷹坊都監使，以鷹犬媚王，頗張威福:節要轉載].

丁卯24日，王及公主·世子，至自元.[262)]

○帝詔，罷東寧府，復歸我西北諸城. 王拜其摠管韓愼·千戶桂文庇△並爲大將軍，千戶玄元烈~~玄孝哲~~爲大僕尹~~太僕尹~~. 羅公彥·李翰△並爲將軍.[263)]

夏四月癸酉朔大盡,辛巳，丁酉25日，遣寫經僧六十五人如元.

[是月癸巳21日，芒種. 元太傅玉呂魯玉昔帖木兒言，“招集斡者所屬亦乞烈，今已得六百二十一人，令與高麗民屯田，宜給其食”. 敕遼陽行省驗實，給之:追加].[264)]

---

258) 이는 다음의 자료에 의거하였다.
· 『원사』 권16, 본기16, 세조13, 지원 27년 2월, “乙亥朔，立全羅州道萬戶府”.

259) 이는 「鄭仁卿政案」에 의거하였는데, 그의 묘지명에는 密直司副使兼典法判書에 임명되었다고 되어 있다. 이로 보아 이때에 설치된 副知密直司事는 密直副使의 다른 表記 또는 일시적인 稱號의 변경일 가능성이 있다(朴龍雲 2009년 138面).

260) 이날은 율리우스曆으로 1290년 5월 3일(그레고리曆 5월 10일)에 해당한다.

261) 이는 「金周鼎墓誌銘」에 의거하였다.

262) 이때 前年(충렬왕15)에 隨駕하여 元에 갔던 安珦(『회헌선생실기』 권3, 年譜), 金深(金周鼎의 子)도 귀환하였는데(金深墓誌銘), 후자는 곧 司巡衛精勇將軍에 임명되었다고 한다.

263) 이와 관련된 기사로 다음이 있다.
· 지12, 지리3, 西京留守官平壤府, “忠烈王十六年，元歸我西京及諸城，遂復爲西京留守官”.
· 열전43, 崔坦, “忠烈十六年，帝罷東寧府，悉歸西北諸城. 王拜愼·文庇爲大將軍，玄元烈爲大太僕尹，羅公彥·李翰爲將軍”. 여기에서 玄元烈은 21년 전인 1269년(원종10) 10월 崔坦·韓愼 등이 西京에서 반란을 일으켜서 蒙古에 항복할 때 참여했던 延州人 玄孝哲의 改名일 것이다(→원종 10년 10월 3일의 脚注). 또 大僕尹이 太僕尹의 誤字임은 세가30, 충렬왕 18년 10월 3일(庚寅) ‘太僕尹 金有成’이 찾아짐을 통해 알 수 있다.

264) 이는 다음의 자료에 의거하였는데, 玉呂魯는 거의 白紙狀態인 『원사』 권110, 表5上, 三公表에 수록되어 있지 않다.
· 『원사』 권16, 본기16, 세조13, 지원 27년 4월 癸巳21日, “太傅玉呂魯言，招集斡者所屬亦乞烈，今已得六百二十一人，令與高麗民屯田，宜給其食. 敕遼陽行省驗實，給之”.

五月癸卯朔[小盡,壬午], 以旱巷市.

甲辰[2日], 賜崔咸一等及第.[265]

丙午[4日], 王置酒, 以西北諸城人還付本國者, 悉許侍宴.

戊申[6日], [夏至]. [右軍萬戶]金忻·羅裕·鄭守琪等馳報, 哈丹入海陽界.

乙卯[13日], 點兵. [自五品以下文官及內侍·茶房·三官·五軍·禁學兩官, 皆令從軍: 節要·兵1五軍轉載].

戊午[16日], 遣將軍金延壽如元, 奏哈丹入寇.

六月[壬申朔大盡,癸未], 癸酉[2日], 王如奉恩寺.

甲戌[3日], 命大將軍韓愼, 將西京兵, 禦哈丹于東界.

丙子[5日], 遣將軍金興裔如元, 獻鷂.

戊寅[7日], [[將軍]金延壽還自元:節要轉載], 帝詔曰, "討賊軍, 至高麗, 則道路回遠, 宜自咸平府, 出南京·海陽, 截斷賊道".

---

265) 이와 관련된 기사로 다음이 있다. 또 이때 급제의 下賜가 5월 2일(甲辰)에 거행되었음을 보아 科擧의 設行은 4월 또는 그 이전이었을 것이다.

- 지27, 선거1, 科目1, 選場, "[忠烈]十六年五月[四月], 政堂文學鄭可臣知貢擧, 判秘書□[寺]事金賆同知貢擧, 取進士, [甲辰], 賜崔咸一等三十一人及第".
- 열전36, 印侯, "[印]侯, 慕科第之榮, 令承光赴擧. 張舜龍亦令其子瑄赴擧, 承光·瑄俱不學無才, 試官阿侯等意, 取之". 이때 張瑄이 급제한 것은 아니다.

  이때 [國學進士]崔咸一·[進士]趙仁季·[進士]尹莘傑(乙科3人), [國學進士]徐楚援·[成陵直令同正]李承庚·[奉先庫判官令同正]韓守延·[國學進士]金文鼎·[國學進士典廐署丞]金桂來·[國學求仁齋生]禹倬·[齋生]朴贇(丙科7人), [國學進士]鄭天祚·[國學養正齋生]柳寧·[太學進士]尹評·[國學待聘齋生]鄭應喬·[世子府右行首別將]印承光·[天和寺眞殿直令同正]金承用·[國學麗澤齋生]鄭陳·[求仁齋生]鄭公秀·[養正齋生]沈勍·[良醞令同正]崔洳·[國學待聘齋生]辛夢劒·[國學進士]金伯龍·[近侍令同正]金叔盉(改宗盉)·[國學進士]金宇正·[進士]李珎·[近侍判官令同正]崔斯立·[國學進士]李樛·[都評議錄事別將]河渟·[國學服膺齋生]權奕·[齋生]朴允和·[國學進士]金承印(進士21人), [鄕貢明經]安甸(明經1人), [鄕貢進士]安成桂·[進士]柳伯(恩賜2人) 등이 급제하였다(『尙賢錄』 권2, 榜目, 及第 33人 ; 『등과록』 ; 『전조과거사적』, 及第 34人, 朴龍雲 1990년 ; 許興植 2005년).

  이때 발급된 禹倬의 紅牌는 다음과 같다(嶺南大學校博物館 所藏, 『尙賢錄』 권2, 登科紅牌 ; 盧明鎬 2000년 64面).

  "准」 王命, 賜大學進士禹倬」 丙科及第者」 □□□□□[至元二十七]年五月　日」 □[同]知貢□[擧]·判秘書寺事·□□□□□·世子宮令金賆」 知□□[貢擧]·匡□□□[靖大夫]·□[政]堂□□[文學]·□□□□·□□□[典理判]書·同修國史鄭可臣」".

  또 朴贇(朴之彬의 子)은 朴忠佐의 三寸인데, 이들 형제 4인이 모두 급제하였다고 하고, 恩賜로 급제한 柳伯(榜目, 本貫 豊山, 妻父 庾諡)은 西厓 柳成龍(1542~1607)의 先祖라고 하는데, 榜目의 내용과 일치하는 것 같다.
- 열전22, 朴忠佐, "咸陽人. 祖之彬衛尉尹, 生四子, 皆登第. 長曰莊, 仕至軍簿摠郞, 生忠佐".
- 『西厓集』, 世系圖, "一世, 伯, 高麗忠烈王朝恩賜及第, 配平山庾氏, 及第諡之女".

癸巳[22日], 命[僉議贊成事]宋玢等, 點閱京兵.

[→僉議贊成事宋玢等, 點留京軍卒於崇文館:兵1五軍轉載].

秋七月壬寅朔[小盡,甲申], 復置西北諸城守令, 以□[上]將軍鄭復均[鄭福均]爲西京留守.[266)]

癸卯[2日], 元開元路達魯花赤八禿滿遣使來, 索軍粮.

庚申[19日], 以副知密直司事鄭仁卿爲西北面都指揮使, 留守西京.

[→[忠烈王]十六年, 王請罷東寧府復歸于我, 仁卿敷奏甚悉, 帝聽納. 王嘉之, 以副知密直□□[司事], 特授西北面都指揮使:列傳20鄭仁卿轉載].

壬戌[21日], 遣知僉議府事金惲[金琿]如元, 賀節日.[267)]

[某日, 王召宰樞, 議禦賊, 僉議參理[僉議贊成事]印侯曰, "上親將出東界, 以斷賊路, 賊如闌入近境, 上入江華, 使臣等, 領兵禦之". 王曰, "民惟邦本, 予豈先避, 以撓民心. 賊雖長驅而至, 予爲三軍之殿, 以全社稷":節要轉載].[268)]

[某日, 以姜就爲全羅道按廉使:追加].[269)]

[是月己酉[8日], 僧禪麟筆寫'人天寶鑑'於玄風縣琵瑟山:追加].[270)]

---

266) 鄭復均은 鄭福均의 오자일 것이고, 그의 관직은 將軍이 아니라 上將軍(정3품)이었을 것이다. 鄭復均은 1276년(충렬왕2) 10월 15일 이래 郎將·中郎將 등을 歷任하면서 大都에 오가면서 秤子를 가져오고 人蔘을 바쳤고, 東寧府에서 高麗人을 推刷하기도 하였다. 또 西京留守는 일반적으로 3品官以上이 임명되었다.

267) 金琿(金惲은 다른 表記 또는 誤字임)이 元에 들어간 것은 그의 열전에도 수록되어 있다. 또 이에서 賀正은 賀節日의 誤謬일 것이다.

· 열전16, 金慶孫, 琿, "嘗如元賀正[賀節日], 侍宴殿上. 端笏而坐, 每行酒者至, 琿必起揖而飮. 世祖見之, 喜曰, 此誠高麗宰相也".

268) 이때 印侯는 僉議參理가 아니라 僉議贊成事였다.

· 열전36, 印侯, "…尋拜贊成事. 哈丹之侵, 王召宰樞議備禦, 侯曰, '上親將出東界, 以斷賊路. 賊如闌入近境, 上入江華, 令臣等將兵禦之'. 王曰, 民惟邦本, 予豈先避以撓民心, 賊雖長驅而至, 予爲三軍之殿, 以全社稷".

269) 姜就는 是年 10월 28일에 의거하였다.

270) 이는 다음의 자료에 의거하였는데(海印寺 所藏, 국보 제206-9호, 崔凡述 1970년 ; 蔡尙植 1991년 171面 ; 林基榮 2009년), 여기에서 宋商 馬都綱은 1278년(충렬왕4) 10월 일 王에게 특산물을 바쳐 內廷에서 賜宴을 받은 馬曄으로 추측된다.

· 『人天寶鑑』跋, "至元十六年己卯[忠烈5年],宋商馬都綱賫此'人天寶鑑」集'一部來,請天台講元禪師,自因齋訖,用此錄爲䞋施,觀識長老理淵取來,傳布行,于海東麟」角退老一然書.」予[禪麟]前年春,省國師詣麟角,」國師語我曰,'人天寶鑑錄實學者之所寶也,我」欲彫板流行,汝能寫之乎?',予時眼昏,辭以不能,」至秋國師示寂.予追念曰,'國師欲鏤板,我不書」之,此錄之不行,我之罪也,眼雖昏黑,宜强書之',」於是筆之.」至元二十七年庚寅七月八日,包山[毗瑟山]禪麟題」".

八月辛未朔大盡,乙酉, 日食.[271)]

癸酉3日, 遣將軍趙瑊, 押寫經僧如元.

丙子6日, 王及公主·世子, 獵于馬堤山.

壬午12日, 王及公主, 幸安國寺.

癸未13日, 幸壽康宮.

己丑19日, 以韓希愈△爲判密直司事.

庚寅20日, 遣大將軍柳庇如元, 乞師, 且奏避賊江華.

癸巳23日, 以前樞密院副使洪文系女爲世子妃.

九月辛丑朔大盡,丙戌, 丁未7日, 王及公主, 獵于都羅山.

癸丑13日, 以衛尉府尹閔萱爲全羅道指揮使, 判司宰寺事嚴守安爲忠淸道指揮使, [左司議大夫崔瑞爲□□某某□□道指揮使:追加].[272)]

○元遣使□來, 修補藏經.

己未19日, 大將軍柳庇還自元, 帝悉從所奏.

庚申20日, 王祭纛于壽康宮, 盖將東征也.

戊辰28日, 遣上將軍車信, 押處女十七人, 獻于元.

[某日, 傳旨, 東界州郡轉米一千石, 及雙城近處盈德·興海·德原·淸河等沿海各州, 今年轉米, 並輸于雙城, 以充軍糧. 雙城鎭守別抄馬二百五十匹料, 自今年十月, 至明年二月, 計凡一千二百五十石, 以雙城旁近盈德·長鬐·德原·興海·淸河·延日·安康·杞溪·神光等州今年雜貢皮穀, 計折輸送:兵2屯田轉載].

冬十月辛未朔小盡,丁亥, 壬申2日, 元遣使□來, 頒赦.

戊子18日, 王及公主·世子, 移御王輪寺.

[○雉入宮中:五行1轉載].

---

271) 이날 中原에서도 일식이 있었다(『원사』 권16, 본기16, 세조13, 至元 27년 8월 辛未). 이날은 율리우스력의 1290년 9월 5일이고, 開京에서 일식 현상이 심했던 시간은 17시 40분, 食分은 0.51이었다(渡邊敏夫 1979年 310面).

· 『續史愚抄』 9, 正應 3년 8월, "一日辛未, 日蝕, 陰雲不見歟, 蝕御祈僧正實寶奉仕".

272) 이해에 左司議大夫 崔瑞도 □□□指揮使로 出鎭을 하였다고 한다.

· 「崔瑞墓誌銘」, "至元二十七年, 窮寇入境, 以中烈大夫·左司議□□大夫·宝文□閣學士·知制誥, 出□爲□□某某□□道指揮使".

庚寅[20日], 又移妙蓮寺.

丙申[26日], [大雪]. 賊騎至南京海陽界.

戊戌[28日], 徙婦人·老弱于江華, 令州郡入保山城·海島.[273)]

[→[忠烈王]十六年□□[十月], 哈丹入寇, 國家令州縣, 據險自保, 禁民出耕. 令出咸懼, [長興府判官金]怡[廷美]謂按廉□[使]姜就曰, "天兵制此小醜, 如几上肉耳, 何能到邊郡. 且食爲民天, 耕種有時, 時不可失, 請出耕". 就曰, "如違令, 被譴何". 怡[廷美]退而嘆曰, "一夫不耕, 天下受飢. 從令不耕, 則餓死者衆, 不從而耕, 則受罪者我也". 令民出耕, 賊果至燕歧而滅. 他郡皆未穫, 唯此府大熟, 遠近賴之:列傳21金怡轉載].

[→忠烈時, 哈丹來寇, 國人入江華避之. [金]倫外舅許珙爲冢宰, 殿其後, 令倫挈家以先. 倫年十四, 指畫如成人, 一族賴之:列傳23金倫轉載].

[是月, 以[判禮賓寺事]元貞爲開京留守萬戶:追加].[274)]

十一月[庚子朔大盡,戊子], 甲辰[5日], 移國史及寶文閣·秘書寺文籍于江華.

[○大雷:五行1雷震轉載].

丁未[8日], 遣大將軍柳庇如元, 奏哈丹入雙城.

戊申[9日], 徙宮人于江華.

庚戌[11日], 奉遷太祖槊像[塑像]于江華.[275)]

辛亥[12日], [冬至]. 元遣平章事[平章政事]闍梨帖木兒來, 助討哈丹. 闍梨帖木兒遣人來, 告曰, "國王宜留京城, 以犒吾軍".[276)]

丁卯[28日], 遣世子如元, 政堂文學鄭可臣·禮賓尹閔漬等從行. 世子自東京, 至京師, 行省·路·州官皆遣人, 勞問絡繹. 至京館于同僉樞密院事[同僉書樞密院事]洪君祥第, 帝屢

---

273) 이때 몽골제국에 들어간 충렬왕의 명을 받아, 國政을 맡고 있던 僉議中贊·權行征東尙書省事 許珙의 外孫인 金倫(1277~1348)이 14세의 나이로 가족을 거느리고 강화도에 들어갔다고 한다.
- 「金倫墓誌銘」, "[至元]□[二]十七年庚寅, 哈丹寇我疆, 我遷都江華, 文敬爲冢宰, 殿國人之後, 命公挈家以先. 公年十四, 指畫如成人, 一族賴之". 여기에서 二字가 탈락되었다.

274) 이는 다음의 자료에 의거하였다(金成煥 2000년).
- 「元瓘墓誌銘」, "庚寅, 哈丹□□[賊暴]起於隣境, 將入□□[我疆], □[賊]勢甚盛, 其鋒不可當, 故國家方卷入江華, 以避之, 以公爲本京留守萬戶".

275) 槊像은 塑像의 오자일 것인데, 『고려사절요』 권21에는 바르게 되어 있다.

276) 平章事는 平章政事의 잘못이다. 또 闍梨帖木兒(徹里帖木兒, Celi Temur)는 伯帖木兒[Beg Temur]와 함께 왔다.
- 『원사』 권131, 열전18, 伯帖木兒, "[至元]二十七年, 哈丹復入高麗, 伯帖木兒奉命偕徹里帖木兒進討".

賜鞍馬·衣帶，以寵之.[277]

[○世子至京，館于洪君祥家. 一日，帝引見便殿，隱几而臥問，“爾讀何書?”. 對曰，“有師儒鄭可臣·閔漬在此，宿衛之暇，時從質問孝經·論·孟”. 帝大悅，試喚可臣來，世子引與俱入，遽起而冠，責曰，“爾雖世子，吾甥也，彼雖陪臣，儒者也，何得令我不冠以見?”. 仍賜坐，問本國世代相傳之序，理亂之迹，風俗之宜，自辰至未，聽之不倦. 其後，命公卿議征交趾，有詔高麗世子之師二人，召與同議. 二人議曰，交趾遠夷，勞師致討，不如遣使招來，如其執迷不服，聲罪征之，一擧可以萬全，對稱旨. 於是，授可臣翰林學士·嘉議大夫，漬，直學士·朝列大夫. 時人榮之:節要轉載]. [自是，眷遇日隆，數輟珍膳，賜之. 或天寒，賜以貂裘:列傳18鄭可臣轉載].[278]

[→忠宣以世子如元，[閔]漬與鄭可臣從之. 一日，帝命公卿，議征交趾，詔與漬等同議. 對稱旨，授翰林直學士·朝列大夫:列傳20閔漬轉載].

○帝以[僉議贊成事]趙仁規爲[嘉義大夫[正3品]:追加]·高麗國王府斷事官，賜金虎符~~三珠虎符~~.[279]

十二月[庚午朔大盡,己丑]，[某日]，以安戩爲忠淸道都指揮使.

○哈丹兵數萬，陷和·登二州，殺人爲粮，得婦女聚麀，而脯之. 遣[僉議贊成事·]萬戶印侯禦之.

---

277) 이때 鄭可臣과 閔漬는 世子의 師傅였다(閔漬墓誌銘).

278) 이때 세조 쿠빌라이가 흔쾌했던 것은 열심히 儒學을 訓育, 學習하고 있던 師弟의 알현을 받았기 때문일 것이다. 곧 그는 儒學이 修己治人[致治]의 기본임을 인지하여 漢人儒者를 적극 발탁하였을 뿐만 아니라 贊善大夫 王恂으로 하여금 皇太子 眞金을 訓育하게 하였다고 한다. 또 이 시기에 鄭可臣은 思鄕의 詩文을 지었던 것 같다.

· 『원사』 권143, 열전30, 巙巙, “世祖以儒足以致治, 命裕宗[眞金]學于贊善王恂. 今秘書所藏裕宗仿書, 當時御筆, 于學生之下, 親書御名習書謹呈, 其敬愼若此”. 여기에서 巙巙(康里巙, 1295~1345, 不忽木의 2子)는 高麗人 貢女인 金長姬의 孫이다(『원사』 권130, 열전17, 不忽木 ; 張東翼 1997년b 面).

· 『신증동국여지승람』 권35, 羅州牧, 人物, “鄭可臣, 初名興. 高宗朝登第. 忠烈朝, 從世子如元, 爲世祖皇帝所重, 眷遇甚隆, 官至中贊. 性正直端嚴, 諳練典故, 一時辭命多出其手. 古宅在州北金安洞, 嘗在元朝有詩云, 海東南有錦城山, 山下吾廬草數間. 巷柳園桃親手植, 春風應待主人還”.

279) 이는 「趙仁規墓誌銘」에 의거하였는데, 高麗國王府는 몽골제국이 고려국왕을 위해 설치한 官署이다. 中原에서 諸王의 王府에는 王傅, 府尉, 司馬, 斷事官 등의 官員이 임명되어 諸般事務를 담당하였으나 高麗王府(瀋王府 包含)에는 王傅, 斷事官, 知印 등이 임명되었으나 國璽인 ‘駙馬·高麗國王印’의 출납을 담당하던 知印 이외에는 특별한 職務가 있었던 것 같지 않다. 또 王傅는 中原人도 임명되었던 사례가 찾아진다.

癸酉[4日], 元平章事~~平章政事~~薛闍干·[平章政事]闍梨帖木兒·右丞塔出等, 率步騎一萬三千人來.[280)]

丁亥[18日], 王避兵于江華, 御禪源社. 命知都僉議司事~~知僉議府事~~宋玢, 留守王京,[281)]

戊子[19日], [宋]玢棄京城, 奔入江華. [西北面都指揮使]鄭仁卿亦自西京逃來.[282)]

[是月, 遣使如元, 貢方物:追加].[283)]

[是月頃, 哈丹之變, 王遷江華, 或以爲一水險未足恃, 中外洶洶. [僉議贊成事洪]子藩修城飭備, 人賴以安:列傳18洪子藩轉載].

[是年初, 復改參文學事, 爲政堂文學:百官1門下府轉載].

[是年, 以忠淸道寧越·平昌, 復隷江陵道:轉載].[284)]

[○以洪茶丘內鄕, 陞唐城監務官爲知益州事:地理1轉載].

[○以金玄瑞爲永州判官:追加].[285)]

[○命司巡衛精勇將軍金深, 戍泗州角山:追加].[286)]

[○元遼陽等處行尙書省右丞洪茶丘, 以疾辭:追加].[287)]

[是年頃, 以尹諧爲慶尙道按察使:追加].[288)]

---

280) 이들 몽골군의 출병에 관한 기사로 다음이 있는데, 乃蠻帶[naimandai]는 『고려사』에서 那蠻歹로 表記되어 있다.

· 『원사』 권16, 본기16, 지원 27년 12월 乙未[26日], "詔諸王乃蠻帶·遼陽行省平章政事薛闍干·右丞洪察忽[洪茶丘], 摘蒙古軍萬人分戍雙城及婆娑府諸城, 以防合丹兵".

281) 이때 判禮賓寺事 元貞이 開京留守萬戶에 임명되었다고 한다(元瓘墓誌銘).

282) 『고려사절요』 권21에는 鄭仁卿의 職銜이 西京留守로 되어 있다. 그렇다면 鄭仁卿은 西京留守兼西北面都指揮使였을 것이다.

283) 이는 다음의 자료에 의거하였다.

· 『원사』 권16, 본기16, 세조16, 지원 28년 1월, "癸丑[14日], 高麗國遣使來, 貢方物".

284) 이는 지12, 지리3, 東界, "忠烈王十六年, 以寧越·平昌, 復來屬"을 전재한 것이다.

285) 이는 『영천선생안』에 의거하였다.

286) 이는 다음의 자료에 의거하였다.

· 「金深墓誌銘」, "是年, 出鎭角山".

287) 이는 『원사』 권154, 열전41, 洪福源, 俊奇에 의거하였다.

288) 이는 다음의 자료에 의거하였다. 尹諧(尹澤의 祖父)는 慶尙·全羅·楊廣·淮陽道의 안렴사[按察]를 역임하였다고 하는데, 『경상도영주제명기』에는 1290년(충렬왕16)과 1291년의 2년간 안렴사의 명단이 탈락되었다. 이 기간에 前典法正郞(정5품)이었던 尹諧가 慶尙道를 위시한 4道의 按廉使를 역임하였던 것 같다.

· 「尹澤墓誌銘」, "… 歷任刑憲, 剛正自持, 慶尙·全羅·楊廣·淮陽, 皆所按察".

辛卯[忠烈王]十七年, 元 至元二十八年, [西曆1291年]

1291년 2월 1일(Gre2월 7일)에서 1292년 1월 20일(Gre1월 27일)까지, 354일

春正月庚子朔小盡,庚寅, [某日, 哈丹將至鐵嶺, 防守萬戶鄭守琪, 望風遁還, 囚巡馬所. 鐵嶺道隘, 纔通一人, 哈丹下馬, 魚貫而登. 時賊飢甚, 及得守琪所棄資粮, 大饗數日, 鼓行而前:節要轉載].

己未~~丁未~~8日, 哈丹踰鐵嶺, 闌入交州道. [右軍萬戶金忻等皆不守而走, 賊乃:節要轉載], 攻陷楊根城.[289]

[○大霧:五行3轉載].[290]

甲寅15日, 哈丹屯原州. [有五十騎, 到雉岳城下, 剽掠牛馬, 原州:節要轉載]別抄·鄕貢進士元冲甲擊敗之.[291]

[→元冲甲率步卒六人, 逐之, 奪賊馬八匹而還:節要轉載].

[戊午19日, 賊都剌闍~~都剌闍~~·禿於乃·孛蘭等, 領兵四百, 又至城下, 得本州祿轉米, 甚喜. 冲甲與敢死者仲山等七人, 出覘之, 仲山先入賊中, 斬一人, 因追至荊門外, 賊皆棄鞍馬而走, 得馬二十五匹. 防護別監卜奎, 大喜, 悉以所獲鞍馬與之:節要轉載].

[己未20日, 賊復來, 多張旗鼓, 先使一人, 持書來誘, 冲甲出斬持書者, 繫其書於頭, 擲之. 賊皆退, 益修攻城之具, 城中震懼:節要轉載].

[庚申21日, 賊遣所俘楊根城婦女二人來, 誘城下. 冲甲又斬之. 賊鼓譟而進, 百計攻之, 矢下如雨, 城幾陷. 興元倉判官曹愼, 出城與戰, 冲甲突上東峯, 斬賊一級, 賊稍亂. 別將康伯松, 與奴道尼等三十餘人助之, 州吏元玄·傅行蘭·元鍾秀, 與國學養正齋生安守貞等百餘人, 下自西峯合擊. 曹愼援桴以鼓, 矢貫右肱, 鼓音不衰. 賊, 前行少北, 後者驚擾, 自相轔轢, 州兵合擊, 聲振山岳, ~~前後十戰,大敗之,~~ 斬都剌闍~~都~~

289) 己未(20일)는 丁未(8일)의 오자로 추측된다. 己未의 내용은 哈丹[Qudan]의 軍士가 鐵嶺을 南下한 것이고, 다음의 기사인 甲寅(15일)이 哈丹의 軍士가 原州에 進出한 것이기 때문이다.

290) 이날 일본의 교토에서는 흐렸다고 한다(『勘仲記』, 正應 4년 1월, "八日丁未, 陰").

291) 이때 元冲甲이 原州山城(혹은 雉嶽城, 鴿原城)에서 知原州事·判官[守倅], 邑吏[長吏] 등과 함께 戰功을 세웠다고 기록되어 있다(→충선왕 1년忠烈王24年 1월 21일의 敎書).

- 『신증동국여지승람』 권46, 原州牧, 古跡, "鴿原城, 在雉嶽山南脊. 石築, 周三千七百四十九尺, 內有一井·五泉. … 後元冲甲據此, 破□哈丹兵". 여기에서 ~~添字~~가 缺落되었을 것이다.
- 『重峰集』 권2, 奉酬永川郡守元彥偉見和韻, "彥偉遠祖有諱冲甲, 以進士, 同原州判官崔愼~~曹愼~~, 力破哈丹于雉岳城下. 使哈丹不得肆暴南下. 燕岐爲元軍, 合擊逐北". 여기에서 '原州判官崔愼'은 原州管內인 '興元倉判官曹愼'의 오류일 것이다.

~~剌闍~~等六十八人，射殺者幾半．自是，賊鋒挫鋭，不敢復攻，諸城亦堅守，始有輕賊之心，皆冲甲之力也:節要轉載].[292]

癸亥[24日]，世子謁帝，請討哈丹．帝命那蠻歹大王，將兵一萬討之.[293]

[是月，元伯帖木兒至鴨綠江，與哈丹子奴的戰，失利，以聞．帝命乃㢆歹·薛徹干等征之:追加].[294]

二月[己巳朔大盡,辛卯]，丁亥[19日]，世子令將軍吳仁永，奏帝曰，“哈丹陷北界諸城”．帝曰，“爾國，唐太宗親征，尙不克．又於我朝初，未歸附，我朝征之，亦未易捷．今此小寇，何畏之甚耶?”．仁永奏云，“古今盛衰，不同爾”．帝諭以夜戰.

三月[己亥朔小盡,壬辰]，戊午[20日]，遣大將軍宋華，守開京宮闕，華遇□[哈]丹賊十餘騎，斬三級，擒一人.[295]

○利川人申賚，與哈丹諜人同謀，龍岡人金哲，亦投賊嚮導入京，並斬于市.

夏四月戊辰朔[小盡,癸巳]，[立夏]．巡馬所南里百餘戶火.

[→巡馬□[所]南里火，延燒百餘戶，人畜，多有爛死者:五行1火災轉載].

癸酉[6日]，以洪文系爲僉議贊成事，△△[仍令]致仕,[296] [判密直司事]韓希愈△[爲]判三司事，金忻△[爲]判密直司事，崔有渰△[爲]副知密直司事·監察大夫，白擧爲右承旨.

[→加[洪文系,]僉議侍郎贊成事·判典理司事致仕．王賜敎曰，“賊臣林衍操權柄，動搖王室，旋被天誅，其子惟茂，襲權構亂．朕自上朝，奉父王與官軍到鴨綠，先勑百官，

---

292) 1279년(己卯，충렬왕5) 碩州副使로 到任한 卜圭는 卜奎의 오자일 것이다(『延安府誌』，守臣)．또 이상과 같은 原州의 전투는 열전17，元冲甲에도 수록되어 있는데，~~添字~~는 이에 의거한 것이다.

293) 那蠻歹大王은 충렬왕 23년 10월 7일에는 乃蠻歹[Naimandai]로 달리 표기되었다.

294) 이는 다음의 자료에 의거하였고，薛徹干(薛闍干，Secegen)의 麾下에는 洪萬(茶丘의 子)이 있었다.

· 『원사』 권131，열전18，伯帖木兒，“[至元]二十八年正月，[伯帖木兒]至鴨綠江，與哈丹子老的戰，失利，伯帖木兒以聞．帝命乃㢆歹·薛徹干等征之．仍命伯帖木兒爲先鋒．薛徹干軍先至禪[宣]·定州，擊敗哈丹，踰數日，乃㢆歹以兵至，合攻哈丹，又敗之．伯帖木兒將百騎追，至一大河，虜其妻孥[孥]，追奔逐北，哈丹尙有八騎，伯帖木兒止餘三騎，再戰，兩騎士皆重傷不能進，伯帖木兒單騎追之，至一大山，日暮，遂失哈丹所在．乃㢆歹嘉其勇，賞以老的妻完者，上其功于朝，賜金帶·衣服·鞍馬·弓矢·銀器等物，并厚賚其軍”.

· 『원사』 권154，열전41，洪福源，萬，“[至元]二十八年二月，從平章薛闍干至高麗青州[淸州]”.

295) ~~添字~~가 脫落되었을 것이다.

296) 이때 洪文系는 推忠安社功臣·匡靖大夫·僉議侍郎贊成事로 致仕하였다(洪奎墓誌銘).

出迎舊都. 惟茂結黨養士, 規拒王師. 卿奮忠義, 不顧死生, 與宋松禮·金之氐, 剪除逆黨, 易如反掌, 社稷再定, 實萬世帶礪之功也. 父王擢任喉舌, 又置帷幄, 卿皆固辭, 屛居田墅二十餘年. 朕懷舊績, 命有司, 圖形壁上, 賜以鐵券, 仍給田民. 然功大賞微, 常以慊然, 授卿判事, 卿請老彌切, 姑許懸車. 今又請避祿位, 予不敢不勉從, 且循上國賞功臣故事, 雖有大犯, 當悉原免, 宥及後世子孫":列傳19洪奎轉載].

○原州山城防護別監卜奎, 獻俘五十八人.

丙子9日, 谷州別將康平起等, 獻所獲賊馬鞍等物.

○忠州山城別監[遣人報:節要轉載]破賊, 獻馘四十級.

辛巳14日, 王出迎元兵于藍島北郊, 宴河西國王·慶重郡王~~重慶郡王~~·平章政事薛闍干·平章政事闍梨帖木兒·平章平章政事塔出·右丞白帖木兒.[297] 薛闍干謂王曰, "今江南漕運未到, 若臨敵乏食柰何". 又謂贊成事洪子藩曰, "爾爲相國, 錢穀皆若所知, 宜隨處支給". 王難之, 謂曰, "發內庫所儲, 可支".

壬午15日, 還御禪源寺.

○歛斂軍粮.

[甲申17日,[298] 命僉議贊成事·中翼萬戶印侯, 判三司事·左翼萬戶韓希愈·右翼萬戶金忻出師←뒤에서 옮겨옴].

戊子21日, 王迎那蠻歹大王·塔海元帥于開城府狻猊□驛, 宴慰. 那蠻歹謂王曰, "王亦可親出禦賊". 王辭以老病. 那蠻歹曰, "賊入室, 豈以老病, 自安乎?". 王不對.

己丑22日, 王還禪源寺, 那蠻歹遣人謂王曰, "昨日, 辱臨勞慰, 敢不深感, 但禦賊之事, 不答而去, 予實惑焉. 隣人失火, 尙往救之, 况是自家事, 其可坐視乎?". 因獻公主鞍一部. 公主亦以鞍馬答之.

[甲申,命中翼萬戶印侯,左翼萬戶韓希愈·右翼萬戶金忻出師→17日로 옮겨감].

壬辰25日, 平章政事薛闍干大軍, 次金嶺驛. [胡禿赤言, 五月五日, 遇賊而戰. 蒙古謂術人, 爲胡禿赤. 印侯聞之, 使秋官正奇孝眞占之, 遇豫卦. 乃云, 五月二日, 見賊而戰勝, 侯以告薛闍干, □薛闍干引問之, 對如前. 又問擒哈丹否, 曰不擒, 曰, 旣曰戰勝, 又曰不擒, 何也. 曰事過乃驗:節要轉載].

---

297) 慶重郡王은 重慶郡王의 오류일 것이다(→是年 5월 27일). 또 중국 측의 기록에는 塔出[Taichiu]이 1292년(至元29, 충렬왕18)에 哈丹[Qadan]을 토벌하였다고 하였으나 時期整理[繫年]에 실패한 것이다.
· 『원사』 권133, 열전20, 塔出, "明年至元29年, 哈丹涉海南, 襲高麗, 塔出復出進兵討之".

298) 이 기사는 날짜[日辰]의 순서가 달라 뒤에서 移動하여 왔다[校正事由].

甲午[27日]，遣將軍吳仁永如元，奏哈丹侵至王京.

[是月，松廣寺主冲止避亂，抵佛臺寺:追加].[299)]

五月丁酉朔[大盡,甲午]，□[哈]丹賊住燕歧縣，[平章政事]薛闍干大軍及我三軍，至正左山下合擊，大敗之.[300)]

[→忻將右軍，與薛闍干等，屯木州. 邏卒高文呂報，賊屯燕岐縣，遣木奴赤等二十八人，與文呂往覘之. 夜半，諸軍發木州，黎明至燕歧. 賊陳正左山下，諸軍猝圍之. 賊大驚，欲據險登山，我軍夾擊之，賊腹背受制，皆弃馬隱林木間. 我前鋒二人中矢，疑懼不敢進，忻叱且令曰，"敢後者斬". 於是，步卒五百，爭先登殊死戰. 李碩·田得賢等突前，斬賊先鋒壯士二人，乘勝大呼，大軍合擊，賊勢窮奔潰. 追至公州江，伏屍三十餘里，溺死者甚多，賊精騎千餘，渡江而遁. 獲其婦女·衣服·鞍馬·寶器，不可勝計:列傳17金忻轉載].

[→及我三軍，夜半發木州，黎明至燕岐正左山下，薄賊陣，出其不意圍之，賊大驚，欲登山負險而戰，我三軍步卒在前，騎兵逐後. 賊腹背受制，皆棄馬，隱於林木間，射我前鋒，中二人，我軍疑懼不敢進. [右翼萬戶]金忻叱且令曰，"敢後者斬"，於是，步卒五百，爭先登殊死戰，有卒李碩·田得賢等，突前，斬賊先鋒壯士二人，乘勝大呼，大軍合擊. 賊勢窮奔潰，追至公州河，伏屍三十餘里，溺死者甚多，賊精騎千餘，渡河而遁，獲其婦女·衣服·鞍馬·寶器，不可勝計. 日暮回軍，屯于燕岐之北五十許里:節要轉載].

---

299) 이는 『원감국사어록』, 辛卯年首夏，因避亂抵佛臺寺…에 의거하였는데, 한반도의 남쪽인 平陽地域(現 全羅南道 順天市)까지 哈丹의 침입으로 인해 避難이 있었던 것 같다.

300) 이때 燕岐縣의 전투에 대한 기록으로 다음이 있다. 여기에서 裹瘡(과창)과 裹創은 같은 글자[同訓]로 사용되었다.

- 열전36, 印侯, "… 遣[印]侯禦之. 追至燕歧，與韓希愈·金忻擊破之，告捷獻俘".
- 열전21, 裴廷芝, "忠烈時，[裴廷芝]以別將，從萬戶印侯，擊哈丹于燕岐. 拔劒躍馬，所向披靡，流矢貫輔車，裹瘡復戰，俘馘甚衆，超授中郎將".
- 「裴廷芝墓誌銘」, "… [至元]二十八年辛卯，有哈丹窮寇，闌入我疆，出于燕岐之野. 公以別將，從万戶印公侯，往討之，策馬摧鋒，所向披靡，流矢貫其輔車，拭血裹創，詰朝復戰，俘馘甚衆，於是，超數級，授中郎將，示旌賞也".
- 지10, 지리1, 清州牧, 燕岐縣, "有元帥山，忠烈王時，韓希愈·金忻等，大敗哈丹賊于縣南正左山下，俗號駐軍之地，爲元帥山".
- 『후한서』 권18, 吳漢列傳8, "建武三年春，… [周]建等遂連兵入城，諸將謂漢曰，'大敵在前，而公傷臥，衆心懼矣'，漢乃勃然裹創而起，椎牛饗士. 令軍中曰，…".

己亥[3日], 交州山城別監報, 哈丹賊後至者三千騎, 過鐵嶺, 屯于交州.

癸卯[7日], 王與公主, 幸長峯新宮, 設宴.

○[左軍]萬戶朴之亮·[中軍萬戶]鄭守琪等, 領軍行.

○以所斂[斂]米, 分賜京畿八縣及東界軍人.

甲辰[8日], 哈丹整軍, 復來對陣. 我軍縱擊, 大敗之, 哈丹·老的父子, 率二千餘騎, 潰圍遁去.

[→賊精騎修治軍容, 復來對陣. 那蠻歹大王以不及大戰憤恨, 欲與之戰, 賊有勇士一人, 射我軍, 每發輒倒. 韓希愈持槍馳馬, 突入賊陣, 人馬辟易, 扼勇士而出, 斬之, 揭其首于槍以示之, 賊皆褫氣. 大軍縱擊, 大敗之, 遂班師, 次石破驛. 那蠻歹使謂薛闍干曰, "賊魁未擒, 不可不追", 薛闍干曰, "如聖旨則可, 何用多殺人爲?":節要轉載].[301)]

乙巳[9日], [中翼萬戶]印侯·[左翼萬戶]韓希愈·[右軍萬戶]金忻遣人告捷, 獻所擄婦女八人.

丙午[10日], [平章政事]薛闍干亦遣使告捷, 且告賊魁逃脫.

丁未[11日], 王率仗前軍, 乘舟而出, 聲言討賊.

戊申[12日], 以公主不豫, 還長峯新宮.

己酉[13日], 王與公主, 還御于禪源寺.

庚戌[14日], 諜者來報, "賊一千至古東州, 聞官軍[蒙古軍]破賊於燕歧, 還過鐵嶺而去".

[辛亥[15日], 月食:天文3轉載].[302)]

癸丑[17日], 平壤人擊賊二百, 擒四人來.

丁巳[21日], 幸昇天府, 犒官軍.

辛酉[25日], 公主渡江, 幸開京.

○[僉議]贊成事致仕金連卒,[303)] [年七十八, 諡良簡:列傳20金連轉載]. [連, 嘗夢所佩金魚墮地, 自解曰, "身章已去, 不可久留", 遂引年乞退. 性淳厚, 凡人之慶弔, 無親疎, 皆力助之:節要轉載].[304)]

---

301) 이와 같은 기사가 열전17, 韓希愈에도 수록되어 있다.

302) 이날은 율리우스력의 1291년 6월 12일인데, 월식에 관련된 각종의 정보가 없다(渡邊敏大 1979年 482面).

303) 이날은 율리우스曆으로 6월 22일(그레고리曆 6월 29일)에 해당한다.

304) 이와 같은 기사로 다음이 있는데, 여기에서 無閒은 無間의 正字로서 사용되어 '서로 틈[差別, 空隙]이 없이', '區分(혹은 區別, 差別)이 없이'라는 뜻으로 사용된 것 같다(蔡雄錫敎授의 敎示).
· 열전20, 金連, "後歷樞密院副使·刑部尙書. 忠烈初, 爲慶尙道都指揮使, 督修東征戰艦. 忽夢所

癸亥[27日], 幸開京.

○[平章政事]薛闍干謁公主, 獻所虜男女五十口·良馬五匹. □[薛]闍干軍令嚴肅, 士卒震慴, 所過秋毫不犯. 聞賊屯燕歧, 併日而行, 出其不意, 二戰而破, 皆其力也.[305]

[→元將薛闍干平哈丹, 謁公主, 獻所俘男女五十·良馬五匹. 王與公主, 置宴慰之, 公主坐當中, 那蠻歹坐其右, 王坐其左. 都歡大王·阿石駙馬·河西國王·重慶郡王·薛闍干·闍梨帖木兒·塔出等, 皆以次坐, 翼日[甲子28日], 亦如之:列傳2忠烈王妃齊國大長公主轉載].

[甲子[28日], 長庚犯月:天文3轉載].

乙丑[29日], [平章政事]薛闍干還. 王欲邀宴, 薛闍干曰, "受命事畢, 不可留". 遂登途.

丙寅[30日], 那蠻歹□□~~[大王]~~等, 皆還.[306]

是月, 蝗.

[是月癸丑[17日], 元罷尙書省, 事皆入中書省. 改尙書右丞相·右詹事完澤爲中書右丞相, 征東行尙書省左丞相·駙馬·高麗國王王賰爲征東行中書省左丞相. 己未[23日], 高麗國王王賰乞以其世子謜爲世子. 詔立謜爲高麗王世子, 授特進·上柱國, 賜銀印:追加].[307]

六月丁卯朔[小盡,乙未], 王及公主還江華.

佩金魚墜地, 自解曰, '身章已去, 不可久留'. 遂引年乞退, 以知都僉議致仕, 又加僉議侍郎贊成事致仕, 卒年七十八, 諡良簡. 性淳厚, 凡慶弔人, 無閒親疎, 世以此多之".

· 『자치통감』 권8, 秦紀3, 二世皇帝 2년(BC208), "[郎中令趙]高聞[左丞相]李斯以爲言, 乃見丞相曰, '關東群盜多, 今上[2世皇帝]急益發繇, 治阿房宮, …', 李斯曰, '固也, 吾欲言之久矣, 今時上不坐朝廷, 常居深宮, 吾所言者, 不加傳也. 欲見, 無閒'[胡三省注, 閒, 隙也, 又讀曰閑, 餘暇也], 趙高曰, …".

305) 이와 같은 기사가 열전17, 韓希愈에도 수록되어 있다.

306) 이때 水達達屯田總管府達魯花赤 寄僧이 雙城에서 哈丹軍[乃顔]과 싸웠다고 한다(『원사』 권129, 권16, 來阿八赤, 寄僧).

307) 이는 다음의 자료에 의거하였다.

· 『원사』 권16, 본기16, 세조13, 지원 28년 5월, "癸丑[17日], 罷尙書省, 事皆入中書□[省]. 改尙書右丞相·右詹事完澤爲中書右丞相, … 征東行尙書省左丞相·駙馬·高麗國王王賰爲征東行中書省左丞相. … 己未[23日], 高麗國王王賰乞以其世子謜爲世子. 詔立謜爲高麗王世子, 授特進·上柱國, 賜銀印".

· 『원사』 권208, 열전95, 外夷1, 高麗, "[至元]二十八年五月, 以賰子謜爲世子, 授特進·上柱國, 賜銀印".

· 『원고려기사』本文, 世祖, 至元, "二十八年五月二十日, 中書省奏, 命王賰之子謜爲世子, ~~授特進·上柱國, 賜銀印~~". 여기에서 ~~添字~~가 탈락되었을 것이다.

○遣判密直司事·右翼萬戶金忻于竹田，判三司事·左翼萬戶韓希愈于忠淸，知密直司事羅裕于交州道，追捕哈丹餘賊.[308]

辛未5日，韓希愈報，□哈丹賊五百八十人降.

○[哈丹之子:節要轉載]老的引軍，[踰竹田:節要轉載]趍平壤，羅裕禦之，郞將李茂奮擊，斬馘無筭.

[→羅裕禦之，將捨舟而陸. 上將軍?玄文奕止之曰,[309] “彼其原隰回互，恐有伏”. 裕不聽. 未成列，賊大至. 裕麾軍而退，僅得登舟，而郞將李茂與數十人，不及登舟. 文奕立舟上，呼曰，“茂勉之，能立奇功，國有賞，孰與委身逆虜，妻子爲僇乎?”. 茂與數十人，走獨山. 賊將輕之，下馬坐胡床，分其衆，環山而登，飛矢如雨. 茂偎樹立，日晩飢甚，啗囊中乾糇，且謂軍士曰，“男兒當死中求生，毋恐”，關弓左射，正中賊將喉，應弦而倒，賊中自亂. 茂等大呼迫擊，斬馘無算:節要轉載].[310]

壬申6日，以兪洪愼△爲副知密直司事.[311]

癸酉7日，遣郞將高世如元，請親賀聖節，幷奏復都開京.

甲申18日，[大暑]. 元遣使，運江南米十萬石來賑.[312]

[→元遣海道萬戶黃興·張侑，千戶殷實·唐世雄□等，以船四十七艘，載江南米十萬石來，賑飢. 世子嘗奏，“比年，國人征戍轉餉，失其農業，以致饑饉”. 故有是賜.

---

308) 竹田은 조선시대의 咸鏡道 高原郡 竹田嶺으로 추측된다(『신증동국여지승람』 권48, 高原郡, 山川, 竹田嶺, 韓正勳 2011년·2013년 224面). 이곳은 현재의 北韓 江原道 川內郡과 接境한 咸鏡南道 高原郡 地域 또는 그 隣近 地域으로 추측된다.

309) 이때 玄文奕의 地位는 上將軍, 또는 그보다 上位職인 密直副使였을 것으로 추측된다.

310) 이와 같은 기사가 열전17, 羅裕에도 수록되어 있다.

311) 兪洪愼은 武將으로 재직하면서 몽골제국에 수차에 걸쳐 파견된 바가 있고, 密直司의 宰相[密直]을 역임한 후 僉議府의 재상[宰臣]에 승진하였던 것 같다. 또 그의 夫人 李氏는 1302년(충렬왕28) 무렵 慶尙道地域에 위치했을 것으로 추측되는 어느 사찰의 阿彌陀佛 造成에 參與하여 흰저고리[白色中衣]를 복장유물로 시납하였던 것 같다(溫陽民俗博物館 所藏, '納 宰臣兪洪愼妻 李氏', 鄭恩雨 等編 2017년 114面).

312) 이때(1291) 또는 明年 윤6월 1일 前後에 吏部侍郞 梁天翔(1239~1293)이 파견되어 와서 賑貸事項을 살펴보았던 것 같다. 그가 고려에 파견된 시기는 넓게 보아 1290년(至元27)에서 1292년(지원29) 사이로 추측된다.

· 『山右石刻叢編』31册, 「梁天翔神道碑」, “公諱天翔, 字飛卿, 梁姓, 世爲汾州平遙縣人, … 至元廿六年, 雲南行御史臺授朝列大夫·侍御史, 公下車, 白曰, … 二十餘條乘傳以聞, 世祖皇帝深所嘉納, 授吏部侍郞, 會高麗饑, 制以公往賑, 還日奏對稱旨, 授少中大夫·成都路總管, 未幾改西蜀四川道肅政廉訪使, 命下疾革, 至元癸巳30年七月四日卒于都城寓舍, …”(이는 『遼金元石刻』 1册, 2003年에도 수록되어 있다).

於是，頒米于七品以下，七品七石，八品六石，九品五石，權務·隊正四石，坊里大戶三石，中戶二石，小戶一石．帝意，本在貧乏，今不先貧民，富者所得，居多:食貨3水旱疫癘賑貸之制轉載].[313)]

乙未[29日晦]，頒米于七品以下．

秋七月[丙申朔小盡,丙申]，戊戌[3日]，分遣救急別監于忠淸·西海道.[314)]

壬寅[7日]，以[前衛尉司尹]閔萱爲右承旨．[時，承旨缺，判事李德孫·權宜及萱，皆托內僚求之．王難於取舍，手書籌，令三人探之，萱得之:節要轉載]．

丁未[12日]，帝許王以十月入朝，且允還都之請．

壬子[17日]，遣政堂文學鄭可臣如元，賀聖節.[315)]

癸丑[18日]，元遣浙西營田使大塔等來，頒赦，及罷尙書省，復立中書省，整理鈔法等事.[316)]

丙辰[21日]，西原侯瑛卒.[317)]

丁巳[22日]，以安戩爲西北面都指揮使．

[某日，以旱荒，分遣安集別監于諸道，量減租稅:節要轉載]．

[→以旱乾，禾穀不實，分遣安集別監于諸道，檢踏田畝，量減租稅:食貨3災免之

---

313) 이 기사는 『고려사절요』 권21에 축약되어 있다. 또 殷實은 明年(1292, 지원29) 10월 海道運糧萬戶 朱淸·張瑄의 건의에 의해 副萬戶에 임명된 인물로서 太倉(現 江蘇省 蘇州市 管內의 太倉市) 지역의 主導勢力이었던 殷氏로 추측된다고 한다(陳波 2011年).

· "元遣海道萬戶黃興·張侑，千戶殷實·唐世雄等，以船四十七艘，載江南米十萬碩來賑．世子嘗奏，比年．國人征戍轉餉，失其農業，以致飢饉，故有是賜．遂頒米于七品以下有差．帝意本在賑貧，今不先貧民，富者所得居多".

· 『원사』 권17, 본기17, 지원 29년 10월, "壬寅[15日]，從朱淸·張瑄請，授高德誠管領海船萬戶，佩雙珠虎符，復以殷實·陶大明副之，令將出征水手".

314) 이보다 1년 전(충렬왕17)에도 人物推考·救急·鹽稅別監이 충청도에 파견되었다고 하는데, 上記 記事와 같은 내용일 수도 있을 것이다.

· 「庾自偶墓誌銘」, "… 而年二十有九[忠烈14年?]，超拜神虎衛保勝郎將，明年[15年?]，兼監察御史，又明年[16年?]，以人物推考·救急·塩稅別監使于忠淸道，無不承當其任".

315) 鄭可臣은 前年(충렬왕16) 11월 28일(丁卯) 閔漬와 함께 世子를 隨從하여 다이두[大都]에 들어갔는데, 이해[是年]의 어느 시기에 혼자서 귀국하였던 것 같다.

316) 몽골제국에서는 이해의 1월 25일(壬戌) 尙書省의 臣僚 桑哥(相哥, Sengge, 吐蕃 噶瑪洛人, ?~1291) 등을 파면하고, 5월 17일(癸丑) 尙書省을 폐지하여 擔當事務를 中書省에 倂合하였다(『원사』 권16, 본기16, 세조 13, 至元 28년 1월 壬戌, 5월 癸丑).

317) 이 기사는 열전4, 神宗王子, 襄陽公恕에도 수록되어 있고, 이날은 율리우스曆으로 1291년 8월 16일(그레고리曆 8월 23일)에 해당한다.

制轉載].

八月乙丑朔大盡,丁酉, 壬申8日, 僉議中贊許珙卒,[318] [年五十九, 輟朝三日:追加].[319].
[珙, 孔巖縣人, 性恭儉, 不事生產, 雖至達官, 食不過一器, 布被蒲薦, 處之怡然, 群居愼口. 其少也, 常率一僕, 掩骼埋胔, 殆無虛日, 見棄屍, 自負瘞之. 嘗月夜彈琴, 隣有處女, 踰墻而奔, 珙不敢近, 喩以禮義, 其女慚悔而返. 卒謚諡文敬:節要轉載].

[→明年, 元遣兵追討哈丹, 珙亦擧兵應之. 積日不下馬, 因得氣疾, 累月不臥, 至八月疾篤卒, 年五十九, 諡文敬. 王命左司議大夫金儇誄之. 忠宣二年, 配享忠烈王廟:列傳18許珙轉載].

[→及珙亡, 僉議贊成事洪子藩嘆曰, "公謹正直, 知無不言, 世豈復有如許公者?":列傳18洪子藩轉載].

己卯15日, 遣將軍金位良如元東京·瀋州等處, 推刷人物.

[癸未19日, 歲星犯軒轅:天文3轉載].

乙酉21日, [秋分]. 以李德孫爲西北面指揮使.[320]

[○月掩畢大星:天文3轉載].

[丙戌22日, 亦如之月掩畢大星:天文3轉載].

[丁亥23日, 太白·歲星犯軒轅. 又流星入軒轅, 大如木瓜, 尾長五尺許:天文3轉載].

辛卯27日, 遣近侍·郎將金龍劒爲慶尙·全羅·忠淸道蘇復別監. 州郡被賊之餘, 百姓困耗, [而無賴之徒, 怙勢騷擾:節要轉載]. 怨讟交騰, [天文屢變:節要轉載], 將欲按問官吏善惡, 以行賞罰.

九月乙未□朔大盡,戊戌, 以僉議侍郎贊成事洪子藩△爲判典理司事·世子師, 僉議侍郎贊成事趙仁規△爲判軍簿司事·世子傅, 僉議侍郎贊成事廉承益△爲判版圖司事·世子保, 鄭可臣爲僉議□□侍郎贊成事·世子貳師, 金忻△爲判密直司事.[321]

---

318) 이날은 율리우스曆으로 9월 1일(그레고리曆 9월 8일)에 해당한다.

319) 이는 「許珙墓誌銘」에 의거하였다.

320) 李德孫은 1291년(충렬왕17) 8월 21일에서 1300년(충렬왕26) 4월 사이에 李帖으로 改名하였다가, 그 이후에 다시 李德孫으로 還元하였던 것 같다(李德孫墓誌銘).

321) 乙未에 朔이 탈락되었다. 또 이때 洪子藩·趙仁規·廉承益 등은 僉議侍郎贊成事로서 이들 官職(東富宮)을 兼職하였다. 또 이 시기 이후에 宰相序列의 3位[三宰]인 僉議侍郎贊成事 廉承益은 일시 辭職하였던 것 같은데, 그의 열전에 1291년(충렬왕17) 이전의 事實로 기술하고 있으나

○命判三司事韓希愈·□副知密直司事柳陞，留鎭江都.[322)]

○命被兵州郡，蠲免租稅. [又以忠淸·交州·西海三道，因軍旅失業，减柴炭貢:食貨3災免之制轉載].

己亥5日，元遣洪重慶，授王爲征東行中書省左丞相，以僉議贊成事印侯△爲鎭邊萬戶府達魯花赤，知僉議府事宋玢爲宣武將軍·鎭邊萬戶，劉碩爲忠顯校尉·管軍千戶，皆賜金牌.

[某日，以前補闕趙簡，爲起居注，簡喪父，廬墓三年，特授是職:節要轉載].[323)]

丙午12日，王如元，宥二罪以下.

○淸州副使金承祐之子，以世累，仕路不通. 然以女壻贊成事康守謝康守衡，輔佐有功，許通五品.[324)]

丁未13日，王次興義驛.

○郎將康渼還自元，帝命王停入朝，[乃還:節要轉載].

戊申14日，還宮.

癸丑19日，遣僉議贊成事印侯如元，獻鵠.[325)]

[戊午24日，歲星與月同舍:天文3轉載].

[庚申26日，雨雹:五行1雨雹轉載].

是月，帝授世子，特進·上柱國·高麗國王世子，賜金印銀印,[326)] 制曰，"嗣有爾嫡，

그때는 거의 5宰에도 미치기 어려운 知僉議府事였다.

· 열전36, 廉承益, "洪子藩時爲首相，趙仁規爲亞相，承益次之，承益得幸兩宮，常居禁中，希至都堂. 一日，子藩先出，仁規語承益曰，"國人謂洪公眞宰相，謂我爲老譯，謂公爲老呪. 我等不預眞宰相之目，唯當勤朝衙夕直耳. 承益卽日辭免".

322) 柳陞(柳璥의 子)은 明年(충렬왕18) 閏6월 21일 同知密直司事에 임명되었으므로 이때 副知密直司事였을 것이다.

323) 이와 관련된 기사로 다음이 있다.

· 열전19, 趙簡, "累遷補闕. 丁父憂，廬墓三年，王嘉之，特授起居注".

324) 康守謝는 晋州人 出身으로 元의 北京同知·總管，東京總管 등에 임명된 康守衡(康和尙, Qosan)의 오자일 것이다. 또 康守衡이 고려로부터 받은 관직인 樞密院副使·知僉議府事·僉議侍郎贊成事 등은 실제로 赴任하지 않고，官銜만 除授한 遙授職이었을 것이다.

· 『揮麈餘話』 권1, "州郡節察防團剌史，雖召居京師，謂之遙授".

325) 이때 印侯가 中郎將 裵廷芝를 데리고 가서 世祖에게 그의 戰功을 보고하자，세조는 白銀 50兩을 下賜하고 拔都兒[바투르，覇都兒]라고 불렀다고 한다.

· 열전21, 裵廷芝, "印侯，携以如元，帝召見曰，'勇士也'. 賜白金五十兩".

· 「裵廷芝墓誌銘」, "… 印公與俱入朝，具以聞于宸所，皇帝卽日見，于思而皤，體魁□異?，屢目之. 賜以白銀五十兩，名之曰覇都兒，蓋華言勇力士也".

親是我甥載，嘉入告之勤，式立于藩之副，克供爾職，思報國恩". 仍賜水精杯·犀角·蓮葉盞·玉杯·珍味，以寵之. [召見于紫檀殿:節要轉載],[327) [鄭可臣從. 帝使之年，仍命脫笠曰，"秀才不須編髮，宜著巾":列傳18鄭可臣轉載]. [御案前，有物大圓小銳，色潔而貞，高可尺有五寸，內可受酒數斗云，摩訶鉢國所獻，駱駝鳥卵也.[328) 帝命世子觀之，仍賜世子及從臣酒，命鄭可臣賦詩，可臣獻詩云，"有卵大如甕，中藏不老春，願將千歲壽，醺及海東人". 帝嘉之，賜御羹一梡. 世子凡入見，必以可臣從. 帝嘗觀遼東水程圖，欲置水驛，語可臣曰，"汝國無所產，唯米與布耳，若陸輸之，則道遠物重，所輸不償所費. 今欲授汝江南行省左丞，使之主海運，歲可致若干千斛匹，豈唯補國用之萬一，可以足東人寓都之資". 可臣對曰，"高麗山川林藪，居十之七，耕織之勞，僅支口體之奉，況其人，不習海道，以臣管見，恐或不便". 帝然之:節要轉載].

冬十月乙丑朔小盡,己亥，丁卯3日，帝命王，賀正入朝.[329)

---

326) 중국 측의 자료에는 5월 23일(己未) 忠烈王이 당시 元에 滯在하고 있던 世子의 책봉을 요청하자, 詔書를 내려 高麗王世子로 삼고 特進·上柱國에 임명하고 銀印을 하사하였다고 한다. 여기에서 金印은 銀印의 오자일 것이다(『元典章』 권29, 禮部2, 禮制2, 印章, 印章品級分寸料例, 駙馬→충렬왕 4년 7월 21일의 脚注 ; 충렬왕 21년 8월 16일).
· 『원사』 권16, 본기16, 세조13, 至元 28년, 5월 己未, "高麗國王王賰乞其子謜爲世子, 詔立謜爲高麗王世子, 授特進·上柱國, 賜銀印". 추측컨대 이날 고려가 世子의 책봉을 요청하였고, 책봉은 9월에 이루어졌을 것이다.

327) 紫檀殿은 大明殿의 서쪽에 있던 殿閣이다.
· 『南村輟耕錄』 권21, "紫檀殿在大明·寢殿西. 制度如文思, 皆以紫檀香木爲之, 縷花龍涎香間白玉飾壁, 草色髹綠, 其皮爲地衣".
· 『說郛』 권110上, 元氏掖庭記(冒頭), "元祖世祖肇建內殿, 制度精巧, 題頭刻螭形, 以檀香爲之. 螭頭向外, 口中銜珠, 下垂珠, 皆五色, 用彩金絲貫. 串負柱融滾, 霞沙爲猊, 怒目張牙, 有欲動之狀. 瓦滑琉璃, 與天一色. 朱砂塗壁, 紅重胭脂. 彤榱華棁, 金桷雕楞, 務窮一時之麗. 殿上設水精簾, 階琢龜文, 繞以曲檻, 檻與階皆白玉石爲之. 太陽東升, 殿中燦爛, 堦更飛輝. 古謂天子有金殿·玉墀, 名不虛也. 又有紫檀殿, 以紫檀香木爲之, 光天·玉德·七寶·搖光·通雲·凝翠·廣寒等殿. 其餘不可一一數也".

328) 駱駝鳥卵은 駝鳥의 알[駝鳥卵]로 추측된다.
· 『자치통감』 권21, 漢紀13, 武帝元封 6년(BC105) 秋, "是時, 漢使西踰葱嶺, 抵安息. 安息發使, 以大鳥卵及黎軒善眩人獻于漢[應劭曰, 大鳥卵如一二石甕. 師古曰, 如汲水甕, 無一二石也. 郭義恭'廣志'曰, 大爵, 頸及身, 膺, 蹄都似橐駝, 擧頭高七八尺, 張翅丈如, 食大麥, 其卵如甕, 卽今之駝鳥也. …]".

329) 중국 측의 자료에는 世祖가 충렬왕에게 入朝를 命한 것은 10월 17일(辛巳)이라고 되어 있다.
· 『원사』 권16, 본기16, 세조13, 지원 28년 10월, "辛巳, 召高麗國王王賰·公主忽都魯揭里迷失詣闕".

壬申[8日], 分遣都指揮使, [知僉議府事·鎭邊萬戶]宋玢於慶尙道,[330] [判三司事]韓希愈於東北面, 金之淑於西北面.

[壬午[18日], 月犯東井:天文3轉載].

[是月頃, 耽羅遣使如元, 貢東紵百匹:追加].[331]

[是月癸未[19日], 元以高麗國饑, 給米二十萬斛:追加].[332]

十一月[甲午朔大盡,庚子], [丁未[14日], 月入畢:天文3轉載].

[己酉[16日], □[月]犯東井:天文3轉載].

[辛亥[18日], 雷:五行1雷震轉載].

[癸丑[20日], □[月]掩歲星·張星:天文3轉載].

戊午[25日], 王獵于安南.

庚申[27日], 遣知密直司事羅裕如元, 賀正.

十二月[甲子朔大盡,辛丑], 己卯[16日], 遣上將軍柳庇·將軍許評如元, 請世子還國.

[甲申[21日], 以[副知密直司事]鄭仁卿爲世子元賓:追加].[333]

乙酉[22日], 以朴義爲右副承旨, 李混爲左副承旨. 凡職名有左·右者, 以右爲上, [從元制也:節要轉載].

癸巳[30日], 以米六千九百六十四石, 換白銀一百一十一斤, 銀甁五十七口, 紵布一千四百五十匹. 又出迎送庫·大[太]府白紵布各一百五十匹, 以充盤纏.

[是月丁卯[4日], 元以高麗國鴨綠江西十九驛, 經乃顔叛, 掠其馬畜, 給以牛各四十:追加].[334]

[是年, 以禦丹兵有功, 改原州爲益興都護府, 陞原州管內丹山縣爲監務官:地理1

---

330) 이로써 宋玢은 慶尙道都指揮使兼合浦鎭邊萬戶府萬戶를 겸직하게 되었던 것 같다.

331) 이는 다음의 자료에 의거하였다.
· 『원사』 권16, 본기16, 세조16, 지원 28년 11월 丁未[14日], "耽羅遣使, 貢東紵百匹".

332) 이는 다음의 자료에 의거하였다.
· 『원사』 권16, 본기16, 세조13, 지원 28년 10월 癸未[19日], "高麗國饑, 給以米二十萬斛".
· 『원사』 권208, 열전95, 外夷1, 高麗, "[至元二十八年]十月, 以其國飢, 給以米二十萬斛".

333) 이는 「鄭仁卿政案」에 의거하였다.

334) 이는 다음의 자료에 의거하였다.
· 『원사』 권16, 본기16, 세조13, 至元 28년 12월, "丁卯[4日], 高麗國鴨綠江西十九驛, 經乃顔反[叛], 掠其馬畜, 給以牛各四十".

原州轉載].[335]

[○以中列大夫·左司議大夫崔瑞爲榮列大夫·判太府事:追加].[336]

[○以鄭珩爲永州副使, 曹用之爲永州判官:追加].[337]

[○以張洪爲碩州副使, 崔元且爲碩州判官, 尋以李崇·張允和代之:追加].[338]

[○前遼陽等處行尙書省右丞洪茶丘, 以病卒, 年四十八:追加].[339]

壬辰[忠烈王]十八年, 元 至元二十九年, [西曆1292年]

1292년 1월 21일(Gre1월 28일)에서 1293년 2월 7일(Gre2월 14일)까지, 13개월 384일

春正月甲午朔大盡,壬寅, 日食.[340]

丁酉4日, 遣大將軍元卿如元遼陽路, 推刷己未年高宗46年以來被虜人物.

癸卯10日, 以西京留守嚴守安, 兼西北面指揮使.

[某日, 下敎曰, "忠淸·西海二道, 民失農業, 不止於飢, 至於穀種, 不曾收畜, 難以播種, 其以監察史金祥·郎將金良粹, 爲二道勸農使, 貿易穀種, 均給":節要·食貨2農桑轉載].

丙辰23日, 元賜鈔一千錠. 平章政事闊梨帖木兒之還也, 取諸驛牛以去. 帝聞, 賜鈔償之.

丁巳24日, [立春]. 移置先代實錄于江都禪源寺.

[己未26日, 熒惑犯房:天文3轉載].

庚申27日, 復都開京.

---

335) 丹山縣에 관한 기사는 다음과 같다.
- 지10, 地理1, 原州, 丹山縣, "哈丹之亂, 以縣人能拒敵, 賞其功, 始置監務".

336) 이는 「崔瑞墓誌銘」에 의거하였다.

337) 이는 『영천선생안』에 의거하였다.

338) 이는 『연안부지』에 의거하였는데, 이 시기에 일시 2인의 判官이 임명되었던 것 같다.

339) 이는 『원사』 권154, 열전41, 洪福源, 俊奇에 의거하였다.

340) 이날 中原에서도 일식이 있어 朝賀가 免除되었고(『원사』 권17, 본기17, 세조14, 至元 29년 1월 甲午), 일본의 교토와 가마쿠라[鎌倉]에서도 일식이 관측되었던 것 같다. 이날은 율리우스력의 1292년 1월 21일이고, 開京에서 일식 현상이 심했던 시간은 13시 52분, 食分은 0.84이었다(渡邊敏夫 1979年 310面).
- 『續史愚抄』9, 正應 5년 1월, "一日甲午, 日蝕. 供御樂·新院供御樂·節會, 依蝕延引".
- 『鎌倉年代記裏書』, "今年正應五, 正朔蝕正現".

[某日, 以劉顥爲慶尙道按廉使:慶尙道營主題名記].

二月甲子朔小盡,癸卯, 丙寅3日, 還宗廟·社稷於開京.

[乙亥12日, 月掩軒轅大星:天文3轉載].[341)]

己丑26日, 以卜奎△爲知西京留守□事.

[是月乙亥12日, 元立總管高麗女直漢軍萬戶府, 頒銀人, 總軍六千人. 戊寅15日, 詔加高麗王王賰太保, 仍錫功臣之號:追加].[342)]

三月癸巳朔大盡,甲辰, [某日, 下敎, "以忠淸道, 因賊失農, 賜去年祿轉·徭貢, 全羅道, 亦除祿轉一千碩, 以賑之":節要·食貨3水旱疫癘賑貸之制轉載].

丁酉5日, 王獵于馬堤山.

癸卯11日, [淸明]. 以池瑄爲西京留守.

丁未15日, 知密直司事羅裕還自元, 帝[以羅裕·韓希愈, 爲懷遠大將軍, 賜三珠虎符. 又賜僉議贊成事印侯·韓希愈·判密直司事金忻, 弓矢·玉帶一腰·銀一錠·鞍一具, 賞戰功也.[343)] 又:節要轉載]以本國西京逆臣韓愼等, 付世子, 命曰, "此人雖叛爾國, 向朝廷有分毫心, 爾勿大責".

[→忠烈十八年, 世子在元, 帝以愼等付之, 命曰, "此人雖叛爾國, 向朝廷有分毫心, 爾勿大責:列傳43崔坦轉載].[344)]

[○歲星犯軒轅:天文3轉載].

[某日, 敎曰, "比經寇賊, 百姓固弊困弊, 雖已蠲免租稅, 有司諸司不體至意, 一切徵納, 自今, 悉令禁約, 毋致失業":節要·食貨3災免之制轉載].[345)]

戊午26日, [穀雨]. 元流哈丹下阿里禿大王于洪州芿盆島.[346)]

---

341) 지3, 天文3에는 乙亥의 앞에 二月이 탈락되었다.

342) 이는 다음의 자료에 의거하였다.
- 『원사』 권17, 본기17, 세조14, 지원 29년 2월, "乙亥12日, 元立總管高麗女直漢軍萬戶府, 頒銀人, 總軍六千人. … 戊寅15日, 詔加高麗王王賰太保, 仍錫功臣之號".

343) 이와 관련된 기사로 다음이 있다.
- 열전36, 印侯, "… 帝以印侯爲鎭邊萬戶府達魯花赤, 賜玉帶一腰·銀一錠·鞍一面, 賞之".

344) 此人은 延世大學本에서 比人으로 되어 있으나 오자일 것이다. 이는 此와 比는 行書로 쓸 때 字體가 類似하므로 傳寫, 刻字, 判讀 등에서 생긴 결과일 것이다.

345) 添字는 지34, 食貨3, 災免之制에서 달리 표기된 글자이다.

346) 芿盆島(잉분도)는 현재의 全羅北道 群山市 沃島面 於靑島(群山市 北西方 72km의 西海에 位

壬戌[30日]，□□[元遣]右丞阿撒來，按耽羅達魯花赤[塔剌兒]罪.

[是月頃，以[太僕尹]閔宗儒爲東京副留守:追加].[347)]

夏四月癸亥□[朔小盡,乙巳]，親醮三界于康安殿[348)].

○前判三司事朴之亮卒.[349)]

○元流賊黨塔也速于白翎島,[350)] 闍吉出于大青島，帖亦速于烏也島.[351)]

庚午[8日]，元流哈丹下□□大王于靈興·祖月二島.

[某日，初，密城人趙偁與郡人，謀殺按廉使，事覺幸免．附[僉議侍郎贊成事·]判監察事廉承益，至拜典理佐郎，監察侍史金有成，不署告身．承益以王命督之，有成固執不可，承益怒，罵辱之:節要轉載].

[→[忠烈]十七年，判版圖□[司]事，尋判監察司事．密城人趙偁，與郡人謀殺按廉□[使]，事覺獲免，附承益，拜典理佐郎．監察侍史金有成不署告身．承益以王命督之，有成固執不可．承益怒罵曰，“爾豈賢於偁耶?，何不從吾言，且爾年老遠謫，汝其安乎?”:列傳36廉承益轉載].

丁丑[15日]，將軍金延壽還自元言，世子已於今月四日，上道還國．且以世子言，白王曰，“聞歲歉民飢，車駕所幸，供億不貲，願上毋出迎境上．況父不可爲子屈也．其宮僚應出迎者，毋得過西普通□[院]”．王怒曰，“世子言，不當如是”.

[己卯[17日]，雉入宮中:五行1轉載].

置)로 추정되는데, 이곳은 高麗·朝鮮時代에 걸쳐 忠淸道 洪州에 소속되었다. 이어서 어청도는 舊韓末에 忠淸南道 保寧郡 鰲川面에 소속되었다가 於靑島는 1913년 3월 1일 臨陂郡과 咸悅郡의 一部 地域, 古群山群島(Archipelago), 扶安郡의 飛雁島 등과 함께 沃溝郡으로 편제되었다. 1995년 1월 1일 群山市와 沃溝郡이 병합될 때, 어청도는 다시 군산시의 관할 하에 들어갔다(內務府 1996년 857面 群山市, 金明鎭敎授의 諮問).

· 『신증동국여지승람』 권19, 洪州牧, 山川, “艻盆島, 周九十五里”.

· 『大東地志』 권5, 忠淸道, 洪州, 島嶼, “於靑島, 一云艻盆島, 周三十里, 地肥沃, 出楮·箭竹. 有宮室遺址, 古使行豉舡於此”.

347) 이는 『동도역세제자기』; 「閔宗儒墓誌銘」에 의거하였다.

348) 癸亥에 朔이 탈락되었다. 또 이 기사는 지17, 禮5, 雜祀에도 수록되어 있는데, 이에서도 朔이 탈락되었다.

349) 이날은 율리우스曆으로 1292년 4월 19일(그레고리曆 4월 26일)에 해당한다.

350) 이와 관련된 자료로 다음이 있다.

· 『신증동국여지승람』 권43, 黃海道, 長淵縣, 山川, 大靑島, “在大靑西, 古白翎鎭也, 詳康翎縣沿革. 高麗忠烈王時, 元流賊黨塔也速于此, 有牧場”.

351) 烏也島는 어디인지를 알 수 없으나 白翎島, 大靑島, 小靑島 인근의 어느 島嶼일 것이다.

[某日, 下旨, 慶尙道管城安邑·利山等縣, 頃因避賊于淸州山城, 民失農業, 宜與中道[忠淸道], 並蠲貢賦:食貨3災免之制轉載].[352]

庚寅[28日], 王爲迎世子, 出獵于馬淺西.

辛卯[29日晦], 遂獵于平州溫泉.

[是月, 僧齋色開板'金剛界曼荼羅':追加].[353]

五月[壬辰朔小盡,丙午], 乙未[4日], 副知密直□□[司事]致仕李益培卒.[354] [益培, 以文學名於世, 通敏强記. 然好色嗜酒, 無節操. 嘗受金洪裕賂, 借述使中第, 士林鄙之:列傳15李益培轉載].

[丁酉[6日], 月掩歲星:天文3轉載].

戊戌[7日], 世子至自元.

癸丑[22日], 王及公主, 宴世子.

丁巳[26日], 世子設漿□[于]街市, 施餓者三日.

六月[辛酉朔大盡,丁未], [丁卯[7日], 月入大微[太微], 犯東藩上將:天文3轉載].

[己巳[9日], 大雨, 天磨山朴淵漲, 漂沒人家:五行1水滲轉載].

癸酉[13日], 世子上壽于兩宮, 諸王·兩府·耆老侍宴. 世子起舞, 王及公主, 極歡而罷.

[某日, 內僚·別將金呂, 以中郞將王惟紹妻, 密納于內. 惟紹以禿魯花, 入侍于元, 呂, 先私而後納之. 由是, 貴寵:節要轉載].[355]

丁丑[17日], 同知密直司事[知密直司事]羅裕卒.[356] [裕, 武藝出衆, 諳練禮儀, 明斷獄訟:

---

352) 이 기사는 『고려사절요』 권21에도 축약되어 있다("以管城·安邑·利山等縣, 因賊失業, 並蠲貢賦").

353) 이는 慶尙北道 聞慶市 山北面 大乘寺의 金銅阿彌陀佛坐像(보물 제1634호)의 肉髻에서 발견된 『金剛界曼荼羅』의 發願文에 의거하였다(南權熙 2005년 ; 崔聖銀 2013년 345面 ; 鄭恩雨 等編 2017년 21, 116面).

· 發願文, "十地無窮者,贊成事廉□□[承益],近侍康碩·文廻·玄錫·玄環·池環·閔卿·鄭子濬,供物色員李芝·李光林,速以此功德,普及於一切,我等與群生,皆共成佛道,一切如來心全身舍利寶篋印悉,□□□□陀羅尼,至元二十九年四月日,僧齋色開板".

354) 이날은 율리우스曆으로 1292년 5월 21일(그레고리曆 5월 28일)에 해당한다.

355) 이와 같은 기사로 다음이 있고, 宋琰(宋邦英의 父)은 上將軍에 이르렀던 것 같다(열전38, 宋邦英).

· 열전38, 王惟紹, "惟紹, 忠烈朝, 補郞將, 以弓箭陪如元. 惟紹妻上將軍宋琰女也, 貌美. 惟紹以禿魯花入元, 宦官金呂私之, 遂密納于內, 呂, 由是得幸".

356) 羅裕는 이해의 3월 12일, 5월 7일, 1291년(충렬왕17) 11월 27일 등에 知密直司事로 在職하고

節要轉載].

[戊子[28日], 太白犯木:天文3轉載].

[是月, 左□[副]承旨鄭瑎, □□□□[掌成均試], 取李彦忠[李彦冲]等六十一人:選擧2國子試額轉載].357)

[○元以洪萬爲遼陽行省右丞:追加].358)

閏[六]月辛卯□[朔小盡,丁未], 以天譴民飢, 宥二罪以下.359)

○元遣[江南漕運]萬戶徐興祚[徐興祖], 運江南米十萬石來, 賑飢民. [遭風漂溺, 唯來輸四千二百碩, 遂頒米于諸領府及五部戶, □[各]一碩:節要·食貨3水旱疫癘賑貸之制轉載].360)

[辛丑[11日], 月犯南斗:天文3轉載].

[乙巳[15日], 立秋. 月食:天文3轉載].361)

辛亥[21日], 以金惲[金琿]爲僉議參理·世子貳傅, 韓希愈△[爲]知僉議府事·世子貳保, [判密直司事]金忻△[爲]判三司事, 鄭仁卿·柳陞·崔有渰並△[爲]同知密直司事, 李混·張舜龍並△[爲]副知密直司事, 朴義·鄭瑎爲左·右承旨, 閔漬爲左副承旨.362)

있었으므로 同知密直司事는 知密直司事의 오류이다. 그의 열전과 아들의 묘지명에도 최종관직이 知密直司事로 되어 있다(열전17, 羅裕 ; 羅益禧墓誌銘). 이날은 율리우스曆으로 7월 2일(그레고리曆 7월 9일)에 해당한다.

357) 이 시기에 鄭瑎는 左副承旨·司議大夫로서 人事行政[銓注]에 참여하고 있었던 것 같고, 李彦忠은 李彦冲의 오자일 것이다.
- 열전19, 鄭瑎, "累遷左副承旨·司議大夫. 掌銓注, 執法不阿, 雖近倖稱旨干請, 亦不聽".
- 「李彦冲墓誌銘」, "公擧壬辰[忠烈王18年]司馬試, 中魁".

358) 이는 『원사』 권154, 열전41, 洪福源, 萬에 의거하였다.

359) 辛卯에 朔이 탈락되었다.

360) 徐興祚는 지34, 食貨3, 水旱疫癘賑貸之制와 『고려사절요』 권21에는 徐興祥으로 되어 있지만, 모두 徐興祖의 다른 表記 또는 誤字일 것이다. 또 添字는 이들 자료에 의거하였다.
- 『至正崑山郡志』 권5, 人物, 本朝[大元蒙古國], "徐興祖, 號敬齋, 世居[揚州]崇明, … 興祖, 隨父歸附, 屬元帥張宏範[張弘範], 平宋崖山, 復從右丞范文虎征日本, 俱有戰功. 後遷居太倉, 從海漕. 累官至昭勇大將軍·運糧副萬戶, 歲涉風濤, 不憚勞苦, 泰定丙寅 督運赴北, 卒於京師".

361) 이날은 율리우스曆의 1292년 7월 30일이고, 月食의 現象이 심했던 때의 世界時는 20시 7분, 食分은 0.46이었다(渡邊敏夫 1979年 482面).

362) 이날은 21일(辛亥)인데, 「鄭仁卿政案」에 의하면 22일(壬子) □[同]知密直司事에 임명되었다고 되어 있어 『고려사』의 辛亥(21일), 「鄭仁卿政案」 의 22일(壬子) 중의 어느 하나는 오류일 것이다. 또 이 시기 이후에 張舜龍은 贊成事 趙仁規와 宮中에서 다투었던 것 같다.
- 열전36, 張舜龍, "進副知密直□□[司事]. 王與公主曲宴, 內人迭起獻壽, 贊成事趙仁規佯醉不飮, 舜龍曰, '何不飮, 無乃詐耶'. 仁規怒曰, '汝輩詐, 我則否'. 王與公主入內, 二人詰不止, 舜龍

乙卯25日, 江南漕運萬戶徐興祚獻鸚鵡·孔雀各二翮.

[是月辛亥21日, 元以高麗饑, 詔賜米十萬石:追加].363)

[秋七月庚申朔小盡,戊申],364) [癸亥4日, 以鄭仁卿爲同知密直司事·右常侍:追加].365)

[乙丑6日, 月入氐星:天文3轉載].

[丙寅7日, □月掩房上相:天文3轉載].

戊辰9日, 以僉議贊成事趙仁規女爲世子妃.366)

甲戌15日, 合浦鎭邊萬戶宋玢免, 以□知僉議府事韓希愈代之. [玢, 務爲聚斂聚斂, 大興工役, 又令邊卒運米, 市於女眞, 民甚苦之, 爲東界安集使所劾, 免:節要轉載].367)

[→宋玢, 忠烈十七年, 元授宣武將軍鎭邊萬戶, 賜金牌. 出爲慶尙道都指揮使, 務聚斂, 大興功役, 又令邊卒運米, 與女眞 互市, 爲東界安集使所劾, 免:列傳38宋玢轉載].

[乙亥16日, 白露. 月入氐星:天文3轉載].

[某日, 分遣鹽稅別監于慶尙·全羅·忠淸道:節要轉載].368)

[又以忠淸·全羅□道民飢, 除朝覲盤纏:節要轉載].

[→以全羅·忠淸道民飢, 除朝覲盤纏:食貨3災免之制轉載].

己卯20日, 以版圖摠郞洪萱爲□守司空.

癸未24日, 以洪萱爲□守司徒.369)

弟三哥欲右其兄, 仁規歐且批其頰, 三哥攘臂而進, 左右解之".

363) 이는 다음의 자료에 의거하였다. 이 기사는 시기 정리[繫年]에 실패한 것 같다. 『고려사』에는 江南漕運萬戶 徐興祖[徐興祚]가 윤6월 1일(辛卯) 고려에 도착하였다고 되어 있다.

· 『원사』 권17, 본기17, 세조14, 지원 29년 윤6월, "辛亥21日, 高麗饑, 其王遣使來, 請粟, 詔賜米十萬石".

364) 戊辰은 7월 9일이므로, 戊辰의 앞에 秋七月이 탈락되었다. 『고려사절요』 권21에는 옳게 되어 있다.

365) 이는 「鄭仁卿政案」에 의거하였다.

366) 이와 같은 기사로 다음이 있다.

· 열전2, 忠宣王妃, 趙妃, "平壤君仁規之女. 忠烈王十八年, 忠宣爲世子, 納以爲妃".

367) 이 구절에서 知가 탈락되었다(→是年 윤6월 21일).

368) 이 기사는 지33, 食貨2, 塩法에도 수록되어 있다.

369) 洪萱은 人的事項을 알 수 없지만, 守司徒[司徒]에 임명된 기사가 연이어 나오는데, 그 이유를 알 수 없다. 또 一種의 勳職으로 기능하였던 三公은 守司空→守司徒→守太尉로 昇進되었다. 그리고 이와 관련된 자료로 다음이 있다.

· 『櫟翁稗說』前集2, "李侍中延壽, … 慶陵時, 以洪萱爲司徒, 閔贊成萱問錄事陸希贊, '新司徒丙戌27日, 遣世子如元, 賀聖節.

○副知密直司事·文翰學士致仕崔雍卒.[370)] [雍, 惟淸曾孫, 家世以文學顯, 性謹厚訥言, 少嗜學, 與同志十人, 約以十年讀書. 未幾, 餘皆棄去, 雍獨力學, 無書不讀. 時稱博洽:節要轉載].

[○虎入城:五行2轉載].

[某日, 以慶尙道按廉使劉顥, 仍番:慶尙道營主題名記].

八月己丑朔大盡,己酉, [己亥11日, 太白犯房上將:天文3轉載].

[甲辰16日, 歲星犯大微太微右執法:天文3轉載].

[乙巳17日, 寒露. 月入大微太微, 犯右執法, 又與鎭星同舍:天文3轉載].

[丙午18日, 亦如之月與鎭星同舍:天文3轉載].

丁未19日, 遣郞將秦良弼, 押呪人·巫女如元, 帝召之也.

丁未19日,[371)] 世子謁帝于紫檀殿, 僉議贊成事鄭可臣·上將軍柳庇等隨入. [先是:節要轉載], 有丁右丞者奏,[372)] "江南戰船, 大則大矣, 遇觸則毁, 此前所以失利也. 如使高麗造船, 而再征之, 日本可取□也"[373)] [至是:節要轉載], 帝問征日本事, 同僉書樞密院事洪君祥進言曰, "軍事至大, 宜先遣使, 問諸高麗, 然後行之". 帝然之.[374)]

[戊申20日, 月犯畢星:天文3轉載].

[癸丑25日, 鹿入城:五行2轉載].

[乙卯27日, □月入大微太微, 犯東藩上相:天文3轉載].

[丙辰28日, □月入大微太微:天文3轉載].

之名何字?', 希贊老於刀筆, 進退·應對, 自以爲能. 至是對曰, '閔萱之萱也'. 聞者笑之齒冷". 이 시기에 閔萱의 관직은 左承旨, 知申事였을 것으로 추측되며 아직 宰相[宰樞]에 승진하지 못하였을 것이다.

370) 이날은 율리우스曆으로 1292년 9월 9일(그레고리曆 9월 16일)에 해당한다.

371) 丁未(19일)가 두 번 나오는데[重出], 前者는 高麗에서의 記事, 後者는 元에서의 記事이다. 그러므로 後者는 是月의 마지막으로 移動시켜 "是月丁未, 世子謁帝于紫檀殿, …"로 處理하여야 옳게 될 것이다.

372) 丁右丞은 右丞 丁某를 指稱하지만, 이때 中書省의 右丞은 何榮祖·阿里(Ali), 左丞은 馬紹였다. 당시에 平章政事商議省事로 麥朮督丁과 咱喜魯丁이 있었는데, 이들을 右丞 丁某로 記錄하였거나 아니면 江南地域 어느 行省의 右丞으로 丁某가 있었을 것이다.

373) 添字는 『고려사절요』 권21에 의거하였다.

374) 洪君祥(洪雙叔, 洪福源의 第5子)에 대한 내용은 열전43, 洪福源, 君祥에도 수록되어 있다.

[某日，令百官，出銀·紵布有差，以充入朝盤纏之費:食貨2科斂轉載].

[是月戊午[30日]，高麗女直界首雙城告饑，敕高麗王於海運內，以粟賑之:追加].[375]

九月己未□[朔小盡,庚戌]，幸王輪·乾聖二寺.[376]

[壬戌[4日]，熒惑犯哭星:天文3轉載].

乙丑[7日]，幸賢聖寺.

丙寅[8日]，帶方公澂卒.[377]

[庚午[12日]，太白掩南斗第三星:天文3轉載].

乙亥[17日]，王及公主，幸妙蓮寺.

[○月入畢星:天文3轉載].

[丁丑[19日]，太白掩南斗第三星:天文3轉載].

壬午[24日]，元遣[同僉書樞密院事]洪君祥來，命我護送日本人，還其國. 君祥以帝旨，問征日本事. 王對曰，"臣旣隣不庭之俗，庶當躬自致討，以効微勞".[378] 君祥獻馬，遂宴于香閣.[379]

[戊子，宴君祥于壽寧宮→10月로 옮겨감].

是月，帝御紫檀殿，引見世子，令呪人·巫女等入殿，執帝手足呪之，帝笑之.

冬十月[戊子□[朔大盡,辛亥]，宴[洪]君祥于壽寧宮←9월에서 옮겨옴].[380]

庚寅[3日]，以太僕尹金有成爲護送日本人□[使]，[381] 供驛署令郭麟爲書狀官.[382] 仍致

---

375) 이는 다음의 자료에 의거하였다.

· 『원사』 권17, 본기17, 세조14, 지원 29년 8월, "戊午[30日]，高麗女直界首雙城告饑，敕高麗王於海運內，以粟賑之".

376) 己未에 朔이 탈락되었다.

377) 이 기사는 열전3, 顯宗王子, 平壤公基에도 수록되어 있다. 이날은 율리우스曆으로 1292년 10월 19일(그레고리曆 10월 26일)에 해당한다.

378) 이 기사는 열전43, 洪福源, 君祥에도 수록되어 있다.

379) 洪君祥이 高麗에 파견된 것은 그의 열전에서도 확인된다.

· 『원사』 권154, 열전41, 洪福源, 君祥, "復奉使高麗，還改僉書樞密院事".

380) 戊子는 10월의 朔日인데, 『고려사』의 편찬자가 洪君祥이 온 것과 연결을 짓기 위해 9월로 옮겨 收錄한 것 같다[校正事由].

381) 이 구절에서 使字가 더 들어가야 옳게 될 것이다. 金有成은 이때 宣諭使로 임명되었다고 하는데(열전19, 金有成), 1298년(충선왕 즉위년) 1월 21일(戊申)에는 護送使로 되어 있다. 또 그는 副使 郭麟과 함께 같은 달에 일본에 도착하였고, 明年(1293년)에 가마쿠라[鎌倉]에 護送되었던

書曰，“小邦與貴國，隔海爲隣，昔，貴國商人，時或來往於金海，國因以爲好，曾無嫌隙．今年五月，貴國商船，到泊耽羅洲渚，耽羅性頑頡，射逐其船，邏捉二名而送之．小邦申於大元國，皇帝詔問其由，命還本國，而護送，伏惟悉之．兩國旣以爲隣，凡興亡休戚，敢不相恤．且爲貴國計之，將有利害兩端，不得不陳．我國元自祖先，臣事大元，其來尙矣．我父王再覲天庭，輒蒙聖奬，安保國家，恪謹侯度．予爲世子時，繼父親朝，皇帝特垂寵渥，許尙公主，冊爲駙馬，承襲宗器，不失國號·君臣·社稷，禮樂·文物·衣冠·名分，一切仍舊，百姓按堵，樂業安生，實輸誠事大故也．且宋朝軍民，不爲不多，金湯不爲不固，不知有唐 虞之大統，自大而不庭，皇帝親征，天兵奄至．宋之君臣，倉卒失措，遣使請哀，若許班師，世修朝貢，歲納方物．皇帝輕慈而却兵，遣翰林學士郝經，宣諭甚敦．宋國執迷不悛，違命不朝．皇帝震怒，大發王師，討以失期．兵威所加，如石壓卵．殄滅國號，九廟隳，百官毁，無復君臣之禮，三百年積累之期，一旦傾覆．乃命設官置省，完護遺民，亦貴國之所聞，殷鑑不遠．古典云，順天者昌，逆天者亡．[383] 又云，抗衡爲禍，和睦爲好．可不戒哉，可不儆哉？ 今我大元國皇帝陛下，千載應期，神聖文明，功德兼豊，仁慈寬厚，好生惡殺，德洽群生．普天之下，莫不感德，梯航輻湊，猶恐不及．貴國念我國之存，懲宋之亡，遣一介之使，奉一尺之書，朝於大元，則無損於今，有益於後，誠貴國社稷之福也．若恃阻大洋而不朝，存亡之機，未可知也，脫有不測之患，噬臍何及？ 自古，未有恃險而能保國家者也．小邦爰處舊都，其勢易弱，猶且在宥，一視同仁，許安土着，如向所陳．貴國邈在海外，但遣使入朝，決無後患，幸進退詳酌．頃在辛巳年[忠烈王7年]，因邊將所奏，發兵往征，戰艦因風濤播揚，間或失水，軍卒有遺漏不還者．今聞耽羅所送商人言，貴國並皆收護處養，似順好生之聖德，此一幸也．若貴國之社稷有靈，以不穀之言爲可取，納款歸朝，則必蒙聖澤，無秋毫之失，有磐石之安．予亦處中保命，導霈皇恩，以貽百歲之寧，不穀之言，迨後方信．予之所以區區者，只爲彼此無辜耳，伏惟傾照不宣”．[384]

것 같다.

· 『鎌倉年代記裏書』，“今年[正應五]，… 十月，高麗使全有成[金有成]等到著，翌年被召，下關東訖”．

382) 郭麟의 일본파견에 관한 기록으로 『목은문고』 권4，永慕亭記가 있다.

383) “順天者昌，逆天者亡”은 『太平經』，初壬部권9에 나오는 구절이다.

384) 이 國書의 寫本은 神奈川縣立金澤文庫(橫濱市 金澤區 金澤町 212 위치)에 所藏되어 있으나 완전하지 못하며，『고려사』의 내용과 차이가 나는 구절도 있다(張東翼 2004년 235~239面).

· 「高麗國書」(金澤文庫文書)，“皇帝福廕裹特進上柱國開府儀同三司駙馬高麗國王王昛，」 謹封書

[○□□[以後], 日本嘗憾東征, 皆拘留不還:節要轉載].

[→忠烈時, 世祖復遣僉院洪君祥, 招諭日本. 王以有成, 善於辭命, 陞太僕尹, 爲宣諭使. 時書狀闕, 人皆以計避. ○郭麟者, 淸州人, 擢狀元, 直文翰署, 忠直有文章. 語衆曰, "事不辭難, 臣子之義, 何辭爲". 或以白宰相, 宰相喜, 充書狀, 陞授供驛署令. 婦翁崔謁, 欲謁宰相覆奏, "麟奮然曰, 死一也, 死國事, 不猶愈於死

于」 日本國王殿下, 冬寒 伏惟」 尊候[候?]萬福臨莅, 不穀篤承」 皇帝聖德,[大元國]保守弊封, 小邦與」 貴國, 隔海爲隣,昔」 貴國商人,時或往來於金海府, 因以爲好, 曾無嫌隙, 今五」 月, 貴國商船, 到泊耽羅洲渚, 耽羅人性本頑黠, 追逐其船,」 邏捉二名而送之, 小邦申於」 大元國, 而押送,」 皇帝詔問其由, 命還本國, 而護送, 故差朝奉大夫大僕尹世子右」 庶尹金有成, 前去致辭并送其商人, 惟悉之, 兩國既已爲」 隣, 凡終始休戚, 敢不相恤, 且爲(以上①)」 貴國計之, 將有利國之一端, 不得不陳, 未審」 殿下之所捨伏增惶懼, 我國, 元自祖先, 臣事」 大元, 其來尙矣, 我父王再覲」 天庭, 輒蒙」 聖奬, 安保國家, 恪勤候度, 予爲世子時, 繼父親朝,」 皇帝, 特垂龍[寵]渥, 許尙」 公主, 册爲駙王[馬], 承襲宗器, 因不失國號, 君臣社稷,」 禮樂文物, 衣冠名分, 一切仍舊, 百姓按堵, 樂」 業安生, 實輸誠事, 大之故也, 且宋朝軍民, 不爲」 不多, 金湯,不爲□[不]固, 不知有唐虞之大統,自大」 而不庭, 故」 皇帝親征, 天兵奄至, 宋之君臣, 倉卒失措, 遣□[使]請哀,」 若許班師, 世脩朝貢, 歲納方物,」 皇帝, 軫慈而却兵, 遣翰林學士郝經,」 宣諭甚敢, 宋國, 執迷不悛, 違命不朝,」 帝乃震怒,大發王師, 討以失期, 兵威所加, 石如」 厭卵, 殄滅國號, 九廟隳, 百官毁, 無復君臣之禮, 三」 百年積累之基,一旦傾覆, 仍命設官置者, 完護遺」 民,亦貴國之所聞, 我國所見,古典云,順天者昌,」 事大者興, 又云, 抗行爲過, 和睦爲好, 可不戒哉,」 可不儆哉, 今」 我大元國」 皇帝陸下, 千載應期, 神聖文明, 功德兼豊, 仁慈寬」 厚, 好生惡殺, 德洽群生, 普天之下, □[莫]不感德, 梯航」 輻湊,猶恐不及,」 貴國,念我國之存, 懲宋朝之亡,遣一介之使,奉」 一尺之表,朝於」 大元,則無損於今, 有益於後, 誠」 貴國社稷之福也, 若恃阻大洋, 而不與隣國交通, 所」 未知也, 脆有不從之, 則噬臍何及, 自古靡□[有]輕」 隣, 而能保國家者也, 小邦, 爰處舊都, 其勢易弱,猶」 且在宥, 一示同仁, 許安土着,如向所陳,」 貴國, 邈在海外, 但遣使入朝, 決無後患, 幸進退」 詳酌, 頃在辛巳年, 因邊將所奏, 發兵往征,戰艦」 因風濤播蕩, 間或失水, 軍卒有遺漏不還者, 今聞」 耽羅所送商人言,」 貴國, 並皆收護處養 似順好生之」 聖德, 此一幸也,」 貴國宗社有靈, 以不穀之言, 爲可取, 納款歸朝, 則必蒙」(以上②) 聖澤,無秋毫之失, 有磐石之安, 予亦處中保命, 導霈」 皇恩,以貽百世之寧, 不穀之言, 可不方信,予之所以區々者,」 只爲彼此無辜耳, 伏惟傾炤, 不宣, 再拜,」 至元二十九年十月 日 狀」".

또 이 國書에 대한 일본의 上皇 後深草(고후카쿠사, 1246~1259 재위)는 같은 해 12월 關東[鎌倉幕府]의 使者와 의논하여 公卿들의 評議[議定]를 개최하라고 하였다. 또 고려의 국서 중에 의문점[不審]이 있다고 하며, '高麗國王之體, 無禮尾籠, 奇怪候'라고 하여 고려 국왕의 처신을 이해 못하겠다고 하면서 과거의 예와 같이 答書를 보내지 않겠다는 의지를 표현하였다(張東翼 2004년 238~240面).

· 「後深草上皇書狀」(武藏細川護立所藏文書), "兩通牒狀, 高麗等狀, 使者之狀等候也. 牒狀等加一見, 返上之候, 就之, 使者無申旨候乎? 何樣可被行乎之由, 使者にも可有御問答候歟, 又議定被行候て, 人々所存をも, 可被聞食候乎? 但先々度々之沙汰之趣, 不可異候乎? 只御祈事そ, いかほとも可有沙汰事にて候, 先々は鎭西守護之狀を相副候, 今度不見候乎? 此高麗王等狀開見候處, 無文字候, 不審候, 定て書さる子細なとの候やらん. いかさまにも, 高麗國王之體, 無禮尾籠, 奇怪候, 謹言」. [正應五年]十二月十日 手決」".

妻子之手乎?", 遂行. 日本憾往歲之征, 皆留不還. 國家憐之, 遙授有成職, 歲祿其家, 至拜僉議評理. 又授麟官, 且賜淸□州之楸洞田. 二人存沒, 世不得聞:列傳19金有成轉載].[385)]

壬辰5日, 下旨, 將軍呂文就, 昔庚寅忠烈16年之役, 戰死於竹田, 其子壻, 超等敍用.[386)]

丙申9日, 以交州道經賊剽掠, 民物凋殘, 停諸郡八關·正·至進奉.

[○月與熒惑同舍:天文3轉載].

乙巳18日, 同僉書樞密院事洪君祥還, 遣將軍洪詵, 偕君祥如元, 獻香茶·木果等物.[387)]

[某日, 敎曰, "諸道之民, 自兵興以來, 流亡失業, 在元王己巳年元宗10年, 計點民戶, 更定貢賦. 厥後, 賦歛~~賦斂~~不均, 民受其病, 可更遣使者, 量戶口之贏縮, 土田之墾荒, 計定民賦, 以遂民生":節要·食貨2戶口轉載].

己酉22日, 冊僧惠永爲國尊, [賜法號普慈:追加].

[癸丑26日, 王率群臣, 行納拜之禮, 加惠永五敎都僧統, 命住桐華寺:追加].[388)]

[□□□□~~是月某日~~, 帝召世子, 入寢殿, 問曰, "讀何書?", 奏云, "讀通鑑". 帝曰, "歷代帝王, 誰爲賢明?", 對曰, "漢之高祖, 唐之太宗". 帝又問曰, "漢祖唐宗, 孰與寡人?", 對曰, "臣年少, 何足以知之?":節要轉載].

十一月戊午□~~朔~~大盡,壬子, 王及公主, 移御妙蓮寺.[389)]

[壬戌5日, 月犯哭星:天文3轉載].

[戊辰11日, □月犯鎭星:天文3轉載].

[庚午13日, □月犯畢:天文3轉載].

[壬申15日, □月犯東井:天文3轉載].

癸酉16日, 王以疾, 微行移御密直□□~~副使~~安珦第.[390)]

---

385) 이후의 기사는 1307년(충렬왕33) 7월 5일에 연결된다.

386) 竹田(『신증동국여지승람』 권48, 高原郡, 山川, 竹田嶺)의 戰鬪는 辛卯年(충렬왕17) 5월 또는 6월에 있었으므로 庚寅年(충렬왕16)이 아니다. 哈丹의 侵入이 庚寅年 11월에 이루어졌기에 庚寅年으로 言及하였던 것 같다.

387) 洪詵(洪百壽의 子)은 洪君祥의 從弟이다(周采赫 2009년 296面).
· 열전43, 洪福源, "百壽子詵, 官累僉議評理".

388) 이는 「桐華寺住持五敎都僧統普慈國尊贈諡弘眞碑銘」에 의거하였다.

389) 戊午에 朔이 탈락되었다.

390) 安珦은 1294년(충렬왕20) 4월 同知密直司事로서 東南道兵馬使兼合浦鎭邊萬戶府萬戶에 임명되어 合浦에 出鎭하였으므로, 이때의 관직은 密直副使였을 것이다.

甲戌[17日], 遣將軍高世如元, 請醫.

丙子[19日], 宥二罪以下.

[己卯[22日], 南方有赤祲:五行1轉載].

辛巳[24日], 以李之氐△[爲]同知密直司事.

甲申[27日], 移御中贊□□[致仕]金方慶第.

乙酉[28日], 流前贊成事宋玢·同知密直司事鄭仁卿于海島.

[○時, 以選良家處女, 禁婚, 二人犯令, 婚嫁其子女也:節要轉載].[391)]

十二月[戊子朔大盡,癸丑], 庚寅[3日], 遣贊成事趙仁規如元, 賀正.

戊戌[11日], 宥二罪以下.

丁未[20日], [立春]. 元遣太醫姚生來.

[某日, 賜元宗十二年隨從功臣號:追加].[392)]

[○以吳子宜[吳潛]爲東京留守府判官, 趙晋成爲東京司錄:追加].[393)]

[是年, 以[榮列大夫·判太府事]崔瑞爲正獻大夫·判秘書寺事·膺善府左詹事:追加].[394)]

[○以[秘書少尹·知通禮門事]金恂爲典法摠郎·知制誥:追加].[395)]

[○以[前長興府判官]金廷美爲內侍:列傳21金怡轉載].

[○以[前東大悲院錄事]柳墩爲權知都兵馬錄事:追加].[396)]

[○征東行中書省箚付[耽羅星主·明威將軍·耽羅按撫司使]高仁坦, 充耽羅指揮使:追加].[397)]

---

391) 이때 宋玢과 鄭仁卿에 관련된 기사로 다음이 있다.
- 열전38, 宋玢, "[宋玢,] 尋起爲贊成事, 時選處女, 禁昏嫁, 玢犯禁, 流海島".
- 열전20, 鄭仁卿, "時國家選良家處女, 方禁婚, 仁卿犯禁, 流海島".
- 「鄭仁卿墓誌銘」, "適有內竪權倖者來, 請通婚, 公以義拒之, 由是, 啇憾上訴, 至於落職, 有識者皆嘆之".

392) 이는 「金汝孟功臣敎書」(『扶寧金氏族譜』所收)에 의거하였는데, 1271년(원종12) 6월 7일(己亥) 世子를 따라 몽골제국에 들어갔던 尙書右丞 宋玢·軍器監 薛公儉·戶部郎中 金偦·禮部郎中 金賆·郎將兼世子府右持諭 鄭仁卿·金汝孟(金坵의 長子) 등 20人이 褒賞받았을 것이다(→원종 12년 6월 7일).

393) 이는 『동도역세제자기』; 「吳潛墓誌銘」에 의거하였는데, 吳子宜는 吳祁(吳潛)의 初名이다.

394) 이는 「崔瑞墓誌銘」에 의거하였다.

395) 이는 「金恂墓誌銘」에 의거하였다.

396) 이는 「柳墩墓誌銘」에 의거하였다.

397) 이는 『동문선』 권101, 星主高氏家傳에 의거하였다.

[○元改東征左副都元帥府, 立總管高麗女直漢軍萬戶府, 乃授兀愛三珠虎符, 陞鎭國上將軍·總管高麗女直漢軍萬戶府兼瀋陽按撫使·高麗軍民總管:追加].[398)]

[○以羅益禧爲高麗都元帥府上千戶, 尋襲職, 爲武德將軍·高麗軍上萬戶:追加].[399)]

癸巳[忠烈王]十九年, 元 至元三十年, [西曆1293年]

1293년 2월 8일(Gre2월 15일)에서 1294년 1월 27일(Gre2월 3일)까지, 354일

春正月戊午朔大盡,甲寅, [乙丑8日, 月入畢星:天文3轉載].

[丁卯10日, 松廣社主冲止入寂, 年六十七, 僧臘三十九, 諡圓鑑國師:追加].[400)]

[戊辰11日, □月入東井:天文3轉載].

[己巳12日, □月入大微太微:天文3轉載].

[癸酉16日, □月又入大微太微:天文3轉載].

[丙子19日 □月入氐星:天文3轉載].

[庚辰23日, 歲星犯大微太微左執法:天文3轉載].

癸未26日, 慶尙道按廉使劉顥, 爲丁吏林大所殺. 顥, 嘗沒入林大白金二斤, 大甚怨之. 顥又欲檢閱營庫□□所藏, 營吏許頒·金彥恐獲罪, 告於林大, 餌之以言, 令乘夜, 刺殺之. 遣摠郞金元具往鞫鞫,[401)] 彥, 元具舊識吏也, 元具密引彥, 誘以禍福, 彥以實告. 於是斬大·彥·頒等.

[→先是, 顥沒入林大白金二斤, 大甚怨之. 及顥欲檢閱營庫所藏, 營吏許頒·金

---

398) 이는 『원사』 권166, 열전53, 王綧에 의거하였는데, 兀愛[Ölei]는 永寧公 綧의 3子이다.

399) 이는 다음의 자료에 의거하였다. 羅益禧(1272?~1344)의 17歲는 是年頃이고, 그의 父인 懷遠大將軍 羅裕는 이해의 6월 17일 逝去하였다.

· 「羅益禧墓誌銘」, "年十七, 受皇朝宣命帶金符, 爲上千戶, 懷遠卒後襲爵, 爲管軍上萬戶, 階虎德將軍, 帶三珠虎符".

400) 이는 『圓鑑國師歌頌』附錄, 曹溪山第六世諡圓鑑國師塔碑銘幷序에 의거하였다. 이날은 율리우스曆으로 1293년 2월 17일(그레고리曆 2월 24일)에 해당한다.

401) 金元具(金稹의 父)는 1308년(충렬왕34) 5월 28일에서 10월 4일 사이에 金士元으로 改名하였다(金稹準戶口 ; 盧明鎬 等 2000년 202面). 또 鞠과 鞫은 通用되지만, 이때는 後者로 읽는 것이 좋을 것이다[讀]. 그리고 이와 관련된 기사로 다음이 있다.

· 열전22, 吳詗, "忠烈朝, 由僉議舍人, 出守金寧府. 考滿拜軍簿摠郞, 除書未到, 詗以爲, 秩已滿, 不可留. 遂行. 無何, 按廉劉顯劉顥在金寧, 爲賊所刺, 闔府被鞫, 詗獨免".

彦, 相與謀曰, “庫內之物, 若不如舊, 必罪吾等, 將若之何?”. 頒令彦, 告林大, 餌之以言. 大曰, “吾將圖之”, 是夜, 刺顥殺之. 遣摠郎金元具, 往鞫之, 元具嘗奉使時, 彦爲陪吏. 至是, 元具密引, 誘以禍福, 彦以實告. 於是, 斬林大·金彦·許頒等四人:節要轉載].

[○是時, 降金寧都護府爲金寧縣:地理2轉載].402)

[某日, 以柳□□元開爲慶尙道按廉使, 郎將兼監察御史庾瑞爲西海道按廉副使:慶尙道營主題名記].403)

[是月, 遣使如元, 奏改名昛, 又請功臣號. 僉議府請陞僉議司, 降二品印. 帝允之:追加].404)

[○仁興社居僧禪隣等開版‘大悲心陀羅尼經’:追加].405)

[二月戊子朔小盡,乙卯, 癸巳6日, 春分. 虎入王宮:五行2轉載].

[丁酉10日, 西北面鐵州烽串浦, 有大石, 自移一千七百八尺許:五行2轉載].

[庚子13日, 月入大微太微庭中:天文3轉載].

---

402) 劉顥는 前年度의 春夏番[春夏等] 및 秋冬番[秋冬等]의 慶尙道按廉使를 이어서 連任하였다[仍番](『동도역세제자기』). 또 그는 金州(現 慶尙南道 金海市)에서 피살되었던 것 같다(지11, 지리2, 東京留守官慶州→우왕 2년 是年]. 그리고 아래의 자료에서 金海都護府가 金海縣으로 降等된 것이 19년, 20년으로 차이를 보이고 있는데, 이는 당시의 卽位年稱元法을 踰年稱元法으로 바꿀 때 어떤 착오가 있었을 것으로 추측된다.
- 지11, 지리2, 金州, “忠烈王十九年, 降爲縣”.
- 『신증동국여지승람』 권32, 金海都護府, 建置沿革, “忠烈王二□十年, 以殺按廉劉顥, 降爲縣, 後陞金州牧”. 여기에서 添字가 탈락되었는데, 여기에서 上記의 ‘十九年’을 ‘二十年’으로 표기한 것은 당시의 紀年方式, 곧 卽位年稱元法에 의거했던 결과일 것이다(崔東寧 2017년 13面·2020년).

403) 柳元開는 是年 11월 3일에 의거하였고, 庾瑞(後日 庾自愊로 改名)는 그의 묘지명에 春夏番按廉使에 임명되었다고 되어 있다. 이때 유자우는 郎將兼監察御史(6品)로서 按廉使에 임명되었기에 按廉副使였을 것인데, 이 점은 그가 1298년(충렬왕 24) 春夏番에도 東界交州道의 按廉副使였음을 통해 알 수 있다(→충렬왕 24년 1월).
- 「庾自愊墓誌銘」, “明年, 按廉于西海道番春夏, 仍秋冬, 大有聲稱”.

404) 이는 다음의 자료에 의거하였다.
- 『원사』 권17, 본기17, 세조14, 지원 30년 2월 己丑2日, “高麗國王王賰請易名曰昛. 其僉議府請陞僉議司, 降二品印, 從之”.
- 『원사』 권208, 열전95, 外夷1, 高麗, “至元三十年二月, 賰遣使入奏, 復更名昛, 及乞功臣號”.

405) 이는 다음의 자료에 의거하였다(서울대학도서관 소장, 蔡尙植 1991년 170面 ; 郭丞勳 2021년 270面).
- 『大悲心陀羅尼經』卷末刊記, “… 奉爲」 大王長壽,國土康寧,法輪永轉,法」 界含靈,同離苦海,速成佛道,彫梓」 流通云,至元三十年癸巳正月日」 仁興社開板」”.

[是月辛亥24日, 元置沿海水驛, 自耽羅至鴨淥江~~鴨綠江~~口凡十一所, 令洪君祥董之:追加].[406]

三月丁巳朔大盡,丙辰, 王獵于都羅山.

[庚申4日, 流星出七星北, 貫翼軫, 入角南平二星:天文3轉載].

[乙丑9日, 月犯軒轅:天文3轉載].

[○鹿入城:五行2轉載].[407]

[甲子8日, 雨雹:五行1雨雹轉載].

[己丑~~乙丑~~9日, 崇敎寺東路橋石, 自裂, 聲如牛吼:五行2轉載].[408]

丙寅10日, 公主有疾, 移御密直□□~~副使~~安瑜第.

○監察司沒南海縣令徐遠贓物.

[丁卯11日, 月入大微~~太微~~, 又與歲星同舍:天文3轉載].

乙酉29日, [~~僉議贊成事~~趙仁規還自元:節要轉載], 帝勅曰, "卿世守王爵, 選尙我家, 載揚~~旌~~藩屛之功, 宜示褒嘉之寵, 可賜號推忠宣力定遠功臣□□□~~餘如故~~, 益茂厥功~~益懋厥勳~~, 對揚休命".[409]

---

406) 이는 다음의 자료에 의거하였다.
- 『원사』 권17, 본기17, 세조14, 지원 30년 2월 辛亥24日, "詔沿海置水驛, 自耽羅至鴨淥~~綠~~江口凡十一所, 令洪君祥董之".

407) 原文에는 "三月己丑, 鹿入城"으로 되어 있으나 己丑은 乙丑의 오자일 것이다.

408) 이 기사는 다음의 자료에도 인용되어 있으나 『고려사』의 誤字를 그대로 답습하였다. 天水縣은 현재의 甘肅省 동남쪽에 위치한 天水市이다.
- 『명종실록』 권19, 10년 윤11월, "癸亥12日, 弘文館副提學尹春年等考石變而啓之, 前史漢成帝鴻嘉三十年五月乙亥, 天水□~~縣~~冀南山, 大石鳴聲, 隆隆如雷, 有頃止. 俗名曰石鼓, 石鼓鳴, 有兵. 言其應曰, 是歲, 廣漢鉗子謀攻牢, 簒死囚鄭躬等, 盜庫兵, 刦掠吏民. … 又高麗忠烈王十九年三月己丑~~乙丑~~, 崇敎寺東路橋石, 自裂, 聲如牛吼. 是時有東征日本之役". 이에서 鴻嘉三十年은 鴻嘉三年의 오류이다.
- 『한서』 권27상, 五行志第7上, "成帝鴻嘉三年五月乙亥, 天水□~~縣~~冀南山有大石鳴, 聲隆隆如雷, 有頃止, 聞于平襄二百四十里, 壄雞自鳴. 石長丈三尺, 廣厚略等, 旁著岸脅, 去地二百餘丈, 民俗名曰石鼓, 石鼓鳴, 有兵. 是歲, 廣漢鉗子謀攻牢, 簒死罪囚鄭躬等, 盜庫兵, 刦掠吏民. 衣繡衣, 自號曰山君, 黨與寖廣".

409) 이 制命은 2월에 내려진 것 같은데, ~~添字~~는 이에 의거하였다.
- 『원고려기사』本文, 世祖, 至元, "三十年二月, '中書省奏, 高麗王暙遣使來奏, 復更名昛, 及乞功臣號', 從之. 制曰, 特進·上柱國·開府儀同三司·征東行中書省左丞相·駙馬·高麗王王昛, 世守王爵, 選尙我家, 載旌藩屛之功, 宜示褒嘉之寵, 可賜號推忠宣力定遠功臣餘如故, 益懋厥勳, 對揚休命".

○又改僉議使司, 爲都僉議使司, 陞爲從二品, 賜兩臺銀印一顆.[410)]

夏四月丁亥朔[小盡,丁巳], 幸福靈寺.

[己丑[3日], 鹿入宮中:五行2轉載].

辛卯[5日], 雨雹.[411)]

[甲午[8日], 小滿. 月入大微[太微]:天文3轉載].

[乙未[9日], 暴風雨, 傷禾麻:五行3轉載].

丁酉[11日], 王與公主, 幸壽寧宮.

[壬寅[16日], 太白·歲星相犯:天文3轉載].

[辛亥[25日], 摩利山崩, 聲如震:五行3轉載].[412)]

[○南方有聲, 如鼓, 動地, 群雞驚雊:五行1鼓妖轉載].

[壬子[26日], 太白·鎭星同舍于昴:天文3轉載].

癸丑[27日], 宴于大殿, 賀功臣號. [密直副使]安珦作詩以賀, 賜米五十石.

· 『원사』 권208, 열전95, 外夷1, 高麗, "[至元]三十年二月, 賰遣使入奏, 復更名昛, 及乞功臣號. 制曰, 特進·上柱國·開府儀同三司·征東行中書省左丞相·駙馬·高麗王昛, 世守王爵, 選尙我家. 載旌藩屛之功, 宜示褒嘉之寵. 可賜號推忠宣力定遠功臣, 餘如故. 益懋厥勳, 對揚休命".

410) 몽골제국이 忠烈王에게 功臣號를 下賜하고, 僉議府를 都僉議府로 승격시킨 것은 1월에 고려가 사신을 보내 요청하였던 결과이다. 또 僉議府를 都僉議府로 昇格시킨 것은 지30, 百官1, 門下府에도 수록되어 있다.

· 『元典章』 권29, 禮部2, 禮制2, 印章, 印章品級分寸料例, 從二品, "二寸五分, 兩臺, 銀六十五兩, 物料錢七錢".

411) 이와 같은 기사가 지7, 五行1, 水, 雨雹에도 수록되어 있다.

412) 일본의 가마쿠라[鎌倉]에서 4월 13일 M約7.0의 강한 지진이 있었다고 하는데(權藤成卿 1984年 236面 ; 宇佐美龍夫 1986年 102面 ; 力武常次 等 2010年), 이것과 관련되어 江華島의 摩利山(摩尼山)에서 소규모의 지진이 발생하였을 여지도 없지 않을 것이다.

· 『鎌倉年代記裏書』, 永仁 1년(正應6), "今年[永仁元], … 四月十三日, "寅剋, 大地震, 山頽, 人家多顚倒, 死者不知其數, 大慈寺丈六堂以下埋沒, 壽福寺顚倒, 巨福山顚倒, 乃炎上, 所々顚倒, 不遑稱計, 死人二萬三千廿四人云々".

· 『一代要記』癸集, 永仁 1년 4월, "十二日[十三日?], 關東大地震".

· 『帝王編年記』 권27, 永仁 1년, "四月十三日午剋, 大地震, 鎌倉中谷々山々崩之時, 舍屋轉倒, 死者二萬三千二十四人也".

· 『武家年代記』, 永仁 1년, "四、十三、寅刻, 大地振, 山頽, 人屋轉倒, 死人二萬三千卅四人云々, 關東兮也, 大慈寺轉倒云々. 同日, 建長寺炎上".

· 『興福寺略年代記』, 永仁 1년, "四月十三日午剋, 關東大地震, 神社·佛閣·人宅轉倒, 不知其數".

· 『續史愚抄』9, 永仁 1년 4월, "十三日己亥, … 今曉地震, 相撲鎌倉大地震, 經數剋. 將軍惟康親王幕府及若宮八幡宮已下人家, 或倒或損, 又山崩, 壓死者, 凡二萬三千餘人云. …".

五月[丙辰朔小盡,戊午]，庚申[5日]，宰樞享王.

○遼陽行省遣人□[來]，獻犬馬.

[○流星出織女，入北斗:天文3轉載].

[壬戌[7日]，夜，有物，墜于松嶽，其氣如虹:五行1虹霓轉載].

[乙丑[10日]，木實皆隕:五行2木妖轉載].

[庚午[15日]，夜，鵂鶹鳴于壽康殿:五行1轉載].

[某日，元以武略將軍·巡馬千戶高宗秀，爲王京等處管軍萬戶府萬戶，賜三珠<u>虎符</u>:節要轉載].[413]

六月[乙酉朔大盡,己未]，丙戌[2日]，以內僚·別將<u>金呂</u>爲巡馬<u>指揮</u>[指諭]. 內僚兼巡馬，始此.[414]

丁亥[3日]，幸九曜堂.

己丑[5日]，元遣江南千戶陳勇等，載米<u>二十艘</u>來,[415] 又獻鸚鵡一雙，其他土物甚多.

[壬辰[8日]，歲星出<u>大微</u>[太微]端門，犯左執法:天文3轉載].

甲午[10日]，遣將軍南挺如元，獻鷂.

[某日，以黃驪郡經賊，蠲賦稅:節要·食貨3災免之制轉載].

甲寅[30日]，元以[都僉議贊成事]趙仁規爲嘉議大夫·王府斷事官，[同知密直司事]李之氐爲奉直大夫·合浦等處鎭邊萬戶府副萬戶·行中書省副鎭撫，[將軍]金延壽爲武德將軍·西京等處管水手萬戶府副萬戶，皆賜虎符.

[乙卯，元遣萬戶尹世柱□[來]，推刷耽羅人物→7月로 옮겨감].

秋七月[乙卯□[朔小盡,庚申]，元遣萬戶尹世柱□[來]，推刷耽羅人物→6월에서 옮겨옴].[416]

[丁巳[3日]，月入<u>大微</u>[太微]東藩上相:天文3轉載].

[己未[5日]，夜，鵂鶹鳴于大殿:五行1轉載].

---

413) 이 기사는 열전36, 嬖幸1, 李之氐, 高宗秀에도 수록되어 있다.

414) 이 기사에서 金呂는 內僚로 되어 있으나 王惟紹列傳에는 宦官으로 되어 있다(열전38, 王惟紹). 이를 통해 볼 때 『고려사』에서 사용된 內僚는 宦官, 宮中의 各種 給事職인 南班, 帝王의 侍從官인 近侍[內侍]에 대한 蔑稱 등을 指稱하는 것임을 알 수 있다. 그리고 指揮는 『고려사절요』 권21에는 指諭로 되어 있는데, 後者가 옳을 것이다(→충렬왕 21년 12월 16일).

415) 二十艘는 『고려사절요』 권21에는 十二艘로 되어 있다(盧明鎬 等編 2016년 554面).

416) 이해의 6월은 元曆에서는 乙酉가 朔日이고 日本曆은 丙戌이 朔日이지만, 高麗曆도 元曆과 같이 되어야 9월 癸丑朔과 조화를 이룰 수 있다.

辛未17日，遣都僉議贊成事印侯如元，賀聖節，且謝恩.

甲戌20日，行中書省箚付都僉議使司，准樞密院咨，准高麗國王咨，本國去水就陸時，分珍島百姓，亦移陸地，而本地空閑．在後耽羅申復摘入人民種田，目今，因哈丹賊軍，不能於陸地種養，若將耽羅人戶，還入耽羅，却將羅州附近百姓，移入珍島，種田資生爲便．奏奉皇旨，是眞實呵．耽羅的元田地，去者，那田地 王百姓種者麽，欽依皇旨 施行.

丁丑23日，知都僉議使司事·合浦鎭邊萬戶韓希愈捕漂風倭八人，來.417)

[某日，以黃瓊爲慶尙道按廉使，西海道按廉副使庾瑞仍番，黃瓊旣而遆，以朴弘秀代之:慶尙道營主題名記].418)

八月甲申朔小盡,辛酉，[某日]，元遣萬戶洪波豆兒來，管造船，寶鈔庫副使瞻思丁，管軍粮，將復征日本也．波豆兒乃洪君祥兄熊三之子．望王宮下馬，流涕曰，“雖是衣錦還鄕，職是勞民，可愧也”．禮遇宰相甚恭，過王宮，必下馬.419)

○分遣都指揮使，判密直□□司事金之淑于忠淸，知密直□□司事崔有渰于全羅，都僉議參理金惲金琿于慶尙道，[版圖判書元貞于西海道:追加],420) 以備船粮.

癸巳10日，地震.

○遣郞將宋英如元，請親朝，奏征日本事宜.

---

417) 이 시기에 合浦鎭邊萬戶府萬戶 韓希愈는 이곳에 사신으로 파견되어 온 都僉議侍郞贊成事 印侯와 잠시 다투었다고 한다(→충렬왕 25년 1월 15일).

· 열전36, 印侯, “初，韓希愈鎭合浦，印侯奉使至，與爭席，希愈扼其項跨其腹，久之乃釋．侯還白公主，請加希愈罪，公主曰，希愈有功，齒且長．非希愈，誰敢侮汝，其勿復言”.

418) 庾瑞는 是年 1월 某日(庾自惆墓誌銘)과 10월 17일에 의거하였다.

419) 이와 같은 기사가 열전43, 洪福源, 君祥에도 수록되어 있다. 熊三은 홍복원의 7子 중에서 多丘(俊奇, 2子)와 君祥(5子)의 중간인 第4子로 추정되고 있다(周采赫 2009년 296面). 그리고 瞻思丁[Shams al-Din]은 중앙아시아系의 色目人으로 추측된다. 몽골제국 시기의 色目人(semuren)은 蒙古지역 이외의 西北의 여러 種族 및 西域에서 유럽에 이르는 여러 종족의 지칭하는 말로 ‘各色名目人’(諸色人)의 준말이다. 이들은 몽골제국이 膨脹함에 따라 東進했던 吐蕃·回回·畏兀兒·唐兀·乃蠻·汪古·康里·欽察·阿速·哈剌魯·亞兒渾 등을 위시한 여러 부류가 있었다(陳垣 1962年 ; 馬娟 2014年).

420) 元貞은 다음의 자료에 의거하였는데, 이에는 冬으로 되어 있다. 그렇지만 元瓘(元貞의 改名)의 묘지명은 磨滅이 심하여 判讀에 문제가 있을 것이다(金龍善 2006년 640面).

· 「元瓘墓誌銘」, “癸巳冬，世祖皇帝詔令本國，備東征戰艦．上分遣□□□□大官之諸道，以公爲西海道指□揮使，公於是克勤夙□夜，不日督成六□十餘□艘，朝野稱其能．東征事雖寢，猶以爲官船，歲取其稅，而爲□□國用，□其利之判于今者不小”.

[庚午~~庚子~~17日?, 虹見而雷:五行1虹霓轉載].[421]

戊申25日, 幸王輪寺.

[己酉26日, 晝有星, 流于西北隅:天文3轉載].[422]

九月癸丑□~~朔~~大盡,壬戌,[423] 幸平州溫泉, 術者以巖防爲三甦地, 命日官相宅, 幸之.

[甲寅2日, 夜, 有物如火, 墜于城西:五行1轉載].

乙丑13日, 元流耽羅達魯花赤塔剌兒於交趾, 以右丞阿撒代之.

甲戌22日, 王及公主, 幸九曜堂及外院外帝釋院?.

乙亥23日, 幸賢聖寺.

冬十月癸未朔小盡,癸亥, 癸巳11日, 親設靈寶道場于康安殿.

己亥17日,[424] 王及公主如元, 選良家女三人以行, 都僉議贊成事趙仁規·都僉議贊成事廉承益·都僉議贊成事印侯·~~右副承旨~~閔漬·大將軍元卿等文·武八十人從行. 命齊安公淑·□都僉議贊成事洪子藩等, 留守王京.[425]

○王次金郊, 杖西海道按廉□副使庾瑞·開城副使楊柱, 以其供億之緩也.

[→王與公主如元, 次金郊. 王怒供億稽緩, 杖西海按廉□副使庾瑞:列傳2忠烈王妃齊國大長公主轉載].

辛丑19日, 以都僉議參理金琿爲慶尙道都指揮使.[426]

甲辰22日, 地震.

---

421) 原文에는 八月庚午로 되어 있으나 是月에는 庚午가 없다.

422) 일본의 교토에서는 27일(庚戌) 이후에 彗星이 보였다고 한다.

- 『續史愚抄』9, 永仁 1년 8월, "廿七日庚戌, … □□日□□, 彗星見. 廿九日壬子, 依彗星見, 五節事於御前有議定".

423) 癸丑에 朔이 탈락되었다.

424) 중국 측의 자료에 의하면 충렬왕이 11월 17일 다이투[大都]에 도착한 것처럼 기록하고 있으나 이는 10월 17일의 출발을 잘못 반영한 것이다. 당시 충렬왕은 12월 17일 薊州(現 天津市 薊州區)에 도착한 후, 20일 다이투[大都]에 도착하였다.

- 『원고려기사』本文, 世祖, 지원 30년, "十一月~~十月~~十七日, 昛入朝". 여기에서 고려 측의 意思가 반영되어 있었던 『원고려기사』의 기록 방식대로 교정하면, ~~添字~~와 같이 되어야 할 것이다.

425) 이때 閔漬는 右副承旨였다(閔漬墓誌銘).

426) 이때부터 金惲은 金琿으로 표기되어 있는데, 改名하였거나 『고려사』의 편찬 때에 잘못이 있었는지는 알 수 없다. 또 金惲은 이해의 8월 某日에 慶尙道都指揮使에 임명되었다고 되어 있다(→是年 8월).

○遣大將軍洪詵如元，獻人參大蔘.
[○彗見東方:天文3轉載].[427]
[○雷:五行1雷震轉載].
乙巳23日，王次鳳州. 西海道按廉□□副使庾瑞享王，王溫言慰之. [公主曰，“前日金郊則受責，今日鳳陽則取悅，所進之物，盡是民膏，還駕之日，勿以 斂斂民取悅爲事”:節要轉載].
[→至鳳州，瑞享王，□王溫言慰之. 公主曰，“前日金郊則受譴，今日鳳陽則取悅，所進膳羞，盡是民膏，還駕時，勿以斂民取悅爲事”:列傳2忠烈王妃齊國大長公主轉載].
戊申26日，彗星見于太微左掖門，[長尺五寸許. 熒惑犯左星:天文3轉載].
○王至西京. 謁聖容殿，分遣人，祭平壤君祠·東明王及木覓廟.

十一月壬子朔大盡,甲子，甲寅3日，□前慶尙道按廉使柳元開，[428] 獻二十升麻布三十匹.
[丙辰5日，雷:五行1雷震轉載].
癸亥12日，元遣直省舍人撒八兒禿·工部侍郎迷里火者等來，頒赦.[429]
[丁卯16日，冬至. 歲星入亢，留守:天文3轉載].
[乙亥24日，熒惑犯上相:天文3轉載].
丙子25日，彗星犯紫薇紫微，又犯北斗.
○遣左諫議左司議大夫金晅如元，賀正.[430]

---

427) 中原에서는 8일(庚寅) 혜성이 관측되어 1개월 정도 지속되었다고 한다(『원사』 권17, 본기17, 세조 14, 지원 30년 10월 庚寅). 또 일본의 교토에서는 28일(庚戌) 저녁에 혜성이 관측되었던 것 같다.
· 『鎌倉年代記裏書』, “今年永仁元, … 十月十四日, 卯剋, 客星出東方, 經旬日芒氣現, 爲彗星”.
· 『師守記』, 康永 4년 7월, 文永以來天變年々幷御祈以下被行事, “永仁元年十月廿八日, 今晩彗星見東方, 此後夜々出現”.

428) 慶尙道按廉使 柳元開는 『경상도영주제명기』에 의하면, 이해의 春夏番[春夏等]에 柳□□로, 秋冬番[秋冬等]에 黃瓊의 交替後에 朴弘秀로 되어 있어 差異를 보이고 있다. 두 자료를 首尾相應하게[整合的으로] 理解하려면 慶尙道按廉使柳元開는 前慶尙道按廉使柳元開로 고쳐야 할 것이다.

429) 몽골제국에서 赦免이 내려진 것은 10월 22일(甲辰)인데, 이는 8일(庚寅)에 나타난 彗星과 관련이 있을 것이다(『원사』 권17, 본기17, 세조 14, 지원 30년 10월 庚寅, 甲辰).

430) 이때 金晅은 ‘朝議大夫·左司義大夫·文翰侍講學士·知制誥’였고, 다이투[大都]에 들어가 世祖 쿠빌라이의 勅命에 따라 世子(忠宣王)를 隨從하게 되었다. 이 기사의 本文과 아래의 脚注는 添

庚辰29日, 王至大保庄.

[□□是月:追加], 中書省奏, 奉聖旨, 高麗國王朝觀時, 備五百餘馬草料.431)

[是月, 內願堂眞靜大禪師天頙撰'禪門寶藏錄'序:追加].432)

十二月壬午朔大盡,乙丑, 戊子7日, 以前贊成事宋玢爲耽羅都指揮使.

辛卯10日, 王次中書省永平路撫寧縣,433) 世子遣將軍上將軍柳庇,434) 進紫韋裘一領·暖帽二頂.

戊戌17日, 王次薊州.435) 世子迎謁于道, 獻鞍馬及鐵棒四枚·長劒四口. 帝賜世子酒肉, 享王. 太子妃故皇太子眞金妃使人以羊酒迓勞.436) 沿途各萬戶·摠管·達魯花赤·大王等 皆獻羊酒, 或馬·駱駝. 王亦以銀布, 謝之.

辛丑20日, 王至燕京, 舍於簽書中樞院事~~僉書樞密院事~~洪君祥第.437)

字와 같이 고쳐야 옳게 된다.

· 「金晅墓誌銘」, "… 癸巳忠烈19年, 以朝議大夫·左諫議~~司議~~大夫·翰林~~文翰~~侍講學士·知制誥~~知製敎~~, 爲賀正使上朝. 時前王忠宣王殿下, 以世子入侍」天庭, 値上陪仁明太后忠烈王妃, 上朝勑晅爲世子隨從".

431) 冒頭에 是月이 탈락되었을 것이다.

432) 이는 다음의 자료에 의거하였다(국립중앙도서관 소장, 郭丞勳 2021년 271面).

· 『禪門寶藏錄』序, "… 目之爲'禪門寶藏'云. 海東沙門·內願堂眞靜大禪師天頙蒙且序, 至元卅年癸巳十一月日也".

433) 撫寧縣은 中書省 永平路에 所屬되어 있었고, 遼陽行省[滿州]에서 中原으로 들어가는 길목이다. 現在의 河北省의 동쪽 끝에 위치하여 渤海와 接하며 秦皇島市의 西北部에 있다.

434) 柳庇는 1291년(충렬왕17) 12월 16일 上將軍으로 몽골제국에 파견되었다.

435) 薊州는 中書省 大都路에 소속되어 있었고, 현재의 天津市 북쪽의 薊州區 지역이다.

436) 後日 徽仁裕聖皇后로 책봉된 皇太子妃는 伯藍也怯赤(Baalian Yekeci, 혹은 闊闊眞[KöKöjin], 成宗의 母)이다.

437) 簽書中樞院事는 簽書樞密院事의 오류이다. 이때 閔漬가 洪君祥에게 日本遠征의 中止를 世祖에게 建議하게 하였다고 한다.

· 「閔漬墓誌銘」, "歲壬辰忠烈18年, 朝廷勅修征倭戰艦, 中外騷然, 忠烈王與公主入朝, 公以右副承旨從, 見樞密洪君祥曰, '倭民□□□□, 在海□□, 民頑, 雖得之, 不足以肥中國, 一失利悔之, 何及□□□□', 漢得珠崖□□□□', 以激君祥, 君祥曰, '得聞國王言, 吾當入白天子. 王問諸大臣, 無敢出口', 公密啓于王, 歸語, 君祥奏寢其議". 이 자료는 脫落된 부분이 많아 筆者가 文章을 제대로 정리하지 못하였다.

· 열전20, 閔漬, "後元欲復征日本, 令本國造戰艦. 王入朝欲陳東征不便, 漬以左副承旨從行. 漬偶閱杜氏通典, 及唐太宗征高麗, 魏徵諫曰, '高麗如石田, 得之無益'. 乃示僉院洪君祥因語曰, '倭之於大元, 豈啻若唐之於高麗乎, 況往歲之役, 本國民力竭矣. 今若不寢, 乃吾民何, 惟公圖之''. 君祥曰, '君有命, 敢不從'. 漬以君祥言議從臣, 欲罷造艦. 印侯·張舜龍曰, '此朝廷大事, 豈以一僉院言, 止之乎?'. 漬曰, '後若有詰, 我自當之, 非諸君所知也'. 遂白王罷之, 人以漬爲勁直".

○帝疾篤，不得見，然寵賚之厚，諸王·駙馬無比.

壬寅21日，以副知密直司事李混爲西北面都指揮使.

乙巳24日，王及公主，詣皇太子眞金妃子闊闊眞殿，438) 贈金鍾·金盂各一事·白銀滿鏤鍍金臺盞一雙·白銀滿鏤甁一事·銀鍾九事·銀盂二十事，虎·豹皮各九領，水獺皮二十七領，細苧布四十五匹，黑鷹·鶻各一翮.

[是月，朴淵水，忽盡涸:五行1水變轉載].

是歲，正月王改名昛.

[○以㯳城縣人卜奎，禦丹兵有功，陞㯳城監務官爲縣令官:地理1㯳城縣轉載].

[○罷金寧東南海都部署使本營:追加].439)

[○以鄭允耆爲東京副留守:追加].440)

[○僧沖鑑赴選佛場，登上上科:追加].441)

[仁同人 張東翼 校注，增補].

---

438) 妃子[妻妾, feizi]는 妃[妃嬪]와 같은 말이다.

439) 이는 다음의 자료에 의거하였다.
· 『경상도지리지』, 晋州道, 金海都護府, "忠烈王癸巳19年, 罷東南海都部署使本營".

440) 이는 『동도역세제자기』에 의거하였는데, 鄭允耆는 1287년(충렬왕13) 中郞將으로 王命을 받아 王妃의 大都行次를 위한 經費를 마련한 인물이다(열전2, 齊國大長公主).

441) 이는 『危太樸文續集』 권3, 高麗林州大普光禪寺碑 ; 「林川普光寺重刱碑」에 의거하였다.

『高麗史』卷三十一 世家卷三十一

[輔國崇祿大夫·議政府左贊成·知集賢殿經筵春秋館成均事·世子賓客·臣金宗瑞奉教撰]
正憲大夫·工曹判書·集賢殿大提學·知經筵春秋館事兼成均大司·成臣鄭麟趾奉教修

忠烈王 四

甲午[忠烈王]二十年, 元 至元三十一年, [西曆1294年]

1294년 1월 28일(Gre2월 4일)에서 1295년 1월 16일(Gre1월 23일)까지, 354일

春正月壬子朔大盡,丙寅, [立春:追加],[1] 王在元. 王與公主, 詣闊闊眞妃殿, 獻白馬九匹.

[丙辰5日, 赤氣見于西北方:五行1轉載].

[戊辰17日, 雨水:追加].

癸酉22日, 世祖皇帝崩[于紫檀殿, 在位三十五年, 壽八十. 親王·諸大臣發使告于皇孫. 乙亥24日, 靈駕發引, 葬起輦谷, 從諸帝陵:追加].[2] 王與公主, 以羊十·馬一, 祭于殯殿.[3] 其文曰, "鰈墟莫遠, 佇瞻蓂陛以來賓, 龍馭忽回, 曷極鼎湖之哀慕. 夢也覺也, 顚之倒之. 聊修菲薄之儀, 冀垂歆容之賜". 將使贊成事鄭可臣讀之, "諸大臣止之曰, 豈宜用諸侯之禮, 祭天子乎?". 遂不讀, 王奠薦之禮, 哀慕之誠, 皆致其極. 元朝喪制, 非國人不敢近, 唯高麗得與焉, 故王之從臣, 雖輿臺之賤, 出入無禁.

○罷造戰艦. 時王入朝, 欲陳東征不便, 且以甲戌忠烈卽位年·辛巳7年兩年之役, 濱水材木, 斫伐殆盡, 造艦實難, 冀緩其期. 會帝晏駕, 僉書樞密院事洪君祥白丞相右丞相完澤, 遂寢東征.[4]

---

1) 이해[是年]의 節日이 特異하였다고 하므로 모두[全部]를 追加하였다(『癸辛雜識』卷下, 至元甲午節氣之巧三十一年,→under line, 下部線 日辰).

2) 이는 『원사』 권17, 본기17, 世祖14, 지원 31년 1월 癸酉22日에 의거하였다. 또 起輦谷은 어디에 위치해 있었는지를 알 수 없다.

3) 이 구절은 지18, 禮6, 上國喪에도 수록되어 있다.

4) 洪君祥에 관한 내용은 그의 열전에도 수록되어 있다(열전43, 洪福源, 君祥, "忠烈二十年, 帝崩, 君祥白丞相完澤, 寢東征").

[乙亥24日, 國尊惠永入寂:追加].[5]

丙子25日, 以中郞將羅允材爲將軍, 世子之陪葬世祖, 馬驚墜橋下, 允材扶而得出, 故有是命.

[某日, 以黃守卿爲慶尙道按廉使:慶尙道營主題名記].

[是月, 童謠云, '萬壽山烟霧蔽'. 未幾, 世祖皇帝訃至:五行2轉載].[6]

[二月壬午朔小盡,丁卯, 癸未2日, 驚蟄:追加].

[戊戌17日, 春分:追加].

[三月辛亥朔大盡,戊辰, 癸丑3日, 淸明:追加].

[丁巳7日, 月入東井:天文3轉載].

[戊辰18日, 穀雨:追加].

[是月, 隕石于忠淸道尼山縣, 其質如玉, 形如雞子:五行2轉載].

[○內願堂大禪師杲庵開板'禪門寶藏', 副知密直司事·國學大司成·文翰學士承旨李混撰其跋:追加].[7]

[春某月, 僧海圓學僧選, 中之:追加].[8]

夏四月辛巳朔小盡,己巳, [丙戌6日, 白虹貫月:天文3轉載].

辛卯11日, 以同知密直□□司事安珦爲東南道兵馬使, 出鎭合浦.[9]

---

5) 이는「桐華寺住持五敎都僧統普慈國尊贈諡弘眞碑銘」에 의거하였다. 이날은 율리우스曆으로 1294년 2월 20일(그레고리曆 2월 27일)에 해당한다.

6) 萬壽山(別稱은 萬歲山)은 太液池의 서쪽에 있는 작은 섬으로 瓊華島라고 불렸는데, 1271년(지원 8) 前者로 改稱하였다고 한다(陳高華·史衛民 2010年 46面). 또 이의 頂上에 大都의 四方을 觀望을 할 수 있는 廣寒殿이 있는데, 1363년(공민왕12) 윤3월 무렵 都僉議贊成事 李公遂(奇皇后의 外四寸)가 皇太子 愛猶識里達臘의 안내로 이곳을 관람한 적이 있다.

7) 이는 다음의 자료에 의거하였다.
·『禪門寶藏』跋, "… 今內願堂鷲谷住老杲庵大禪翁, 悼禪風之將墜, 悲人我之相高, 採摭古今對辨決疑之語, 與夫君臣, 崇而理國, 諸講伏而見性, 許多則分爲三門, 目之曰禪門寶藏, 鋟梓流傳, 欲作將來之益, 則豈小補哉. … 至元三十一年甲午三月日, 蒙庵居士·奉翊大夫·副知密直司事·國學大司成·文翰學士承旨李混跋".

8) 이는『가정집』권5, 大崇恩福元寺高麗第一代師圓公碑에 의거하였다.

9)『고려사절요』권21에는 添字가 있다. 그런데 다음의 기사와 같이 副知密直司事로서 出鎭하였다고

[壬辰[12日], 月與歲星, 同舍于亢:天文3轉載].

癸巳[13日], 王與公主如上都, 迎皇太子.

甲午[14日], 皇太子~~皇孫鐵穆耳~~卽皇帝位, [受諸王·宗親, 文武百官朝於大安閣:追加].[10] 是爲成宗. 王與公主獻金盞·銀鏤葵花盞各一副, 金甁·金鏤銀尊·壺·湯甁·酒甁各一事, 半鏤銀尊·胡甁各一事, 銀盂八十一事·銀鍾十八事·紫羅九匹·細苧八十六匹·豹皮十八領·水獺皮八十一領, 以充庭實. 表賀禮訖, 帝命王赴宴. 時諸王·駙馬畢會, 王坐第七.

明日~~乙未~~[15日], 又上表云, "知無不言, 實惟臣職, 禮有所擧, 簡在帝心. 恭惟陛下, 天賦神謀, 日躋聖敬, 夏民歸啓, 爭謳明德之誕敷, 文母在周, 共喜至仁之光孝. 方欲度時而興事, 誠宜稽古以闡猷. 臣謹按前史, 子爲天子, 母爲太后, 秦漢以來, 不删之典也. 噫, 斯典之孔彰, 若盛朝之所急. 群臣當議, 愧將淺見以先陳, 微懇難藏, 庶有小補於兼聽. 伏望陛下廓回大度, 採納愚衷, 亟垂乾極之異恩, 早定坤闈之懿號. 則復三王之要道, 敎化風行, 得萬國之懽心, 邇遐景仰".

戊戌[18日], 隕霜, 雨雹.[11]

己亥[19日], [小滿]. 帝以王功大年高, 詔出入乘小車至殿門.

乙巳[25日], 帝賜王銀三萬兩.[12]

[□□□~~是月頃~~, 元司徒撒里蠻謂世子曰, "帝有命諸王駙馬各還國, 盖欲鎭安軍民, 然後來赴大會. 今世子與父王, 直欲赴上都, 父王縱未遽還, 世子宜先往, 鎭撫之". 世子曰, "已遣忽剌歹~~忽剌歹~~等矣". 司徒曰, "忽剌歹~~忽剌歹~~, 君家一老奴耳, 其能鎭百姓乎?". 世子不答:列傳36印侯轉載].[13]

되어 있다.

· 열전18, 安珦, "後以副知密直司事~~同知密直司事~~, 出鎭合浦, 撫軍恤民, 州郡以寧".

10) 이는 『원사』 권18, 본기18, 成宗1, 지원 31년 4월 甲午[14日]에 의거하였는데, 大安閣은 上都의 正殿은 아니었지만, 中心的 殿閣이었던 것 같다(陳高華·史衛民 2010年 206面).

11) 이와 같은 기사가 지7, 五行1, 水, 霜에도 수록되어 있다.

12) 『원사』에도 같은 내용이 수록되어 있다(권18, 본기18, 成宗1, 至元 31년 4월 乙巳).

13) 原文에는 이 기사의 冒頭에 "王嘗在元, 司徒撒里蠻謂世子曰, …"로 되어 있고, 忽剌歹은 印侯의 初名이다. 또 撒里蠻[Sliman]의 人的事項은 알 수 없으나 1288년(至元25, 충렬왕14) 2월 5일(庚申) 세조 쿠빌라이에게 歷代實錄[祖宗實錄]을 進讀한 司徒 撒里蠻과 同一한 人物로 추측된다.

· 『원사』 권15, 본기15, 세조12, 지원 25년 2월, "庚申, 司徒撒里蠻等進讀祖宗實錄, 帝曰, 太宗事卽然, 睿宗少有可易者, 定宗固日不暇給, 憲宗汝獨不能憶之耶, 猶當詢諸知者".

五月庚戌朔[大盡,庚午], 帝[成宗]遣忽篤海·明哥等來, 頒赦.[14]

[→元遣忽篤海·明哥等來, 頒卽位詔:節要轉載].

甲寅[5日], [芒種:追加]. 太白晝見.

翌日[乙卯6日], 亦如之[太白晝見].

○耽羅人曲怯大·蒙古大·塔思拔都等如元, 獻馬四百匹.

○王以四事奏于帝. 一. 請歸耽羅. 二. 請歸被虜人民. 三. 請册公主. 四. 請加爵命.

○帝命耽羅還隸高麗,[15] 己未年[高宗46年]以來, 被虜及流徙人, 可遣使與遼陽行省, 分揀歸之. 公主册命, 其議以聞, 國王爵命, 旣已累降, 且待來年.

○帝嘗使翰林學士撒剌蠻[撒剌蠻], 問高麗歸附年月. 王使[都僉議贊成事]鄭可臣, 上書以對曰, "太祖聖武皇帝, 肇興朔方時, 則有大勢國, 助征金國, 恃功而驕, 不用帝命. 有金山王子者, 改其國號, 自稱大遼, 奪掠中都等處子女·玉帛, 東走江東城拒守, 朝廷遣哈眞·扎剌[扎剌]追討. 時方雪深道險, 粮餉不繼. 高王[高宗]聞之, 遣趙冲·金就勵, 濟兵犒師, 殲其醜虜. 因奉表, 請爲東藩, 太祖遣慶都虎思, 優詔答之, 大加稱賞, 于今七十有六年矣".

庚申[11日], 太白晝見.

[甲子[15日], 月食:天文3轉載].[16]

---

14) 成宗이 4월 14일(甲午) 上都에서 卽位하여 天下에 大赦를 내리고, 20일(庚子) 安南에 使臣을 派遣한 점을 보아, 고려에 파견된 사신도 같은 시기에 보내어졌을 것이다.

15) 耽羅의 還屬은 중국 측의 자료에도 기록되어 있고, 관련된 기사도 있다. 또 이때 탐라가 고려에 귀속되었다고 하더라도 몽골제국의 牧馬場은 그대로 유지되어 있었기에(『원사』 권100, 지48, 병3, 馬政), 이를 관리하기 위해 蒙古人의 哈赤(Qachi, 牧馬者)이 많이 거주하고 있었고, 이들을 統治하던 耽羅達魯花赤이 계속 파견되었다.

· 『원사』 권208, 열전95, 外夷1, 耽羅, "[至元]三十一年, 高麗王上言, '耽羅之地, 自祖宗以來臣屬其國, 林衍逆黨旣平之後, 尹邦寶充招討副使, 以計求徑隸朝廷, 乞仍舊'. 帝曰, '此小事, 可使還屬高麗'. 自是, 遂復隸高麗".

· 지11, 지리2, 耽羅縣, "[忠烈]二十年, 王朝元, 請還耽羅. 元□[右]丞相完澤等奏奉聖旨, 以耽羅, 還隸于我".

· 『신증동국여지승람』 권38, 濟州牧, 建置沿革, "[忠烈]二十年, 王朝元, 請還耽羅. 元□[右]丞相完澤等奏奉帝旨, 還隸于我".

· 『원고려기사』本文, 耽羅, 世祖, 至元, "三十一年五月二十九日, □[右]丞相完澤等奏, '高麗王上言, 耽羅之地, 自其祖宗以來, 臣屬其國. 林衍逆黨, 旣平之後, 尹邦寶, 以計求經歷□[於]朝廷, 乞仍舊. 臣等不知其詳, 雙叔[洪君祥]輩當知之, 俟詢問明白, 果無窒礙, 別奉畀之'. 上曰, 此小事, 何必多言, 可使還屬高麗".

[己巳20日, 夏至:追加].

己卯30日, 王與公主發上都.

[是月, 某等造成某寺道堂殿小鍾, 入重二斤一兩:追加].[17]

六月庚辰朔小盡,辛未, 日食.[18]

[乙酉6日, 小暑:追加].

[己亥20日, 月與歲星同舍:天文3轉載].

[庚子21日, 大暑:追加].

[乙巳26日, 紫氣見于東方, 血幢竪於西方, 長可十五尺:五行1轉載].

丙午27日, □月犯東井北垣:天文3轉載].

戊申29日晦, 王至瀋州. 帝[賜詔:節要轉載]册公主, 封安平公主.[19)]

[→世祖崩, 成宗卽位, 册公主曰, "朕嗣有令緖, 時庸展親, 睠先朝帝女之賢, 視今日宗藩之貴, 肆揚煥號, 用率彝章. 釐降高麗國王, 公主忽都魯揭里迷失, 毓秀天潢, 承徽宸極. 孝恭有則, 早閑壸範之慈, 警戒無違, 特借公宮之重. 正嬪儀於貳館, 敦王化於三韓. 車服不係其夫, 義方以敎其子. 旣優旣渥, 是惟茅土之分, 來歸來寧, 與覩邦國之慶. 因廷臣之建議, 邑國以䟽封, 于以錫丹闈紫禁之恩, 于以彰赤厠軿車之寵. 於戲, 周王姬, 爲婦道之準, 以成其肅雍, 唐漢陽, 以皇姑之尊, 深戒乎

---

16) 이날(甲子, 14일) 일본의 교토[京都]에서도 월식이 관측되었다. 이날은 율리우스曆의 1294년 6월 9일이고, 월식 현상이 심했던 때의 世界時는 12시 29분, 食分은 0.92이었다(渡邊敏夫 1979年 482面).
- 『勘仲記』, 永仁 2년 5월, "十四日甲子, 晴, 月蝕御讀經, … 蝕正現, 陰陽師範昌朝臣祗候, 撿知正現之有無, 虧初戌三剋, 加時亥三剋, 復末子三剋云々".
- 『續史愚抄』10, 永仁 2년 5월, "十四日甲子, 月蝕, 正見, 戌亥子剋, 蝕御祈權僧正寬伊奉仕".

17) 이는 道堂殿 小鍾의 銘文에 의거하였다(許興植 1984년 1067面).

18) 이날 中原에서도 일식이 있었는데(『원사』 권18, 본기18, 성종1, 至元 31년 6월 庚辰), 일본의 교토에서는 비로 인해 관측되지 않았던 것 같다. 이날은 율리우스력의 1294년 6월 25일이고, 開京에서 일식 현상이 심했던 시간은 8시 2분, 食分은 0.14이었다(渡邊敏夫 1979年 310面).
- 『勘仲記』, 永仁 2년 6월, "一日庚辰, 陰, 及晩雨降, 日蝕不現, 實圓法印勤御祈, 依御神事, 御讀經於陣外被行之".
- 『續史愚抄』10, 永仁 2년 6월, "一日庚辰, 日蝕, 陰雲不見, 蝕御祈法印實圓奉仕".

19) 忠烈王妃 忽都魯揭里迷失[Qutulug Genmisi]公主가 安平公主에 册封된 것은 前月 29일(戊寅)이었다. 亦都護[yiduhu]는 古昌·回鶻의 居住地(現 新疆省 維吾爾自治區)를 指稱하는 것 같다.
- 『원사』 권18, 본기18, 성종1, 지원 31년 5월, "戊寅, 封皇姑高麗王王昛妃忽都魯揭里迷失爲安平公主. 賜亦都護金五百五十兩, 銀七千五百兩".

驕侈. 罔俾前代, 得專令名, 可封安平公主":列傳2忠烈王妃齊國大長公主轉載].

秋七月[己酉朔大盡,壬申], [壬子[4日], 月入大微[~~太微~~]:天文3轉載].

[乙卯[7日], 立秋:追加]. 王孫生, 賜名宜孝:轉載].[20)]

戊午[10日], 以大將軍吳仁永爲全羅道指揮使, 往耽羅.

丁卯[19日], 以大將軍劉碩爲東南道兵馬使, 出鎭合浦.[21)]

[庚午[22日], 處暑:追加].

乙亥[27日], 元遣吃折思八八哈思, 齎護沙門詔來.[22)] 百官具袍笏, 率僧徒, 出迎于門外, 館於肅陵寺, 非肉不食. 吃折思八者, 蕃僧之名, 八哈思者, 蕃師之稱. 師本珍島郡人, 歲辛未[元宗12年], 討南賊[三別抄]時, 被虜而西, 遂投帝師, 剃髮. 離鄕久, 不知父母存歿. 至是, 得於西林縣, 貧不能自存, 爲人家傭. 王賜米與田, 令家于喬桐縣, 聚其族, 而復其役.

丙子[28日], 遣同知密直司事柳陞·直史館權漢功如元, 賀聖節.

[某日, 以金台玹[~~金台鉉~~]爲慶尙道按廉使:慶尙道營主題名記].[23)]

八月[己卯朔小盡,癸酉], 乙酉[7日], [白露:追加]. 王至自元.[24)]

丁酉[19日], 元以加上世祖, 裕宗尊謚[~~諡~~], 遣達魯花赤乞石烈六十等來, 頒詔.[25)]

[己亥[21日], 月與歲星同舍:天文3轉載].

[辛丑[23日], 秋分:追加].

[甲辰[26日], 太白入軒轅. 月犯軒轅:天文3轉載].

---

20) 이는 忠肅王世家, 總論에서 전재하였다.

21) 이때 전임자였던 安珦이 귀환하면서 京山府의 知事 李瑱을 만났던 것 같다(『동인지문오칠』 권9, : 『동문선』 권14, 甲午秋,自鎭邊歸道,次京山府,示太守李東庵).

22) 吃折思八을 5代 帝師 吃剌思八(乞剌斯八斡節兒, Grags-pahod-zer, 1246~1303)로 추측한 견해도 있다(白鳥庫吉 1970年 3册 406面).

23) 金台玹은 金台鉉의 오자일 것이다. 後者는 忠淸, 慶尙 2道의 按廉使를 역임하였다고 한다.
·「金台鉉墓誌銘」, "其□□[按廉]忠淸·慶尙二道, 安集東界, 獄訟歸于平, 興除利害, 若耆慾".

24) 『癸辛雜識』에는 "八月初八日[~~七日~~]乙酉白露"로 되어 있는데, 8日은 丙戌이다. 이때 白露는 7일(乙酉)이므로 ~~添字~~와 같이 고쳐야 옳게 것이다.

25) 몽골제국이 世祖와 裕宗(皇太子 眞金)에게 尊號를 올린 것은 이해의 5월 9일(戊午)이었다(『원사』 권18, 본기18, 성종 1년 지원 31년, 5월 戊午). 또 乞石烈은 女眞人의 復姓으로 紇石烈(heshili, 乞石烈)로도 표기하였다.

乙巳[27日], 太白晝見.

九月[戊申朔小盡,甲戌], [甲寅[7日], 雨雹, 大如李:五行1雨雹轉載].
[丙辰[9日], 寒露:追加].
辛酉[14日], 遣將軍閔甫如元, 獻鷂.
[壬戌[15日], 月食:天文3轉載].[26]
[辛未[24日], 霜降:追加].
[壬申[25日], 月入大微[太微]:天文3轉載].
[丙子[29日晦], 鎭星入月:天文3轉載].

冬十月[丁丑朔大盡,乙亥], 甲申[8日], 賜尹安庇等及第.[27]
丙戌[10日], [立冬:追加], 元懿州昊天宮道士顯眞大師韓志溫, 與其徒李道實·李道和·尹道明來. 王賜號志溫, 圓明通道洞玄眞人, 道實, 定智玄明講經大師, 賜宅一區, 乃王招之也.
[丁酉[21日], 月入東井:天文3轉載].[28]
庚子[24日], 王獵于東郊, 遂幸壽康宮.[29]
[壬寅[26日], 小雪. 月入大微[太微]:天文3轉載].

十一月[丁未朔小盡,丙子], 庚戌[4日], 賜耽羅王子文昌裕·星主高仁旦, 紅鞓·牙笏·帽·盖·靴, 各一事. 耽羅今歸于我, 故有是賜. 然進馬于元, 不絶.
乙卯[9日], 賜耽羅達魯花赤[阿撒]織金衣二襲.
[丁巳[11日], 大雪:追加].
[庚申[14日], 月犯畢星:天文3轉載].

---

26) 이날은 율리우스력의 1294년 10월 5일인데, 월식에 관련된 각종의 정보가 없다(渡邊敏夫 1979年 482面).

27) 이와 관련된 기사로 다음이 있다. 이때 尹安庇·李彦冲(李彦冲墓誌)·[神虎衛錄事參軍事]趙珝(改延壽, 趙延壽墓誌)·金光軾·洪侑·辛蕆 등이 급제하였다(『등과록』, 朴龍雲 1990년 ; 金龍善 2006년 847面).
· 지27, 선거1, 科目1, 選場, "[忠烈]二十年十月, [同知密直司事]安珦知貢擧, [右副承旨]閔漬同知貢擧, 取進士, [甲申], 賜尹安庇等三十三人及第".
· 「尹瑜妻朴氏墓誌銘」, "生子男六女四, 男曰安□[庇], 綺齡魁科金榜, 而官至三司判官, …".

28) 지3, 天文3에는 丁酉의 앞에 七月로 되어 있으나 十月의 오자이다(東亞大學 1982년 13책 274面).

29) 壽康宮은 延世大學本과 東亞大學本에는 壽康官으로 되어 있으나 오자이다.

[癸亥[17日], 雷:五行1雷震轉載].

[壬申[26日], 冬至:追加].

癸酉[27日], 王與公主, 幸磊坊.

十二月[丙子朔大盡,丁丑], 庚辰[5日], 遣右承旨柳庇·直寶文署柳仁明如元, 賀正.

[壬午[7日], 木稼:五行2轉載].

甲申[9日], 王與公主, 自磊坊, 幸溫泉.

乙酉[10日], 王與公主, 幸妙蓮社.

[○歲星犯房北第一星:天文3轉載].

[丁亥[12日], 小寒:追加].

庚寅[15日], 元遣中書舍人愛阿赤來. 先是, 爲征日本, 運江南米十萬石, 在江華島, 今遼瀋告飢, 帝詔以五萬石, 賑之.[30]

○以左僕射[左承旨]朴義爲西北面都指揮使.[31]

戊戌[23,日] 遣郎將白堅如元, 獻鵠肉. 鵠多出於河陽·永州之地, 每歲遣使獲之, 騷擾一方, 民甚苦之.

辛丑[26日], 元以改元元貞, 遣忽都海等來, 頒詔.[32]

○以洪子藩爲□[都]僉議中贊,[33] 印侯爲□[都]僉議贊成事, 金之淑△[爲]判密直司事, 車信爲密直使, [同知密直司事]安珦△[爲]知密直司事, 張舜龍△[爲]同知密直司事.

[壬寅[27日], 大寒:追加].

---

30) 이는 같은 해 10월 瀋陽路(治所는 現 遼寧省 瀋陽市)에서 水災가 있었기 때문이다(『원사』 권50, 지3상, 오행1, 水).

31) 左僕射 朴義의 左僕射는 1275년(충렬왕1) 10월 25일의 官制改革 때에 廢止된 것으로 추측되는데, 이때 다시 나타나서 異色的이다. 그의 열전에도 右副承旨(충렬왕17년 12월 22일에 임명됨)를 거쳐 左僕射·副知密直司事(충렬왕 23년 7월 10일 在職)에 임명되었다고 되어 있다. 그렇지만 朴義가 1292년(충렬왕18) 윤6월 21일 左承旨에 임명되었던 내용은 그의 열전에는 左僕射로 記載되었던 것 같다. 그러므로 이 기사의 左僕射는 左承旨의 오류일 것이다.

· 열전37, 朴義, "未幾, 拜右副承旨, 歷左僕射[左承旨]·副知密直□□[司事]·同知資政院事. 忠宣卽位, 加僉議贊成事, 封密陽君".

32) 몽골제국은 11월 27일(癸酉) 明年의 年號를 元貞으로 바꾸었다(『원사』 권18, 본기18, 성종1, 지원 31년 11월 癸酉).

33) 이 시기에 趙仁規가 洪子藩에게 僉議中贊을 讓步하였다고 한다.

· 열전18, 趙仁規, "… 王欲拜中贊, [僉議贊成事趙]仁規曰, '君恩雖至重, [僉議贊成事]洪子藩以德望, 爲冢宰旣久, 臣遽處其上, 如衆議何', 固辭乃止".

[癸卯[28日], 月與熒惑同舍:天文3轉載].

[是月, [中正大夫·]宗簿令致仕安節與夫人李氏等寫成‘銀字妙法蓮華經’·‘金光明經’·‘阿彌陁經梵行品’·‘千手大悲心陁羅尼’:追加].[34]

[是年, 陞知京山府事爲興安都護府:地理2京山府轉載].[35]

[○以[知僉議府事致仕]權呾爲都僉議侍郎贊成事·集賢殿大學士·修國史·判版圖司事致仕:追加].[36]

[○以[版圖判書]元貞爲奉翊大夫·三司使·文翰學士承旨:追加].[37]

[○以[前司巡衛精勇將軍]金深爲知閤門事:追加].[38]

[○以金詳[金祥]爲永州副使, 李德行爲永州判官:追加].[39]

[○以姜琠爲碩州副使, 李孝安·曹洗爲碩州判官:追加].[40]

[○以尹莘傑爲南京留守司錄:追加].[41]

[○遣僉議中贊致仕金方慶之長孫承用等, 以禿魯花如元:追加].[42]

[○僧侶慈船,·希忍等造成‘龍華會圖’:追加].[43]

---

34) 이는 京都府 乙訓郡 大山崎町 字大山崎 寶積寺에 소장되어 있는 다음의 자료에 의거하였다(禿氏祐祥 1939年 ; 京都府文化財保護基金 1980年 7面 ; 菊竹淳一 1981年 單色圖版66 ; 京都國立博物館 1986年 78面 ; 權熹耕 1986년 ; 張東翼 2004년 703面 ; 張忠植 2007년 118面).

· 『紺紙銀泥妙法蓮華經』卷末題記,“伏爲」 皇帝萬歲,」 國王千秋,」 佛日增明,法輪常轉,先亡父母,離苦」 得樂,兼及已身一門眷屬,各脫」 灾殃,同增福壽,世世生生,常得」 吉祥,見」 佛聞法,悟無生忍,度諸有情,方證菩提」 之願,倩人家中,敬寫成銀字」 法華經一部,金光明經四卷,阿彌陁」 經梵行品,各手[千手]大悲心陁羅尼等」 經,用資福利耳,謹誌」 至元三十一年甲午十二月 日,」 功德主中正太夫·宗簿令致仕安節,」 安州郡夫人李氏,」 同願」 昌寧郡夫人張氏”. 여기에서 各手는 千手의 誤字일 것이다[~~添字~~].

35) 이와 관련된 기사로 다음이 있는데, 元宗은 忠烈王의 오류이다.

· 『경상도지리지』, 尙州道, 星州牧官, “元宗[~~忠烈王~~]時, 至元甲午, 升爲興安都護府”.

36) 이는 「權呾墓誌銘」에 의거하였다.

37) 이는 「元貞墓誌銘」에 의거하였다.

38) 이는 「金深墓誌銘」에 의거하였다.

39) 이는 『영천선생안』에 의거하였는데, 金詳은 1292년(충렬왕18) 1월 忠淸道의 勸農使로 파견된 監察史(종6품) 金祥으로 추측된다(지33, 식화2, 農桑).

40) 이는 『연안부지』에 의거하였다.

41) 이는 「尹莘傑墓誌銘」에 의거하였다.

42) 이는 다음의 자료에 의거하였다. 金承用(1268~1329, 金方慶의 長孫, 金愃의 長子)은 27세에 투르카[禿魯花, 弓箭陪]로 몽골제국에 들어갔다고 하는데, 그 때는 1294년(충렬왕20)에 해당한다.

· 「金承用墓誌銘」, “二十七帶弓箭, 入侍皇元”.

[是年頃, 世子諷王, 令西京留守安悅致仕, 欲以從臣代之. [右副承旨閔]漬, 以悅年未七十爲辭, 王乃止. 世子怒謂漬曰, "揚人之惡, 以釣其名, 卿有焉":列傳20閔漬轉載].

乙未[忠烈王]二十一年, 元 元貞元年, [西曆1295年]

1295년 1월 17일(Gre1월 24일)에서 1296년 2월 4일(Gre2월 11일)까지, 13개월 384일

春正月[丙午朔大盡,戊寅], 甲寅[9日], 以洪子藩爲□[都]僉議令, 趙仁規爲□[都]僉議中贊, 加中贊致仕金方慶□□[爲都]僉議令□□[致仕].

[→加僉議令, 封上洛郡開國公·食邑一千戶·食實封三百戶:列傳17金方慶轉載].

[□□[是時]. 置都僉議令, 以洪子藩爲之. 尋[是年八月]以嫌於上國中書令, 改判都僉議使司事:百官1門下府轉載].[44)]

乙卯[10日], 王與公主幸妙蓮寺.

[○月犯畢·鎭二星:天文3轉載].

辛酉[16日], [王與公主]遂幸神孝寺, 皆爲先帝薦福也.

戊辰[23日], [都僉議贊成事·]判監察司事廉承益病免.[45)]

己巳[24日], 以鄭可臣爲僉議侍郎贊成事, [都僉議贊成事]印侯爲世子貳師, [判三司事]金忻△[爲]知都僉議司事,[46)] [判密直司事]金之淑△[爲]判三司事, 安珦爲密直司使, [密直司使]車信爲世子元賓, 柳陞△[爲]知密直司事, [知密直司事]崔有渰·[知密直司事]李之氐爲左·右常侍,[47)] [副知密直司事]

---

43) 이는「龍華會圖」의 書記에 의거하였다(所在不明, 知人으로부터 書記만 電送되어 왔음).
 · 畵記, "龍華會圖」施主比丘 慈船,」同願比丘 希忍」畵, 文翰待詔李晟,」至元三十一年甲午」".

44) 이 기사는 다음의 기사를 전재하여 적절히 變改하였다.
 · 지30, 百官1, 門下府, "[忠烈王]二十一年, 置都僉議令, 以金方慶[洪子藩]爲之. 尋以嫌於上國中書令, 改判都僉議使司事".
 이때 都僉義令이 설치되면서 洪子藩이 實職으로 처음 임명되었고, 1283년(충렬왕9) 12월 22일 僉議中贊으로 致仕했던 金方慶은 再次 致仕職으로 都僉義令에 임명된 셈이다. 그러므로 이 記事의 金方慶은 洪子藩으로 바꾸어야 옳게 될 것이다. 또 都僉議令이 判都僉議使司事로 바뀐 것은 是年 8월 18일 世子 謜이 判都僉議□[使]·密直·監察司事에, 洪子藩이 知判都僉議司事에, 洪君祥이 都僉議中贊에 임명된 것을 통해 알 수 있다. 이에서 知都僉議使司事는 知判都僉議使司事의 오자일 것이다(→是年 8월 18일).

45) 이때 廉承益은 僉議侍郎贊成事로서 判監察司事를 兼職하였을 것이다.

46) 知都僉議司事는『고려사절요』권21에는 知僉議司事로 되어 있으나 오류이다.

47) 이때 車信은 密直司使로서 世子元賓을, 崔有渰과 李之氐는 知密直司事로서 左·右常侍를 兼職

李混△爲同知密直司事, 右承旨柳庇·閔漬爲左·右承旨,[48] 大將軍元卿爲左副承旨.[49]

[○以僉議舍人趙簡爲慶尙道按廉使:慶尙道營主題名記].[50]

壬申27日, 元遣蒙古字敎授李忙古大來.

甲戌29日, 賜宦者·將軍陶成器, 內府紅鞓. [□□成器, 得幸於公主, 故有是賜:節要轉載].

[是月頃, 以朴漢英爲東京留守府司錄:追加].[51]

[是月朔, 元改元元貞:追加].

二月丙子朔小盡,己卯, [庚辰5日, 月入大微太微:天文3轉載].

戊子13日, [驚蟄]. 燃燈, 王與公主幸康安殿.

[庚寅15日, 月又入大微太微:天文3轉載].

[壬辰17日, 虎入城:五行2轉載].

癸巳18日, 遣中郞將宋瑛如元, 請减運粮. 帝不從.

甲午19日, 遣大將軍吳仁永如元, 賀誕皇子.

[乙未20日, 月犯歲星:天文3轉載].

戊戌23日, 王畋于東郊, 遂幸壽康宮.

壬寅27日, 遣將軍崔淑仟崔淑千如元, 賀改元.[52]

甲辰29日晦, 親醮三界于康安殿.[53]

三月[乙巳朔大盡,庚辰, 白氣, 見艮·巽·坤三方:五行2轉載].

하였을 것이다.

48) 이때 閔漬는 正獻大夫·密直司左承旨·國學大司成·文翰侍講學士·充史館修撰官·知製敎·知版圖司事·世子右諭善大夫에 임명되었던 것 같다(華山曹溪宗麟角寺普覺國尊碑銘).

49) 이보다 먼저 대장군 元卿은 怯怜口 출신의 印侯와 연결되어 불법을 자행하였다고 한다.

· 열전37, 元卿, "… 印侯以公主怯怜口, 驟登宰輔, 權傾中外, 卿欲籍侯勢, 以子善長娶侯女. 自是, 黨於侯, 好生事, 爲國害. 進右副承旨".

50) 趙簡이 경상도안렴사에 임명된 것은 그의 열전에서도 확인된다. 또 이때 지은 시문인 映湖樓[瑛湖樓]가 전해진다(『錦谷集』 권18, 趙簡行狀).

· 열전19, 趙簡, "由僉議舍人, 出爲慶尙按廉□使".

51) 이는 『동도역세제자기』에 의거하였다.

52) 崔淑仟은 『고려사절요』 권21에는 崔叔阡으로 되어 있다(盧明鎬 等編 2016년 556面). 그렇지만 餘他의 경우는 모두 崔淑千으로 기재되어 있음을 보아 前者, 後者 모두 誤字일 것이다.

53) 이 기사는 지17, 禮5, 雜祀에도 수록되어 있다.

戊申[4日], 知□[都]僉議府事致仕池允輔卒,[54] [謚莊烈:追加].[55]

[庚戌[6日], 月犯鎭星:天文3轉載].

丁巳[13日], 親設消災道場于外院[外帝釋院?].

○命[密直副使·]同修國史致仕任翊, [判秘書寺事·]史館脩撰官金賆, 撰先帝[世祖]事跡.[56]

○遣將軍智團等, 以船七十三艘, 載米一萬石, 輸之遼陽.[57]

庚午[26日], 元遣伯帖木兒來, 取馬于耽羅.

辛未[27日], 親轉藏經于康安殿.

夏四月[乙亥朔大盡,辛巳], 戊寅[4日], 元遼陽省奉帝旨, 以江南運米三千石, 賑雙城.[58]

己卯[5日], 遣□[前]將軍金永孫,[59] 以船九十艘, 載米一萬二千一百八十石, 輸之遼陽.[60]

[辛巳[7日], 熒惑入東井. 月入大微[太微]:天文3轉載].

乙酉[11日], 隕霜, 殺麻·麥, 凡四日.[61]

甲午[20日], 設賞花宴于香閣, 閣後, 別開帳殿, 大張女樂.[62] 中郎將文萬壽引水爲戲, 剪青蠟絹, 作芭蕉, 王喜, 賜白金三斤.

乙未[21日], 遣大將軍劉福和·□□[閣門]祗候金之兼,[63] 送錢幣于世子. [時世子請婚,

54) 이날은 율리우스曆으로 1295년 3월 20일(그레고리曆 3월 27일)에 해당한다.

55) 이는 「李德孫妻庾氏墓誌銘」에 의거하였는데, 池允輔는 本貫이 藥城으로 충숙왕대의 僉議贊成事 李偰(李德孫의 子)의 丈人이다

56) 先帝事跡은 「世祖事跡」을 가리킨다(열전8, 任懿, 翊, "又撰元世祖事跡").

57) 이날은 가마쿠라[鎌倉]에서 天氣가 맑았다고 한다(『永仁三年記』, 閏2月, "十二日丁巳, 晴, 評定"). 또 是月[三月]은 日本曆으로 閏二月丙午朔으로 蒙古曆·高麗曆과 1日의 차이가 있다.

58) 이 기사는 지34, 食貨3, 水旱疫癘賑貸之制에도 수록되어 있다.

59) ~~添字~~는 『고려사절요』 권21에 의거하였다.

60) 이날은 가마쿠라에서 天氣가 맑았다고 한다(『永仁三年記[えいにんさんねんき]』, 3月, "五日己卯, 晴, 式評定延引").

61) 이와 같은 기사가 지7, 五行1, 水, 霜에도 수록되어 있다. 이때 일본의 교토[京都]에서는 4월 24일(高麗曆의 윤4월 戊辰[24日])에 降雹이 있었다고 한다(中央氣象臺 1941年 2冊 618面).
- 『如是院年代記』, 永仁 3년, "四月二十四日, 雨雹".
- 『續史愚抄』 권10, 永仁 3년 4월, "二十四日戊辰, 被行祈雨奉幣, 上卿中宮大夫通中, 向晚雨, 或記雨雹云, 他所歟, 未詳".

62) 元代의 다이두[大都]에서 행해진 支配層의 賞花宴(賞花筵)의 모습은 『朴通事新釋』의 冒頭에 반영되어 있다.

63) 金之兼은 『고려사』世家篇에 의하면 1314년(충숙왕1) 1월 13일에서 1328년(충숙왕15) 8월 26일 사이에 金之謙으로 改名하였던 것으로 추측되지만, 『고려사절요』에서는 兩者가 並用되어 있다.

其費不貲, 科歛~~科斂~~七品以上白金, 又減慶尙道租稅, 分付郡縣, 每白金一斤, 折米三十碩, 徵求, 急於星火, 民甚苦之. 又遣中郎將宋瑛等, 航海往益都府, 以麻布一萬四千匹, 市楮幣, 王欲親往, 爲世子, 行聘禮, 乃於全羅·忠淸兩道, 家抽麻布, 以軍糧抑買, 怨讟益興:節要轉載].

[→遣大將軍劉福和·祗候金之兼等, 送錢幣于世子, 時世子請婚, 其費不貲. 內則七品以上, 科歛~~科斂~~白金, 外則減慶尙道甲午年忠烈王20年租稅, 分給郡縣, 每白金一斤, 折米三十石, 徵求, 急於星火, 民甚苦之. 又遣中郎將宋瑛等, 航海往益都府, 以麻布一萬四千匹, 市楮幣. 王欲親往, 爲世子, 行聘禮, 乃於全羅·忠淸兩道, 家抽麻布, 以軍粮抑買, 怨讟益興:食貨2科斂轉載].

癸卯29日, 遣將軍柳溫如元, 請減遼陽運粮. 帝許減二萬石.[64]

閏[四]月乙巳朔小盡,辛巳, [戊申4日, 月與太白同舍. 歲星逆行, 犯房星及鉤鈐:天文3轉載].

己酉5日, 元遣王敬·塔失不花齎香幣來, 轉藏經. 王敬, 本國宗姓也.

癸丑9日, [復改耽羅爲濟州:節要轉載]. 以判秘書省寺事崔瑞爲濟州牧使.[65]

[○月入大微~~太微~~:天文3轉載].

[丙辰12日, □月犯氐星:天文3轉載].

己未15日, [芒種]. 元遣小云失不花來, 詔曰, "自窩闊台皇帝太宗, 到今以來, 買賣人等, 貸出官錢, 不以利錢還納, 彼此隱匿者多矣. 其內外官員, 尋捕買賣人, 收取利錢依數, 交納泉府司. 若有見買賣人隱匿, 首告者, 賞之".

庚午26日, 遣中郎將趙琛如元, 進濟州方物, 苧布一百匹·木衣四十葉·脯六籠·獾皮七十六領·野猫皮八十三領·黃猫皮二百領·麞皮四百領·鞍韂五副.

癸酉29日晦, 遣將軍徐光純等, 以船六十五艘, 載米八千五百六十八石, 輸之遼陽.[66]

---

64) 이날은 가마쿠라에서 天氣가 맑았다고 한다(『永仁三年記』, 3月, "廿九日癸卯, 晴").

65) 이때 崔瑞가 濟州牧使에 임명된 것은 前年 11월에 耽羅가 다시 고려에 還屬되었기 때문이다(崔瑞墓誌銘). 또 이와 관련된 기사로 다음이 있다.

- 지11, 지리2, 耽羅縣, "翊年乙未忠烈21年, 改爲濟州, 始以判秘書省事~~判秘書寺事~~崔瑞, 爲牧使".
- 『세종실록』 권151, 지리지, 濟州牧, "翊年乙未[元貞元年], 改耽羅爲濟州, 始以判秘書省事~~判秘書寺事~~崔瑞爲牧使".
- 『신증동국여지승람』 권38, 濟州牧, 建置沿革, "翼年忠烈21年, 改爲濟州, 始以判秘書省事~~判秘書寺事~~崔瑞爲牧使".

66) 이날은 가마쿠라에서 天氣가 맑았다고 한다(『永仁三年記』, 卯月4月, "廿九日, 晴, 評定延引").

五月甲戌朔大盡,壬午, [戊寅5日, 月入軒轅:天文3轉載].

辛巳8日, 以僧景宜爲國尊.[67)]

丁亥14日, 遣都僉議贊成事印侯如元, 請世子婚, 又遣左承旨柳庇, 請加王, 太師·中書令, 降公主印章, 改世子印章, 帝皆不允.[68)]

己丑16日, 以洪君祥爲三韓壁上功臣·三重大匡·益城侯. [君祥爲本國, 興利除害, 無不力焉:節要轉載].[69)]

[→洪茶丘常怨本國, 君祥以爲, "寧怨永寧公, 不敢負國".[70)] 爲本國, 興利除害, 無不力焉:列傳43洪福源轉載].

[癸卯30日, 大雨, 漂沒人家:五行1轉載].[71)]

[是月, 元遣愛牙赤來, 覈實本國儲糧:追加].[72)]

[○某等寫成'梵字圓相胎藏曼荼羅'二十六種:追加].[73)]

[六月甲辰朔小盡,癸未, 戊申5日, 月入大微太微:天文3轉載].

[甲寅11日, □月犯南斗:天文3轉載].

[某日, 流郎將李琨于海島. 琨, 貞之子, 同知密直司事張舜龍之壻, 與宮人無比私通,

---

67) 景宜는 天台宗의 僧侶로서 妙蓮寺와 관련이 있는 圓慧國統으로 추측된다(『익재난고』 권6, 妙蓮寺重興碑 ; 『동문선』 권109, 圓慧國統祭文, 권111, 薦法兄圓慧國統疏, 無畏 撰, 許興植 1986년 431面). 이날은 가마쿠라에서 天氣가 맑았으나 지진이 있었다고 한다(『永仁三年記』, 5월, "八日, 晴, 地震").

68) 成宗이 고려의 요청을 허락하지 않은 것은 6월 9일(壬子)이었다. 이날은 가마쿠라에서 天氣가 맑았으나 지진이 있었다고 한다.
- 『원사』 권18, 본기18, 성종1, 元貞 1년 6월, "壬子, 高麗王王昛乞爲太師·中書令, 不允".
- 『永仁三年記』, 5월, "十四日, 晴, 地震".

69) 이날은 가마쿠라에서 天氣가 맑았으나 지진이 있었다고 한다.(『永仁三年記』, 5월, "十六日, 晴, 地震, 式平定").

70) 여기에서 負는 '背叛하다', '저바리다'라는 의미로 사용된 것 같다(『자치통감』 권10, 漢紀2, 高帝 3년 9월, "乃使酈生說齊王田都曰 … 項王有倍約之名, 殺義帝之負[胡三省注, 毛晃曰, 背恩忘德曰負, 倍, 與背同], 於人之功無所記, 於人之罪無所忌").

71) 이날은 가마쿠라에서 天氣가 맑았다고 한다(『永仁三年記』, 5월, "卅日, 晴, 御平定").

72) 이는 다음의 자료에 의거하였다.
- 『원사』 권18, 본기18, 성종1, 元貞 1년 윤4월, "戊辰24日, 遣愛牙赤覈實高麗國儲糧".

73) 이는 다음의 자료에 의거하였다(南權熙 2005년).
- 眞言 題目, '大佛頂, 四十寶手, 楞嚴, 羂索, 准提, 消萬兵, 消災, 穢跡, 寶樓閣, 三身解冤, 斷瘟, 文殊心, 破地獄, 安土地, 摩哩支天摩利支天, 六字, 諸佛來迎, 勝妙, 尊勝心, 淨法界, 護身, 大倫, 彌陀, 三呪, 四王種 等眞言, 元貞元年五月書'.

事覺，將殺之，以舜龍故，流之．○無比，泰山郡人柴氏女，選入宮，爲王所寵，王之往來都羅山也，必從之．或淹留，爲流連之樂，人號無比爲都羅山:節要轉載].[74]

秋七月[癸酉朔大盡,甲申]，乙亥[3日]，[處暑]．□[都]僉議中贊致仕張暐卒,[75] [年八十一，謚純靖:列傳43洪福源轉載]．[暐，~~興海人,~~ 無他功能，以其妻之兄弟洪君祥等，仕于元朝，有功本國，故凡遣使入朝，多以暐副之，~~遂至極品，子碩登第，至判密直司事~~:節要轉載].[76]

[戊寅[6日]，月入房星:天文3轉載]．

壬午[10日]，遣塩稅別監，於慶尙·全羅道.[77]

[○大風拔木:五行3轉載].[78]

[己丑[17日]，歲星犯鈞鈐[鉤鈐]:天文3轉載].[79]

[乙未[23日]，月犯鎭星:天文3轉載]．

[某日，公主遣宦官諸道，求人參[大蔘]·松子．先是，公主科斂[科歛]人參[大蔘]·松子，送江南買賣，甚獲利，故特遣內臣，雖不產之地，悉皆徵納，民多怨咨:節要轉載]．

[→公主嘗以松子·人參[大蔘]送江南獲，厚利．後分遣宦官，求之，雖不產之地無不徵納，民甚苦之:列傳2忠烈王妃齊國大長公主轉載]．

己亥[27日]，遣判三司事金之淑如元，賀聖節．[之淑，至元，與交趾使者，爭班曰，"本國率先歸附，結爲甥舅之親，非他國比"．帝從之，賜坐諸侯王之列．之淑，禮貌詳閑，觀者美之:節要轉載]．

[→[金之淑]以判三司事如元，賀聖節，交趾人先入，陳庭實．之淑奏曰，"我國雖小，自太祖奮義之初，首先臣服，兄弟有盟，甥舅有親，願先設幣陳賀"．帝從之，賜坐諸侯王列．之淑禮貌詳閑，觀者美之:列傳21金之淑轉載]．

---

74) 李琨에 관한 기사는 열전37, 嬖幸2, 李貞에도 수록되어 있다. 또 無比에 관한 기사는 열전35, 宦者, 崔世延에도 수록되어 있다.

75) 이날은 율리우스曆으로 1295년 8월 14일(그레고리曆 8월 21일)에 해당한다.

76) ~~添字~~는 열전43, 洪福源, 張暐에 의거하였다.

77) 이 기사는 지33, 食貨2, 塩法에도 수록되어 있다.

78) 이날은 가마쿠라에서 天氣가 맑았다고 하지만, 이달[是月]에 일본의 교토에서도 大風이 있었다고 한다.

- 『永仁三年記』, 7월, "十日戊午[壬午], 晴".
- 『如是院年代記』10, 永仁 3년, "七·八·九月，大風".
- 『續史愚抄』10, 永仁 3년 7월, "□□□□[~~七·八·九月~~], 大風". 이에서 ~~添字~~는 筆者의 推測이다.

79) 鈞鈐은 鉤鈐[鉤鈐星]의 오자일 것이다(孫曉 等編 2014年 1503面).

[某日, 以黃瓊爲慶尙道按廉使:慶尙道營主題名記].

[是月壬午10日, 元以特進·上柱國·高麗王世子王謜, 爲儀同三司·領都僉議司事:追加].80)

八月癸卯朔小盡,乙酉, 甲辰2日, 征東行省遣員外郞牛廷信如元, 賀聖節.

[己酉7日, 月犯南斗:天文3轉載].

癸丑11日, 以左承旨閔漬爲密直學士.

戊午16日, 世子至自元. [帝册爲儀同三司·上柱國·高麗王世子·領都僉議使司□事, 賜銀印:節要轉載].

庚申18日, 以世子△爲判都僉議□□□使司·密直·監察司事, 洪子藩△爲知都僉議司事~~知判都僉議使司事~~, 洪君祥爲都僉議中贊·脩文殿大學士·監修國史·世子師·臨安公. [國制, 非出身科第, 不得爲文翰官. 崔瑀擅政, 自爲監修國史, 猶不得兼修文殿. 君祥, 時 爲元朝集賢大學士, 故得拜焉:節要轉載].81)

壬戌20日, 流萬戶·知都僉議司事~~知都僉議使司事~~韓希愈于祖月島. [先是, 世子之在燕都也, 校尉金臣甫, 訴曰, "臣甫, 初從希愈壻洪綏入都, 希愈以臣甫背綏而投邸下, 凌虐臣甫妻子. 臣甫猶忠於邸下, 希愈何人, 獨不知有邸下乎?". 世子銜之. 及是白王, 褫其職. 王旣從其請, 且命趙仁規·印侯·張舜龍, 訊其所由, 使巡馬召之. 希愈方與客飮, 謂曰, "吾無罪, 巡馬何召". 爲飮自若. 巡馬還, 白其言, 王怒, 命巡馬縛致之, 仍收所帶虎符. 希愈, 性强且廉, 自度無罪, 終不屈, 故流之:節要轉載].82)

[癸亥21日, 月入東井:天文3轉載].

乙丑23日, 以齊安公淑△爲錄三司事.83)

---

80) 이는 다음의 자료에 의거하였는데, 이에서 元貞 2년은 元貞 元年의 오류일 것이다. 『원사』가 지닌 약점의 하나가 시기 정리[繫年]에 실패한 점이 많았다는 것이다.

· 『원사』 권19, 본기19, 성종2, 元貞 2년 7월 壬午, "授特進·上柱國高麗王世子王謜爲儀同三司·領都僉議司事".

81) 이 기사에서 知都僉議□使司事는 判都僉議□使司事의 오자일 것이다. 洪子藩은 僉議中贊을 역임한 후 그 보다 上位職인 都僉議令에 임명되었다가(是年 1월 9일), 이때 都僉議令의 改稱인 判都僉議司司事에 世子 謜이 임명되자, 知判都僉議使司事에 임명된 것이다. 또 이 시기의 知都僉議使司事는 韓希愈이다(→8월 20일). 그리고 洪君祥에 대한 내용은 열전43, 洪福源, 君祥에도 수록되어 있다.

82) 이와 같은 기사가 열전17, 韓希愈에도 수록되어 있으나 字句에 出入이 있다. 또 洪綏는 洪詵(洪百壽의 子)의 長子이고 洪福源의 從孫이다(열전43, 洪福源).

83) 이 기사는 열전3, 顯宗王子, 平壤公基에도 수록되어 있다.

己巳[27日], 賜[都僉議令致仕]金方慶, 爵上洛郡開國公.

[○月入大微[太微]:天文3轉載].

九月壬申朔[小盡,丙戌], 以洪子藩△[爲]□[都]僉議中贊, △△[仍令]致仕.

[癸酉[2日], 太白·歲星同舍:天文3轉載].

甲戌[3日], 元遣怯薛歹帖里·迷失老里等來, 頒詔.[84)]

乙亥[4日], 幸賢聖寺, 駕至典法司門, 命放囚.

丙子[5日], [霜降]. 以聖節, 大酺.[85)]

[戊寅[7日], 月入南斗:天文3轉載].

[某日, 金晅, □□□□[掌成均館試], 取李琯等七十餘人[七十四人]:選擧2國子試額轉載].[86)]

甲申[13日], 世子署事于都僉議司, [世子坐向南, 中贊向西, 侍郎贊成事以下向東, 署事訖:節要轉載], 遂詣壽寧宮, 王與公主, 登□[添]樓觀之.[87)] [世子還所館, 百官進賀, 世子答拜:節要轉載].

[戊子[17日], 雨雹:五行1雨雹轉載].

[庚寅[19日], 雷:五行1雷震轉載].

壬辰[21日], [立冬]. 以世子△[爲]判中軍事.

[癸巳[22日], 亦如之[雷]:五行1雷震轉載].

乙未[24日], 密直學士閔漬罷, 以金晅代之.[88)] 加洪文系□□[爲都]僉議中贊, □□[仍令]致仕. 世子請之也.[89)]

[○月入軒轅:天文3轉載].

---

84) 怯薛歹[Kesigtei, Kesigtai]는 怯薛[Kesig]의 構成員을 指稱한다(片山共夫 1980年).

85) 成宗 鐵穆爾(Temur, 故皇太子 眞金의 子)는 1265년(至元2, 원종6) 9월 5일(庚子)에 출생하였다(『원사』 권6, 본기6, 至元 2년 9월 庚子·권18, 본기18, 성종1, 즉위년 1년 總說).

86) 七十餘人은 七十四人으로 고쳐야 옳게 될 것이다. 또 1305년(충렬왕31) 2월 29일에 제작된 「金晅墓誌銘」의 撰者인 及第 高文啓가 門生을 稱하고 있음을 보아 이때의 成均館試에 합격하였던 것 같다.

· 「金晅墓誌銘」, "乙未, 典成均試, 二月歸國, 九月闈試□□, 得李琯等七十四人. 是月, 超拜爲奉翊大夫·密直學士…".

87) 添字는 『고려사절요』 권21에 의거하였다.

88) 이때 金晅은 奉翊大夫·密直學士·國子監[成均館]大司成·文翰學士에 임명되었다(金晅墓誌銘). 또 이때 閔漬의 열전에는 添設職이었기에 免職되었다고 되어 있으나 사실이 아닌 것 같다

· 열전20, 閔漬, "陞密直學士, 添設也, 尋罷".

89) 이때 洪文系의 致仕職을 匡靖大夫·三重大匡·都僉議中贊으로 하였다(洪奎墓誌銘).

[丁酉[26日], □[月]入大微[太微]:天文3轉載].

冬十月[辛丑朔大盡,丁亥], [甲辰[4日], 月犯太白:天文3轉載].

[癸丑[13日], 雷電:五行1雷震轉載].

[丙辰[16日], 月食:天文3轉載].[90]

壬戌[22日], [大雪]. 遣將軍柳溫如元, 進先帝[~~世祖皇帝~~]事跡.[91] [王嘗[是年4月]命任翊·金賆撰之:節要轉載].

癸亥[23日], 賜姜暄等及第.[92]

甲子[24日], 王與公主幸妙蓮寺.

○以[都僉議中贊]趙仁規女爲世子妃.[93]

丙寅[26日], 地震.

十一月[辛未朔小盡,戊子], [甲戌[4日], 雷:五行1雷震轉載].

[乙亥[5日], 鎭星犯天官. 太白犯哭泣:天文3轉載].

丁丑[7日], [冬至]. 世子朝于王. 士庶人遮道擁馬, 上書訟寃, 馬不得前. 世子皆受之. 盖豪勢之家, 奪人田民, 有司不能聽斷故也.[94]

[辛巳[11日], 月入大微[太微]:天文3轉載].

甲申[14日], 設八關會, 幸法王寺.

壬辰[22日], 王與公主, 幸神孝寺.

[丁酉[27日], 月與熒惑, 同舍于箕:天文3轉載].

十二月[庚子朔大盡,己丑], 壬寅[3日], 遣[都僉議中致仕]洪文系·金光就如元, 賀正.

○□□[~~征東~~]行省遣通禮門祗候趙詡□□[~~如元~~3], 賀正.[95]

---

90) 이날은 율리우스력의 1295년 11월 23일이고, 월식 현상이 심했던 때의 世界時는 18시 44분, 食分은 0.10이었다(渡邊敏夫 1979年 482面).

91) ~~添字~~는『고려사절요』권21에 의거하였다.

92) 이와 관련된 기사로 다음이 있다.

· 지27, 선거1, 科目1, 選場, "[忠烈]二十一年十月, [都僉議贊成事]鄭可臣知貢擧, [秘書尹]金恂同知貢擧, 取進士, [~~癸亥~~], 賜姜暄等二十七人及第".

93) 趙仁規의 딸을 世子妃로 삼은 기사는 1292년(충렬왕18) 7월 9일에도 收錄되어 있었다[重出].

94) 이때의 豪勢之家는 忠烈王의 側近에 있던 即位以前 蒙古 行次 때의 隨從功臣·內僚[內侍]·宦官 등의 寵臣을 指稱하는 것으로 추측되고 있다(金光哲 1986년 ; 李益柱 1992년).

○賜上洛公金方慶，食邑三千戶食·實封三百戶，世子請之也.[96)]

癸卯[4日]，世子如元.[97)]

[辛亥[12日]，月又與鎭星，同舍于參:天文3轉載].[98)]

甲寅[15日]，太白晝見，三日.

乙卯[16日]，囚監察侍史許有全于巡馬所.［王信嬖幸之讒，將撻于市，無敢救者．有巡馬指諭[千戶]高宗秀，得幸，出入臥內，乃白王曰，"監察爲王耳目，彈糾百官．今以小人之讒，而撻于市，人以[謂]上爲何如主?"．再三譬解，乃得免:節要轉載].[99)]

[某日，立江陽公·順安公府:節要轉載].[100)]

[辛酉[22日]，大雨:五行2轉載].

甲子[25日]，幸外院[外帝釋院?].

[戊辰[29日]，赤氣見于北方:五行1轉載].

[某日，禁閭巷儺:節要·刑法2禁令轉載].[101)]

[冬某月，高麗僧了庵元明·覺圓·覺性·妙孚等八人訪江浙行省平江路吳縣休休庵，與庵主蒙山德異修行同樂:追加].[102)]

---

95) 趙諝는 趙瑀(趙仁規의 3子)의 다른 표기이다(趙延壽墓誌銘). 趙瑀는 1299년(충렬왕25) 4월 趙仁規가 체포되어 元에 간 후 一家族이 뒤따라 들어간 이후에서 1316년(충숙왕3) 3월 16일 사이에 趙延壽로 改名하였던 것 같다. 한편 「趙延壽墓誌銘」은 1325년(泰定2, 충숙왕2, 乙丑) 9월에 翰林直學士·趙顯大夫·吏部侍郞·同修國史·知制誥 李叔琪가 撰하였다고 한다. 李叔琪는 1329년(충숙왕16) 3월 17일에서 4월 9일 사이에 中正大夫·密直司左副代言·三司右尹·寶文閣提學·知製敎를 띠고서 「金承用墓誌銘」을 지었다.
그런데 前者에 나타난 官職은 1275년(충렬왕1) 10월 25일의 官制改革 以前의 것이고, 後者의 그것은 당시에 遵用된 官制이다. 그렇다면 「趙延壽墓誌銘」(國立中央博物館 所藏)은 원래 李叔琪가 찬했던 것을 恭愍王 年間에 文宗代의 官制를 채택하였을 때 高麗前期의 官制를 잘 이해하고 있었던 후손들에 의해 改書·改作되었을 것으로 추측된다. 이러한 양상은 그의 父인 「趙仁規墓誌銘」(『平壤趙氏世譜』, 1929년, 金龍善 2006년 629面)에도 나타난다. 또 ~~添字는~~ 『고려사절요』 권21에 의거하였다.

96) 열전17, 金方慶에는 食邑一千戶로 되어 있다.

97) 이때 密直學士 金晅이 隨從하였다(金晅墓誌銘).

98) 延世大學本과 東亞大學本에는 辛亥의 앞에 十二月에서 月이 탈락되어 있다(東亞大學 2011년 13책 275面).

99) 이와 같은 기사가 열전22, 許有全에도 수록되어 있고, 巡馬指諭는 巡馬千戶의 오류일 것이다.

100) 順安公 悰에 대한 기사는 그의 열전에도 수록되어 있다(열전4, 元宗王子, 順安公琮, "開府置屬").

101) 宮中에서는 大儺를 12월 그믐날[晦]에 設行한다(→정종 6년 11월 27일의 脚注).

102) 이는 다음의 자료에 의거하였는데, 『諸經撮要』(禪門撮要?)는 蒙山德異(1232~1298?)의 語錄(蒙

[是年, 置諸領府完護都監:百官2轉載].

[○陞知京山府事官爲興安都護府:追加].[103]

[○以金賆爲右承旨:追加].[104]

[○以秘書尹金恂爲朝議大夫:追加].[105]

[○以陸績爲東京留守府判官:追加].[106]

[○以將仕郞·良醞令鄭玿爲晋州司錄·參軍事兼掌書記:追加].[107]

[○以趙仁規之子趙瑋爲權務昌禧宮直. 時瑋年九:追加].[108]

[○元以金深爲武略將軍·高麗右軍萬戶府副萬戶:追加].[109]

[增補].[110]

山語錄?)의 一部를 抄錄한 것 같다(南權熙 1994년 ; 許興植 2008년).

· 『諸經撮要』, 法門景致, "予德異於丁丑至元14年夏季季夏, 謝事展山, 養休于中吳卓小庵, 藏拙名曰休休. 乙未元貞1年冬有了庵元明長老·覺圓上人·覺性上人·妙孚上人等八友, 自三韓來, 同樂寂廖".

103) 이는 다음의 기사에 의거하였다.

· 지11, 지리2, 京山府, "忠烈王二十一年, 陞爲興安都護府".

104) 이는 「金賆墓誌銘」에 의거하였다.

105) 이는 「金恂墓誌銘」에 의거하였다.

106) 이는 『동도역세제자기』에 의거하였다.

107) 이는 『帝王韻紀』跋에 의거하였다(→충렬왕 22년 是年頃).

108) 이는 「趙瑋墓誌銘」; 열전18, 趙仁規, 瑋에 의거하였다.

109) 이는 「金深墓誌銘」에 의거하였다. 이 墓誌銘(金龍善 2006년 502面 ; 『光山金氏族譜』所收]에는 武略將軍(從5品)이 正略將軍과 같이 판독되어 있는데, 이는 오자가 아니라 惠宗의 이름인 武字를 避하여 缺畫[缺筆]한 것이다.

110) 이해(元貞1)에 몽골제국에서 다음의 일이 있었다(羅振玉 編, 『國學叢刊』3~4所收).

· 『大元海運記』卷上, "成宗皇帝元貞元年, … 丞相完澤·平章賽典赤等奏, 朱·張海運, … 亳懿州一帶遞東貧民多聚集. 時幷高麗地數歲缺食, 亦仰此海運賑救".

이 자료는 1295년(元貞1, 충렬왕21) 丞相 完澤[Öljei], 平章政事 賽典赤[Sayid edjel, Saiyid ajall] 등이 饑饉에 처한 高麗에 江南의 海運을 이용하여 구제할 것을 건의한 것이다. 이에서 '朱·張海運'은 海商 또는 鹽商(나쁘게 말하면 海賊 또는 鹽賊) 출신으로 海運萬戶[海道運糧萬戶]에 임명되었던 朱淸(혹은 朱文淸)과 張瑄을 가리킨다(植松 正 2004年 ; 藤野 彪·牧野修二 2012年 57~81面).

· 『國朝文類』 권69, 何長子傳(胡長孺 作), "何長子敬德, … 無字或號之, 爲孤巖善人, 上海縣浦東民間子, … 宋季年, 群亡賴子相聚, 乘舟鈔掠海上, 朱淸·張瑄最爲雄長, 陰部曲曹伍之. 當時海濱沙民富家以爲苦, 崇明鎭特甚. 淸嘗傭楊氏, 夜殺楊氏, 盜妻子貨財去, 若捕急, 輒引舟東行, 三日夜, 得沙門島, 又東北, 過高句麗高麗水口, 見文登夷維諸山, 又北, 見燕山與碣石, 往來若風與鬼, 影迹不可得, 稍怠, 則復來, 亡慮十五六返, 私念南北海道此固徑, 且不逢淺角, 識之[注, 杭吳明越揚楚與幽栾解密遼解俱岸大海, 固舟航浮海者, 以竿料淺深, 此淺生角, 故曰料角, 明不可度越云]. 廷議, 兵方興, 請事招懷, 奏可. 淸·瑄卽日來, 以吏部侍郞左遷七資最

丙申[忠烈王]二十二年，元 元貞二年，[西曆1296年]

1296년 2월 5일(Gre2월 12일)에서 1297년 1월 23일(Gre1월 30일)까지，354일

春正月[庚午朔小盡,庚寅]，壬申[3日]，遣副知密直□[司]事柳庇如元，請世子婚.

甲申[15日]，宥二罪以下，又下旨曰，"□¯. 先祖苗裔，許初入仕. □¯. 歷代功臣墳墓，禁樵牧，致祭祀. □¯. 蠲外貢三年. □¯. 置經史教授都監，通一經，習一藝者，優加擢用. □¯. 凡進士·生徒，並免防戍. □¯. 癸巳[忠烈19年]·甲午年[20年]從行臣僚，超職四等，南班·內僚，許通仕路，有差. □¯. 捕討哈丹有功將卒，別行敘用. □¯. 貧民因租稅，而鬻子者，官贖還之".[111] ○時，王年六十一，術者有換甲厄年之說，故推恩肆宥.

乙酉[16日]，太白晝見.

[某日，監察司言，"無賴之徒，擅殺牛馬. 非時放火山野,[112] 燒殺物命，有違好生之德，請禁之"，從之:節要·刑法2禁令轉載].

戊子[19日]，以先帝大祥，幸神孝寺，行香.[113]

己丑[20日]，王與公主，幸妙蓮寺.

[○月犯氐星:天文3轉載].

[甲午[25日]，赤白氣衝天:五行1轉載].

戊戌[29日晦]，還宮，宦者·將軍陶成器，結彩棚，盛伎樂，奉觴駕前. 王與公主，極

下一等授之，令部其徒屬，爲防海民義，隷提刑，節制水軍. 江南既內附，二人者從宰相入見，授金符千戶，… 大德六年冬也". 이 자료는 『南村輟耕錄』 권5，朱張에도 인용되어 있다(張東翼 1997년 339面).

· 『至正崑山郡志』 권5，人物，'本朝[大元蒙古國]，朱淸，字澄叔，揚州崇明西沙人，性剛果，至元乙亥，大兵徇西沙，遂降. 丞相伯顏器之，署爲管軍千戶，繼運宋帑藏,赴北，復從征甌閩，眞授千戶·武略將軍，佩金符. 己卯 從征日本. 壬午，創開海運，實預奇謀. 丁亥，累遷昭武大將軍，授江東道宣慰使行海道運糧萬戶府事，遷居太倉，戊子，授鎭國上將軍·遙授江東道宣慰使兼領漕事. 庚寅運高麗·遼陽糧，樞密院奏功，進驃騎衛上將軍，餘如故. 設立漕府，保用虎符萬戶一十二員·金符千戶六十四員·銀符百戶六十員，特頒銀印以寵之. 至今循用".

111) 이 기사는 다음과 같이 크게 압축된 것도 있다.

· 지34，食貨3，恩免之制，"下旨，蠲外貢三年，貧民因租稅，而鬻子者，官贖還之".

112) 여기에서 非時는 陰曆 2월 1일에서 10월 30일 이전을 가리킨다.

· 『唐律疏議』 권27，雜律，"諸失火及非時燒田野者，笞五十. 非時，二月一日以後，十月三十日以前. 若鄉土異宜者，依鄉法".

113) 世祖 쿠빌라이[忽必烈]의 忌日은 1월 22일이므로，이날은 入祭日이다.

歡而罷.

[某日, 以崔遠爲慶尙道按廉使:慶尙道營主題名記].[114)]

二月己亥朔大盡,辛卯, [某日, 召中贊致仕韓康曰, "寡人在位已久, 今年換甲, 尤切愼兢, 卿宜條陳合行事宜". 康乃條上曰, "宗廟祭祀, 所以奉先而報本也, 今廟屋弊陋, 樂器散失, 宜令有司, 修殿宇, 備金石, 嚴其時祀. 工商, 所以利用而厚生也, 今諸司所需, 皆取於市, 或抑其估, 或終不給直, 工商不勝其苦, 宜令有司禁之. 放生活命, 可致增壽, 請自今嚴禁屠宰, 止遊田之樂, 節肥甘之奉, 當祈寒盛暑, 設施漿粥, 以賑行路飢渴. 命有司, 掩骼埋胔, 以修陰德. 先王, 相其地鉗, 而置塔廟, 後人, 多以私意, 廢舊創新, 古刹皆壞, 宜命有司, 重修舊刹, 國祚庶幾可延":節要轉載].

[→王召康曰, "寡人在位已久, 今年換甲, 尤愼兢. 卿宜條陳可行事". 康請, "修宗廟備樂器, 以嚴時祀. 禁諸司抑買市物. 掩骼埋胔, 放生禁屠. 止遊田之樂, 節肥甘之奉. 於祁寒盛暑, 置漿粥以賑飢渴". 又言, "先王相地鉗而置塔廟, 後人多以私意, 廢舊創新, 至使佛像, 露在草間. 宜命有司, 重修舊刹. 自古君王, 皆信佛法, 以興國祚. 殿下尤崇法華經, 若常誦壽量品, 則寶筭益延矣":列傳20韓康轉載].

甲辰6日, 以金之淑△爲知都僉議司事, 安珦爲三司左使,[115)] 金頲·李德孫並副知密直司事.[116)]

○同知密直司事李混罷. [先是, 王欲籍耽羅民戶, 隸內庫. 混, 極言其不可. 王不懌. 至是, 都堂以三事上言, "一. 西北界人, 性暴悍, 不可以內旨騷擾. 自今, 宜傳旨都評議□使司, 都評議□使司下牒都指揮使, 亦可以辦事, 而安人心. 二. 驛戶逃亡, 多由傳遽之繁. 宜遣使整理. 三. 近以內旨, 出使者多, 實爲民弊. 今後, 必經都評議□使司給驛, 然後行". 此皆寵幸者所爲, 故疾之, 訴于王. 王怒甚, 命巡馬官, 執堂吏李紆, 訊其倡議者. 紆曰, "此事皆我爲之". 王益怒, 命王京等處管軍萬戶高宗秀, 必欲得其情, 痛加榜掠. 紆誣服指混, 故下混巡馬獄, 遂罷:節要轉載].

---

114) 崔遠은 1298년(충렬왕24, 충선왕 즉위년) 4월 25일 이후 충선왕의 이름인 謜을 避하여 改名하였을 것이다.

115) 高麗前期에는 三司에 三司使가 2人이 있었으나 충렬왕 때 三司左使, 右使로 나누었다고 한다(지30, 百官1, 三司, "忠烈王, 置左·右使").

116) 金頲은 前年(元貞1, 충렬왕21) 8월에 이미 副知密直司事·上將軍이었다(華山曹溪宗麟角寺普覺國尊碑銘).

[→王嘗欲籍耽羅民戶, 隸內庫. 混, 極言不可. 王不悅. 時, 近幸多奉使擾民, 都堂言, "西北界人, 性暴悍, 不可以內旨擾之. 自今, 宜下□[旨]都評議司[使]司, □□□□□[都評議使司]牒都指揮使, 亦可辦事. 驛吏逃散, 寔由傳遽之繁, 宜遣使整理. 近以內旨, 出使者相繼, 民受其弊, 宜經都評議□[使]司給驛, 然後行". 近幸者疾之, 訴于王. 王怒命巡馬官, 執堂吏李紓, 訊其倡議者. 紓曰, "此事皆我所爲". 王益怒, 命[管軍]萬戶高宗秀, 必欲得情, 痛加榜掠. 紓誣服指混, 下混獄, 遂罷:列傳21李混轉載].

[→宰樞條上時弊三事, 王怒, [中贊趙]仁規恐禍及己, 密告王曰, "前上三事, 非臣所知, 請鞫之". 王囚都評議錄事李紓巡馬所, 命[管軍]萬戶高宗秀, 訊倡議者. 宗秀痛加榜掠. 紓誣以李混對, 混坐此罷:列傳18趙仁規轉載].[117)]

壬子[14日], 燃燈, 王如奉恩寺.

[癸丑[15日], 月入大微[太微]:天文3轉載].

[丁巳[19日], 大水:五行1水滲轉載].

[庚申[22日], □[月]犯南斗:天文3轉載].

[癸亥[25日], 虎入壽寧宮:五行2轉載].

乙丑[27日], 元以耽羅牧畜事, 遣斷事官木兀赤來.

[→元遣使□[來], 區處耽羅馬畜事:節要轉載].

丙寅[28日], 王獵于西郊. 國師僧獻書曰,[118)] "殿下換甲之年, 宜小心修德, 不可荒于遊畋". 王曰, "非敢好獵, □[欲]逐虎也".[119)] 其實憚公主妬悍, 因獵而出, 私嬖妾也.

三月[己巳朔大盡,壬辰], [丁丑[9日], 虎入城:五行2轉載].

己卯[11日], [穀雨]. 元遣使□[來], 整理館驛.

○金光就還自元, 帝賜王~~織金~~段[織金段]·紅絹各四匹, 太后[闊闊眞]賜蒲萄酒二器, 並賜曆日. 中書省送線綾·紅綃各五匹.

[庚辰[12日], 月入大微[太微]:天文3轉載].

[某日, 置經史教授都監, 令七品以下習業:節要轉載].[120)]

---

117) 이 기사의 앞에 "未幾拜中贊, 尋爲左中贊"이 있으나 '尋爲左中贊'은 이 기사의 뒤로 옮겨져야 옳게 될 것이다.

118) 國師僧은 1295년(충렬왕21) 5월 8일 國尊으로 책봉된 景宜를 指稱하는 것이다.

119) 添字는 『고려사절요』 권21에 의거하였다.

120) 이와 관련된 기사로 다음이 있다.
· 지31, 百官2, 經史教授都監, "忠烈王二十二年□□[三月], 置之, 令七品以下習業".

戊子[20日], 盜發[前中書令]崔瑀塚, 命有司修之.

[○隕霜三日, 殺麻·麥:五行1霜轉載].

[○以鄭和爲東京副留守:追加].[121]

夏四月[己亥朔小盡,癸巳], 壬寅[4日], 王與公主, 幸妙蓮寺.

丁未[9日], 遣大將軍劉福和□□[~~如元~~], 致錢幣于世子, 以婚禮也.

庚戌[12日], 還宮, 設賞花宴于香閣, [都僉議贊成事·]大學士鄭可信[~~鄭可臣~~]製詩以賀.

[○鹿入城:五行2轉載].

[癸丑[15日], 月食:天文3轉載].[122]

甲寅[16日], 有人以傳內旨, 突入典法司. 閔萕以其無禮, 不詰其由而囚之. 王怒, 流萕于紫燕島.[123]

乙丑[27日], [芒種]. 命都僉議郞舍·禁內六官及學官, 和[都僉議贊成事]鄭可信[~~鄭可臣~~]賞花內宴詩, 各賜米二十石.

丙寅[28日], 宴于香閣,

丁卯[29日晦], 亦如之[宴于香閣].

五月[戊辰朔大盡,甲午], 己巳[2日], 以[承旨]元卿△[爲]副知密直司事.

庚午[3日], 夜宴于香閣, 王見壁上唐玄宗夜宴圖, 謂左右曰, “寡人雖君小國, 其於遊宴, 安可不及明皇”. 自是, 夜以繼日, 奇巧淫佚[~~淫佚~~], 無所不至.

辛未[4日], 以洪子藩△[爲]商議都僉議事.[124]

癸酉[6日], 以國庫羅絹二十匹, 付巡馬所, 至內宴日, 粧飾花階, 久則換之.

甲戌[7日], 以旱禁酒.

[○月入軒轅:天文3轉載].

丙子[9日], 以[中贊致仕]洪子藩爲右中贊, [中贊]趙仁規爲左中贊.[125]

---

121) 이는 『동도역세제자기』에 의거하였다.

122) 이날은 율리우스曆의 1296년 5월 18일이고, 월식 현상이 심했던 때의 世界時는 18시 44분, 食分은 0.10이었다(渡邊敏夫 1979年 482面).

· 『續史愚抄』10, 永仁 4년 4월, “十五日癸丑, 月蝕, 東寺長者·前大僧正勝惠行蝕御禱法”.

123) 『고려사절요』 권21에는 이 기사의 앞에 夏四月이 탈락되었다.

124) 商議職[商議]은 몽골제국의 宰相職에 添設된 參議·商議 등을 模倣하여 설치된 添設職인데, 咨議라고 稱하기도 하였다.

[○是時, 始分中贊左右, 各置一人:百官1門下府轉載].126)

己卯12日, 遣將軍李連松如元, 獻耽羅皮貨.

[癸未16日, 白虹貫北斗:天文3轉載].

丙戌19日, 遣右副承旨吳仁永, 獻苧布.

庚寅23日, 幸神孝寺.

壬辰25日, 公主又幸是寺, 燃燈, 皆以珠玉, 織成燈籠, 巧妙奢華, 不可勝言.

癸巳26日, 元遣孛蘭奚禿魯□來, 點視館驛.

甲午27日, 遣大將軍南挺如元, 獻耽羅馬.127)

六月戊戌朔大盡,乙未, 庚子3日, 遣上將軍崔世延如元, 獻鷂.128)

甲辰7日, □右中贊洪子藩上書, 條便民十八事. 王嘉納□之.129)

[→□右中贊洪子藩上書:食貨1貢賦轉載].

[一曰, 今諸道, 收斂收斂細紵布, 民實不堪. 宜令官婢免役者紡績, 以紓民力:食貨1貢賦轉載].

[二曰, 貢賦, 已有定額, 又於諸道, 家抽細麻布, 實係橫斂, 宜禁絶之:食貨1貢賦轉載].

[三曰, 田無役主, 亡丁多矣. 民無恒心, 逃戶衆矣. 凡有貢賦, 仍令遺民當之, 此所以日益彫弊也. 宜令賜給田, 隨其多少, 納其貢賦:食貨1貢賦轉載].

[四曰, 諸道貢賦, 已有定數, 今又以虎豹熊皮爲貢, 不唯科斂煩重, 恐致猛獸害人, 誠宜禁之:食貨1貢賦轉載].

[□□五曰, 國用金銀爲重, 而無出處. 宜令東西各房行役, 各官新除行役, 所斂物

---

125) 이때 趙仁規는 署經에 통과하지 못하였거나 임명된 후 곧 辭職했을 가능성이 있다. 이는 7월 28일 鄭可臣이 左中贊[中贊]이었음을 통해 알 수 있다.

126) 이는 다음의 기사를 전재하여 적절히 變改하였다. 1275년(충렬왕1) 10월 25일의 관제 개혁 이후 줄곧 僉議中贊은 1人이었다가 이때(충렬왕 22년 5월 9일) 처음으로 左·右中贊이 임명되었다.
· 지30, 百官1, 門下府, "忠烈王元年, 改僉議中贊, 置左·右各一人".

127) 原文에서 南挺은 南梃과 같이 되어 있는데, 이는 採字에서 잘못이 있었던 것 같다(盧明鎬 等編 2016년 559面).

128) 『고려사절요』 권21에는 이 記事의 앞에 六月이 脫落되었다.

129) 添字는 『고려사절요』 권21에 의거하였다. 또 열전19, 洪子藩에서 便民事의 내용이 食貨志와 刑法志에 수록되어 있다고 하였다("又明年, 復爲右中贊, 條上便民十八事, 王嘉納之. 語在食貨·刑法志").

件內, 三分取二, 以補國用:食貨2貨幣轉載].[130]

[□□六日, 國用漸乏, 除積勞者·有功者·從王入朝者外, 新除官者, 隨品納稅, 以資國用:食貨2科斂轉載].

[□□七日, 塩之有稅, 已有定額, 今於州縣, 强行科斂, 誠宜禁之:食貨2塩法轉載].

[□□八日, 國以民爲本, 民以食爲天, 國家, 素無儲蓄, 倘有凶荒, 難以救活. 宜於中外, 創置義倉, 戶斂米穀, 以時收積, 以備緩急:食貨3常平·義倉轉載].

[□□九日, 近有鍮銅匠, 多居外方, 凡州縣官吏及使命人員, 爭斂鍮銅, 以爲器皿. 故民戶之器, 日以耗損, 宜令工匠, 立限還京:刑法1職制轉載].[131]

[□□十日, 諸州·縣官·出使員吏, 皆於出身衙門·及第進士, 送納貨物, 稱爲封送, 一縷一粒, 民膏民脂, 誠宜禁之:刑法1職制轉載].

[□□十一日, 諸州縣及鄕·所·部曲, 人吏, 無一戶者多矣. 外吏, 依勢避役者, 悉令歸鄕, 丁吏, 亦令減數歸還:刑法1職制轉載].

[□□十二日, 豪勢之家, 遣人州縣, 以銀甁等物, 强市民間細布·綾羅·韋席等物, 實爲民弊, 誠宜禁之:刑法1職制轉載].

[□□十三日, 近來, 外方多故, 納貢失時, 諸司官吏, 及謀利之人, 先納己物, 受其文憑下鄕, 剩取其直, 民實不堪, 誠宜禁之:刑法1職制轉載].

[□□十四日, 大府太府·迎送·國贐等庫, 凡有所須之物, 卽於京市求之, 雖云和買, 實爲强奪, 誠宜禁之:刑法1職制轉載].

[□□十五日, 諸州之吏, 留京聽候, 謂之其人. 近以其人, 爲之役夫, 外方多故, 其人或闕, 計其年月, 以徵其傭. 所以州縣日漸殘弊. 雖則量減, 尙有不均, 令宜於十室之邑, 減一名, 五室全免:刑法1職制轉載].

[□□十六日, 牛以耕田, 馬以乘載, 民生之所急也. 近有商賈之人, 多將牛馬出疆, 及令州縣出馬, 以資國贐, 不可不禁:刑法1職制轉載].

[□□十七日, 各官守令, 新舊迎送之費, 實爲民害, 今後, 只令公衙屬人, 迎送:刑法1職制轉載].

[□□十八日, 出使人員, 將丁吏上守, 所至州縣, 皆有贈遺, 謂之例物, 亦令禁止.

---

130) 이와 관련된 기사로 다음이 있는데, 五月은 六月의 오자일 것이다.

· 지33, 食貨2, 貨幣, "忠烈王二十二年五月六月, 中贊洪子藩上書, 國用金銀爲重, 而無出處. 宜令東西各房行役, 各官新除行役, 所斂物件內, 三分取二, 以補國用".

131) 以下의 자료는 지38, 刑法1, 職制에 수록되어 있는데, 이들의 冒頭에 "忠烈二十二年五月六月, 中贊洪子藩, 條上便民事, …"로 되어 있으나 五月은 六月의 오류이다.

○王嘉納:刑法1職制轉載].

[丙辰19日, 太白·鎭星入東井:天文3轉載].

己酉12日, 副知密直司事金義光死.[132]

戊午21日, 副知密直司事金之卿卒. □□之卿, 以吏能進, 有廉直名.[133]

[己未22日, 月犯熒惑:天文3轉載]

[庚申23日, 太白·鎭星入東井:天文3轉載].

[癸亥26日, 月入東井:天文3轉載].

[翼日甲子27日, 亦如之月入東井:天文3轉載].

乙丑28日, [立秋]. 以公主生日, 宥二罪以下.

秋七月戊辰朔小盡,丙申, 辛巳14日, [處暑]. 王與公主幸廣明寺, 設盂蘭盆齋.

[某日, 賜前密直□□學士閔漬, 米一百碩. 王嘗遣內僚高汝舟, 令漬製詩, 漬饋汝舟以白酒·靑瓜. 汝舟復王曰, "漬雖宰相, 其貧無比". 故有此賜:節要轉載].[134]

[某日, 以注簿金元祥爲通禮門祗候, 內侍朴允材爲權務梁州. 妓謫仙來者, 得幸於王, 元祥·允材, 與妓同里閈, 相往來. 元祥製新調, 曰大平曲, 令妓習之, 一日內宴, 歌其詞. 王妬, 變色曰, "此非能文者不能, 誰爲之耶". 妓對曰, "妾之兄弟元祥·允材所製也". 王喜曰, "有才如此, 不可不用". 遂除之:節要轉載].[135]

甲申17日, 遣將軍李茂如元, 獻鷂.

乙未28日, 遣□左中贊鄭可臣如元, 賀聖節, 上將軍金延壽, 請入朝.

丙申29日晦, [白露]. 元遣帖木兒□來, 推刷雙城人物.

[某日, 以吳蔵爲慶尙道按廉使:慶尙道營主題名記].

八月丁酉朔大盡,丁酉, 己亥3日, □□征東行省遣中郞將邊信如元, 賀聖節.

---

132) 金義光은 忠州의 官奴 출신으로 그의 父인 壯과 함께 崔怡의 麾下에서 雜務를 담당하였다고 한다. 崔氏政權이 타도된 이후 世子時節의 忠烈王을 수종하여 內侍·保勝別將, 郞將, 將軍 등을 역임하고 密直副使[副知密直司事]에 이르렀던 것 같다.
· 열전36, 李之氐, "… 金義光, 忠州官奴. 父壯附崔怡, 義光遂爲其府內竪, 官累密直副使".

133) 添字는 『고려사절요』 권21에 의거하였다. 이날은 율리우스曆으로 1296년 7월 22일(그레고리曆 7월 29일)에 해당한다.

134) 이와 같은 기사가 열전20, 閔漬에도 수록되어 있다.

135) 이와 같은 기사가 열전38, 金元祥에도 수록되어 있다.

[癸丑[17日], 大水傷稼:五行1水潦轉載].
戊午[22日], [上將軍]金延壽還自元, 報世子婚期. 帝趣王入覲.
[甲子[28日], 月犯太白:天文3轉載].

九月[丁卯朔小盡,戊戌], 乙亥[9日], 幸外院[外帝釋院?].
壬午[16日], [霜降]. 王與公主, 幸妙蓮寺.
[甲申[18日], 月犯熒惑:天文3轉載].
丁亥[21日], 王與公主如元, 從臣二百四十三人, 傔從五百九十人, 馬九百九十匹.[136)]
[是月, 左承旨尹琦, □□□□[掌成均試], 取崔凝等七十餘人:選擧2國子試額轉載].

冬十月[丙申朔大盡,己亥], [甲辰[9日], 雷:五行1雷震轉載].
戊申[13日], 王次靈州, 遼陽省·中書省皆遣人, 迎于鴨綠江.
戊午[23日], 王次瀋州, 摠官[摠管]朴仁才·知事朴純亮不出迎, 王怒鎖其頸.[137)]

十一月[丙寅朔小盡,庚子], 庚午[5日], □□[征東]行省遣上將軍金延壽如元, 賀正.
庚辰[15日], 王次令頭兒寨, 世子來迎.
壬午[17日], [冬至]. 王至燕京, 館于洪君祥第. 皇太后遣使勞問, 諸王·公主·公卿·士婦爭來謁.

甲申[19日], 王與公主謁帝, 獻方物. 金瓶·金鍾二事, 鏤銀壺·銀湯瓶各一事, 銀盞一副, 銀胡瓶·銀大樽各一事·半鏤銀胡瓶二事·銀大鍾一事·銀盂五十事, 虎·豹皮各十三領·水獺皮七十六領·紫羅十匹·白苧布一百匹·玳瑁鞘子一十. 遂侍宴于長朝殿[大明殿],[138)] 諸王滿座, 王居第七. 公主之右, 無敢坐者.
[○月入軒轅:天文3轉載].
乙酉[20日], 王與公主, 謁太后于隆福宮.[139)]

---

136) 王과 公主가 元에 幸次한 것은 열전2, 忠烈王妃, 齊國大長公主에도 수록되어 있다.

137) 瀋州(現 遼寧省 瀋陽市 老城區)는 瀋陽路의 治所로서 이곳에 集團居住하고 있던 高麗人을 統制하기 위해 瀋陽等路按撫高麗軍民總管府가 설치되어 있었다. 또 이곳의 驛站인 瀋州站의 官印['瀋州蘸印', '尙書禮部造」, 至元七年二月日', 左右陰刻]이 1970년 新民市 張家屯鄕에서 出土되었다고 한다(蘸[cham]은 站의 다른 表記이다, 黨寶海 2013年).

138) 長朝殿은 大明殿의 別稱인 것 같다(陳高華·史衛民 2010年 44面).

139) 隆福宮은 太液池의 서쪽에 있는 太子府인데, 이 시기에 皇太后가 거주하고 있었던 것 같다.

己丑[24日], 王與公主, 侍宴于長朝殿.

翌日[庚寅25日], 亦如之[王與公主侍宴于長朝殿].

壬辰[27日], 王與公主詣闕.

○世子以白馬□□□□[~~六十一匹~~]納幣于帝, 尙晋王[甘麻剌]之女□□□□□□[~~寶塔實憐公主~~].[140] 是日, 宴皆用本國油蜜果, 諸王·公主及諸大臣, 皆侍宴. 至晩酒酣, 令本國樂官, 奏感皇恩之調. 旣罷, 王與公主詣隆福宮, 太后設氈帳置酒, 入夜乃罷.[141]

癸巳[28日], 世子以白馬□□□□[~~六十一匹~~], 獻于太后. 太后以羊□□□[~~七百頭~~]·酒□□□[~~五百甕~~], 宴世子. 帝與太后臨軒, 諸王·公主·百官侍宴.[142]

甲午[29日晦], 王與公主, 侍宴于長朝殿. 世子以白馬□□□□[~~六十一匹~~]獻于晋王, 仍以酒□□□[~~二百甕~~]·羊□□□[~~四百頭~~]宴.[143]

[是月頃, 以具宜爲東京留守府判官:追加].[144]

十二月[乙未朔小盡,辛丑], 己亥[5日], 王與世子, 侍宴于長朝殿.

乙巳[11日], 亦如之[王與世子侍宴于長朝殿].

辛亥[17日], 帝賜王, 金四錠·金段二匹·絹二匹, 賜從臣, 銀五十錠·金段十八匹·繡段十匹·綾素段五百七十八匹·絹四百八十六匹, 賜婦寺, 綾絹各二十七匹, □[賜]僕從, 木緜·絹各四百十一匹.

---

140) ~~添字~~는 『고려사절요』 권21에 의거하였다. 甘麻剌(Gamala, 1263~1302)은 世祖의 孫, 裕宗인 眞金[Jimkin]의 長子, 成宗 테무르[鐵穆爾]의 兄, 武宗 카이산[海山]의 伯父, 泰定帝 에센테무르[也孫鐵木兒]의 父, 忠宣王의 丈人이다. 일찍이 北邊에 出鎭하였다가 1289년(至元26) 소환되었고, 다음 해 겨울[冬] 梁王으로 책봉되어 雲南(現 中國 西南部의 雲南省의 북부지역)에 出鎭하였다. 1292년(지원29) 晋王으로 改封되어 漠北에 出鎭하였다가 2년 후 世祖가 崩御하자 上都에서 帝位를 동생 테무르(成宗)에게 讓步하고 藩邸로 돌아갔다가 1302년(大德6) 1월 10일(乙巳) 逝去하였다(『원사』 권115, 열전2, 顯宗).

141) 다이두[大都]의 皇宮은 太液池(現 紫禁城 內의 北海와 中海)를 중심으로 하여 大內(宮城, 大明殿, 동쪽)·隆福宮·興聖宮(以上 서쪽)으로 이루어져 있었다. 大明殿은 황제와 황후가, 隆福宮은 주로 태후가, 興聖宮은 태후·황후·嬪妃가 각각 거주하였던 것 같다(20세기 초에 작성된 어떤 平面圖는 이것과 차이가 있다(關野 貞 1904年 225圖). 그중 興聖宮에는 文士의 왕래가 가능하여서 奎章閣이 설치되어 經筵이 개최되기도 하였다. 또 氈帳은 斡魯朶를 漢字로 표기한 것이며, 天井이 圓型인 移動式 氈幕(또는 天幕, 穹廬)인 파오[蒙古包, Mongolian yurt], 현재의 gel을 指稱한다(→충렬왕 4년 7월 4일의 脚注).

142) ~~添字~~는 『고려사절요』 권21에 의거하였다.

143) ~~添字~~는 『고려사절요』 권21에 의거하였다.

144) 이는 『동도역세제자기』에 의거하였다.

壬子18日, 王與公主, 侍宴于長朝殿.

甲寅20日, 中書省宴王.

乙卯21日, 帝賜王, 弓矢及劒, 賜從臣弓三十九·矢五百.

庚申26日, 帝宴王及公主.

辛酉27日, 太后又宴于隆福宮.

[某日, 以東京留守府少尹金起爲安東大都護府副使:追加].145)

[是年, 以密直學士金晅爲政堂文學·寶文署大學士·同修國史. 時晅在燕京, 隨從世子:追加].146)

[○以崔瑞爲副知密直司事, 仍令致仕:追加].147)

[○以三司使元瓘爲密直學士. 瓘, 元貞之改名也:追加].148)

[○以朝議大夫·秘書尹金恂爲世子舍人:追加].149)

[○以崔雲爲都齋庫判官, 仍爲內侍:追加].150)

[○以朴莊爲永州副使:追加].151)

[○以安純爲碩州副使, 尋以金景濂代之, 又以秋適代之:追加].152)

[○以郎將庾自偶爲東部副令:追加].153)

[○濟州妙蓮寺重刊'金光明經':追加].154)

---

145) 이는 『동도역세제자기』에 의거하였다.

146) 이는 「金晅墓誌銘」에 의거하였다.

147) 이는 「崔瑞墓誌銘」에 의거하였다.

148) 이는 「元瓘墓誌銘」에 의거하였다.

149) 이는 「金恂墓誌銘」에 의거하였다.

150) 이는 「崔雲墓誌銘」에 의거하였다.

151) 이는 『영천선생안』에 의거하였는데, 朴莊(朴忠佐의 父)은 아들 3人이 모두 급제한 朴之彬의 長子이다(열전22, 朴忠佐 ; 『목은문고』 권8, 賀竹溪安氏三子登科詩序, 前者에는 4人이, 後者에는 3人이 급제하였다고 되어 있다).

152) 이는 『연안부지』에 의거하였는데, 秋適은 安東書記, 直史館, 龍州副使 등을 거쳐 碩州副使에 임명되었던 같다
- 열전19, 秋適, "登第, 調安東書記, 選直史館".
- 『역옹패설』前集2, "露堂秋先生適, 自安東書記還, 體甚肥腯, … 爲龍州守, …".

153) 이는 「庾自偶墓誌銘」에 의거하였다.

154) 이는 『金光明經』의 刊記에 의거하였다(尹炳泰 1969년 ; 南權熙 2002년 58面 ; 郭丞勳 2021년 278面).
- 刊記, "元貞二年丙申歲,高麗國濟州妙蓮寺奉宣重修,」幹善瀑布寺住持·禪師安立.

[夏某月, 江浙行省平江路吳縣休休庵居僧仲孚等四人歸高麗國. 冬某月, 萬壽上人來于休休庵蒙山德異前云, "高麗國內願堂大禪師混丘·靖寧院公主王氏妙智·明順院公主王氏妙惠·前都元帥上洛公金方慶·侍中韓康·宰相廉承益·宰相金忻·宰相李混·尙書朴卿·尙書柳裾等, 再三致意":追加].[155]

[是年頃, 晋州司錄·參軍事兼掌書記鄭玿開板'帝王韻紀':追加].[156]

丁酉[忠烈王]二十三年, 元 元貞三年→大德元年, [西曆1297年]

1297년 1월 24일(Gre1월 31일)에서 1298년 2월 11일(Gre2월 18일)까지, 13개월 384일

春正月甲子朔[大盡,壬寅], 王在元, 賀正禮畢, 上殿侍宴.
乙丑[2日], 王與公主·世子, 侍宴萬歲山廣寒殿.[157]
丙寅[3日], 王與公主, 侍宴于隆福宮.
壬申[9日], 王與公主·世子, 詣闕侍宴.
[○月犯畢星:天文3轉載].
乙亥[12日], 帝賜王御鞍, 又賜從臣十人, 人一鞍.
[某日, 晋王[甘麻剌], 將之國, 帝幸其邸, 餞之. 王與公主侍宴, 酒酣, 王起舞, 公主歌之:節要轉載].[158]
壬午[19日], 遣郞將黃瑞如元, 獻金畫甕器[瓷器]·野雉及耽羅牛肉.[159]

---

155) 이는 다음의 자료에 의거하였다(南權熙 1994년 ; 許興植 2008년).
- 『諸經撮要』, 法門景致, "… 丙申[元貞2年]夏, 仲孚上人□[等]四友歸, 冬季, 萬壽上人來云, 高麗國內願堂大禪師混丘·靖寧院公主王氏妙智·明順院公主王氏妙惠·前都元帥上洛公金方慶·侍中韓公康·宰相廉公承益·宰相金公昕[忻]·宰相李公混·尙書朴公卿·尙書柳公裾諸位, 再三致意. 休休長老遠聞上庵寂寥無際, 妙有眞樂, 肯分施三韓信尙者□[安]否, …".

156) 이는 다음의 자료에 의거하였다.
- 『帝王韻紀』跋, "臣玿初受書記, 將赴此州[晋州], 右司議大夫·寶文署·直學士知制誥尹公琦承勅, 以居士臣李承休製進, 歷代韻紀開板事, 傳囑. 是以, 募工彫板, 以壽其傳. 司錄·參軍事·兼掌書記·升仕郞·良醞令鄭玿跋".

157) 萬歲山은 明代에는 煤山, 淸代에는 景山이라고 불렸다고 한다(『警修堂全藁』 권1, 紫禁城望景山).

158) 이때 晋王 카마라(甘麻剌, 충선왕의 丈人)은 漠北의 草原에 있는 藩邸에 귀환한 것 같다.

159) 黃瑞에 관한 기록으로 다음이 있는데, 그가 충렬왕 때에 王을 타이투[大都]에서 扈從하였던 공

[某日, 以朴至公爲慶尙道按廉使:慶尙道營主題名記].

二月甲午□^朔小盡,癸卯^, 王與公主, 餞晋王于郊.[160)]

[乙未^2日^, 虎入城:五行2轉載].

己亥^6日^, [鷙贄]. 帝幸城南, 觀獵, 王扈從奏曰, "臣之先臣禃, 於蒙哥皇帝^憲宗^己未歲^高宗46年^, 以世子入覲. 時世祖皇帝, 回自征南, 先臣具袍笏, 迎拜于汴梁^開封府^之墟,[161)] 世祖嘉嘆, 寵睠日隆. 至於小臣, 釐降公主, 世爲東藩. 乞自己未年^高宗46年^以來, 被擄及流民, 在遼瀋者, 悉令歸國". 帝許之, 王感泣拜謝.

[丙午^13日^, 月犯軒轅:天文3轉載].

辛亥^18日^, 彗見六日.

[→彗見東井, 六日乃滅:節要·天文3轉載].[162)]

庚申^27日^, 元改元大德, 赦天下.[163)]

○太后以王誕日, 賜羊四十頭·鵠十首, 幷賜內醞, 諸王·公卿皆來賀.[164)]

[是月, 世子隨從臣·政堂文學金晅, 被譖請還國, 告病不出:追加].[165)]

으로 인해 平海郡이 知郡事로 승격하였다고 되어 있으나 時期 또는 官職에서 어떤 오류가 있었던 것으로 추측된다. 그가 僉議評理로 몽골제국에 파견된 것은 1324년(충숙왕11) 6월 4일이다. 또 『고려사절요』 21에는 甆器가 慈에서 心을 뺀 上半部와 瓦가 下半部에 組合된 것으로 마치 瓷器를 연상하는 글자이다, 또 甆器와 瓷器의 제조방식, 크기, 用度 등에서 차이가 있으므로 이 單語는 金畵瓷器로 理解하는 것이 좋을 것 같다.

- 지11, 지리2, 平海郡, "忠烈王時, 縣人僉議評理黃瑞, 隨駕入元, 翊戴回還, 以功陞知郡事".
- 『세종실록』 권153, 지리지, 平海郡, "… 忠烈王時, 土姓僉議評理黃瑞, 隨駕上朝, 翼戴回還, 以功陞知平海郡事, 本朝因之. 別號箕城".
- 『海月集』 권14, 黃汝一行狀, "公諱汝一, … 其先平海人也, 高麗忠烈王時, 有僉議評理瑞, 有翊戴勳, 陞縣爲郡, 子孫世居焉". 이 자료는 戶籍, 家狀을 정리한 의한 것이 아니라 위의 記事에 의거한 것으로 추측된다.

160) 甲午에 朔이 탈락되었다.

161) 汴梁은 北宋의 首都였던 開封府 汴京이 改稱된 것이다(現 河南省 開封市).

162) 이때 中原에서는 星變에 대한 기록이 찾아지지 않는다. 또 일본 가마쿠라[鎌倉], 교토[京都]에서는 19일(壬子)에 혜성이 관측되었던 같다.

- 『鎌倉年代記裏書』, "今年^永仁五^, 二月十九日, 戌剋, 彗星出現, 芒氣五六尺".
- 『師守記』, 康永 4년 7월, 文永以來天變年々幷御祈以下被行事, "同^永仁^五年二月十九日, 今夜彗星見西方".

163) 중국 측의 자료에도 같은 날짜로 되어 있는데, 당시 忠烈王이 元에 滯在하고 있었기 때문에 동일하게 기록하였을 것이다(『원사』 권19, 본기19, 성종2, 大德 1년 2월 庚申^27日^, "詔改元, 赦天下").

164) 忠烈王의 生日은 2월 26일이므로 이날은 생일의 다음날이다.

[是月癸卯[10日], 元以闊里台所隷新附高麗·女直·漢軍居瀋州:追加].[166)]

三月[癸亥朔大盡,甲辰], 甲子[2日], 彗見.

[→彗見東井:節要·天文3轉載].[167)]

乙丑[3日], 太后餞王及公主于隆福宮, 仍賜金段衣[金段衣], 賜從臣三品以上二十人, 金段衣[金段衣]各一.

翌日[丙寅4日], 又賜從臣金段[金段]一百匹·綾素八百匹.

戊辰[6日], 王詣闕, 帝賜蒲萄酒.

庚午[8日], 太后賜王及公主鞍馬.

辛未[9日], 王與公主, 發燕京.

[是月頃, 以馬方祚爲東京留守府司錄:追加].[168)]

夏四月癸巳朔[小盡,乙巳], 日食.[169)]

庚子[8日], 元遣使遼陽路[東京路], 推刷己未年[高宗46年]以後被擄及流民, 歸之, 凡三百五十戶.

[癸卯[11日], 月入大微[太微]:天文3轉載].

庚戌[18日], 霜.

[→隕霜:五行1霜轉載].

---

165) 이는「金晅墓誌銘」; 열전19, 金晅에 의거하였다.

166) 이는 다음의 자료에 의거하였다.
- 『원사』 권19, 본기19, 성종2, 大德 1년 2월 癸卯, "以闊里台所隷新附高麗·女直·漢軍居瀋州".

167) 이때 中原에서는 彗星이 관측된 기록이 없고, 6일(戊辰) 火星[熒惑]이 南方 7宿의 하나인 東井(井宿, 現 쌍둥이座)을 犯하였다고 한다. 또 일본 교토에서는 3월 某日에 혜성이 보였다고 한다.
- 『원사』 권19, 본기19, 성종2, 大德 1년 3월 戊辰·권48, 지1, 천문1, 月五星凌犯及星變上, "三月戊辰, 熒惑犯井".
- 『續史愚抄』10, 永仁 5년 3월, "一日甲子, … □日□□, 彗星見. 廿四日丁亥, 於宮中爲彗星[二星合云,按彗星及二星合,兩變異歟]御祈, 被始行五壇法, …".

168) 이는『동도역세제자기』에 의거하였다.

169) 이날 中原에서도 일식이 있었다(『원사』 권19, 본기19, 성종2, 大德 1년 4월 癸巳). 이날은 율리우스력의 1297년 4월 23일이고, 開京에서 일식 현상이 심했던 시간은 7시 22분, 食分은 0.36이었다(渡邊敏夫 1979年 310面).
- 『續史愚抄』10, 永仁 5년 4월, "一日癸巳, 日蝕, 正見, 蝕御祈僧正守譽奉仕".

五月[壬戌朔大盡,丙午], 丁卯[6日], 王與公主, 至自元, 遂幸神孝寺. [時壽寧宮香閣, 芍藥盛開, 公主命折一枝, 把翫良久, 感泣:節要轉載].

庚午[9日], [芒種]. 公主不豫, 設法席, 王燃臂.[170]

癸酉[12日], 王與公主, 幸賢聖寺, 發內庫米一百石, 賜窮民, 爲公主祈福.

乙亥[14日], 遣中郎將秦良弼如元, 請醫.

壬午[21日], 公主薨于賢聖寺, 王移御□[都]僉議府.[171]

[→壬午, 安平公主薨于賢聖寺. 殯于壽寧宮, 令國中士庶, 素衣白帽, 至葬:禮6國恤轉載].

[→時壽寧宮芍藥盛開, 公主命折一枝, 把玩良久, 感泣. 尋得疾, 薨于賢聖寺, 壽三十九:列傳2忠烈王妃齊國大長公主轉載].

癸未[22日], 遣副知密直司事元卿如元, 告公主喪.[172]

丙戌[25日], 移御金方慶第, 自是移幸, 非一所.

六月[壬辰朔大盡,丁未], 丁酉[6日], 雨雹.[173]

戊戌[7日], 有旨, 從行臣僚, 超四等錄用.

癸卯[12日], 許人皆得藏冰.

○元遣太醫王得中·郭耕來.

丙午[15日], 世子自元來, 奔喪.

壬子[21日], 元遣火魯忽孫來, 弔公主喪, 太后賜賻楮幣, 轉藏追福.

[→元遣火魯忽孫來, 弔喪, 皇太后賜賻, 又轉藏經追福:列傳2忠烈王妃齊國大長公主轉載].

秋七月[壬戌朔小盡,戊申], 乙丑[4日], 太白晝見.

己巳[8日], 幸神孝寺, 薦福公主.

辛未[10日], [立秋]. 遣副知密直司事朴義如元, 謝弔慰.

---

170) 이때 母喪으로 인해 謹身하고 있던 前僉議侍郎贊成事 廉承益도 法席에 참여하였던 것 같다.
- 열전36, 廉承益, "[僉議侍郎贊成事廉]承益, 尋以病免, 未幾, 丁母憂. 公主病, 命脫衰入內, 設法席, 穿掌祈佛".

171) 이날은 율리우스曆으로 1297년 6월 11일(그레고리曆 6월 18일)에 해당한다.

172) 이와 같은 기사가 열전2, 忠烈王妃, 齊國大長公主에도 수록되어 있다.

173) 이와 같은 기사가 지7, 五行1, 水, 雨雹에도 수록되어 있다.

[癸酉[12日], 月入南斗:天文3轉載].

丙戌[25日], [處暑]. □□[征東]行省遣左右司都事張瑜如元, 賀聖節及改元.

[○太白·熒惑同舍:天文3轉載].

戊子[27日], 世子以爲公主之薨由無比, 殺之.[174)] 又殺閹人[大將軍?]陶成器·[上將軍]崔世延·全淑·方宗氏·[宮人伯也旦·伯也眞:節要轉載]·中郞將金瑾, 流其黨四十餘人.[175)] [伯也丹者, 卽無比, 寵幸方隆, 其附托之人, 橫恣中外. 世子甚疾之. 及奔喪, 白王曰, "殿下知公主之所以致疾乎? 此必內寵妬媢者爲之, 請鞫之". 王曰, "且待服闋". 世子使左右, 捕將軍尹吉孫·李茂·少尹柳琚·指諭承時用·宋臣旦·內僚金仁鏡·文玩·張祐等囚之, 鞫無比等巫蠱事. 巫女·術僧皆服, 稍得呪咀狀, 悉斬之. 國人震慴:節要轉載].

[→[世子,] 自元來, 奔公主喪, 白王曰, "殿下知公主所以致疾乎? 必內寵妬媢者所爲, 請鞫之". 王曰, "且待服闋". 世子使左右, 捕無比及其黨[宦者崔]世延·[陶]成器, 將軍尹吉孫·李茂, 少尹柳琚, 指諭承時用·宋臣旦, 內僚金仁鏡·文玩·張祐, 中郞將金瑾, 閹人全淑·方宗氏, 宮人伯也眞, 囚之, 鞫無比巫蠱事. 巫女·術僧皆服, 稍得呪詛狀. 斬成器·世延·淑·宗氏·瑾·無比·伯也眞, 流其黨四十餘人, 國人震慴. ○時, 宦者寵盛, 人皆歆慕, 多自宮者. 監察司錄事崔成爲宮所笞辱, 遂發忿自宮. 又昌寧縣民爲造成都監役徒, 被徵銀, 不堪其苦, 至世延家前, 亦自宮:列傳35崔世延轉載].

[己丑[28日], 太白犯熒惑:天文3轉載].

[某日, 以慶尙道按廉使吳蔵, 仍番:慶尙道營主題名記].

八月辛卯朔[大盡,己酉], 遣同知密直司事[知密直司事]崔有渰如元, 賀聖節.[176)]

癸巳[3日], 元遣使□[來], 徵寫經僧.

辛丑[11日], [白露]. 以印侯爲都僉議侍郞贊成事·判軍簿·監察司事, 金琿爲[都僉議]侍郞贊成事·判版圖司事, 車信爲[都僉議侍郞]贊成事·世子貳師,[177)] 金昕△[爲]副知密直司事,

---

174) 이날은 율리우스曆으로 1297년 8월 16일(그레고리曆 8월 23일)에 해당한다.

175) 이해의 8월에 殿中侍史 吳祁(후일의 吳潛)가 罪가 없이 喬桐에 流配되었다고 하는데, 이 사건과 관련이 있었던 것 같다(「吳潛墓誌銘」, "大德元年八月, 以非罪流喬桐, 世子命也").

176) 同知密直司事는 知密直司事의 오류일 것이다. 崔有渰은 충렬왕 19년 8월 10일 이전에 知密直司事였고, 是年(충렬왕23) 12월 13일 判密直司事에 임명되었으므로 知密直司事가 合當하다.

177) 車信은 이 시기 前後에 자신의 不法을 저지하던 興王寺의 別監 李源(李芳實의 父)을 毆打하였

薛景成爲三司右使, 張碩爲軍簿判書, 柳栯爲典法判書.

癸卯[13日], 公主眞至自元, 百官以伎樂迎于郊.

[→公主嘗入朝, 親命畫工寫眞, 至是, 來自元, 安于仁和殿:列傳2忠烈王妃齊國大長公主轉載].

乙巳[15日], 世子以故進士崔文妻金氏, 有姿色, 納于王. 盖因無比之死, 欲慰解之也. [後封淑昌院妃:節要轉載].[178)]

丙午[16日], 世子成服.[179)]

己未[29日], 葬安平公主于高陵, [謚[識]莊穆仁明王后:節要轉載].[180)]

[是月頃, 以[朝議大夫·秘書尹]金恂爲國學典酒:追加].[181)]

九月[辛酉朔小盡,庚戌], 丁亥[27日], [霜降]. 移御[同知密直司事]張舜龍第.

冬十月[庚寅朔大盡,辛亥], 辛卯[2日], 以鄭可臣爲□[都]僉議中贊·判典理司事·世子師, 洪奎[洪文系]△[爲]判三司事, [知密直司事]李之氐爲三司左使, 朴義△[爲]知密直司事·世子元賓, 柳庇△[爲]同知密直司事·監察大夫, 崔冲紹·許評竝△[爲]副知密直司事, 崔昷爲右常侍, [正獻大夫]閔宗儒△[爲]知申事.[182)] [[國學典酒]金恂爲右副承旨:追加],[183)] [奎, 卽文系也:節要轉載].[184)]

다고 한다. 이로 인해 후일 李源이 충선왕에 의해 忠淸道按廉使로 발탁되어 개혁정치에 참여하게 되었던 것 같다(→충렬왕 24년 2월 17일). 또 열전36, 張舜龍, 車信에는 이 時期 以後 車信의 行蹟에 대해 기록하지 않았다.

· 열전36, 車信, "[車信,] 累遷上將軍, 官至贊成事. 初, 興王寺婢年未五十者, 托信求免役, 寺別監李源執不可, 信毆源. 源詣宮門訴之. 王怒召信, 數之曰, '別監吾所命也, 汝何毆耶?' 顧謂信母及印侯·舜龍曰, '汝輩之言, 吾皆勉從, 今汝不法, 何至此'. 遂囚信于街衢所".

178) 淑昌院妃에 관한 기사는 다음에도 수록되어 있다. ~~添字~~는 筆者가 추가하였다.

· 열전2, 忠烈王妃, 淑昌院妃金氏, "尉衛尹[衛尉尹]致仕良鑑之女, 有姿色. 嘗嫁進士崔文, 早寡. 齊國公主薨, 忠宣爲世子, 疾幸姬無比專寵, 斬之, 欲慰解忠烈□[王]意, 以金氏納之, 後封淑昌院妃".

179) 이 기사는 지18, 禮6, 國恤에도 수록되어 있다.

180) 이 구절은 지18, 禮6, 國恤과 열전2, 忠烈王妃, 齊國大長公主에도 수록되어 있다. 그 중에서 後者는 葬禮가 9월에 행해졌다고 되어 있으나 잘못일 것이다. 또 高陵은 開城市 開豊郡 解線里에 있다(보존급유적 545호, 張慶姬 2013년 ; 洪榮義 2018년).

181) 이는 「金恂墓誌銘」에 의거하였다.

182) 이때 閔宗儒는 密直司知申事·知典理·監察司事에 임명되었던 것 같다(閔宗儒墓誌銘 ; 열전21, 閔宗儒).

183) 이는 「金恂墓誌銘」에 의거하였는데, 時期는 筆者의 推定에 의한 것이다.

184) 洪奎는 洪文系의 改名인데(열전19, 洪奎 ; 洪奎墓誌銘), 그 시기는 충렬왕 21년 9월 24일에서

癸巳[4日], 世子如元.

丙申[7日], 遣[都僉議左中贊]趙仁規·[都僉議侍郎贊成事]印侯·[同知密直司事]柳庇如元, 賀生皇□[太]子, 且告糶. 請傳位□□[~~世子~~],[185)] <u>表曰</u>,[186)] "聖德齊日月之明, 無幽不燭, 卑情絶絲毫之隱, 有故必陳. 伏念, 臣跡遠守東, 心專拱北. 嘗於至元六年己巳[元宗10年], 臣爲世子入朝, 還至婆娑府, 聞權臣林衍擅廢立. 還赴朝廷, 陳告情狀, 遂與官軍, 來復舊都. 八年辛未[元宗12年], 入參宿衛, 累經歲月, 至蒙釐降, 益勤藩職. 十八年辛巳[忠烈7年], 官軍出征日本, 凡船艦米粮, 至於軍卒梢水, 一切物件, 悉皆盡力應副. 二十四年丁亥[13年], 聞車駕親征乃顔, 躬率五千軍, 而往助征半途, 詔傳大捷, 仍命還軍. 二十八年辛卯[17年], 乃顔餘種哈丹賊軍, 入我東鄙, 臣與[大王]乃蠻歹·[平章政事]薛闍干等, 一同心力, 蕩滅無餘, 謂臣有勞效, 加功臣名分. 三十年癸巳[19年], 與公主入朝, 親覩聖人之作, 首詣慶集, 別承寵渥. 旣得殊尤之墜睠, 庶幾終始以輸誠, 乃因閨室之相離, 哀傷有甚. 加以春秋之方耄, 疾恙交攻, 如一朝僵仆以莫興, 其庶務剖裁之誰任, 竊見臣之世子謜, 夙成幹局, 入衛闕庭. 荷恩, 已配於皇支, 諳事, 堪承於宗祀. 而臣將俾之嗣位, 退以攝生, 庶免憂勤, 釋千鈞之重擔, 小延喘息, 觀四海之太平. 玆切籲呼, 佇垂矜察".

乙巳[16日] 太白晝見, 經天.

[甲寅[25日], 月入<u>大微</u>[~~太微~~]:天文3轉載].

[是月, 召還[前殿中侍史]吳祁於喬洞:追加].[187)]

[○僧<u>眞冏</u>開刊'松廣社主圓鑑國師歌頌':追加].[188)]

23년 10월 2일 사이이다. 이때 洪奎는 壁上三韓功臣·三重大匡·匡靖大夫·守司徒·判三司事에 임명되었다(洪奎墓誌銘).

185) ~~添字~~는 『고려사절요』 권21에 의거하였다.

186) 이 表는 충렬왕이 世子(後日의 忠宣王)에게 傳位를 요청한 것으로 세자의 師傅였던 都僉議中贊 鄭可臣이 작성하였는데, 이의 내용 중에는 忠烈王의 意思가 아닌 부분도 있었다고 한다(열전18, 鄭可臣 ; 『고려사절요』 권22, 충렬왕 24년 6월). 또 11월 4일(癸亥) 傳位의 書狀이 成宗에게 報告되었던 것 같다.

· 『원사』 권19, 본기19, 성종2, 大德 1년 11월 癸亥, "高麗王<u>王昛</u>告老, 乞以爵與其子<u>謜</u>".

187) 이는 「吳潛墓誌銘」에 의거하였다.

188) 이는 다음의 자료에 의거하였다.

· 『圓鑑國師歌頌』跋, "大德元年丁酉十月 日, 門人<u>眞冏</u>書. 於大德丁酉, 改刊海東曹溪第六世圓鑑國師歌頌, 門人<u>眞冏</u>書本, 世久字刓, 觀者病焉, …".

十一月庚申朔大盡,壬子, [戊辰9日, 下教, 中外城隍·名山·大川, 載祀典者, 皆加德號: 追加[189]

[壬申13日, 大雪. 雷:五行1雷震轉載].

戊寅19日, 遣上將軍金延壽如元, 獻人參大蔘及耽羅酥油□□等物.[190]

己丑30日, 宥二罪以下.

[是月丁丑18日, 元以高麗王世子謜爲開府儀同三司·征東行中書省左丞相·駙馬·上柱國·高麗國王, 仍加授王昛爲推忠宣力定遠保節功臣·開府儀同三司·太尉·駙馬·上柱國·逸壽王:追加].[191]

---

189) 이는 다음의 자료에 의거하였다(南豊鉉 1995년 ; 金甲童 1997년·2017년d 261~265面 ; 盧明鎬 2000년 405面).

- 「至元十八年忠烈7年淳昌城隍大王封爵貼」, "… 淳昌城隍大夫大王三韓國大夫人,」 右貼, 成上爲白臥乎事叱段, 元貞二年, 王旨, 復申, 大德元年十一月初九日, 名山·大川神祇, 加上尊號令是良於 教, 京里,, 擦郎林仲沇報狀, 因于□□ …".

190) 添字는 『고려사절요』 권21에 의거하였다. 또 酥油는 서양의 버터[Butter]와 비슷한 것인데, 馬乳·牛乳·羊乳 등을 고아 졸여서 만든 低脂肪의 乳製品이다(『字學』, 漢語錄). 또 조선 초기 황해도·평안도에 韃靼의 遺種으로 屠宰를 담당한 酥油赤이 있었다고 하며, 酥油는 얻기가 매우 어려워서 州縣의 弊害가 심하였다고 한다. 또 무인집권기에 醫官으로 하여금 人民들의 乳牛를 취하여 乳汁을 짜서 酥酪을 만들자 암소와 송아지가 모두 損傷을 입었다고 하는데, 이 酥酪이 酥油로 추측된다.

- 열전12, 李純, "… 累遷國子祭酒·諫議大夫·翰林學士. 嘗奏, '近來因八關煎藥, 命醫官, 歲取四畿民乳牛, 絞取乳汁, 煎而成酥, 牸犢俱傷. 其藥本非備急, 且損耕牛, 請罷之'. 制從之, 民多感悅".
- 『세종실록』 권14, 3년 11월 丁亥28日, "罷酥油赤. 黃海·平安等道有酥油赤, 自言達達之遺種, 以屠宰爲業, 每戶歲貢酥油一丁于司饔房, 家無差役, 避軍者多往依之. 然酥油實難得, 或有一戶經數歲, 未納一丁者. 或有數戶, 一歲共納一丁者, 所入於國家者無幾, 而爲州縣之弊者實多. 瑞興郡有一戶壯男二十一名, 而抗拒差役, 太上王命兵曹遍考各道酥油赤戶數, 令所居官充定軍役. 參議尹淮啓曰, '酥油供御用藥餌, 且時時以賜老病諸臣, 恐未可罷也'. 太上王曰, '非汝所知也'. 遂盡罷之, 凡數百戶".
- 『鶴巖集』冊2, 燕行錄, 瀋陽城外有寺, 瓦皆黃色, 卽汗胡願堂, 有西域僧, 自言爲天子師, 僧衣黃色袈裟, 茶用酪酥, 甚可笑也".

191) 이는 다음의 자료에 의거하였다(後刷本).

- 『원사』 권19, 본기19, 성종2, 대덕 1년 11월, "丁丑18日, 詔以高麗王世子謜爲開府儀同三司·征東行中書省左丞相·駙馬·上柱國·高麗國王, 仍加授王昛爲推忠宣力定遠保節功臣·開府儀同三司·太尉·駙馬·上柱國·逸壽王".
- 『원사』 권208, 열전95, 外夷1, 高麗, "大德元年十一月, 封昛爲逸壽王, 以世子謜爲高麗王, 從所請也".
- 『원고려기사』本文, "成宗皇帝大德元年十一月, 封昛爲逸壽王, 以世子謜爲高麗王, 從所請也. 詔曰, "咨爾, 推忠宣力定遠功臣·特進·上柱國·開府儀同三司·征東行中書省左丞相·駙馬·高麗

[是月頃, 以吳良祐[吳良遇]爲東京副留守:追加].[192)]

十二月[庚寅朔小盡,癸丑], 戊戌[9日], 以內竪金元呂, 私通宮人柴巨, 並投臨津.

庚子[11日], 闊闊歹大王死于大靑島.

壬寅[13日], 以金之淑爲□[都]僉議參理·世子貳師, 安珦爲□[都]僉議參理·世子貳保, 崔有渰△[爲]判密直司事, 李混△[爲]知密直司事, 並兼世子元賓, 尹琁[尹琦]爲密直學士,[193)] [軍簿判書]張碩爲軍簿判書, 全昇爲右副承旨, 吳仁永爲左承旨, 金恂爲左副承旨,[194)] 趙瑞爲右承旨, 吳漢卿·李瑱爲左·右司議大夫.

甲辰[15日], □[都]僉議參理張舜龍死,[195)] [年四十四. 子將軍芸, 豪奢不檢. 嘗於八關會, 直上五鳳樓[威鳳樓], 手取案上橘柚, 因而失儀者多. 王不悅, 乃罷:列傳36張舜龍轉載].[196)]

[→子瑄, 忠烈朝登第, 遷歷未詳, 嘗以萬戶出鎭合浦. 忠宣二年, 以檢校評理, 出廣州牧, 四年, 移平壤府尹:追加].[197)]

[丙午[17日], 月入軒轅:天文3轉載].

[甲寅[25日], □[月]犯心星:天文3轉載].

國王王昛, 恪居藩翰, 茂著勳庸, 宣力我家, 歷年玆久. 比陳衰疾, 冀脫煩勞, 乞疏嗣爵之恩, 將爲逸老之計, 載惟忠懇, 宜賜允從. 其封世子謜爲高麗國王, 可授卿推忠宣力定遠保節功臣·開府儀同三司·太尉·駙馬·上柱國·逸壽王. 卿雖耆年, 國之重務, 尙資訓導, 迄用有成. 於戲, 全始全終, 旣被殊常之眷, 惟忠惟孝, 勉思報效之勤, 祗服寵光, 益綏福履". ○封謜詔曰, "咨爾, 儀同三司·上柱國·高麗王世子謜, 挺秀東藩, 聯芳右戚, 洒眷親賢之懿, 宜膺世爵之傳. 可授開府儀同三司·征東行中書省左丞相·駙馬·上柱國·高麗國王. 寵命祗承, 勉篤忠貞之義, 前休克配, 毋忘孝敬之誠". ○又詔宣諭其國曰, "諭高麗國宗族·國吏·諸色人等, 邇者, 高麗國王王昛, 遣使表陳, 春秋方耄, 憂恙交攻, 慮庶務之煩勞, 期息肩於重負, 乞令世子謜襲爵. 朕以王昛, 嗣守東土, 垂三十年 累效忠勤, 勳勞茂著, 矜其誠懇, 特賜允兪, 授世子開府儀同三司·征東行中書省左丞相·駙馬·上柱國·高麗王, 仍授王昛推忠宣力定遠保節功臣·開府儀同三司·太尉·駙馬·上柱國·逸壽王, 以示優崇之意, 國有重務, 尙須訓勵, 聿底於成. 咨爾, 臣民體予至意".

192) 이는『동도역세제자기』에 의거하였는데, 吳良祐는 吳良遇의 오자일 것이다.

193) 尹琁(윤선)은 尹琦(윤보)의 오자인데(尹琦妻朴氏墓誌銘 ; 尹侅墓誌銘), 글자의 모양이 유사하다. 이는 乙亥字로『고려사』를 처음 組版할 때 造字 또는 採字를 잘못하였을 것이다.

194) 이때 金恂은 左副承旨·寶文閣直學士에 임명되었다(金恂墓誌銘). 또 全昇(右副承旨), 趙瑞(右承旨)의 순서가 바뀐 이유는 알 수 없지만, 편찬과정에서 筆寫 또는 組版에서 오류가 발생한 것 같다.

195) 이날은 율리우스曆으로 1297년 12월 30일(그레고리曆 1298년 1월 6일)에 해당한다.

196) 五鳳樓는 威鳳樓의 오자일 것이다.

197) 張瑄의 經歷은 세가편의 내용에 의거하였다. 또 芸이 瑄의 初名인지, 아니면 다른 兄弟인지는 알 수 없다.

戊午[29日晦], 遣大將軍宋瑨如元, 賀正.
[○僧冲止撰'圓鑑國師語錄'序:追加].[198)]

閏[十二]月[己未朔小盡,癸丑], □□[征東]行省遣掾趙珍, 賀正.[199)]
乙丑[7日], 以元玶△[爲]同知密直司事, 元卿△[爲]副知密直司事.[200)]
○副知密直司事崔冲紹, 以世子命, 就壽昌宮基, 大興工役, [中築方壇, 外繚峻垣:節要轉載], 將以設公主之穹廬也. [時方地凍, 取土無所, 掘一穴, 則人爭趍之, 壓死者衆. 又令路傍屋垣, 皆撤茅而瓦之, 與中贊鄭可臣·三司□□[左使]李之氐·密直[判密直司事]崔有渰·[知密直司事]朴義等, 督役甚急:節要轉載].[201)]

[是年, 以[將軍·知閣門事]金深爲興威衛大將軍:追加].[202)]
[以[東部副令]庾自偶爲試監察侍史:追加].[203)]
[○以尹令瞻爲永州副使, 金先告爲永州判官:追加].[204)]
[○以李資爲碩州副使, 朴成·鄭英爲碩州判官:追加].[205)]
[○以[前西面都監判官同正]元善之爲散員:追加].[206)]
[○以元忠爲東面都監判官同正, 時, 忠年八:追加].[207)]
[增補, 賜金禛等及第:追加].[208)]

---

198) 이는 다음의 자료에 의거하였다.
- 『圓鑑國師語錄』序, "大德元年丁酉臘月日, 蒙菴老人明友不渴序".

199) 掾趙珍은 征東行省의 掾史 趙珍의 略稱이다.

200) 이보다 먼저 元卿이 그의 형인 元玶보다 먼저 副知密直司事에 임명되자 轉職을 요청하였다고 한다. 또 이 시기에 親族 사이의 相避制가 실시되지 않았던 것 같다.
- 열전37, 元卿, "[元卿,] 陞副知密直司事, 時, 卿兄玶位在卿下, 卿白王曰, '兄弟同爲宰相, 弟居兄右, 心所未安'. 乃改卿爲三司使, 玶爲副知密直□□[司事]".

201) 이와 같은 기사가 열전18, 鄭可臣에도 수록되어 있다.

202) 이는 「金深墓誌銘」에 의거하였다.

203) 이는 「庾自偶墓誌銘」에 의거하였다.

204) 이는 『영천선생안』에 의거하였다.

205) 이는 『연안부지』에 의거하였다.

206) 이는 「元善之墓誌銘」에 의거하였다.

207) 이는 元忠(元傅의 子, 洪奎의 壻)의 墓誌銘에 의거하였다.

208) 이는 『등과록』, 『전조과거사적』, "丁酉二十三年榜, 此榜, 未知壯元之誰某, 而章榮公譜書, 以忠烈丁酉秋場製述科"에 의거하였지만 未審한 점이 없지 않다(許興植 2005년).

戊戌[忠烈王]二十四年, 元大德二年, [西曆1298年]

1298년 2월 12일(Gre2월 19일)에서 1299년 2월 1일(Gre2월 8일)까지, 355일

春正月戊子朔大盡,甲寅, 丙申9日, 世子至自元.

庚子13日, 世子妃寶塔實憐公主來. [是爲韓國長公主:節要轉載]. 王幸金郊, 百官郊迎, 儀仗·伎樂, 如迎王禮. 帝成宗使阿木罕太子·襲吉剌歹襲吉剌歹丞相, 護行以來.

[→公主自元來, 帝使太子阿木罕·丞相襲吉剌歹襲吉剌歹護行. 忠烈幸金郊, 百官郊迎, 儀仗·妓樂, 如迎王禮:列傳2忠宣王妃薊國大長公主轉載].

辛丑14日, 宴公主及阿木罕等于壽寧宮.

壬寅15日, [壽寧宮西門外, 地拆泉湧, 高數尺, 自午至酉而止:節要·五行3轉載].

○命巡馬所, 選良家女, 將以進帝所及使臣. 令百僚, 密疏有女家, 投主司. 於是, 有睚眦之怨者, 雖無女, 亦指之, 以致騷擾, 雞犬不得寧焉. 潛納壻者, 頗多.

癸卯16日, 敎曰, "孤以凉德, 叨承丕構, 二十有五年, 今且老矣. 加以去歲, 因喪配耦, 不覺過慟, 疾恙隨之, 倦于聽政. 惟爾世子, 英明智勇, 衆所共知, 當嗣藩職, 祗奉宗社. 孤亦退居後宮, 穩送餘齡, 惟忠惟孝, 在此一擧".

○世子上牋辭, 不允.

甲辰17日, [驚蟄]. 元遣咸寧侯王維, 詔諭國人曰, "邇者, 高麗國王王昛表陳, 春秋方耄, 憂恙交攻, 慮庶務之煩勞, 期息肩於重負, 乞令世子謜, 襲爵. 朕以王嗣守東土, 垂三十年, 累效忠勤, 勳伐茂著. 矜其誠懇, 特賜俞允. 授世子·開府儀同三司·征東行中書省左丞相·駙馬·上柱國·高麗國王, 加授王, 推忠宣力定遠保節功臣·開府儀同三司·大尉太尉·駙馬·上柱國·逸壽王, 以示優崇之意. 國有重務, 尙湏須訓勵, 聿底于成".

○又詔王曰, "卿恪居藩翰, 茂著勳庸, 宣力我家, 歷年玆久. 比陳衰疾, 冀脫煩勞, 乞湏須賜爵之恩, 將爲逸老之計. 載惟忠懇, 宜賜允從. 卿雖耆年, 國之重務, 尙資訓導, 迄用有成. 於戲, 令始令終, 旣被殊常之眷, 惟忠惟孝, 勉思報效之勤. 祗服寵光, 益綏福履". ○維, 本國宗室, 仕元朝, 爲摠管.

丙午19日, 幸康安殿, 傳位於世子, 退居故都僉議參理張舜龍第, 號爲德慈宮. 世子卽位於康安殿, 是爲忠宣□王.

乙卯28日, 詣德慈宮, 奉箋上尊號, 曰'光文宣德太上王'[注, 王傳國後, 王復位, 凡七月, 在忠宣世家].

[以下 忠宣王世家篇에서 移動해옴]

忠烈王二十四年正月甲辰17日, 元遣使□来, 册爲國王, 以忠烈爲逸壽王.

丙午19日, 受內禪, 卽位於康安殿, [受群臣賀, 頒赦, 遂移御壽寧宮:節要轉載].

戊申21日, 敎曰, "昔我太祖, 一統三韓, 熙鴻號于無窮, 堂構相承, 于今三百八十有一年矣. 逮我光文宣德太上王, 在潛邸時, 爲安黎庶, 斷自睿慮, 入侍帝庭, 得配王姬, 光紹前寧, 嗣大曆服, 二十五年, 昇平之業, 於斯爲盛. 噫, 皇天不弔, 我母后貞敏莊宣仁明太后, 奄忽賓天, 上心鬱鬱, 倦于聽政, 以軍國繁機, 歸于幼冲, 牢讓再三, 不獲兪命, 新卽王位. 惟予小子, 幸爲先帝外甥, 又承皇帝·皇太后眷顧, 嘉與公主, 聿來于玆. 倘賴積累之功, 永保社稷丕丕之基, 宜以殊恩, 覃及遐邇. 自正月二十一日昧爽以前, 二罪以下, 咸宥除之.

一. 哈丹之闌入也, 州郡望風迎降, 唯原州, 以孤城, 摧挫賊鋒. 然後, 諸城效之, 掃盡賊黨, 致三韓之再安, 敵先帝之所愾, 其功萬世難忘. 其防護別監·判書致仕卜奎, 戰士·中郞將元冲甲, 其邑守倅, 與長吏之成功者, 雖已褒賞, 尙有慊然, 宜加擢用, 勸勵後人. 其邑常徭雜貢, 宜復<u>三年</u>.[209]

[一. 開城, 是祖鄕, 三大貢外, 除常徭雜貢:食貨3恩免之制轉載].

[□丆. <u>太祖代</u>聖祖代衛社功臣及却退丹兵人等, 加封爵號, 內外文武職事常參以上, 散官四品以上父母妻封爵. 三品以上員, 除父母之封, 以祖·曾祖, 請封爵者, 亦許之:選擧3封贈轉載].

[□丆. <u>太祖</u>聖祖苗裔無名者, 例以一戶一名, 許初入仕. 太祖同胎兄弟, 賞延于世, 內外五世玄孫之曾孫, 各許一戶一名, 初入仕, 正統君王內外孫, 亦如之:選擧3祖宗苗裔轉載].

一. 三韓壁上功臣·三韓後代代壁上功臣·配享功臣·征戰沒陣而亡功臣子孫等, 以賤技, 落在工商匠樂者, 凡以功與恩, 已屬兩班, 而父母無痕咎者, 宜推明許通. 其<u>功臣之田</u>, 如有孫, 外人占取者, 勿論年限, 依孫還給. 同宗中功臣田, 若一戶合執者, 辨其足丁·半丁, 均給功臣子孫. 屬南班者, 改東班.[210]

---

209) 이와 관련된 기사가 크게 축약된 것도 있다.

- 지37, 食貨3, 恩免之制, "一, <u>哈丹</u>入境, 州郡望風迎降, 唯原州以孤城, 摧挫賊鋒, 其邑常徭雜貢, 宜復三年".

210) 이와 관련된 기사로 다음이 있다.

[□一. □[聖]祖代功臣之內外五世玄孫之子, 代代配享功臣內外五世玄孫之曾孫, 太祖代[聖祖代], 衛社戰亡, 金樂·金哲·申崇謙, 及能使丹兵還退, 徐熙·河拱辰·盧戩·楊規等, 內外孫與玄孫中, 一名許初入仕. 顯宗南幸時, 有功者及始終隨從功臣, 與西京·興化·龜·宣·慈州·仇比江·盤嶺, 成功戰亡者, 交戰將校典軍人等, 內外孫與玄孫中一名, 例許初職, 甲申[肅宗9年]·丁亥年[睿宗2年], 東蕃元帥尹瓘·吳延寵, 爲國亡身, 庾益[庾翼]·□[朴]懷節·龐方·崔甫, 及出衆成功, 對戰亡身, 兩班·軍人及行諜未還記事儒一, 內外玄孫中, 例許一名初職, 乙卯年[仁宗13年], 西事成功, 及戰亡兩班員將, 庚戌年[顯宗1年], 昌化軍衛社, 景純·李雄等內外孫中, 一名許初職. [門下侍郞]平章事崔思專[崔思全], 於先代救難, 使王孫緜遠, 其內外玄孫錄用. 丙午年[仁宗4年]衛社, 吳卓·尹先·甫麟·龐珍·李作·李儒, 始終衛社亡身, 金縝·辛忠內外孫與玄孫, 許初職. 壬寅年[仁宗卽位年]衛社亡身, 平章事韓安仁·郞中李中若, 內外孫與玄孫賞職. 侍郞庾應圭, 告奏北朝, 七日不食, 專對有功, 又當闕內救火時, 能奉遷景靈殿五室神御. 郞中黃文裳, 於乙卯年[仁宗13年]西事, 爲宣諭使, 亡身, 郞中崔均, 於甲午年[明宗4年], 爲宣諭使, 亡身, 內外孫一名, 許初職. 是年, 權有之郊, 先入賊軍, 沒陣而亡, 別將崔淑·散員守磯·白仁壽·裴龍甫·校尉趙叔甫·錢義忠. 辛卯年[高宗18年], 龜州宣諭使朴文成[朴犀]·金仲溫·金慶孫, 癸巳年[明宗3年], 南路捉賊李子晟·宣諭使鄭義·朴錄全, 甲午年[高宗21年], 西京兵馬使閔曦, 丁酉年[高宗24年], 南路逆賊處置使金慶孫, 皆於內外孫中, 許初職錄用. 凡功臣子孫, 以賤技, 落在工商匠樂者, 推明許通, 屬南班者, 改東班:選擧3功臣子孫轉載].[211)]

[□一. 本朝三品之階, 貳於宰相, 未嘗輕授, 雖至四品, 容有年滿而未拜者. 近來, 或以五品超授, 致仕受祿者, 倍於顯官. 各領校尉以下, 困於國役, 而有終年未受祿者, 誠爲未便. 其以五品超授者, 有司論罷:選擧3選法轉載].

一. 文武兩班·正·雜路, 凡有職者, 加次第同正職, 前恩未蒙者, 幷以今恩許蒙, 前有鄕職者, 加次第鄕職, 官滿者, 加鄕職階.

一. 諸司人吏動靜, 許一度, 吏·兵部入仕者, 各許五十人. 近侍·茶房員吏, 超等加職, 給事許初入仕, 南班屬者, 年限勿論, 改東班.

[□一. 宰樞及文武三品以上致仕見存者, 各許一子蔭官, 無子則甥姪·女婿·內外

· 지32, 食貨1, 功蔭田柴, "功臣之田, 子孫微劣, 孫外人占取者, 勿論年限, 依孫還給. 同宗中, 若一戶合執者, 辨其足丁·半丁, 均給".

211) 庾益은 庾翼의, 崔思專은 崔思全의 오자일 것이고, 懷節은 朴懷節에서 朴字가 탈락되었다.

孫及收養子，許一名初職．先代宰樞，內外孫無名者，許文武初職，四品及給舍中丞，諸曹郎中·中郎將解官者，勿論試攝，各授一子蔭官．凡實行後，爲外官者，亦降等許蔭:選擧3蔭敍轉載]．

[□一．用人，不可專用世家子弟，其有茂才碩德，孝廉方正之士，退居巖谷者，所在官薦達．貧不能行者，官給衣粮敦遣:選擧3薦擧轉載]．[212]

[一．諸業東堂監試，各許一度，進士·明經，赴擧已滿十度者，亦許脫麻:選擧2恩例轉載]．[213]

一．諺曰，'僧多批職，亡國敗家'，今批職之數過多，令有司，褒貶申聞．今後有法德殊勝者，方加法號．[214]

一．前所配者，除謀亂國家·不忠不孝·殺人强盜·謀故劫殺·鈒面充常戶外，其餘入島者，出陸餘鄕．餘鄕者通朝見，朝見者量用．公私雜罪者，還其職田．終身不叙·停職屬散者，量用．

一．日本護送使·副知密直司事致仕金有成，供驛令郭麟一行，貝將子孫錄用．

[一．先王制定，內外田丁，各隨職役，平均分給，以資民生，又支國用．邇來，豪猾之徒，托稱遠陳，標以山川，冒受賜牌，爲己之有，不納公租，田野雖闢，國貢歲減．又其甚者，托以□內房庫·宗室之田，其於租稅，一分納公，二分歸己，或有全不納者，玆弊莫大．宜令諸道按廉及守令，窮詰還主，如無主者，其給內外軍·閑人，立戶充役:食貨1經理轉載]．[215]

[一．京畿八縣田，元有其主，國家近因多故，以兩班祿俸之薄，初給墾地．其餘荒地頗多，自利爲先者，乘閒受賜，不許其主，不納官租，專收其利．甚者，又幷兩班折給之田，使不得隨職遞受者，多矣．令有司，更爲審驗，和會折給，江華田，亦令均分:食貨1經理轉載]．

[□一．足食之道，惟在務農，所在官司，勤加勸課．當耕種時，不急之役，與收斂，

---

212) 이 기사는 1308년(충렬왕34, 충선왕 복위년) 11월 1일에 내린 教令으로 볼 수도 있으나 충선왕이 내린 教令을 '忠宣王卽位'와 '忠宣王復位'로 구분한 事例(지29, 選擧3, 蔭敍)를 통해 볼 때 是年임을 알 수 있다.

213) 이는 다음의 기사를 전재한 것이다.
- 지28, 선거2, 恩例, "忠宣王卽位, 敎曰, 諸業東堂監試, 各許一度, 進士·明經, 赴擧已滿十度者, 亦許脫麻".

214) 勝은 延世大學本과 東亞大學本에는 職으로 되어 있으나 오자일 것이다(東亞大學 2008년 9책 398面).

215) 房庫의 앞에 內字가 탈락되었을 것이다(→충렬왕 27년 7월 18일).

一切禁斷，又禁縱放牛馬，踐損禾稼．違者，斷罪倍償:食貨2農桑轉載].

[□一．塩稅，自古天下公用，今諸宮院·寺社，與勢要之家，皆爭據執，不納其稅，國用不足．有司窮推除罷:食貨2塩法轉載].

[一．諸州·府·郡·縣稅及常徭雜貢，往年未收者，幷今年徭貢，亦令全除:食貨3恩免之制轉載].

[一．各道柴炭貢，諸院寺·官司所屬公廨田，諸寶米等，往年未收，限丁酉年以上，除之:食貨3恩免之制轉載].

[一．入朝過行西海道，三稅大貢外，常徭雜貢，及各驛柴炭貢，限今年，全除:食貨3恩免之制轉載].

[一．太祖創立禪敎寺社，皆以地鉗相應置之．今兩班私立願堂，虧損地德，又共議寺社住持，率以貨賂濫得．幷令禁斷:刑法1職制轉載].

[一．凡州府郡縣，先王因丁田多少，以等差之．近來，兩班內外鄕貫，無時加號，甚乖古制．有司論罷:刑法1職制轉載].

[一．州府郡縣鄕吏百姓，依投權勢，多授軍不領散員，或入仕上典，侵漁百姓，陵冒官員．宜令按廉使，及所在官，收職牒，充本役．又領府隊尉校尉·隊正，無功，超授軍不領散員，謀避本領職役，付托勢家，橫行外方，濫乘驛馬，侵擾貧民．亦令有司，收職牒，充本役:刑法1職制轉載].[216)]

[一．古制，遣使，唯按廉·祭告·馬場耳，近因多故，每事，皆遣別監及將校·下典，州郡，困於支待，驛馬罷弊．又按廉及諸別銜，饋遺勢家，多以銀布米麪，甚者，以人物充其農庄．又守令貪暴，按廉不之察．自今，每番褒貶，以聞:刑法1職制轉載].

[一．民無恒心，因無恒產，憚於賦役，彼此流移，凡有勢力，招集以爲農場．按廉使與所在官，推刷還本，具錄以聞:刑法1職制轉載].

[一．聽訟官，或挾私淹延，告者積怨．今後，不卽決者，罪其主司:刑法1職制轉載].

[一．凡論功，如崔凝·徐熙·楊規·姜邯贊·崔思全·趙冲·金方慶等，然後方可謂之功臣，而錄用其子孫也．今者，親朝行李，年年有之，自求扈從，便謂之功，超等受賞，錄其子孫，加號本貫．至有痕咎之人，許通，甚爲未便．今後，勿令許通，違者，所司固執論罷:刑法1職制轉載].

[一．各道按廉□使，與別銜，侵漁百姓，以爲私膳，傳驛輸送，其弊甚大．今後，

216) 隊尉는 隊正(品外의 下級武官)과 校尉(혹은 伍尉，正9品)의 合成語로 추측되는데，이 기사에서는 校尉를 指稱하는 것으로 추측된다.

雖絲毫之物皆禁:刑法1職制轉載].

[一. 守令, 以自己便否, 不待三年, 互換移任, 迎送之弊, 莫甚. 一切禁止:刑法1職制轉載].

[一. 凡侍朝兩班, 不得受人賄賂, 至於茶藥紙墨, 亦不可受. 違者罪之:刑法1職制轉載].

[一. 王京, 一國之本, 要令人物安堵, 不可搔擾. 自今以後, 各司, 凡所須, 不得於市廛侵奪, 如不得已, 而徵求, 當與其直:刑法1職制轉載].

[一. 忽只[忽赤]·鷹坊·尙乘·巡馬·宮闕都監·阿車赤等, 當新員赴任之時, 遽徵封送, 因而取斂於民, 一切禁斷. 乃至按廉及諸別銜·抄與丁吏, 亦不得贈與:刑法1職制轉載].

[一. 寺院及齋醮諸處所, 據執兩班田地, 冒受賜牌, 以爲農場. 今後, 有司窮治, 各還其主:刑法1職制轉載].

[一. 近來, 壓良爲賤者, 甚多. 其令有司, 劾其無文契, 及詐僞者, 罪之:刑法2奴婢轉載].

[一. 不念公理, 的望外官奴婢, 冒受賜牌者, 一切禁斷:刑法2奴婢轉載].

[一. 兩班奴婢, 以其主役各別, 自古, 未有公役雜斂. 今良民, 盡入勢家, 不供官役, 反以兩班奴婢, 代爲良民之役, 今後一禁. 乃至奴妻婢夫, 任許其主":刑法2奴婢轉載].

己酉[22日], 移御壽寧宮, 王以文翰學士承旨崔昷·學士朴全之·侍讀學士吳漢卿·李瑱, 修撰宥旨, 賜綾絹·紬紵各十五匹.[217)]

庚戌[23日], 王詣德慈宮, 奉逸壽王, 宴于壽寧宮.

○王舅晋王[甘麻剌], 遣平章□□[政事]扎刺帖木兒來, 弔公主喪, 仍致祭.

[→晋王遣使□[來], 致祭, 高唐王亦遣使歸賻:列傳2忠烈王妃齊國大長公主轉載].

壬子[25日], 重房宴王.

癸丑[26日], 幸佛恩寺, 相營宮之地, 置德慈宮.

乙卯[28日], 王率百官, 詣德慈宮, 奉牋, 上尊號曰□□□□[光文宣德]太上王, 王衣紫袍, 太上王衣黃袍, 受賀. 時, 稱三韓罕有之盛事.[218)]

---

217) 이와 같은 기사로 다음이 있다.

· 열전22, 朴全之, "命[朴]全之等, 撰卽位敎, 賜綾絹·紬苧布各十五匹, 尙乘鞍馬".

218) 添字는 『고려사절요』 권22에 의거하였다.

○□[遣]平陽侯昡·大將軍金精，齎王及逸壽王謝表，如元.

丙辰[29日]，王與公主，詣德慈宮，奉太上王，宴于壽寧宮，爲公主誕日也.

翌日[丁巳30日]，又奉迎太上王及貞和宮主，宴于王宮.［自安平公主之釐降，太上王與貞和，絶不相通:節要轉載］.

［→宮主自公主釐降，恒居別宮，與王絶不相通，公主薨，忠宣受內禪，奉迎王及宮主上壽:列傳2忠烈王妃貞信府主轉載］.

［是月頃，長生寺主□漢造成銅鍾一口，重五十斤:追加］.[219)]

二月戊午朔[小盡,乙卯]，王始署征東省事，宰樞及行省左右司官吏謁見，用元朝禮.

庚申[3日]，阿木罕太子及孶吉剌歹[孶吉剌歹]丞相還，王餞于金郊.

［辛酉[4日]，太白·歲星相犯:天文3轉載］.

甲子[7日]，王朝太上王于貞和宮．王命莊穆王后[忠烈王妃]，宜加太后之號，有司其議以聞.

［乙丑[8日]，月犯五諸侯南第二星:天文3轉載］.

［某日，號公主宮曰中和，府曰崇敬，置官僚:節要·列傳2忠宣王妃薊國大長公主轉載］.

丁卯[10日]，王與公主，移御[都僉議侍郎贊成事]印侯家.

己巳[12日]，命以□[都]僉議·密直司爲王宮，盖古彥昌宮基也．初，王欲以[贊成事]車信家爲宮，旣興工．相地者以爲不吉，遂卜於此，大興工役.

庚午[13日]，以觀燈，王與公主，奉太上王，幸康安殿.

辛未[14日]，燃燈，王如奉恩寺，賜文翰學士崔昷·朴全之·吳漢卿·李瑱，尙乘鞍馬.

翌日[壬申15日]，大會，群臣上壽．次至四學士，王使之前，賜巵酒，謂之曰，"惟爾諸學士，直言無隱".

［○大風雨:五行3轉載］.

甲戌[17日]，［淸明］．以摠郎姜用丁爲慶尙道按廉使,[220)] 正郎柳謙副之，國學司藝許

---

219) 이는 全羅南道 麗川市 雙鳳洞 麗山里에서 출토된 「長生寺銅鍾銘」에 의거하였다(國立光州博物館 所藏, 文明大 1994년 3책 268面 ; 蔡雄錫 編 2013년).
· 銘文, "長生寺金鍾重五十斤,」 棟梁寺主重□□[大師?]□[徨?]漢,」 京戌□正春元絁納」 十六斤,大安二年十二月日」".

220) 『慶尙道營主題名記』에 의하면, 이해의 春夏番[春夏等] 按察使는 姜用丁이 아니라 沈逢吉로 되어 있고, 秋冬番[秋冬等] 按察使는 이때 全羅道按廉副使로 임명된 鄭珩으로 되어 있다. 姜用丁은 어떠한 事由로 인해 赴任하지 못하였거나 中途에 어떠한 사정이 있었던 것 같다.

有全爲全羅道按廉使, 直講鄭珩副之, 摠郎李源爲忠淸道按廉使,[221] 郎將白應龍副之, [試太僕少尹庾自偶爲交州道按廉副使:追加].[222] [以慶尙·全羅·忠淸, 地大事劇, 置按廉使·副. 東界交州, 兵餘凋弊, 罷東界安集使, 以交州按廉兼之. 西海道, 亦小道, 不置副. 按廉之有使·副, 始此:節要轉載].[223]

[→忠烈二十四年, 忠宣卽位, 以慶尙·全羅·忠淸三道, 地大事劇, 加置按廉副使, 交州·西海兩道, 地小, 不置副使. 又罷東界安集使, 以交州按廉兼之:百官2外官轉載].

[丙子19日, 月掩心星:天文3轉載].

丁丑20日, 監察司囚校書郎趙晋成妻趙氏. 趙氏, 正郎僴之女也, 與兄之烈通, 其母知而止之, 之烈歐母匿妹, 其母訟之.

○親設消災道場于康安殿.

甲申27日, 王率百官, 賀太上王生日于德慈宮.[224]

○王下書, 徵前□右司諫李承休[曰, "孤聞, 人主勤於求賢, 逸於得人. 是以, 凡有一能一藝者, 必欲致之, 矧如卿者乎. 非止文才, 吏用當時罕比, 忠誠勁節, 能格君心之非, 遭時不遇, 脫迹臺閣, 虛老岩巒, 予嘗憫之. 今以涼德, 叨承內遜, 思與故人, 共理萬幾, 令東界交州道按廉副使庾自偶敦諭, 爾其體予側席之意, 勿以年老爲辭". 又命其子權知校書郎林宗, 扶侍赴京. 時, 承休隱居三陟縣龍溪別業, 上章辭以老病. 王復下書云, "寡人素聞卿名, 思欲共治, 今授卿詞林侍讀□□學士·左諫議大夫, 充史館修撰官·知制誥, 幸爲蒼生一起". 承休乃來, 王與語大悅, 因問民間利病, 時政得失, 從容聽納. 後數日, 承休乃進言曰, "殿下所以召老臣者, 但以見聞利害, 直言無隱耳, 臣豈惜殘生, 孤負上恩":節要轉載].[225].

---

221) 李源은 李芳實의 父로서 奉翊大夫·版圖判書에 이르렀다고 한다.
- 『咸安李氏世譜』, "李源, 忠宣王元年戊戌, 以摠郎出補忠淸道按廉使, 入爲奉翊大夫·版圖判書".

222) 이때 庾自偶는 試太僕少尹으로 東界交州道의 按廉副使에 임명되었다고 한다(庾自偶墓誌銘→是月 27日). 또 庾自偶(知密直司事 趙抃의 壻)는 庾瑞의 改名인데, 개명된 시기는 1293년(충렬왕19) 10월 23일에서 1298년(충렬왕24) 2월 16일 사이이다.

223) 이와 관련된 기사로 다음이 있다.
- 지31, 百官2, 外職, 按廉使, "忠烈二十四年, 忠宣卽位, 以慶尙·全羅·忠淸三道, 地大事劇, 加置按廉副使, 交州·西海兩道, 地小, 不置副使. 又罷東界安集使, 以交州按廉兼之".

224) 충렬왕의 誕日은 2월 26일이다.

225) 이와 같은 기사가 열전19, 李承休에도 수록되어 있으나 자구에 출입이 있다. 또 知制誥가 知製敎로 改稱된 時期는 분명하지 않으나(지30, 百官1, 藝文館, "後改知製教"), 1300년(충렬왕26) 9월에도 李瑱이 左承旨·文翰學士·知制誥를 稱하고 있었다(金方慶墓誌銘).

是月, 王以歲凶民飢, 減膳, 命內廚進橡實, 嘗之.

[○以羅允爲東京副留守:追加].[226]

三月[丁亥朔大盡,丙辰], 戊子[2日], 親醮三界于康安殿.

○[都僉議]中贊鄭可臣上章乞退, 不允. [命五日一朝:節要轉載], [加壁上三韓·三重大匡·守司空:列傳18鄭可臣轉載].

壬辰[6日], 王朝太上王于貞和宮.

癸巳[7日], 王召諸道按廉□[使], 諭以治民之事, 爲之流涕, 賜酒遣之.

乙未[9日], 以[宦者]方臣祐·李淑爲壁上三韓正匡,[227] 吳仁永△[爲]副知密直司事, 洪詵爲右副承旨.

[□□□[~~是時頃~~], 以[版圖正郞兼世子宮門郞]閔頔秘書少尹:列傳21閔頔轉載].

丁酉[11日], 王與公主, 以晋王生日, 奉太上王, 宴于壽寧宮.

庚子[14日], 幸王輪·乾聖二寺.

○長陽公㵾, 進頌德詩, 賜米三十石.

壬子[26日], 親設功德天道場于康安殿.

○王與宰臣[副知密直司事?]崔冲紹及翰林四學士[~~文翰四學士~~], 論三敎業.[228]

癸丑[27日], 王朝于德慈宮.

乙卯[29日], 高唐王闊里吉思遣使來, 歸安平公主之賻.

○太上王爲妃金氏奴婢, 求內傳于王, 王曰, "臣於卽位之日, 爲民, 請命于天, 革去宿弊, 內傳其一也, 臣不敢奉命". [王, 自爲世子時, 熟知其弊, 至是, 禁絶之:節要轉載].

[是月頃, 以李季瑊爲東京留守府少尹:追加].[229]

---

226) 이는 『동도역세제자기』에 의거하였다.

227) 李淑의 출신지인 平章郡은 『고려사절요』에는 平昌郡으로 되어 있는데(→충렬왕 30년 11월 某日, 31년 2월 6일), 高麗前期에 平昌縣이었던 점을 감안하면 後者가 옳을 것 같다.

· 열전35, 宦者, 李淑, "… 小字福壽, 平章郡[~~平昌郡~~]人, 母太白山巫女. 淑, 有寵於忠烈, 封壁上三韓正匡·平章君[平昌君]".

· 『삼국사기』 권35, 잡지4, 지리2, 漢州, 奈城郡, "… 白烏縣, 本高句麗郁烏縣, 景德王改名, 今平昌縣".

228) 翰林四學士는 文翰四學士의 雅稱 또는 오류일 것이다(→是年 1월 22일).

229) 이는 『동도역세제자기』에 의거하였다.

夏四月[丁巳朔小盡,丁巳], 戊午[2日], 雨雹.[230)]

○[罷政房, 以翰林院[~~文翰署~~], 主選法:節要轉載],[231)] 命學士崔旵等四人及承旨金昇, 掌銓選.

庚申[4日], 親設仁王道場于康安殿.

辛酉[5日], 王命撥還外吏之在京者, 別將以下, 勒還本役.

[癸亥[7日], 月入軒轅:天文3轉載].

甲子[8日], 太史局言, "城中巫覡, 滛祀[~~淫祀~~]日盛, 請徙郭外".

乙丑[9日], 王與公主, 上壽德慈宮.

丙寅[10日], 王命詞臣[國學司藝]許有全·趙簡及致仕金孝臣[232)]·崔瑒[~~崔諹~~], 直言時事, 凡有愆違, 卽疏以聞.[233)]

戊辰[12日], 王置賞花宴于壽寧宮.

庚午[14日], 王朝德慈宮,

壬申[16日], 亦如之[王朝德慈宮].

乙亥[19日], [芒種]. 前密直司使安戩卒.[234)] [戩, 久典銓選, 守正不阿, 時稱鐵餻,: 節要轉載].

[某日, 公主, 妬王妃趙氏專寵, 怒甚, 作畏吾兒字書, 付闊闊不花·闊闊歹二人, 將如元, 達于太后. 畏吾兒, 古回鶻也. 其書誣曰, "趙妃咀呪公主, 使王不愛". 王使朴瑄, 問二人書中事. 二人不應, 反毆之. 王懼, 白太上王. 太上王幸公主所, 慰安之. 王以所籍陶成器·金懦·玄宗柱·張祐等家産·人口, 賜闊闊不花·闊闊歹等. 又以金懦妻, 賜闊闊不花, 欲解公主怒也:節要轉載].[235)]

[→公主妬趙妃專寵, 作畏吾兒字書, 付隨從闊闊不花·闊闊歹二人如元, 達于皇太后. 畏吾兒, 古回鶻也. 元古無字, 八思巴始制蒙古字, 然往來書, 多用畏吾兒

---

230) 이와 같은 기사가 지7, 五行1, 水, 雨雹에도 수록되어 있다.

231) 이와 같은 기사가 지29, 選擧3, 選法에도 수록되어 있다.

232) 金孝臣은 『고려사절요』 권22와 『고려사』(亞細亞文化社本)와에는 金孝巨로 읽을 수도 있으나 延世大學本과 東亞大學本을 통해 볼 때 金孝臣의 臣字에서 印刷가 잘못된 것 같다(盧明鎬 等編 2016년 565面→원종 10년 10월 28일의 脚注).

233) 崔瑒(최창)은 版圖判書로 致仕한 崔諹(최양, 郭麟의 丈人)의 오자로 추측된다(→충렬왕 29년 8월 5일).

234) 이날은 율리우스曆으로 1298년 5월 30일(그레고리曆 6월 6일)에 해당한다.

235) 公主의 王妃 趙氏에 대한 妬忌는 다음의 자료에도 수록되어 있다.

- 열전2, 忠宣王妃, 趙妃, "韓國公主妬妃專寵, 譖于元, 語在薊國公主傳".

字.236) 其書云,“趙妃詛呪公主, 使王不愛”. 王使朴景亮~~朴瑄~~,237) 問二人書中事. 二人不應, 反歐之. 王懼, 白忠烈. 忠烈幸公主所, 慰安之. 又以所籍都成器·金縟·玄宗柱·張祐等家產·人口, 賜闊闊不花·闊闊歹·章吉徹里等. 又以縟妻賜闊闊不花, 欲解公主怒:列傳2忠宣王妃薊國大長公主轉載].

辛巳[25日], 雨雹.238)

○僉議司~~都僉議使司~~請避王嫌名, 元·原·源·騵·嫄·羱·螈·榞·豲·蒝等字, 從之, 仍命并諱遠字.

五月丙戌□[朔大盡,戊午],239) 公主妬趙妃, 公主之乳媼, 與無賴之徒潛謀, 以公主失愛, 遣闊闊不花·闊闊歹, 與大將軍金精·吳挺圭等如元, 告大后~~皇太后~~.

[→公主猶遣闊闊不花·闊闊歹, 與大將軍金精·吳挺圭等如元, 告之:列傳2忠宣王妃薊國大長公主轉載].

庚寅[5日], [夏至]. 西蕃八哈思等十九人來, 王所招也.

辛卯[6日], [改官制:節要轉載], 敎曰,“先王設官分職, 盖欲得人, 而共圖庶務. 孤於幼歲, 入侍天庭, 躬承先帝之訓, 目覩大都~~大朝~~之制,240) 既詳矣. 及叨重寄, 凡諸時弊, 一皆蠲罷, 惟宰執之數, 倍於古制, 公家議論, 多少異同, 事事稽滯, 宜當減省. 又頃者, 因避上朝之制, 百官名號, 早曾改之, 然或有同, 而不改者, 有不同, 而改之者, 所更之號, 亦不師古, 容有未稱, 孤當卽位之初, 遽革成規, 懼乖物議, 然隨時沿革, 古亦有之. 載按歷代官職, 不涉上朝官號者, 而易置之, 或罷不急之司, 合於一局, 庶幾官省, 而事易理也”.241)

[○是時, 改都僉議中贊, 爲都僉議侍中, 尋[是年六月]復改中贊. 以宰執員冗, 論議

---

236) 고려가 몽골제국과 긴밀히 연결되어 있을 때 그들과의 公式文書에서는 八思巴[Phags-pa)文字를, 일반적인 往來書翰은 畏吾兒[畏兀兒, 위구르]文字를, 각각 사용하였던 것 같다.

· 『세종실록』 권19, 5년 2월 乙卯[4日], “禮曹啓, ‘蒙古字學有二樣, 一曰偉兀眞, 二曰帖兒月眞. 在前詔書及印書, 用帖兒月眞, 常行文字, 用偉兀眞, 不可偏廢, 今生徒皆習偉兀眞, 習帖兒月眞者少. 自今四孟朔蒙學取才, 竝試帖兒月眞, 通不通分數, 依偉兀眞例’, 從之”.

237) 이에서 朴景亮은 아직 改名을 하지 않았기에 初名인 朴瑄으로 고쳐야 옳게 될 것이다.

238) 지7, 五行1, 水, 雨雹에는 ‘亦如之[雨雹]’로 표기되어 있다.

239) 丙戌에 朔이 탈락되었다.

240) 大都는 『고려사절요』 권22에는 大朝로 되어 있는데, 後者가 옳을 것이다.

241) 이때의 관제 개혁은 1275년(충렬왕1) 10월 25일 몽골제국의 요구에 의해 급격하게 改變된 체제를 보다 精緻하게 개편한 것으로 추측된다(李益柱 1992년).

異同, 事多稽滯, 乃罷僉議侍郎贊成事, 尋[是年六月]又復之. 罷直門下省事. 左·右司議大夫, 爲左·右諫議大夫, 降從四品, 後[是年六月]復改左·右司議大夫, 中事, 爲給事中, 尋[是年六月]又復之. 改中書舍人, 爲都僉議舍人, 陞正四品. 左·右補諫, 爲左·右司諫, 尋[是年六月]又復之. 改門下錄事, 爲都僉議錄事, 陞正七品. 改中書注書, 爲都僉議注書, 陞正七品:百官志1門下府].

[○設左·右僕射於僉議府, 又置左·右司郎中·員外郎·都事各二人, 會都僉議府別廳治事, 尋[是年六月]並罷之:百官1尙書省轉載].

[○改密直司, 爲光政院, 刪定員吏, 使從一品, 同知院事正二品, 副使從二品, 僉院事正三品, 同僉院事從三品, 都承旨從五品, 承旨·副承旨, 並從六品, 計議官正七品, 計議參軍正八品. 尋[是年六月]復改密直司, 使一人, 知司事二人, 同知司事三人, 副使四人, 並從二品, 知申事一人, 左·右承旨各一人, 左·右副承旨各一人, 並正三品, 堂後官正七品:百官1密直司轉載].

[○新置資政院, 使秩從一品, 同知院事正二品, 僉院事從二品, 同僉院事正三品, □□□□□[~~副使正四品~~], 判官正五品, 計議官正七品, 計議參軍從八品. 尋[是年六月]罷之:百官1資政院轉載].[242)]

[○改典理司爲銓曹, 別立禮部, 復改判書爲尙書, 仍一人. 摠郎爲侍郎, 增三人, 其一以他官兼之. 正郎 爲郎中, 佐郎爲員外郎, 並增三人, 其一皆以西班兼之.

○改軍簿司爲兵曹, 又改判書爲尙書, 增二人, 其一班主兼之, 摠郎爲侍郎, 增三人, 其一以他官兼之, 正郎 爲郎中, 佐郎爲員外郎, 並增三人, 其一皆以西班兼之.

○改版圖司爲民曹, 又改判書爲尙書, 仍一人. 摠郎爲侍郎, 增三人, 其一以他官兼之, 正郎 爲郎中, 佐郎爲員外郎, 並增三人, 其一皆以西班兼之.

○改典法司爲刑曹, 又改判書爲尙書, 仍一人. 摠郎爲侍郎, 增三人, 其一以他官兼之, 正郎 爲郎中, 佐郎爲員外郎, 並增三人, 其一皆以西班兼之.

○復置□□[禮部], 稱儀曹. 尙書一人, 侍郎三人, 其一以他官兼之, 郎中·員外郎, 並三人, 其一皆以西班兼之.

○復置□□[工部], 稱工曹. 尙書一人, 侍郎三人, 其一以他官兼之, 郎中·員外郎, 並三人, 其一皆以西班兼之. 仍罷六曹判事·知事.

□□[以上]尋[是年六月]復之:百官1六曹轉載].

---

242) 是年 7월 14일 薛景成·金富允·崔昷·張碩(洪福源의 外孫, 洪君祥의 甥姪)·柳栯 등이 資政院副使에 임명되었음을 보아, 이때 資政院副使도 설치되었을 것이다(朴龍雲 2009년 143面).

[○併考功司於銓曹:百官1考功司轉載].

[○改監察司爲司憲府, 改提憲復爲大夫, 陞從二品, 侍丞復爲中丞, 增二人, 陞從三品, 侍史改內侍史, 殿中侍御史[殿中侍史]改殿中內侍史, 監察史改監察內史, 省爲六人. 新置注簿一人正七品, 減知事·雜端. 尋[是年六月]復改監察司, 以內侍史復爲侍御史, 殿中內侍史爲殿中侍御史, 監察內史爲監察御史:百官1司憲府轉載].[243)]

[○併給田都監及五部於開城府, 掌都城內. 判府尹一人從二品, 尹二人, 一兼官正三品. 少尹三人, 一兼官正四品. 判官二人正五品, 記室參軍二人正七品, 並隨品帶繕工職事. 別置開城縣令, 掌都城外:百官1開城府轉載].

[○命直史館一人, 直文翰一人, 更日直文翰署. 又罷政房, 使本署主選法:百官1藝文館轉載].

[○併寶文署於同文院:百官1寶文閣轉載].

[○置弘文館學士·直學士, 又復置崇文館學士, 仍改修文殿爲館, 尋[是年六月]復改爲殿:百官1諸館殿學士轉載].

[○改國學爲成均監, 陞大司成正三品, 復改典酒爲祭酒, 司藝爲司業, 國子博士爲成均博士, 加置明經博士·明經學諭:百官1成均館轉載].

[○改典校寺爲秘書監, 減判事, 降丞爲從六品, 郞從七品, 併留院官於校勘:百官1典校寺轉載].[244)]

[○復改通禮門爲閤門[閤門], 判事以下, 皆復舊制, 唯祗候增爲八人, 減權知祗候:百官1通禮門轉載].

[○改太常府, 爲奉常寺, 置卿二人秩正三品, 少卿一人正四品, 丞一人正五品, 博士一人從七品, 太祝一人, 奉禮郞一人, 並正九品:百官1典儀寺轉載].

[○改殿中寺爲宗正寺, 革判事, 改尹爲卿, 少尹爲少卿, 丞·內給事仍舊, 新置注簿從七品. 後[是年六月?]改殿中監, 復稱尹·少尹:百官1宗簿寺轉載].

[○改衛尉府爲衛尉寺, 革判事, 增卿爲二人, 減丞一人, 尋[是年六月]改卿爲尹, 少卿爲少尹:百官1衛尉寺轉載].

[○改太僕府爲太僕寺, 判事□□[一人]秩正三品, 卿一人從三品, 少卿一人從四品, 丞一人從六品, 注簿二人從七品. 吏屬, 書史四人, 記官一人:百官1司僕寺轉載].

[○改禮賓府爲禮賓省, 判事□□[一人]秩正三品, 卿一人從三品, 少卿一人從四品,

---

243) 이 기사에서 殿中侍御史는 殿中侍史로 고쳐야 옳게 된다(朴龍雲 2009년 195面).

244) 留院官은 御書院의 官員이다.

丞二人從六品, 注簿二人從七品. 吏屬, 書史八人, 令史八人, 記官四人, 筭士一人, 承旨四人, 孔目十五人, 都衙十五人:百官1禮賓寺轉載].

[○改大府[太府], 爲太府寺 判事□□[一人]秩正三品, 卿一人從三品, 少卿二人從四品, 知事兼官, 丞二人從六品, 注簿四人從七品. 吏屬, 書史十二人, 計史一人, 記官六人, 筭士一人:百官1內府寺轉載].[245]

[○改少府爲少府寺, 判事□□[一人]秩從三品, 監一人正四品, 少監一人從四品, 丞二人從六品, 注簿二人從七品. 吏屬, 監史六人, 記官四人, 筭士一人:百官1少府寺轉載].

[○改繕工府爲繕工寺, 判事秩從三品, 監一人正四品, 少監一人從四品, 丞二人從六品, 注簿二人從七品. 吏屬, 監作六人, 記官三人, 筭士一人:百官1繕工寺轉載].

[○改司宰府, 爲司津監, 革判事, 改卿爲監, 少卿爲少監, 尋復稱司宰寺, 改監爲尹, 少監爲少尹:百官1司宰寺轉載].

[○革判軍器寺事, 省注簿二人:百官1軍器寺轉載].

[○復改觀候署, 爲司天監:百官1書雲觀轉載].[246]

[○陞[正7品]京市署令, 權參:百官2京市署轉載].

[○定大君·院君正一品, 諸君從一品, 元尹正二品, 正尹從二品:百官2宗室諸君轉載].

[○定諸君從一品, 元尹從二品, 正尹正三品:百官2異姓諸君轉載].

[○定印符郞二人, 秩從六品, 尋[是年六月]罷之:百官2印符郞轉載].

[○罷承旨房, 以其任, 委詞林院, 尋[是年六月]復置承旨房:百官2承旨房轉載].

[○罷迎送都監, 併於尙食局, 後復置:百官2迎送都監轉載].

[○以內莊宅, 爲尙食局所轄:百官2內莊宅轉載].

[○以書籍店, 併於翰林院, 後復置:百官2書籍店轉載].

[○以都塩院, 併於民部:百官2都塩院轉載].

[○以惠民局, 爲司醫署所轄:百官2惠民局轉載].

---

245) 大府寺는 太府寺가 옳을 것이다. 『고려사』에서 太字가 大字로 되어 있는 경우가 많은데, 이것이 刻字를 할 때 발생한 誤謬인지, 아니면 인쇄할 때 발생한 오류인지는 알 수 없다.

246) 이는 다음의 기사를 전재하여 적절히 變改하였다.
· 지30, 百官1, 書雲觀, "忠烈王元年, 改司天監爲觀候署, 後復改司天監".

[○改從一品曰崇祿大夫，正二品曰興祿大夫，從二品曰正奉大夫，正三品曰正議大夫，從三品曰通議大夫，正四品曰大中太中大夫，從四品曰中大夫，正五品以下有上下，並仍文宗舊制．後是年六月有榮列·正獻·朝顯大夫之階:百官2文散階轉載].[247)]

○是日，以趙仁規爲□守司徒·侍中·參知光政院事,[248)] 洪子藩爲左僕射·參知光政院事，洪奎△爲守司徒·領景靈宮事,[249)] 鄭可臣爲□守司空·右僕射·修文殿大學士·監修國史·參知光政院事，僉議贊成事印侯爲光政使·參知機務，金琿△爲檢校守司徒·領奉常寺事，車信·三司左使李之氐並△爲檢校司徒·資政院使，僉議參理金之淑△爲同知光政院使事·參知機務,[250)] 安珦△爲參知機務·行東京留守·集賢殿大學士·雞林府尹,[251)] 同知密直司事柳庇爲光政副使兼權參知機務，判密直司事崔有渰△爲檢校司空·司憲大夫，知密直司事李混△爲檢校司空·西京留守·平壤府尹，副知密直司事鄭瑎爲南京留守·廣陵府尹，崔冲紹△爲同知資政院事·行中京留守·開元府尹·果毅軍都指揮使，朴義△爲同知資政院事，閔漬△爲集賢殿大學士·簽光政院事，副知密直司事元卿爲中京留守·果毅軍都指揮使，密直副使閔宗儒爲銓曹尙書·崇福館使，許評爲民曹尙書，密直學士尹琉爲弘文館學士·儀曹尙書，崔旵爲詞林學士承旨·刑曹尙書，全昇爲崇文館學士·兵曹尙書，柳栯爲兵曹尙書·鷹揚軍上將軍，吳漢卿爲詞林學士·試左散騎常侍，李瑱爲詞林□□侍讀學士·試右散騎常侍，洪子翰爲金吾衛攝上將軍兼司憲中丞，軍簿判書張碩爲光政都承旨·奉常卿，金恂爲光政副使·承旨·成均祭酒,[252)] 趙瑞爲光政承旨·典客卿，李承休爲詞林侍讀學士·試秘書監·左諫議大夫，沈逢吉爲司憲中丞，權永爲詞林侍講學士·試衛尉卿，趙簡爲刑曹侍郎·右諫議大夫．

癸巳8日，敎□曰，"僧人旣已出家，固當上不拜君王，下不拜父母，況其餘乎？自

---

247) 이에서 正議大夫, 通議大夫, 太中大夫, 中大夫 등은 모두 몽골제국의 정3품이었다(『원사』 권91, 지41상, 百官7, 文散階).

248) 이때 光政院이 新設되고 많은 官僚들이 임명되었는데, 이 官府는 972年 南唐(937~975)이 宋의 政治的·軍事的 壓迫으로 樞密院을 光政院으로 改稱했던 점(諸侯國으로 地位 格下된 體制)과 어떤 關聯이 있었던 것으로 推測된다.
・『十國春秋』 권17, 南唐3, 後主本紀, 開寶 5年, "春二月, 下令貶損儀制, 改詔爲敎, 中書·門下省爲左·右內史府, 尙書省爲司會府, 御史臺爲司憲府, 翰林院爲文舘一作藝文院, 樞密院爲光政院 …".

249) 이때 洪奎는 崇祿大夫·守司徒·景靈殿使에 임명되었다고 한다(洪奎墓誌銘).

250) 『고려사절요』 권22에는 옳게 되어 있다.

251) 이때 安珦은 東京에 赴任하지 않았고, 이해(충렬왕24, 1298)의 3월에 부임한 副留守[尙書] 羅允이 1300년(충렬왕26) 8월까지 在職하였다(『동도역세제자기』).

252) 이때 金恂은 通議大夫·光政副使·承旨·成均祭酒에 임명되었다(金恂墓誌銘).

今, 僧俗相拜者, 重論如法. 雖至居家庸僧, 勿差官役".

甲午9日, 以王子宜忠爲永嘉軍承宣使, 宜孝爲江陵軍承宣使.[253] 以宗室昡爲平陽郡公, 維爲咸寧□郡公, 亹爲廣陵郡侯, 元爲漢山郡侯, 禔爲通義軍觀察使, 和爲丹陽軍觀察使, 琯爲桂陽軍觀察使, 祥爲臨海軍觀察使, 玖爲漢南軍觀察使, 贇爲順正軍觀察使, 軒爲延平軍觀察使, 珩爲始興軍觀察使, 璹爲定山軍觀察使, 厤爲寧海軍觀察使, 侊爲江陰軍觀察使, 滛爲晋江軍觀察使, 琪爲保寧軍觀察使, 許慶爲漢陽軍觀察使·千牛衛上將軍.[254]

[某日, 罷承旨房, 以出納之任, 委之詞林院:節要轉載].

[→改文翰署爲詞林院, 委以出納之任, 學士承旨, 陞從二品, 學士二人正三品, 侍讀·侍講學士各一人從三品, 新置待制一人正四品. 尋是年六月復改文翰署:百官1藝文館轉載].

甲辰19日, 公主遣徹里如元.

[→有人貼匿名書於宮門云, "趙仁規妻, 事神巫, 呪咀, 使王不愛公主, 而鍾愛其女". 公主下仁規及其妻于獄. 尋得貼榜者, 乃司宰注簿尹彥周所爲也. 又囚仁規子瑞·璉, 琊·壻朴義·盧穎秀等及妻. 乃遣徹里如元, 奏之. 上洛伯金方慶等詣公主, 乞留徹里. 不從:節要轉載].

[→頃之, 有人貼匿名書於宮門云, "趙仁規妻, 事神巫, 呪詛, 使王不愛公主, 而愛其女". 公主下仁規及其妻于獄, 又囚仁規子瑞·璉·琊·女壻朴義·盧穎秀等及妻. 又遣徹里如元, 告貼榜事. 貼榜者, 乃司宰注簿尹彥周也. 上洛伯金方慶等諸致仕宰相, 詣公主, 乞留徹里, 不從:列傳2忠宣王妃薊國大長公主轉載].[255]

乙巳20日, 王以安平公主小祥, 幸神孝寺, 行香.[256]

丙午21日, [小暑]. 詣德慈宮.

○王使人請公主留徹里, 不聽.

[→王又使人請之, 亦不聽:列傳2忠宣王妃薊國大長公主轉載].

---

253) 宜忠은 충선왕의 長子 鑑의, 宜孝는 忠肅王의 初名[小字]이다(세가34, 忠肅王總論 ; 권89, 열전4, 종실2, 忠宣王王子, 世子鑑).

254) 許慶은 고려왕실과 어떠한 관계에 있는지를 알 수 없으나 廉承益의 外孫으로 충숙왕 때에 安定君으로 冊封되어 있었다(→충숙왕 6년 12월 某日).

255) 이 기사는 열전18, 趙仁規에 축약되어 있다.

256) 安平公主(齊國大長公主, 忠烈王妃)의 忌日은 5월 21일이므로, 이날은 1日前의 入祭日이 되는 셈이다.

[某日, 賜詞林學士朴全之·吳漢卿·侍讀學士李瑱·侍講學士權永紅鞓. 王常屛左右, 幸詞林院, 與四學士, 商確政理, 手賜酒食, 從容盡日. 或至夜分, 賜宮燭, 送至其家, 寵幸無比:節要轉載].[257)]

壬子[27日], 都僉議參理柳陞卒,[258)] [年五十一, 謚貞愼:列傳18柳陞轉載].[259)] [陞, 容止可觀, 久在閣門[閤門]. 時, 禮文散失, 陞撰新儀甚詳, 後人遵用之. 事親以孝, 居官以勤, 於聲色貨利, 淡如也:節要轉載]. [善彈丸必命中. 嘗與客坐, 遙見汲婦戴盆曰, “中人則傷, 中器則破, 要令丸墮盆中耳”. 彈發果然:列傳18柳陞轉載].

[某日, 闊闊不花等, 偕太后使者, 還自元, 以帝命, 囚崔冲紹及將軍柳溫于巡馬所, 幷囚趙妃:節要轉載].[260)]

[某日, 以僧統彌授爲釋敎都僧統, 仍命住席重興寺:追加].[261)]

乙卯[30日] 王與公主, 受戒于蕃僧.

○罷營新宮.

○教□[日], “自今百寮[百僚], 凡大小公事, 除狀申, 從宰樞商議處決, 然後以聞”.[262)] [於朝廷, 聞有僭越尊稱者, 實非禮也. 宜於諸王, 則書籤, 直稱某公侯, 寒暄, 稱令侯·令旨. 宰執諸二品官, 書籤, 除令公, 寒暄, 稱鈞旨·鈞侯. 諸三品, 隨職稱之, 寒暄, 稱台旨·台侯. 率以爲常, 違者, 治[治]之以法:刑法1公牒相通式轉載].[263)]

[是月, 耽羅遣使如元, 貢方物:追加].[264)]

六月丙辰朔[小盡,己未], 太上王及國王·公主, 受戒于蕃僧.

○徹里還自元.

丁巳[2日], 元遣□□[中書]右丞阿里灰·[遼陽行省右丞]洪重喜·中書左丞楊炎龍來,[265)] 凡乘傳

---

257) 이와 같은 기사가 열전22, 朴全之에도 수록되어 있으나 從容이 後容으로 잘못 植字, 板刻되어 있다.

258) 이날은 율리우스曆으로 1298년 7월 6일(그레고리曆 7월 13일)에 해당한다.

259) 柳陞의 시호는 「柳墩墓誌銘」; 「柳甫發墓誌銘」; 「權溥墓誌銘」에도 확인된다.

260) 이와 유사한 기사가 열전2, 忠宣王妃, 薊國大長公主에도 수록되어 있다.

261) 이는 「俗離山法住寺慈淨國尊碑銘」에 의거하였다.

262) 百寮는 『고려사절요』 권22에는 百僚로 달리 표기되어 있는데, 이들 두 글자는 함께 사용되었다 (→태조 19년 9월 是月).

263) 治는 治의 오자일 것이다(蔡雄錫 2009년 163面).

264) 이는 다음의 자료에 의거하였다.

· 『원사』 권19, 본기19, 성종2, 大德 2년 5월 己酉[24日], “耽羅國以方物來貢”.

者百餘. 鞫趙仁規, 遂與副知密直司事元卿[往□都僉議府·詞林院, 收仁規所受批判. 又:節要轉載]往監察司, 收新定官制. [阿里灰, 遂以仁規如元:節要轉載].[266]

戊午3日, 王朝德慈宮, 宥二罪已下.

已未4日, 復遣徹里如元.

○□都僉議中贊鄭可臣卒.[267] [可臣, 羅州人, 性正直端嚴, 諳練典故, 題品銓衡, 皆當物議, 一時辭命, 多出其手. 及爲冢宰, 人想望大平, 至是暴卒. 或曰, 太上王之遜位也, 可臣製表, 人有言, 表中語, 有非太上王意者, 若詰其由, 撰表者豈得逭責, 可臣, 憂懼, 飮藥死. 謚諡文靖, □後配享忠宣廟:節要轉載].

[某日, 元使鞫問仁規妻, 極慘酷. 妻不勝苦, 誣服. 遂執崔冲紹·朴瑄還. 趙妃姊妹之夫也:節要轉載].[268]

癸亥8日, 復置承旨房, 以前承旨張碩·右副承旨~~洪詵~~·全昇爲之.[269]

甲子9日, 中書左丞楊炎龍封生成庫, 乃王府珍寶所藏也. [籍沒趙仁規·崔冲紹·金精·朴瑄家財, 輸之使臣館:節要轉載].

乙丑10日, 王朝德慈宮.

○馬八國~~馬八兒國~~王子孛哈里遣使來, 獻銀絲帽·金繡手箔·沈香五斤十三兩·土布二匹.[270] 先是, 王以蔡仁揆女, 歸丞相尙書右丞相桑哥, 桑哥誅, 帝世祖以蔡氏, 賜孛哈里. 孛哈里與其國王有隙, 奔于元, 居泉州. 至是, 以蔡氏故, 遣使通之.[271]

---

265) 阿里灰는 前年 3월까지 中書右丞으로 在職하였던 阿里(Ali)로 추측되고, 楊炎龍은 이때 中書左丞으로 재직하고 있었다(『원사』 권112, 표6上, 宰相年表).

266) 이 기사는 열전2, 忠宣王妃, 薊國大長公主에 "… 元又遣使來鞫仁規, 凡乘傳者百餘, 遂以仁規如元"으로 축약되어 있다.

267) 이날은 율리우스曆으로 1298년 7월 13일(그레고리曆 7월 20일)에 해당한다.

268) 이때 趙妃(趙仁規의 女)와 관련된 기사로 다음이 있다.

- 열전2, 忠宣王妃 薊國大長公主, "又鞫仁規妻極慘酷, 妻不勝苦, 誣服".
- 열전37, 朴景亮, "朴瑄, 忠宣趙妃姊妹之壻. 韓國公主妬趙妃專寵, 譖于元, 元遣使治之, 景亮瑄亦被執如元, 遂籍其家".

269) 張碩(張暉의 子)은 洪大純의 外孫이고, 洪詵(洪百壽의 子)은 홍복원의 甥姪이다(열전43, 洪福源).

270) 金繡手箔(금수수박, 錦繡手箔, 竹片으로 만든 簾)은 『고려사절요』 권22에는 金繡手帕(금수수파, 錦繡手帕, 手製의 비단 손수건, handkerchif)로 되어 있다(盧明鎬 等編 2016년 566面).

271) 馬八國은 13~14세기에 印度大陸의 東南部에 있던 馬八兒國(Mabar, Ma-ba-er國)이며, 孛哈里는 江浙行省 泉州路에 居住하다가 1299년(大德3, 충렬왕25) 10월 大都에서 49歲로 죽은 資德大夫·中書右丞商議·福建等處行中書省事 不阿里(Buqar, 1251~1299, 初名은 撒亦的)이다. 그의 妻 蔡氏는 그보다 먼저 逝去하였다고 한다(『中菴集』 권4, 勑賜資德大夫 … 不阿里神道碑銘 ; 陳高華 1980年 401~407面). 또 桑哥(相哥, Sengge, ?~1291)는 1291년(至元28) 1월 25일

戊辰[13日], 太后遣僉樞密院事[僉書樞密院事]洪君祥及帖木兒不花來.

[○月犯南斗:天文3轉載].

[某日, 元遣使□[來], 執趙妃及宦者李溫以歸:節要·列傳2忠宣王妃薊國大長公主轉載].

壬申[17日], 幸壽寧宮, 飯蕃僧, 祓呪咀.

[→太后遣蕃僧五人·道士二人來, 祓公主呪咀:節要·列傳2忠宣王妃薊國大長公主轉載].

甲戌[19日], 王朝德慈宮.

乙亥[20日], 王受菩薩戒.

○王與公主, 奉太上王, 宴元使于壽寧宮.

丁丑[22日], [中書左丞]楊炎龍還, 王餞于宣義門外.

[辛巳[26日], 月犯五諸侯:天文3轉載].

癸未[28日], 王與公主, 以安平公主[忠烈王妃]誕日, 奉太上王, 宴于壽寧宮.[272)]

甲申[29日晦], 以天變屢見, 放輕繫, 減重罪一等.

七月[乙酉朔大盡,庚申], 丁亥[3日], 王與公主, 朝德慈宮.

○徹里還自元, 帝命國王·公主, 以八月入朝.

辛卯[7日], [處暑]. [僉書樞密院事]洪君祥享王于內. [君祥之來, 欲使王與公主好合也. 人謂王尙主以來, 有嫌夫婦之道, 然, 嬪妾或有進御, 而有身者, 以致妬忌·呪咀之釁:節要轉載].

[→又遣洪君祥享王, 欲使王與公主合懽. 人謂, 王自尙主以來, 有歉夫婦之道, 然, 嬪妾或進御, 有身故, 致妬忌之釁:列傳2忠宣王妃薊國大長公主轉載].

壬辰[8日], 王朝德慈宮.

翌日[癸巳9日], 偕公主又朝, 洪君祥設宴.

戊戌[14日], 復改官制. 以洪子藩爲三重大匡·□[都]僉議中贊·判銓曹事, 印侯爲重大匡·□[都]僉議侍郞贊成事·判兵曹·監察司事, 金琿爲□[都]僉議侍郞贊成事·判民曹事,

---

(壬戌)에 파면되었다.

· 『원사』 권210, 열전97, 外夷3, 馬八兒等國, "海外諸蕃國, 惟馬八兒與俱藍, 足以綱領諸國, 而俱藍又爲馬八兒國後障, 自泉州至其國約十萬里. …".

272) 이날은 충렬왕비의 誕日이다(→충렬왕 4년 6월 28일).

知都僉議司事韓希愈△爲守司空·中京留守·開城府尹·商議都僉議·會議都監事,[273] 車信爲□都僉議贊成事·判儀曹事, 金之淑爲□都僉議參理·判工曹事, 安珦爲□都僉議參理·修文殿大學士·監修國史, 李之氏爲資政院使·知都僉議事,[274] 判密直司事崔有渰△爲判三司事, 李混爲密直司使·銓曹判書·集賢殿大學士·修國史, 鄭瑎△爲知密直司事·兵曹判書·寶文閣大學士, 柳庇△爲知密直司事·左常侍, 閔漬△爲同知密直司事·監察大夫·詞林學士承旨, 元玠△爲同知資政院事·民曹判書, 元卿△爲同知密直司事·工書工曹判書, 金賆△爲同知資政院事·儀曹判書·同修國史, 許評△爲同知密直司事·判奉常寺事, 吳仁永爲密直副使·判衛尉寺事, 閔宗儒爲密直副使·刑曹判書, 尹珤爲密直副使·成均大司成·修文殿學士, 劉福和爲密直副使·判禮賓寺事, 薛景成爲資政院副使·判大僕寺事~~判太僕寺事~~, 前軍簿判書·鷹揚軍上將軍金富允爲資政院副使·判司津寺事, 皆兼上護軍. 崔昷爲資政院副使·右常侍·詞林學士承旨, 張碩爲資政院副使·中京留守·判外府寺事·集賢殿學士, 柳栯爲資政院副使·判內府寺事, 朴全之爲三司左使·詞林學士承旨,[275] 吳漢卿爲三司右使·詞林學士, 承旨洪詵爲密直司知申事·兵曹判書·知銓曹事, 洪子翰△爲知監察司事, 全昇爲左副承旨·判秘書寺事·寶文閣直學士, 李承休△爲判秘書寺事·崇文館學士, 金恂爲右承旨·成均祭酒·寶文閣學士·知民曹事,[276] 李瑱爲左承旨·秘書尹·知兵曹事·詞林學士, 權永爲密直司右副承旨·禮賓尹·知工曹事·詞林侍讀學士.

己亥15日, 王與公主, 幸神孝寺, 設盂蘭盆齋.

癸卯19日, 僉書樞密院事洪君祥還.

乙巳21日, 幸三大藏所, 命寫五大部經.[277]

---

273) 開城府尹은 열전17, 韓希愈에는 開城府事로 되어 있으나 오자일 것이다(洪榮義 2011년).

274) 이때 右司議大夫 趙簡이 李之氏의 임명에 同意하지 않았던 것 같다.

· 열전19, 趙簡, "忠宣卽位, 拜刑曹侍郞·右諫議大夫. 時, 內僚李之氏, 拜兩府官, 簡不署告身, 王召簡曰, '有一大官憾, 卿愼之'. 及忠烈復位, 密請再三, 不得已乃署".

275) 이때 朴全之는 奉翊大夫·三司右使·詞林學士承旨에 임명되었다고 하는데(朴全之墓誌銘」), 그의 묘지명이 族譜에 수록되어 있는 것이어서 官職의 표기에서 左·右는 오자가 있을 수 있다(金龍善 2006년 455面).

276) 이때 金恂은 密直使司右承旨·國學祭酒·寶文閣學士·知民曹事에 임명되었다(金恂墓誌銘).

277) 五大部經은 佛經[大藏經]을 總稱하는 般若部·華嚴部·寶積部·大集部·涅槃部 등의 經典을 가리킨다. 또 이는 華嚴·涅槃·心地觀·報恩·金光明 등의 五經을 가리킨다는 見解도 있다. 또 四大部經은 일반적으로 華嚴經·寶積經·般若經·涅槃經을 指稱하지만, 唐代에는 法華經·維摩經·藥師經·金剛般若經을 가리키는 경우도 있었다(『金剛般若經集驗記』卷下, 功德編 ; 安田純也 2014年b).

丙午22日, [白露]. 王與公主, 幸安國寺, 觀水戲.

庚戌26日, 王與公主朝德慈宮.

癸丑29日, 王朝德慈宮.

[某日, 以鄭珩爲慶尙道按廉使:慶尙道營主題名記].

[是月壬寅18日, 元以高麗王王謜擅命妄殺, 詔遣中書右丞楊炎龍·僉樞密院事洪君祥召其入侍, 以其父昛仍統國政:追加].[278]

八月乙卯朔大盡,辛酉, 遣知密直司事鄭瑎□□~~如元~~, 征東行省亦遣石抹也先帖木兒如元, 賀聖節.[279]

庚申6日, 太上王移御將軍崔仲卿家.

甲子10日, 元遣孛魯兀等來, 趣王及公主入朝.

[→甲子, 元遣孛魯兀來, 趣忠宣入朝:忠烈王世家轉載].

○以柳庇△爲判密直司事, 朴全之爲密直副使·中京留守,[280] 金恂爲三司左使[·崇文館學士:追加],[281] 許評△爲同知資政院事, 劉福和爲密直副使, 李承休爲密直副使·監察大夫·詞林學士承旨, 仍令致仕. [先是, 承休以判秘書□□寺事, 尋進同僉資政院事. 上言曰, "本朝之制, 未有年過七十而除拜顯官者, 因徵臣而改先王之制, 臣之罪大矣, 請收恩命". 王笑曰, "先生, 非他人比", 仍促上官. 承休强就職, 纔十數日, 上書乞退甚切. 王不得已從之:節要轉載].[282]

[未幾~~是時~~, 元使來徵詰. 王謂同僉資政院事李承休曰, "徵先生而適有不虞, 如何". 對曰, "因亂致理, 自古而然. 天其或者, 將使殿下修省, 永享大平也, 無甚憂勞":節要2月27日轉載].

戊辰14日, 追尊安平公主, 爲仁明太后.[283]

---

278) 이는 다음의 자료에 의거하였는데, ~~添字~~와 같이 고쳐야 옳게 될 것이다.
- 『원사』 권19, 본기19, 성종2, 大德 2년 7월 壬寅18日, "以高麗王王謜擅命妄殺, 詔遣中書右丞楊炎龍·僉樞密院事洪君祥召其入侍, 以其父昛仍統國政".
- 『원사』 권208, 열전95, 外夷1, 高麗, "大德二年七月, 中書省臣奏, 謜有罪當廢, 復以其父昛爲王".
- 『원고려기사』本文, 成宗, 大德, "二月~~年~~七日~~月~~, 中書省奏, 謜有罪當廢, 復以其父昛爲王".

279) 이 기사에서 ~~添字~~를 추가하여야 문장이 옳게 될 수 있다.

280) 朴全之의 묘지명에는 密直學士·中京留守로 되어 있으나 密直副使·中京留守의 잘못일 것이다.

281) 이는 「金恂墓誌銘」에 의해 추가하였는데, 이때 金恂은 奉翊大夫·三司左使·崇文館學士에 임명되었다.

282) 이와 같은 기사가 열전19, 李承休에도 수록되어 있다.

[己巳[15日], 月食, 旣:天文3轉載].[284)]

辛未[17日], 王與公主如元, 宥二罪已下.

[→辛未, 忠宣如元:忠烈王世家轉載].

[→是年, 忠烈復位, 王與公主如元:列傳2忠宣王妃薊國大長公主轉載].

[○及忠烈復位, 忠宣如元, [僉議參理安]珦·白頤正從行:列傳18安珦轉載].[285)]

壬申[18日], 太上王餞□[王]于金郊, 酒酣. 使臣孛魯兀, 以帝命取國王印,[286)] 授逸壽王. 於是, 太上王復位.[287)] ○王如元, 宿衛凡十年, 武宗·仁宗龍潛, 與王同臥起, 晝夜不相離.[288)]

[→壬申, 王餞于金郊, 酒酣, [元使]孛魯兀以帝命, 取國王印, 授王:忠烈王世家轉載].

[以上 忠宣王世家篇에서 移動해왔음]

癸酉[19日], 王如孛魯兀館, 備儀衛, 遂幸壽寧宮, 受詔, 詔曰, "諭前高麗國王王昛. 曩以卿表請, 授位于世子謜, 是用, 詔謜, 往嗣王爵, 國事仍命聽卿訓導. 今聞, 蒞政以來, 頗涉專擅, 處決失宜, 衆心疑懼. 盖以年未及壯, 少所經練, 故未能副朕親任之意. 今遣使詔卿, 依前統理國政, 且詔謜入侍闕庭, 使之明習于事".

○孛魯兀之來十日, 而國人不知有此詔也.

[○前王至元. 一日, 帝[成宗]召王急, 王懼. 丞相[右丞相完澤]出曰,[289)] "從臣爲首者入對".

283) 이와 같은 기사가 열전2, 忠烈王妃, 齊國大長公主에도 수록되어 있다.

284) 이날(15일)은 율리우스력의 1298년 9월 21일이고, 월식 현상이 심했던 때의 世界時는 17시 57분, 食分은 1.53이었다(渡邊敏夫 1979年 482面).

285) 白頤正은『淡庵逸集』권2, 白頤正行狀에 의거하였다.

286) 이 國王印은 1278년(충렬왕4) 7월 21일 세조 쿠빌라이가 충렬왕에게 하사한 파스파(phagspa) 文字로 刻字된 金印(駙馬高麗國王印)일 것이다(→충렬왕 4년 7월 21일의 脚注).

287) 添字는『고려사절요』권22에 의거하였다. 이날은 율리우스曆으로 1298년 9월 24일(그레고리曆 10월 1일)에 해당한다.

288) 이때 權漢功·崔實(崔誠之) 등이 隨從하여 장시간에 걸쳐 충선왕을 보필하였다.

- 「崔誠之墓誌銘」, "隨德陵朝元, 執政畏惡德陵, 百計誘之使去. 公笑曰, 窮達在天, 忧於利, 非士也".
- 열전21, 崔誠之, "從忠宣如元, 執政畏惡忠宣, 百計誘之使去. 誠之笑曰, 窮達在天, 忧於利, 非士也".
- 열전38, 權漢功, "… 漢功, 忠烈朝登第, □[illegible]直史館, 王與忠宣俱在元, 王惟紹等離間王父子. 政歸忠宣, 漢功以從臣, 在忠宣邸, …".

時, □都僉議參理安珦扈從, 丞相稱旨, 問曰, "汝王, 何不近公主耶?" 珦曰, "閨閫之間, 固非外臣所知, 今日以此爲問, 豈足於聽聞哉?" 丞相以奏, 帝曰, "此人, 可謂知大體者, 庸可以遠人視之耶?" 不復問:節要轉載].[290)]

甲戌20日, 以左副承旨權永·右司議□□大夫趙簡·□□版圖摠郞金台鉉·前司諫金祜金祐, 主選法.[291)]

[○是時, 命前殿中侍史吳祁入政房:追加].[292)]

己卯25日, 元使孛魯兀還, 以大將軍姜純之女, 妻之.

甲申30日, 移御明順宮.

九月乙酉朔小盡,壬戌, [某日, 副知密直司事致仕嚴守安卒. 守安, 身長有膽氣, 嘗爲南京副留守, 車駕時巡, 能辦供億, 王之左右, 皆譽之. 時人, 有割民膏, 希君澤之譏:節要轉載]. [子贊·靖·信. 贊, 以衣冠子弟, 入侍元朝:列傳19嚴守安轉載].[293)]

丙申12日, 元遣平章□□政事闊闊出·左丞哈散來, 口宣聖旨云,[294)] "自公主棄世, 王獨處無聊, 帝賜王蒲萄酒. 且令吾等, 伴議國事".

○遣中原侯昷·大將軍金天錫如元,[295)] 謝復位, 表曰, "爰自先朝而陳力, 又當盛

---

289) 이때의 右丞相은 完澤[Öljei]이고, 左丞相은 缺員이었다(『원사』 권112, 표6상, 宰相年表).

290) 이와 같은 기사가 열전18, 安珦에도 수록되어 있다. 이때 安珦은 1년 이내에 歸國하여 1299년(충렬왕25) 9월 21일 僉議參理로서 修國史에 임명되었는데, 이로 인해 1308년(충렬왕34) 무렵에 그의 아들 安于器가 충선왕의 미움을 받게 되었다고 한다

· 열전18, 安珦, 于器, "忠宣, 以珦扈從入朝, 不久而還, 啣之, 將罪于器, 會赦免".

291) 이때 金台鉉은 版圖摠郞이었고, 金祜는 金祐의 오자이다(『고려사절요』 권22에는 옳게 되어 있다). 또 趙簡은 사양하여 免除받았다고 한다.

· 「金台鉉墓誌銘」, "大德戊戌春, 德陵改受內讓, 嗣王位, 以公從□. 秋德陵入侍闕庭, 忠烈□王復位, □尋爲版圖摠郞, 轉殿中丞".

· 열전23, 金台鉉, "累轉版圖摠郞, 與權溥·趙簡, 典銓注".

· 열전19, 趙簡, "王命簡主選法, 固辭免".

292) 이는 「吳潛墓誌銘」에 의거하였다.

293) 嚴守安의 열전에서 주목되는 記事의 하나는 '鄕吏의 3子 중 1子는 官人으로 入仕가 허락될 수 있는 規定'이다(… 國制, 吏有子三, 許一子從仕, 嚴守安例補重房書吏. 元宗朝登第, 爲都兵馬錄事").

294) 口宣聖旨[口宣詔旨]를 口詔로 略稱하였던 것 같다.

· 『자치통감』 권235, 唐紀51, 德宗貞元 10년(794) 6월 壬寅朔, "… 上知昭義節度使李抱眞已薨, 遣中使第五守進往觀變, … 守進召昭義步軍都虞候王延貴, 宣口詔, 令視事[胡三省注, 口宣所受詔旨, 故曰口詔], 趣李抱眞之子, 殿中侍御史李緘赴東都. …".

295) 金天錫은 遼陽人[東京人]이라고 되어 있음을 보아(열전36, 林貞杞, 閔萱), 高麗人으로 遼陽에

際以輸忠，曩因穠李之忽凋，將謂朽株之難保，哀情至極，憂氣損和．幸存胤子之旣冠，方初尙主，何惜殘年之重負，不早上章．獲蒙從欲而允兪，更感推恩於頤養．今者，詔令臣子謜，入侍天庭，令臣依前統理國政，若覩璽書之所論，可慚家訓之無良．曾不以斯而責臣，反令依舊而守土”．

○以知密直司事鄭瑎爲右常侍，同知密直司事?吳仁永爲軍簿判書，柳栯△爲副知密直司事，知申事洪詵·黃元吉爲三司左·右使，洪子翰爲密直司知申事，李英柱爲軍簿判書·鷹揚軍上將軍,[296] 金恂·宋瑨爲左·右承旨,[297] 柳琚爲右副承旨．

冬十月甲寅朔大盡,癸亥，[丙辰3日，流星出參，入畢:天文3轉載]．

[壬戌9日，小雪．月入羽林，與歲星同舍:天文3轉載]．

甲戌21日，以密直副使尹琁尹琦爲西北面都指揮使．

乙亥22日，瀋州達魯花赤闊里大遣人□來，獻馬一匹·羊三十頭，賀復位．

[戊寅25日，大雪．流星出輿鬼，入紫微:天文3轉載]．

庚辰27日，移御栢井宮．

[○雷:五行1雷震轉載]．

[辛巳28日，流星出翼，入大微太微:天文3轉載]．

十一月甲申朔大盡,甲子，遣將軍李白超如元，獻耽羅牛肉.[298]

丙戌3日，闊闊出還，王餞于宣義門外．

壬辰9日，親設消災道場于外院外帝釋院?．

[癸卯20日，月入大微太微:天文3轉載]．

[甲辰21日，熒惑犯五諸侯:天文3轉載]．

入居하였다가 고려에 仕宦한 인물로 추측된다.

296) 이 시기 이후에 李英柱(충렬왕의 庶壻)는 不法을 자행하다가 일시 파면되었던 것 같다.
· 열전36, 폐행1, 李英柱, “累轉軍簿判書鷹揚軍上將軍．英柱，性貪汚苛暴，奪占田民．家人嘗運米到江，英柱親往載輸，爲路人所辱．其無恥類此．金州民大文者，族黨近百人，英柱倚勢，欲壓而爲奴．都官佐郞李舜臣性諂，曲阿英柱意，舞文爲賤．大文訴王府斷事官趙仁規，仁規考其案，具陳英柱姦僞，王囚舜臣，罷英柱職”．

297) 이때 金恂은 正獻大夫·密直司左承旨·判秘書省寺事·充史館修撰官·知制誥·知軍簿司事에 임명되었다(金恂墓誌銘). 또 宋瑨(宋玢의 長子, 吳僐의 丈人)은 右副承旨·上護軍에 이르렀다고 하는데(열전38, 宋玢 ; 吳潛墓誌銘), 이 기사에서는 그보다 上位職인 右承旨로 되어 있다.

298) 李白超는 열전38, 王惟紹에는 李伯超로 달리 표기되어 있다.

戊申[25日], [小寒]. 宰樞享王.

庚戌[27日], 以金琿爲□[都]僉議中贊, 仍令致仕, 宋玢爲□[都]僉議侍郞贊成事·判監察司事, 韓希愈爲贊成事·判版圖司事, 元灌[元瓘]△[爲]知密直司事·版圖判書,[299] 金賆△[爲]同知密直司事, 薛景成·金富允·金恂並爲密直副使,[300] [前承旨]張碩爲左承旨.[301]

十二月[甲寅朔小盡,乙丑], 丙辰[3日], 遣[都僉議侍郞贊成事]宋玢如元, 賀正.

[丁巳[4日], 日旁有赤氣:天文1轉載].

[○月犯歲星:天文3轉載].

戊午[5日], 宥二罪以下.

○行省遣將軍宋邦英如元, 賀正.

己巳[16日], [以金恂爲密直司副使·文翰學士:追加],[302] 以[興威衛大將軍]金深爲右副承旨,[303] [吳祁爲起居郞:追加].[304]

癸酉[20日], 下左司諫秋適獄. [時, 閹人黃石良, 夤緣用事, 陞其鄕合德部曲爲縣, 適不肯署其案. 石良與內竪石天補·金光衍, 乘間譖適. 王怒, 親枷適, 囚于巡馬所. 押者謂適曰, "可由徑行", 適不肯曰, "凡有罪者, 皆歸于有司, 未有枷鏁于王所者. 吾當行官道, 使國人見之, 王枷諫官, 榮亦足矣. 何必效婦兒, 掩面委巷乎?":節要轉載].[305]

甲戌[21日], 彗見南方.[306]

---

299) 元灌은 元瓘(←元貞)의 오자인데(열전20, 元傅 ; 元瓘墓誌銘), 『고려사절요』 권22에는 옳게 되어 있다.

300) 「金恂墓誌銘」에는 日辰이 없이 11월에 奉翊大夫·密直副使·文翰學士에 임명되었다고 한다.

301) 張碩은 以後 判密直司事에 이르렀다고 한다(열전43, 洪福源).

302) 이는 「金恂墓誌銘」에 의거하였다.

303) 이때 金深이 右副承旨에 임명된 것은 그의 묘지명에서도 확인된다.

304) 이는 「吳潛墓誌銘」에 의거하였다.

305) 이 기사는 열전19, 秋適에도 수록되어 있으나 자구에 출입이 있다. 또 이와 관련된 기사로 다음이 있다. 그리고 秋適은 충선왕이 治世하였던 1298년(충렬왕24)에 民部尙書·藝文館提學으로 致仕하였던 것 같다.

- 『세종실록』 권149, 지리지, 洪州牧, "合德縣, 本屬德豊縣, 爲部曲. 忠烈王二十四年戊戌, 以邑人火者黃石良入元朝, 有寵, 陞爲縣".
- 『신증동국여지승람』 권19, 洪州牧, 古跡, "合德廢縣, 本屬德豊縣, 爲部曲. 高麗忠烈王二十四年, 以邑人宦者黃石良入元朝, 有寵, 陞爲縣, 後來屬".
- 열전19, 秋適, "官至民部尙書·藝文館提學致仕. 適老尙善飯, 常言, 享客但軟炊白粒, 割鮮作羹可矣. 何必費百金, 致八珍耶".

庚辰[27日], 復舊官制.

[是年, 自高宗四十五年十月以來, 定平防禦使以南諸城, 被蒙兵侵擾, 移寓江陵道襄州, 再移杆城, 幾四十年. 至是年, 各還本城:地理3轉載].[307)]

[○教曰, "臺之設, 專爲彈糾百官. 近來, 風俗大毁, 隱匿不論. 今後, 彈糾百執, 肅淸朝廷":刑法1職制轉載].[308)]

[○政堂文學金晅致仕:追加].[309)]

[○以[副知密直司事·西北面都指揮使]金賆爲監察大夫:追加].[310)]

[○以趙延壽爲司巡衛役領將軍:追加].[311)]

[是年, 元遣僉書樞密院事洪君祥如高麗, 臺臣劾君祥以他事, 中道追回, 已而事罷:追加].[312)]

---

306) 이날 中原에서 彗星이 天鴿座[Columba, 子孫星 아래]에 출현하였다고 한다(『원사』 권19, 본기 19, 성종2, 大德 2년 12월 ; 席澤宗 2002年 40面). 또 일본의 가마쿠라[鎌倉], 교토에서는 3일(丙辰)에 혜성이 관측되었다고 한다.
- 『원사』 권48, 지1, 천문1, 月五星凌犯及星變上, "甲戌, 彗出子孫星下".
- 『鎌倉年代記裏書』, "今年[永仁六], … 十二月三日曉, 彗星出現南方, 光芒一尺餘, 冬月廿日夜, 彗星出現南方, 光芒七尺".
- 『師守記』, 康永 4년 7월, 文永以來天變年々幷御祈以下被行事, "同[永仁]六年十二月三日, 今晩彗星出現, 南方當角宿度, 光芒指乾方, 長一尺七寸許, 其色白, 此後夜々出現".

307) 이는 다음의 자료를 전재하였다.
- 지12, 지리3, 安邊都護府登州, "高宗時[45年], 定平以南諸城, 被蒙兵侵擾, 移寓江陵道襄州, 再移杆城, 幾四十年. 忠烈王二十四年, 各還本城". 이와 같은 기사가 『신증동국여지승람』 권49, 안변도호부, 건치연혁에도 수록되어 있다.
- 『세종실록』 권155, 지리지, 안변도호부, "… 高宗時, 定平以南諸城, 被蒙兵侵擾, 移寓江陵道襄州, 再移杆城, 幾四十年. 忠烈王二十四年戊戌[注, 元成宗大德二年], 各還本城. 本朝太宗癸未, 以府人從趙思義作亂, 降爲監務, 明年, 復舊號".

308) 이 教令은 忠烈王이 忠宣王에게 傳位한 1월 19일(丙午) 以前에 내려진 것인지, 아니면 復位한 8월 18일(壬申) 이후에 내린 것인지는 알 수 없다.

309) 이는 「金晅墓誌銘」에 의거하였다.

310) 이는 「金賆墓誌銘」에 의거하였다.

311) 이는 「趙延壽墓誌銘」에 의거하였다.

312) 이는 다음의 자료에 의거하였다.
- 『원사』 권154, 열전41, 洪福源, 君祥, "大德二年, 詔使高麗, 臺臣劾君祥以他事, 中道追回, 已而事罷".

己亥[忠烈王]二十五年, 元大德三年, [西暦1299年]

1299년 2월 2일(Gre2월 9일)에서 1300년 1월 22일(Gre1월 29일)까지, 355일

春正月[癸未朔大盡,丙寅], [丙戌[4日], 太白貫月:天文3轉載].

壬辰[10日], 太白晝見.

○幸外院[外帝釋院?], 設藏經道場.

丁酉[15日], [都僉議侍郎贊成事·]萬戶印侯, [萬戶·前知都僉議司事]金忻, 密直[同知密直司事]元卿等, 擅發兵, 執[都僉議贊成事·]萬戶韓希愈·上將軍李英柱, 誣告謀叛. [初, 侯訴于安平公主曰, "希愈嘗扼臣項, 跨臣腹以辱之". 公主曰, "希愈有功, 且齒長汝, 非希愈, 孰敢侮汝, 其勿復言". 侯等, 謀傾軋之, 及[忠烈23年]公主薨, 王相希愈, 侯等, 畏莫敢發. □□[至是], 會僧日英誣告, [謂]郞將李承祐曰, "希愈等謀不軌, 承祐以告侯等. 侯等發兵, 執希愈及上將軍李英柱·千戶石天補及其弟天卿". 將軍李茂·朴松堅·元冲甲·韓大莊·兪守大·前中郞將白瑞卿·別將裵仁儉等十餘人, 乃告[行省]左丞哈散曰, "希愈等將殺侯·忻, 挾王竄海島. 事急不先圖, 禍且不測, 今已執之, 左丞其圖之". 哈散曰, "王亦知否". 曰, "王若不知, 誰敢爲謀". 哈散密令其子, 往候王宮, 仍戒之曰, "王若知其謀, 必嚴警備, 汝見王曰, 吾父聞有變, 恐懼且無兵衛, □[故]遣我借兵". 黎明, 其子往王宮, 宮中闃然, 衛士皆臥未起, 及上謁, 王趣召見, 賜弓劍. 其子還告哈散曰, "前言乃妄也, 然業已執希愈等, 詣王宮, 請訊之". 王與哈散鞫希愈等, 不伏, 囚于巡馬所, 日英逃:節要轉載].313)

戊戌[16日], 王與左丞哈散, 鞫[鞫]希愈等于興國寺, 英柱誣伏, 希愈竟不服.314)

[→于興國寺, 凡五日. 惟英柱·仁儉誣服. 又鞫希愈等三日, 竟不服:節要轉載].

癸卯[21日], 以世祖忌, 幸神孝寺.315)

戊申[26日], 印侯·[知都僉議司事]金忻·[同知密直司事]元卿, 以希愈不服, 如元, 訴帝. 王留之,

---

313) 이 사건에 관련된 기사로 다음이 있다.

- 열전17, 韓希愈, "萬戶印侯, 與希愈素有隙, 誣告謀叛, 流海島, 未幾召還, 王遣使如元, 辨侯誣告. 於是, 元執希愈以歸, 會王入朝, 奏希愈·侯曲直, 乃釋希愈還, 語在侯傳".
- 열전36, 李英柱, "僧日英, 誣告[軍簿判書·鷹揚軍上將軍李]英柱與韓希愈謀反[謀叛], 鞫之, 英柱誣服, 流海島, 未幾召還. 語在希愈傳".
- 열전36, 印侯, "世家篇의 原文과 유사하므로 생략함".

314) 誣伏은『고려사절요』권22에는 誣服으로 되어 있으나 같은 意味로 사용된다.

315) 世祖 쿠빌라이[忽必烈]는 1월 22일 崩御하였는데, 前日을 入祭日로 삼았던 것 같다.

不從.

[→元卿及上將軍姜裋·大將軍金七貂·將軍桓貞·李瑀·少尹閔頔等, 以日英逃, 希愈等不伏, 將如元, 訴帝. 王使右副承旨金深留之. 不從. 裋等皆黨侯·忻, 謀陷希愈者也:節要轉載].[316)]

[某日, 以吳祁爲起居注:追加].[317)]

[某日, 以宣宗桂爲慶尙道按廉使:慶尙道營主題名記].

[是月, 贊成事印侯之謀執韓希愈也, 悉召諸大臣, 大臣皆揣侯意莫往, 獨知密直司事鄭瑎不知而往, 輒還坐罷:列傳19鄭諧轉載].

[是月壬辰10日, 元安置高麗陪臣趙仁規於安西, 崔冲紹於鞏昌, 並笞而遣之, 以正其附王源擅命妄殺之罪:追加].[318)]

二月癸丑朔小盡,丁卯, 戊午6日, 元使哈散還元.

○流都僉議贊成事韓希愈·上將軍李英柱于海島. [餘皆杖之:節要轉載].

○哈散還, 帝問希愈之故, 對曰, "希愈本無異謀, 但忽刺歹印侯, 欲爲益知禮普化王忠宣王地耳":節要轉載].

---

316) 이와 같은 기사가 열전17, 金忻에도 수록되어 있다.

317) 이는 「吳潛墓誌銘」에 의거하였다.

318) 이는 다음의 자료에 의거하였다.

· 『원사』 권19, 본기19, 성종2, 대덕 3년 1월, "壬辰10日, 安置高麗陪臣趙仁規於安西, 崔冲紹於鞏昌, 並笞而遣之, 以正其附王源擅命妄殺之罪. …".

· 『원사』 권208, 열전95, 外夷1, 高麗, "大德三年正月, 昛遣使入貢. □右丞相完澤等言, 世祖時, 或言高麗僭設省·院·臺, 有旨罷之. 其國遂改立僉議府·密直司·監察司. 今源加其臣趙仁規司徒·司空·侍中之職. 又昛給仁規赦九死獎諭文書. 又擅寫皇朝帝系, 及自造曆, 加其女爲令妃. 又立資政院, 以崔冲紹爲興祿大夫. 又嘗奉太后旨, 公主與源兩位下怯薛解合弁爲一. 源不奉旨. 源又擅殺千戶金呂而以其金符給宦者朮合兒. 又仁規進女侍源, 有巫蠱事. 今乞將仁規·冲紹發付京兆·鞏昌兩路安置, 不得他適. 昛行事不法, 源年少妄殺無辜, 乞降詔戒飭. 帝命杖仁規·冲紹而遣之".

· 『원고려기사』本文, 成宗, 大德, "三年正月十日, □右丞相完澤等奏, '高麗王源有罪, 先遣吉丁等往, 詰問之. 今吉丁回言, 世祖時, 或言, 高麗僭設省院臺, 有旨罷之. 其國, 遂改立僉議府·密直司·監察司. 今源加其臣趙仁規□等, 司徒·司空·侍中之職. 又昛給仁規, 赦九死獎諭文書, 又擅寫皇朝帝系, 自造曆日, 加其女爲令妃, 又立資政院, 以崔冲紹爲興祿大夫. 又嘗奉太后懿旨, 公主與源兩位下, 怯薛·解合倂爲一. 源不奉旨, 源又擅殺千戶金呂, 而以其金符, 給宦者木合兒. 又仁規進女侍源, 有巫蠱之事. 今乞將仁規·冲紹發付京兆·鞏昌兩路, 羈管安置, 不得他適. 昛行事不法, 源年少, 妄殺無辜, 乞降詔戒飭'. 上曰, '仁規杖二十七 冲紹三十七 而遣之', 詔辭當加嚴厲".

戊辰[16日], 王如奉恩寺.

[某日, 王謂宰樞曰, "西北面指揮使尹琦, 飮食印侯等, 罪一也. 不拘留印侯, 罪二也, 給[將軍]桓貞·[少尹]閔頔驛騎, 罪三也. 盍治之". 中贊洪子藩, 唯唯, 知都僉議□□[司事]崔有渰, 獨曰, "侯等之行, 殿下, 且不得留, 琦安得止之, 宰相之入朝者, 指揮使其能不飮食之耶? 驛騎, 貞等擅騎爾, 非琦給之也. 蓋由宰相不得其人, 致有此事, 不罪宰相, 而罪琦可乎?" 議遂寢, 然琦竟坐罷, 以[密直副使]金富允代之:節要轉載].[319)]

三月壬午朔[小盡,戊辰], 罷西北面都指揮使尹琁[尹琦]·密直副使閔宗儒.[320)]

乙酉[4日], 以[密直副使]金富允爲西北面都指揮使.

丙戌[5日], 下右司諫金台正于巡馬所.

庚寅[9日], 遣知都僉議司事崔有渰如元, 賀生皇子.

壬辰[11日], 王獵于東郊, 遂幸壽康宮. 日事宴樂, 賜倡妓銀八斤, 又以二銀瓶, 爲的射之, 賜中者.

[某日, 以鄭仁卿爲匡靖大夫·判三司事·上將軍:追加].[321)]

[是月頃, 以宣起爲東京留守府少尹:追加].[322)]

夏四月辛亥朔[大盡,己巳], 元遣工部尙書也先帖木兒·翰林待制賈汝舟來, 詔曰, "比者, 奉使回奏, 本國陪臣趙仁規等, 所行不法, 及事有不遵典制, 合行正釐者. 據仁規等罪, 已勑中書省, 量輕重決遣. 自今以始, 卿其勉遵守國之規, 益勤畏天之戒. 凡在官者, 各勤乃事, 協力匡贊, 毋蹈前非, 自干刑憲. 緇黃·士庶, 各安其業. 所釐事宜, 條列于後. 一. 先朝已定官府及受宣人員, 毋得變更, 中間有所擅自更易者, 卽行改正. 一. 命官有罪, 須具事情本末, 聞奏, 毋得輒行殺戮. 一. 奉使奏說, 本

---

319) 이상과 같은 印侯·金忻 등의 行爲는 열전36, 인후에도 수록되어 있으나 字句에 출입이 있다.

320) 尹琦와 閔宗儒(印侯와 함께 大都에 들어간 閔頔의 父)는 前年에 충선왕이 즉위하였을 때 등용되었던 인물이다. 前年 8월에 충선왕이 폐위되면서 그의 側近들이 退陣하였던 것과 같은 범주에 해당한다.

- 열전22, 朴全之, "忠烈復位, 以讒見罷".
- 「朴全之墓誌銘」, "… 變起不虞, 逸壽王[忠烈王]復位, 公寵極前朝[忠宣王], 故歇閑居□□[十年], …".
- 열전20, 閔宗儒, "復爲密直副使·刑曹判書, 尋罷".
- 「閔宗儒墓誌銘」, "戊戌[忠烈王24年], 進奉翊大夫·密直副使, 明年以不苟合免職".

321) 이는 「鄭仁卿政案」; 「鄭仁卿墓誌銘」에 의거하였다.

322) 이는 『동도역세제자기』에 의거하였다.

國臣庶，曾經世子，流竄海島，及斷沒人數，有無罪犯．從國王分揀審錄，合改正者，卽與改正”.[323]

[時，元杖流仁規于安西，冲紹于鞏昌:節要轉載].[324]

壬子[2日]，[放趙仁規妻子族黨之囚繫者:節要轉載]，召還韓希愈·李英柱.

丁巳[7日]，遣判三司事鄭仁卿[·判通禮門事柳琚:節要轉載]，如元，辨印侯誣妄[誣罔].[325]

己未[9日]，元遣塔海·闊闊不花來，執韓希愈·李英柱·[同知密直司事]元卿及判密直□□[司事]柳庇·都評議□□[使司]錄事宋之罕,[326] 以歸．[庇，乃哈散鞫問希愈時，譯者也，之罕，主文案者也:節要轉載].

[某日，趙仁規妻及其子瑞·璉·珝及崔冲紹子直，如元:節要轉載].

五月辛巳朔[小盡,庚午]，遣將軍白孝珠如元，獻鵨.[327]

丙戌[6日]，[都僉議侍郞贊成事]印侯·[知密直司事]李混·元珝·[知密直司事]鄭瑎·[同知密直司事]元卿·[同知密直司事?]許評罷.[328]

---

323) 몽골제국에서 工部尙書 也先帖木兒[Esen Temur]·翰林待制 賈汝舟의 파견이 결정된 것은 1월 10일(壬辰) 이후이고, 時弊의 개혁을 위한 詔書는 2월에 만들어진 것 같다.

- 『원사』 권20, 본기20, 성종3, 大德 3년 1월 壬辰, “… 復以王昛爲高麗王，遣工部尙書也先鐵木而·翰林待制賈汝舟齎詔，往諭之”.
- 『원사』 권208, 열전95, 外夷1, 高麗, “[大德3年]二月，詔諭昛幷闔境臣民，自今以始，勉遵守國之規，益謹畏天之戒．凡在官者，各勤乃事，協力匡贊，毋蹈前非，自干刑憲．緇黃·士庶，各安其業”.
- 『원고려기사』本文，成宗，大德 3년，“二月，下詔，諭高麗王王昛幷闔境臣民，‘人等曰，比者，奉使回奏，本國陪臣趙仁規等所行不法，及事有不遵典制，合行釐正者’．據仁規等罪，已飭中書省，量輕重決遣．自今以始，卿其勉遵守國之規，益謹畏天之戒．凡在官者，各勤乃事，協力匡贊，勿蹈前非．自干刑憲，緇黃·士庶，各安其業，所有釐正事理，條列於後．一．先朝已定官府及受宣人員，毋得變更，中間有所擅，自更易者，卽行改正．一．命官有罪，須具事情，本末聞奏，毋得輒行殺戮．一．奉使奏說，本國臣庶，曾經世子，流竄海島，及斷沒人數，有無罪犯，從國王分揀審錄，合改正者，卽與改正”.

324) 安西는 京兆府의 別稱으로 陝西行省 安西路(後日 奉元路로 改稱)로서 過去의 長安(現 陝西省 西安市)이고, 鞏昌은 陝西行省 鞏昌總帥府(現 甘肅省 隴西縣 地域)이다.

325) 誣妄은『고려사절요』권22에는 誣罔으로 되어 있는데, 큰 차이는 없을 것이다.

326)『고려사절요』권22에는 判密直司事로 옳게 되어 있다.

327) 白孝珠(白文節의 次子)는 大護軍에 이르렀다고 한다(열전19, 白文節).

328) 이때 印侯가 가지고 있던 虎符[萬戶符]를 빼앗아 王惟紹에게 주었다고 하며, 印侯는 韓希愈가 逝去하고(충렬왕32), 王惟紹가 다이두[大都]에서 誅殺되기 직전인 1307년(충렬왕33) 3월 前王(忠宣王)에 의해 복직되었고, 그때까지 몽골제국에 머물고 있었다.

- 열전36, 印侯, “又罷[印]侯職，奪侯所佩萬戶符，與王惟紹．希愈復相有寵．侯憚之，因留元，不敢還，及希愈死，惟紹伏誅，侯拜咨議都僉議司事·平陽君，復佩萬戶符”.

[□□□是時頃, 罷秘書少尹閔頔:列傳21閔頔轉載].[329)]

丁亥7日, 遣判三司事鄭仁卿如元, 謝恩, 表曰, "使華戾止, 俄傳九闉之明綸, 帝澤霈然, 便作一方之甘澍. 省循已往, 兢感交深, 伏念, 幸千載之遭逢, 叨兩朝之眷遇, 民若淵深而魚泳, 久沐矜憐. 國如木老而蠹生, 自招尤悔, 厄數更幷於涼德, 穢言曾及於亶聰. 雖云山海之兼容, 尙畏雷霆之一怒. 豈謂以蒼穹之莫遠, 曲察事情, 俾赤子之無知, 反加哀育. 旣列法言而垂戒, 仍宣汗號以滌瑕, 傳孫寶訓之丁寧, 闔國歡聲之洋溢. 玆盖伏遇法湯彰善, 體舜好生. 加字小之仁, 廓包荒之度, 恐無辜之或枉, 期寧失於不經. 臣敢不敬率群僚而述職, 庶副天心, 永綏黎俗以遷誠, 祝延聖算".

癸巳13日, 宥二罪以下.

庚子20日, 以安平公主大祥, 幸妙蓮寺.

乙巳25日, 幸壽康宮. [王狎昵群小, 嗜好宴樂. 倖臣吳祁·金元祥·內僚石天補·天卿等, 務以聲色容悅, 謂管絃坊大樂才人, 猶爲不足. 分遣倖臣諸道, 選官妓有色藝者, 又選城中官婢及巫善歌舞者, 籍置宮中. 衣羅綺, 戴馬尾笠戴馬鬃笠, 別作一隊, 稱爲男粧, 敎以新聲. 其歌云, 三藏寺裏點燈去, 有社主兮執吾手. 儻此言兮出寺外, 謂上座兮是汝語. 又云, 有蛇含龍尾, 聞過太山岑. 萬人各一語, 斟酌在兩心. 其高低緩急, 無不中節. 王之幸壽康宮也, 天補輩, 張幕其側, 各私名妓, 日夜歌舞褻慢, 無復君臣之禮, 供億賜與之費, 不可勝記:節要轉載].[330)]

[某日, 以起居注吳祁爲修撰官·知制誥:追加].[331)]

[是月, 元使哈散歸還言, '晅不能服其衆, 朝廷宜遣官共理之. 庚子20日, 復征東

---

329) 이는 다음의 기사를 전재하였다.

· 열전21, 閔宗儒, 頔, "忠宣受禪, 除秘書少尹. 忠烈復位, 隨例免, 從忠宣在燕邸凡四年".

330) 이와 관련된 기사로 다음이 있는데, 添字는 이에서 달리 표기된 것이다.

· 지25, 樂2, 俗謠, 三藏, 蛇龍, "… 右二歌, 忠烈王朝所作. 王狎群小, 好宴樂, 倖臣吳祈·金元祥, 內僚石天補·天卿等, 務以聲色容悅, 以管絃房太樂才人, 爲不足, 遣倖臣諸道, 選官妓有姿色伎藝者, 又選城中官婢及女巫, 善歌舞者, 籍置宮中, 衣羅綺, 戴馬鬃笠, 別作一隊, 稱爲男粧, 敎閱此歌, 與群小, 日夜歌舞褻慢, 無復君臣之禮, 供億賜與之費, 不可勝記".

· 열전38, 吳潛, "潛, 忠烈朝登第, 累官至承旨起居注. 王狎昵群小, 好宴樂, 潛與金元祥·內僚石天補·天卿等爲嬖倖, 務以聲色容悅. 謂管絃坊大樂才人不足, 分遣倖臣, 選諸道妓有色藝者, 又選京都巫及官婢善歌舞者, 籍置宮中, 衣羅綺, 戴馬尾笠, 別作一隊, 稱男粧, 敎以新聲. 其詞云 '三藏寺裏點燈去, 有社主兮執吾手. 儻此言兮出寺外, 謂上座兮是汝語'. 又云 '有蛇含龍尾, 聞過大山岑. 萬人各一語, 斛酌在兩心'. 高低緩急, 皆中節簇. 王之幸壽康宮也, 天補等張幕宮側, 各私名妓, 日夜歌舞, 褻慢, 無復君臣之禮, 供億賜予之費, 不可勝紀. 轉知申事". 이때 吳祁(吳潛의 前名)의 職位는 承旨에 이르지 못했다.

331) 이는 「吳潛墓誌銘」에 의거하였다.

行中書省[增置征東行中書省官], 以福建行省平章政事闊里吉思爲平章政事, 耶律希逸爲左丞, 王思廉爲參知政事:追加].[332)]

[六月庚戌朔[小盡,辛未]:追加].

秋七月[己卯朔大盡,壬申], [己丑[11日], 以鄭仁卿爲知都僉議司事·典理判書:追加].[333)]

乙未[17日], 以將軍金儒爲慶尙·全羅·楊廣三道採訪使. [前王[忠宣王], 惡儒祝髮, 置之[長興府]八巓寺. 及王復位, 儒長髮, 拜將軍, 貪婪傾巧, 漁奪民利, 逞欲固寵, 靡所不至, 聞其來者, 莫不痛憤:節要轉載].

[→高宗秀·金儒亦內僚也. 儒, 性貪婪傾狡, 忠宣惡之, 祝髮置八顚寺. 及忠烈復位, 儒髮, 而拜將軍, 爲慶尙·全羅·楊廣□[道]採訪使, 務爲漁奪, 逞欲固寵, 民聞其來, 莫不痛憤:列傳36金儒轉載].

丁未[29日], 遣密直使柳栯如元, 賀聖節.

[某日, 以蔡希仲爲慶尙道按廉使:慶尙道營主題名記].

八月己酉朔[大盡,癸酉], 日食.[334)]

---

332) 이는 다음의 자료에 의거하였는데, 여기에서 '復征東行中書省'은 '增置征東行中書省官', '復立行省'은 '增置行省官'으로, 高麗行省은 征東行省으로 바꾸어야 옳게 될 것이다(張東翼 1994년 42~49面).

· 『원사』 권20, 본기20, 성종3, 大德 3년 5월, "庚子, 復征東行中書省[增置征東行中書省官], 以福建平海省平章政事闊里吉思爲平章政事".

· 『원사』 권91, 지41상, 백관7, 征東等處行中書省, "大德三年, 復立行省[增置行省官], 以中國法治之. 旣而王言其非便, 詔罷行省, 從其國俗".

· 『원사』 권134, 열전21, 闊里吉思, "陞征東省平章政事, 高麗刑政無節, 官冗民稀, 闊里吉思因悉加裁正以聞. 有旨, 徵入見, 俾條析便民事宜".

· 『원사』 권60, 열전47, 王思廉, "[大德]三年, 起爲工部尙書, 拜征東行省參知政事".

· 『원사』 권208, 열전95, 外夷1, 高麗, "[大德三年]五月, 哈散使高麗還, 言昛不能服其衆, 朝廷宜遣官共理之. 遂復立征東行省, 命闊里吉思爲高麗[征東]行省平章政事".

· 『원고려기사』本文, 成宗, 大德 3년, "五月十九日, 中書省奏, '哈散奉使高麗回言, 其國王不能彈壓其衆, 朝廷差官, 共理之可也. 臣等議, 宜復立征東行省', 從之. 命闊里吉思, 爲高麗[征東]行省平章政事".

333) 이는 「鄭仁卿政案」; 「鄭仁卿墓誌銘」에 의거하였다.

334) 이날 中原에서도 일식이 있었다(『원사』 권20, 본기20, 성종3, 大德 3년 8월 己酉). 이날은 율리우스력의 1299년 8월 27일이고, 開京에서 일식 현상이 심했던 시간은 12시 18분, 食分은 0.16 이었다(渡邊敏夫 1979年 310面).

丁巳[9日], 移御壽寧宮.

丙寅[18日], 判密直司事柳庇, 逃. [時, 庇還自元, 王疑其與印侯同心, 欲罪之, 故逃:節要轉載].

[某日, 華嚴業僧統坦如入寂:追加].[335]

九月己卯朔[小盡,甲戌], 遣大將軍閔甫如元, 獻鷂.

丙戌[8日], 流監察使[~~監察史~~]蔡禑于海島. [禑, 監左倉頒祿, 有內豎傳旨, 輸米若干斛于內, 以給宮人. 禑曰, "今日所頒, 府衛將校之祿也. 若輟與內人, 恐虧聖德, 固沮之". 王怒流之:節要轉載].[336]

[某日, 禁國人白衣·白笠, 從太史局言也:節要轉載].[337]

己亥[21日], 以[~~都僉議侍郞贊成事~~]宋玢△[爲]監修國史,[338] [都僉議參理]安珦△[爲]修國史, [同知密直司事]閔漬△[爲]同修國史, [鄭仁卿爲都僉議參理·典理判書:追加].[339]

○罷[都僉議侍郞贊成事]車信·[都知都僉議司事]崔有渰·[判密直司事]柳庇·[同知密直司事?]吳仁永·劉福和·□□□□[~~三司左使~~]洪詵.[340]

丙午[28日], 移御[同知密直司事?]許評第.

[是月, 金台鉉, □□□□[掌成均試], 取李蒨等七十餘人[七十人]:選擧2國子試額轉載].[341]

冬十月[戊申朔大盡,乙亥], 甲子[17日], 元遣[前福建行省平章政事]闊里吉思, 爲征東行中書省平章事, 耶律希逸爲左丞, [[工部尙書]王思廉爲參知政事:追加].[342] 時, 哈散還奏, "王不能

· 『續史愚抄』11, 正安 1년 8월, "一日己酉, 日蝕, 蝕御祈權僧正守瑜奉仕".

335) 坦如의 入寂은 그의 弟인 金賆의 묘지명에 의거하였다(金龍善 2006년 411面).

336) 監察使는 監察史의 오자인데, 『고려사절요』 권22에는 옳게 되어 있다. 또 이 기사는 열전19, 秋適, 蔡禑에도 수록되어 있으나 字句에 出入이 있다. 그리고 蔡禑는 蔡松年의 曾孫(楨-仁揆-禑)이므로 仁揆와 함께 열전15, 蔡松年에 附傳될 수도 있었을 것이다.

337) 이 기사는 지39, 刑法2, 禁令에는 "復禁白衣·笠"으로 되어 있다.

338) 添字가 『고려사절요』 권22에는 中贊으로 되어 있으나 실제는 都僉議侍郞贊成事이다(→是年 11월 3일).

339) 이는 「鄭仁卿政案」·「鄭仁卿墓誌銘」에 의거하였다.

340) 『고려사절요』 권22에는 僕射洪詵으로 되어 있으나 三司左使洪詵의 오류일 것이다.

341) '七十餘人'은 '七十人'으로 고쳐야 옳게 되는데, 이때의 試官인 金台鉉의 묘지명에 後者로 되어 있다("嘗主成均試, 得李蒨等七十人").

342) 이는 『원사』 권160, 열전47, 王思廉에 의거하였다.

服其衆，朝廷宜遣官共理". 帝從之.

丙寅[19日]，王視事于征東省.

是月，以增置行省□[宥],[343)] 上表陳情曰，"小邦累世勤王之功，凡八十餘年，歲修職貢. 臣嘗以世子入侍，得連婚帝室，遂爲甥舅，實感至恩. 使小國，不替祖風，永修侯職，是所望也".[344)]

[是月頃，以裴孫茂爲東京留守府司錄:追加].[345)]

十一月[戊寅朔大盡,丙子]，庚辰[3日]，知都僉議司事[僉議侍郞贊成事]宋玢乞退.[346)]

乙酉[8日]，幸妙蓮寺.

庚子[23日]，幸溫泉.

[某日，都僉議參理致仕金頵卒 :追加].[347)]

十二月戊申朔[大盡,丁丑]，遣將軍李白超如元，獻人參[~~大蔘~~]□[及]鵠肉.[348)]

甲寅[7日]，遣□□□[~~都僉議贊~~]贊成事鄭仁卿如元，賀正.[349)]

[某日，平章[~~平章政事~~]闊里吉思，與行省官僚及百官，肄賀正儀於奉恩寺，三日. 肄儀始此:節要轉載].

[→行省官寮及百官，肄賀正儀於奉恩寺，三日. 肄儀始此:禮9王太子節日受宮官

---

343) 이 기사에서 以增置行省은 以增置行省官으로 고쳐야 實狀에 附合된다(張東翼 1994년 49面).

344) 중국 측의 자료에 이 陳情表가 9월에 올려진 것으로 되어 있으나 오류일 것이다.

- 『원사』 권208, 열전95, 外夷1, 高麗, "[大德三年]九月，昛遣使入貢，以朝廷增置行省，上表陳情. 其略言，累世有勤王之功，凡八十餘年，歲修職貢. 嘗以世子入侍，得聯婚帝室，遂爲甥舅，實感至恩. 使小國不替祖風，永修侯職，是所望也".
- 『원고려기사』本文，成宗，大德 3년，"九月，昛上表陳情"

345) 이는 『동도역세제자기』에 의거하였다.

346) 知都僉議司事는 僉議侍郞贊成事의 오류일 것이다. 宋玢은 충렬왕 13년 2월 29일 知僉議府事에 임명된 후 僉議參理를 거쳐 16년 12월 18일 다시 知僉議府事(僉議府가 都僉議府로 승격된 후 知都僉議府事임)에 임명되었다. 이 기사보다 11개월 前인 충렬왕 24년 11월 27일 都僉議侍郞贊成事에 임명되었다.

- 열전38, 宋玢, "後復拜贊成□[事], 進中贊, 俄改知都僉議, 乞退". 밑줄[underline]은 어떤 착오일 것이다.

347) 金頵의 逝去는 그의 弟인 金賆의 墓誌銘에 의거하였다.

- 「金賆墓誌銘」, "二兄, 匡靖大夫·都僉議參理致仕, 諱頵, 己亥十月薨".

348) 添字는 『고려사절요』 권22에 의거하였다.

349) 添字는 『고려사절요』 권22에 의거하였다.

賀幷會儀轉載].[350)]

[丙子[29日], 以鄭仁卿爲□[都]僉議贊成事, 吳祁爲左副承旨·秘書尹·知制誥:追加].[351)]

[是年, 陞益興都護府管內平昌縣爲縣令官:地理1轉載原州].

[○以[判三司事·寶文閣大學士]金賆爲知都僉議司事:追加].[352)]

[○密直副使金恂請致仕:追加].[353)]

[○以[都齋庫判官]崔雲爲神虎衛別將·牽龍行首:追加].[354)]

[○改修溟州翼嶺縣城及陳田寺:追加].[355)]

庚子[忠烈王]二十六年, 元大德四年, [西曆1300年]

1300년 1월 23일(Gre1월 30일)에서 1301년 2월 9일(Gre2월 17일)까지, 13개월 384일

春正月[戊寅朔小盡,戊寅], 辛卯[14日], 元遣闊闊不花來, 頒册皇后詔.[356)]

[某日, 以宋克連爲慶尙道按廉使:慶尙道營主題名記].

是月, 以□□[中贊]洪子藩△[爲]判中軍事.[357)]

---

350) 肄儀는 '儀禮를 事前에 演習[習儀]한다'는 의미를 지니고 있는데, 上記와 같이 고려왕조가 행한 몽골제국의 各種行事에 대한 事大儀禮에 대한 事前演習은 明帝國에 의해서도 강요되어 조선왕조 시기에도 遵行되었던 것 같다.
 · 『周禮註疏』 권19, 春官, 小宗伯之職, "… 凡王之會同·軍旅·甸役之禱祠, 肄儀爲位[注, 肄習也. …]"(四庫全書本15面左末行).
 · 『經國大典』 권3, 禮典, 朝儀條, "迎詔勅及正·至·聖節·誕日賀禮, 百官先期習儀[注, 頒行天下曰詔, 通一國曰勅]".

351) 이는 「鄭仁卿政案」; 「鄭仁卿墓誌銘」; 「吳潛墓誌銘」에 의거하였다. 또 이때 吳祁는 朝奉大夫·密直司左副承旨·秘書尹·知制誥에 임명되었다고 한다.

352) 이는 「金賆墓誌銘」에 의거하였다.

353) 이는 「金恂墓誌銘」에 의거하였다.

354) 이는 「崔雲墓誌銘」에 의거하였다.

355) 이는 江原道 襄陽郡 襄陽邑 城內里 襄陽邑城, 降峴面 屯田里 陳田寺址에서 출토된 瓦銘 '□[大]德三年'에 의거하였다(世宗文化財硏究院 編 2015년 225面, 236面).

356) 成宗이 前年 10월 5일(壬子) 卜魯罕(Boruqan, ?~1307)을 皇后로 책봉하였다(『원사』 권20, 본기20, 성종3, 大德 3년 10월 壬子·권114, 열전1, 후비1, 成宗, 卜魯罕皇后).

357) 添字는 『고려사절요』 권22에 의거하였다.

二月[丁未朔大盡,己卯], [丙寅[~~丙辰~~10日], 元皇太后崩:禮6上國喪轉載].[358]

庚申[14日], 燃燈, 王如奉恩寺.

壬戌[16日], 幸梨峴宮.

○以吳仁永△[爲]知密直司事·典理判書, 劉福和△[爲]同知密直司事·版圖判書, [前三司左使]洪詵爲密直副使.[359]

[是月, 征東行省平章闊里吉思言, "高麗國王自署官府三百五十八所, 官四千五十五員, 衣食皆取之民, 復苛征之. 又其大會, 王曲蓋·龍扆·警蹕, 諸臣舞蹈山呼, 一如朝儀, 僭擬過甚". 遣山東宣慰使塔察兒·刑部尙書王泰亨賫詔, 諭之, 使厘正以聞:追加].[360]

三月[丁丑朔小盡,庚辰], 庚辰[4日], 王不豫, 移御齊安宮.

庚寅[14日], 移御壽寧宮.

[是月, 右副承旨吳祈[~~吳祁~~], □□□□[掌成均試], 取金琅韻等六十九人:選擧2國子試額轉載].[361]

[是月, [征東行省平章]闊里吉思復上言, "僉議司官不肯供報民戶版籍·州縣疆界. 本國

---

358) 이 기사는 "[忠烈]二十六年正月丙寅, 元皇太后崩"으로 되어 있으나 "二月丙辰, 元皇太后崩"의 誤謬이다. 곧 裕宗妃(皇太子 眞金의 妃)인 闊闊眞[白藍也怯赤]皇太后는 2월 10일(丙辰) 崩御하였다(『원사』 권20, 본기20, 성종3, 대덕 4년 2월 丙辰·권116, 열전3, 裕宗, 徽仁裕聖皇后).

359) 吳仁永은 그의 壻 權廉의 묘지명에 의하면 密直使에 이르렀다고 한다.

360) 이는 다음의 자료에 의거하였는데, 여기에서의 舞蹈之禮는 1430년(세종12) 12월 儀禮詳定所[詳定所]에서도 논의되었던 것 같다.

· 『원사』 권208, 열전95, 外夷1, 高麗, "[大德]四年二月, 征東行省平章闊里吉思言, '高麗國王自署官府三百五十八所, 官四千五十五員, 衣食皆取之民, 復苛征之. 又其大會, 王曲蓋·龍扆警蹕, 諸臣舞蹈山呼, 一如朝儀, 僭擬過甚'. 遣山東宣慰使塔察兒·刑部尙書王泰亨賫詔, 諭之, 使厘正以聞".

· 『세종실록』 권50, 12년 12월 戊辰[2日], "召詳定所提調右議政孟思誠·贊成許稠·摠制鄭招等議曰, '唐 開元禮, 皇帝正·至受群臣朝賀, 群官行舞蹈禮. 皇太子正·至受宮臣朝賀, 宮臣行舞蹈禮. 古人有喜, 則必手舞足蹈, 今朝賀儀有舞蹈可也. 然按元史, 征東行省平章濶里吉思[~~闊里吉思~~]言, '高麗王昛[忠烈王], 大會曲蓋·龍扆·警蹕, 諸臣舞蹈山呼, 一如朝儀, 僭擬過甚. 則舞蹈之禮, 不可行矣. …".

· 『大唐開元禮』 권97, 嘉禮, 皇帝元正冬至受群臣朝賀幷會, "… 宣制訖, 群官·客使等皆再拜, 訖, 舞踏三稱萬歲, 訖, 又再拜. …(四庫全書本4面左1行)".

· 『大唐開元禮』 권113, 嘉禮, 皇太子元正冬至受宮臣朝賀幷會, 會, "… 宮臣上下皆舞踏三稱萬歲, 皇太子擧酒, 訖, 左庶子進受虛爵, …"(四庫全書本5面右2行).

361) 이때 朴仁幹도 합격하였는데(朴華墓誌銘), 이 기사에서 吳祈는 吳祁의 오자이다. 또 吳祁(吳潛)의 묘지명에는 80人을 선발하였다고 되어 있지만, 이 묘지명이 후세에 轉寫된 것이어서 분별이 어렵다.

橫科暴斂，民少官多，刑罰不一，若止依本俗行事，實難撫治”:追加].[362)]

[是月頃，以張元祖[張元組]爲東京留守府司錄:追加].[363)]

夏四月[丙午朔小盡,辛巳]，庚戌[5日]，遣同知密直司事薛景成，如元，弔[闊闊眞]皇太后喪.[364)]

戊午[13日]，王如元，弔喪.[365)]

是月，以閔萱△[爲]都僉議參理，李帖[李德孫]△[爲]知都僉議司事.

五月[乙亥朔大盡,壬午]，辛丑[27日]，[夏至]．有僧天固，朱書怪語于瓦龜背，埋[東京安康縣]惠宿寺石塔下,[366)] 尋自堀曰，“此龜，甚神異”，以眩惑衆人．闊里吉思執而杖之．又以東京□[副]留守羅允，不行禁理，反信妖術，囚于行省.[367)]

[→闊里吉思，囚東京副留守羅允于行省．先是，有僧天固，陶瓦龜一雙，朱書怪語于背，埋惠宿寺石塔下，尋自掘曰，“此龜，甚神異”，眩惑衆人．闊里吉思移文中書省，杖之．又以允，不行禁理，反信妖術，囚之:節要轉載].

壬寅[28日]，遣上將軍高世如元，獻童女.

六月[乙巳朔小盡,癸未]，壬子[8日]，王至上都，謁帝于棕殿,[368)] 仍獻方物．帝大設只孫宴.

---

362) 이는 다음의 자료에 의거하였다.
· 『원사』 권208, 열전95, 外夷1, 高麗, “[大德四年]三月，闊里吉思復上言，僉議司官，不肯供報民戶版籍·州縣疆界．本國橫科暴斂，民少[小]官多，刑罰不一，若止依本俗行事，實難撫治”.
· 『원고려기사』本文，成宗，大德，“四年三月，闊里吉思上言，僉議司官，不肯供報民戶版籍·州縣疆界，本國橫科暴斂，民少[小]官多，刑罰不一，若止依本俗行事，實難撫治”.

363) 이는 『동도역세제자기』에 의거하였는데, 張元祖는 張元組의 오자일 것이다(→충숙왕 5년 5월 1일).

364) 이 기사는 지18, 禮6, 上國喪에도 수록되어 있다.

365) 이 기사는 지18, 禮6, 上國喪에도 수록되어 있다. 또 이때 知申事 吳祁가 隨從하였다고 한다(吳潛墓誌銘).

366) 惠宿寺에 관련된 자료로 다음이 있다.
· 『삼국유사』 권4, 義解5, 二惠同塵, “釋惠宿沉光，於好世郞徒，郞旣讓名黃卷，師亦隱居赤善村[注．今安康縣有赤谷村]．二十餘年，… 今安康縣之北，有寺名惠宿，乃其所居云，亦有浮啚焉”.

367) 東京留守 羅允은 『고려사절요』 권11에는 東京副留守 羅允으로 되어 있는데, 後者가 옳을 것이다. 또 그는 『동도역세제자기』에 의하면 1298년(충렬왕24, 戊戌) 3월에 到任하여 1300년(충렬왕26, 庚子) 8월에 上京하였다고 한다.

368) 棕殿(혹은 棕毛殿, 棕殿, 氈殿)은 上都 宮城의 서쪽 草原에 世祖 쿠빌라이가 건립한 西宮(혹은 西內)의 帳殿(氈帳, 氊帳, 昔剌斡耳朶, 失剌斡耳朶)이다. 이것은 1千餘人을 수용할 수 있는 거대한 帳幕으로 上部에 棕毛(棕櫚樹의 褐色 葉柄, petiole)를 덮었기에 棕毛殿으로, 帳內에 氈

只孫華言顏色，赴會者，衣冠皆一色．帝命王侍宴，王於諸王·駙馬坐，次第四，寵眷殊異.[369)]

戊辰[24日]，王以羊二百頭·酒二百榼，上壽于帝，

己巳[25日]，又詣闕，設扶頭宴.[370)] 帝命唱高麗歌，王令大將軍宋邦英·宋英等，歌

毛(羊毛，織物 carpet)를 깔았기에 氈殿으로도 불렸던 것 같다. 이곳에서 大朝會(忽里勒台, 忽里台, 쿠릴타이, 諸王大會)를 개최하였고, 이 集會가 끝난 후에 다음의 脚注와 같이 參與者들이 동일한 색깔의 옷[一色衣]을 입고 只孫宴(質孫宴, jisun宴, 혹은 詐馬宴, jamah宴)에 참여하였다고 한다(→충렬왕 4년 7월 4일의 脚注, 陳高華·史衛民 2010年 222面).

369) 이 기사와 같이 只孫은 蒙古語를 漢字로 표기한 것인데, 이는 一色衣라는 뜻으로 質孫·濟遜으로도 표기한다. 이 옷은 上衣가 치마[裳]에 연결되어 있는 服式으로 騎馬에 적합하도록 上部는 몸에 착달라 붙고, 아래의 기장도 비교적 짧다고 한다(王頲 2008年).

- 『道園學古錄』 권24(『道園類稿』 권38), 曹南王[野速迭兒]勳德碑, "… [天曆2年]三月，賜以只孫宴服，只孫者，貴臣見饗於天子，則服之，今所賜絳衣也．貫大珠以飾，其肩背膺間首服，亦如之，副以納赤思衣等七襲．納赤思者，縷皮傅金，爲織文者也". 이에서 首服은 頭衣, 곧 帽子와 頭巾을 가리킨다.
- 『近光集』 권1, 許馬行有序, "國家之制，乘輿北幸上京，歲以六月吉日，命宿衛大臣及近侍，服所賜只孫珠翠·金寶·衣冠·腰帶，盛飾名馬，淸晨自城外，各持綵仗，列隊馳入禁中．於是，上盛服御殿臨觀，乃大張宴爲樂．惟宗王·戚里·宿衛·大臣前列行酒，餘各以所職敘坐合飮，諸坊奏大樂，陳百戲，如是者，凡三日而罷．其佩服日一易，大官用羊二千，曒馬三匹，它費稱是，名之曰只孫宴，只孫，華言一色衣也．俗呼曰'詐馬筵'．至元六年歲庚辰，忝職翰林，扈從至上京，六月廿一日，與國子助教羅君叔亨，得縱觀焉，因賦詐馬行，以記所見". 이는 『元詩選』初集권52, 許馬行幷序(周伯琦 作)과 같고, 四庫全書本의 『近光集』에는 只孫이 濟遜으로 改書되어 있고, 字句에 出入이 있다.
- 『南村輟耕錄』 권30, 只孫宴服, "只孫宴服者，貴臣見饗於天子，則服之，今所賜絳衣是也．貫大珠以飾，其肩背膺間，首服亦如之".
- 『원사』 권78, 지28, 여복1, "質孫，漢言一色服也．內庭大宴則服之，冬夏之服不同，然無定制．凡勳戚·大臣·近侍，賜則服之．下至於樂工·衛士，皆有其服．精粗之制，上下之別，雖不同，總謂之質孫云．…".
- 『人海記』卷下, "元時有只孫衣，周伯琦許馬行序曰，'華言一色衣也'．周憲王元宮詞，'健兒千隊足如飛，隨從南郊露未晞，鼓吹聲中春色晩，御前咸著只孫衣'．吳郡皇甫庸近峰聞略云，'元親王及功臣侍宴者，則賜冠衣，謂之只孫，今儀從所服團花只孫，當是也'．按元史世祖本紀只作質". 이에서 『원사』世祖本紀에 '只，作質'로 되어 있다고 하지만, 해당 文句가 찾아지지 않는다. 또 周憲王은 周王 朱橚(朱元璋의 第5子)의 長子 朱有燉(1379~1439)이다,
- 『元宮詞』, "… 健兒千隊足如飛，隨從南郊露未晞，鼓吹聲中春日晩，御前咸著只孫衣".
- 『研經齋全集』外集권68, 燕中雜錄, 雜令式, 只孫衣, "鑾儀衛校尉所衣沿明舊，卽元時只孫衣也". 여기에서 鑾儀衛(Luan Yi Wei, 후에 鑾輿衛로 改稱)는 淸代에 鹵簿·儀仗을 담당하던 官署이다.

370) 扶頭宴은 특정한 술이 아니라 사람을 쉽게 취하게[醇厚濃烈] 하는 술인 扶頭酒가 제공되는 宴會를 가리킨다(東亞大學 2008年 8책 335面). 또 檀板은 紫檀·紅木(紫檀의 一種)·花梨(香檀)·荔木 등으로 만든 打樂器인데, 주로 檀木으로 만들기에 檀板(혹은 拍板, 綽板)이라고 한다. 또

雙燕曲. 前王執檀板, 王起舞獻壽, 帝與后悅.

癸酉[29日晦], 王祭太后殯殿.[371)]

[是月甲子[20日], 元置耽羅總管府:追加].[372)]

秋七月甲戌朔[小盡,甲申], 帝使人勑王曰, "凡有所言, 即聞奏".

乙亥[2日], 王詣闕, 獻童女二·閹竪三, 又以童女一, 歸丞相[~~右丞相~~]完澤.

丁丑[4日], 王侍宴, 帝以皇太子千秋節, 赦印侯·金忻等.[373)]

辛巳[8日], 帝命右丞相完澤, 傳旨云, "高麗國王所奏, 風俗百事, 許令依舊".

壬午[9日], 帝賜王弓矢·海青·鶻子及金鞍二.

癸未[10日], 又賜王從臣金段表裏[~~金段表裏~~]各三百三十六匹·弓劒各三十·鞍二十.

乙酉[12日], 皇后賜王衣三襲.

壬辰[19日], 王發上都.

戊戌[25日], 賜[都僉議]右中贊宋玢, 推誠贊化安社功臣之號.[374)]

辛丑[28日], 以薛永任△[爲]判三司事, 宋和爲密直副使, 郭膺爲軍簿判書, 宋邦英爲左副承旨.

[□□[~~是時~~], 以[都僉議參理]安珦爲贊成事. 用事者忌之, 遂諷王加中贊, 令引年致仕. 尋復爲贊成事:列傳18安珦轉載].[375)]

[某日, 以慶尙道按廉使宋克連, 仍番:慶尙道營主題名記].

[是月庚辰[7日], 七夕 燕山監務李永成·三重大師又玄等開板'佛說父母恩重經':追加].[376)]

뚜드리는 板이 3~10個에 이르며 北方民族이 많이 사용한다고 한다.

· 『구당서』 권29, 지9 音樂2, "拍板, 長闊如手, 厚寸餘, 以韋連之, 擊以代抃".

· 『원사』 권71, 지22, 禮樂5, 宴樂之器, "拍板, 制[製]以木爲板, 以繩聯之".

371) 이 기사는 지18, 禮6, 上國喪에도 수록되어 있다.

372) 이는 다음의 자료에 의거하였다. 是年에 濟州島 東西方向의 2個의 行政區域이 설치되었고, 그중의 하나가 烘爐縣(현 濟州市 西歸浦市 西烘洞 150번지 位置比定)이었다는 견해가 있다(金日宇 2007년·2015년).

· 『원사』 권20, 본기20, 성종3, 大德 4년 6월, "甲子, 置耽羅總管府".

373) 이와 같은 기사가 열전17, 金忻에도 수록되어 있다("會有赦, 忻等免").

374) 이와 같은 기사가 열전38, 宋玢에도 수록되어 있다.

375) 安珦이 찬성사에 임명된 시기는 『회헌선생실기』 권3, 연보에 의거하였다. 이에 의하면 匡靖大夫·贊成事에 승진하였지만 吳祁·石天補 등의 誣告에 의해 壁上三韓三重大匡·都僉議中贊·修文殿大學士·提修國史로 致仕하였다가 다시 贊成事에 임명되었다고 한다.

376) 이는 다음의 자료에 의거하였는데, ~~添字~~가 刻字되지 못했다(祇林寺 所藏, 보물 제959-2-15, 朴

[○禪源寺居僧万恒撰'法寶壇經'跋:追加].[377)]

[是月, 元以吳祁爲承務郞·高麗國王府斷事官:追加].[378)]

八月癸卯朔大盡,乙酉, 戊午16日, 上洛公金方慶卒.[379)] [方慶, 安東人, 性忠直信厚, 嚴毅寡言, 器宇寬弘, 不拘小節. 多識典故, 能斷事, 檢身勤儉, 不遺故舊. 雖致仕閑居, 憂國如家, 國有大議, 必咨之. 年八十九, 頭髮不白, 氣骨異常, 能寒暑無疾, 翛然而逝:節要轉載]. [以遺囑葬于福州:追加].[380)] [時, 用事者惡方慶, 遂沮禮葬. 後謚謚忠烈:節要轉載].

癸亥21日, 遣副知密直司事洪子翰如元, 賀聖節.

○以金延壽爲密直副使.

閏[八]月癸酉朔大盡,乙酉, 庚辰8日, 王次金郊, 賜右中贊宋玢几杖.[381)]

辛巳9日, 王至自元.

乙酉13日, 移御齊安宮.

丙戌14日, 闊里吉思享王.

丁亥15日, [寒露]. 韓希愈·李英柱·柳琚等, 還自元. 王入朝辨[希愈·印侯:節要轉

相國 1990년 ; 南權熙 2002년 44面 ; 郭丞勳 2021년 289面).

· 『佛說父母恩重經』권하, 권말간기, "特爲」 皇帝統御万年,當今」 主上寶位天長,又爲父母現世離諸」 災難,壽祺於遠,此報盡時,生生世世,」 同生一處,不離三寶,助揚」 佛事,供養重具,皆實滿足,亦願先亡」 兄及三世師親,法界生歿,含靈同歸」 樂岸耳.」 時大德四年庚子七月七日,」 燕山監務·升仕郞·良醞令□□□毋王」 李永成,」 同願滿雲寺三重大師又玄,」 同願道人智安.」".

377) 이는 다음의 자료에 의거하였다(孟東燮 2002年 ; 郭丞勳 2021년 288面).

· 『法寶壇經』跋, "… 越大德二年春, 蒙山德異附商寄來, 囑以流通法施之願. 予亦不淺得之慶幸, 遂乃重鏤, 庶流布於無窮也. 所期參玄之士, 但向未開卷前, 著得活眼, 續佛慧命, 愼莫泥句, 況言滅胡種族, 刊行之志, 其在玆乎. 四年庚子七夕, 住花山禪源 万恒 謹題".

378) 이는 「吳潛墓誌銘」에 의거하였다.

379) 이날은 율리우스曆으로 1300년 8월 30일(그레고리曆 9월 7일)에 해당한다.

380) 이는 「金恂墓誌銘」, "以遺囑葬于桑梓"에 의거하였다. 또 1299년(前年, 충렬왕25) 1월 26일(戊申) 이후 다이두[大都]에 들어가 있던 둘째 아들 金忻이 귀국하였다가 脫喪 후에 다시 돌아가서 7년간 머물렀다고 한다. 또 김방경(1212~1300)의 墓所는 경상북도 安東市 祿轉面 九松里에 있고, 墓誌石은 현재 慶尙北道 安東市 陶山面 西部里 220 韓國國學振興院에 委託 保管되어 있다(徐周錫 1995년 67面, 경상북도 유형문화재 제421호).

· 열전17, 金方慶, 忻, "會有赦, 忻等免, 丁父憂還國, 服闋又如元. 時希愈爲相, 故忻不肯還, 居燕凡七年".

381) 이와 같은 기사가 열전38, 宋玢에도 수록되어 있다.

輾]曲直，故釋希愈□等歸之.382)

庚子28日，以吳祁爲密直司知申事·知監察司事.383)

九月壬寅朔大盡,丙戌，遣將軍閔丘如元，獻鶻.384)

甲辰3日，幸王輪寺.

[乙巳4日，迅風雷雨:五行3轉載].

丁巳16日，平陽公昡卒.385)

辛未30日，賜李資蔵等及第.386)

[是月頃，以金祐爲東京副留守:追加].387)

冬十月~~壬申朔~~大盡,丁亥,388) 癸酉2日，[小雪]. 密直副使致仕李承休卒,389) [年七十七:列傳19李承休轉載]. [承休，性正直，無求於世，酷好浮屠法:節要轉載]. [子林宗·衍宗. 林宗，登科，仕至讞部散郞，以廉能稱，謝官養母:列傳19李承休].

丁酉26日，王與平章政事闊里吉思，畋于西郊.

是月，平章政事闊里吉思欲革本國奴婢之法.

○王上表曰，“亶聰兼聽，言降如綸. 大號旣宣，勢無反汗，猶有期于申命，不能已於再鳴. 伏念，凡屬我疆，實非他俗，若良若賤，有何憎愛之所偏. 其愼其難，爲

382) 添字는 『고려사절요』 권22에 의거하였다.

383) 吳祁(僧侶 祖英의 姪)는 初名은 子宜였는데，吳祁로 改名하여 1313년(충선왕5) 3월 7일까지 이름을 사용하다가 같은 해 12월 24일부터 吳潛으로 다시 改名하였다. 그의 묘지명에는 1312년(충선왕4，皇慶1) 8월 汴梁(現 河南省 開封市)에서 大都로 召還된 후 충선왕을 隨從하여 賜名 받았다고 한다(열전19，朴恒·권125，열전38，吳潛 ; 吳潛墓誌銘). 또 吳祁의 묘지명에는 이해의 7월에 朝議大夫·密直司知申事·知制誥·知監察司事에 임명되었다고 한다.

384) 壬寅은 元曆에서는 閏八月의 晦日(30일)이고，日本曆에서는 이해의 閏月은 7월이기에 8월의 晦日(30일)이다.

385) 이 기사는 열전3，顯宗王子，平壤公基에도 수록되어 있다.

386) 이와 관련된 기사로 다음이 있다. 이때 李資蔵·式目都監錄事柳墩(改仁和，柳墩墓誌銘) 등이 급제하였다(朴龍雲 1990년 ; 許興植 2005년).

· 지27，선거1，科目1，選場，“忠烈二十六年九月，左副承旨?全昇知貢擧，鄭允宜同知貢擧，取進士，辛未，賜李資蔵等三十三人及第”.

387) 이는 『동도역세제자기』에 의거하였다.

388) 10월은 元曆에서는 癸酉가 朔日이지만 日本曆은 壬申이 朔日인데，高麗曆도 9월을 감안할 때 일본력과 같이 되어야 한다.

389) 이날은 율리우스曆으로 1300년 11월 13일(그레고리曆 11월 21일)에 해당한다.

此安危之攸係. 昔我始祖, 垂誡于後嗣子孫云, 凡此賤類, 其種有別, 愼勿使斯類從良. 若許從良, 後必通仕, 漸求要職, 謀亂國家, 若違此誡, 社稷危矣. 由是, 小邦之法, 於其八世戶籍, 不干賤類, 然後乃得筮仕. 凡爲賤類, 若父若母, 一賤則賤, 縱其本主, 放許爲良, 於其所生子孫, 却還爲賤. 又其本主, 絶其繼嗣, 亦屬同宗, 所以然者, 不欲使終良也. 恐或有逃脫而爲良, 雖切防微而杜漸, 亦多乘隙而發奸. 或有因勢托功, 擅作威福, 謀亂國家, 而就滅者. 益知祖訓之難違, 猶恐奸情之莫禦. 況又若更此法, 非徒如治亂絲, 因失舊章, 不得僅存遺緖, 故於至元七年元宗11年, 小邦去水就陸之時, 先帝遣達魯花赤以治之. 于時因人告狀, 欲變此法, 確論聞奏, 廷議明斷, 俾從國俗. 衆姦絶窺窬之意, 得至于今. 玆者, 省官初涖此邦, 不察制法之意, 必欲變更, 故臣於今夏入覲之時, 具悉表奏, 伏蒙兪允. 今奉聖旨, 良賤事宜, 更遣人受決, 臣旣承若彼之言, 而還有如斯之旨, 雖深惶懼. 又竊思惟, 旣許祖風, 無問是非而仍舊, 焉當賤類, 必論臧否以更新. 應因毁說之紛紜, 聊欲究觀其纖悉, 故忘冒瀆, 備奏愚懷. 伏望, 回揭日之光明, 霈同雲之優渥, 俾從先命, 乃罔後艱. 則物以群分, 消風土變更之嘆, 邦其永保, 荷乾坤終始之恩".

[→時, 闊里吉思爲行省平章□□政事, 凡奴婢其父母一良者, 欲聽爲良, 宰相莫有止之者. 僉議評理金之淑謂曰, "世祖皇帝, 嘗遣帖帖兀來監國, 有趙石奇者訴良. 帖帖兀欲用上國法, 事聞, 世祖詔從本國舊俗. 此例具在, 不可變更". 闊里吉思, 不敢復言:列傳21金之淑轉載].390)

十一月壬寅朔大盡,戊子, [平章政事闊里吉思, 囚中贊宋玢·前判密直司事柳庇·副知密直司事金深·金延壽·中郞將鄭眞·長史張漢烈·都評議□□使司錄事李安雨等于行省獄. 先是, 庇之逃也, 有憾於玢. 及闊里吉思之來, 庇告曰, "頃者, 張漢烈, 以皇太后崩, 告於玢, 玢乃言曰, 薛比思, 此華言, 報喜之辭也. 玢何人, 敢言如是耶. 庇實與副知密直司事金深·金延壽, 共聞之". 於是, 闊里吉思, 執玢等及漢烈, 令對辨. 又囚玢子右副承旨璘·郞將琜·將軍瑞, 及其姪左副承旨邦英·將軍臣旦于巡馬所. 尋釋庇及深·延壽·眞·漢烈·安雨等. 吉思, 擅權納賄, 好惡不公, 自宰輔以下, 不問尊卑曲直, 稍忤於心, 或杖或囚, 一國之人, 無不行賂:節要轉載].391)

390) 監國 帖帖兀은 1270년(원종11) 5월 7일(丙午) 다루가치로 임명되어 온 脫脫兒(脫朶兒, Todor)로 추측된다.

391) 이날은 2일(癸卯)의 앞에 수록되어 있는 기사이므로 1일(壬寅)로 추측된다.

[→[忠烈]二十六年，[宋玢,] 拜[都僉議]右中贊，賜推誠贊化安社功臣號，又賜几杖．□[~~前~~]判密直□□[~~司事~~]柳庇，嘗有憾於玢，告行省平章闊里吉思曰，“頃者，長史張漢烈，以皇太后崩告玢，玢曰 薛比思，此華言，報喜之辭．玢何人，敢如是耶．我與金深·金延壽共聞，不敢不告”．闊里吉思，囚玢·庇·深·延壽·漢烈·鄭眞·李安雨等于行省獄，令對辨，又囚玢子右副承旨璘，郎將琗，將軍瑞，姪左副承旨邦英，將軍臣旦于巡馬所．尋釋庇·深·延壽·眞·漢烈·安雨等．吉思專權黷貨，好惡不公，自宰輔以下，稍忤意，不問曲直，或杖或囚，人無不行賂:列傳38宋玢轉載]．

癸卯[2日]，[冬至]．宴[平章政事]闊里吉思于壽寧宮．

○遣大將軍李白超如元，獻人參[~~大蔘~~]·牛肉．

丁未[6日]，闊里吉思還，王餞于宣義門外．

庚申[19日]，遣[都僉議]贊成事崔有渰如元．[先是，帝命以冬月，遣陪臣之賢者赴京:節要轉載]．

[→帝徵陪臣賢者，有渰膺命如元．時，行省平章□□[~~政事~~]闊里吉思，欲革本國奴婢之法，有渰奏請仍舊俗，帝從之，以功賜錄劵:列傳23崔有渰轉載]．

辛酉[20日]，幸外院[外帝釋院?]，設消災道場．

丙寅[25日]，[征東]行省遣員外郎李希實如元，賀正．

是月，王上表曰，“剪桐爲戱，猶承裂土之恩，降紵由衷，盍依如山之判．但循輿意，更瀆宸聰．念小國依于大邦，若孤兒仰其慈母，罔有嘉言之登聞，動輒招尤，每加厚眷以矜容，勉於從欲．幸自殊於木石，胡不感於乾坤．頃者，未禁妄動之亂臣，庶剖愚誠於明主，故當前歲，具陳累世之忠勤．因擧先朝，幷錄數條之謨訓．是年，賀聖節使陪臣柳栯廻還云， 暗都剌平章[~~平章政事梁暗都剌~~]等， 大德三年[忠烈25年]九月二十六日，奏奉聖旨，添設省官者，非爲改其國俗，亦不欲恒置．但以一二惡人故，似聞百姓騷擾，將使與王作伴，鎭安之耳．王今未知朕意，可具悉爲文草奏，然後降答，使明知朕意．臣恭聞是語，喜若更生，謂絲綸降不踰時，於日夜，望其來使．臣亦朝天歲久，不勝瞻戀，乃於今春，懇請入朝，伏蒙聖慈兪允，抃躍登途．旣赴闕庭，表奏前秋所陳如上，而但聞有命，未奉明綸之意．伏蒙大德四年七月初八日，口傳聖旨，亦若前秋之命．臣於是時，曾嘆靑天之難覩，昵瞻白日以方欣，長吟湛湛之歌，屢忝厭厭之飮．久貪恩於輦轂，忽迫歸期，素欲受者璽書，亦難留待，未遂卑情之切願，如回好夢以空嗟．伏望，續垂再振之金聲，遄降一封之綸音，則爲百世雲來之寶，永永相傳，俾三韓草昧之功，綿綿不墜．群誠所祝，萬壽無期”．[○□□[~~又曰~~]，“昔我始祖, 垂誡于後嗣子孫云, 凡此賤類, 其種有別, 愼勿使斯類從良. 若許從良, 後必通仕, 漸求要職, 謀亂國家, 若違此誡, 社稷危矣. 由是, 小邦之法, 於其八世戶籍, 不干賤類, 然後, 乃得筮仕. 凡爲賤類, 若父若母, 一賤則賤, 縱其本主, 放許爲良, 於其所生子孫, 却還爲賤, 又其本主, 絶其繼嗣, 亦屬同宗. 所以然者, 不欲使終良也. 恐或有逃脫而爲良, 雖切防微而杜漸, 亦多乘隙而發奸. 或有因勢托功, 擅作威福, 謀亂國家, 而就滅者. 益知祖訓之難違, 猶恐奸情之莫禦":刑法2奴婢轉載].[392)]

○又移書中書省曰, "小邦篤承仁庇, 獲保孑遺. 去夏親朝時, 伏蒙聖旨, 以本國元卿等九人, 皆委於予, 閣下所共明知. 而此九人, 到今無故淹延, 一不廻還, 是何違命之多也, 惟冀僉照督還".

○又曰, "照得本國舊例, 自來驅良, 種類各別, 若有良人嫁娶奴婢者, 其所生兒女, 俱作奴婢, 若有本主放許爲良, 所生兒女, 却還爲賤. 昨於至元八年元宗12年, 有本國達魯花赤衙門, 欲改本俗體例, 呈奉. 到至元九年正月初八日, 省掾周承, 行中書省劄, 付該都省相度, 合從高麗王, 依本俗施行. 以此, 本國驅良公事, 止依本俗舊例理斷, 到今不曾改例. 今有征東省官, 欲改本俗體例, 爲此, 已於今年六月, 親赴上都, 上表聞奏. 於大德四年七月初八日, 都省就喚當職元引官員, 省會奏過事內一件, 奴婢的勾當, 依本國體例行者, 聖旨了也, 欽此, 續准都省咨文, 該王與闊里吉思, 那的每言語不歸一, 各別的一般, 除是別定奪, 怎生呵是奏呵奉聖旨. 冬間, 王差將人來者, 你也好生商量, 怎生定體的那其間了也者, 除這的外, 王敎奏的言語, 依着他的言語者, 欽此啓請照驗事, 准此照得見准咨文, 却與先次都省省會, 稍有不同, 爲此, 今差官, 再行賫表進呈前去. 伏望都省, 善爲聞奏, 乞令依舊, 省俗施行. 如蒙不准, 必須變改舊例, 除已前年分, 已成婚聘所生兒女者, 止令依舊住坐外. 自今以後, 諸奴婢不交嫁娶, 招占良人爲夫婦, 似不爭競. 然此合行啓禀, 都省照詳定擬, 希明文廻示".

○以韓希愈△爲都僉議侍郎贊成事·判軍簿司事, 僉議評理金之淑△爲都僉議贊成事·判監察司事, 崔有渰△爲都僉議贊成事·判版圖司事, 金富允△爲知密直司事·典理判書, 前軍簿判書李英柱爲密直副使·軍簿判書, 黃元吉·尹萬庇爲三司左·右使, 兪甫爲軍簿判書.

---

392) 이 기사의 冒頭에 "忠烈王二十六年十月, 闊里吉思欲革本國奴婢之法, 王上表, 略曰"이 있으나 筆者가 생략하였다.

十二月[壬申朔大盡,己丑], 甲戌[3日], [大寒]. 遣副知密直司事李英柱如元, 賀正.

戊寅[7日], 幸平州溫泉.

甲午[23日], 元遣伯顔忽篤不花, 以香十五斤·~~西~~<u>段</u>[西段]三十匹·絹三百匹·鈔八百六十四錠來, 轉藏經.

丙申[25日], 以[密直副使]宋和爲西北面都指揮使.

己亥[28日], 王與[元使]伯顔忽篤不花, 幸妙蓮寺, 轉藏經.

庚子[29日], 幸慈雲寺, 轉藏經.

[某日, 以吳祁爲國學大司成依前知申事·知監察司事:追加].[393]

[是年, 以[知都僉議司事]金賆爲僉議參理·集賢殿大學士·同修國史:追加].[394]

[○以[中列大夫·知軍簿·監察事]金台鉉爲奉翊大夫·密直副使兼監察大夫:追加].[395]

[○以[神虎衛別將·牽龍行首]崔雲爲左右衛將軍:追加].[396]

[○以金記爲永州副使, 呂謙爲永州判官:追加].[397]

[○以<u>李綰</u>爲碩州副使:追加].[398]

[是年初, 皇太后又放麃馬於濟州:轉載].[399]

[仁同人 張東翼 校注, 增補].

---

393) 이는 「吳潛墓誌銘」에 의거하였다.

394) 이는 「金賆墓誌銘」에 의거하였다.

395) 이는 「金台鉉墓誌銘」에 의거하였다.

396) 이는 「崔雲墓誌銘」에 의거하였다.

397) 이는 『영천선생안』에 의거하였다.

398) 이는 『연안부지』에 의거하였다. 또 李綰은 李瑱의 長子(李齊賢의 兄)로 추측되는데, 이에는 李琯으로 달리 표기되어 있다.

· 「韓宗愈墓誌銘」, "初, 李文定公[李瑱]一見於大學, 遂以其子加洛君諱<u>琯</u>[綰]之女配之".

399) 이는 다음의 기사를 전재하였는데, 이 시기에 몽골제국은 노루[麞]의 일종인 고라니(麃, 麃子, Mantiacus)도 放牧하여 繁殖시켰던 것 같다(南都泳 1969년). 그런데 濟州島에는 뿔[角]이 없는 고라니는 없고, 秋季에 수컷은 뿔이 생기는 노루[Carpreolus]만이 살고 있다고 한다.

· 지11, 지리2, 耽羅縣, "[忠烈]二十六年, 皇太后又放麃馬".

· 『세종실록』 권151, 지리지, "[忠烈]二十六年庚子[注, 大德四年], 皇太后亦放麃馬".

· 『신증동국여지승람』 권38, 濟州牧, 건치연혁, "[忠烈]二十六年, 元皇太后又放廏馬".

· 『세종실록』 권52, 13년 6월 甲午[2日], "兵曹啓, '濟州, 非惟牛馬放牧之場, 乃元朝入放麃子蕃殖之所, 今閑雜之徒, 猯殺牛馬及麃子殆盡, 將來可慮. 乞令濟州旌義·大靜及東西監牧官, 審視牛馬放牧及麃子依接處, 以其附近居人, 量定考察', 從之".

『高麗史』卷三十二 世家卷三十二

[輔國崇祿大夫·議政府左贊成·知集賢殿經筵春秋館成均事·世子賓客·臣金宗瑞奉敎撰]
正憲大夫·工曹判書·集賢殿大提學·知經筵春秋館事兼成均大司成臣鄭麟趾奉敎修

忠烈王 五

辛丑[忠烈王]二十七年, 元大德五年, [西曆1301年]

1301년 2월 10일(Gre2월 18일)에서 1302년 1월 29일(Gre2월 6일)까지, 354일

春正月壬寅朔小盡,庚寅, 甲辰3日, [雨水]. 王與元使伯顔忽篤不花如興王寺, 轉藏經.

丙辰15日, 王率百官, 幸妙蓮寺, 爲皇帝祝釐. 諸路行省以下官, 皆以正月朔望, 行香·祝釐, 盖元朝之禮也.

己未18日, 安西王阿難達遣使□来, 求童女. 以韓孫秀之女歸之.1)

壬戌21日, 王以先帝忌, 幸妙蓮寺, 行香.2)

甲子23日, 征東行省左丞耶律希逸享王于壽寧宮.

乙丑24日, 王率行省官及群臣, 幸妙蓮寺, 爲帝聖甲日祝壽也.3)

己巳28日, 左丞耶律希逸享王于壽寧宮.

庚午29日晦, 王以前王公主寶塔實怜誕日, 宴于壽寧宮.4)

[某日, 以朱印遠爲慶尙道按廉使:慶尙道營主題名記].5)

---

1) 添字는 『고려사절요』 권22에 의거하였다. 阿難達(阿難答, Ananda, ?~1307)은 世祖의 孫이며, 安西王 忙哥剌의 아들이다. 그는 1291년(至元17) 安西王을 襲封받아 唐兀地域(現 寧夏·甘肅·陝西·四川省 등의 地域)을 통치하였던 諸王으로 이슬람敎徒였다고 한다. 1307년(大德11) 1월 成宗의 死後에 武宗 海山과 帝位를 다투다가 실패하여 處刑되었다(『원사』 권107, 표2, 宗室世系表, 安西王忙哥剌位 ; 권108, 표3, 諸王表).

2) 世祖 쿠빌라이[忽必烈]의 忌日은 1월 22일이므로, 이날은 入祭日이다.

3) 聖甲은 皇帝가 태어난 해의 干支인데, 成宗 鐵穆爾[Temur]는 1265년(至元2, 원종6, 乙丑) 9월 5일(庚子)에 출생하였다(『원사』 권6, 본기6, 至元 2년 9월 庚子, 권18, 본기18, 성종1, 즉위년 1년 總說).

4) 忠宣王妃의 誕日은 1월 29일이다(→충선왕 즉위년 1월 29일).

5) 이때 朱印遠과 함께 안찰사에 임명된 正郞 宋洪, 少尹 辛需도 적절한 인물이 되지 못하였다고 한다.
· 열전36, 嬖幸1, 朱印遠, "朱印遠, 悅子也. 忠烈朝登第, 累遷慶尙道按廉使. 時, 正郞宋洪·少尹

[是月頃, 以朴榑爲永州副使:追加].[6]

二月[辛未朔大盡,辛卯], 癸酉[3日], 脫脫大王遣人來, 獻海靑二翮, 因求童女.

丁丑[7日], [左丞]耶律希逸謁文廟, 令諸生賦詩.[7]

庚辰[10日], 以皇太后[闊闊眞]忌日, 幸妙蓮寺.[8]

[己丑[19日], 革罷碩州府判官:追加].[9]

丙申[26日], 遣瑞興侯琠, 入侍于元.[10]

庚子[30日], 王不豫.

[是月辛卯[21日], 元罷征東行省官:追加].[11]

辛霈, 亦按諸道, 宰樞以皆非人望駁之. 王怒不聽".

6) 이는 『영천선생안』에 의거하였다.

7) 이때 成均館이 수차에 걸친 兵禍로 인해 2間 정도만 남아 있었는데, 禮官이 安珦의 집 뒤의 精舍를 文廟[聖廟]라고 하면서 耶律希逸을 引導하여 拜謁하게 하였다고 한다. 또 安珦이 自身의 邸宅을 國家에 바치고 西部 良醞洞으로 移住하였고, 土地와 男女 奴婢 各 100人을 國學에 歸屬시켰다고 한다. 그리고 이때 헌납한 토지는 順興府의 田 30結이었다고 하며, 그의 家屋은 조선 초기까지 姜邯贊·李穡·韓脩 등의 邸宅과 함께 개성부 良醞洞에 있었다고 한다(『謏文瑣錄』; 『회헌선생실기』 권3, 연보 ; 『신증동국여지승람』5, 개성부하, 고적).

· 『虛白亭集』 권3, 安璿墓誌, "公諱璿, 字國珍, 順興人, 遠祖文成公珦, 仕高麗元宗朝, 道學爲已任, 見學校敝, 建議置贍學錢. 又捐私臧獲, 爲學宮奴婢, 今成均館僕隷皆是. 文成配享文宣王廟, 至今血食焉".

· 『硏經齋全集』冊9, 安文成瓷尊記, "松嶽人耕文成之故基, 得一瓷尊, 其高可一尺, 其色微靑而黑, 容可一斗, 今歸于紫霞[申緯]之室, 盖華人所稱高麗秘色瓷也. … 文成當王氏之世, 扶道斥邪, 以此從祀夫子. 今太學奴婢, 皆文成之所內[納]也".

· 『嘉梧藁略』冊14, 玉磬觚賸記, "斗室[~~洗象奎~~]宅, 舊畜高麗秘色瓷尊, 爲安文成公[安珦]宅遺墟所得, 可寶也. 養硏老人, 八年借用而還. … 此尊, 卽先生[安珦]舊物, 而繪翥鶴六朶·雲十八, 皆用粉靑. 余[~~李裕元~~]畜瓷器, 以粉靑畫靁文, 麗俗之用采, 皆以粉靑可知也". 여기서 ~~添字~~는 필자가 추가하였는데, 養硏(혹은 養硯?)은 누구인지를 알 수 없다.

8) 裕宗妃 闊闊眞[KöKöchin, 白藍也怯赤] 皇太后는 2월 10일(丙辰) 崩御하였다(『원사』 권20, 본기20, 성종3, 대덕 4년 2월 丙辰·권116, 열전3, 裕宗, 徽仁裕聖皇后).

9) 이는 『연안부지』에 의거하였다.

10) 이때 典理摠郞 崔雲이 禿魯花(都魯花, turqaq, 弓箭陪)로 수종하였고, 이후 瑞興侯 琠은 계속 元에 머물면서 宿衛를 하다가 충렬왕의 勸誘로 忠宣王妃와 再婚하려다가 忠宣王과 結託한 武宗 海山[Qaisa]에 의해 1307년(충렬왕33) 4월 10일(甲辰) 大都城 南門 3個(麗正門, 順承門) 중의 하나인 文明門 앞에서 처형당하였다.

· 「崔雲墓誌銘」, "大德癸卯[忠烈王29年], 以世家子隨王琠宿衛闕庭, 號都魯花, 而琠因太尉王久遭讒, 釁有非覬心. 至丁未[33年]春事發, 琠及黨與, 皆誅竄, 而公獨以不附, 拜大護軍".

11) 이는 다음의 자료에 의거하였는데, 여기에서 12월의 辛卯는 2월의 癸卯의 잘못으로 『원사』가 時

三月辛丑朔小盡,壬辰, 壬寅2日, 移御盧穎秀第.

○元以行省平章闊里吉思, 不能和輯人民, 罷之. □□於是, 闊里吉思率官屬還. □時, 中郎將朴洪, 以通事爲闊里吉思腹心, 借威市恩, 多受賄賂. □□至是, 隨闊里吉思如元, 謀變國俗, 不遂而歸.[12)]

癸卯3日, 大將軍李白超還自元, 帝賜王楮幣一萬錠, 遣使表謝.

○元置耽羅軍民萬戶府.

[是月, 東京副留守·版圖摠郞金祐開板'玉川詩集':追加].[13)]

[是月頃, 以鄭之珩爲永州判官:追加].[14)]

夏四月庚午朔小盡,癸巳, 辛未2日, □都僉議參理金賆卒,[15)] [謚文愼:列傳16金賆轉載].[16)] [賆, 性純厚無華, 奉公以正:節要轉載].

己丑20日, 元遣山東東西道宣慰使塔察兒·刑部尙書王泰亨□來,[17)] 詔曰, "向以爾國,

期整理[繫年]에 많은 문제점이 있음을 보여 주는 한 예로 들 수 있다(池內 宏 1933年).

· 『원사』 권208, 열전95, 外夷1, 高麗, "大德五年二月, 爲昛罷行省官, 有詔諭昛".

· 『원사』 권20, 본기20, 성종3, 大德 5년 12월 辛卯, "征東行中書省平章闊里吉思, 以不能和輯高麗罷".

· 『원고려기사』本文, 成宗, 大德, "五年二月, 罷行省官".

12) 添字는 『고려사절요』 권22에 의거하였다.

13) 이는 역사학자 內藤虎次郎(1866～1934)이 소장하고 있었던 『玉川詩集』末尾刊記에 의거하였다(大阪府立圖書館 1933年 ; 杏雨書屋 1985년 55面 ; 張東翼 2004년 704面).

· 刊記, "大德五年辛丑三月 日,東京官 開板,」 別色前權知戶長鄭 天呂,」 校正麗澤齋生朴 英工,」 監」 副留守兼勸農使管句學事·朝顯大夫·版啚惣郞金 祐金祐」".

14) 이는 『영천선생안』에 의거하였다.

15) 이날은 율리우스曆으로 1301년 5월 10일(그레고리曆 5월 18일)에 해당한다.

16) 金賆의 謚號는 그의 查頓인 崔瑞의 墓誌銘, 아들인 金倫의 묘지명에도 수록되어 있다.

17) 이 기사는 중국 측의 자료에도 수록되어 있다. 또 몽골제국 시기에는 行省의 管轄 하에 路·府·州·郡 등이 있었으나, 例外的으로 독립적 官府인 宣慰使司를 설치하여 郡縣을 관할하는 경우도 있었다. 곧 黃河와 揚子江[長江] 流域에 山東東西道·河東山西道·淮東道·浙東道·荊湖北道·湖北道 등의 6個의 宣慰使司를 설치하고, 宣慰使·同知宣慰事·副使 등을 파견하여 다스렸다. 또 邊境地域에도 宣慰使司兼都元帥府, 宣慰使司兼元帥府를 설치하여 宣慰使兼都元帥·宣慰使兼元帥·達魯花赤 등을 파견하였다(『원사』 권91, 지41상, 백관7, 宣慰司, 宣慰使司). 그리고 이때 王泰亨은 고려 정부가 준 贐物을 받지 않았다고 한다.

· 『원고려기사』本文, 成宗, 大德 5년 2월, "詔諭高麗國王王昛曰, 向以爾國, 自作弗靖, 遣平章政事闊里吉思等, 權令與王共事, 以鎭遏之, 非欲久任於彼, 今悉命赴朝廷. 闊里吉思所言, 爾國越禮濫罰, 官繁民敝數事, 中書省別有公移, 來表乞不變更祖宗舊法. 朕惟先朝以本國官號, 與朝廷不殊, 已嘗改正. 王於是時, 卽當以類推之, 事如害義, 改亦何難. 今遣中奉大夫·山東東西宣慰

自作不靖, 遣平章政事闊里吉思等, 權令與王共事, 以鎭遏之. 非欲久任於彼, 今悉命赴朝, 然闊里吉思等所言, 爾國, 越禮濫罰, 官冗民弊數事, 中書省別有公移. 來表, 乞不變更祖宗舊法, 朕惟先朝, 以本國官號, 與朝廷不殊, 已嘗改正, 王於是時, 卽當以類推之, 事如害義, 改亦何難. 今遣塔察兒等, 賫詔往諭, 王其勉思累朝覆育之恩, 以宗國生靈爲念. 威福予奪, 當自己出, 事體有未便, 民情有未安者, 其審圖之. 緊爾群僚, 悉心奉正, 各修乃職. 敢有蹈襲前非, 專恣不法, 王雖爾容, 朕必不貸. 據省移, 事理釐革旣定, 差官偕去, 使以聞".

○中書省移咨曰, "王近表奏, 增置省官, 百姓不安, 及乞不改祖風等事. 已有頒降詔書, 委官持詣本國, 開讀所有. 闊里吉思等官具言, 國中不便數事, 錄連事目. 在前都省, 議得驅良之事, 且以本國舊俗爲辭, 此猶可說. 至如王國而用天子殿庭之禮, 旣臣之初, 卽當論者, 昔或不審, 自今宜卽更之. 其餘如民瘼之可除, 事弊之應改者, 宜體詔旨, 諭王之意, 一一據定. 仍令去使悉知, 王就行訖, 備細咨來, 以憑聞奏".

○其錄連事目曰, "闊里吉思等言, 大德三年忠烈王25年十月, 開省以來, 別無出納錢糧, 止告驅良公事, 合依通行體例歸斷. 又目覩大德三年十一月十五日, 大德四年二月十五日, 國王二次大會, 亦三擧淨鞭, 山呼萬歲, 一如天子儀制, 有此僭越. 又本國刑罰不中, 或人告, 是何公事, 不問證佐, 止憑元告, 三問不招, 無問輕重, 流配海島, 遇赦, 並不放還, 刑獄狂濫, 覩此一事, 餘皆槩見, 又本國王京裵外裏外, 諸司衙門州縣, 摠三百五十八處, 設官大小四千三百五十五員, 刻削於民, 甚爲冗濫. 加之賦役頻併, 少有不前, 綁縛凌虐, 忍痛銜寃, 無可伸理. 城郭州縣, 虛有其名, 民少官多, 管民官·按廉官, 半年一次交代, 令本處百姓, 自備牛馬路費等物, 迎送新奮新舊官員, 道路如織, 防農害物, 民甚苦之".[18]

使塔茶兒, 正議大夫·刑部尙書王泰亨, 賫詔往諭, 王其勉思累朝覆育之恩, 以宗國生靈爲念. 威福予奪, 當自予出. 凡事體有未便, 民情有未安者, 其審圖之. 緊爾羣僚, 悉心奉正, 各修乃職, 敢有蹈習襲前非, 專恣不法, 王雖爾容, 朕必不貸. 據省移事理, 釐革旣定, 差官偕去使以聞".

· 『원사』 권38, 본기38, 順帝1, 元統 2년 5월, "贈故中書平章政事王泰亨諡淸憲, 舊令, 三品以上官, 入朝有大節及有大功勳於王室者, 得賜功臣號及諡, … 使高麗不受禮遺, 爲尙書貧不能自給, 故特賜是諡".

18) 添字는 『고려사절요』 권32에 의거하였다. 또 이해에 東京留守官의 法曹·醫員[醫判]의 派遣이 일시 停止되었다고 하며(→충렬왕 27년 是年], 2월 19일(己丑) 碩州府判官이 革罷되었다고 한다(『延安府誌』, 守臣). 이는 闊里吉思[Georgius]가 지적한 것처럼 지방관의 빈번한 交替와 往來에 의한 民弊를 解消하기 위한 조처의 하나였을 것으로 추측된다.

○又元立站赤，每處三四十戶，近年不問公移有無文憑，皆乘馹馬．若王近侍者差出，卽起二三十匹，餘驗高下，各有等差，兼所管官司，百色科擾，因此逃散，三存其一，厥數不補，至甚生受．又本國，歷數十年，未嘗加於賦役，比之其他，優恤甚重，近因權臣所行不法，百姓困弊，其餘事理，難以縷陳．

[某日，王與塔察兒·王泰亨等，鞫宋玢于行省．承帝命也:節要轉載]．

[是月，□~~右~~常侍鄭僐，□□□□掌成均試，取李鳳龍李齊賢等七十七人:選擧2國子試額轉載]．[19]

[○是月某日，僧正元與結願香徒·優婆夷文氏等造成靑雲寺飯子一口:追加]．[20]

五月己亥朔大盡,甲午，甲辰6日，左丞耶律希逸還．希逸，[楚材之後:節要轉載]，喩國王理民之術，責宰輔憂國之事．嘗以國學殿宇隘陋，甚失泮宮制度，言於王，遂新文廟，以振儒風．[21]

丙午8日，[夏至]．倂省內外官，其官名，有同上國者，悉改之．[又以芝黃芝黃禰代赭袍，紅傘代黃傘，除舞蹈警蹕之禮:節要轉載]．[22]

[某日，王復與搭察兒等，鞫宋玢事，張漢烈伏其誣:節要轉載]．

庚戌~~庚戌~~12日，遣知都僉議司事閔萱如元，請改嫁寶塔實怜公主，[23] 表曰，"扶桑地

---

19) 이때 李齊賢이 進士試에서 1등으로 합격하였다고 한 점을 보아 李鳳龍은 李齊賢의 初名인 것 같다. 또 이때 朴元桂도 합격하였고, 鄭僐은 이 시기에 右常侍·知內旨였던 것 같다.
- 「李齊賢墓誌銘」, "大德辛丑, 公年十五, 鄭常侍僐試成均, 擧者負其能, 相頡頏, 聞公所作, 消縮莫敢爭先, 公果爲魁".
- 열전23, 李齊賢, "字仲思, 初名之公, 檢校政丞瑱之子. 自幼嶷然如成人, 爲文已有作者氣. 忠烈二十七年, 年十五魁成均試".
- 「朴元桂墓誌銘」, "初公年十九, 在辛丑鄭常侍僐取士成均, 益齋李侍中, 年十五擢壯元, 次卽公也".
- 열전21, 鄭僐, "後爲右常侍·知內旨, 王以僐正直, 命管齋醮都監".

20) 이는 靑雲寺 飯子의 銘文에 의거하였다(國立中央博物館 所藏, 文明大 1994년 3책 280面).
- 銘文, "大德五年辛丑四月　日,靑雲寺飯子入重三十斤,結願香徒文氏夫人等造,上棟梁道人正元,鑄匠鄭".

21) 耶律希逸은 耶律楚材의 孫이고, 耶律鑄의 第9子이다(『원사』 권146, 열전33, 耶律楚材, 鑄, 德永洋介 2004年 ; 孫勐 2012年).

22) 이와 관련된 기사로 다음이 있다.
- 지26, 輿服, 視朝之服, "忠烈王二十七年五月, 服色擬於上國, 以芝黃代赭袍, 未幾, 復用黃袍".
- 지26, 輿服, 凡法駕衛仗, "忠烈王二十七年五月, 黃傘, 僭擬上國, 以紅傘代之, 遂除舞蹈警蹕之禮".

23) 寶塔實怜公主(忠宣王妃)는 열전4, 神宗王子, 瑛에는 同一하게 표기되어 있으나, 열전2, 忠宣王王妃에는 寶塔實憐[Buda Siri]으로 달리 표기되어 있다.

僻，猶經帝女之曾臨，穠李行遲，盍奏邦人之共慕．念我國得存於今日，由王姬早降于先朝．葳蕤寶陰之忽收，嘆其中否，婉孌芳華之繼至，擬不終屯．何期暫返於九霄，而致逡淹於四載．久欲陳其愚悳，恐或忤於宸聰．若猶伉儷之未諧，其必兒孫之難見，忍使靑春而虛老，空令皎月以却羞．人言，不可爲謀，事由天命．臣謂，求改其匹，簡在帝心．天心，卽是帝心，帝命，亦惟天命”．

○又請罷耽羅摠管府，隷本國，置萬戶府，表曰，“地如隣敵，爲備要詳，天必聽卑，所須當聞．庶仗早圖之力，欲消後悔之萌，伏念，蕞爾耽羅，接于倭國，恐姦人倏來忽往，或漏事情，令戍卒嚴警肅裝，不容窺覘．於是，謂在軍官而作帥，宜加宣令以播威．頃者，臣之所以擬議，設立軍民都指揮使司者，不知上國曾有是命，徒以本國舊例，凡大官出鎭邊境者，令帶指揮使之名，故欲於是名，加受宣命虎符，如合浦鎭邊事耳．今承中書省咨，奏准設立耽羅軍民摠管府，勢有大乖，事非本望．倘許從便而毋固，第期無失於所施，令罷耽羅摠管府，依舊隷屬本國，開置萬戶府，如合浦鎭邊事．但於頭目人員，頒降宣命虎符，使得增威鎭壓，則譬若毛之有皮，得其所附，亦如臂之使指，動罔不宜”．

○又請以忽剌歹~~忽剌歹~~等奪占田民，悉還本主，以伸寃枉，表曰，“天地量優，兼容荊棘，甁罌器窄，要辨錙銖．伏念，臣適遭小國之衰危，益荷盛朝之矜恤．頃者，禍纏蝸角，靡堪吠主之狵，訟釋鼠牙，不忍依人之鳥．猶執渠魁而誡後，悉令餘黨以還元．本國亂臣之首，忽剌歹~~忽剌歹~~等，所作姦計，旣以明白，徒欲亂其國家而欺天亦多，罪不容誅．幸賴好生之德，獲保首領，而尙不知足，因受朝旨，欲收本國所在田園臧獲．又所曾分付，令還本國，姜裋等，亦徘徊不還，以至于今，理甚乖張，事須申聞．若忽剌歹~~忽剌歹~~等，本以隻身而到此，曾何一物之有將．今所有資財，皆出侵漁賄賂，所有田民，多是强呑勢奪．其中亦有臣所給者，亦因妄告以無主，故與之耳．至如金忻之田民，亦亞於彼．自古安有，旣去其國，而仍食其田，又取其民者乎？況其被奪之民，寃枉不小，亦非所忍觀．是可忍也，何以懲惡，何以勸善乎？俾姦贼以爲謀，亦明時之所惡．伏望陛下，張不漏之網，闢無私之門．其忽剌歹~~忽剌歹~~等所占田民，許依公道以推明，毋滯平民之寃枉，遂令宜與乃與，可還者還．更使徘徊不返之徒，勿違分付有嚴之令．則旣承聖澤，得全祖考之風，又仗皇威，復正君臣之分，其爲感祝，曷可數宣”．[24)]

---

24) 이 請願書는 忠宣王妃 寶塔實憐公主의 改嫁請願書와 함께 元에 체재하고 있던 충선왕과 그 支持勢力들의 기반을 붕괴시키기 위한 술책에서 나온 것이다. 곧 이에 나타난 忽剌歹(忽剌台,

[→閔萱, 改□爲知都僉議事. 王欲改嫁忠宣妃韓國公主, 遣萱齎表如元. 萱告中書省曰, “東京人金天錫, 久留本國, 多行不義, 姦詐回譎, 離間王父子”. 於是, 中書省移咨征東省, 勒還東京, 天錫遂與萱有隙. 一日, 王坐行省, 天錫厲聲曰, “閔萱, 以宰相構虛事, 交亂彼此, 離間王父子, 莫此爲甚. 天錫作何等事, 使我殿下父子不和耶?”. 其言辭擧止甚倨傲, 無復君臣之禮:列傳36閔萱轉載].

○中書省移咨, 略曰, “征東省欲依慶尙·全羅道鎭邊萬戶府例, 於耽羅, 設立萬戶府事, 奉聖旨, 可依所請者”.

○其請改嫁公主表, 萱, 不敢進而還.[25]

[某日, 以吳祁爲文翰司學·上護軍依前知申事·知制誥:追加].[26]

戊辰30日, 賜盧承綰等及第.[27]

[□□是月],[28] 慶尙道安東界, 大雨雹, 麋鹿·鳥雀, 或有中而死者, 雹一枚, 數人不能擧.

[→慶尙道安東界, 大雨雹, 麋鹿·鳥雀, 中者皆死, 有雹一枚, 數人不能擧. 又安東退串部曲, 大風, 拔一大樹, 置二里許, 枝幹不折撓:五行1雨雹轉載].

[是月癸卯5日, 權惲寫成‘佛頂心觀世音菩薩姥陀羅尼經’:追加].[29]

Quradai)은 거원쾨베귀드[怯怜口, 私屬人] 출신인 印侯의 蒙古名이며, 그는 金忻과 함께 충선왕을 지지하던 인물이었다(→충렬왕 25년 1월).

25) 이와 관련된 기사로 다음이 있다.

· 열전2, 忠宣王妃, 薊國大長公主, “忠烈二十七年, 忠烈遣都僉議司使知都僉議司事閔萱, 表請改嫁公主. 萱不敢進而還, 語在世家”.

26) 이는 「吳潛墓誌銘」에 의거하였는데, 原文에는 文翰內學·上護軍으로 되어 있으나 文翰司學·上護軍의 오자일 것이다.

27) 이와 관련된 기사로 다음이 있다. 이때 盧承綰, 新進士 李齊賢(丙科), 新進士 朴元桂(朴元桂墓誌銘), 內侍·內衣直長 全信(全信墓誌銘), 閔祥正, 王伯(『동현사략』), 吳璲, 李彦昇 등이 급제하였다(『등과록』, 朴龍雲 1990년 ; 許興植 2005년).

· 지27, 선거1, 科目1, 選場, “忠烈二十七年五月, 密直司事同知密直司事?權永權溥知貢擧, 左副承旨趙簡同知貢擧, 取進士, 戊辰, 賜盧承等三十三人及第”.

· 열전19, 趙簡, “… 陞右副承旨·同知貢擧取士, 率新及第, 詣壽寧宮上謁, 王以簡爲殿試門生, 臨軒賜宴”. 이에서 右副承旨는 選擧志의 左副承旨와 차이가 있다.

· 열전20, 閔漬, 祥正, “忠烈二十七年, 登第”.

· 「李齊賢墓誌銘」, “大德辛丑公年十五, … 是歲, 菊齋權公溥·悅軒趙公簡試禮闈, 公又中丙科”.

· 열전23, 李齊賢, “又中丙科曰, 此小技耳”.

· 「朴元桂墓誌銘」, “是年, 菊齋權公溥·悅軒趙公簡掌試禮闈, 公又中焉”.

28) 이 위치에 是月이 탈락되었을 것이다.

29) 이는 다음의 자료에 의거하였다(大邱市 醫師 白宗欽 所藏, 南權熙 2005년).

[是月, 宮闕都監錄事·別將丁承說印出'阿彌陀三尊陀羅尼':追加].[30)]

[○某等彫板'阿彌陀三尊四角形陀羅尼':追加].[31)]

[○僧小丘刻'梵字圓相金剛界曼荼羅':追加].[32)]

六月己巳朔小盡,乙未, 癸巳25日, 置田民辨正司.[33)]

[□□~~是時~~, 僉議中贊洪子藩薦神虎衛護軍金倫, 爲辨正都監副使. 有巨室與鄕民, 爭一女奴子孫百口. 倫閱其籍曰, "此某代某相某歲月, 與諸子立卷者, 距今若干年矣. 齒女奴子若孫以較, 先後相懸, 而女奴之名, 一字微偏, 必僞也". 某相諸子俱有後, 當家置籍一本, 盍取而考之. 巨室果詘. 後爲監察侍丞, 有甲乙二人爭家口. 乙曰, "先世嘗訟于臺, 知臺姓許者按分之". 甲所得物故無咢孽, 乙家幸得蕃息. 遺火亡其籍, 甲幸災誣乙爲兼幷爾. 倫默計歲月曰, "所謂許知臺, 必吾家文敬公許珙也". 命吏檢當時印簿, 所分名數俱存. 以詰甲, 甲亦詘. 其精詳多類此:列傳23金倫轉載].[34)]

[戊申某日, 大雨, 傷稼:五行2轉載].[35)]

[是月, 優婆夷·昌寧郡夫人張氏, 僧法永等撰'鑄成阿彌陀佛像發願文':追加].[36)]

[是月頃, 遣使上表曰, "昔居海島時, 嘗用山呼, 後改呼千秋. 今旣奉明詔, 一切皆罷. 又革官府九十餘所, 汰官吏二百七十餘員. 他如雜徭病民, 馹騎煩擾驛傳者, 亦皆

· 『佛頂心觀世音菩薩姥陀羅尼經』, 墨書題記, "大德五年五月五日 權惲書".

30) 이는 慶尙北道 聞慶市 山北面 大乘寺의 金銅阿彌陀佛坐像(보물 제1634호)의 肉髻에서 발견된 『阿彌陀三尊陀羅尼』의 題記에 의거하였다(崔聖銀 2013년 345面 ; 鄭恩雨 等編 2017년 21面).
  · 題記, "大德五年辛丑五月二十日,」 宮闕都監錄事·別將丁承說印出」".

31) 이는 다음의 자료에 의거하였다(南權熙 2005년).
  · 『阿彌陀三尊四角形陀羅尼』, 墨書題記, "大德五年五月二十日 彫板".

32) 이는 다음의 자료에 의거하였다(郭丞勳 2021년 292面).
  · 『梵字圓相金剛界曼荼羅』刊記, [右側下段], "山人小丘刀」", [左側下段], "大德五年五月日".

33) 이와 관련된 기사로 다음이 있다.
  · 지31, 百官2, 田民辨正都監, "忠烈二十七年, 又置".

34) 知御史臺事 許珙(金倫의 外祖父)이 戶口訴訟을 해결한 것은 右副承宣·吏部侍郞에 임명된 1269년(원종10) 12월 13일에서 知御史臺事를 거쳐 簽書樞密院事에 임명된 1272년(원종13)의 사이로 추정된다(許珙墓誌銘 ; 東亞大學 2006년 24책 356面).

35) 이달에는 戊申이 없고, 7월 11일(戊申)이다.

36) 이는 溫陽民俗博物館에 소장되어 있는 鑄成阿彌陀佛像腹藏의 發願文에 의거한 것이다(許興植 1994년 212面 ; 南權熙 2002년 507面 ; 鄭恩雨 等編 2017년 103, 106面).
  · 發願文a, "…,」 大德五年,歲在金牛夷則,淸信戒弟子·高麗國昌寧郡夫人張氏誌」".
  · 發願文b, "…,」 大德五年辛丑六月日弟子法英」".

省之". 詔曰, 卿其諭朕意, 所言當始終行之, 或有不然, 寧不羞懼].[37]

秋七月[戊戌朔小盡,丙申], 丙午[9日], 幸壽康宮.[38]

乙卯[18日], 忽只[忽赤]各番·宰樞·□[內]房庫·重房, 輪日享王.[39]

[→王之在壽康宮, 宰樞·忽赤·內房庫·內僚, 輪日享王. 後以爲常:節要轉載].

○命[都僉議]侍郎贊成事韓希愈·贊成事崔有渰·同知密直司事宋和·[密直副使]金台鉉·密直副使金延壽·知申事吳祁·左承旨宋邦英等, 議利國便民之事, 以聞.

○[都僉議]贊成事致仕任翊卒.[40] [翊, 以科第進, 博聞强記. 凡典故之闕, 名數之差, 有疑而質之者, 翊, 辨之如響應:節要轉載].

乙丑[28日], 遣密直副使金台鉉如元, 賀聖節. [台鉉, 至上都, 適帝幸朔方, 中書省奉勑, 諸路使臣一切停住. 台鉉獨曰, "下國, 自事大以來, 歲時朝賀, 未嘗有闕, 今若停住不進, 恐得罪". 遂許之, 北達行在, 帝嘉其忠懇, 特賜御食, 以寵之:節要轉載].[41]

[→[金台鉉,] 進密直副使. 賀聖節如元, 至上都, 適帝幸甘肅, 詔天下進貢使, 皆至京師而止. 台鉉言於中書省曰, "下國, 自事大以來, 歲時朝賀, 未嘗有闕. 止於京師, 帝命也, 達於行在, 吾君命也. 吾寧獲罪於帝, 不敢廢吾君命". 省許之, 遂達行在, 帝嘉忠懇, 大加賞賚, 賜御饌以寵之:列傳23金台鉉轉載].

○贊成事致仕李德孫卒,[42] [後追謚莊淑:追加].[43] [德孫, 嘗按忠·慶·全三道, 以

---

37) 이는 다음의 자료에 의거하였다.
- 『원사』 권208, 열전95, 外夷1, 高麗, "[大德五年]秋七月, 昛上表言, '昔居海島時, 嘗用山呼, 後改呼千秋. 今旣奉明詔, 一切皆罷. 又革官府九十餘所, 汰官吏二百七十餘員. 他如雜徭病民, 馹騎煩擾驛傳者, 亦皆省之'. 詔曰, 卿其諭朕意, 所言當始終行之, 或有不然, 寧不羞懼".

38) 丙午는 『고려사절요』 권22에는 丙子로 되어 있으나 오자일 것이다.

39) 房庫는 『고려사절요』 권22에는 內房庫로 되어 있는데, 後者가 옳을 것이다. 충렬왕 28년 6월 4일에는 內房庫로 되어 있다.

40) 이날은 율리우스曆으로 1301년 8월 22일(그레고리曆 8월 30일)에 해당한다.

41) 이들 사신은 같은 달에 몽골제국에 들어갔던 것 같다. 또 이때 金台鉉은 天壽聖節使로 上都에 들어갔다. 이때 成宗이 朔方에 幸次하게 되어 1년에 걸쳐 甘肅(甘肅行省, 現 甘肅省)의 行在所에 나아가 聖節을 맞이하여 賀禮를 드려 칭찬을 받았다고 한다.
- 「金台鉉墓誌銘」, "辛丑, 奉王命入賀天壽聖節, 行至上□[都], □[適]成宗幸朔方留守, □[省]奉□[勑], □[諸]路使臣除軍情, □[閒]緊一切停住. 公詣省言, 下國, 自事大以來, 朝賀聖節, 未嘗有闕, 今留不進, 實甚恐懼. 遂得許北行, 去上都, 過一年一站, 達行在, 具袍笏拜賀如儀, 起宴帳殿. 上以遠至, 特賜御膳, 以寵之. 時車駕親征□[却]敵, 公先奉旨而回, 所至皆慶".

42) 이날은 율리우스曆으로 1301년 9월 1일(그레고리曆 9월 9일)에 해당한다.

43) 그의 열전에는 충렬왕 26년에 逝去하였다고 되어 있는데 오류일 것이다(열전36, 李德孫 ; 李德孫

掊克聚斂[斂]爲事, 遂至大拜:節要轉載].[44]

[是月, 國子祭酒[~~國學典酒~~]安于器,[45] □□□□[掌升補試], 取崔凝等一百五十人:選擧2升補試轉載].

[是月戊申[11日], 元立耽羅軍民萬戶府:追加].[46]

八月[丁卯朔大盡,丁酉], 己巳[3日], 命[征東]行省, 杖[都僉議贊成事]韓希愈·[右中贊]宋玢.

[某日, 慶尙道按廉使朱印遠, 貢二十升黃麻布, 王令左右, 爭取□[之], 以爲戲. 宰相言於王曰, "印遠, 重斂[重斂]於民, 諂事左右, 又惡聞烏鵲聲, 常令人嚇以弓矢, 一聞其聲, 卽徵銀甁, 民甚苦之, 宜罷其職". 王欲以金貂代之, 宰相曰, "貂, 曾爲龍山別監, 侵漁百姓, 及爲安東判官, 坐贓流于海島. 今若以貂代印遠, 是以暴易暴, 甚不可也. 又令外方, 貢二十升黃麻布, 女工之難, 紡績尤甚, 況村野之婦, 安能細織, 必將求諸京城, 價重難買, 民必不堪. 且帝諭曰, 事體有未便, 民情有未安者,[47] 其審圖之, 亟令罷此". 王納之, 旣而以貂爲忠淸道按廉使, 印遠仍舊, 竟不罷細布之貢. ○時, 有一內僚, 從容白王曰, "聞諸道路宰臣朱悅無子, 天道無知, 豈不信然?". 王曰, "不有印遠乎?", 對曰, "悅, 淸直絶倫, 印遠, 貪邪無比, 故曰無子". 王大笑:節要轉載].[48]

墓誌銘). 이는 『고려사』를 편찬할 때 卽位年稱元法을 踰年稱元法으로 바꾸면서 착오를 일으킨 것이다. 또 시호는 그의 처인 庾氏(庾敬玄의 曾孫女)의 묘지명에 의거하였다.

· 열전36, 폐행1, 李德孫, "歷官至知都僉議司事, 年六十一以疾乞退, 拜贊成事致仕. [忠烈]二十六年[~~二十七年~~]卒, 諡莊淑. 子偰, 官累贊成事. …".

44) 李德孫은 1278년(충렬왕4) 秋冬番[秋冬等]의 慶尙道按察使를 역임하였다(『慶尙道營主題名記』).

45) 이 시기에는 國學祭酒는 國學典酒로 改稱되었기에 後者로 고쳐야 옳게 될 것이다.

· 열전18, 安珦, 于器, "… 子于器, 忠烈朝登第, 累遷國學典酒·右承旨, 陞密直副使".

· 『謹齋集』 권3, 安于器墓誌銘, "… 自是, 歷兵曹總郞[~~軍簿摠郞~~], 詞林·寶文二待制, 國學典酒, 判內盈·秘書寺事兼翰林侍講司學·知制旨[~~知內旨~~], 皆自朝散至正承[~~朝奉~~], 凡六大夫, 大德甲辰[忠烈30年], 八拜正獻大夫·右副承旨, 歲中遷至右承旨, …". 여기에서 ~~添字~~로 고쳐야 옳게 될 것이다. 그중에서 政承大夫(政丞大夫)는 墓誌銘의 3種(元傅·許珙·安于器)에서만 찾아지는 특이한 것이며, 이 자료와 같이 朝散大夫(從5品下)에서 출발하여 여섯 번째의 位階는 朝奉大夫((從4品上)인데, 이의 別稱으로 추측된다.

46) 이는 다음의 자료에 의거하였다.

· 『원사』 권20, 본기20, 成宗3, 大德 5년 7월, "戊申, 立耽羅軍民萬戶府".

47) 者는 延世大學本에서 堵로 되어 있으나 오자일 것이다(東亞大學 2006년 27冊 556面).

48) 이와 관련된 기사로 다음이 있다. 또 二十升으로 짠 黃麻布는 조선왕조 초기에도 일반 人民들이 紡績할 수 정도의 평범한 技術이 아니었던 것 같다. 그리고 이때 올이 가느다란 실[細絲, 12 denier 以下의 실]로 짠 黃麻布의 생산은 조선후기까지 慶尙道 宜寧·永川 等地에서 이어졌던 것

戊寅[12日], 彗星見于北斗.

[→彗星見于北斗·紫微:天文3轉載].[49)]

辛巳[15日], 設中秋宴于壽康宮.

壬午[16日], 彗見于北斗.

丙戌[20日], 都僉議贊成事致仕崔守璜卒.[50)] [守璜, 性正直勤儉, 家貧不能衣食, 恬不爲意. 初, 以國學學諭, 兼都兵馬錄事, 一日, 以公事齎文案歷詣諸相家署案, 有一相

같다.

· 열전36, 嬖幸1, 朱印遠, "朱印遠, 悅子也. 忠烈朝登第, 累遷慶尙道按廉使. 時, 正郞宋洪·少尹辛需, 亦按諸道, 宰樞以皆非人望駁之, 王怒不聽. 印遠, 貢細黃麻布二籠, 王開緘, 令左右爭取, 以爲戲. 宰相言, '朱印遠重斂重斂, 諂事左右. 又惡聞烏鵲聲, 常令人操弓矢嚇之. 一聞其聲, 輒徵銀甁, 民甚苦之, 宜罷其職'. 王欲以金貂代之, 宰相曰, '貂, 曾爲龍山別監, 侵漁百姓, 及爲安東判官, 坐贓流海島. 若以貂代印遠, 是以暴易暴, 甚不可也. 今又令諸道, 貢二十升黃麻布, 紡績於女工, 最難, 村婦安能細織? 必求諸京, 價貴難買, 民將不堪. 且帝諭曰, 事体有未便, 民情有未安者, 其審圖之. 請亟罷.' 王納之, 旣而以貂爲忠淸道按廉□使, 印遠竟不罷, 細布貢如舊時. 有內僚從容白王聞諸道路曰, '宰臣朱悅無子, 天道無知, 豈不信然?'. 王曰, '不有印遠乎?'. 對曰, '悅淸直絶倫, 印遠貪邪無比, 故云然'. 王大笑. 尋爲其道勸農使, 宰樞言, '印遠虐民, 不可用'. 宦者李信, 嘗降香慶尙, 具知印遠貪汚以聞".

· 『문종실록』 권3, 즉위년 8월 辛卯[20日], "議政府據戶曹呈啓, 仁壽·仁順府, 內資·內贍寺所織, 進獻二十升, 闊細麻布及綿紬, 非人人所能織, 雖教除各司婢子, 如有能織者, 竝皆役使. 又令下三道界首官, 各定闊細麻布一匹, 長廣尺數, 依京中織造例試驗, 從之".

· 『洛下生集』冊6, 嶺南樂府, 黃麻布, "高麗忠烈王時, 蔡謨爲慶尙道勸農使, 多斂細麻布, 以事王及左右, 及李德孫·薛仁永等相繼爲勸農使, 倍增其數, 而布極細. 其後, 朱印遠爲按廉·勸農使, 貢二十升黃麻布. 王令左右, 爭取之, 以爲戲. 宰相言於王, 請罷之, 王不從. 今宜寧·永川等地, 猶產此布, 目爲黃苧布, 槩以麻爲之, 以色如新柳, 薄如蟬翼者爲良".

49) 中原에서는 8월 14일(庚辰) 彗星이 나타나 46日만에 소멸되었다고 한다. 또 일본의 가마쿠라[鎌倉]에서는 8월 13일 彗星이 出現하였고, 교토[京都]에서는 14일(庚辰)과 21일(丁亥)에 혜성이 관측되었던 것 같다. 또 이 彗星은 發生周期(76~79年, 平均 76.1年)로 보아 핼리혜성(1p/Halley, Halley's comet)으로 추측된다(→성종 8년 9월 16일의 脚注).

· 『원사』 권20, 본기20, 성종3, 大德 5년 9월, "乙丑[29日晦], 自八月庚辰[14日], 彗出井, 歷紫微垣至天市垣, 凡四十六日而滅".

· 『원사』 권48, 지1, 천문1, 月五星凌犯及星變上, "[大德五年]九月乙丑, 自八月庚辰, 彗出井二十四度四十分, 如南河大星, 色白, 長五尺, 直西北, 後經文昌斗魁, 南掃太陽. 又掃北斗·天機·紫微垣·三公·貫索. 星長丈餘, 至天市垣巴蜀之東, 梁楚之南, 宋星上, 長盈尺, 凡四十六日而沒".

· 『鎌倉年代記裏書』, "今年[正安三], … 八月十三日, 寅剋, 彗星出現東方, 光芒三尺餘".

· 『師守記』, 康永 4년 7월, 文永以來天變年々幷御祈以下被行事, "正安三年八月十四日, 今曉彗星出現東方, 此後夜々出現云. 同廿一日, 今夜戌剋彗星又出現戌亥方, 光芒一丈餘".
이때 鎭西探題[친제탄다이]가 23일(己丑) 彗星을 解消하기 위해 管內에 命을 내려 寺社에서 祈禱하게 하였다고 한다(『薩藩舊記雜錄』前編11, 國分寺文書).

50) 이날은 율리우스曆으로 1301년 9월 22일(그레고리曆 9월 30일)에 해당한다.

[相]不冠，與客坐，守璜抱案而進，旣又退跪，其相，屢使之前，守璜若進而不進者良久．其相乃悟[寤]，起入冠而出，其執禮不諂如此:節要轉載].[51)] [自是名譽日播，所至有廉直聲．及登樞府，年已老，時人恨其晚．子斯立，能詩善書，官至選部典書:列傳19崔守璜轉載].

戊子[22日]，江南商客享王于壽康官.

己丑[23日]，王欲還宮，諸嬖幸進言曰，“前月，野鹿入城，今又彗星見，宜舍郊禳災”．凡王之出遊，嬖幸益橫恣，故託避災異，勸王留連，如此.

乙未[29日]，王自壽康宮，入御張瑄家.[52)]

○彗見于上台，入天市垣.

丙申[30日]，元中書省移文云，“大將軍金天錫，奸詐凶回，離間王父子，宜放還鄕里”.

○東界，自正月不雨，至于是月.

九月丁酉朔[小盡,戊戌]，幸外院，設星變祈禳法會.

己亥[3日]，以慶尙道按廉□[使]朱印遠，兼當道勸農使.[53)] [宰樞上言，“印遠，侵虐百姓，不可復任”．王命左承旨趙簡·宦官柳允珪，往都堂，與印遠證詰．宦者李信嘗往慶尙，具知印遠貪汙以聞，故王亦令信往質之．信曰，“吾之行也，印遠待之甚厚，感恩則有之．然，供億之費，皆民膏血也．又吾歸自□[開]骨山，見民扶老携幼往東界者，絡繹於道，問其故，皆曰，避朱按廉暴虐也”．允珪又列印遠所賂豹皮等物於前曰，“此亦君之所橫歛[橫斂]也”．印遠，俛首不能對:節要轉載].[54)]

[辛丑[5日]，雨雹:五行1雨雹轉載].

[壬寅[6日]，月入南斗:天文3轉載].

癸卯[7日]，彗星見于天市垣，天狗墜地.

乙巳[9日]，金長守還自元言，“帝將北征”.

---

51) 이 句節은 열전19, 崔守璜에도 수록되어 있으나 ~~添字~~처럼 차이가 있다.

52) 張瑄(張舜龍의 子)은 印承光과 함께 부적절하게 製述業에 及第하였다고 한다(열전36, 印侯).

53) 이때 朱印遠은 春夏番[春夏等] 慶尙道按廉使로서 秋冬番[秋冬等]을 連任하려고 하다가 勸農使를 兼하였던 것 같다. 그런데 『慶尙道營主題名記』에는 이해의 秋冬番[秋冬等]은 曹英烈로 되어 있으므로 朱印遠의 連任이 논의되다가 宰相[宰樞]의 반대로 인해 철회되었던 것 같다. 또 이와 같은 기사가 열전36, 朱印遠에도 수록되어 있으나 자구에 출입이 있다.

54) 이와 같은 기사가 열전36, 朱印遠에도 수록되어 있으나 자구에 출입이 있다. 또 주인원은 三司左尹(從3品)에 이르렀고, 그의 아들은 朱暉라고 한다(열전36, 朱印遠, “官至三司左尹，子暉”).

戊申[12日], [霜降]. 遣<u>上護軍</u>高世如元,[55)] 請助征. 郎將崔涓還自元言, "帝已寢北征", 宰樞喜, 贈白金三斤.

○親設龍華會于廣明寺.

丁巳[21日], 遣<u>大護軍</u>閔甫如元, 獻鷂.

[某日, 以吳祁爲同知密直司事·文翰學士承旨·上護軍:追加].[56)]

[乙丑[29日晦], 以鄭仁卿爲匡靖大夫·都僉議贊成事·判典理司事·上護軍, 仍令致仕:追加].[57)]

[是月, 革慶尙道永州判官:追加].[58)]

冬十月[丙寅朔大盡,己亥], 甲戌[9日], 移御齊安宮.

乙酉[20日], 王如元, 次銀川. [上護軍]高世還言, "帝有詔勿朝", 遂幸海州.

[丙戌[21日], 五色虹, 圍日, 長三尺許, 日沒猶未滅:天文1轉載].

[是月頃, 以安孟爲東京留守府判官:追加].[59)]

十一月[丙申朔大盡,庚子], 庚子[5日], 王至自海州, 入御齊安宮.

[壬子[17日], 虹見南方:五行1虹霓轉載].

戊午[23日], 遣<u>上護軍</u>康純如元, 賀正.

○[征東]行省遣郎將林宣如元, 賀正.

庚申[25日], 王獵于南京.

[是月, 僧<u>小丘</u>造成'胎藏界曼荼羅:追加].[60)]

---

55) 9월 戊申(12일)의 上護軍(高世), 丁巳(21일)의 大護軍(閔甫), 11월 戊午(11일)의 上護軍(康純), 12월 丙寅(1일)의 護軍(崔涓)·上護軍(李白超) 등은 上將軍·大將軍·將軍 등의 다른 표기인데, 이때 달리 표기된 사유를 알 수 없다. 이 시기에도 將軍으로 표기된 사례도 찾아지지만, 이때 장군을 護軍으로 改稱하였을 가능성이 있다. 이는 충렬왕 34년 5월 丙戌(28일) 다시 장군으로 개칭되었던 것 같다.

56) 이는 「吳潛墓誌銘」에 의거하였다.

57) 이는 「鄭仁卿政案」에 의거하였다.

58) 이는 『영천선생안』에 의거하였다.

59) 이는 『동도역세제자기』에 의거하였다.

60) 이는 다음의 자료에 의거하였다(충청남도 아산시 온양민속박물관 소장, 鄭恩雨 等編 2017년 35面).
·「胎藏界曼荼羅」 題記, "… 大德五年十一月日,」 山人<u>小丘</u>刀".

十二月丙寅朔[大盡,辛丑], 遣護軍崔涓如元, 獻鷂. 司宰尹鄭良, 進酥油, 上護軍李白超, 進人參[大蔘].

[庚辰[15日], 月食:天文3轉載].[61)]

壬午[17日], 至自南京.

[是年, 改學士爲司學, 後並廢之, 置右文館·進賢館:百官1諸館殿學士轉載].[62)]

[○權罷東京留守府法曹·醫判等:追加].[63)]

[○以都僉議侍郎贊成事·判版圖司事致仕權呾, 加修文殿大司學·判軍簿司事:追加].[64)]

[○以[副知密直司事]金深爲西北面都巡問使:追加].[65)]

[○貶[試太僕小尹]庾自偶, 爲江華郡副使:追加].[66)]

[○以朴成·崔正華爲碩州判官:追加].[67)]

[○以[永州判官]呂謙爲機張監務:追加].[68)]

[○韓宗愈入大學, 年十五:追加].[69)]

---

61) 이날은 율리우스력의 1302년 1월 14일이고, 월식 현상이 심했던 때의 世界時는 21시 4분, 食分은 1.70이었다(渡邊敏夫 1979年 483面).

62) 이는 다음의 기사를 전재하여 적절히 變改하였는데, 二十九年은 二十七年의 오자일 것인데, 이는 이해에 權呾의 致仕職에 修文殿大司學이 추가되었고, 明年 10월 21일 吳祁가 知都僉議司事·寶文閣大司學에 임명되었음을 통해 알 수 있다.
- 지30, 百官1, 諸館殿學士, “[忠烈]二十九年~~二十七年~~, 改學士爲司學, 後並廢之, 置右文館·進賢館”.
- 지30, 百官1, 藝文館, “後改學士爲司學”.

63) 이는 다음의 자료에 의거하였다.
- 『동도역세제자기』, “辛丑[忠烈27年], 所司以法曹·醫判等乙權停”.

64) 이는 「權呾墓誌銘」에 의거하였다.

65) 이는 「金深墓誌銘」에 의거하였다.

66) 이는 「庾自偶墓誌銘」에 의거하였다.

67) 이는 『연안부지』에 의거하였다.

68) 이는 『영천선생안』에 의거하였다.

69) 이는 「韓宗愈墓誌銘」에 의거하였다.

壬寅[忠烈王]二十八年, 元大德六年, [西曆1302年]

1302년 1월 30일(Gre2월 7일)에서 1303년 1월 18일(Gre1월 26일)까지, 354일

春正月[丙申朔小盡,壬寅], 壬寅[7日], 幸外院[外帝釋院?].

甲辰[9日], [密直副使]金延壽還自元, 報晋王甘麻剌[~~甘麻剌~~]之薨.[70]

戊申[13日], 命田民辨正都監, 籍闊里吉思所斷奴婢爲良者, 歸之本主.

壬子[17日], 賜中贊洪子藩象牙杖.

辛酉[26日], 密直使全昇暴卒.[71]

[某日, 以吳祁爲知密直司事:追加].[72]

[某日, 以金堅爲慶尙道按廉使:慶尙道營主題名記].

二月乙丑朔[大盡,癸卯], [騖贄]. 遣[都僉議]贊成事柳庇如元, 弔晋王喪.

癸酉[9日], 幸壽寧宮, 設百座道場.

戊寅[14日], 燃燈, 王如奉恩寺.

○□[都]僉議中贊致仕薛公儉卒,[73] [年七十九. 謚文良:列傳18薛公儉轉載]. [公儉, 性廉謹好禮, 朝官六品以上, 有父母喪, 雖素不知者, 必素服往弔. 有造謁者, 無貴賤, 倒屣出迎. 嘗臥疾, 蔡洪哲入臥內診視, 布被莞席, 蕭然若僧居, 出而嘆曰, 自吾輩而望公, 所謂壤蟲之與黃鶴. 後配享王廟:節要轉載].[74]

---

70) 晋王 甘麻剌(Gamala)은 다음의 기사와 같이 이달의 10일(乙巳)에 逝去하였던 것 같다.
- 『원사』 권20, 본기20, 성종3, 大德 6년 1월 乙巳, "晋王甘麻剌薨, 命封其王印及內史府印".
- 『원사』 권115, 열전2, 顯宗, "[大德]六年正月乙巳, 王薨, 年四十".

이들 기사가 정확하다면 1월 9일(甲辰) 고려에 귀환한 金延壽가 晋王의 死亡을 보고할 수 없을 것이다.

71) 全昇은 前年(충렬왕27)에 奉翊大夫·知密直司事·版圖判書·文翰學士承旨였고(金賆墓誌銘), 그의 아들 全信의 묘지명에 의하면 密直使·寶文閣大司學[密直使·大寶文[~~大司學?~~]]에 이른 것 같다. 이날은 율리우스曆으로 1302년 2월 24일(그레고리曆 3월 4일)에 해당한다.

72) 이는 「吳潛墓誌銘」에 의거하였다.

73) 이날은 율리우스曆으로 1302년 3월 13일(그레고리曆 3월 21일)에 해당한다.

74) 이와 같은 자료로 다음이 있는데, 蔡洪哲의 評은 그가 仙佛을 좋아했다는 것을 증빙한다.
- 『역옹패설』前集2(9張左), "薛文景公儉, 廉謹好禮, 朝官六品以上, 其有父母之喪, 必素服不知者, 必素服往弔. 鄕黨厚生來謁, 亦具衣冠, 下階迎之. 嘗臥疾, 蔡中菴洪哲, 入臥內寢胗視, 布被弊席, 蕭然若僧居, 出而歎曰, 自吾輩而望公, 所謂壤蟲之與黃鶴也".
- 『淮南子』 권12, 道應訓42, "… 盧敖仰而視之不見, 乃止駕, 心柸治, 悖若有喪也. 曰'吾比夫子,

庚寅[26日], 帝賜王葡萄酒.

辛卯[27日], 幸廣明寺, 設龍華會.

三月[乙未朔大盡,甲辰], 乙巳[11日], 幸妙蓮寺, 爲晋王追福.

庚戌[16日], 中贊致仕廉承益弃官, 爲僧. [承益, 酷信浮屠法, 剃髮被袈裟, 置炭火掌上, 焚香念佛, 顔色不變:節要轉載].

[→[忠烈]二十八年, [廉承益,] 以興法佐理功臣都僉議中贊致仕, 祝髮爲僧, 被袈裟. 置炭火掌上, 焚香念佛, 顔色不變. 時人, 謂承益不足責名器, 可惜:列傳36廉承益轉載].

乙卯[21日], 幸壽康宮.

甲子[30日], 元遣種田軍萬戶拔都來, 頒赦.[75]

[是月, 朴頤, □□□□[掌成均試], 取梁成梓等七十人:選擧2國子試額轉載].[76]

夏四月[乙丑朔小盡,乙巳], 辛未[7日], 元遣別帖木兒等來, 徵寫經僧.

癸酉[9日], 賜崔凝等及第.[77]

五月[甲午朔小盡,丙午], 壬寅[9日], 飯僧一千于壽寧宮, 遂幸壽康宮.

癸卯[10日], 以詩賦親試, 取曹匡漢等七人, 各賜百金三斤·馬一匹. 以匡漢等爲殿試門生, 故有是賜.[78]

猶黃鶴與壤蟲也. 終日行不離咫尺, 而自以爲遠, 豈不悲哉'. …".

· 『論衡』 권7, 道虛篇, "… 盧敖仰而視之不見, 乃止嘉心不怠, 悵若有喪曰, 吾比夫子也, 猶黃鶴之與壤蟲也"(四庫全書本, 6左末行).

75) 몽골제국은 이달 3일(丁酉) 旱魃로 인해 天下에 赦免을 내렸다(『원사』 권20, 본기20, 大德 6년 3월, "丁酉, 以旱, 溢爲災, 詔赦天下").

76) 이때 崔瀣·朴仁祉도 합격하였다(→충렬왕 28년 是年頃의 脚注).

· 『졸고천백』 권2, 朴華墓誌銘, "… 銘曰, 嗚呼, 公之次子仁祉, 在大德六禩, 嘗與予[崔瀣]同擧司馬試, 爲進士, 距今三十有四年矣. 予旣與其子而爲友, …".

77) 이와 관련된 기사로 다음이 있다.

· 지27, 선거1, 科目1, 選場, "[忠烈]二十八年四月, □[知]密直司事吳祈[吳祁]知貢擧, 三司左使池禹功同知貢擧, 取進士, [癸酉], 賜崔凝等三十三人及第". 여기에서 吳祈는 吳祁의 오자이다.

78) 이와 관련된 자료로 다음이 있는데, 『고려사』에서 曹光漢으로 표기된 곳도 있지만 後世의 기록에는 前者로 되어 있다. 이때 曹匡漢·閔祥正·洪侑 등이 급제하였다(『登科錄』).

· 지27, 선거1, 科目1, 選場, "[忠烈]二十八年五月□□[癸卯], 親試, 取乙科曹匡漢等二人·丙科五人".

丙午[13日], 以黃元吉△[爲]知都僉議司事, 王惟紹爲密直副使, 又以惟紹之父昖△[爲]知都僉議司事, △△[仍令]致仕.[79]

○殿中侍史金英佐, 論海南館別監金延侵漁百姓, 忤旨, 貶爲[西海道]鳳陽副使.[80]

己酉[16日], 以[密直副使]金延壽爲典法判書, 趙簡爲左諫議[左司議大夫]·右承旨, 朴顯爲監察大夫, 申汝桂爲右副承旨.[81]

[庚戌[17日], [開京東門外]龍化池水, 變爲五色, 盈縮如潮:五行1水變轉載].[82]

六月癸亥朔[大盡,丁未], 日食, 雨不見.[83]

丙寅[4日], [小暑]. 還宮.

○王之幸壽康宮也, 宰樞·將軍房·忽赤·內房庫·內僚, 輪日設宴, 後以爲常.

[某日, 同知直密司事元卿卒. 卿, 性豪奢, 好射御, 不喜文儒, 幼習蒙語, 屢從王及公主入元, 世祖常呼之曰, "納麟哈剌[哈剌]", 以其應對詳敏, 擧止便捷, 故曰納麟, 以其鬚髯美且黑, 故曰, "哈剌[哈剌]":節要轉載]. [嘗受元命, 爲武略將軍征東行中書省都鎭撫, 帶金符:列傳37元卿轉載]. [子善之, 別有傳:追加].

· 열전20, 閔漬, 祥正, "明年, 又中殿試".

·『巖棲集』 권26, 高麗寶文閣直提學胄公祭壇碑, 庚申(1920년).

79) 王昖(왕연)은 열전38, 王惟紹에는 僉議贊成事에 올랐다고 하는데, 이 역시 僉議贊成事致仕로 추측된다.

80) 鳳陽郡은 고려 초의 鳳州인데, 일시 西海道 黃州에 소속되어 있다가 1285년(충렬왕11) 防禦使官으로, 다시 知鳳陽郡事로 邑格이 昇格되었다고 한다(지12, 지리3, 黃州牧, 鳳州 ;『신증동국여지승람』 권41, 鳳山郡).

81) 이때 金延壽는 密直副使로서 典法判書를 兼職하였다. 또 左諫議大夫[左諫議]는 左司議大夫의 오류이다.

82) 龍化池에 관련된 자료로 다음이 있다.

·『신증동국여지승람』 권4, 開城府上, 山川, "龍化池, 在府東七里. ○郭預詩, '賞蓮三度到三池, 翠蓋紅粧似舊時. 唯有看花玉堂老, 風情不減鬢如絲".

· 열전19, 郭預, "其在翰院, 每雨中, 跣足持傘, 獨至龍化池賞蓮, 後人高其風致, 多詠其事".

·『태종실록』 권5, 3년 4월, "乙亥[29日], 上[太宗]如太平館設宴. 以黃儼等欲以五月一日發程也. 摠制李從茂啓曰, '今日獐入佛恩寺松間, 甲士等獲之'. 上笑曰, '小民無乃以爲怪乎? 前朝時, 獐入龍化池, 乃以爲怪, 大設法席以禳之, 甚無謂'. 從茂曰, '今日宴, 用之可乎?', 上曰, 不用何爲?". 여기의 노루[獐]가 龍化池에 出現했던 사실은 지8, 오행2, 金行, 毛虫之孼에서 恭愍王, 禑王代의 여러 獐入城 중에 龍化池가 提示되어 있지 않다.

83) 이날 中原에서도 일식이 있었다(『원사』 권20, 본기20, 성종3, 大德 6년 6월 癸亥). 이날은 율리우스력의 1302년 6월 26일이고, 開京에서 일식 현상이 심했던 시간은 19시 21분, 食分은 0.08이었다(渡邊敏夫 1979年 311面).

乙亥[13日], 命□[都]僉議參理閔漬·□[同]知密直司事金台鉉, 聚及第二十人, 試以賀聖節表·上丞相國書·祝聖壽佛疏. 白仁壽·卜祺·權踔·金芝等, 連中之, 皆授文翰署令.

[某日, 令城中人家, 出細苧布有差, 以助國贐:節要·食貨2科斂轉載].

[某日:追加],[84] 金元祥建白, 請試國學博士, 能通六經者遷秩. 命趙簡·鄭僐·方于宣·薛超等, 試之, 試者纔通一二經, 故皆不得敍.[85]

庚辰[18日], 以宗室珣·琪, 並爲守城,[86] 加□[都僉議贊成事]韓希愈爲重大�臣, 郭膺爲監察大夫, 朴顗爲典理判書, 高世爲三司右使, 金文衍爲軍簿判書,[87] 金瑫充史館修撰官·知內旨, 金元祥爲秘書尹·知監察司事.

辛卯[29日], 以[都僉議]中贊致仕金琿爲□[都]僉議侍郎贊成事.[88]

[是月, 優婆夷·昌寧郡夫人張氏, 正奉大夫·判秘書寺事·知內旨金瑫等撰'鑄成阿彌陀佛像發願文':追加].[89]

[夏某月, 遣閤門祗候金光軾, 召僧丁午于月出山白雲庵, 命住錫妙蓮社:追加].[90]

---

84) 『고려사절요』 권22에 의하면 金元祥 이하의 기사는 乙亥(13일)에 일어난 사실이 아닌 것 같다.

85) 이 시기에 尹莘傑이 홀로 六經에 밝아 四門博士·大學博士에 임명되었다고 한다.

- 열전22, 尹莘傑, "時博士只占一經, 多非其人, 嚴其選, 必通五經, 然後爲之. [南京司錄尹]莘傑被薦, 爲四門·大學博士".
- 「尹莘傑墓誌銘」, "大德間, 爲學官時, 執政二博士只占一經, 多非其人, 聞於王, 嚴其選, 必通六經者, 然後除之. 公獨兼明, 得補, 見稱於一時".

86) 이에서 守城이 어떤 官爵인지는 알 수 없다. 추측컨대 勳爵인 守誠功臣 또는 三師(守太師·守太傅·守太保), 三公(守太尉·守司徒·守司空)의 오자일 가능성이 있다.

87) 金文衍(金就礪의 曾孫)이 左右衛別將(정7품)에 임명된 것은 그의 女弟(故 崔文의 妻)가 忠烈王의 後宮이 된 1298년(충렬왕24) 6월 15일 이후인데, 4년이 경과한 이때 正3品職에 승진한 것은 파격적인 人事일 것이다.

88) 金元祥은 이 시기 이후에 右副承旨에 임명되어 인사 행정[銓注]을 담당하였던 것 같다.

- 열전38, 金元祥, "轉右副承旨, 以事罷. 未幾, 命復職, 主銓注, 謂曰, 汝强銳果敢, 所以致讒毁, 今宜省之".

89) 이는 溫陽民俗博物館에 소장되어 있는 鑄成阿彌陀佛像腹藏의 發願文에 의거한 것이다(許興植 1994년 212面 ; 南權熙 2002년 507面 ; 鄭恩雨 等編 2017년 109, 110面).

- 發願文a, "…,」 大德六年六月初七日,昌寧郡夫人張[在印], 匡靖大夫·知都僉議致仕[在手決]」".
- 發願文b, "弟子金瑫雖生邊土,幸聞熏」 佛教,知輪廻, …,」 大德六年六月六日,正奉大夫·判秘書寺事·知內旨金瑫立願」".

90) 이는 다음의 자료에 의거하였는데, ~~添字~~와 같이 고쳐야 옳게 될 것이다.

- 『동문선』 권68, 靈鳳山龍巖寺重創記, "… 以大德六年壬辰[壬寅]夏, 特遣中使祗候金光軾, 迎師于月出山白雲庵, 命主於願刹妙蓮社焉"(朴全之 撰).

秋七月癸巳朔小盡,戊申, 乙未3日, 幸壽康宮.

[庚子8日, 月犯太白:天文3轉載].

辛丑9日 以宋玢爲都僉議中贊, 車信爲都僉議侍郞贊成事, 柳侑爲□□□都僉議參理, [知密直司事吳祁爲監察大夫:追加].[91] 趙簡爲密直副使·右常侍, ~~密直副使~~王惟紹爲左常侍,[92] 康純爲軍簿判書.

己酉17日, 遣大將軍秦良弼如元, 獻童女.

辛亥19日, 三司右使高世還自元, 世嘗以請入朝如元, 會帝有所忌諱, 不得奏而還.

丙辰24日, 以高世爲密直副使, 康純爲三司右使.

[某日, 以李堅幹爲慶尙道按廉使:慶尙道營主題名記].

八月壬戌朔小盡,己酉, 都僉議侍郞贊成事[·判軍簿司事:追加]致仕蔡謨~~蔡謨~~卒,[93] [年七十四, 諡~~寬愼~~:追加].[94]

甲子3日, 遣知密直司事權永如元, 賀聖節. [百官備禮儀, 拜賀聖節表, 送于迎賓館, 拜表之禮, 始此:禮9進大明表箋儀轉載].

庚午9日, 行省享王.

癸未22日, [秋分]. 以知密直司事吳祁爲監察大夫.[95]

甲申23日, 王手批, 以池禹功△爲權知右副承旨.

乙酉24日, 元遣伯都孛羅來, 分揀遼瀋人物.

[丙申,贊成事金琿享王→9월로 옮겨감].

---

91) 이는 「吳潛墓誌銘」에 의거하였다.

92) ~~忝字~~는 열전38, 王惟紹에 의거하였다.

93) 『고려사절요』 권22에는 ~~忝字~~와 같이 바르게 되어 있다. 또 이날은 율리우스曆으로 1302년 8월 24일(그레고리曆 9월 1일)에 해당한다.

94) 諡號는 「蔡謨墓誌銘」에 의거하였다. 이 墓誌는 族譜에 수록되어 있고, 閔漬가 찬하였다고 하는데, 내용에서 약간의 문제가 있다.

- 열전36, 嬖幸1, 權宜, 蔡謨, "忠烈二十八年, 蔡謨, 以僉議侍郞贊成事致仕□卒". 여기에서 ~~忝字~~가 탈락되었다.
- 「蔡謨墓誌銘」, "大德壬寅六月遘疾, 八月初一日, 翛然而逝". 여기에서 逝去를 翛然而逝로 표기한 점을 보아 仙佛에도 該博했던 閔漬가 찬술한 것이 분명한 것 같다.
- 『莊子』內篇, 大宗師第6, "古之眞人, 不知說生, 不知惡死, 其出不訢, 其入不距, 翛然而往, 翛然而來而耳矣".

95) 이때 吳祁는 知密直司事로서 監察大夫를 兼職하였는데, 그의 묘지명에는 임명의 時点이 7월로 되어 있다(吳潛墓誌銘).

九月[辛卯朔大盡,庚戌], [丙申[6日], [都僉議]贊成事金琿享王←8월에서 옮겨옴].[96]
丁未[17日], 移御齊安宮.

冬十月[辛酉朔小盡,辛亥], 乙丑[5日], 幸壽康宮.
辛未[11日], 作安平公主影堂于妙蓮寺.
乙亥[15日], 以密直提學鄭允宜爲西北面都巡問使.
辛巳[21日], 以韓希愈爲□[都]僉議中贊, 吳祁△[爲]知都僉議司事[·寶文閣大司學·同提修史·上護軍:追加],[97] [軍簿判書]金文衍爲監察大夫.
丁亥[27日], 自壽康宮, 入御齊安宮.
[己丑[29日晦], 雷電:五行1雷震轉載].

十一月[庚寅朔大盡,壬子], 壬辰[3日], 幸壽寧宮.
戊戌[9日], 幸妙蓮寺.
辛丑[12日], 以同知密直司事兪甫, 出鎭合浦.
[某日, [征東]行省遣大樂丞庾阡, 如元, 賀正:節要轉載].
丙辰[27日], [大將軍]秦良弼還自元, 帝命王親朝, 賀正.
丁巳[28日], 安西王阿難達遣使來, 獻海靑及金叚[金段].
己未[30日], 宴安西王使臣于壽寧宮.

十二月庚申朔[大盡,癸丑], 王如元, 命齊安公淑, 權署征東省事.
壬午[23日], [都僉議]贊成事柳庇, 偕[元使]伯都孛羅如元.

是歲, 遼陽□[行]省奏帝, 請倂征東·遼陽, 爲一省, 移司東京. 王上表云, "言雖巧飾, 及于天聽, 則必明, 事若大乖, 豈以風聆而不懼, 敢高哀籲, 庶賜矜容. 念小邦, 接彼頑民, 在先朝, 立玆行省. 當奮武威而越海, 添設新僚, 及修文德以舞干, 輒如舊例. 制由詳酌, 理合久安. 今者, 似聞遼陽省, 移咨于上司, 以革罷遼陽·征東兩

96) 8월의 丙申은 9월 6일이므로, 丙申 다음의 기사인 丁未(9월 17일)의 앞에 있는 九月을 丙申의 앞으로 移動시켜야 한다[校正事由]. 『고려사절요』 권22에는 옳게 되어 있다.
97) 이때 吳祁는 匡靖大夫·知都僉議使司事·寶文閣大司學·同提修史·上護軍에 임명되었다고 한다(吳潛墓誌銘).

省, 合爲一省, 而置于東京. 臣竊思惟, 自東京至王京, 一千五百餘里, 自王京至合浦, 一千四百餘里. 若合浦海外, 忽有微波之警, 則報告往來之際, 千里尙速, 況三千里外乎. 此於求名分者或便, 非是益朝廷之良計, 豈順憸人之輕議, 遽違聖祖之嘉謀. 然自惟, 虢德之多涼, 恐不入堯仁之深恤. 故將陳聞以爲急, 第恨奮飛之末由, 伏望陛下, 回大陽之明, 慮遠地之弊, 克遵前典, 勿納偏辭. 則臣謹當益堅戴舜之誠, 倍祈天壽. 倘致征苗之効, 小助皇威".

○又上中書省書曰, 照得, "小邦最係邊遠重地, 隣近未附日本國, 自於至元十八年忠烈7年, 大軍過海征進之後, 至元二十年忠烈9年, 欽奉世祖皇帝聖旨, 委付當職, 行征東省事. 威鎭邊面, 管領見設慶尙道 合浦等處并全羅道兩處鎭邊萬戶府. 摘撥本烽爟, 暗藏船兵, 日夜看望巡綽, 專一隄備日本國, 賊軍勾當, 到今不曾有失節次. 曾獲日本賊人, 移咨省院, 聞奏了. 當今知得, 遼陽行省官員, 欲要將遼陽行省, 并本國征東行省革罷, 却要遼陽府在城合併, 改立行省, 移咨都省, 定奪去訖. 爲此參詳, 本國合浦等處邊面, 相去遼陽府, 地理極遠, 耽羅又比合浦等處, 至甚窵遠. 倘有邊面啓禀緊急公事, 往廻遲滯, 切恐失悞, 深繫利害, 今來, 若不啓禀, 慮恐都省, 未知便否. 倘若依准遼陽行省所擬, 合併本省, 寔爲未便. 更兼照得本省, 卽係元奉世祖皇帝聖旨立到. 若蒙准咨, 止令當職, 依舊行征東省事, 專委威鎭, 東方極邊, 未附日本國, 邊面勾當, 似望不致失悞. 邊關事務, 據此, 合行咨禀, 伏望都省, 照詳定奪, 聞奏施行".

[○都僉議中贊致仕廉承益卒. 子世忠, 仕至安南副使. 子悌臣, 自有傳:列傳36廉承益轉載].

[○以知密直司事金富允爲知都僉議司事:列傳20金富允轉載].

[○以左右衛將軍崔雲爲朝顯大夫·軍簿摠郞:追加].[98]

[○以前內侍·內衣直長全信爲崇敬府丞:追加].[99]

[○元無禪師自江淮航而來, 開京士女, 奔走以法要:追加].[100]

---

98) 이는 「崔雲墓誌銘」에 의거하였다.

99) 이는 「全信墓誌銘」에 의거하였다.

100) 이는 다음의 자료에 의거하였는데, 몽골제국 시기의 江南 佛敎界에서 無禪師로 지칭되는 유명한 승려는 찾아지지 않아 어떤 인물인가를 추정할 수 없다.

・「金賆妻許氏墓誌銘」, "壬寅, 無禪師自江淮航而來, 夫人慕見, 始聞法要, 甲辰30年, 鐵山紹瓊南來, 施化次受大乘戒".

癸卯[忠烈王]二十九年, 元大德七年, [西曆1303年]

1303년 1월 19일(Gre1월 27일)에서 1304년 2월 5일(Gre2월 13일)까지, 13개월 383일

春正月庚寅朔[小盡,甲寅], 王在元.

[某日, 以慶尙道按廉使李堅幹, 仍番:慶尙道營主題名記].

二月[己未朔大盡,乙卯], [戊辰[10日], 月入東井:天文3轉載].

[庚午[12日], 驚蟄. □[月]與歲星同舍, 又與歲星, 光芒相射:天文3轉載].

[乙亥[17日], 熒惑·鎭星逆行, 入大微[~~太微~~]端門中. 熒惑犯鎭星:天文3轉載].

辛巳[23日], □[都]僉議中贊致仕韓康卒, [諡文惠:列傳20韓康轉載].[101] [康, 嘗爲金州防禦副使. 金之田賦, 常不滿額, 守多坐罷. 康至, 理屯田之廢者, 得米穀二千餘碩, 吏輯民安. 然, 性佞佛, 王嘗問享國長久之道, 悉以浮圖之言對:節要轉載]. [子謝奇·澧. 謝奇, 官至諫議大夫[~~右司議大夫~~], 子永·渥. 初, 謝奇以禿魯花, 挈家入元, 永, 幼長輦轂, 事仁宗皇帝, 官至河南府□[路]摠管. 以永貴, 贈謝奇翰林直學士·高陽縣侯, 康僉太常禮儀院事·高陽縣伯:列傳20韓康轉載].[102]

丁亥[29日], 元遣怯里馬赤月兒忽都, 以官素一十五表裏·茈經裏兒絹三百匹·黃香十五斤·鈔六百一十錠二十五兩來, 轉藏經.[103]

三月[己丑朔大盡,丙辰], 甲午[6日], 百官備儀, 奉御香, 轉藏經.

[是月頃, 以崔肇爲知東京留守事·判禮賓寺事:追加].[104]

夏四月[己未朔小盡,丁巳], [癸酉[15日], 月犯心星:天文3轉載].

---

101) 이날은 율리우스曆으로 1303년 3월 11일(그레고리曆 3월 19일)에 해당한다. 諡號는 韓康의 孫인 韓公義의 묘지명에서도 찾아진다.

102) 韓永의 신도비에 의하면 韓謝奇는 고려에서 朝奉大夫·右司議大夫·知制誥에 이르렀다가 中原에 들어갔던 것 같다(張東翼 1997년 256面).

103) 怯里馬赤[kelimachi]은 蒙古語의 翻譯者·通譯者·譯人·通事를 音譯한 것이다.
- 『草木子』 권4, 雜俎篇, "北人不識字, 使之爲長官, …. 立怯里馬赤, 蓋譯史也. 以通華夷言語文字. 昔, 世祖嘗問孔子何如人. 或應之曰, 是天的怯里馬赤. 世祖深善之. 蓋由其所曉, 以通之, 深得納約自牖之義".

104) 이는 『동도역세제자기』에 의거하였다.

丁亥[29日], 雨雹.

[→丁亥, 雨雹, 大如李·梅:五行1雨雹轉載].

五月[戊子朔大盡,戊午], [丙申[9日], 虎入城:五行2轉載].

丁未[20日], 王至自元.

癸丑[26日], 宰樞享王于壽寧宮.

[是月, 吳演, □□□□[掌成均試], 取具桓等九十九人:選擧2國子試額轉載].

[○依上國体例, 定諸王·宰樞·承旨·班主夫人, 乘朱漆車, 三四品夫人, 黑漆車. 事竟不行:輿服1命婦車轉載].

閏[五]月戊午朔[小盡,戊午], 日食.[105] 以旱, 雩.

庚申[3日], 御涼樓後峯, 觀擊毬戲.

庚午[13日], 大雨, [水漂人家, 傷禾稼:節要·五行1水潦轉載]. 幸妙蓮寺.

戊寅[21日], 國學學正金文鼎, 以宣聖十哲像及文廟祭器, 還自元.

辛巳[24日], 以韓希愈爲□[都]僉議右中贊, 宋玢爲左中贊, [吳祁爲政堂文學·延英殿大司學:追加].[106]

[○虎入市:五行2轉載].

六月[丁亥朔大盡,己未], 乙未[9日], □□[征東]行省享王.

丙申[10日], 都僉議贊成事致仕金富允卒.[107] [富允, 起自卒伍, 質樸無華, 稟性公正. 嘗從王入元, 雖値險難, 執節不移. 世祖知其名, 授征東省官. 王賜鐵劵:節要轉載], [嘗爲選軍別監, 處決得中. 子就起, 官至軍簿判書:列傳20金富允轉載].

己亥[13日], 前後殿試及第享王.

己酉[23日], 罷[慶尙道]興安都護府副使金瑞芝, 王之幸姬鳳池蓮者, 本府妓也. 邑吏裴度, 嘗有憾於瑞芝, 托鳳池蓮訴王.[108] 遂罷瑞芝, 籍其家.[109]

---

105) 이날 中原에서도 일식이 있었고(『원사』 권21, 본기21, 성종4, 大德 6년 閏5월 戊午朔), 일본에서도 일식이 있었다(日本曆은 五月戊午朔). 이날은 율리우스력의 1303년 6월 16일이고, 開京에서 일식 현상이 심했던 시간은 6시 34분, 食分은 0.89이었다(渡邊敏夫 1979年 311面). ·『續史愚抄』13, 嘉元 1년 5월, "一日戊午, 日蝕, □[蝕]御祈僧正嚴家勤仕, 正見云".

106) 이는 「吳潛墓誌銘」에 의거하였다.

107) 이날은 율리우스曆으로 1303년 7월 24일(그레고리曆 8월 1일)에 해당한다.

癸丑[27日], 震西北面安集使金堅.[110)]

[某日, 王謂左右曰, "人臣之節, 漸不如舊. 昔李混·尹琦主銓選, 寡人欲以混弟子和爲行首". 混辭曰, "殿下不以臣爲不肖, 待罪銓曹, 而臣之弟爲行首, 則人謂臣何?" 又以琦之子安庇爲權務, 琦亦曰, "臣之子年少, 臣又掌銓選, 不敢受命", 皆固辭再三. 今之主銓選者, 先以美官授親戚, 不令寡人知之, 況敢辭乎? 此所以廉恥日喪, 世道日降也":節要轉載].[111)]

秋七月丁巳朔[小盡,庚申], [處暑]. 遣大護軍閔甫如元, 獻鵠·鶻.

壬戌[6日], 賜中贊宋玢爵樂浪公, 以秘書尹吳演△[爲]權知右副承旨.[112)]

甲子[8日], 賜朴理等及第.[113)] [丙科第一人許冠, 珙之子, 宋玢之壻. 國制, 六品以上, 不許赴試, 雖拜六品, 不謝則聽赴擧. 冠, 拜郎將, 四年不謝. 玢曰, "宦途多門, 何必登第?". 冠曰, "先人遺予紙, 使之赴試. 予雖屢擧不中, 而紙尙在, 何敢欲速進而廢父命耶?". 王素聞其名, 召至簾前, 特賜犀帶:節要轉載].[114)]

乙丑[9日], 元遣斷事官帖木兒不花·翰林李學士[翰林學士李天英]來,[115)] 中書省, 奏奉聖旨,

---

108) 訴王은 木版本인 延世大學本과 東亞大學本에는 訢王으로 되어 있는데, 刻字할 때 誤謬가 발생한 것 같다.

109) 興安都護府는 京山府(現 慶尙北道 星州郡)가 1295년(충렬왕21) 昇格된 것이고, 이는 1308년(충렬왕34) 다시 星州牧으로 승격되었다(지11, 지리2, 京山府).

110) 이와 같은 기사가 지7, 五行1, 水, 雷震에도 수록되어 있다.

111) 이와 같은 기사가 열전21, 李混에도 수록되어 있다.

112) 열전38, 宋玢에는 "[忠烈]二十八年, 加壁上三韓三重大匡, 賜爵樂浪公"으로 되어 있는데, 二十九年으로 고쳐야 옳게 될 것이다.

113) 이와 관련된 자료로 다음이 있다. 여기에서 朴理(朴忠佐의 叔父)는 아들 3人이 모두 급제하였다는 朴之彬의 次子이다(열전22, 朴忠佐 ; 『목은문고』 권8, 賀竹溪安氏三子登科詩序). 이때 朴理·崔瀣(崔瀣墓誌銘)·許冠(丙科2人)·李德孺(改衍宗, 看藏庵重創記) 등이 급제하였다(『등과록』, 『前朝科擧事蹟』, 朴龍雲 1990년 ; 許興植 2005년).

· 지27, 선거1, 科目1, 選場, "[忠烈]二十九年六月, □□[同知]密直司事金台鉉知貢擧, 秘書尹金祐同知貢擧, 取進士, □□[某日], 賜朴理等三十三人及第".

·「金台鉉墓誌銘」, "闈禮圍, 得朴理等三十餘人, 一時聞士多入選□[中]".

· 열전23, 金台鉉, "遷同知司事·文翰承旨, 知貢擧取士, 率新及第上謁, 王賜宴. 時, 元使李學士[李天英]在席, 言於王曰, 天下無此事, 唯貴邦不墜古風, 往歲與張叅政[張守智]奉使, 適見之, 今又獲覩, 敢不拜賀".

114) 이와 같은 기사가 열전18, 許珙, 冠에도 수록되어 있는데, 許冠은 戶部散郎에 이르렀다고 한다.

115) 翰林學士 李某는 이름이 나타나지 않지만, 그가 같은 달 10일(丙寅) 及第者의 賜宴을 보고서 지난날[往歲] 參知政事 張某와 함께 고려에 왔을 때 보았고, 이제 또다시 보게 되었다고 하였

宰相[都僉議侍郞贊成事]崔有渰·[都僉議右中贊]韓希愈·[都僉議贊成事]柳庇, 與使臣, 收管石胄及子天補·天卿·天琪, 赴京. [又諸司官吏有申稟國王公事, 須先與[中贊]洪子藩商量, 不得徑行, 國王亦須聽從子藩之言:節要轉載]. 帖木兒不花遣其价于安南府, 捕金世等四人.

○先是, [金]世訴石胄於中書省, 今欲使胄·世對辨, 故執之.

[→先是, 世告中書省曰, "石胄之黨, 慮前王害己, 謀奉國王, 將竄海島, 密令濟州等處, 造船畜粮". 今欲使胄世對辨, 故執之:節要轉載].

[→石胄, 不知何許人. 官至密直, 子天補·天卿, 俱得幸忠烈. 天補爲左僕射[左承旨],[116] 扈從奉恩寺, 領班而行. 人指之曰, "內僚得意之秋". 又與天卿, 群飮川上, 酒酣投秘書尹鄭珩于水, 衣冠盡濕, 珩無愧色. 胄倚勢驕橫. 嘗以事惡侍史金必爲, 一日道遇毆辱之. 有金世者, 告中書省曰, "石胄之黨, 慮前王害己, 謀奉國王, 將竄海島, 密令濟州等處, 造船畜粮". 於是, 帝遣帖木兒不花等來, 收管胄及天補·天卿·天琪與世, 赴京對辨:列傳38石胄轉載].[117]

丙寅[10日], [同知密直司事]金台鉉率新及第, 詣壽寧宮上謁, 賜宴.

[甲戌[18日], 知東京留守事·判禮賓寺事崔肇卒:追加].[118]

[乙亥[19日], 歲星入軒轅:天文3轉載].

庚辰[24日], 移御齊安宮.

辛巳[25日], [征東]行省遣護軍李翰如元, 賀聖節

○[前三司右尹]元冲甲等五十人及[都僉議中贊]洪子藩·尹萬庇等三十人, 以書, 數[知都僉議司事]吳祁罪, 告于帖木兒不花·李學士[翰林學士李天英].[119]

[→初, 吳祁, 以讒佞得幸, 離間王父子, 陷害忠良, 人皆切齒, 畏禍莫有言者. 前護軍元冲甲等五十人, 欲告使臣, 而先告于王. 王止之, 旣出, 又使護軍曹頔諭

다(열전23, 金台鉉). 이를 통해 볼 때 그는 1298년(충렬왕24) 2월 16일 參知政事 張守智와 함께 파견되어 온 翰林直學士 李天英임을 알 수 있다.

116) 左僕射는 左承旨의 오류일 것이다(→충렬왕 20년 12월 15일 朴義의 脚注).

117) 이와 관련된 기사로 다음이 있다.

· 열전18, 洪子藩, "忠宣在元, 吳祁·石天補, 得幸用事, 離間王父子, 國人患之. 元遣斷事官帖木兒不花, 與宰相崔有渰·韓希愈·柳庇, 執天補及其父胄·弟天卿·天琪, 赴京. 以子藩年老, 不堪乘傳, 令留掌國事, 詔王事無大小, 皆聽子藩".

118) 이는 『동도역세제자기』에 의거하였는데, 이날은 율리우스曆으로 1303년 8월 31일(그레고리曆 9월 8일)에 해당한다.

119) 尹萬庇(尹碩의 父)는 그의 孫인 尹之彪, 後孫 尹斗壽의 묘지명에 의하면 奉翊大夫·副知密直司事·上護軍에 이르렀다고 한다(『簡易集』 권9, 尹斗壽神道碑銘).

之. 冲甲等不從, 遂以書告帖木兒不花等曰, "大德五年四月, 帝遣塔察兒·王泰亨, 諭王曰, '威福與奪, 當自己出, 凡事體有未便, 民情有未安者, 其審圖之'. 又戒臣僚曰, '悉心奉正, 各守乃職, 敢有蹈襲前非, 專恣不法, 王雖爾容, 朕必不貸'. 臣僚等, 祗承聖訓, 日夜兢兢, 猶恐不逮. 今有臣吳祁者, 實爲元惡, 無才無功, 徒以姦諂得進, 以嘗得罪前王, 窺免後患, 日夜讒構, 離間我王父子, 自以爲樹立大功. 竊弄威福, 援引昆弟, 並參機密, 數年之間, 皆至將相. 凡本國臣僚, 無問尊卑, 小有嫌隙, 輒陷以罪, 無辜罷黜者, 遍於一國. 至於各道按廉·守令, 以一己愛憎, 進退予奪, 背棄聖訓, 罪不容誅. 今有聖旨, 亦不疑懼, 謀欲沮之, 天使還朝之後, 必有異圖. 伏望廣咨國人, 制于未亂". ○帖木兒不花等, 得其書, 言於王曰, "冲甲所言, 雖非吾等所斷, 亦不可不問, 宜將冲甲與祁, 赴京對辨". 尹萬庇·鄭僐·金禧·尹諧·吳永丘·李舟·李偰·宣宗桂·高延·洪承緖等, 又以書告使臣. [中贊]洪子藩·[都僉議贊成事]金琿·閔萱·[都僉議參理]閔漬·[知密直司事]鄭瑎·權永·[同知密直司事]金台鉉·高世·金文衍·李混·元璡·許評·申珩·金延壽·趙文簡·[知申事]金元祥·朴光廷·尹吉孫·吳玄良·金由祉等, 又極言祁罪惡. 子藩又言曰, "出納王命, 內則有中貴三四人, 謂之辭, 外則有近臣四人, 謂之承宣. 非此, 雖宰相, 不敢與焉. 祁今已拜相, 猶且出入王宮, 與承宣無異, 所陳所告, 皆爲邪謀". 使臣默然:節要轉載].[120]

[某日, 以李伯兼[李伯謙]爲慶尙道按廉使:慶尙道營主題名記].[121]

八月丙戌□[朔小盡,辛酉], 遣[都僉議]右中贊韓希愈·前贊成□[事]崔有渰, 以石冑及子天補·天卿·天琪如元. [致仕宰相[中贊致仕]蔡仁揆等二十八人及前密直副使·[高麗右軍]萬戶金深等軍官一百五十人, 又詣使臣, 請罪吳祁:節要轉載].[122]

[○熒惑入房:天文3轉載].

己丑[4日], 遣密直副使宋邦英如元, 賀聖節.

---

120) 이 기사는 열전38, 吳潛에도 수록되어 있고, 이와 관련된 기사로 다음이 있다.
- 열전17, 元冲甲, "吳祈[吳祁], 以讒佞得幸, 離間王父子, 陷害忠良, 人皆切齒, 畏禍莫有言者. 冲甲率五十餘人, 極言祁罪惡, 執送于元, 語在祁傳". 添字로 고쳐야 옳게 될 것이다.
- 열전18, 洪子藩, "子藩數祁罪惡, 告帖木兒不花, 疑祁害己, 防備甚嚴, 祁亦疑懼, 不離王側. 子藩與諸宰樞及萬戶金深, 率三軍將士, 圍王宮. 護軍吳玄良, 直入王所, 執祁出, 王使內人請留祁. 諸宰相持疑, 子藩厲聲曰, 上旣許之, 何疑之有. 趣護軍崔淑千, 押送于元".

121) 李伯兼은 李伯謙(李公升의 4世孫)의 오자일 것이다(열전22, 李伯謙).

122) 丙戌에 朔이 탈락되었는데, 지3, 天文3에는 붙어 있다.

庚寅[5日]，召致仕版圖判書崔諹曰，“聞卿等，亦將訴吳祁于使臣，有諸姑徐之”. 諹不從. [乃與朴全之等三十七人，又詣使臣，請罪吳祁. 及帖木兒不花·李學士[翰林學士李天英]還，贊成事柳庇偕行，[都僉議贊成事]安珦等餞于郊，李學士詠一句曰，“白酒紅人面”，囑珦和之，珦遲留. 李自和之曰，“黃金黑吏心”. 盖諷帖木兒不花受祁賂，緩其罪也:節要轉載].

[→王召版圖判書致仕崔諹曰，“聞卿等，亦將訴吳潛[吳祁]于使臣，有諸姑徐之”. 諹不從. 乃與朴全之等七十餘人，又詣元使，請罪潛，皆不聽. 帖木兒不花等還，贊成事安珦等餞于郊，李學士唱曰，“白酒紅人面”. 囑珦和之，珦遲留，李自和之曰，“黃金黑吏心”. 盖諷帖木兒不花受潛賂，緩其罪也:列傳38吳潛轉載].[123]

[己亥[14日]，太白入氐:天文3轉載].

[壬寅[17日]，白氣見于西北，橫亘東南:五行2轉載].

[某日，王命同知密直司事金台鉉·承旨宋璘·行省左右司官等，捕知申事金元祥，用吳祁之謀也. 元祥逸，故不獲. ○金深率三軍詣闕，請宿衛禦亂. 王不允，王亦知吳祁，斂[歛]怨於衆，傳旨曰，“當復金深及軍官等職”. [都僉議中贊]洪子藩疑吳祁害己，防備甚嚴. 祁亦疑懼，不離王側:節要轉載].[124]

乙巳[20日]，[都僉議中贊]洪子藩·元冲甲與諸宰相率三軍，圍王宮，執吳祁，遣護軍崔淑千，押送于元.[125]

[→[中贊]洪子藩與宰樞及[高麗右軍]萬戶金深，率三軍將士，及元冲甲等，圍王宮，請出吳祁. 王不許，請至再三，王不得已將出之. 祁勢窘，但叩頭請留，護軍吳賢良直入王所，執祈以出. 王使內人傳旨，請留祁，諸宰相持疑，子藩厲聲曰，上旣許之，何疑之有. 趣護軍崔淑千，押祁送于元. ○初，子藩議圍王宮，參理[前知密直司事]鄭瑎不可曰，“一姦臣，不過一武夫力耳，何至用兵”，子藩不聽. 後聞上國以爲言，乃悔之:節要轉載].[126]

---

123) 이들 두 기사는 같은 자료[同源史料]인 『충렬왕실록』에서 나온 것이겠지만, 人員數의 차이를 보이고 있다.

124) 金元祥에 관련된 기사로 다음이 있다.
 · 열전38, 金元祥, “[金元祥,] 遷知申事, 與洪子藩等數吳潛[吳祁]罪, 告元使帖木兒不花, 王聽潛[祁]譖, 命同知密直□□[司事]金台鉉·承旨宋璘·行省左右司官, 捕元祥, 元祥亡不獲. 尋拜左承旨”.

125) 이 기사는 열전38, 吳潛에도 수록되어 있다. 또 이 사실을 吳祁(吳潛의 前名)의 묘지명에는 同僚들의 猜忌를 받아 讒訴를 입어 다이두[大都]에 들어갔다고 되어 있다.
 · 「吳潛墓誌銘」, “爲儕輩見妬, 被讒入朝”.

126) 參理[都僉議參理]는 前知密直司事의 잘못으로 추측된다. 이때 鄭瑎는 都僉議參理(舊制의 參

[己酉[24日], 月犯房星:天文3轉載].

[某日, 內僚~~·親從護軍~~金儒, 告, "護軍朴圭·郎將吳仁贊, 出使于外, 潛備船艦資糧, 必有異謀". 王命宰樞, 鞫之:節要轉載].[127)]

[是月辛卯[6日], 夜地震, 中書省管內平陽·太原兩路尤甚, 村堡移徙, 地裂成渠, 人民壓死不可勝計, 遣使分道賑濟, 爲鈔九萬六千五百餘錠, 仍免太原·平陽今年差稅, 山場·河泊聽民採捕:追加].[128)]

九月[乙卯朔大盡,壬戌], [某日, 宰樞鞫圭及仁贊, 謀亂之狀以聞. 王大怒, 手裂其疏, 旣而悔之:節要轉載].

甲子[10日], 以洪子藩爲都僉議左中贊, 復尙左也.

乙丑[11日], 幸神孝寺.

[○大雷電以風:五行1雷震轉載].

庚午[16日], 王如元, [是行也, 蓋:節要轉載]請沮前王還國, 又欲以公主, 改嫁瑞興侯琠. [人以爲惑於承旨宋璘之謀也:節要轉載].

[→初, 忠宣以前王在元, 王用洪子藩言, 請還前王. [密直副使宋]邦英與從弟承旨宋璘, 素惡前王, 璘勸王如元, 沮前王還國, 又請以公主改嫁瑞興侯琠, 王從之:列傳38宋邦英轉載].

[乙亥[21日], 太白犯南斗:天文3轉載].

[是月, 肅州旱甚, 郊野自燒:節要·五行2轉載].[129)]

冬十月[乙酉朔小盡,癸亥], 癸巳[9日], 元遣兵部尙書脫脫帖木兒來, 捕吳祁, 蓋不知祁已赴京也.

[→□□[脫脫]帖木兒之來也, 宰樞出迎西普通□[院], 帖木兒問曰, "洪宰相來否. 來則

知政事)를 歷任할 序列에 있지 못하였다.

127) 金儒의 告變은 열전36, 嬖幸1, 李之氐, 金儒에도 수록되어 있는데, ~~添字~~는 이에 의거하였다.

128) 이는 『원사』 권21, 성종4, 大德 7년 8월 辛卯에 의거하였는데, 筆者가 字句를 補充하였다. 이날은 율리우스曆으로 1303년 9월 17일(그레고리曆 9월 25일)에 해당한다. 震源인 平陽路(現 山西省 臨汾市의 북쪽 洪洞縣, 趙城縣 附近인 것 같고, 地震學上으로 M8級의 대지진으로 關東大地震(1923, M7·9), 中國 河北省 唐山大地震(1976, M7·8)과 비슷한 피해가 있었을 것으로 추측된다고 한다(太田彌一郎 2003年). 또 山場·河泊은 山林[산판]·魚梁을 가리키는 것 같다.

129) 이 기사는 지8, 五行2에는 8월로 되어 있으나 오류일 것이다(盧明鎬 等編 2016년 578面).

可避，然後我當進”．子藩再三固辭．於是，相揖禮甚恭，帖木兒欲與同坐，子藩固辭以爲，陪臣安敢與帝使並坐．帖木兒强之，辭不獲，就一行折席坐，其見重如此：列傳18洪子藩轉載]．

乙未[11日]，王至西京，帝不許入朝，乃還．[130)]

[某日，脫脫帖木兒見王，屛左右曰，“帝有命，王雖離國，必令廻還，今已還國，此則可矣，敢問王之入朝，諸宰相以爲可乎?”．王曰，“然”．時，[都僉議中贊]洪子藩在側不敢言．使臣又曰，“帝有命，王之入朝，欲言何事?”．王不能對．使臣曰，“可與宰相商量”．子藩進言云云．王乃對曰，“吳祁及石胄父子，多行不法，聲聞于天，我實不知，然孰謂寡人不知，爲此恐懼，欲躬進天庭以聞耳”：節要轉載]．[131)]

[戊戌[14日]，月犯昴星：天文3轉載]．

壬子[28日]，幸外院[外帝釋院?]，設消災道場．

○都僉議中贊致仕蔡仁揆卒，[年七十四：追加]．[132)]

[是月頃，以李顔爲永州副使：追加]．[133)]

十二月[~~十一~~月大盡,甲子]，[甲寅朔，太白犯哭：天文3轉載]．

己未[6日]，[冬至]．太白晝見．

辛酉[8日]，元遣刑部尙書塔察兒·翰林直學士王約來．[134)] 約謂王曰，“天地間，至親者父子，至重者君臣．彼小人知自利，寧肯爲王國家地耶?”．王感泣，謝曰，“臣老

---

130) 이와 같은 기사가 열전38, 宋邦英에도 수록되어 있다.

131) 이와 같은 기사가 열전18, 洪子藩에도 수록되어 있다.

132) 여기에서 年齡은 「蔡仁揆墓誌銘」에 의거하였는데, 이날은 율리우스曆으로 1303년 12월 7일(그레고리曆 12월 195)에 해당한다.

133) 이는 『영천선생안』에 의거하였다.

134) 몽골제국에서 塔察兒·王約의 파견은 9월 12일(丙寅)에 결정되었다.

- 『원사』 권21, 본기21, 성종4, 大德 7년 9월 丙寅, “遣刑部尙書塔察兒·翰林直學士王約使高麗，以其國相吳祁專權，徵詣闕問罪”．
- 『원사』 권178, 열전65, 王約, “高麗王昛年老，傳國子謜，有不安其政者，飛讒離間，及謜朝京師，潛使人賂用事者，留謜不遣．昛復立，乃委用小人，厚斂淫刑，國人羣愬于朝．中書令執其首惡，繫刑部，其黨復不悛，奏屬約驗問．約至，宣布明詔，而諭之曰，天地間，至親者父子，至重者君臣．彼小人知自利，寧肯爲汝家國地耶．昛感泣，謝曰，臣老耄，聽信憸邪，是以致此．今聞命矣，願奉表自雪，且請子謜還國．其小人黨與，悉聽使臣治．翼日，約逮捕覆按其罪，流二十二人，杖三人，黜有官者二人．命故臣洪子藩爲相，俾更弊政，罷非道水驛十三，免耽羅貢非土産物，東民大喜．還報，稱旨，除太常少卿”．

耄, 聽信憸邪, 是以致此. 今聞命矣, 願奉表自雪, 且請前王還國. 其小人黨與, 悉聽使臣治".

[○於是,執宋璘及吳祁兄弟三司右尹蕆承旨演正郎珩少尹連妹壻中郎將趙深等, 囚于行省→이 기사는 2分하여 後者는 옮겨야 함].[135)]

於是, 執宋璘, 囚于行省[前者].

[→於是, 執宋璘, 囚于征東省. 數其罪曰, "汝勸王朝覲, 騷擾百姓, 一也. 汝父玢, 曾經禁錮, 帝之所知, 乃敢詐冒, 濫受朝命, 二也". 因謂王曰, "人之有疾, 得藥必愈, 今我之來, 誠王之良藥也". 遂與王至壽寧宮, 入香閣. 謂宰臣金延壽曰, "聞有幸臣金元桂者, 誰耶". 時, 元桂在王側, 跪見使臣曰, "入國境, 有告者曰, '元桂, 奪人已媒之妻, 又奪軍官虎符, 與妻之兄弟', 請治其罪", 執而囚之. 又囚護軍崔涓·中郎將黃允孫等, 嘗爲前王從臣, 久不赴都故也:節要轉載].[136)]

[→帝遣刑部尙書塔察兒, 翰林學士王約來, 執璘, 囚行省獄, 數之曰, "汝勸王朝覲, 擾百姓, 一也. 汝父玢, 曾禁錮, 帝之所知, 乃敢詐冒, 濫受朝命, 二也." 因謂王曰, "人有疾, 得藥必愈. 今我之來, 誠王良藥也". 遂與王至壽康宮, 入香閣, 謂宰相金延壽曰, "聞有倖臣金元桂者, 誰耶?" 時, 元桂在王側, 跪見塔察兒曰, "入國境, 有告云, 元桂, 奪人已媒之妻, 又奪軍官虎符, 以與妻之兄弟":列傳38宋邦英].

[某日:追加], [塔察兒等,] [執]吳祁兄弟三司右尹蕆·承旨演·正郎珩·少尹連·妹壻中郎將趙深等, 囚于行省[後者].

[→塔察兒等囚吳祁兄弟三司右尹藏·承旨演·正郎珩·少尹連及妹夫中郎將趙深:節要轉載].

[某日, 塔察兒等令行省左右司, 鞫[前護軍]朴圭等, 皆伏:節要轉載].[137)]

壬申[19日], 以韓希愈爲都僉議右中贊·判典理司事, 金琿爲[都僉議]侍郎贊成事·判軍簿司事, 安珦爲[都僉議]侍郎贊成事·判版圖司事, 崔有渰·柳庇並爲[都僉議]贊成事, 閔萱爲[都僉議]參理, [都]僉議參理閔漬△[爲]判密直司事, 鄭瑎爲密直司使, 李混·權永並△[爲]知密直司事, 金台鉉·金深△△[並爲]同知密直司事, 金延壽·[監察大夫]金文衍△[並]爲密直□[司]副使,[138)]

135) 『고려사절요』 권22에 의하면, 밑줄 부분의 기사는 이날에 일어난 사실이 아니다[校正事由].

136) 이 기사는 열전38, 宋邦英에도 수록되어 있으나 字句에 出入이 있다.

137) 이는 열전36, 嬖幸1, 李之氐, 金儒에 축약되어 있다("後元使塔察兒, 令行省鞫之, [護軍朴]圭等果伏").

138) 添字는 『고려사절요』 권22에 의거하였다.

密直副使洪詵爲版圖判書，郭膺爲監察大夫，李瑱爲典法判書，朴顗爲右常侍，密直副使高世·康純爲三司左·右使.

戊寅[25日]，遣密直副使金延壽·大護軍夜先旦如元，賀正.

○又遣齊安公淑，請還前王，表曰，"乾坤德洽，遐荒亦合爲一家，父子性存，恩愛何忘於兩地. 敢陳鄙蘊，仰瀆宣聽. 伏念，幸緣早歲之忠勤，獲忝先朝之釐降，方初得子，鍾憐奚止於隋珠. 及至成人，割愛令歸於漢闕，既累生孫於帝側，又曾尙主於日邊. 喜極事乖，情疎奸入，以任從於膚受，江忽有沱. 如能辨其面欺，王[玉]何爲石. 不明由己，可責在臣. 屬奸黨之伏辜，知惡言之移意. 今玆反本，還復如初，適逢天使之鼎來，悉照臣衷而策發，如解宿酲而自省，益驚睿聦之尤加. 況小邦，久依穠李之陰，能保苞桑之業，嘆昔人之難復，思佳婦之足憑. 伏望，哀臣未免於先迷，念臣匪稽於後悟，勅令嗣子王璋，陪公主而還國，盡孝撫民. 則臣得舊寶，坐消晩景之虞疑，民無貳心，專戴春陽之化育".

十二月[甲申朔小盡,乙丑]，[癸巳[10日]，月犯昴星:天文3轉載].

甲午[11日]，以前知申事金元祥·前判秘書省事金珆爲密直左·右承旨，金子興·金賟爲左·右副承旨.

[□[是]時，王惟紹·宋邦英輩，離間王父子，王用元使塔察兒及洪子藩言，欲與前王如初. 元祥以爲如此，則前王從臣，皆當復職用事，得無怒我耶. 乃以計，讓銓選于右承旨金珆，□[珆]固辭. 國人皆知元祥之姦:列傳38金元祥轉載].[139)]

[丙申[13日]，月入東井:天文3轉載].

癸卯[20日]，太白晝見.

[甲辰[21日]，赤氣見于坤方:五行1轉載].

庚戌[27日]，彗見西方.[140)]

---

139) 이에서 ~~添字~~가 추가되어야 옳게 될 것이다.

140) 中原에서도 이날 혜성이 관측되어 明年(大德8) 3월 13일(乙丑)까지 74일간 계속되었다고 한다(『원사』 권21, 본기21, 성종4, 대덕 8년 3월 乙丑·권48, 지1, 천문1, 月五星凌犯及星變上). 또 일본의 교토에서는 28일(辛亥) 혜성이 출현하였다고 하며, 이해의 6월 13일(己亥)에도 혜성이 출현한 적이 있었다고 한다.
- 『師守記』, 康永 4년 7월, 文永以來天變年々幷御祈以下被行事, "嘉元々年六月七日, 今夜天變出現云々, 十三日, 彗星見艮方, 芒氣一尺餘, 其色白, 有軸星, 去十日以後, 每晩出現云々, 廿九日, 亥剋, 天變, 自南亘北方, 有頭, 其長一丈餘云々, 入雲中. … 同年[嘉元1年]十二月廿八日, 彗星出現".

○中書省移文, 略曰, "征東省欲將本國所貯兵糧, 折支行省官吏俸. 都省送戶部, 議得, 高麗錢糧, 止從東國支用".

[壬子29日晦, 以前政堂文學金晅, 爲都僉議贊成事, 仍令致仕:追加].141)

[是年, 以奉君碩爲碩州副使:追加].142)

[○以李齊賢爲權務奉先庫判官:追加].143)

[是年, 元以金台鉉爲承務郞·征東行中書省左右司郞中:追加].144)

[增補].145)

· 『續史愚抄』13, 乾元 2년 6월, "今年春夏間, 彗星見及炎旱 … 嘉元1年十二月 … 廿八日辛亥, 有彗星見西, 今年兩度見".

141) 이는 「金晅墓誌銘」에 의거하였다.

142) 이는 『연안부지』에 의거하였다.

143) 이는 「李齊賢墓誌銘」에 의거하였다.

144) 이는 「金台鉉墓誌銘」에 의거하였다.

145) 이해(大德7)에 몽골제국에서 다음의 일이 있었다.

· 『中庵先生劉文簡公文集』 권22, 題葉國瑞遼陽諸公詩卷後, "大德癸卯奉使宣撫山北遼東道, 五月至行省治所懿州. 臨川葉國瑞出示, 聿修右丞洪君·東庵盧先生仲勉·復齋河闊·教授河通甫·閔庵劉繹·金總管諸人, 六年正月五日, 同遊遼陽南百里許千頂山禪寺浹, 旬乃還, 所賦詩一編讀之, 不覺有聞韶之, 嘆爲題數語于後. 是月, 下澣六日也. 東庵無意筆不休, 渾然天質絶雕鎪. 鉤 臨川奇崛含優柔, 古劍佩以珊瑚鉤, 劉金兩河殆一流, 摹寫妙絶如營丘. 俊逸乃有洪聿修, 氣象不揜蒼生憂. 山遊爛熳十日有, 名跡便作千年收. 似聞老衲藏嵓幽, 山鬼啼泣山靈愁. 但恐一朝追昔遊, 所有不足供宴搜. 乾坤元氣散九州, 萬古遼水淸悠悠. 黃華仙去凡幾秋, 數子者起鳴相酬. 我老乘馹困海徼, 妙語一見我病瘳, 詩派乃出天東頭".

이 자료는 劉敏中(1243~1318)이 1303년(大德7, 충렬왕29) 5월 山北遼東道의 宣撫使로 파견되었을 때, 遼陽行省의 治所인 懿州(淸代의 盛京 廣寧縣, 現 遼寧省 阜新의 北東部地域, 蒙古族自治縣의 東北 지역 塔營子城)에서 遼陽行省의 官僚들을 만나 지은 詩文에 대한 것이다. 이에 나타난 인물은 聿修 右丞洪君·東庵 盧仲勉·復齋 河闊·教授 河通甫·閔庵 劉繹·總管 金某·臨川人 葉國瑞 등이다. 그중 고려인으로 추정되는 사람은 '聿修·右丞 洪君'과 '總管 金某'인데, 이들은 요양행성의 右丞 洪重喜(?~1311, 茶丘의 子, 이름은 萬, 字는 重喜)와 高麗軍民總管府 또는 懿州의 總管으로 추측되는 金某이다. 聿修는 洪重喜의 號로 추측되며, 劉敏中이 그를 洪君으로 稱하고 있는 점을 보아 두 사람 사이에는 親分이 있었던 것 같다.

또 臨川人 葉國瑞는 江西等處儒學副提擧 葉瑞(1247~1331)인데, 그는 江西行省 撫州路 金溪人으로 洪氏一族의 밑에서 仕宦하다가 그들의 추천으로 遼陽路儒學教授에 임명되었다. 그리고 충숙왕대에 征東行省儒學教授로 파견되어 온 盧欽의 인적사항이 고려 측의 자료에서는 그의 祖父가 '北方宗師 東庵先生'으로만 되어 있어(『졸고천백』 권1, 送盧教授西歸序), 어떠한 인물인지를 알 수 없었다. 그런데 이 자료를 통해 東庵이 盧仲勉임을 알 수 있게 되었고, 또 盧欽이 遼瀋의 洪氏들과 연결되어 있었던 盧仲勉의 孫子임을 알 수 있게 되었다.

[是年頃, 忠宣王以前王, 在元, 見譖于忠烈王, 資用不繼, 欲賣寶帶, 怡金廷美曰, "世寶不可輕鬻". 遂貸錢以供頓:列傳21金怡轉載].[146)]

甲辰[忠烈王]三十年, 元大德八年 [西曆1304年]

1304년 2월 6일(Gre2월 14일)에서 1305년 1월 25일(Gre2월 2일)까지, 355일

春正月癸丑朔大盡,丙寅, 王在齊安公第, 不豫, 放朝賀.

甲寅2日, 彗見于奎.[147)]

○都僉議贊成事致仕伍允孚卒.[148)] [允孚, 世爲太史局官, 精於占候, 經夕不寐, 雖祁寒盛暑, 非疾病不廢. 一夕, 有星犯天樽曰, "當有飮者, 奉使來". 他日, 有星犯女林曰, "當有使者臣來, 選童女". 皆驗. 又善卜筮, 元世祖召試之, 益有名. 忠烈14年世祖, 親征乃顔, 王欲率兵助征, 行至平壤, 先遣柳庇, 旣行, 使允孚卜之. 對曰, "某日庇必還, 而殿下亦自此返矣", 至期, 王登聖容殿後岡, 北望久之, 戲謂允孚曰, "汝卜得無謬乎?", 使左右執之. 允孚進曰, "今日尙未昏, 可少待", 有頃, 驛騎揚塵而來, 果庇也. 庇至, 上謁曰, "帝有詔還兵", 王益信之. 允孚, 性切直, 頗以國事爲己憂, 每因災異, 輒入告, 言甚懇至, 時政有可言, 卽入諫. 不聽, 涕泣固爭, 期於必從. 嘗告朔奉恩寺太祖眞殿, 旣奠且拜且泣曰, "太祖太祖, 君之國事, 廿非矣", 因嗚咽不自勝, 其誠懇類此. 爲人貌醜, 寡言笑. 安平公主嘗謂王曰, "何故數引見此人?", 王曰, "允孚吾之崔浩, 貌雖醜, 不可棄也". 後, 公主頗改容禮之. 嘗自圖天文以獻, 日者皆取法焉:節要轉載].[149)]

癸亥11日, 復析州郡之倂者, 罷晋州·羅州·溟州·仁州·靈光·密城判官, 祖江·河源勾當□及羅州道館驛使.[150)] [是時, 密城管內梁州爲防禦使官, 大丘縣合屬義城縣,

---

146) 原文은 "忠宣受禪, 尋遜位以前王, 在元, 見譖于王, 資用不繼, 欲賣寶帶, 怡曰, 世寶不可輕鬻. 遂貸錢以供頓"으로 되어 있다.

147) 이날(甲寅, 日本曆의 1일) 京都에서도 혜성이 관측되었다고 한다.
- 『師守記』, 康永 4년 7월, 文永以來天變年々幷御祈以下被行事, "同嘉元二年正月一日戌剋, 彗星出現未申方, 光芒二尺餘, 此後夜々出現".

148) 이날은 율리우스曆으로 1304년 22월 7일(그레고리曆 2월 15일)에 해당한다.

149) 이 기사는 열전35, 方技, 伍允孚에도 수록되어 있는데, 添字는 이에 의거하였다.

150) 添字를 추가하여야 옳게 될 것이다. 또 이때의 分割措置는 1301년(충렬왕27) 5월 8일(丙午) 闕

靈光縣合屬古阜郡, 依前復舊:追加].[151)]

[乙丑[13日], 月暈井鬼:天文3轉載].

丙寅[14日], 塔察兒·王約, 流吳演[·金元桂:節要轉載]等十人于海島, 釋宋璘.

庚午[18日], 塔察兒·王約還.[152)]

○遣密直副使[~~同知密直司事~~]金深如元,[153)] 表謝遣使來治吳祁之黨, 又請還前王. 表曰, "狐媚之姦, 一朝掃地, 鶴鳴之懇, 千里聞天. 伏念, 猥以蕞資, 寄于荒服, 唯把忠純之性, 賴德享榮. 不虞欺蔽之徒, 借威肆虐, 渠魁向上司而曾往, 餘種留此土以尙存. 今有塔察兒尙書·王學士[王約], 銜命遠來, 與臣同議, 乃拘囚而察罪, 當輕重以定刑, 公正爲心, 神明決事. 二星所降, 乃知萬國之歆, 數月未盈, 已得三韓之理, 君臣皆正, 父子亦和. 惟玆賢使之幸逢, 端是聖皇之慈護. 因思前歲, 遙奏下情, 爲定省之久違, 計光陰而佇待. 願勑克家之胤, 斯速穩還, 亦令宜室之逑, 共來相見".

丙子[24日], 以[知都僉議司事]李之氐爲都僉議贊成事,[154)] 閔萱△[爲]咨議都僉議贊成事, 鄭瑎△[爲]判三司事, [知密直司事]李混△[爲]判密直司事, 權永爲密直司使, 金深△[爲]知密直司事, 高世△[爲]同知密直司事, 朴顯爲密直副使, [左承旨]金元祥△[爲]知申事, 洪敬爲右承旨.[155)]

丁丑[25日], 幸妙蓮寺, 祝帝壽.

[某日, 以李□[某]爲慶尙道按廉使:慶尙道營主題名記].

壬午[30日], 以安于器爲右副承旨.[156)]

二月[癸未朔大盡,丁卯], [某日, 下中贊宋玢子琜于巡軍獄. 初, 玢欲廢前王, 且謀改嫁公主, 恐事不濟, 以季女嫁帝乳母之子爲援, 其壻自元送錢, 享王. 宰樞俱會, 琜行

里吉思의 壓迫에 의해 합병된 郡縣을 復舊시킨 것으로 추측된다.

151) 이는 다음의 자료에 의거하였다.

- 지11, 지리2, 梁州, "顯宗九年, 置防禦使, 後元中書省, 以本國官繁民弊爲言, 故併于密城, 然州縣稟命守宰, 勞於往來, 至忠烈王三十年, 復舊". 이때 判官이 폐지된 地域의 管內에 합병되었던 郡縣이 모두 復舊되어 守令이 파견되었던 것 같다.
- 지11, 지리2, 義城縣, "忠烈王時, 併于大丘, 尋復舊".
- 지11, 지리2, 古阜郡, "忠烈王時, 併于靈光, 尋復舊".

152) 王約은 귀국한 후 이때의 見聞을 『高麗志』4권으로 著述하였던 것 같다(『원사』 권178, 열전65, 王約).

153) 金深은 前年 11월 19일 同知密直司事에 임명되었으므로 密直副使는 同知密直司事의 잘못이다.

154) 이후 李之氐는 合浦鎭邊萬戶府에 出鎭하였다고 한다(열전36, 李之氐, "加贊成事, 出鎭合浦").

155) 洪敬은 洪子藩의 長子로서 僉議贊成事에 이르렀고, 謚號는 良順이라고 한다(열전18, 洪子藩, 敬).

156) 이때 安于器는 正獻大夫·右副承旨에 임명되었다고 한다(安于器墓誌銘).

酒, 中贊洪子藩辭以醉不飮. 琛怒出不遜語, 子藩亦怒, 遂出. 琛厲聲曰, "復相子藩, 豈帝之所知乎?". 宰相白王, 囚之. 子藩怒, 數日不視事:節要轉載].

[→宋玢謀欲廢忠宣, 改嫁公主, 恐事不濟, 以帝乳母子爲季女壻. 壻送餞享王, 宰樞俱會. 琛行酒, 中贊洪子藩辭以醉不飮. 琛出不遜語, 子藩恚遂出. 琛厲聲曰, "復相子藩, 豈帝所知乎?". 宰相白王, 囚之, 子藩怒, 數日不視事. 初, 子藩免, 玢代爲首相, 將遣使外郡求子藩過失, 子藩知而沮之. 由是, 二人不相能:列傳38宋玢轉載].

辛卯[9日], 元遣都古達·也先帖木兒來, 頒省刑□[罰]詔.[157)]

丙申[14日], 燃燈, 王如奉恩寺.

○是日, 以塔察兒·王約言'朝廷未有明禁', 復用黃袍·黃傘.

[→復用黃袍·黃傘. 塔察兒·王約之歸也, 言於王曰, "黃袍·黃傘, 闊里吉思雖有異論, 朝廷未有明禁, 猶可復用". 王遂復之:節要轉載].

乙巳[23日], [塔察兒·王約,] 以內僚·前護軍宋均, 黨宋邦英, 沮毁前王, 囚于巡軍.

[→囚內僚·前護軍宋均于巡軍. 初, 王以[中贊]洪子藩之言, 表請還前王, 前密直副使宋邦英·前承旨宋璘等, 惡前王, 說王, 作畏吾字書, 獻于帝沮之. 遂以金寶印白紙十二幅授均, 託以請入朝, 至京師, 凡可以沮毁前王者, 隨宜作書, 獻于帝. 會帝不允入朝之請, 均不得施其計, 乃藏其紙于宦者福壽[李淑]家,[158)] 乃還. 後, 郎將李承雨, 賫其紙東還, 會塔察兒歸, 遇諸路取之, 還付承雨二幅曰, "汝歸, 以示汝國宰相". 卽以其餘, 上中書省, 且言均謀. 省官曰, "除吳祁·石天補外, 亦有如此行詐者乎?", 承雨還, 以告宰樞, 白王, 囚之:節要轉載].

[→邦英及璘, 嘗說王作畏兀兒字書, 獻帝沮前王還國. 用金寶以印白紙十二幅, 授宋均, 托入朝至京師, 凡可以沮毁前王者作書, 獻帝. 會帝不許入朝, 均計不得行, 藏其紙于宦者李福壽家而還. 後郎將李承雨, 齎其紙東還, 會塔察兒歸, 道遇取之, 與承雨二幅曰, "持此, 示汝國宰相". 乃以餘紙, 上中書省, 具言均謀曰, "吳祁·石天補外, 亦有如此行詐者乎?". 承雨還以告, 宰樞白王, 囚均于巡軍:列傳38宋邦英轉載].

---

157) 몽골제국에서 1월 7일(己未) 災異로 인해 刑罰을 輕減하는 詔書가 반포되었다(『원사』 권21, 본기21, 성종4, 大德 8년 1월 己未).

158) 福壽[Quso]는 元에 들어가 立身한 宦官 李淑의 初名[小字]이다(열전35, 宦者, 李淑).

三月癸丑朔小盡,戊辰, 庚申8日, 梨峴新宮成, 王幸觀之, 大宴. 賜護作官, 白金, 人一斤, 賜工徒, 酒食.[159)]

辛未19日, 命釋內僚宋均. 宰樞不肯. 使衛士召均, 至宮門釋之.[160)]

[→尋命釋之. 宰樞不肯. 王使衛士, 召均至宮門乃釋:列傳38宋邦英轉載].

丁丑25日, 元遣兵部尙書伯伯·劉學士來, 鞫內僚宋均·宋邦英等于行省.

[→元遣兵部尙書伯伯·劉學士來. 王迎入行省. 伯伯傳帝旨, 問曰, “王嘗上表請還前王乎?”, 曰, “然”. 曰, “又有以畏吾文字, 請沮之乎?”. 曰, “不知”. 伯伯顧屬宰相等, 爲證, 使具書王所言, 爲咨文, 遂執宋均問曰, “汝用金寶紙, 欲爲何等事?”. 均曰, “王使均, 請入覲, 惟此一事耳”. 又問, “誰書畏吾文字乎?”. 對曰, “護軍田惠也”. 以問惠, 惠不敢匿. 伯伯乃曰, “中書省欲奏請還前王表, 適畏吾文字出, 無署無印, 省官疑之, 寢不奏”. ○王還宮, 宋邦英·宋璘等, 入說王, 使□□左副承旨金子興, 持畏吾文字草本, 以示使臣曰, “我倉卒承問, 輒以不知對, 旣還, 得此書於箱篋, 但忘之耳, 實我所知也”. 邦英等, 恐子興傳之不悉, 遣其黨韓愼偕往. 伯伯怒, 問子興曰, “王授汝草本時, 誰在王側”. 曰, “宋邦英·宋璘·韓愼在左右”. 伯伯使子興, 書其言爲契. 又問宰相等曰, “王於行省, 與吾有言耶?”, 宰相等, 對云云. 伯伯又書爲契. 王請宴, 使臣辭, 乃與王鞫邦英等于行省. 王出言若將救之者, 伯伯曰, “有臣如此, 不治其姦, 後將益甚”. 遂出畏吾文字草本, 以問宋璘曰, “書此者爲誰”. 曰, “邦英”. 鞫邦英不服, 被縛乃服. ○邦英, 璘之從兄也. ○惠, 本國人, 自先世入居遼陽, 內僚石天卿引爲腹心, 起家至護軍, 生事誤國, 其惡有甚於金天錫:節要轉載].[161)]

[是月頃, 吳永丘爲東京副留守, 金光軾爲東京少尹:追加].[162)]

夏四月壬午□朔大盡,己巳, 伯伯將還, 百官請罪宋邦英等. 伯伯乃與王議,[163)]

[→伯伯將還, 百官與書曰, “邦英等, 志在患失, 欺罔君父, 無臣子之義, 請歸奏

---

159) 工徒는 工匠·工匠之徒를 지칭하는 것 같다.
・『신당서』 권91, 열전16, 崔善爲, “善爲, 巧于曆數, 仕隋, 調文林郞, 督工徒五百, 營仁壽宮”.

160) 內僚 宋均은 忠烈王·忠宣王의 對立에서 前者를 지지하던 王惟紹·宋邦英의 一黨이었다(열전38, 王惟紹).

161) 이 기사는 열전38, 宋邦英에도 수록되어 있으나 字句에 出入이 있다.

162) 이는 『동도역세제자기』에 의거하였다.

163) 壬午에 朔이 탈락되었다.

天子，亟正其罪，使前王及公主東還，國人之望也". 於是，伯伯·劉學士乃與王議: 節要轉載]，令大護軍夜先旦·中郎將金章，押邦英等，送于元.[164]

癸未[2日]，太白晝見.

[○鎭星犯大微[太微]:天文3轉載].

丙戌[5日]，王置酒壽寧宮，賞花.

[○月入東井:天文3轉載].

戊子[7日]，亦如之[王置酒壽寧宮，賞花].

乙未[14日]，令內庫，宴于壽寧宮.

○聚巫禱雨.

丙申[15日]，前□[右]中贊韓希愈·贊成事崔有渰·[都僉議贊成事]柳庇還自元. 有渰·庇詣中書省，求奏請還前王表，未獲而還.

壬寅[21日]，以韓希愈△[爲]咨議都僉議中贊.

丁未[26日]，[芒種]. 元遣參知政事忽憐·翰林直學士林元來. 時，吳祁·石天補繫獄于元，又以其黨，肆爲姦欺，無所畏忌，故遣二人，鎭遏之.[165]

[是月，旱:五行2轉載].

五月壬子朔[大盡，庚午]，日食.[166]

丙辰[5日]，宴忽憐·林元于涼樓，觀擊毬戲.

[→觀衛士擊毬:節要轉載].

[壬戌[11日]，夏至. 流星出紫微，入虛·危間:天文3轉載].

己卯[28日]，[都僉議]贊成事安珦建議，置國學贍學錢.[167]

---

164) 이때 金子興(金琿의 長子)이 宋邦英의 治罪에 참여했던 기사로 다음이 있다. 이에서 吳賢良은 吳玄良으로도 표기되었는데, 前者가 誤字일 가능성이 있다(→충렬왕 29년 7월 25일, 충선왕 복위년 10월 4일).

· 열전16, 金慶孫, 琿, "自興, … 累遷左副承旨. 元使伯伯來，問宋邦英事，子興與[左承旨]金元祥·吳賢良[吳玄良]，協謀剪除兇黨".

165) 중국 측의 자료에 이해의 11월 4일(壬子) 制用院使 忽鄰(Kuril)·翰林直學士 林元을 파견하여 고려를 撫慰하게 하였다고 되어 있지만, 시기정리[繫年]에 실패하였다.

·『원사』 권21, 본기21, 성종4, 大德 8년 11월 壬子, "遣制用院使忽鄰·翰林直學士林元撫慰高麗".

166) 이날 中原에서도 일식이 있었다(『원사』 권21, 본기21, 성종4, 大德 8년 5월 癸未朔[壬子朔]). 또 이날(율리우스력의 1304년 6월 4일)의 일식은 북동아시아 3국이 中心食帶에서 벗어나 있었기에 관측될 수 없었다(渡邊敏夫 1979年 311面).

167) 贍學錢이라는 용어가 사용된 것은 중국 측의 자료에서도 확인되고, 贍은 供給，充足，豊富와 같

[→置國學贍學錢. 初, 贊成事安珦, 憂庠序大毁, 儒學日衰. 議兩府曰, 宰相之職, 莫先於敎育人材, 今養賢庫殫竭, 無以資敎養, 請令六品以上, 各出銀一斤, 七品以下, 出布有差, 歸之養賢庫, 存本取息, 永爲敎養之資. 兩府從之. 事聞, 王出內庫錢穀以助之. 時, 有密直知密直司事高世者, 自以武人, 不肯出錢. 珦謂諸相曰, "孔子之道, 垂憲萬世, 臣忠於君, 子孝於父, 弟恭於兄者, 是誰之敎耶?. 若曰, '我爲武人, 何苦出錢, 以養爾生徒', 則'是不爲孔子也而可乎?". 世, 聞之甚慚, 卽出錢. 珦又以餘貲, 付博士金文鼎, 送江南, 畫先聖及七十子之像, 又購祭器·樂器·六經·諸子史以來. 至是, 珦請以密直副使致仕李㦃·典法判書李瑱, 爲經史敎授都監使.[168] 於是, 禁內學館及內侍·三都監·五庫五軍,[169] 願學之士, 七管·十二徒諸生橫經受業者, □動以數百計:節要轉載].[170]

[□□是時, 有諸生不禮先進, 珦怒將罰. 生謝罪. 珦誓曰, "吾視諸生, 猶吾子孫, 諸生何不体老夫意", 因引至家置酒. 諸生相謂曰, "公之待我, 以誠如此, 若不化

은 意味를 지니고 있다.

· 『속자치통감』 권99, 建炎 1년 7월, "辛卯3日, 籍東南諸州神霄宮田租及贍學錢以助國用".

168) 이와 관련된 기사로 다음이 있다. 또 이 시기에 安珦은 國學과 學校[庠序]를 수리하고 李晟·秋適·崔元冲(崔雍의 子, 崔瑩의 伯父인 崔元中으로 추측됨, 열전12, 崔惟淸, 雍) 등을 起用하여 經書의 敎授로 삼아 禁內學官[禁學]·內侍·五軍·三官의 7品이하로부터 內外生員에 이르기까지 學習하게 하였다고 한다. 또 故郞中 兪咸의 아들로서 史記와 漢書에 능한 僧侶 某를 泗州에서 京師로 招聘하여 尹莘傑·金承印(金坵의 庶子)·徐諲·金元軾·朴理 등을 보내 講說을 듣게 하자, 선비의 무리[薦紳之徒]가 通經博古를 중히 여겼다고 한다.

· 지31, 百官2, 經史敎授都監, "忠烈三十年, 揀名儒二人爲使".

· 『櫟翁稗說』前集2, "… 大德末, 安文成珦爲宰相, 葺國學修庠序, 擧李晟·秋適·崔元冲等, 一經置兩敎授, 令禁學禁內學館?·內侍·五軍·三官三都監?, 七品以下, 至內外生員, 皆從而聽習".

169) 五庫는 五軍의 오자로 추측된다(→上記 『역옹패설』전집2). 또 이 記事의 "禁內學館及內侍·三都監·五庫五軍"와 같이 帝王의 側近에 "內侍·茶房·三官·五軍·禁學兩官"(→충렬왕 16년 5월 13일), "近侍·茶房·三官·五軍"(→충선왕 복위 1년 3월 24일)이 있었음을 통해 類推할 수 있다.

170) 이와 같은 기사가 열전18, 安珦에도 수록되어 있고, 이를 축약한 기사로 다음이 있다.

· 지28, 選擧2, 學校, "安珦建議, 令各品出銀布有差, 以充國學贍學錢, 王亦出內庫錢穀, 以助之. 珦以餘貲, 送江南, 購六經諸子史以來. 於是, 願學之士, 七管·十二徒諸生, 橫經受業者, 動以數百計".

· 『신증동국여지승람』 권4, 개성부상, 學校, "成均館, 在炭峴門內. 大聖殿安五聖十哲塑像, 東·西廡有七十子及歷代諸賢位版, 殿前有明倫堂. … 忠烈王朝, 安裕憂國學衰, 議兩府請令六品以上各出銀一斤, 七品以下出布有差, 歸養賢庫, 存本取息, 爲贍國學錢. 王聞, 亦出內庫錢穀助之. 裕又以餘財付金文鼎, 送中原, 購畫先聖·先師七十子像, 并求祭器·樂器·經史以來, 且薦李㦃·李瑱爲敎官. 於是禁內學館·內侍·三都監·五庫五軍願學之士及七營十二徒, 橫經受業者百計".

服, 我爲人耶?":列傳18安珦轉載].

六月壬午朔小盡,辛未, 乙酉4日, 國學大成殿成. [初忠烈王26年, 元左丞耶律希逸, 以殿宇隘陋, 甚失泮宮制度, 言於王, 新之. 至是乃成:節要轉載].[171]

丙戌5日, 王詣國學, 忽憐·林元從之, 七管諸生具冠服, 迎謁於道, 獻謌謠. 王入大成殿, 謁聖, 命密直使判密直司事李混,[172] 作入學頌. 林元作愛日箴, 以示諸生.

丙申15日, 安西王阿難達遣使來, 求閹人.

秋七月辛亥朔大盡,壬申, 丁巳7日, 內僚宋均賫金剛山圖如元, 宰樞使人追止之, 均曰, "王有命, [不可還":節要轉載], 遂去.

癸亥13日, [處暑]. 宴于壽寧宮.

[→內庫享王:節要轉載].

[戊辰18日, 太白·熒惑同舍:天文3轉載].

庚午20日, 以韓希愈爲□都僉議右中贊, 宋璘△爲知申事.

[是日頃, 以右副承旨安于器爲右承旨:追加].[173]

己卯29日, 江南僧紹瓊來, 遣□右?承旨安于器, 迎于郊. 瓊自號鐵山.[174]

---

171) 이와 같은 기사가 지31, 選擧2, 學校에도 수록되어 있다.

172) 密直使는 判密直司事의 오류일 가능성이 있다. 李混은 이해[是年]의 1월 24일 判密直司事에 임명되었고, 충렬왕 33년 3월 27일 都僉議贊成事에 임명되었다.

173) 이는 「安于器墓誌銘」에 의거하였다.

174) 鐵山紹瓊은 臨濟宗 南岳下 21世로서 南岳下 17世孫인 雪巖祖欽(?~1287)과 그의 제자 高峰原妙(1238~1295)의 영향을 받으면서 성장하다가 南岳下 20世 蒙山德異(1232~1298?)에게 나아가 佛法을 배웠고, 후에 南嶽 鐵山에 거주하였다. 그는 蒙山德異와 함께 江浙行省 平江路 吳縣 지역(現 江蘇省 蘇州市)에서 禪風을 떨치다가 高麗人들로부터 추앙을 받은 인물로(『曇芳和尙語錄』권下, 守忠行業記 ; 『補續高僧傳』 권12, 習禪篇, 鐵山瓊禪師傳 ; 『五燈會元續略』 권3下, 臨濟宗 南嶽下 蒙山異禪師, 鐵山瓊禪師, 香山無聞聰禪師), 남악하 22세 中峰明本이 그를 위한 讚과 偈頌을 짓기도 하였다(『天目中峰和尙廣錄』 권8, 佛祖讚, 南嶽鐵山瓊禪師, 권29, 偈頌, 贈鐵山道人禮寶陀).
또 鐵山紹瓊이 고려에 오기 2년 전에 江淮에서 無禪師가 船舶을 타고 왔다고 하며, 吳楚地域에서 禪風을 떨쳤던 鐵山紹瓊도 남쪽에서 왔다고 한 점을 보아, 이들은 모두 江南 商人의 商船을 따라 고려에 온 것 같다. 또 이때 鐵山紹瓊은 그의 제자였던 冲鑑(圓明國師)을 따라 고려에 왔다고 하며, 이후 朴全之의 讚을 지었다고 한다.
- 「金賆妻許氏墓誌銘」(→충렬왕 28년 是年의 脚注).
- 『危太僕文續集』 권3, 林州大普光禪寺碑, "… 遊諸方宿, 留吳楚, 聞鐵山瓊禪師道行甚高, 迎之東還, 師執侍三載, 瓊公甚期待之. 及瓊公辭歸, 師主龍泉寺, …"(『신증동국여지승람』 권17,

[某日, 以尹宋弘爲慶尙道按廉使:慶尙道營主題名記].

八月[辛巳朔小盡,癸酉], 甲申[4日], 遣□[右]中贊韓希愈如元, 賀天壽節.

丁亥[7日], 王率群臣, 具禮服, 邀紹瓊于壽寧宮, 聽說禪.

甲午[14日], 宋邦英·宋璘[及上護軍李宏:節要轉載]等還自元, 王各賜衣. [時, 帝寢疾, 政在中宮, 宏兄宦者福壽[李淑], 得幸用事. 又帝乳母爲璘營救, 故邦英等, 賴以免. 先是, 韓希愈與崔崇·吳演等, 入內議事, 號曰別廳. 至是, 邦英·璘亦與焉:節要轉載].[175]

丙申[16日], 命停今年科擧.

丁酉[17日], 遣知密直司事高世于瀋陽, 推刷人物, 內僚·[大護軍]金儒, [護軍]高汝舟, 潛以書達前王, 事覺, 王怒杖之, 下巡軍.

[→王遣密直[知密直司事]高世于瀋陽, 括人物, [金]儒, 時爲大護軍, 與護軍高汝舟, 潛以書達忠宣. 事覺, 王怒杖之:列傳36金儒轉載].

九月[庚戌朔^小盡,甲戌], 甲戌[25日], 遼陽行省參政[參知政事]金詵, 偕[知密直司事]高世來.[176]

[是月, 三重大師大均刻'佛說阿彌陀經':追加].[177]

冬十月[己卯朔大盡,乙亥], [乙未[17日], 雷:五行1雷震轉載].

[丙申[18日], 熒惑犯左執法:天文3轉載].

[○亦如之[雷]:五行1雷震轉載].

[是月戊戌[20日]:追加], 元杖流吳祁·石天補兄弟于安西.[178]

林川郡, 佛宇 소수 ; 張東翼 1997년 99面).

· 『曇芳和尙語錄』권下, 守忠行業記, "師諱守忠, 字曇芳, … 時鐵山瓊公, 道震吳中, 往咨叩, 就見蒙山異公, 公問鄕里, 師云'都昌', 曰 '舡來, 陸來', 曰'二俱不涉', 公展兩手, 師瞠目視之, 遂同居休休庵".

· 「朴全之墓誌銘」, "… 故中朝小林長老一見奇之, 寫影傳眞南, 嶽鐵山讚之, 則可知高風爽氣, 感激達人之襟懷也".

175) 이와 같은 기사가 열전38, 宋邦英에도 수록되어 있다.

176) 金詵은 進禮縣 출신으로 1273년(원종14) 7월 21일 奉表使·上將軍으로 書狀官兼直史館 李仁挺과 함께 다이두[大都]에 파견되어 8월 28일(丁丑) 長朝殿에서 聖誕節을 賀禮한 인물이다.

177) 이는 다음의 자료에 의거하였다(郭丞勳 2021년 292面).

· 『佛說阿彌陀經』刊記, "大德八年九月日 三重大均刻,」 勸善 界安, 同願 白全, 孫守, 宋子盡, 林滑, 都佺」".

十一月[己酉朔小盡,丙子, 大雪. 雷:五行1雷震轉載].[179]

[壬子4日, 亦如之雷:五行1雷震轉載].

[癸丑5日, 亦如之雷:五行1雷震轉載].

[某日], 元宦者·太監李淑奉御香來, 王出迎于迎賓館, 宴于壽寧宮.[180]

[→元遣宦者李淑來. 淑, 卽福壽也, 本平昌郡人, 母太白山巫女也. 王之遣使奏請也, 淑嘗有功, 故王特厚之:節要轉載].

[→李淑, 選入元, 爲太監. 王有所奏請, 淑有功, 王待甚厚. 嘗奉御香來, 請以愛妓子鄭承桂爲內乘別監, 王旣許, 猶不用. 以淑將往金剛山, 設宴邀之, 淑怒不至, 王更許之, 乃至:列傳35李淑轉載].

[癸亥15日, 月犯鉞星, 又犯東井南轅第二星:天文3轉載].

乙亥27日, 彗見虛·危間.[181]

[是月壬子4日, 元以內郡·江南人, 凡爲盜黥三次者, 謫戍遼陽, 諸色人及高麗三次免黥, 謫戍湖廣, 盜禁籞馬者, 初犯謫戍, 再犯者死:追加].[182]

十二月[戊寅朔大盡,丁丑, 彗星犯虛:天文3轉載].[183]

---

178) 이때 吳祁는 12월에 安西 곧 長安(京兆府, 現 陝西省 西安市)에 謫居되었다고 한다(吳潛墓誌銘). 이날의 日辰은 『원사』에 의거하였다.
- 『원사』 권21, 본기21, 성종4, 大德 8년 10월, "戊戌, 命省·臺·院官鞫高麗國相吳祁及千戶石天補等, 以祈離間父子, 天補謀歸日本, 皆笞之, 徙安西".
- 열전38, 吳潛, "後帝杖流潛于安西".
- 열전38, 吳潛, 石冑, "杖流天補·□□天卿兄弟于安西".

179) 己酉의 앞에는 十一月이, 己酉 뒤에는 朔이 각각 탈락되었다.

180) 이때 李淑은 宰樞를 宮門에 모이게 하고 左中贊 洪子藩과 함께 하는 者는 왼편에, 右中贊 韓希愈와 함께 하는 者는 오른편에 서라고 말하니 兩部가 모두 충렬왕의 寵愛를 받던 韓希愈의 편에 섰다고 한다.
- 열전17, 韓希愈, "宦者李淑, 自元奉御香來, 令宰樞會宮門曰, 與中贊洪子藩者左, 與希愈者右. 時, 希愈用事, 王倚以爲重, 故兩府皆右".

181) 이때 일본의 교토에서는 29일(丁丑) 혜성이 출현하였다고 한다.
- 『師守記』, 康永 4년 7월, 文永以來天變年々幷御祈以下被行事, "同年嘉元2年十一月廿九日, 今夜彗星見西方庚方, 在虛宿南星之南, 芒氣一尺餘指東, 色白, 此後夜々出現".
- 『續史愚抄』13, 嘉元 2년 12월, "一日己卯, 此兩三夜, 彗星見西, 因德政事有沙汰".

182) 이는 다음의 자료에 의거하였는데, 이는 『欽定續通典』 권108, 刑2, 刑制下, 元에도 수록되어 있다.
- 『원사』 권21, 본기21, 성종4, 大德 8년 11월 壬子, "詔, 以內郡·江南人, 凡爲盜黥三次者, 謫戍遼陽, 諸色人及高麗三次免黥, 謫戍湖廣, 盜禁籞馬者, 初犯謫戍, 再犯者死".

183) 戊寅에 朔이 탈락되었다.

[庚辰[3日], 小寒. □□[彗星]貫虛:天文3轉載].

[辛巳[4日], □□[彗星]入危:天文3轉載].

甲辰[~~甲申~~7日],? 遣同知密直司事宋邦英如元, 賀正.[184)]

[□[是]時, [判密直司事?]王惟紹·[同知密直司事]宋邦英謀廢忠宣, 立瑞興侯琠, [僉議參理鄭]瑎憤其所爲, 未得發. 邦英奉使如元, 兩府出餞, 邦英道遇瑎, 將揖馬上, 以奉使乘傳爲辭. 瑎怒其無禮, 佯不見, 徐下馬交禮訖. 責喝道不辟, 批其頰而還, 邦英慚. 瑎卽日遘疾, 醫診之曰, "病由怒發". 久乃愈:列傳19鄭諧轉載].

[是年, 柳淸臣·朴景亮[朴瑄]等, 欲專國柄, 誑忠宣言, "本國都僉議使司, 世祖皇帝已陞爲二品, 且賜印以寵之, 今其官亦受帝命除拜之. 與朝廷爲一, 朝廷大臣不敢淩蔑, 是國家萬全之策". 忠宣深然之, 將表聞. 大寧君崔有渰, 密語怡曰, "若從二人言, 東國之業已矣. 政令自中國出, 幾何不爲其所幷也". 怡[金廷美]乘閒具陳, 忠宣乃止:列傳21金怡轉載].

[○合寧海都護府任內大靑部曲·小淸部曲, 爲靑杞縣:追加].[185)]

[○以[秘書郞]全信爲試國學直講:追加].[186)]

[增補].[187)]

---

184) 甲辰(27일)은 甲申(7일)의 오자일 가능성이 있다. 賀正使는 11월 또는 늦어도 12월 15일까지 파견하였는데, 이달에는 甲辰(27일) 이외에 甲申(7일)과 甲午(17일)가 있으나 전자일 가능성이 많다.

185) 이는 다음의 자료에 의거하였다.

- 『경상도지리지』, 安東道, 寧海都護府, 靑杞縣, "在高麗忠烈王代, 大德甲辰, 合任內大靑部曲·小靑部曲, 爲靑杞縣".

186) 이는 「全信墓誌銘」에 의거하였다.

187) 이해(大德8)에 몽골제국에서 다음의 일이 있었다고 하는데, 여기에서 大士는 菩薩을 指稱한다(『秋江集』 권1, 灌燭彌勒, "… 可憐五福權, 移汝石大士").

- 『靑莊館全書』 권60, 盎葉記7, 大覺國師, 6월 某日, "趙孟頫所書, 有觀音院記, 有曰, '元祐五年, 高麗王弟義天僧統, 渡海問法, 提刑楊傑爲館伴. 其所以不憚險遠而來者, 爲佛法也. 靖康兵火澒洞, 知殿道言, 以像匿井中, 兵退衆尋大士不見, 忽瓦礫間, 劃然有聲, 發井得像, 其靈異如此. 至於曰雨曰暘, 隨禱輒應, 或現或夢, 代不絶書. 曩朝賜賚, 具有記錄, 矧聖朝重建補陀道場[~~普陀道場~~], 備極莊嚴. 高麗相去差遠, 里巷間, 惟能誦東坡詩曰, '蠶欲老麥半黃, 前山後山雨浪浪, 農夫輟耒女廢筐, 白衣仙[相]人坐高堂', 知有詩, 而不知有佛, 故國人莫之信奉也. 三膺朝命, 來莅江浙, 因得詣天笠禮大士, 凡有懇祈, 應如響答. 近叨聖恩, 備員右轄, 復致禱焉. 取天竺事畧觀也, 則知觀音菩薩, 神通廣大, 施無畏於衆生, 願力弘深, 度有精於一切, 現三十二應, 月印千江, 化千百億身, 水行大地, 無遠不屆, 有感必通, 世其歸依, 人知信向. 獨高麗, 未有殿宇, 尙缺修崇, 謂宜刻木範金, 塑像作繪, 捐金幣以建造, 出珠玉以莊嚴, 似[廿]望利益群生. 福歸聖

乙巳[忠烈王]三十一年，元大德九年，[西曆1305年]

1305년 1월 26일(Gre2월 3일)에서 1306년 1월 14일(Gre1월 22일)까지, 354일

[春正月[戊申朔小盡,戊寅]， 辛酉[14日]， 都僉議贊成事致仕金晅卒:追加],[188)] [年七十二. 性淸介，疾惡如讎，所至人憚之. 善隷書. 子瑞卿·瑞廷，瑞廷後改開物:列傳19金晅轉載].

[癸亥[16日]，熒惑入氐:天文3轉載].

甲戌[27日]，歲星逆行，犯東藩上相:天文3轉載].

[某日，以李元儒爲慶尙道按廉使:慶尙道營主題名記].

春二月[丁丑朔大盡,己卯]， 戊寅[2日]， 以鄭瑎爲都僉議贊成事， 王惟紹△[爲]知都僉議司事，權永△[爲]判密直司事，金台鉉爲密直司使，申汝桂爲密直副使.[189)]

庚辰[4日]，[驚蟄]. [參知政事]忽憐疾篤，有爲之進藥者，忽憐曰，“汝國奸臣執命，父子

上，次及國土，咸臻安樂，謹述事跡本末，告于高麗衆相公. 願乞啓白國王，特與建展造像，致嚴崇奉，無幾佛法流通，人知□幸甚. 大德八年六月日’. 案大德元成宗年號，卽高麗忠烈王三十年甲辰歲也”.

이는 『五洲衍文長箋散稿』 권18，經史編3，釋傳類1，釋典總說，觀音大士敎來東始末에도 수록되어 있는데, ~~忝字~~는 後者에서 달리 表記된 것이다. 이는 현존하는 『松雪齋集』에서 찾아지지 않는데, 1304년(大德8, 충렬왕30) 6월에 趙孟頫가 慶元路 定海縣(現 浙江省 寧波市 鎭海區)에 위치한 寶陁洛迦山의 「觀音院記」를 지어 高麗의 宰相에게 전하면서 殿宇와 佛像을 만들어 崇拜하기를 勸諭한 것이다. 조맹부는 1299년(大德3) 8월 集賢殿直學士·行江浙等處儒學提擧에 임명되어 (1307년 이전의 어느 시기에) 임기를 마쳤고[秩滿], 이어서 1309년(至大2) 7월에 中順大夫·揚州路泰州尹에 임명되었으나 부임하지 않았다고 한다. 그렇다면 조맹부는 江浙等處儒學提擧를 역임한 이후에 이 글을 지었을 것이지만, 이때 그가 어떠한 사유로 이 書狀을 撰했는지는 알 수 없다(張東翼 2011년a).

또 조맹부는 이 시기에 慶州 昌林寺 碑文의 跋，檜巖寺의 金泥寫經을 쓰기도 하였던 것 같다(張東翼 2011년).

· 『신증동국여지승람』 권21，慶州府，古跡，昌林寺，“…有古碑無字. 元學士趙子昂昌林寺碑跋云，古唐新羅僧金生所書其國昌林寺碑，字畫深有典刑，雖唐人名刻無，以遠過之也. 古語云，何地不生才，信然”.

· 『五洲衍文長箋散稿』 권18，經史編3，釋傳類1，釋典總說，辟支塔.

188) 이는 「金晅墓誌銘」에 의거하였는데, 이날은 율리우스曆으로 1305년 2월 8일(그레고리曆 2월 16일)에 해당한다.

189) 이때 金台鉉은 密直司使·寶文署大司學[密直司事·大寶文[~~大司學?~~]]에 임명되었던 것 같다(金台鉉墓誌銘).

相圖，故帝遣我來監．我若飮藥死，其得無後言乎？况死生有命，雖良藥奚爲”．竟不飮而卒．[190]

壬午6日，以宦者·太監李淑爲平昌君．

[乙酉9日，月犯鉞星:天文3轉載]．

丙戌10日，翰林直學士林元還．

[○副知密直司事致仕崔瑞卒，年七十三:追加]．[191]

丁亥11日，遣護軍鄭恭如元，獻童女．

庚寅14日，停燃燈會．

乙未19日，以右中贊韓希愈△爲判平壤府事，密直副使金文衍爲府使．

[癸卯27日，歲星入大微太微左掖門:天文3轉載]．

三月丁未朔小盡,庚辰，[甲子18日，歲星又犯左執法:天文3轉載]．

乙丑19日，　以左中贊洪子藩爲慶興君·咨議都評議□使司事，　韓希愈爲都僉議中贊．[子藩，復相，彌縫調護，欲使王父子□□慈孝如初．吳石王宋之黨，惡之，數短於王，故罷:節要轉載]．[192]

丙寅20日，[穀雨]．元遣脫剌歹~~脫剌歹~~來，頒赦．[193]

戊辰22日，命~~右承旨~~安于器，掌監試取士．[194] 時，儒士康慶龍，家居敎授，其徒十人中是試，來謁呵喝之聲，竟夕不絶．宗室益陽侯王玢第在其傍，異日，侯入見，王問民閒事，侯因白之．王曰，“此老雖不仕，誨人不倦，以底于成，豈曰小補□哉．”[195] 命吏載穀，就賜其家．

[□□是時，右承旨安于器，□□□□掌成均試，取李文彦等七十三人:選擧2國子試額轉載]．

甲戌28日，遣知都僉議司事王惟紹如元，獻童女十人．

---

190) 이날은 율리우스曆으로 2월 27일(그레고리曆 3월 7일)에 해당한다.

191) 이는「崔瑞墓誌銘」에 의거하였는데, 이날은 율리우스曆으로 3월 5일(그레고리曆 3월 13일)에 해당한다.

192) 이 기사와 관련된 것으로 다음이 있다.

- 열전18, 洪子藩, “子藩復相，彌縫調護，欲使王父子慈孝如初，吳·石之黨，數短於王．三十一年，罷相，封慶興君·咨議都評議司事”．

193) 몽골제국에서 2월 25일(辛丑) 天下에 赦免令이 내려졌다(『원사』 권21, 본기21, 성종4, 대덕 9년 2월 辛丑).

194) 安于器는 前年(충렬왕30)에 正獻大夫·右副承旨에서 右承旨로 승진되었다(安于器墓誌銘).

195) 添字는『고려사절요』권23에 의거하였다.

夏四月丙子朔大盡,辛巳，[戊寅3日，熒惑犯亢:天文3轉載].

[庚辰5日，□□熒惑又犯東井:天文3轉載].

癸未8日，元遣突烈來，轉藏經.

丙戌11日，設賞花宴于壽寧宮.

[→內庫，享王于壽寧宮，賞花:節要轉載].

[○召僧鐵山紹瓊于宮中，王與淑昌院妃受菩薩戒. □右中贊韓希愈·承旨崔崇，入啓曰，秘記云，'國君敬南僧，必致覆亡之禍，願殿下愼之'. 不聽:節要轉載].[196]

[辛卯16日，月食:天文3轉載].[197]

甲午19日，設藏經道場于壽寧宮.

壬寅27日，以星變，宥二罪以下.

五月丙午□朔大盡,壬午，幸廣明寺，轉藏經.[198]

己酉4日，賜經德齋生張子贇等及第.[199]

癸丑8日，幸妙覺·妙蓮二寺.

丁巳12日，幸興王寺，轉藏經.

[辛酉16日，歲星犯左執法:天文3轉載].[200]

---

196) 이와 같은 기사가 열전17, 韓希愈에도 수록되어 있다.

197) 이날(辛卯, 15일) 일본의 京都에서도 월식이 예측되었으나 비로 인해 보이지 않았다고 한다. 이날은 율리우스력의 1305년 5월 9일이고, 월식 현상이 심했던 때의 世界時는 19시 6분, 食分은 1.35이었다(渡邊敏夫 1979年 483面).

・『續史愚抄』14, 嘉元 3년 4월, "十五日辛卯, … 今夜, 月蝕, 御祈公紹僧都奉仕. 依雨不見云".

198) 丙午에 朔이 탈락되었다.

199) 東亞大學本에는 張于贇으로 되어 있으나 오자이며, 이와 관련된 기사로 다음이 있다.

・ 지27, 선거1, 科目1, 選場, "忠烈三十一年五月, 贊成事鄭瑎知貢擧, 知申事宋璘同知貢擧, 取進士, 己酉, 賜張子贇等三十三人及第".

・ 열전19, 鄭瑎, "忠烈三十一年, 進贊成事, 知貢擧取張子贇等, 時稱得士. 政丞韓宗愈·金永旽, 皆所取也. 學士宴, 王賜書簇, 瑎喜而展之, 其一聯云, 萬事不成身便死. 瑎色變, 坐客亦愕然, 知其爲不祥, 未幾舊疾作, 而卒".

・ 열전23, 韓宗愈, "忠烈三十□一年, 年十八擢第, 入史翰". 이에서 一이 탈락되었다.

이때 張子贇·金光轍·韓宗愈·金永暾金永旽(金永暾墓誌銘)·張桂(張桂紅牌) 등이 급제하였다(『등과록』, 朴龍雲 1990년 ; 許興植 2005년). 이때 발급된 張桂紅牌(慶尙北道 榮州市 長壽面 花岐里 18番地, 寶物 第501號)는 다음과 같다(張東翼 1985년).

"准」 王命, 賜國學進士·權知都評議錄事 張桂」 同進士及第者」 大德九年五月 日」 同知貢擧·正獻□大夫·密直司知申事·國學大司成·文翰司學·充史館修撰官·知內旨宋璘」 知貢擧·匡□靖大夫·□都僉議贊□□成事·延英殿大司學·同提修史鄭瑎」".

癸亥[18日], 淑昌院妃享王.

丁卯[22日], [夏至]. 三番忽赤享王.

六月[丙子朔小盡,癸未], 庚辰[5日], 都僉議贊成事[·延英殿大司學]鄭瑎卒,[201] [謚章敬, 遺命薄葬, 年五十二. 嘗受宣命, 爲征東省郎中, 又爲儒學提擧:列傳19鄭諧轉載]. [瑎, 內剛外和, 喜怒不形, 嘗掌銓注, 一出於公, 雖近倖用事者稱旨干請, 亦不聽:節要轉載]. [子憤·怡. 憤, 性豁達, 無檢束, 不事生産, 以蔭累遷大護軍. 忠肅被讒留元, 憤時爲宮闕都監使, 聞王帑已罄, 乃備輕齎, 輸燕邸, 王甚嘉之. 還國, 授鷹揚軍上護軍, 尋判繕工□□[寺事]. 疾作, 封淸河君. 怡, 版圖判書. 憤子頵·誧:列傳19鄭諧轉載].

甲申[9日], 遣上護軍閔甫如元, 獻鷹.

[○月與熒惑同舍:天文3轉載].

辛丑[26日], 以韓希愈·金琿爲都僉議左·右中贊, 王惟紹爲贊成事, 權永△[爲]知都僉議司事, 安于器爲密直副使,[202] 吳演爲左副承旨.

秋七月[乙巳朔大盡,甲申], 辛亥[7日], 內庫享王于梨峴新宮.

[○前白蓮社主了世入寂:追加].[203]

癸亥[19日], 永濟倉享王于壽寧宮.

甲子[20日], 上護軍秦良弼還自元, 帝命王親朝, 賀正.

己巳[25日], 以[知都僉議司事]權永爲都僉議參理,[204] [匡靖大夫]金台鉉△[爲]知都僉議司事, 高世爲密直使, 宋邦英△[爲]知密直司事, 韓愼△[爲]同知密直司司[事],[205] 金瑫爲密直副使.

---

200) 이때 일본의 가마쿠라[鎌倉]에서는 5월 27일 혜성이 북동쪽[艮方]에서 출현하여 6월 8일까지 관측되었던 것 같다.
· 『武家年代記』, 嘉元 3년 5월, "… 同廿七日 … 同寅剋, 彗星出現艮方, 同六、九已後不見云々".

201) 이날은 율리우스曆으로 1305년 6월 27일(그레고리曆 7월 5일)에 해당한다.

202) 이때 安于器는 奉翊大夫·密直副使·文翰司學承旨에 임명되었던 것 같다(『근재집』 권3, 安于器墓誌銘).

203) 이는 『동문선』 권117, 萬德寺白蓮社圓妙國師塔碑銘幷序(崔滋 撰)에 의거하였다. 이날은 율리우스曆으로 7월 28일(그레고리曆 8월 5일)에 해당한다.

204) 都僉議參理는 『고려사절요』 권23에는 都僉議評理로 되어 있는데, 誤字이다(盧明鎬 等編 2016년 583面).

205) 여러 판본의 『고려사』에서 同知密直司司로 되어 있으나 同知密直司事의 오자이고, 『고려사절요』 권23에는 同知密直事[~~同知密直司事~~]로 옳게 되어 있다. 後者를 통해 볼 때, 朝鮮初에 편찬된 두 年代記는 組版, 印刷할 때 한 글자(1字) 조차 省略하여 勞力과 經費를 절약하려고 했던 史書라고

[某日, 以奉君節爲慶尙道按廉使:慶尙道營主題名記].

甲戌30日, 元以冊皇太子德壽, 遣咬猪等來, 頒赦.[206]

[是月庚申16日, 優婆夷崔氏等三人造成某寺飯子二座:追加].[207]

[是月, 僧眞冏·祖雲·申鈍等開板'牧牛子修心訣':追加].[208]

八月乙亥朔小盡,乙酉, 壬午8日, 遣都僉議贊成事王惟紹如元, 賀天壽節.

己丑15日, 幸妙蓮寺, 爲帝祝壽.

[癸巳19日, 以鄭仁卿爲匡靖大夫·都僉議中贊·判典理司事·上護軍, 仍令致仕:追加].[209]

甲午20日, 以薛永任爲都僉議贊成事, 高世△爲判密直司事, 金文衍□□□爲密直使,[210] 朴顓△爲知密直司事,[211] 趙文簡△爲同知密直司事.[212]

九月甲辰朔大盡,丙戌, 戊午15日, 安西王阿難達遣使來, 獻金, 且賂左右, 求童女, 使乃婦人也.[213]

할 수 있다.

206) 成宗이 皇子 德壽(Tasi, ?~1305)를 皇太子로 冊封하고 이를 천하에 포고한 것은 5월 5일(庚辰)이다(『원사』 권21, 본기21, 성종4, 大德 9년 6월 庚辰). 또 德壽는 이해의 12월 18일(庚寅)에 別世하였다.

207) 이는 某寺 飯子[判子]의 銘文에 의거하였다(慶州國立博物館 所藏, 黃壽永 1962년c, 許興植 1984년 1089面).

208) 이는 다음의 자료에 의거하였다(桐華寺 所藏, 宋日基 2015년 ; 郭丞勳 2021년 294面).
· 『牧牛子知訥修心訣』, 권말간기, "大德九年乙巳七月 日,」 同願道人 眞冏書,」 棟梁道人 祖雲,」 同願道人 申鈍,」 社內道人 行明, 雲弘刀」".

209) 이는 「鄭仁卿政案」에 의거하였는데, 그의 墓誌銘에는 9월로 되어 있다.

210) 金文衍은 1303년(충렬왕29) 11월 19일 밀직부사에 임명되었고, 1306년(충렬왕32) 무렵에 同知密直司事에 임명되었다. 그러므로 이때 密直司使에 임명된 인물은 他人일 것이다.

211) 朴顓(兪千遇의 外孫)은 及第者로서 贊成事에 이르렀다고 한다(열전18, 兪千遇).

212) 趙文簡(趙抃의 長子)은 그의 열전에는 密直副使에 이르렀다고 하지만 오류인 것 같다.
· 열전16, 趙冲, 抃, "文簡, 字敬之, 官至密直副使. 亦美風儀, 閑習禮度, 爲時所稱".

213) 이때 安西王이 成宗의 許可를 받아 戒行이 높은 高麗僧을 招聘하려고 하자, 海圓(1262~1330)이 이에 응하여 安西王 阿難達(阿難答, Ananda, 世祖의 孫)을 따라 朔方에 갔다고 한다. 이어서 1307년(大德11) 겨울 武宗의 命을 받아 해마다 이루어지는 上都·中都[Jung-du]에의 巡狩[春秋時巡]에 扈從하게 되었다고 한다(『가정집』 권5, 大崇恩福元寺高麗第一代師圓公碑). 또 이때의 中都는 皇帝가 巡幸하는 上都와 大都間의 西路 中間 地點인 旺兀察都의 行宮이고, 武宗 海山에 의해 中都가 건설된 것은 1307년(大德11) 6월이고, 그가 逝去한 후 1311년(至大4) 4월 仁宗 愛育黎拔力八達에 의해 工事가 중지되었다. 또 中都의 遺趾는 현재의 河北省 西北

[某日, 上追紀鄭仁卿前勞, 陞致仕爵號爲壁上三韓三重大匡·推誠定策安社功臣·都僉議中贊:追加].[214]

[是月, ~~前判密直司事~~閔漬撰'楓嶽山長安寺事蹟記'跋:追加].[215]

冬十月甲戌朔小盡, 丁亥, 丁丑4日, 承旨崔崇勸王, 幸壽康宮. 崇嘗納校尉金時悅女, 得幸. 由是, 益有寵.

[壬午9日, 太白掩角左星:天文3轉載].

甲申11日, [立冬]. 內僚曹頔享王.[216]

[○雷雨:五行2轉載].

丁亥14日, 自壽康宮, 還御于淑昌院妃第.

甲午21日, 以星變宥二罪以下.

辛丑28日, 太白晝見.

十一月癸卯朔大盡,戊子, 乙巳3日, 雷震.[217]

丙午4日, 宰樞以王入覲, 宴于壽寧宮.

壬子10日, 內庫享王于壽寧宮.

甲寅12日, [大雪]. 移御前王洪妃第.[218]

[乙卯13日, 雨, 木冰:五行2轉載].

[丁巳15日, 月食:追加].[219]

戊午16日, 王如元, 孫廣平公鑑·江陵侯燾及都僉議左中贊韓希愈·贊成事王惟紹·判密直司事高

地域에 위치한 張家口市 張北縣의 沙漠 중에 있다고 한다(『원사』 권22, 本紀22, 武宗1, 大德 11년 6월 甲午2日 ; 권24, 본기24, 인종1, 至大 4년 4월 癸亥22日, 鄭紹宗 1998年 ; 陳倐 2018年).

214) 이는 「鄭仁卿政案」에 의거하였다.

215) 이는 다음의 자료에 의거하였다.

· 『楡岾寺本末寺誌』, 楓嶽山長安寺事蹟記, "… 大德九年季秋吉日, 默軒居士閔漬謹跋".

216) 曹頔은 1303년(충렬왕29) 7월 25일 護軍으로 재직하고 있었으므로 이때 大護軍이었을 가능성이 있다. 그런데도 이 기사에서 內僚로 표기된 것은 그의 출신 또는 後日에 있었던 行蹟의 결과일 것이다.

· 열전44, 반역5, 曹頔, "曹頔, 不知所出. 或云義興郡驛吏. 忠烈時, 夤緣內宦, 權傾中外".

217) 이와 같은 기사가 지7, 五行1, 水, 雷震에도 수록되어 있다.

218) 洪妃는 忠宣王妃 洪氏(洪奎의 女)이다(열전2, 후비2, 충선왕, 順和院妃 洪氏).

219) 이날 고려에서도 월식이 예측되어 이루어졌을 것이지만, 기상 상태를 알 수 없다.

· 『東寺長者補任』, 嘉元 3년, "前權僧正成惠, 十月十五日, 月蝕御祈, 効驗. 但他州蝕云々".

世·密直副使金文衍·同知密直司事韓愼·知密直司事宋邦英·前知申事宋璘[·知申事李伯超·左副承旨吳演·鷹揚□軍上護軍秦良弼:節要轉載], 㑂議都評議使司事?洪子藩·都僉議贊成事崔有渰·都僉議贊成事柳庇·判密直司事金深·同知密直司事?金延壽等[二十九人:節要轉載]從行.220) [宋邦英·宋璘亦欲行, 曹頔白王曰, "二人得罪□於上國, 不宜扈從, 上必欲私二人, 請入奏, 乃可召之". 二人往頔家謂曰, "吾等, 不得扈行, 豈有沮之者耶?". 頔曰, "我實沮之". 二人至義州, 固請於頔, 頔入白曰, "二人遠來, 難以還遣, 可使異路而行". 王許之. 王之將入朝也, 前王恐王·宋之徒, 從至京師, 恣其凶謀, 乃請於塔剌罕丞相曰, "當使洪子藩·崔有渰·柳庇·金深·金延壽, 從王以來". 丞相奏, 帝許之. 由是, 五人亦從行:節要轉載].221)

庚午28日, [冬至]. 命都僉議右中贊金琿, 權署行省事.

辛未29日, 右承旨崔崇罷. 時承旨一人已受慶尙道祈恩之命, 崇求代, 自書口傳. 又抄奴朴延, 當從行, 崇受人白金三斤而改之, 延以告憲司御史臺.222)

[○雙虹挾日:天文1轉載].

[是月頃, 以鄭福海爲永州副使:追加].223)

---

220) 이때 충렬왕이 王惟紹·宋邦英·宋璘·韓愼 등과 함께 忠宣王妃 寶塔實憐公主를 瑞興侯 琠에게 改嫁시키려고 하였고, 洪子藩·崔有渰·柳庇·金延壽(改利用) 金深 등은 이에 반대하며 충선왕의 귀국을 요청하였다.

- 「金深墓誌銘」, "大德九年乙巳, 宣授宣武將軍·高麗右軍萬戶, 是年也, 國有厲階. 朝野洶懼, 公與四老, 相赴大都, 敷奏立功, 乃平勃安劉也". 이에서 厲階는 禍患의 由來[禍端]이다(『詩經』, 大雅, 蕩之什, 瞻卬, "婦有長舌, 維厲之階鄭玄箋, 階, 所由上下也". 여기에서 卬은 仰의 古字이다).
- 열전17, 金周鼎, 深, "嘗奉表如元, 請忠宣還國, 忠宣特授叅理, 敎曰, 宰相洪子藩·崔有渰·柳淸臣·金深·金利用等, 圖安社稷, 重義輕身, 偕赴朝廷, 論列利害, 爲孤請還, 其功殊異, 宜特敍用".
- 열전38, 王惟紹, "忠烈三十一年, 知都僉議司事, 尋加贊成事. 初, 王復位, 忠宣以前王在元. 至是, 王如元, 惟紹及高世·金文衍·宋邦英·宋璘·韓愼·李伯超·吳演·秦良弼等從行".
- 열전43, 崔坦, "忠烈三十一年, 韓愼拜同知密直司事, 從王如元, 黨王惟紹, 譖毁忠宣".
  또 중국 측의 자료에 의하면 明年 正旦에 忠烈王이 사신을 보내와 方物을 바쳤다고 되어 있지만, 실제는 충렬왕이 大都에서 賀禮人事를 드렸을 것이다.
- 『원사』 권21, 본기21, 성종4, 大德 10년 1월, "壬寅朔, 高麗王王昛遣使來, 獻方物".

221) 丞相 塔剌罕은 당시의 右丞相 哈剌哈孫答剌罕(達罕, Qara Qas Darqan)의 略稱이다. 또 이와 관련된 기사로 다음이 있다.

- 열전18, 洪子藩, "是年, 王如元, 忠宣恐王惟紹·宋璘之徒, 從至京師, 恣其兇謀, 諷丞相塔剌罕, 使子藩·有渰·庇·金深·金延壽等, 從王入朝. 丞相奏帝召之".

222) 憲司는 監察司(또는 司憲府)의 약칭이다.

223) 이는 『영천선생안』에 의거하였다.

十二月癸酉□[朔小盡,己丑], □[遣]齊安公<u>淑</u>如元. 王欲以淑孫女, 獻皇后, 故淑有是行.[224)]

己丑[17日], 都僉議中贊致仕<u>鄭仁卿</u>卒,[225)] [年六十九, 諡襄烈:追加].[226)] [仁卿, 性謹直, □[朔]以舌人知名:節要轉載], [所至有聲績. 嘗受帝命, 爲武德將軍·征東省理問官. 子琛·信英·信和·信綏, 皆至顯官:列傳20鄭仁卿轉載].

庚寅[18日], 元遣忽都不花來, 求寫經僧, 選僧一百, 以遣之.

癸巳[21日], 王次遼陽. <u>趙仁規</u>自元放還, 謁於道, 王以帝旨, 卽拜判都僉議司事.[227)]

[□□[某日]], 前王迎王于[中書省]薊州, 至京, 館于前王邸.[228)]

[冬某月, 以[版圖摠郎]<u>鄭憤</u>爲東京副留守:追加].[229)]

[是年, 以皇妣順敬王后金氏內鄉, 陞永義監務官爲知驪興郡事官:地理1黃驪縣轉載].

[○陞進禮縣令官爲知錦州事官, 以縣人<u>金侁</u>[金詵]仕元, 爲遼陽行省參知政事, 有功於國也:轉載].[230)]

[○以贊成事<u>安珦</u>爲僉議中贊致仕:追加].[231)]

---

224) 癸酉에 朔이 탈락되었다.

225) 이날은 율리우스曆으로 1306년 1월 2일(그레고리曆 1월 10일)에 해당한다.

226) 이는 「鄭仁卿墓誌銘」에 의거하였다. 鄭仁卿(1237~1305)은 현재 慶尙南道 陜川郡 冶爐面 下林里 雲溪書院에 祭享되어 있다(具山祐 2008년 607面).

227) 이 기사와 관련된 기사로 다음이 있다.

· 열전18, 趙仁規, "後放還<u>仁規</u>, 王以帝命, 卽除判都僉議司事".

· 열전18, 趙仁規, 瑞, "及<u>仁規</u>以趙妃事, 被逮留元, <u>瑞</u>從之. 一日, 車駕出, <u>瑞</u>率諸弟謁道左, 帝顧問嘉之, 尋許<u>仁規</u>還".

228) 이날의 日辰이 탈락되었을 것이다.

229) 이는 『동문선』 권100, 鄭氏家傳, 淸河君에 의거하였는데, 鄭憤은 白頤正과 함께 尙洛君 金恂(金方慶의 子)의 壻이다(金恂妻許氏墓誌銘).

230) 이는 다음의 자료를 전재하였는데, 여기에서 金侁은 金詵의 오자로 추측된다(→충렬왕 30년 9월 25일).

· 지11, 지리2, 進禮縣, "忠烈王三十一年, 以縣人<u>金侁</u>[金詵]仕元, 爲遼陽行省<u>參政</u>[參知政事], 有功於國, 陞知錦州事".

· 『신증동국여지승람』 권33, 錦山郡, 建置沿革, "… 高麗降爲縣令. 忠烈王三十一年, 以縣人<u>金侁</u>[金詵]仕元爲遼陽行省<u>參政</u>, 有功於國, 陞知錦州事".

· 『敬齋遺稿』 권1, 錦山暎碧樓記, "高麗時, 邑人<u>金侁</u>[金詵]仕元朝, 有功本國, 及歸鄕, 忠烈王嘉之, 陞爲錦州. 以旌晝錦之榮, 自是遂爲名郡".

231) 安珦의 致仕에 대해 여러 견해가 있다. 安珦의 열전에는 충렬왕 32년(1306)에, 年譜에는 『고려

[○以田均爲東京留守府少尹:追加].232)

[○以尹周彦爲碩州副使:追加].233)

[○以中郞將裴廷芝爲忠淸道察訪使:追加].234)

[○僧侶六具·優婆塞朴知遙等開板'金剛般若波羅密經'於淸州元興寺:追加].235)

[○元以金深爲宣武將軍·高麗右軍萬戶府萬戶:追加].236)

[○元還屬濟州牧馬于我, 先是, 皇太后放廐馬於此:追加].237)

丙午[忠烈王]三十二年, 元大德十年, [西曆1306年]

1306년 1월 15일(Gre1월 23일)에서 1307년 2월 2일(Gre2월 10일)까지, 13개월 384일

春正月壬寅朔大盡,庚寅, 王在元.

사』世家와 家乘에 의거하여 1304년(충렬왕30)에, 고려시대의 기록에는 1305년(충렬왕31)에 각각 치사하였다고 하지만 당대의 기록을 取信하였다(c). 곧 『고려사』열전에 기록된 연대는 조선 초에 『고려사』를 편찬하면서 고려시대의 卽位年稱元法을 踰年稱元法으로 바꾸면서 간혹 錯誤가 발생하였으며, 또 『회헌선생실기』는 후대에 편찬되었기에 보다 면밀한 고증이 요청된다.

· a 열전18, 安珦, "忠烈三十二年, 復以僉議中贊致仕卒, 年六十四".
· b 『회헌선생실기』 권3, 연보, "忠烈三十年, 以判密直司事·都僉議中贊致仕".
· c 『東人之文五七』, 安珦, "大德乙巳忠烈31年, 以僉議中贊致仕".

232) 이는 『동도역세제자기』에 의거하였다.

233) 이는 『연안부지』에 의거하였다.

234) 이는 「裴廷芝墓誌銘」에 의거하였다.

235) 이는 다음의 자료에 의거하였다(淸州古印刷博物館 所藏, 보물 제1408호 ; 南權熙 2002년 92面 ; 崔然柱 2015년 ; 디지털한글박물관).
· 『佛說金剛般若波羅蜜經』卷末刊記, "道人六具·居士朴知遙等同願,伏爲」 皇帝萬年,國王·□𦬊王殿各保千秋之願,大德九年乙巳,高」 麗國淸州牧元興社開板印施無窮者」".

236) 이는 「金深墓誌銘」에 의거하였다. 이 墓誌銘(金龍善 2006년 502面 ; 『光山金氏族譜』所收]에는 宣武將軍(從4品)이 宣正將軍과 같이 판독되어 있는데, 이는 오자가 아니라 惠宗의 이름인 武字를 避하여 缺畫[缺筆]한 것이다.

237) 이는 다음의 기사에 의거하였다.
· 지11, 지리2, 耽羅縣, "忠烈二十六年, 皇太后又放廐馬, 三十一年, 還屬于我".
· 『세종실록』 권151, 지리지, "忠烈二十六年庚子[注, 大德四年], 皇太后亦放廐馬, 三十一年乙巳[注, 大德九年], 還屬本國".
· 『신증동국여지승람』 권38, 제주목, 건치연혁, "忠烈二十六年, 元皇太后又放廐馬, 三十一年, 復還于我".

辛酉[20日], 下敎, "傳曰, 養老乞言,[238] 本朝制, 亦有老人賜設, 今欲遵是制, 開三老五更之饗, 年八九十者, 所在官錄名申聞, 官給租養".

[○虹挾日, 五色交輝:天文1轉載].

[某日, 以金敎山爲慶尙道按廉使:慶尙道營主題名記].

閏[正]月[壬申朔小盡,庚寅], [癸酉[2日], 太白犯牽牛:天文3轉載].

己丑[18日], 護軍金就起賫批判來, 自王所, 以秦良弼爲密直副使, 盧穎秀·蔡宗璘爲左·右承旨, 朴侶爲右副承旨.[239]

[二月[辛丑朔大盡,辛卯], 癸卯[3日], 雨雹:五行1雨雹轉載].

[庚午[30日], 雨土:五行3轉載].

[是月, 高敞郡夫人吳氏寫成'佛頂心呪經:追加].[240]

[是月頃, 以南宣用爲東京副留守:追加].[241]

三月辛未朔[小盡,壬辰], [穀雨]. 日食.[242]

[丙戌[16日], 月食:天文3轉載].[243]

[夏四月庚子朔[大盡,癸巳], 歲星犯亢:天文3轉載].

---

238) 이 구절은 다음의 자료에서 나오는 구절이다(東亞大學 1982년 3책 225面).
- 『禮記』 권6, 文王世子第8, "凡祭與養老乞言, 合語之禮, 皆小樂正詔之於東序[鄭玄注, 養老乞言, 養老人之賢者, 因從乞善言可行者也]".

239) 金就起는 贊成事致仕 金富允의 아들이다(열전20, 金富允).

240) 이는 다음의 자료에 의거하였다(國立中央博物館 所藏, 南權熙 2005년 ; 郭丞勳 2021년 299面).
- 『佛頂心呪經』, 末尾刊記, "特爲兩親福壽無」疆, 兼及已身災厄」頓消, 常作」佛事普及, 法界,」生沒含靈, 伏次勝」因, 俱成正覺者,」大德十年二月日 刻,」施主高敞郡夫人吳氏誌」".

241) 이는 『동도역세제자기』에 의거하였다.

242) 지1, 天文1에는 癸未朔으로 잘못되어 있고, 『원사』에서는 이날의 기사가 없다. 이날은 율리우스력의 1306년 4월 14일이고, 開京에서 일식 현상이 심했던 시간은 5시 19분, 食分은 0.35이었다. 이때 中原과 日本은 일식의 中心食帶에서 벗어나 있었기에 관측될 수 없었다(渡邊敏夫 1979年 311面).

243) 이날 일본의 교토에서도 월식이 있었다. 이날은 율리우스력의 1306년 4월 29일이고, 월식 현상이 심했던 때의 世界時는 9시 58분, 食分은 1.04이었다(渡邊敏夫 1979年 483面).
- 『東寺長者補任』, 德治 1년, 權僧正成惠, "三月十六日, 月蝕御祈, 正見".
- 『續史愚抄』14, 嘉元 4년 3월, "十六日丙戌, 月蝕, 正見云, 蝕御祈權僧正成惠奉仕".

[辛亥[12日], 月犯左角星:天文3轉載].
[庚申[21日], 鎭星入亢:天文3轉載].[244)]

[五月[庚午朔小盡,甲午], 乙酉[16日], 帝遣高麗國王王眀還國, 仍署行省以鎭撫之. 其國□[都]僉議·密直司等官並授以宣敇:追加].[245)]

[六月[己亥朔大盡,乙未], 辛亥[13日], 月犯南斗:天文3轉載].
[是月, 以旱, 聚巫禱雨:五行2轉載].[246)]

秋七月[己巳朔大盡,丙申], [癸酉[5日], 處暑. 月又犯軒轅左角:天文3轉載].
[乙亥[7日], □[月]犯氐:天文3轉載].
[丙子[8日], □[月]又犯房上相:天文3轉載].
己卯[11日], [征東]行省遣摠郎郭元振如元, 賀聖節.
○以旱, 聚巫禱雨.
辛巳[13日], 都僉議左中贊韓希愈卒于元.[247)] [希愈, 性樸素豁達, 善射御, 有膽力,

---

244) 庚子에 朔이 탈락되었다.

245) 이는 다음의 자료에 의거하였다. 이에서 宣敇은 宣授와 敇授를 가리키는데, 몽골제국의 官爵을 받은 고려의 官僚들도 이를 고려의 관작과 함께 宣授, 敇授로 並記하여 誇示하였던 것 같다.
- 『원사』 권21, 본기21, 성종4, 大德 10년 5월 乙酉, "遣高麗國王王眀還國, 仍署行省以鎭撫之. 其國僉議·密直司等官並授以宣敇".
- 『원사』 권91, 지41상, 백관7, 文散官, "… 右文散官四十二階, 由一品至五品爲宣授, 六品至九品爲敇授, 敇授則中書署牒, 宣授則以制命之".

246) 이때 일본의 교토에서 5월에 旱魃이 있었던 것 같다. 또 이해(是年, 丙午)의 江浙行省에서 큰 饑饉이 있었다고 하는데, 이의 原因은 旱魃이었을 가능성이 있다(陳高華 2010년 64面).
- 『興福寺略年代記』, 嘉元 4년, "五月日, 爲祈雨, 等身十一面觀音像, 一日造立之. 以百僧遂供養之".
- 『續史愚抄』14, 嘉元 4년, "□□[五月?]日□□, 爲祈雨, 被供養等身十一面觀音像於興福寺. 三十日己亥, 爲祈雨被行水天供, 阿闍梨法印宗惠奉仕".
- 『牧庵集』 권23, 故從事郞·眞州路總管府經歷呂君神道碑銘幷序, "… 君諱郁, 字伯文, 姓呂氏, 相之安陽輔巖人, … [大德十年]丙午, 江淮大饑, 乃捐中統楮泉爲千者踰十萬, 州閭賴以不殍死者, 爲口不可殫紀".
- 『水雲村藁』 권14, 呈州轉申廉訪分司救荒狀, 大德十年丙午歲春夏間, 江浙大饑, 吾邦與鄰郡皆然, 景象惡甚, 予不能安, 條其事上於郡, 適分司官至, 因以聞, "竊惟民間, 或有疾苦, …"(四庫全書本6左7行).

247) 이날은 율리우스曆으로 1306년 8월 22일(그레고리曆 8월 30일)에 해당한다.

從金方慶, 討珍島·耽羅·日本, 皆有功. 家無畜積, 屢丐貸於人. 嘗從王出田, 每射輒中. 王賜馬, 亦不畜, 輒以與人. 其平居, 治弓矢繕甲冑, 若臨戰陣, 年雖老, 每月夜操長槍, 且走且跳曰, "吾力尙可用也":節要轉載].[248]

[某日, 以金瑞之~~金瑞芝~~爲慶尙道按廉使:慶尙道營主題名記].[249]

八月己亥□~~朔~~小盡,丁酉, 遣知都僉議司事金台鉉如元, 賀聖節. [時, 嗜利之徒, 分朋作黨, 離間王父子, 情不相通. 台鉉, 周旋其間, 一以至公, 人無間言:節要轉載].[250]

辛丑3日, 都僉議贊成事致仕曹允通死.[251]

[乙巳7日, 歲星犯氐. 辰星犯右執法:天文3轉載].

[乙酉~~己酉~~11日, □□辰星又犯左執法:天文3轉載].[252]

辛亥13日, 前王妃洪氏卒.[253]

[乙卯17日, 熒惑犯西藩上將:天文3轉載].

九月戊辰朔大盡,戊戌, [庚午3日, 熒惑又犯右執法:天文3轉載].

[壬午15日, 月食:天文3轉載][254]

---

248) 韓希愈가 逝去한 이후 그를 피해 다이두[大都]에 7년간 머물고 있던 前知都僉議司事 金忻이 僉議贊成事·咨議都僉議司事에 임명되었다고 한다.

- 열전17, 金方慶, 忻, "時, 希愈爲相, 故忻不肯還, 居燕凡七年, 及希愈卒, 拜贊成事·咨議都僉議司事".

249) 金瑞之는 金瑞芝의 오자일 것이다.

250) 己亥에 朔이 탈락되었다. 이때 충렬왕이 上都에 있으면서 隨從臣을 거느리고 충선왕과 대립하고 있었다고 한다.

- 「金台鉉墓誌銘」, "時忠烈朝□歲在□□丙午, 戊戌復□位之後, 國人分曹, □使父子之情, 有所不□通, 公周旋其間, 一以至公, 人無異言" ; 열전23, 金台鉉, "時, 奸臣分黨, 離閒王父子, 情不相通. 台鉉周旋其閒, 一以至公, 人無閒言".

251) 曹允通의 열전에는 年度가 脫落되어 있다(열전36, 曹允通, "□□□□三十二年, 官至贊成事致仕卒").

252) 乙酉는 己酉의 오자이다.

253) 이날은 율리우스曆으로 9월 21일(그레고리曆 9월 29일)에 해당한다.

254) 이날 일본의 교토에서도 월식이 있었다(日本曆은 14일). 또 이날(15일)은 율리우스력의 1306년 10월 22일이고, 월식 현상이 심했던 때의 世界時는 13시 22분, 食分은 1.04이었다(渡邊敏夫 1979年 483面).

- 『東寺長者補任』, 嘉元 4년, 權僧正公紹, "九月十四日, 月蝕御祈, 正現. 仍官職共辭退, 然而無勅許".
- 『續史愚抄』14, 嘉元 4년 9월, "十四日壬午, 月蝕, 正見云, 蝕御祈權僧正公紹奉仕".

[○熒惑犯右執法:天文3轉載].

甲申[17日], 都僉議中贊致仕安珦卒, [年六十四:列傳18安珦轉載].[255] [珦, 興州人, 爲人, 莊重安詳, 在相府, 能謀善斷, 同列, 但順承惟謹, 不敢爭. 常以養育人材, 興復斯文, 爲己任. 且有鑒識, 初見金怡·白元恒, 曰, "後必貴". 又李齊賢·李異, 少俱有名, 召令賦詩, 觀之曰, "齊賢, 必貴且壽. 異則不年矣", 後皆驗. 晩年, 常掛晦菴先生眞, 以致景慕之意, 遂號晦軒. 其文章亦淸勁可觀, 及葬, 七館[七管]·十二徒, 皆素服祭於路. 謚[諡]文成:節要轉載].[256]

戊子[21日], 慶興君洪子藩卒于元, [年七十:列傳18洪子藩].[257] [子藩, 僕射瓘之後, 性敏達, 魁梧俊偉, 材幹絶人. 自少, 人皆以公輔期之, 金仁俊與子藩父, 不相能, 子藩, 詣仁俊力辨. 仁俊曰, "異哉此子, 世亦有生子如此者乎?". 其在相府, 夙夜匪懈, 事有不合於義, 則輒固執, 必以己見爲是. 雖位居其右者, 亦莫敢矯之. 堂吏每白事, 皆畏縮, 不敢舞智, 子藩旣署, 則退喜曰, "洪公已頷矣, 餘可易與耳". 三爲首相, 論議持正, 有大臣風度, 然, 王信讒, 任用不專, 罷相封君. ○至是, 入朝謁丞相, 具言王惟紹廢嫡之謀, 且欲奉二王東還, 未就而卒. 丞相奏帝, 傳車歸其柩, 前王遣人祭之, 子藩先喪母, 事父孝, 雖迫於官事, 不廢定省. 性又好潔, 每更

---

255) 이날은 율리우스曆으로 1306년 10월 24일(그레고리曆 11월 1일)에 해당한다. 또 安珦의 遺墨은 『東賢眞蹟』(舊 昌德宮秘書閣 所藏)에 收錄되어 있다고 한다. 또 安珦의 鄕閭碑는 慶尙北道 榮州市 順興面 石橋里 211-1에 있다(경상북도 문화재자료 제611호).

- 『樂全堂集』 권7, 安珦行記에는 "… 忠烈王三十二年丙午九月十有二日[七日]易簀, 春秋六十四, 謚法道德博聞曰文, 安民立政曰成, 及葬, 七管·十二生徒皆服素". 여기에서 ~~添字~~와 같이 고쳐야 옳게 될 것이다.

256) 이 기사는 ~~添字~~와 같이 고쳐야 옳게 될 것이다. 곧 七館은 宮闕內에 설치된 文翰官들의 勤務處[直廬, 禁內學官]이고, 七管은 1019년(예종4) 7월 무렵 國子監에 설치된 七齋의 別稱이다. 그러므로 當時에 公·私立의 學生들을 竝稱한 用語로 國學·十二徒, 七管·九齋 또는 이의 並用에 諸生이 연결되어 사용되었다.

- 世家권26, 원종 5년 12월 23일, "王發梯浦, 內學博諭正錄等率七管諸生, 外學十二徒中敎導等率進士生徒, 各上表及歌謠".
- 『고려사절요』 권32, 충렬왕 30년 5월, "置國學贍學錢. … 於是, 禁內學館及內侍·三都監·五庫[五軍], 願學之士, 七管·十二徒諸生橫經受業者, □[動]以數百計".
- 『목은시고』 권24, 初六日, 穡與韓淸城·廉東亭, 同遊九齋. 又邀李□□·鄭簽書, 其從者豚犬種學·門生劉敬, 而韓探花郞·李校勘, 則隨淸城者也. 於安心精舍, 刻燭賦詩, 故其題曰, 游安心精舍, 又一題曰, 槐, 旣放榜, 敎官以酒食見餉, 醉飽而歸, "十二徒稱曰九齋, 國中童冠集山崖[歸法寺], 賦試刻燭才何疾, 勸學興文意甚佳, …". 여기에서 □□는 原文에서 삭제된 것이고, ~~添字~~는 筆者가 추가한 것이다.

257) 이날은 율리우스曆으로 1306년 10월 28일(그레고리曆 11월 5일)에 해당한다.

衣, 必盥手, 日沐浴, 夜必具衣冠拜天. 謚[謚]忠正, 配享忠宣廟:節要轉載].

[→子藩至元, 見丞相, 具陳惟紹等罪惡. 且欲奉二王還國, 未就, 明年卒, 年七十. 丞相奏帝, 傳車歸其柩. 忠宣遣人, 祭之以文曰, "扶桑之表, 暘谷一隅, 我祖間生, 開國定都. 子承父爵, 三百餘年, 胡今之人, 執迷罔悛. 卿獨咨嗟, 履險若夷, 抗章宸陛, 深荷聖知. 姦謀自解, 邦基不危, 一身社稷, 非卿卽誰":列傳18洪子藩轉載].

[秋某月, 鐵山紹瓊撰'梵網經序':追加].[258)]

[冬十月[戊戌朔大盡,己亥], 乙巳[8日], 熒惑犯進賢, 鎭星入氐:天文3轉載].
[丁未[10日], 日有兩珥, 又北有輝:天文1轉載].
[癸丑[16日], 月犯東井南轅:天文3轉載].
丙辰[19日], 月暈井·鬼·柳星:天文3轉載].
[壬戌[25日], 月與熒惑同舍:天文3轉載].

冬十一月[戊辰朔小盡,庚子], [庚午[3日] 歲星入房上相:天文3轉載].
甲午[27日], 遣承旨崔崇如元, 賀正.

[十二月[丁酉朔小盡,辛丑], 戊申[12日] 鎭星舍氐:天文3轉載].

[冬某月, 以妙蓮社主·禪師丁午爲白月朗空寂照無㝵大禪師:追加].[259)]

---

258) 이는 다음의 자료에 의거하였는데, 鐵山紹瓊은 1304년(충렬왕30) 7월 고려에 와서 3년 후인 이해의 가을에 江南으로 돌아갔던 것 같다. 또 이 시기에 安珦, 許評 등은 고려에 散在한 여러 『梵網菩薩戒經』을 모아 刪削을 가하고 간행하였다고 한다(啓明大學圖書館 所藏, 木版本 1책, 22.5×13.6cm, 南權熙 2002년 72面).
· 『梵網經』(梵網經盧舍那佛說菩薩心地戒品)序, "… 大」 德丙午秋, 瀟湘古雲按人」 紹瓊敬題」".
· 『梵網菩薩戒經』跋, "梵網菩薩戒經, 現有數本, 皆訛」 誤而不同,」 與修文殿大學士安」 公珦·前知密直司事許公評·瑞」 原郡夫人廉氏·安州郡夫人康」 氏, 同一善心, 謹依」 本國藏本, 募工傳刻幷問難儀」 久, 合爲一部, 永遠流通, 所集殊」 乘, 上報」 四恩, 下資三有, 傳願」 法界一切,」 □□受菩薩, 或行菩薩行, 發」 菩□[提]願圓菩提,果盡未來際,」 不犯毗尼, 或體如日月之明」. [以下 脫落]". 여기에서 廉氏는 安珦의 後妻, 康氏는 許評의 夫人일 것이다.

259) 이는 『동문선』 권68, 靈鳳山龍巖寺重創記에 의거하였다.

是歲，[○王與忠宣俱在元，王聽群小譖，欲廢忠宣，以瑞興侯琠爲子，又以忠宣公主改嫁琠．兩王之臣，角立相傾．怡[金廷美]懼禍將起，密取忠宣受封詔册，潛帶腰間，以他紙納空宣匣中，緘封如故．居數日，宣匣果爲人所竊，忠宣大驚，怡[金廷美]密言曰，“臣恐不虞之變，嘗取匣中書藏之，請勿驚”．月餘，群小計垂成，怡[金廷美]出所佩册命以驗之，事遂寢:列傳21金怡轉載]．

[○初，王在前王邸，左右聲言，王欲與前王俱東還:節要轉載]．[贊成事]王惟紹·宋邦英·宋璘·韓愼□[等]譖前王於王，[使其黨宋均·金忠義，白王曰，“前王不自安，而怨殿下有年，殿下雖加慈愛，適足以賈怨耳．且殿下獨不念丁酉年[忠烈王23年]事乎?”．會一日，王因更衣出，仆地折齒，數日不能進食．惟紹等，又乘間，勸王移寓．時，寶塔□□[實憐]公主失愛於前王，遷居于祗候司，王亦徙舍於此．惟紹等，自謂得計，因乳母及宦者李福壽[李淑]:節要轉載]，譖于皇后及左丞相阿忽台·平章[平章政事]八都馬辛，欲祝前王髮，以瑞興侯琠，繼尙寶塔實憐公主．[都僉議贊成事]崔有渰等詣中書省，論惟紹惡逆，省官執惟紹等，囚之．[260]

○[判密直司事]高世·[密直副使]金文衍·秦良弼勸王還國，王不可曰，“我聞，前王遣人於路要我，沉于河．我雖老，獨不畏死”．世等上書中書省，極論惟紹罪，請奉王還國．省官以奏，趣王行．王無以爲計，乃飮藥發痢，自夏至秋，不起．

[→譖前王於皇后，又譖於左丞相阿忽台·平章□□[政事]八都馬辛曰，“前王，素失子道，不能與公主諧，故我王疾之，欲以禿魯花瑞興侯琠，爲後者，非一日矣．爲前王計，誠宜悔過自新，以供子職，昨，我王舍於其邸，而又不謹侍奉，至使仆地折齒，我王雖欲勿怒得乎．往者，前王自願爲僧，而省官不聽．今若使之祝髮，令琠，繼尙公主，則可以副我王之志也”．阿忽台·八都馬辛，皆許之．琠貌美，王使之衣袨服，數往來以觀公主．公主素不謹行，每與內僚諸人亂，前王益不屑故，遂屬意於琠．○[都僉議贊成事]崔有渰，言於王曰，“殿下在本國，未嘗參於景靈殿乎? 聖祖及親廟之主，其睟容具在．若瑞興侯立，追王其祖禰，西原·始陽二侯，入祔，則殿下親廟之主，不容不遷矣．殿下千歲之後，寧能信其不爾耶.高宗·元宗，臣皆及事之，今老矣，不忍一朝，忽焉不祀．臣若不諫，無以見先王於地下矣”．王慘然動容者久之．[261] ○一

260) 이와 관련된 기사로 다음이 있다.
- 열전2, 忠宣王妃, 薊國大長公主, “王惟紹等譖于皇后，欲以瑞興侯琠改尙公主．琠貌美，忠烈使之袨服數往來，以觀公主．公主素不謹，每與內僚諸人亂，王益不屑，故遂屬意於琠，語在惟紹傳”．
- 열전35, 宦者, 李淑, “…後與王惟紹，謀廢忠宣王，立瑞興侯琠，事在惟紹傳”．

261) 崔有渰에 관한 기사는 열전23, 崔有渰에도 수록되어 있다.

日，惟紹等，見右丞相答剌罕，以王言譖前王．答剌罕曰，“益知禮普化王，世祖之甥也．寶塔公主，亦宗室之女也，改嫁廢嫡，於理安乎?”惟紹復譖之，如告阿忽台，答剌罕曰，“瑞興侯，亦王之子耶?”．曰，“否”．曰，“誰出耶?”．惟紹未能對，退問於崔有渰．有渰曰，“子亦宗姓，宜自知之矣”．惟紹等謀旣洩，洪子藩等五人，詣中書□省言，“惟紹等離間王父子，逆理亂常，罪莫甚焉”．省官令王父子，同赴省，旣問已，執囚惟紹等四人:節要轉載].262)

[○未幾，判密直司事高世·密直副使金文衍·秦良弼，白王曰，“臣等負縲紲於此，爲日已久，無所報效，但願奉殿下，東出齊化門”．王曰，“我聞前王，遣人於涯頭驛，要我渡河而沈之，我雖老，獨不畏死耶?”．世等，乃與從臣七十人，上書中書省，極論惟紹等罪狀，且請，奉王以還，省官以奏．於是，設宴餞王，又累進驛馬，以促行．王無以爲計，乃飮藥發痢疾，自夏至秋不起，潛遣人詣行在，請與公主俱歸．阿忽台以奏．皇后曰，“翁與婦，偕行可乎?．必不得已則，我且還都，備車帳以送，亦未晩也”:節要轉載].263)

○公主聞惟紹等被訴，怒甚，召文衍杖之．又使人守戶，凡署名告狀者，禁其出入王所．於是，諸從臣皆離散，惟秘書丞李兆年·內竪崔晋二人，侍.264)

[是年，以中郞將裵廷芝爲全羅道察訪使:追加].265)

[○權福壽·僧戒文·朴孝眞寫成‘阿彌陀如來’一幀:追加].266)

---

262) 이와 같은 기사가 열전38, 王惟紹에도 수록되어 있다.

263) 이와 같은 기사가 열전38, 王惟紹에도 수록되어 있다. 또 齊化門은 明代인 1439년(正統4) 4월 새로운 門이 준공된 후 朝陽門으로 改稱되었다고 한다(『警修堂全藁』 권1, 題載石圖). 그리고 涯頭驛[崖頭站]은 현재의 瀋陽市 서쪽으로 흐르는 遼河 부근에 위치한 驛이다(森平雅彦 2014년).

264) 이와 같은 기사가 열전38, 王惟紹에도 수록되어 있다. 또 이후 李兆年은 鄕里인 京山府에 돌아가 13년간 隱居하였다고 한다. 그리고 이때 金倫이 충렬왕을 수종하고 있었던 것 같다.
- 「李兆年墓誌銘」, “… 大德末，公從忠烈王，朝京師．忠宣王來問安，群僚素儻王·宋，皆懷疑，縮縮走匿，公恃無他，進退惟謹，例遠竄，歸而居鄕者十三年，未嘗一出言自訟，其非罪一也”.
- 열전22, 李兆年, “忠烈王三十二年，從王朝元，王惟紹·宋邦英，離間王父子，諸從臣皆懷疑，縮縮走匿，曹頔最先去．惟兆年恃無他，進退惟謹，例遠竄，歸而居鄕者十三年，未嘗一出言訟其非罪”.
- 「金倫墓誌銘」, “公嘗從忠烈王入朝，忠宣王日候于邸，從臣慕顧退縮，公身兼數任，獨侍左右，忠烈嘉其志，忠宣亦待以禮”.
- 열전23, 金倫, “倫，嘗從忠烈入朝，忠宣日候于邸．從臣慕顧退縮，倫身兼數任，獨侍左右，忠烈嘉其志，忠宣亦待以禮”.

265) 이는 「裵廷芝墓誌銘」에 의거하였다.

266) 이는 東京都 港區 南青山 6-5-36 根津美術館에 소장되어 있는 「阿彌陀如來像」, 下端部 左右

[是年頃, 成均學諭闕員, 學官崔瀣與李守者爭, 崔有渰欲與守, 瀣之父伯倫罵有渰, 語頗不遜, 配伯倫于孤蘭島:轉載].[267)]

丁未[忠烈王]三十三年, 元大德十一年, [西曆1307年]

1307년 2월 3일(Gre2월 11일)에서 1308년 1월 23일(Gre1월 31일)까지, 384일

春正月丙寅朔[大盡,壬寅], 王在元.

癸酉[8日], 元成宗崩[于玉德殿, 在位十有三年, 壽四十有二. 乙亥[10日], 靈駕發引, 葬起輦谷, 從諸帝陵:追加].[268)]

丙子[11日], [雨水]. 中書省·御史臺遣劉學士來, 審斷獄囚.

[某日, 以崔白倫[~~崔伯倫~~]爲慶尙道按廉使, 金珥爲全羅道按廉使:慶尙道營主題名記].[269)]

의 畵記에 의거하였다. 또 發願者인 權福壽는 佛門에 귀의한 都僉議侍郎贊成事致仕 權咀(1218~1311, 權溥의 父)으로 추측되고 있다(黃壽永 1961년a ; 熊谷宣夫 1967年 ; 菊竹淳一 1981年 單色圖版10 1997년 ; 洪潤植 1995년 22面 ; 張東翼 2004년 735面, 學習院大學 所藏 末松保和資料 9box에 判讀文이 있음).

· 畵記, "伏爲」 皇帝萬年, 三殿行李, 速還本國之願,新畵成,」 彌陀一幀」(左側)". "法界生亡, 兼及已身, 超生安養,」 施主權福壽,」 同願道人戒文, 同願朴孝眞,」 大德十年」(右側)".

267) 이는 다음의 기사에 의거하였는데, 이 사건은 崔瀣(1287~1340)가 滿20歲[21歲] 以前이며, 崔伯倫이 慶尙道按察使에 임명된 1307년(충렬왕33) 1월 이전에 일어난 것으로 기록되어 있다. 그 時期를 보다 명확하게 밝히기 위해 ~~添字~~가 필요할 것이다.

· 열전22, 崔瀣, "… 字彦明父, 一字壽翁, 鷄林人, 文昌侯致遠之後. 父伯倫擢魁科, [~~忠烈王34年以後~~]官至民部議郎, 元授高麗王京儒學敎授. 瀣幼穎悟, 九歲能詩, 旣長學日進, 大爲先輩所服. [~~忠烈王29年~~]登第, 補成均學官, 學諭闕員, 瀣與李守者爭. 政丞[~~贊成事~~]崔有渰欲與守, 伯倫罵有渰, 語頗不遜, 配伯倫于孤蘭島".

· 『동문선』 권4, 二十一除夜, "… 十六[28年]充擧子, 士版得相隨, 十七[29年]戰春官, 中策欣揚眉, … 況今老夫子[崔伯倫], 夏孟[孟夏]承疇咨, 仍按東南轡, … 二十寂無聞, 雖稱丈夫兒, 我今旣云過, 一命未曾縻, 二十一除夜, 空作徂年悲"(崔瀣 作).

268) 이는 『원사』 권21, 본기21, 성종4, 大德 11년 1월 癸酉에 의거하였다.

269) 崔白倫은 崔伯倫의 오자인데, 1403년(癸未, 태종3) 慶尙道觀察使 南在의 注에도 後者로 되어 있다(『慶尙道營主題名記』, "大德丁未春夏等按察使[~~按廉使~~]崔伯倫外曾孫"). 또 金珥는 『光山金氏族譜』 권1, 光山縣題詠詩序의 末尾, "僕今提按到此, 如此其敍事者, … 大德十一年六月日, 提按黃臺典誥金珥序"(1747년, 英祖23 刊行 ; 金容燮 2001년)에 의거하였다. 이 자료에서 金珥가 6월에 光山縣을 管轄하였던 全羅道按廉使[提按]임을 통해 볼 때 秋冬番에도 崔伯倫과 마찬가

二月[丙申朔小盡,癸卯], 戊戌[3日] 太白晝見.

[癸卯[8日], 月入東井. 太白犯昴:天文3轉載].

[癸丑[18日], 月入氐, 與鎭星同舍:天文3轉載].

[戊午[23日], 東西有赤氣:五行1轉載].

三月[乙丑朔大盡,甲辰], 丙戌[22日], [宰樞:節要轉載]遣郎將姜褶[康褶]如元, 告耀.[270)]

辛卯[27日], 前王遣同知密直司事金文衍·上護軍金儒來, 夜入巡軍□□[萬戶]府, 宣批判. 以崔有渰爲都僉議中贊·判典理監察司事, 柳庇爲都僉議贊成事·判軍簿司事, 李混爲都僉議贊成事·判版圖司事,[271)] [元瓘爲都僉議侍郎贊成事·商議都僉議司事:追加],[272)] 金深爲都僉議參理·判三司事,[273)] 許評△[爲]判密直司事, 金延壽·金台鉉△△[並爲]知密直司事,[274)] 金文衍△[爲]同知密直司事, [朴全之爲密直副使·寶文閣大司學:追加],[275)] 尹琦·吳漢卿△[並]爲密直副使, 朴承功·羅允材爲三司左·右使, 趙仁規△[爲]咨議都僉議司事·平壤君, 印侯△[爲]咨議都僉議司事·平陽君, [前知都僉議司事]金忻△[爲]咨議都僉議司事·贊成事,[276)] 高世△[爲]咨議密直司事·都僉議參理, [前知申事]金元祥△[爲]咨議密直司事·密直副使, 秦良弼△[爲]咨議密直司事·同知密直□□[司事], 崔冲紹爲版圖判書·權授贊成事, [密直副使]洪詵爲上護軍·權授參理, 閔宗儒爲典法判書·權授判密直司事,[277)] 朴全之△[爲]判秘書寺事·權授密直副使, 許有全爲監察大夫·權授同知密

지로 連任[仍番]하였을 것이다.

270) 姜褶은 『고려사절요』 권23에는 康褶으로 달리 표기되어 있다.

271) 이때의 형편은 다음의 기사에도 수록되어 있다.

· 열전21, 李混, "王惟紹·宋邦英既誅, 忠宣得專國政, 以混爲僉議侍郎贊成事".

272) 이는 「元瓘墓誌銘」에 의거하였다.

273) 이때 金深은 匡靖大夫·都僉議參理·上護軍·判三司事에 임명되었다(金深墓誌銘).

274) 이때의 형편을 崔瀣는 다음과 같이 壓縮하여 서술하였다.

· 「金台鉉墓誌銘」, "及丁未春, 德陵奉仁宗, 掃淸內亂, 功高天下. 而本國之臣, □懷二於王者, 皆去之, 而上自二府, 下至庶僚, 或誅或流, 釐革且盡, 獨留公, 復知密直司□[事]".

· 열전23, 金台鉉, "及忠宣奉仁宗, 靖內亂, 本國臣僚, 懷二者悉誅竄, 獨留台鉉, 復知密直司事".

275) 이는 「朴全之墓誌銘」에 의거하였는데, 같은 密直副使인 尹琦·吳漢卿 앞에 位置지운 것은 1298년(충렬왕24) 7월 朴全之의 位相이 上位인 것을 감안하였다. 또 이 시기 이후에 司學은 學士로, 大司學은 大學士로 改稱되었던 것 같다.

276) 이때 다이두에 머물고 있던 金忻은 이후에 三重大匡에 임명되었다가 金方慶에 이어 上洛公에 책봉된 후 귀국하였다고 한다.

· 열전17, 金方慶, 忻, "及希愈卒, 拜贊成事·咨議都僉議司事, 加三重大匡, 襲封上洛公. 遂東還".

277) 이후 閔宗儒는 監察大夫를 兼職하였던 것 같다.

直司事，鄭之衍爲左常侍·權授同知密直司事，趙簡爲右常侍·權授密直副使，李連松△爲判禮賓寺事·權授密直副使，朴瑄爲軍簿判書·權授密直副使，李㦗△爲判司宰寺事·權授密直副使,[278] 李瑱△爲判衛尉寺事·權授密直副使，趙瑞·金興爲左·右承旨，夜先旦·洪承緖爲左·右副承旨，其餘除授者，八十餘人.[279]

[→忠宣在元，以仁規爲咨議都僉議司事·平壤君，開府置官屬，賜宣忠翊戴輔祚功臣號．遣承旨金之兼來，啓曰，"趙仁規年高德邵，爲國元老．許朝會玉帶傾盖侍從，贊拜不名，劒履上殿．國有大事，僉議密直一人，就家咨稟．若有不聽仁規及中贊崔有渰約束者，以違法論"，王從之:列傳18趙仁規轉載].

○[時，前王與皇姪愛育黎拔力八達太子及右丞相答剌罕等定策，迎立懷寧王海山，爲帝．於是:節要轉載]，前王奉太子愛育黎拔力八達□令旨，捕王惟紹·宋邦英·宋璘·韓愼·宋均·金忠義·崔涓及其黨惡者，囚之于邸，遷王於慶壽寺.[280] 自是，王拱手，而國政歸于前王．[乃以從臣權漢功·崔實，主選法，王所任使者，悉罷之，以其所親信者代之．除授皆出於請謁，使漢功·實，賫批判，啓王，行印而已．遂遣文衍等，逮捕惟紹之黨及有宿憾者．於是，文衍囚中贊致仕宋玢等三十六人，籍其家，而流之．其餘，或杖或流者數十人．前王，又檻送內竪金洪守等，斬于市:節要轉載].

[→又明年忠烈33年，前王奉太子旨，捕王惟紹及其黨，囚於邸，有崔涓者，匿公主所，李成柱直入臥內，於樻中得之．於是，前王遷王于慶壽寺．自後，王拱手，國政歸於前王，乃以從臣權漢功·崔實，主銓選．王所任使者，悉斥罷，以其所親信者，代之．除授皆出於請謁，漢功等齎批判啓，王行印而已．遂遣文衍于本國，逮捕惟紹之黨．及其有宿憾者宋玢等三十六人，籍其家流之．其餘或杖或流者，數十人．先是，惟紹等賂內竪金洪守·崔涓妻仁明殿婢權舍，謀進毒前王．洪守以毒授舍，舍又

·「閔宗儒墓誌銘」，"丁未忠烈33年，起授判密直司事，改監察大夫，陞匡靖大夫".
· 열전21，閔宗儒，"起爲典法判書，權授判密直司事·監察大夫".

278) 李㦗은 後日 都僉議贊成事·□□□大學士에 이르렀다(『동문선』 권68，靈鳳山龍巖寺重創記，朴全之 撰).

279) 洪承緖(洪子藩의 長孫，洪敬의 子)는 그의 外孫인 李嵒의 묘지명에 의하면 右代言에 이르렀다고 한다. 또 그에 관련된 다음의 기록이 있다.
· 열전18，洪子藩，承緖，"承緖，中第累官至正尹．美容儀．嘗與辛育才爭田，毆殺之，其妻告□□察理辨違都監．承緖逃，乃徵銀瓶，人以無狀目之".

280) 慶壽寺(現 北京市 西城區 西長安街上 28號에 있었던 寺刹)는 大慶壽寺 또는 雙塔寺로 불렸다. 忠宣王이 1312년(皇慶1，충선왕 복위4) 程文海에게 命하여 「大慶壽寺大藏經碑」를 修撰하게 하였다(『楚國文憲公雪樓程先生文集』 권18 ; 張東翼 1997년 131~133面). 이 碑文의 抄略은 『燕巖集』 권14에 「慶壽寺大藏經碑略」로 수록되어 있다.

與侍婢無老之謀. 而未得進. 有勸前王幸無老之者, 旣幸, 而無老之以情告. 遂執舍搜得懷中毒藥, 令無老之告省官. 省官欲下舍等宗正府究問, 難其事而寢, 乃斬洪守·舍. 裴贇者, 善蒙語, 性狂縱, 數與宰相柳庇言不遜, 惟紹之被執也, 左右幷收贇. 前王曰, "惟紹等之譖我, 正由此人之喙, 我必殺之". 使人急榜掠. 贇以蒙語乞哀, 前王謂左右曰, "此人善譯". 遂宥之. 斬惟紹·邦英·愼·璘·均·忠義·涓於文明門外. 籍其家, 父子兄弟, 皆沒爲奴, 愼子用盉等三人, 充驛戶. 又承旨吳演, 嘗黨惟紹, 及惟紹誅, 着道士服亡匿. 前王獲之, 囚於邸, 欲殺之, 演念佛經甚勤, 哀之, 乃流于島:列傳38王惟紹轉載].

[→[忠烈]三十三年, 忠宣在元, 誅璘·邦英·王惟紹等. 遣金文衍□[來], 囚[宋]玢等三十六人, 籍其家, 流之. 以玢寄書于璘, 勸成姦計也, 語在邦英·惟紹傳:列傳38宋玢轉載].

[→忠宣定內亂, 擁立武宗, 誠之[崔實]居左右, 多所贊襄, 拜知監察司事:列傳21崔誠之轉載].

[是月, 宣授朝列大夫·翰林直學士·匡靖大夫·咨議都僉議司事·延英殿大司學·提修史·判文翰署事閔漬記撰'五臺山月精寺事蹟記'跋:追加].[281]

夏四月[乙未朔小盡,乙巳], 甲辰[10日], 瑞興侯琠·王惟紹·宋邦英·宋璘·[前同知密直司事]韓愼·宋均·金忠義·崔涓, 伏誅.[282] [前王欲宥琠, 丞相不可, 使刑部, 斬八人於文明門外.

---

281) 이는 다음의 자료에 의거하였는데, 前判密直司事 閔漬가 咨議都僉議司事에 임명된 것은 是月(3월) 27日일 것이다.

· 『五臺山事蹟』, "… 大德十一年二月[三月]日, 宣授朝列大夫·翰林直學士·匡靖大夫·咨議都僉議司事·延英殿大司學·提修史·判文翰署事閔漬記"(이는 『佛教振興會月報』1-7, 1915년 9월號에 수록되어 있다).

282) 이는 大都에서 이루어진 일이고, 이때 1303년(충렬왕29) 이래 瑞興侯 琠을 隨從하고 있던 典理摠郎 崔雲은 貳心을 지니지 않아 處刑되지 않았고, 宦官 李淑의 妻男인 全英甫는 가산이 몰수되고 유배되었다고 한다. 또 이때의 형편을 전하는 기록으로 다음이 있다.

· 「崔雲墓誌銘」, "大德癸卯, 以世家子, 隨王琠宿衛闕庭, 號都魯花. 而琠因王太尉久遭讒釁, 有非覬心. 至丁未春事發, 琠及黨與, 皆誅竄, 而公獨以不附, 拜大護軍"(『졸고천백』 권1).

· 열전37, 폐행2, 全英甫, "全英甫, 本帝釋院奴, 治金薄[金箔]爲生. 元嬖宦李淑之妻兄也, 淑嘗黨於王惟紹, 謀廢忠宣, 及忠宣誅惟紹, 乃籍英甫家, 流遠島. 初忠烈授英甫郎將, 諫官不署告身". 여기에서의 金薄과 金箔은 通用되는 글자이다.

· 열전38, 宋邦英, "[宋邦英,] 至京師伏誅, 語在王惟紹傳. [前右承旨]蔡宗璘者, 與璘有姻好, 亦見逮, 會赦得免".

· 열전38, 吳潛, 石胄, "前王在元, 以[石]胄及天琪黨於王惟紹, 籍胄家, 流之, 又杖流天琪".

· 열전43, 崔坦, 韓愼, "[忠烈]三十三年, [韓愼]與惟紹伏誅, 籍家產, 父子兄弟, 皆沒爲奴. 愼子方固·用盉等三人, 充驛戶. 方固·用盉皆登第, 至是, 削名籍".

前王命籍惟紹等七人家, 又父子兄弟, 皆沒爲奴, 韓愼子充驛戶. 初, 宋璘妻兄, 前雞林尹東京副留守李偰, 寄璘書曰, “願努力, 使王父子如初, 毋誆人邪說以自誤”. 璘死, 前王得其書, 嘉之, 拜偰爲密直副使:節要轉載].[283]

是月, 元勑王還國, 因署行省, 以鎭撫.

五月甲子朔小盡,丙午, 壬申9日, 元遣平章□□政事撤勒帖木兒·學士郭貫來, 鎭之.[284]

丁丑14日, [夏至]. 王至自元, 入御淑昌院妃第.

乙酉22日, 幸梨峴宮, 設消災道場.

辛卯28日, 內庫享王.

是月, 前王與右丞相答剌罕~~答剌罕~~定策,[285] 迎皇姪懷寧王海山, 卽皇帝位, 是爲武宗.

[是月甲申21日, 懷寧王海山卽位于上都, 受諸王·文武百官朝於大安閣, 大赦天下:追加].[286]

六月癸巳朔大盡,丁未, 乙未3日, 龍山別監魯維享王.

[某日, ~~正獻大夫~~·國學大司成·~~文翰司學~~致仕尹諧卒, □□□□~~年七十七~~. 諧, 初調尙州司錄, 人有私其妹者, 時久旱, 諧曰, “殺此人, 天乃雨”, 長官不聽. 諧, 乘馬立道上, 出其人數罪, 乃以石壓首卽死, 天雨三日. 後, 入內侍, 從王入覲, 掌行李供用之貲, 及還, 歸其餘于國贐, 人稱其廉. 諧爲人, 性抗直, 不畏豪勢, 臨事果斷, 人不敢欺:節要轉載].[287] [子守平, 守平子澤:列傳19尹諧轉載].

甲辰12日, 遣密直副使趙瑞如元, 賀聖節.[288]

---

283) 瑞興侯 琠의 被殺에 대한 기사는 열전4, 神宗王子, 襄陽公恕에도 수록되어 있다. 또 李偰(李德孫의 子)에 관련된 내용은 李德孫의 열전에도 수록되어 있는데, 그는 1307년(충렬왕33) 8월 13일 東京副留守로 赴任하여 東京이 雞林府로 개편된 1308년 7월 4일 上京하였다(『동도역세제자기』).

· 열전36, 李德孫, “子偰, 官累贊成事. 初, 偰妹壻妹夫宋璘, 黨於王惟紹, 離間王父子, 偰寄璘書曰, ‘願努力使王父子如初, 毋恤人邪說以自誤’. 璘伏誅, 忠宣得其書, 嘉忠直, 授密直副使”.

284) 이 내용은 郭貫의 열전에도 수록되어 있는데, 그는 1309년(至大2) 皇太子(仁宗)를 隨從하여 五臺山에 갔을 때 그곳에서 忠宣王(瀋王)을 拜謁하였을 것이다.

·『원사』 권174, 열전61, 郭貫, “大德八年, 遷集賢待制, 進翰林直學士, 奉詔遼陽行省平章政事別速台徹里帖木兒往鎭高麗”.

285) 右丞相 荅剌罕은 右丞相 哈剌哈孫[Qara Qas Darqan]의 다른 표기이다.

286) 이는『원사』 권22. 본기22, 무종1, 大德 11년 5월 甲申에 의거하였다

287) 이와 같은 기사가 열전19, 尹諧에도 수록되어 있는데, 添字는 이에 의거하였다.

288) 武宗의 生辰은 7월 19일이다(『원사』 권22, 본기22, 武宗1). 또 이때 1308년(至大1, 충렬왕34) 6

丙午[14日], 前王遣左承旨金之兼來, 啓, "令造成都監官桓頤, 領兵船軍, 與內盈尹康順·護軍李珠董役, 營造市街兩旁長廊二百間", 從之.

[○以壽元天聖節, 似涉僭擬, 改以誕日, 稱之:禮9王太子節日受宮官賀幷會儀轉載].[289)]

[○判, 僉議·密直咨議權授者, 坐於本官同品之下. 又權授者, 坐於咨議之下. 諸曹判事·東西從三品, 亦從上例. 其咨議·權授者, 若非邀請, 並不得參署本官公事:禮10兩府宰樞合坐儀轉載].

[○忠宣王在元, 遣使來, 傳旨, "僉議·密直, 相呼爲令公, 至於書狀, 例稱令侯·令旨, 不亦冒禮之甚乎? 自今, 易以台侯·台旨, 違者, 處以重法":刑法1公牒相通式轉載].

己酉[17日], 遣同知密直司事秦良弼如元, 獻童女.

[○白虹貫紫微·北斗:天文3轉載].

癸丑[21日], 元帝[武宗]以卽位, 遣要乙古豆來, 頒赦.[290)]

[戊午[26日], 月與太白同舍:天文3轉載].

[己未[27日], □[月]又入東井:天文3轉載].

[壬戌[30日], 太白入東井:天文3轉載].

[是月戊午[26日], 帝進封王昛[王謜]爲瀋陽王, 加太子太傅·駙馬都尉:追加].[291)]

월 趙仁規의 墓誌를 修撰한 方于宣이 直翰林院(정9품 또는 權務職)으로 隨從하였다고 하는데(「趙仁規墓誌銘」, "予於昨年, 以直翰林陪公, 入賀聖節"), 이때 翰林院은 文翰署로 改稱되었기에 直翰林院은 直文翰署의 誤謬이다. 또 方于宣이 墓誌를 찬할 때 朝議大夫(文宗代, 正5品下)·判禮賓寺事(정3품)·充史館修撰官·知制誥였다고 하는데, 이 史館修撰官은 蒙古壓制 以前의 것이다. 또 이 官職은 前年에 直翰林院이었던 人物이 임명될 수 없는 職責이다. 그러므로 「趙仁規墓誌銘」에 기재된 官職은 信憑하기에 疑問이 없지 않다.

289) 忠烈王의 誕日은 2월 26일이다.

290) 武宗 海山[Qaisan]은 5월 21일(甲申) 上都(現 內蒙古自治區 錫林郭勒盟 正藍旗 동쪽)에서 卽位하고 天下에 大赦를 내렸다(『원사』 권22, 본기22, 무종1, 大德 11년 5월 甲申).

291) 이는 다음의 자료에 의거하였다. 이 자료와 『원사』 권108, 表3, 諸王表 瀋王에는 王昛(忠烈王)로 되어 있으나, 王謜(忠宣王)의 잘못이다. 또 諸王表 瀋王에는 忠宣王(王璋)이 1319년(延祐 6)에 駙馬로서 瀋王을 襲封하였다고 되어 있으나 이 역시 잘못이다(『存復齋文集』 권7, 祭太尉瀋王文).

· 『원사』 권22, 본기22, 무종1, 大德 11년 6월, "戊午[26日], 進封王昛[王謜]爲瀋陽王, 加太子太傅·駙馬都尉".

[夏某月, 以妙蓮社主·大禪師丁午爲王師:追加].[292]

[○以知密直司事金台鉉爲咨議贊成事:追加].[293]

秋七月癸亥朔大盡,戊申, [丁卯5日, 至元二十九年忠烈王18年宣諭日本使金有成, 以病卒於日本.[294] 子于鎰, 判典校寺事. 書狀官郭麟亦竟死, 不歸. 子之泰, 仕至版圖正郎 , 年踰七十, 哀慕益深, 不樂仕宦. 子忠秀, 慷慨有志氣, 歇歷臺諫, 有聲績, 官累通憲□□大夫. 嘗構亭淸州楸洞, 名曰永慕, 以寓東望之思:列傳19金有成·郭麟轉載].[295]

[庚午8日, 月入氐:天文3轉載].

辛未9日, 遣上護軍李茂如元, 獻鶻.

[○月又入房上相, 皆與鎭星同舍:天文3轉載].

乙亥13日, 典理·軍薄軍簿, 更定選法.[296] 先是, 前王遙命, "二司分掌文武選, [判事·判書, 同議陞黜:節要轉載]. 其□都僉議·密直有缺, 必須馳稟於我". [乃行宣痲. 時, 除授之命, 皆出前王:節要轉載]. 以故, 王欲不聽二司之奏, 承旨等强之曰, "此爲前王之命, 不可不聽". [强之再三:節要轉載], 王雖不愶協於心, 亦不可否, 但頷之而已.

戊子26日, 彗星見于尾.

○元冊皇太子愛育黎拔力八達, 遣使來, 頒詔.[297]

[庚寅28日, 熒惑入南斗. 太白犯輿鬼:天文3轉載].

[某日, 慶尙道按廉使崔伯倫, 仍番:慶尙道營主題名記].[298]

---

292) 이는 『동문선』 권68, 龍頭山金藏寺金堂主彌勒三尊改今記(李慥 撰)·靈鳳山龍巖寺重創記(朴全之 撰)에 의거하였다.

293) 이는 「金台鉉墓誌銘」에 의거하였다.

294) 이날은 율리우스曆으로 1307년 8월 3일(그레고리曆 8월 11일)에 해당한다.

295) 이는 다음의 기사에 의거하였고, 이때 북동아시아 3國의 曆日이 동일하였다. 또 鉗公은 高麗를 경유하여 江南의 徑山(現 浙江省 杭州市 餘杭區 徑山禪寺)에 머물던 虛谷和尙을 찾아갔던 것으로 추측된다(『選居集』, 鉗藏主再參徑山虛谷和尙). 그리고 郭麟의 墓所는 일본에 있었는데 封墳의 풀이 모두 高麗王朝를 바라보는 西向으로 자랐다고 한다(『陽村集』 권3, 永慕亭 ; 『老松堂日本行錄』).

· 열전19, 金有成·郭麟, "後日本僧鉗公來言, 有成, 丁未忠烈王33年七月五日, 病卒. …".

296) 여러 판본의 『고려사』에서 軍薄(군박)으로 되어 있으나 軍簿(군부)의 오자이다(東亞大學 2012년 17책 776面).

297) 武宗의 母弟 愛育黎拔力八達[Ayurbarwada]은 6월 1일(癸巳) 皇太子에 冊封되었다(『원사』 권22, 본기22, 무종1, 大德 11년 6월 癸巳).

[是月，元以洪萬復爲遼陽行省右丞:追加].[299]

[是月頃，以李楔爲東京副留守:追加].[300]

八月[癸巳朔小盡,己酉]，[某日，竄故中贊韓希愈之子儉于嘉州，復其吏役．希愈，本嘉州吏也．王自復位以來，王惟紹等用事，離間王父子．希愈自以謂發迹行伍，位至宰輔，感王之德，惟王意是順，略無規諫．前王謂希愈黨王·宋，深以爲憾:節要轉載].

[丙申[4日]，熒惑入南斗:天文3轉載].

[庚戌[18日]，太白犯軒轅:天文3轉載].

辛亥[19日]，元遣前王從臣知監察司事崔實來,[301] 加王策命曰，“咨，爾推忠宣力定遠保節功臣·開府儀同三司·大尉[太尉]·征東行中書省左丞相·上柱國·高麗國王王昛，秉心直諒，賦質貞純，早克嗣於先猷，久服勞於王室．身惟國壻，寅居賓日之方，男卽皇甥，復豫乘龍之選．築館，荷兩朝之眷，分茆，襲百祀之傳．肆陞右揆之階，光應上台之象．玆荐頒於寵數，其益効於忠勤，動惟一德之懷，居必正人是與．祖宗世稱漢藩輔，保樂土於三韓，父子並爲周司徒，播淸風於萬古，可特加純誠守正推忠宣力定遠保節功臣·開府儀同三司·大尉[太尉]·征東行中書省右丞相·上柱國·高麗國王，尙服渥命，以介福祺”.

○王賜[崔]實衣一襲·銀三斤.[302]

丁巳[25日]，遣[都僉議]中贊崔有渰如元，賀登極.

○典法判書李瑱上書前王[曰，“殿下，樹勳帝室，睠遇日隆，誠宜有功不伐，居寵若驚．又與朝臣，和如水乳，名器至重，不可輕也．無功之人，不可妄授，況延及其族黨乎? 其詐稱父王之賜，竊府庫錢穀者，人皆疾之，不可不察．其賜給土田，除有功外，一切收之．官冗員多，糜費廩祿，除六部尙書[判書]外,[303] 餘悉倂省．比年旱荒，民皆艱食，宜罷不急之役”:節要轉載].[304] ○王嘉納，超拜政堂文學.[305]

---

298) 崔伯倫은 그의 아들인 崔瀣의 묘지명에 의하면 中顯大夫(從3品下)·民部議郞(옛 戶部侍郞，正4品)·高麗王京儒學敎授(몽골제국의 官職)에 이르렀다고 한다.

299) 이는『원사』권154, 열전41, 洪福源, 萬에 의거하였다.

300) 이는『동도역세제자기』에 의거하였다.

301) 崔實의 初名은 阜·瑠·琇·實 등인데, 그중에서 實은 1307년(충렬왕33) 8월 19일에서 1308년(충선왕 복위년) 8월 27일 사이에 崔誠之로 改名하였다(열전21, 崔誠之).

302) 이와 같은 기사가 열전21, 崔誠之에도 수록되어 있다.

303) 尙書는 判書로 고쳐야 옳게 될 것이다.

[○三重大匡·檢校僉議政丞·右文館大提學·監春秋館事·驪興君閔漬撰'寶蓋山石臺記':追加].306)

[○畫師魯英寫成'阿彌陀八大菩薩圖'及'金剛山曇無竭地藏菩薩現身圖':追加].307)

九月壬戌朔大盡,庚戌, [丙寅5日, 太白犯西藩上將:天文3轉載].

[庚午9日, 雷:五行1雷電轉載].

癸酉12日, 前王命都評議□使司, 女年十六歲以下十三歲以上, 毋得擅嫁, 必須申聞而後, 許嫁, 違者罪之.

[辛巳20日, 月入東井:天文3轉載].

[庚寅29日, 王以前王誕日, 宴于壽寧宮:節要轉載].308)

[秋某月, 以密直副使朴全之爲判密直司事·提修史:追加].309)

冬十月壬辰朔大盡,辛亥, [己亥8日, 熒惑犯哭星:天文3轉載].

丙午15日, 遣判密直司事金延壽如元, 謝册命.

丁未16日, 三番忽赤享王.

壬子21日, 元遣宦者□□及國學典酒李彦忠李彦沖來, 選童女.

[→元遣使來, 求童女. 選二十六人, 獻之:節要轉載].

庚申29日, 內庫享王.310)

---

304) 여기에서 "近年 이래 旱魃로 인해 人民들의 食糧이 缺乏하니(比年旱荒, 民皆艱食)"라고 하였음을 볼 때, 이 시기에 每年 饑荒이 있었던 것 같다. 또 몽골제국에서도 前年에 이어 이해[是年] 7월 이후 연말까지, 또 明年(至大1) 9월까지 3년에 걸쳐 江南의 대부분의 지역에서 큰 饑饉이 있었다고 한다(『원사』 권22, 본기22, 武宗1, 大德 11년 7월이래, 至大 1년까지, 陳高華 2010年 65面).

305) 이와 같은 기사가 열전22, 李瑱에도 수록되어 있다.

306) 이는 『大東金石帖』의 寶蓋山石臺記에 의거하였다(許興植 1984년 1120面).

307) 이는 「阿彌陀八大菩薩圖」, 「金剛山曇無竭地藏菩薩現身圖」, 畵記, "大德十一年丁未八月日謹畫,魯英同願福得,付金漆書"에 의거하였다(文明大 1979년·1980년 ; 洪潤植 1995년 22面 ; 國立中央博物館 1999년).

308) 忠宣王의 誕日은 9월 30일이지만 月次의 큰 달[大盡], 작은 달[小盡]로 인해 29일을 誕日로 정하였던 것 같아 庚寅을 추가하였다.

309) 이는 「朴全之墓誌銘」에 의거하였다.

310) 『고려사절요』 권23에는 16日과 29日의 記事를 합하여 "忽赤·內庫享王"로 縮約하였다(盧明鎬

[是月, 王師·大禪師丁午撰'眞靜湖山錄'跋:追加].311)

十一月壬戌朔大盡,壬子, 甲子3日, 賜安奮等及第.312)

[乙丑4日, 大雪. 月犯牽牛:天文3轉載].

丁卯6日, 隨從功臣享王. 平章平章政事徹勒帖木兒·郭貫亦與宴, 請設火樹, 觀之.

[壬申11日, 歲星與太白, 同舍于心:天文3轉載].

[○雷電:五行1雷電轉載].

乙亥14日, 王不豫.

壬午21日, 遣同知密直司事秦良弼如元, 獻童女八人.

丙戌25日, 遣都僉議贊成事李混如元, 賀正.313)

○以前王命, 遣直史館尹頎, 奉先代實錄一百八十五冊如元. 時人皆不可曰, "祖宗實錄, 不宜出之他國□乎?".314)

[○月犯氐星:天文3轉載].

[丁亥26日, □月與鎭星犯房:天文3轉載].

戊子27日, 遣都僉議參理金深如元, 獻童女十八人.

[己丑28日, 太白·歲星同舍, 又犯辰星:天文3轉載].

十二月壬辰朔小盡癸丑, [某日, 前王遣摠郎李蘙來曰, "予聞諸司員吏, 怠於供職, 務行非理. 自今, 每於月終, 考覈賢否勤怠, 以聞":節要·選擧3考課轉載].

丙申5日, 前王杖流前承旨吳演及其弟漣于海島.

○前王欲依上國之制, 定軍民. 都僉議中贊崔有渰駁之, 乃止.315)

等編 2016년 587面).

311) 이는 다음의 자료에 의거하였다.

· 『萬德寺誌』 권2, 第5, 圓照國師, 跋眞靜湖山錄, "… 大德十一年十月日, 王師·佛日普照靜慧妙圓眞鑑大禪師丁午跋".

312) 이와 관련된 기사로 다음이 있다. 이때 安奮·安軸 등이 급제하였다(『등과록』, 朴龍雲 1990년).

· 지27, 선거1, 科目1, 選場, "忠烈三十三年十一月, □□同知密直司事許有全知貢擧, 版圖摠郎李頭同知貢擧, 取進士, 甲子, 賜安奮等三十三人及第".

313) 이때 李混의 관직이 僉議中護[僉議侍郎贊成事의 改稱]였다는 기사도 있다.

· 열전21, 李混, "忠宣得專國政, 以混爲僉議侍郎贊成事, 俄改中護. 忠宣在元, 以賀正使召之".

314) 添字는 『고려사절요』 권23에 의거하였다.

315) 이 기사는 열전23, 崔有渰에도 수록되어 있는데, 이때 최유엄은 大都에 체재하고 있었다.

[辛丑[10日], 月犯畢:天文3轉載].

[癸卯[12日], □[月]又犯東井. 鎭星犯房:天文3轉載].

[冬某月, 以[判密直司事]朴全之爲政堂文學·會議都監事:追加].[316)]

[是年, 禁僧同雪笠, □[昔]大禪師□□□[~~以下至~~]大德已上, 着八面八頂笠·圓頂笠, 違者罪之:刑法2禁令轉載].[317)]

[○以權準爲承旨. 時準年二十七:追加].[318)]

[○以[忠州牧副使]庾自偶爲版圖摠郎·知通禮門事:追加].[319)]

[○以[崇慶府丞]尹莘傑爲左正言·知製敎:追加].[320)]

[○以[堂後官]尹宣佐爲左正言:追加].[321)]

[○以鄭椽爲碩州副使:追加].[322)]

[○以[密直副使]<u>趙簡</u>爲安東牧使, [國學直講]<u>全信</u>爲安東判官, <u>李宣</u>爲安東司錄:追加].[323)]

[○以[別將]元善之爲郞將:追加].[324)]

[○以權賀爲東京留守府司錄:追加].[325)]

[○前王召[前東面都監判官同正]元忠, 至京師之邸, 尋爲禮賓內給事, 時, 忠年十八:追加].[326)]

[○帝[武宗]召<u>洪君祥</u>爲同知樞密院事, 進榮祿大夫·平章政事·商議遼陽等處行中書省事:追加].[327)]

---

316) 이는 「朴全之墓誌銘」에 의거하였다.

317) 이 문장은 ~~添字~~를 추가하여야 옳게 될 것이다.

318) 이는 다음의 자료에 의거하였다.
- 「權準墓誌銘」, "大德末, 公至京師, 忠宣王見而喜之, 遂擢爲代言, 年二十七 …".
- 열전20, 權呾, 準, "謁忠宣于燕邸, 擢爲代言. 自是, 恩寵愈隆, 賞賜無算".

319) 이는 「庾自偶墓誌銘」에 의거하였다.

320) 이는 「尹莘傑墓誌銘」에 의거하였다.

321) 이는 尹宣佐(尹諧의 壻)의 墓誌銘에 의거하였다.

322) 이는 『연안부지』에 의거하였다.

323) 이는 『안동선생안』에 의거하였다. 이들은 全信의 묘지명에 의하면 이해에 임명되어 다음 해 초에 부임하였던 것 같다. 또 이들은 부임한 후 안동대도호부가 福州牧으로 개편되자 官銜이 安東에서 福州로 改稱되었을 것이다.

324) 이는 「元善之墓誌銘」에 의거하였다.

325) 이는 『동도역세제자기』에 의거하였다.

326) 이는 「元忠墓誌銘」에 의거하였다.

[○太師·瀋陽王璋等上奏薦姚燧·濟南總管王構于朝:追加].[328)]

戊申[忠烈王]三十四年, 元至大元年, [西曆1308年]

1308년 1월 24일(Gre2월 1일)에서 1309년 2월 10일(Gre2월 18일)까지, 계 13개월 384일

春正月[辛酉朔大盡,甲寅], [乙丑[5日], 月犯熒惑:天文3轉載].

[癸未[23日], 雨, 木氷:五行2轉載].

丁亥[27日], 遣同知密直司事趙瑞如元, 賀皇太子誕日.[329)]

[某日, 以鄭肅文爲慶尙道按廉使:慶尙道營主題名記].

[是月朔, 元改元至大:追加].

二月[辛卯朔小盡,乙卯], 癸巳[3日], 地大震.

[○隕石于漳州, 聲如雷:五行2轉載].

辛丑[11日], 元改元至大, 遣許宣來, 頒詔.[330)]

甲辰[14日], 燃燈, 王如奉恩寺.

[○歲犯立星:天文3轉載].

翼日[乙巳15日], 侍臣上壽. 王酬之, 謂曰, “此日觀燈, 是吾畢竟事, 卿等宜無辭”. 侍臣皆爲之盡觴.

[丁未[17日], 雨, 木氷:五行2轉載].

---

327) 이는 『원사』 권154, 열전41, 洪福源, 君祥에 의거하였다.

328) 이는 다음의 자료에 의거하였다.

- 『牧庵集』附錄, 年譜, “大德十一年丁未, 先生七十歲, … 冬, 宮師府遣正字呂洙持太子太師·瀋陽王王璋書, 如漢徵四皓故事, 趣爲太子賓客, 授正奉大夫”.
- 『淸容居士集』 권32, 翰林承旨王公[王構]請諡事狀, “[大德]十一年, 太師·瀋陽王等奏, 俾乘驛造朝, 拜翰林學士承旨”.
- 『여유당전서』 권25, 小學紺珠, 四之類, “四皓者, 秦漢之隱士也[注, 謂鬚眉皓白]. 一曰東園公[唐宣明], 二曰綺里季, 三曰夏黃公[崔少通], 四曰角里先生[周元道], 此之謂四皓也. 四皓之名, 出‘漢書’[張良傳, 其姓名見~~陶靖節集·陳留記~~”.

329) 皇太子 愛育黎拔力八達[Ayurbarwada]의 誕日은 3월 4일이다(『원사』 권24, 본기24, 인종1, 總論).

330) 大德 12年을 至大元年으로 바꾸는 詔書를 내린 날은 前年 12월 29일(庚申)이었다(『원사』 권22, 본기22, 무종1, 大德 11년 12월 庚申).

丙辰[26日], 元詔加封孔子, 大成至聖文宣王.[331)]

丁巳[27日], [都僉議]中贊崔有渰還自元, 帝賜王蒲萄酒.

三月庚申□[~~朔~~小盡,丙辰], 幸梨峴宮, 設消災道場.[332)]

壬戌[3日], 元遣濟州[~~耽羅~~]達魯花赤來.

[春某月, 鳳山儀法師入覲, 瀋王以其道行之隆, 引見於大明殿, 率儀謁見, 帝加號賜物:追加].[333)]

夏四月[己丑朔大盡,丁巳], 癸巳[5日], 元遣宦者撒勒□[来], 降香, 以皇太后[塔己]命, 選童女. 撒勒, 本國龍宮縣人也.

丙申[8日], 王與淑昌院妃, 幸奉國寺.

戊戌[10日], 王畋于進奉山.

庚子[12日], 江陽公滋卒.[334)]

庚戌[22日], 設賞花宴于壽寧宮.

[→內庫享王:節要轉載].

癸丑[25日], 平壤君趙仁規卒,[335)] [年七十二, 謚貞肅:列傳18趙仁規轉載]. [仁規, 祥原郡人, 自少穎異, 學蒙古語, 以未能出於儕輩, 閉戶三年, 晝夜誦習, 遂知名.

---

331) 元이 至聖文宣王 孔子를 大成至聖文宣王으로 加封한 것은 前年 7월 19일(辛巳)인데(『원사』 권22, 본기22, 무종1, 大德 11년 7월 辛巳), 이때 이것을 高麗에 通報한 것 같다. 그런데 『원사』 권76, 지27, 祭祀5, 宣聖에는 至大 1년 7월에 加封한 것으로 되어 있으나 오류일 것이다(『寰宇訪碑錄』 권11, 加封孔子制誥碑, 湖北江夏, "正書, 大德十一年七月").

332) 庚申에 朔이 탈락되었다.

333) 이는 다음의 자료에 의거하였는데, ~~添字~~가 追加되어야 좋을 것이다[讀]. 여기에서 筆者가 이 事實이 봄철[春]에 있었던 것으로 기록한 것은 武宗 海山이 3월 19일 夏都인 上都로 幸次하여 9월 20일 大都에 歸還하였기에 忠宣王[瀋王]이 儀法師를 大都[燕京]의 宮闕[大明殿]에서 引見한 시기는 3월 中旬以前이었을 것으로 추측한 결과이다.

· 『佛祖統紀』 권48, 法運通塞志17-15, 元 武宗, "至大元年, … 鳳山儀法師入覲, 高麗瀋王王璋, 以其道行之隆, 引見大明殿, □[~~帝~~]特命講經三藏, □□[~~以爲~~]試鴻臚卿, 加佛智之號, 賜金納失失伽黎. 繼奉青宮令旨, 撰瞻巴金剛上師行業, 傳書成經進, 同高僧傳入藏, …".

334) 이 기사는 열전4, 忠烈王王子, 江陽公滋에도 수록되어 있다. 이날은 율리우스曆으로 1308년 5월 2일(그레고리曆 5월 10일)에 해당한다.

335) 이날은 율리우스曆으로 5월 15일(그레고리曆 5월 23일)에 해당한다.

每有奏請, 必遣仁規, 凡奉使者三十. 專對之功頗多. 然多聚田民致富, 加以國舅, 權傾一時. 子壻皆列將相. 及遘疾子弟迎良醫診視, 仁規曰, “吾發迹行伍, 官至極品, 年踰七旬, 死生有命, 安用醫爲”. 時, 諸子在元, 唯璉侍疾, 謂曰, “汝家兄弟姊妹且九人, 愼毋忿爭, 取笑於人, 自家而國, 此理可循, 待汝昆季來, 其具訓之, 永爲家法”. ○然, 其女爲廉世忠妻, 與驅奴裵三通, 醜聲流聞:節要轉載].[336)]

[是月, 羚羊入行省:五行2轉載].

[是月壬子[24日], 小滿. 某等造成禮山縣修德寺大雄殿:追加].[337)]

[丙辰[28日], 瀋陽王王璋言, “陛下令臣還國, 復設官行征東行省事. 高麗歲數不登, 百姓乏食, 又數百人仰食其土, 則民不勝其困, 且非世祖舊制”. 帝曰, “先請立者以卿言, 今請罷亦以卿言, 其準世祖舊制, 速遣使往罷之”:追加].[338)]

五月[己未朔小盡,戊午], 丙寅[8日], 王不豫, 移御[同知密直司事]金文衍第.

戊辰[10日], [芒種]. 禱雨.

戊寅[20日], 知密直司事朴瑄, 還自元□[言], “帝以前王定策功, 封瀋陽王”.

[→帝以前王定策功, 特授開府儀同三司·太子太傅·上柱國·駙馬都尉, 進封瀋陽王. 又令入中書省, 參議政事, 賜金虎符·玉帶·七寶帶·碧鈿金帶及黃金五百兩·銀五千兩. 皇后·皇太子, 亦寵待, 所賜珍寶·錦綺, 未可勝計:節要轉載].

甲申[26日], 禱雨于圓丘.

丙戌[28日], [都僉議贊成事]李混·崔鈞·金元具[金士元]與承旨權準, 賫瀋陽王所定官制及批判, 還自元. 超資越序者, 皆近幸權勢, 世臣舊官, 俱退閑.[339)]

---

336) 廉世忠은 廉承益의 아들이고(열전36, 廉承益), 驅奴는 駈奴로도 表記하며 奴隸, 奴婢를 가리킨다.

337) 이는 「禮山修德寺大雄殿墨書銘」에 의거하였는데(申榮勳 1964년 69面 ; 修德寺 2003년 70, 154面), 4월 12일(乙巳)에 기둥을 세웠다[立柱]고 하므로 造成은 完工이 아니라 起工이었을 것이다.

338) 이는 다음의 자료에 의거하였다.

· 『원사』 권22, 본기22, 무종1, 大德 11년 4월, “丙辰[28日], 高麗國王[瀋陽王]王璋言, ‘陛下令臣還國, 復設官行征東行省事. 高麗歲數不登, 百姓乏食, 又數百人仰食其土, 則民不勝其困, 且非世祖舊制’. 帝曰, 先請立者以卿言, 今請罷亦以卿言, 其準世祖舊制, 速遣使往罷之”. 여기에서 高麗國王은 瀋陽王의 오류일 것이다.

339) 이때 密直司가 일시 革罷되어 知密直司事 金台鉉이 咨議僉議贊成事에 임명되었다고 한다(金台鉉墓誌銘). 또 이때 東京留守官을 鷄林都督府로(『경상도지리지』, 慶州道, 慶州府), 按廉使를 提察使로, 勸農使를 務農使(혹은 務農鹽鐵使)로 각각 改稱하였던 것 같다. 그중에서 提察使(宋의 提刑刑獄을 계승한 몽골제국의 提刑按察使의 略稱)로의 改稱은 『慶尙道營主題名記』

[□□□[~~是月頃~~], 忠宣[前王]在元, 改都僉議中贊, 爲政丞, 省一人. 改僉議侍郎贊成事, 爲中護, 定三人, 秩仍正二品, 後[忠宣元年4月]復稱贊成事. 改僉議參理, 爲僉議評理, 增爲三人. 罷政堂文學·知都僉議府事·中事. 左·右補諫, 爲左·右獻納, 陞正五品. 忠宣改思補, 陞正六品. 改左·右正言, 爲左右思補, 陞正六品. 始治典務令一人, 從七品, 丞二人, 從八品, 錄事二人, 正九品, 首領官經歷一人, 都事二人, 尋罷之:百官志1門下府].[340]

[○罷密直司:百官1密直司轉載].

[○併吏·兵·禮[~~典理·軍簿司~~]爲選部, 仍以選軍·堂後·衛尉, 併焉. 改尙書[~~判書~~]爲典書, 增三人, 侍郎[~~摠郎~~]爲議郎, 郎中[~~正郎~~]爲直郎, 員外郎[~~佐郎~~]爲散郎, 並仍三人. 加設注簿二人正七品, 以他官兼之:百官1吏曹轉載].[341]

[○改版圖司爲民部, 仍以三司·軍器·都鹽院併焉. 改尙書[~~判書~~]爲典書, 增三人, 摠郎爲議郎, 正郎爲直郎, 佐郎爲散郎, 並仍三人:百官1戶曹轉載].

[○改典法司爲讞部,[342] 仍以監傳色·都官·典獄併焉, 改判書爲典書, 增二人, 侍郎[~~摠郎~~]爲議郎, 復减爲二人, 郎中[~~正郎~~]爲直郎, 員外郎[~~佐郎~~]爲散郎, 並仍三人:百官1刑措轉載].[343]

[○復改監察司爲司憲府, 改大夫爲大司憲, 陞正二品, 中丞爲執義, 陞正三品, 侍御史爲掌令, 陞從四品, 殿中侍御史爲持平, 陞正五品. 監察御史爲糾正, 增十四人, 其四兼官, 仍從六品:百官1司憲府轉載].

에 기록되어 있다.

340) 1308년(충렬왕34) 忠宣王이 元에 체재하면서 시행한 정치제도의 개혁은 月次를 알 수 없으나 같은 해 7월 東京留守官이 雞林府로 개편된 것을 보아 이보다 2개월 전인 5월 무렵에 결정되었던 것 같다.

341) 이와 관련된 기사로 다음이 있는데, 選軍은 選軍都監·選軍司의 약칭으로 軍人選拔과 軍人田의 支給 및 관리를 담당하였던 기관이었다(張東翼 1986년).
- 지31, 百官2, 選軍, "忠烈王三十四年, 忠宣罷選軍, 併於選部".

342) 讞部(언부, 옛 刑部)의 讞字는 鞫字와 마찬가지로 罪囚의 獄事를 審理, 議論, 決判한다는 의미를 지니고 있는 것 같다.
- 『자치통감』 권25, 漢紀17, 宣帝地節 3년(BC67) 12월, "詔曰, '間者吏用法巧文寖深, 是朕之不德也. … 今遣廷史與郡鞫獄, 任輕祿薄[注, 如淳曰, 廷史, 廷尉史也. 以囚辭決獄事爲鞫, 謂疑獄也. 李奇曰, 鞫, 窮也. 獄事窮竟也. 師古曰, 李說是也], 其爲廷尉平, 秩六百石, 員四人, 其務平之, 以稱朕意'. 於是每季秋後請讞時[胡三省注, 讞, 議獄也], 上幸宣室, 齋居而決事, 刑獄號爲平矣".

343) 上記의 3部(옛 六典組織인 6部)는 1275년(충렬왕1) 10월의 官制를 再改編한 것이기에 添字와 같이 고쳐야 옳게 될 것이다.

[○併給田都監及五部於開城府, 掌都城內. 判府尹[判府事]一人從二品, 尹[府使]二人, 一兼官正三品. 少尹三人, 一兼官正四品. 判官二人正五品, 記室參軍二人正七品, 並隨品帶繕工職事. 別置開城縣令, 掌都城外:百官1開城府轉載].[344]

[○併文翰·史官[史館]爲藝文春秋舘, 仍以右文館·進賢館·書籍店併焉. 置大詞伯三人從二品, 詞伯二人正三品, 直詞伯二人正四品, 應敎二人正五品, 供奉二人正六品, 已上並兼官. 脩撰二人正七品, 注簿二人正八品, 檢閱二人正九品:百官1藝文館·春秋館轉載].[345]

[○併右文·進賢館於文翰署, 尋[是年八月?]復置右文館, 大提學正二品, 提學正三品, 直提學正四品. 進賢館, 大提學從二品, 提學·直提學同右文□[館]:百官1諸館殿學士轉載].

[○改成均監爲成均館, 刪定員吏, 置祭酒一人從三品, 樂正一人從四品, 丞一人從五品, 成均博士二人正七品, 諄諭博士二人從七品, 進德博士二人從八品, 學正二人, 學錄二人, 並正九品, 直學二人, 學諭四人, 並從九品. 後復置大司成正三品, 樂正改司藝, 丞改直講, 進德博士陞正八品:百官1成均館轉載].

[○降秘書監爲典校署, 爲藝文館所轄, 丞一人正五品, 郞一人正七品, 校勘一人正九品, 又置權知校勘十二人. 後陞爲典校寺, 置判事正三品, 令從三品, 副令從四品, 丞從五品, 郞正七品, 注簿正八品, 校勘·正字並從九品:百官1典校寺轉載].

[○改閤門爲中門, 改定員吏, 使二人正三品, 副使二人正四品, 判官二人正五品, 舍人二人正六品, 祗候十四人, 其四以郞將兼之, 從六品, 後復改通禮門, 以使爲判事:百官1通禮門轉載].

[○改太常府爲典儀寺, 置領事二人皆兼官, 改卿爲令, 省一人, 少卿爲副令, 增二人, 丞仍一人, 革博士·太祝·奉禮郞, 置注簿一人正六品, 直長二人正七品, 錄事二人正九品. 後置判事正三品, 降令從三品, 丞從五品:百官1典儀寺轉載].

[○併衛尉寺於吏部:百官1衛尉寺轉載].

[○改太僕寺, 爲司僕寺, 以尙乘·典牧·諸牧監併焉. 置領事一人, 從二品兼之, 正二人, 其一兼官 正三品, 副正二人, 其一兼官正四品, 丞二人正五品, 直長二人正

---

344) 이와 관련된 기사로 다음이 있다. 또 判府尹은 判府事의, 尹은 府使의 오자일 가능성이 있다(朴龍雲 1996년 79面 ; 朴鍾進 2015년).

· 지10, 地理1, 王京開城府, "忠烈王三十四年, 設府尹以下官, 掌都城內, 別置開城縣, 掌城外".

· 지31, 百官2, 五部, "[忠烈]三十四年, 忠宣併於開城府".

345) 史官은 史館의 오자일 것이다(朴龍雲 2009년 216面).

七品. 後改定判事正三品, 副令從四品, 丞從六品, 直長從七品:百官1司僕寺轉載].

[○復改禮賓寺, 爲典客寺, 置領事二人兼官, 改卿爲令, 陞正三品, 少卿爲副令, 增二人, 陞正四品, 丞增二人, 陞正五品, 注簿陞正七品. 後改定判事正三品, 令從三品, 副令從四品, 丞從六品, 注簿從七品, 錄事從八品:百官1禮賓寺轉載].

[○改外府寺, 爲內府司, 改卿爲令, 陞正三品, 少尹爲副令, 增二人, 陞正四品, 丞復增二人, 陞正五品, 注簿陞正七品. 後改內府寺, 置判事正三品, 令降從三品, 副令降從四品, 丞降從五品, 注簿降從七品:百官1內府寺轉載].

[○罷小府監, 併於繕工司:百官1少府寺轉載].

[○改繕工寺, 爲繕工司, 以小府·宮闕都監·倉庫都監·燃燈都監·國贐併焉. 置領事一人從二品, 改監爲令, 增三人, 陞正三品, 少監爲副令, 增三人, 陞正四品, 陞丞正五品, 注簿正七品, 自領事至注簿, 皆兼官. 後改繕工寺, 改定判事正三品, 令從三品, 副令從四品, 丞從六品, 注簿從七品:百官1繕工寺轉載].

[○改司宰寺, 爲都津司, 刪定員吏, 令三人, 其一兼官正三品, 長三人, 其一兼官正四品, 丞二人正五品, 注簿二人正七品. 後復改司宰寺, 置判事正三品, 令降從三品, 革長, 置副令從四品, 降丞從六品, 注簿從七品:百官1司宰寺轉載].

[○以都府署, 爲都津司所轄:百官1司水寺轉載].

[○罷軍器寺, 併於民部:百官1軍器寺轉載].

[○併太史局爲書雲觀, 刪定員吏. 置提點一人兼官正三品, 令一人正三品, 正一人從三品, 副正一人從四品, 丞一人從五品, 注簿二人從六品, 掌漏二人從七品, 視日三人正八品, 司曆三人從八品, 監候三人正九品, 司辰二人從九品. 後罷提點, 改令爲判事, 餘並仍舊:百官1書雲觀轉載].

[○改太醫監, 爲司醫署, 改定員吏. 置提點二人兼官正三品, 令一人正三品, 正一人從三品, 副正一人從四品, 丞一人從五品, 郞一人從六品, 直長一人從七品, 博士二人從八品, 檢藥二人正九品, 助教二人從九品. 後改典醫寺, 罷提點, 改令爲判事, 郞爲注簿:百官1典醫寺轉載].

[○改太廟署, 爲寢園署, 屬典儀寺, 令降正七品, 丞省一人降正八品, 後又降令從七品, 丞從八品:百官2寢園署轉載].

[○諸陵署爲典儀寺所轄:百官2諸陵署轉載].

[○改良醞署, 爲司醞署, 置提點三人, 兼官正五品, 令仍二人, 其一兼官陞正五品, 丞仍二人, 其一兼官, 陞正六品. 加置直長一人正七品, 副直長一人正八品. 後罷提點. 降令正六品, 丞正九品, 直長·副直長如故:百官2司醞署轉載].

[○改尙食局, 爲司膳署, 以御廚·別廚·迎送, 併焉. 置提點一人, 兼官正五品. 令三人, 其一兼官正五品. 丞三人, 其一兼官正六品. 直長三人正七品, 副直長三人正八品. 後罷提點·丞·副直長, 降令爲正六品, 復置食醫正九品:百官2司膳署轉載].

[○改尙舍局, 爲司設署. 置提點一人兼官正五品, 令二人亦正五品, 丞二人正六品, 直長二人正七品, 副直長二人正八品. 後罷提點, 降令正六品, 丞正九品, 罷副直長:百官2司設署轉載].

[○增京市署丞, 爲三人:百官2京市署轉載].

[○改大官署, 爲膳官署, 屬司膳署, 員額品秩仍舊:百官2膳官署轉載].

[○罷掌冶署, 置營造局, 使從五品, 副使從六品, 直長從七品:百官2掌冶署轉載].

[○罷都校署, 置雜作局, 使從五品, 副使從六品, 直長從七品:百官2都校署轉載].

[○改大樂署, 爲典樂署, 屬紫雲坊, 改定員吏, 置令二人正七品, 長二人從七品, 丞二人, 史二人, 並從八品, 直長二人從九品.[紫雲坊, 亦是年置, 有提點一人正五品, 使一人正五品, 副使二人正六品, 判官二人正七品, 尋罷之]. 後降令從七品, 罷長, 陞直長從七品, 加置副直長從九品:百官2典樂署轉載].

[○以內園署, 爲司膳署所轄, 增丞爲四人:百官2內園署轉載].

[○以典廐署, 爲典儀寺所轄:百官2典廐署轉載].

[○以都染署, 併雜織署, 爲織染局, 屬繕工司. 置使二人, 其一兼官從五品, 副使一人從六品, 直長一人從七品. 後以織染等事闕廢, 令內謁者監·內侍伯·內謁者·長源亭直, 各二人, 任其事:百官2都染署轉載].

[○以雜織署, 併於都染署, 爲織染局, 後復置雜織署, 令·丞如故:百官2雜織署轉載].

[○以司儀署, 增令爲二人, 降從八品, 丞仍二人, 降從九品:百官2司儀署轉載].

[○罷典獄署:百官2典獄署轉載].346)

---

346) 典獄署의 경우 지31, 百官2, 典獄署에 "忠宣王罷"로만 되어 있어 폐지된 시기를 알 수 없다.

[○改右倉, 爲豊儲倉, 置使一人秩正五品, 副使一人正六品, 丞一人正七品:百官2豊儲倉轉載].

[○改左倉, 爲廣興倉, 置使一人秩正五品, 副使一人正六品, 丞一人正七品:百官2廣興倉轉載].

[○置義盈庫使一人秩從五品, 副使一人從六品, 直長一人從七品:百官2義盈庫轉載].

[○以大府~~太府~~上庫, 爲長興庫, 置使一人秩從五品, 副使一人從六品, 直長一人從七品:百官2長興庫轉載].

[○以大府~~太府~~下庫, 爲常滿庫, 置使一人秩從五品, 副使一人從六品, 直長一人從七品:百官2常滿庫轉載].

[○以內庫使, 爲權參:百官2內庫轉載].

○始置常積倉, 使一人正五品, 副使一人正六品, 丞一人正七品:百官2常積倉轉載].

[○置濟用司, 知事二人秩正五品, 使四人, 其二兼官正五品, 副使二人, 其一兼官正六品, 丞二人正七品:百官2資贍司轉載].

[○置世子府, 諮議一人正三品兼官, 翊善一人正五品, 伴讀一人從五品, 直講一人正六品, 丞一人從六品, 司直一人從六品, 記室參軍二人正七品:百官2東宮官轉載].

[○王子府, 置翊善一人正五品, 伴讀一人正六品, 直講一人從六品, 記室參軍一人正七品:百官2諸王子府轉載].

[○改承旨房, 爲印信司, 置使二人秩從三品, 副使二人從四品, 判官二人從六品, 並皆兼官:百官2承旨房轉載].

[○改淨事色, 爲齋醮都監, 後改爲淨事色:百官2淨事色轉載].[347)]

[○定鷹坊使二人從三品, 副使二人從四品, 判官二人從五品, 錄事二人權務:百官2鷹坊轉載].

[○設開城府尹以下官, 掌都城內, 別置開城縣, 掌城外:地理1王京開城府轉載].

[○改西京留守官, 爲平壤府, 置尹從二品, 少尹正四品, 判官正五品, 參軍正七品:百官2西京留守官轉載].[348)]

---

347) 이에서 後改爲淨事色은 筆者가 추가한 것인데, 1385년(우왕11) 9월 某日에 淨事色이 나타난 것을 바탕으로 유추하였다.

[○東京留守官, 爲雞林府, 南京留守官, 爲漢陽府. 東京·南京, 並置尹·判官·司錄·法曹:百官2西京留守官轉載].[349)]

[○又改官制. 一品始置, 正曰三重大�, 從一品曰重大匡, 正二品曰匡靖大夫, 從二品曰通憲大夫, 正三品上曰正順大夫, 下曰奉順大夫, 從三品上曰中正大夫, 下曰中顯大夫, 正四品曰奉常大夫, 從四品曰奉善大夫. 五品始爲郞, 曰通直郞, 六品曰承奉郞, 七品曰從事郞, 八品曰徵事郞, 九品曰通仕郞. 尋於三重大匡·重大匡之上, 加壁上三韓之號:百官2文散階轉載].

六月[戊子朔小盡,己未], 己丑[2日], 元遣使□[来], 禁諸王·駙馬, 私給驛馬箚子.

辛丑[14日], 頒瀋陽王所定官制.

[某日, 以尹莘傑爲奉善大夫·右獻納·江陵府翊善:追加].[350)]

秋七月[丁巳朔大盡,庚申], [某日, 宰樞會慈雲寺, 有人投匿名書曰, "[都僉議]中護李混, 詣前王所, 議選法, 陞擢二子, 其餘所擧, 多親戚故舊, 誣上行私, 不宜任用." 混, 大慙:節要轉載].[351)]

丙寅[10日], 王疾篤, 遣禮賓尹韓連, 以報瀋陽王.

己巳[13日], 王薨于神孝寺.[352)] 是夜, 殯于淑妃[~~淑昌院妃~~]第,[353)] 遺敎曰, "不穀, 荷天

---

348) 이는 다음의 자료에 의거하였다.

- 지31, 百官2, 西京留守官, "忠宣王以後, 改平壤府, 置尹從二品, 少尹正四品, 判官正五品, 參軍正七品".

349) 이는 다음의 자료에 의거하였다.

- 지10, 지리1, 南京留守官楊州, "忠烈王三十四年, 改爲漢陽府".
- 지11, 지리2, 東京留守官慶州, "忠烈王三十四年, 改稱雞林府".
- 『동도역세제자기』, "戊申[忠烈34年]七月, 留守官, 改號雞林府".

350) 이는 「尹莘傑墓誌銘」에 의거하였다. 또 江陵府는 王子 燾의 官署[開府]이고, 翊善은 王子를 訓育하는 侍學[師傅]을 가리킨다.

- 열전22, 尹莘傑, "忠宣卽位, 授右獻納·江陵府翊善, 使傅忠肅".

351) 都僉議中護는 이해에 일시 都僉議侍郞贊成事가 改稱된 것이다(지30, 백관1, 門下府, 贊成事). 이때의 인사행정에 대한 전반적인 형편은 李混의 열전에 잘 정리되어 있다.

- 열전21, 李混, "… 王惟紹·宋邦英旣誅, 忠宣得專國政, 以混爲僉議侍郞贊成事, 俄改中護. 忠宣在元, 以賀正使召之, 至則與議選法, 更定官制. 於是, 密直·重房·內侍·三官·五軍皆罷, 失職者多怨之. 混與崔鈞·金元具·權準, 賫忠宣所定官制及批判, 還自元. 時, 宰樞會慈雲寺, 有人投匿名書云, 中護李混, 詣瀋陽王, 所議選法, 陞擢二子, 其餘所擧, 多親戚故舊. 誣上行私, 不宜任用. 混大慚".

地·祖宗之佑，濫處王位，于今三十有五年矣．其間國步多艱，民不安業，邪佞併進，忠良自退，斯皆否德使然，心甚愧焉．然幸得受天之佑，享年七十有三，今遇沉痾，累旬未差．但思一見瀋陽王，嘗寄書促來，大期奄至，豈容相待．噫，有生有死，理固然矣，父傳子受，匪今斯古．祖宗基業，邦國機務，一切委付瀋陽王，惟爾臣僚，各守爾職，以待王來，傳予遺訓，毋致遺失”．王在位三十五年,[354] 壽七十三．王性寬厚，喜怒不形於色．幼嚮學讀書，知大義．嘗與[成均]大司成金坧·祭酒李松縉等唱和，有龍樓集，行于世．十月，葬于慶陵.[355] 忠宣王二年，元賜謚[諡]忠烈,[356] 恭愍王六年，加景孝.[357]

史臣贊曰，“當忠烈[忠敬]之世,[358] 內則權臣擅政，外則强敵來侵，一國之人，不死於虐政，則必殲於鋒鏑，禍亂[禍變]極矣.[359] 一朝上天悔禍，誅戮權臣，歸附上國．天子嘉之，釐降公主．而公主之至也，父老喜而相慶曰，‘不圖百年鋒鏑之餘，復見大平之期’．王又再朝京師，敷奏東方之弊，帝旣兪允，召還官軍，東民以安．此正王可以有爲之日也．柰何，驕心遽生，耽于遊畋，廣置鷹坊，使惡小李貞輩，侵暴州郡．溺於宴樂，唱和龍樓，使僧祖英等，昵近左右．公主·世子，言之而不聽，宰臣[宰相]·臺省,[360] 論之而不從．及其晩年，過聽左右之譖，至欲廢其嫡，而立其姪．其在東宮，雖曰‘明習典故，讀書知大義’，果何用哉．嗚呼，靡不有初，鮮克有終,[361] 非忠烈之謂乎?”．

---

352) 이날은 율리우스曆으로 1308년 7월 30일(그레고리曆 8월 7일)에 해당한다.

353) 이 기사는 지18, 禮6, 國恤에도 수록되어 있다. 또 淑妃는 淑昌院妃의 오류이다. 淑昌院妃 金氏는 1308년(충선왕 복위년) 10월 24일 이후에 忠宣王에 의해 淑妃로 책봉되었다.

354) 在位三十五年은 『고려사절요』 권19, 충렬왕 1년 冒頭의 總論에는 在位三十四年이라고 되어 있으나 當時[前近世]의 紀年에 의하면 誤謬일 것이다(盧明鎬 等編 2016년 503面).

355) 이때 梓宮[玄宮]을 司憲執義 崔誠之가 執義 李彦忠[李彦冲]을 代身하여 密封하였다고 한다. 또 慶陵은 失傳되어 현재 어디에 있는지를 알 수 없다.

- 열전21, 崔誠之, “及葬慶陵，誠之，時爲執義．舊例中丞署名封玄宮，俗傳封陵者不吉．是日，執義李彦冲辭，王命誠之押封．且曰，‘前程不在我乎?’ 驟遷同知密直司事·大司憲”.

356) 이때의 制書는 元의 翰林學士承旨 姚燧(1238~1313)가 撰한 『國朝文類』 권11, 高麗國王封曾祖父母·父母制이고, 이의 일부는 『익재난고』 권9상, 忠憲王世家에 수록되어 있다(→충선왕 2년 7월 20일).

357) 景孝는 忠烈王世家의 總論에 反影되어 있지 않다.

358) 忠烈은 『고려사절요』 권23에는 忠敬(元宗)으로 되어 있는데, 後者가 옳을 것이다.

359) 禍亂은 『고려사절요』 권23에는 禍變으로 달리 표기되어 있다.

360) 宰臣은 『고려사절요』 권23에는 宰相으로 달리 표기되어 있다.

361) 이 구절은 다음의 자료에서 따온 것이다.

- 『詩經』大雅, 蕩之什, 蕩, “蕩蕩上帝，下民之辟．疾威上帝，其命多辟．天生烝民，其命匪諶．

[忠烈王 在位年間]

[忠烈王在位時, 置三聖·大國兩神壇, 三聖則王尙世祖皇帝女, 請中國在南之神祭焉, 蓋主水道禍福也. 大國則中國北方之神, 亦王請祀之:追加].362)

[○樂工金呂英掌雅樂大晟樂:追加].363)

[○方臣祐, 小字小公, 尙州中牟人. 忠烈時, 給事宮中, 從安平公主如元, 謁裕聖皇后. 因留之, 賜名忙古台, 宣宗成宗授掌謁丞, 加泉府大卿:列傳35方臣祐轉載].364)

[○開京神孝寺重刱:追加].365)

[仁同人 張東翼 校注, 增補].

靡不有初, 鮮克有終".

362) 이는 다음의 자료에 의거하였는데, 그 중에서 三聖堂(三聖祠, 檀君을 봉안한 祠廟와는 다른 것)은 富平都護府(현 仁川市 富平區 管內?) 三聖堂 烽燧의 隣近에 있었던 것으로 추측된다(金澈雄 2001년 62面).

· 『태종실록』 권22, 11년 7월, "甲戌15日, 命禮曹定德積·紺岳·開城大井祭禮. 先是, 國家承前朝之謬, 於德積·白岳·松岳·木覓·紺岳·開城大井·三聖·朱雀等處, 春秋祈恩, 每令宦寺及巫女·司鑰祀之, 又張女樂. 至是, 上曰, '神不享非禮', 令禮官博求古典, 皆罷之, 以內侍別監, 奉香以祀之. … ○遣注書楊秩于海豊, 問前摠制金瞻以三聖·朱雀·大國之神之祀, 瞻對曰, '朱雀, 前朝之時, 設立於松都本闕南薰門外, 祀朱雀七宿. 今在漢京, 亦祭古處, 實爲未便, 更設壇於時坐宮南可也. 三聖則前朝忠烈王尙世祖皇帝女, 請中國在南□方之神祭焉, 蓋主水道·禍福也. 大國則中國北方之神, 忠烈王亦請祀之. 昔周公作新邑, 咸秩無文. 右二神, 雖非其正, 載在祀典, 不可廢也'. 上曰, 朱雀, 新設位於時坐宮南, 三聖亦倣厲祭之意, 仍舊祀之".

363) 이는 다음의 자료에 의거하였다.

· 『태종실록』 권22, 11년 12월 辛丑15日, "定雅樂. 禮曹上言, 前朝光王光宗, 遣使請唐樂器及工, 其子孫世守其業, 至忠烈王朝, 金呂英掌之, 忠肅王朝, 其孫得雨掌之".

364) 여러 판본의 『고려사』에서 宣宗으로 되어 있으나 成宗의 오자일 것이다(東亞大學 2006년 27책 521面).

· 『익재난고』 권7, 方臣祐祠堂碑, "成宗尊裕聖皇后爲皇太后, 特授奉正大夫·掌謁丞, 尋加通訓大夫·泉府大卿".

365) 이는 다음의 자료에 의거하였다.

· 『가정집』 권5, 神孝寺新置常住記, "至正己丑忠定1年春, 神孝法師修公謁予曰, 吾自幼託迹于玆, 今已老矣, 昔我忠烈王重興是寺, 於斯時也, 田租之歲入不貲, 檀家之日施相繼. …".

新編高麗史全文

세가8책 충렬왕

초판 1쇄 인쇄 | 2023년 05월 23일
초판 1쇄 발행 | 2023년 05월 30일

지은이 | 張東翼
발행인 | 한정희
발행처 | 경인문화사
편집부 | 김지선 유지혜 한주연 이다빈 김윤진
마케팅 | 전병관 하재일 유인순
출판번호 | 제406-1973-000003호
주소 | 경기도 파주시 회동길 445-1 경인빌딩 B동 4층
전화 | 031-955-9300 팩스 | 031-955-9310
홈페이지 | http://www.kyunginp.co.kr
이메일 | kyungin@kyunginp.co.kr

ISBN 978-89-499-6713-4 94910
978-89-499-6754-7 (세트)
값 35,000원